Les âges
de la vie

Psychologie du développement humain

SCIENCES HUMAINES

OUVRAGES PARUS DANS CETTE COLLECTION :

– *Défis sociaux et transformation des sociétés*
  Raymonde G. Savard, 1997.

– *Démarche d'intégration des acquis en sciences humaines*
  Line Cliche, Jean Lamarche, Irène Lizotte et Ginette Tremblay, 1997.

– *Guide de communication interculturelle*
  2ᵉ édition, Christian Barrette, Édithe Gaudet et Denyse Lemay, 1996.

– *Méthodes quantitatives — Applications à la recherche en sciences humaines*
  Luc Amyotte, 1996.

Les âges
de la vie

Psychologie du développement humain

Helen Bee

Adaptation française

François Gosselin
Professeur de psychologie
Cégep de Sainte-Foy

avec la collaboration de

François Gileau
Professeur de psychologie
Cégep de Saint-Hyacinthe

ÉDITIONS
DU RENOUVEAU
PÉDAGOGIQUE INC.

5757, RUE CYPIHOT, SAINT-LAURENT (QUÉBEC) H4S 1R3
TÉLÉPHONE: (514) 334-2690 TÉLÉCOPIEUR: (514) 334-4720
ADRESSE ÉLECTRONIQUE: erpicu@odyssee.net

Supervision éditoriale : Jacqueline Leroux

Chargée de projet : Hélène Lecaudey

Traduction : Les traductions l'encrier

Édition électronique : Caractéra inc.

Conception graphique et couverture : ERPI

Photographies : voir page S1

L'éditeur tient à remercier Mme Annick Bève (Collège Ahuntsic),
M. Yvan Bouffard (Collège François-Xavier-Garneau) et M. Jacques Latreille
(Collège Édouard-Montpetit), qui ont bien voulu donner leurs commentaires
sur l'ouvrage original.

Dépôt légal : 1er trimestre 1997
Bibliothèque nationale du Québec
Bibliothèque nationale du Canada

Imprimé au Canada

ISBN 2-7613-0953-7

1234567890 II 987
20000 ABCD VO7

Sommaire

Table des matières

Première partie — Le développement humain : introduction

Deuxième partie La période de l'enfance

Troisième partie La période de l'adolescence
et du début de l'âge adulte

Quatrième partie La période de l'âge adulte moyen et de l'âge adulte avancé

15 L'ÂGE ADULTE AVANCÉ : DÉVELOPPEMENT DES RELATIONS SOCIALES ET DE LA PERSONNALITÉ

À l'étudiant

Je le reconnais d'emblée : j'ai un parti pris. Selon moi, le développement humain est un sujet d'étude des plus fascinants. L'être humain étant infiniment complexe, le processus de sa compréhension s'avère lent et semé d'embûches. Mais la stimulation intellectuelle que ce champ d'étude offre est véritablement fascinante. En effet, nous nous retrouvons tour à tour face à des casse-tête extraordinaires, nous butons sur des impasses ou encore nous procédons à de formidables avancées théoriques. En outre, étant donné que l'objet de cette recherche est *nous-mêmes*, il faut avouer qu'il y a là un élément particulièrement stimulant. Je souhaite vivement que ce manuel puisse vous faire partager l'enthousiasme et la fascination intellectuelle que j'éprouve moi-même.

Pour ce faire, disons-le tout de suite, je me suis efforcée de mettre en œuvre toutes les stratégies auxquelles j'ai pu penser. J'ai voulu user d'un style simple, en m'adressant souvent directement à vous. De cette manière, je vous fais part de ma vision personnelle, je vous exprime certains de mes questionnements, et je vous annonce sans détour les points qui font l'objet de controverses dans la communauté scientifique. De même, je n'hésite pas à vous indiquer les points sur lesquels nous n'avons tout simplement pas de réponse. J'ai également voulu vous faire prendre conscience de l'aspect pratique de ce champ d'étude en vous montrant comment appliquer les méthodes de recherche et les questions théoriques à votre propre vie, tant dans le corps du manuel que dans les encadrés intitulés « Le monde réel ».

Surtout, je souhaite que ce manuel éveille votre intérêt pour l'aspect scientifique de cette discipline — c'est-à-dire les très nombreuses recherches effectuées par des spécialistes talentueux qui visent à approfondir notre compréhension du développement humain. Enfin, je souhaite vivement que votre cheminement à travers ce manuel suscite autant de fascination et d'occasions d'apprentissage que votre vie quotidienne au fil des ans.

Au professeur

Ce manuel est une première pour moi. Bien sûr, il ne s'agit pas de ma première publication, car cela fait maintenant de nombreuses années que j'écris sur le développement humain. Cependant, c'est la première fois que j'organise le contenu de façon chronologique plutôt que thématique. J'ai toujours enseigné cette matière de façon thématique, alors je pense et j'écris naturellement en ce sens. Lorsque l'on m'a demandé de faire une version chronologique d'un manuel sur le cycle de la vie, j'ai d'abord hésité parce que je n'étais pas certaine de pouvoir y arriver. Puis, j'ai pensé à l'exercice que cela représentait et à l'intérêt potentiel de structurer cette matière d'une nouvelle façon, si bien que j'ai accepté. Je dois dire que ce projet a été fascinant et très enrichissant. J'en ai conclu que les deux approches sont à la fois utiles et nécessaires, et que tous les professeurs devraient y avoir recours à un moment ou à un autre. En fait, la structure chronologique incite davantage l'auteur et le professeur à prendre en compte la manière dont les divers développements simultanés qui se produisent à n'importe quel âge donné peuvent être reliés entre eux.

OBJECTIF

L'objectif de ce manuel, comme de tous mes ouvrages précédents, est d'initier l'étudiant au monde fascinant de la recherche scientifique. Pour ce faire, j'ai eu recours à diverses stratégies : un style simple, qui me permet de m'adresser directement à l'étudiant ; des exemples personnels et des applications pratiques, afin de montrer combien la théorie et la recherche sont liées aux expériences de la vie de tous les jours ; des explications sur les travaux de recherche et les théories les plus récentes, illustrant le fait que le processus de réflexion ne cesse jamais, que les notions sont constamment révisées, que de nouvelles questions surgissent toujours et que toujours il reste des incertitudes. Tout au long du manuel, j'ai essayé de doser judicieusement la théorie, la recherche et les applications. Même si la lecture de ce manuel est aisée, je n'ai jamais tenté de contourner les notions difficiles et les théories complexes. J'ai toujours voulu inciter les étudiants à réfléchir au matériel proposé, et à eux-mêmes, d'une manière nouvelle.

OUTILS PÉDAGOGIQUES

Ce manuel comprend plusieurs outils pédagogiques qui visent à faciliter l'apprentissage de l'étudiant. Premièrement, pour encourager les étudiants à réfléchir, à analyser et à penser de façon plus critique, j'ai inséré des *questions de réflexion* dans chaque chapitre. Ces questions, placées à des endroits stratégiques, invitent l'étudiant à s'arrêter sur un point particulier et à y réfléchir avant de poursuivre sa lecture. Souvent, je propose à l'étudiant d'analyser la façon dont il peut appliquer certaines notions à sa propre vie. Dans d'autres cas, je lui demande de concevoir une méthode de recherche afin d'aborder une question particulière. Parfois, je pose des questions théoriques, ou bien je demande à l'étudiant de donner son propre point de vue sur un point précis. Ces questions de réflexion pourront servir à engager des discussions en classe. J'espère aussi qu'elles rendront le processus de lecture plus dynamique et qu'elles faciliteront l'apprentissage.

Les *interludes* compris dans chaque partie du manuel constituent un deuxième outil pédagogique. De nombreux manuels chronologiques représentent de véritables répertoires des changements comportementaux à tout âge, mais ils n'expliquent pas les processus clés fondamentaux. Les interludes sont conçus pour combler cette lacune en procurant une révision et une analyse de la période du développement couverte dans la partie. Ils représentent également un bon outil de révision du contenu du manuel et du cours.

La plupart des chapitres comprennent également des *encadrés*, qui permettent des incursions dans des domaines connexes ou contiennent des applications pratiques. Ce manuel propose quatre types d'encadré :

Les encadrés intitulés **À travers les cultures** présentent deux aspects des recherches interculturelles ou inter-ethniques : premièrement, des études montrant que les principaux processus du développement sont les *mêmes* chez les enfants et chez les adultes dans toutes les cultures ; deuxièmement, des recherches analysant les variations de l'expérience de vie ou les modèles de développement en tant que fonctions des différences culturelles ou subculturelles. L'encadré du chapitre 7 illustre le premier aspect, car il porte sur des modèles communs de la ségrégation sexuelle dans diverses cultures. L'encadré du chapitre 4 offre un exemple du deuxième aspect des recherches, puisqu'il traite des différences observées dans différentes cultures au début du développement physique.

Les encadrés intitulés **Rapport de recherche** contiennent des descriptions détaillées de projets de recherche individuels ou de domaines de recherche très précis, comme les études d'Anne Streissguth sur les effets de l'exposition prénatale à l'alcool (chapitre 3), ou les explications concernant l'espérance de vie plus longue des femmes par comparaison avec les hommes (chapitre 12).

Les encadrés intitulés **Le monde réel** explorent certaines applications pratiques de recherches ou de théories, comme des discussions sur le poids qu'une femme devrait prendre durant sa grossesse (chapitre 3), la façon de choisir les jouets d'un enfant (chapitre 6) ou encore les avantages et les inconvénients de l'hormonothérapie substitutive après la ménopause (chapitre 12).

Les encadrés intitulés **Au fil du développement** traitent des liens qui existent entre le développement de l'adulte et celui de l'enfant. Par exemple, dans le chapitre sur les relations avec les pairs chez les enfants d'âge scolaire (chapitre 7), l'encadré porte sur les liens entre le rejet ou l'agressivité avec les pairs et la délinquance juvénile ou les comportements déviants à l'âge adulte. Les encadrés de ce type ne sont pas aussi nombreux que les autres, puisque, dans bien des cas, nous manquons de données provenant d'études longitudinales à long terme. Je crois cependant qu'il est important de rappeler à l'étudiant, chaque fois que l'occasion se présente, que le cycle de la vie est caractérisé autant par la continuité que par les changements.

Chaque chapitre comporte également des **pauses-apprentissage,** présentées dans un petit encadré surmonté d'un point d'interrogation. Il s'agit de questions ouvertes sur les principaux éléments théoriques du chapitre, qui invitent l'étudiant à vérifier sa compréhension de la matière.

Les **mots clés** apparaissent en rouge dans le texte et sont définis dans le chapitre aux endroits stratégiques.

À la fin de chaque chapitre, l'étudiant touvera quelques outils facilitant la révision : la **liste des mots clés** avec le numéro de la page où la définition apparaît, un **résumé,** qui fait ressortir les points essentiels et un **schéma d'intégration,** qui présente l'organisation du contenu avec les principaux concepts abordés et les liens qui les unissent.

Des **lectures suggérées** annotées, en langue française et anglaise, sont présentées à la fin de chaque partie du manuel afin de guider l'étudiant vers un autre niveau de discussion scientifique ou des applications pratiques.

Le manuel se termine par un **glossaire,** qui reprend en ordre alphabétique tous les mots clés de chacun des chapitres, et par un **index** des sujets traités.

Première partie

Le développement humain : introduction

Dans la première partie de ce manuel, notre objectif est de vous présenter un aperçu de la psychologie du développement humain sur un plan théorique. Qu'est-ce que le développement humain ? Comment les psychologues abordent-ils ce domaine ? Ils disposent pour ce faire d'un certain nombre d'outils, soit des concepts, des méthodes, des théories qui visent à éclairer ce champ de recherche fascinant, et c'est sur ces outils que nous vous proposons de vous pencher avec nous.

Dans le chapitre 1, nous constatons que le changement et la continuité constituent la trame du développement humain, ses éléments essentiels. En effet, chaque individu a des caractéristiques qui lui sont propres ; cependant, il est clair que l'on observe des traits communs chez un grand nombre d'individus différents. Nous allons donc débattre d'une très ancienne question dont la portée est toujours actuelle, soit les rôles respectifs de la culture et de la nature dans le développement. Or, toute tentative d'explication doit s'appuyer sur des faits, qu'il faut au préalable identifier, puis rassembler et enfin analyser. Tel est l'objectif des méthodes de recherche mises au point par les chercheurs.

Dans le chapitre 2, nous nous penchons sur les diverses théories qui ont été élaborées dans le but d'organiser et d'interpréter les données issues de la recherche. Nous vous proposons un schéma basé sur deux axes perpendiculaires afin de vous aider à classer les théories selon quatre pôles théoriques (stades et absence de stades, changement qualitatif et changement quantitatif), mais aussi les unes par rapport aux autres. Nous espérons ainsi faciliter votre apprentissage de notions à première vue très abstraites.

Gardez à l'esprit que ces outils théoriques vont s'avérer indispensables dans notre étude du développement de l'être humain tout au long des âges de la vie.

1

CONCEPTS ET MÉTHODES

*C*haque été, je passais mes vacances dans un camping familial dans l'État de Washington. Les mêmes personnes s'y côtoyaient tous les ans, accompagnées de leurs enfants (et souvent, plus tard, de leurs petits-enfants). Je voyais donc ces gens une fois par an pour une courte période. Lorsqu'une famille arrivait, j'étais immédiatement frappée de constater combien les enfants avaient changé. Et nous leur disions tous la même chose : «Mon dieu, comme tu as grandi !» ou «La dernière fois que je t'ai vu, tu étais grand comme ça !» (Je me surprends moi-même à faire ce genre de remarques, alors que je me souviens très bien combien je détestais qu'on me parle ainsi quand j'étais petite fille. Évidemment que j'avais grandi ! De plus, comme j'ai toujours été plus grande que les autres enfants de mon âge, je n'aimais pas qu'on me le fasse remarquer.)

HELEN BEE

En revanche, il n'y a guère de changements qui nous frappent chez les adultes. Nous nous contentons le plus souvent d'une remarque comme : «Tu as l'air en forme» ou «Tu n'as vraiment pas changé.» Si nous observons des changements, il s'agit en général de changements secondaires, telles une nouvelle coiffure ou une perte de poids, que nous avons tendance par ailleurs à complimenter. En effet, nous savons que les adultes n'apprécient pas qu'on leur rappelle qu'ils vieillissent, alors il nous arrive de faire un petit mensonge en disant à une personne qu'elle n'a pas changé. Cependant, la différence fondamentale entre nos réactions face à un adulte et à un enfant tient au fait que nous nous attendons à ce qu'un enfant change, tandis qu'un adulte est censé demeurer le même. Pourtant, les enfants connaissent également des continuités dans le comportement et les adultes, des changements (lesquels s'étendent cependant sur de plus longues périodes). Un enfant qui manifeste de la timidité à l'âge de 2 ans risque d'être plus timide que la moyenne à l'âge de 8 ou 12 ans. Par ailleurs, une personne de 40 ans ne ressemble pas physiquement à une personne de 20 ans, et il y a de grandes chances qu'elle ait une attitude, des valeurs et un mode de vie différents. En fait, la plupart des adultes ont le sentiment de changer, d'évoluer et d'apprendre. C'est pourquoi ils se vexent généralement lorsque la famille ou les amis leur disent qu'ils ne changeront jamais.

aux individus de toutes les cultures, d'une même culture, d'un même groupe au sein d'une culture particulière, ou s'ils sont propres à un individu particulier. Par exemple, la majorité d'entre nous pensent que les facultés mentales déclinent avec l'âge. C'est certainement vrai, en moyenne, mais l'est-ce pour tout le monde ? S'agit-il d'un changement inévitable que subissent tous les individus en vieillissant ?

Il faut aussi comprendre les origines des modèles de développement, qu'ils soient communs ou individuels. Cette discussion s'articule généralement autour de la dichotomie entre biologie — environnement, ou nature — culture, même si l'on sait aujourd'hui que la nature aussi bien que la culture interviennent dans presque tous les processus de développement que nous observons. Les personnes âgées voient peut-être leur processus de pensée ralentir en raison de changements biologiques naturels du système nerveux, mais peut-être sont-elles plus lentes par manque de pratique. Il est probable que les deux facteurs interviennent suivant un dosage différent pour chaque individu. Bien que tout le monde connaisse un déclin physiologique naturel à un âge avancé, il se peut que les adultes qui demeurent actifs mentalement en subissent moins les effets que les autres.

Au fil de ces chapitres, nous allons essayer de mettre en évidence l'apport relatif de la nature et de la culture dans chaque domaine du développement, et ce à tous les âges. Pour ce faire, nous allons définir un cadre conceptuel et

LES CONCEPTS DU DÉVELOPPEMENT HUMAIN

Ainsi, pour comprendre le développement, *il faut étudier à la fois les changements et les continuités qui se manifestent de la naissance à la mort.* Quels genres de changements peut-on observer, et à quel âge se produisent-ils ? *Il faut également déterminer si ces changements (ou ces continuités) sont communs*

Essayez de vous rappeler comment vous étiez à l'âge de 10 ou 12 ans et songez à ce que vous êtes devenu. Dans quelle mesure êtes-vous la même personne et dans quelle mesure avez-vous changé ? Vos frères et sœurs et vos amis ont-ils changé de façon similaire ?

théorique qui supporte une telle analyse. Nous allons commencer par étudier les changements survenant avec l'âge ainsi que leurs causes.

CHANGEMENT DES CONDUITES AU COURS DE LA VIE

Les psychologues et les sociologues qui étudient le développement ont identifié trois catégories fondamentales de changements survenant avec l'âge : (1) les changements liés au vieillissement, communs à tous les individus, (2) les changements propres à un groupe d'individus qui grandissent ensemble et (3) les changements particuliers résultant de l'expérience unique de chaque individu (Baltes, Reese et Lipsitt, 1980).

Changements communs associés à l'âge

Lorsqu'on parle de « changements développementaux », on pense généralement aux changements survenant avec l'âge, communs à tous les individus. Les changements de cette catégorie s'avèrent essentiels au développement humain, ils ont un caractère inévitable pour chacun d'entre nous, et ils sont associés à l'âge. Les changements liés à l'âge sont attribuables à trois facteurs principaux.

CHANGEMENTS DUS À DES INFLUENCES BIOLOGIQUES. Il semble bien que le facteur le plus déterminant dans les changements liés à l'âge est un processus biologique fondamental, commun à tous les êtres humains. Le bébé qui

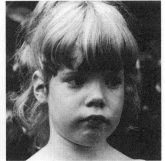

Comme nous tous, Maude a connu une suite très nette de changements liés à la maturation, de la petite enfance à l'enfance et à l'adolescence.

commence à marcher, l'adolescente qui voit ses seins se développer et qui a ses premières règles, la personne âgée dont la peau se ride progressivement sont autant d'exemples d'un processus qui semble suivre un plan inscrit dans le corps humain, probablement dans le code génétique lui-même. On utilise le plus souvent le terme **maturation** pour décrire ce genre de changements. Arnold Gesell, qui a élaboré ce concept en 1925, définit la maturation comme un *processus séquentiel de changements programmés génétiquement*. Les changements physiques, les changements hormonaux à la puberté, les changements musculaires et osseux, les changements du système circulatoire à l'âge adulte et à l'âge adulte avancé paraissent réglés en ce sens, comme si une **horloge biologique** marquait le temps en arrière-plan.

Gesell pensait que le développement déterminé par la maturation ne relevait pas de la pratique ou de l'entraînement. Vous n'avez pas besoin d'apprendre à faire pousser vos poils pubiens ni d'apprendre à marcher. De même, vous ne vous efforcez pas de ralentir votre temps de réaction au fur et à mesure que vous vieillissez. Malgré ces exemples éloquents, les chercheurs ont entre-temps clairement démontré qu'il n'existe pas de « pur » effet de maturation. L'environnement exerce toujours une influence. Même les processus de maturation apparemment autonomes, tel le développement cérébral au cours de la première année de vie, nécessitent une intervention minimale du milieu. Un bébé dont l'environnement est peu stimulant n'aura pas une croissance de connexions neuronales aussi poussée qu'un bébé évoluant dans un environnement complexe. À l'autre extrémité du spectre de vie, l'expérience peut retarder ou accélérer les processus fondamentaux de maturation. Ainsi, l'exercice peut contribuer au ralentissement du tassement de la colonne vertébrale, et un régime alimentaire équilibré peut contribuer au ralentissement de la perte d'élasticité de la peau.

Il faut signaler ici que le terme *maturation* n'est pas synonyme de *croissance*, bien que ces deux expressions soient parfois utilisées l'une pour l'autre. La *croissance* définit un changement quantitatif graduel, par exemple en taille. Lorsque l'on parle de croissance, on fait référence à l'enrichissement du vocabulaire de l'enfant ou aux transformations de son corps. Or, ces changements quantitatifs ne sont pas nécessairement attribuables à la maturation. Un enfant peut grandir parce qu'il s'alimente mieux, ce qui constitue un effet de l'environnement, ou en raison d'un développement osseux

---

Maturation : Ensemble des changements physiques déterminés par les informations contenues dans le code génétique et communs à tous les membres d'une même espèce. Sens proche de l'expression *horloge biologique*, laquelle est toutefois moins précise.

Horloge biologique : Séquence fondamentale de changements biologiques qui se produisent avec l'âge, de la conception à l'âge adulte avancé.

et musculaire, qui relève probablement de la maturation. Autrement dit, la *croissance* fait référence à une *description* des changements, alors que la maturation constitue une *explication* de ces changements.

CHANGEMENTS DUS À DES EXPÉRIENCES COMMUNES. L'horloge biologique ne marque pas seule le temps. Il existe aussi une **horloge sociale** qui façonne la vie de tous les individus — ou presque — selon des processus communs de changements (Helson, Mitchell et Moane, 1984). L'horloge sociale définit une suite d'expériences culturelles communes, survenant généralement au même âge. Elle contribue par conséquent à la création de modèles communs de développement. Ainsi, un peu partout dans le monde, les enfants débutent l'école entre cinq et sept ans. Cette concordance reflète probablement le fait que, dans de nombreuses cultures différentes, les adultes pensent que les enfants de cet âge sont prêts à affronter les tâches scolaires. Or, la scolarisation des enfants à cet âge façonne également leur développement, puisque l'école elle-même les oriente vers des modes de pensée plus complexes (Stevenson *et al.*, 1991). Ainsi, la plupart des changements cognitifs observés chez des enfants de 7 à 12 ans découlent probablement de l'expérience commune de la scolarité, plutôt que — ou en plus — de changements biologiques.

À l'âge adulte, l'horloge sociale se fait particulièrement entendre. La sociologue Mathilda White Riley (1976, 1986) remarque que presque toutes les sociétés sont organisées autour de **tranches d'âge,** soit des périodes du cycle de vie où l'on retrouve des tâches, des attentes et des normes sociales communes. Dans toutes les cultures, on attend des jeunes adultes qu'ils se marient et conçoivent des enfants. Les adultes d'âge moyen et d'âge avancé bénéficient d'un plus grand pouvoir et d'une plus grande autorité. Enfin, le rôle des « aînés » est encore différent, parfois cérémonial ou religieux. Les tranches d'âge tendent à orienter notre vie vers des trajectoires similaires.

Évidemment, les modèles de développement reposant sur les expériences communes sont moins universels que les modèles biologiques, qui reposent sur la maturation. La plupart

des enfants fréquentent l'école, mais pas tous. En effet, chaque culture possède ses propres normes concernant l'âge de la scolarisation, et ces normes diffèrent d'une culture à l'autre. En dépit de ces variations, il faut étudier les expériences communes au sein d'une culture, ou même des expériences communes à plusieurs cultures, afin de mieux rendre compte des modèles communs de développement que l'on observe.

CHANGEMENTS DUS À DES INFLUENCES INTERNES COMMUNES. À un niveau encore plus personnel, il existe des changements communs qui résultent de la façon dont l'individu réagit à la pression des horloges biologique et sociale. Par exemple, l'apprentissage de la marche, outre la plus grande indépendance physique qu'il procure au trottineur, lui donne accès à une plus grande autonomie psychologique, et ce à peu près au même âge pour tous les enfants. Ainsi, le changement physique déclenche un changement d'une portée beaucoup plus étendue. De la même façon, l'enfant de 7 ans développe (en partie grâce à l'école) des habiletés cognitives essentielles qui lui permettront d'améliorer sa capacité croissante d'effectuer des évaluations globales des autres et de lui-même. C'est à cet âge, par exemple, que l'enfant acquiert un sens global de son estime de soi, une affirmation générale de sa propre valeur, laquelle influe à son tour sur ses motivations et ses relations avec les autres.

De la même manière, les changements biologiques et sociaux que connaissent tous les individus à l'adolescence et à l'âge adulte définissent la structure d'un ensemble de changements prévisibles de la personnalité, du mode de raisonnement et des valeurs. Citons à titre d'exemple les changements de personnalité qui s'opèrent entre le début et le milieu de l'âge adulte.

Dans presque toutes les cultures que nous connaissons, les jeunes adultes doivent apprendre à se conformer à un ensemble complexe de rôles — se marier, fonder une famille, élever des enfants, travailler. Ces différents rôles sont moins

---

> Rédigez une ou deux phrases sur les caractéristiques propres aux grandes tranches d'âge dans notre culture. En quoi pensez-vous que les attentes que nous avons d'une personne de 20 ans diffèrent de celles que nous avons d'une personne de 70 ans ?

Le fait de rester actif et de se maintenir en forme, comme cette dame, ne vous permettra pas d'échapper au déclin inévitable de la maturation, mais cela peut retarder sensiblement le processus de vieillissement.

Horloge sociale : Séquence de rôles et d'expériences sociales qui se déroulent au cours de la vie, comme le fait de passer de l'école primaire à l'école secondaire, de l'école au marché du travail ou du travail à la retraite.

Tranches d'âge : Groupements par âge dans une société donnée, comme les « trottineurs », les « adolescents » ou les « personnes âgées », qui possèdent chacun leurs propres normes et attentes.

contraignants pour les adultes d'âge moyen, en partie parce qu'ils les ont déjà bien assimilés et en partie parce que leurs enfants ont grandi et exigent moins d'attention. Cette évolution de l'horloge sociale accompagne, voire déclenche, chez l'individu un profond changement psychologique qui se manifeste par une plus grande autonomie, une plus grande confiance en soi ainsi qu'une volonté accrue de s'affirmer, comme en témoignent les résultats de l'étude apparaissant à la figure 1.1. Cette étude consistait à soumettre régulièrement un questionnaire aux mêmes sujets, de la petite enfance jusqu'à un âge adulte avancé. On remarque que, vers la fin de la trentaine, l'individu présente une confiance en soi très nettement renforcée. Ces résultats en eux-mêmes ne signifient pas qu'un tel changement est universel ni même commun, pas plus qu'ils n'en révèlent la cause. Mais ils illustrent un changement psychologique partagé qui *peut* être provoqué par des tâches sociales communes ou par une maturation biologique.

Changements communs associés à la culture et à la cohorte

Le développement est également façonné par des expériences moins universelles. Chaque culture possède ses propres attentes, ses propres normes et ses propres modèles de développement relatifs à l'âge. Dans certaines cultures, les jeunes filles se marient vers 12 ou 13 ans, dans d'autres, au moins dix ans plus tard. Chaque culture a ses propres modèles communs associés à l'âge, mais ces modèles varient d'une société à l'autre. Il est impératif que nous gardions cette vérité toute simple en mémoire lorsque nous étudions le développement

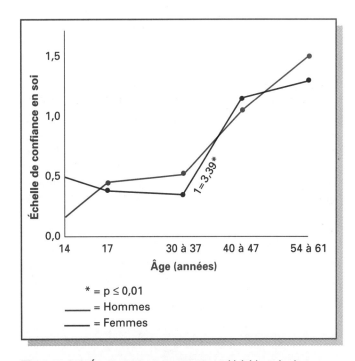

Figure 1.1 Étude de Berkeley/Oakland. Voici les résultats d'une célèbre étude réalisée à Berkeley et à Oakland (Californie) sur un groupe de sujets dont certains étaient nés en 1920 et d'autres, en 1928. On leur a soumis un questionnaire à plusieurs reprises pendant l'enfance et l'adolescence ainsi que trois fois à l'âge adulte. Vous pouvez noter un accroissement très net de la confiance en soi à la fin de la trentaine — un modèle qui *peut* refléter un changement commun de la personnalité déclenché par des expériences communes de l'horloge sociale. (*Source*: Haan, Millsap et Hartka, 1986, figure 1, p. 228.)

au cours du cycle de vie. Il faut aussi se rappeler que l'essentiel de la recherche repose sur des études portant sur des enfants ou des adultes vivant en Amérique du Nord ou dans d'autres pays occidentaux ou industrialisés. Nous ne pouvons tenir pour acquis que les modèles de développement de notre culture se retrouvent nécessairement dans toutes les cultures, ni même dans tous les sous-groupes de notre société.

Certaines des variations que présente l'expérience de vie révèlent des forces historiques, qui influent différemment sur chaque génération. Les sociologues utilisent le terme de **cohorte** pour désigner des groupes d'individus d'âge équivalent ayant connu les mêmes expériences au même moment de leur vie. Dans une culture donnée, les cohortes successives peuvent connaître des expériences de vie très différentes. L'adolescent qui a vécu pendant la crise économique des années 30 montre souvent, comme les gens de la même cohorte, qu'il a été profondément marqué par cette expérience.

Dans toutes les cultures, les jeunes adultes fondent généralement une famille.

Cohorte : Groupe d'individus à peu près du même âge ayant vécu des expériences similaires (par exemple, même environnement culturel, mêmes conditions économiques et même niveau d'instruction).

On peut également prendre l'exemple plus récent du baby-boom, c'est-à-dire l'augmentation massive des naissances que les pays industrialisés ont connue peu après la Seconde Guerre mondiale, et qui a atteint un sommet entre les années 1955 et 1965. Ce changement considérable a créé une cohorte beaucoup plus importante en nombre que les cohortes adjacentes. Le fait que beaucoup d'individus se soient retrouvés dans une même cohorte a façonné les expériences de ces mêmes individus. Si vous faites partie de cette cohorte, vous vous êtes retrouvé dans des écoles bondées, vous avez eu de la difficulté à entrer au collège ou à l'université en raison de la compétition accrue, et vous vous êtes heurté à une concurrence plus marquée lors de la recherche d'un emploi. Les personnes qui sont nées juste avant le baby-boom n'ont pas eu à affronter une telle compétition dans la plupart des étapes de leur vie. Ainsi, la date de naissance d'une personne peut avoir des conséquences à long terme,

aussi bien sur ses expériences personnelles que sur la façon dont elle va se développer ou encore sur ses attitudes.

Ces exemples démontrent que la notion de cohorte peut être doublement utile. Elle peut en effet expliquer pourquoi les personnes d'une certaine tranche d'âge présentent des ressemblances, et pourquoi les groupes d'âges voisins suivent des trajectoires de développement différentes.

La notion de cohorte est particulièrement utile dans l'interprétation des études consacrées aux adultes. Un grand nombre de recherches sur l'âge adulte établissent des comparaisons de groupes de sujets appartenant à différents groupes d'âge, selon une démarche appelée *étude transversale*. On évalue chaque groupe d'âge d'après une variable particulière, comme la satisfaction, la solitude, la dépression ou l'aptitude cognitive. On peut alors procéder à la comparaison des résultats moyens de chaque groupe d'âge. Mais ces moyennes

RAPPORT DE RECHERCHE

Les enfants et les adolescents de la crise des années 30 : un exemple d'effet de cohorte

Les travaux de Glen Elder sur les enfants et les adolescents qui ont grandi pendant la crise des années 30 montrent clairement qu'un même événement historique peut avoir des effets totalement différents sur des cohortes adjacentes (Elder, 1974, 1978 ; Elder, Liker et Cross, 1984). Elder s'est appuyé sur l'une des plus célèbres études longitudinales en psychologie, l'étude de Berkeley/Oakland. Les sujets de cette étude (plusieurs centaines d'individus) étaient nés soit en 1920, soit en 1928. Tous furent suivis pendant plusieurs années, et la dernière évaluation fut effectuée lorsque les sujets atteignirent la cinquantaine. Les individus nés en 1920 étaient des adolescents pendant la crise, tandis que les individus nés en 1928 n'étaient encore que des enfants au pire de la crise économique.

Elder a comparé l'expérience des enfants dont les parents avaient perdu plus de 35 % de leurs revenus avec l'expérience des enfants dont les parents avaient réussi à préserver une meilleure situation financière. De façon générale, il a remarqué que les difficultés économiques avaient été largement bénéfiques à la cohorte née en 1920 — celle dont les sujets avaient vécu leur adolescence au moment de la crise —, alors que l'expérience avait été généralement nuisible à la cohorte née en 1928.

La plupart des adolescents dont les familles avaient connu d'importantes difficultés financières s'étaient vus obligés d'assumer prématurément des responsabilités

d'adultes. Ils avaient trouvé de petits boulots afin de contribuer financièrement au bien-être de la famille. Ils avaient eu le sentiment que leur famille avait réellement besoin d'eux, et cela avait été effectivement le cas. À l'âge adulte, ces personnes avaient fait preuve d'une rigoureuse éthique de travail ainsi que d'un esprit de famille poussé.

Par contre, les personnes nées à la fin des années 20 avaient vécu une expérience très différente. Ces enfants encore jeunes durant les moments les plus difficiles avaient passé les premières années de leur vie dans des conditions précaires. En raison de problèmes financiers, leurs familles avaient souvent souffert d'une perte de cohésion et de chaleur humaine. Les parents n'avaient eu que peu de temps à consacrer aux besoins émotionnels de leurs jeunes enfants, ce qui avait eu des conséquences généralement négatives, en particulier pour les jeunes garçons. Ces derniers affichaient moins d'optimisme et de confiance que leurs pairs qui n'avaient pas subi de telles pressions économiques. Au moment de l'adolescence, ils avaient moins bien réussi à l'école, avaient fait des études plus courtes et étaient devenus des adultes moins ambitieux.

Huit ans seulement séparaient ces deux cohortes ; mais leurs expériences de vie avaient été totalement différentes en raison d'un événement clé à un moment précis de leur vie.

comportent aussi bien des cohortes que des groupes d'âge, ce qui complique singulièrement l'interprétation des résultats.

Il convient de garder à l'esprit ces variations liées à la culture et à la cohorte. Si elles compliquent considérablement la détermination de modèles de base, communs à tous, elles fournissent par ailleurs des informations infiniment précieuses. En effet, pour comprendre le développement humain, il faut non seulement identifier les modèles de changements qui surviennent avec l'âge, indépendamment des variations de l'environnement, mais il faut également comprendre comment certaines expériences entraînent des groupes entiers d'individus dans des voies différentes. La comparaison de cohortes peut jeter une lumière nouvelle sur ces questions.

Changements individuels associés à des expériences personnelles

De la même façon, il faut tenter de comprendre comment des expériences individuelles signifiantes façonnent la vie des enfants et des adultes. Quelles sont les conséquences d'un divorce pour un enfant? Est-ce que l'âge de cet enfant, au moment du divorce, influe sur son adaptation? Qu'en est-il d'un homme dans la trentaine qui perd son emploi ou d'une jeune fille de 14 ans qui donne naissance à un enfant, ou d'un couple qui repousse la naissance d'un enfant jusqu'à la quarantaine? Que penser de ces rencontres fortuites avec un personnage marquant (un professeur remarquable ou un agresseur, par exemple) qui bouleversent la trajectoire d'un individu (Bandura, 1982a, 1989)? Le développement de chaque individu est façonné par une combinaison unique d'événements particuliers. Il est impossible d'étudier chaque cas individuel, mais on peut essayer de dégager des processus ou des règles qui semblent régir la façon dont les expériences individuelles influent sur le développement d'un individu.

MOMENT OÙ SURVIENT L'EXPÉRIENCE. Selon de nombreux psychologues, le *moment précis* où surviennent les expériences particulières constitue un facteur clé. Les études menées sur les enfants et sur les adultes accordent une place centrale aux effets du moment, mais la problématique est formulée différemment selon le groupe étudié.

Dans les théories du développement de l'enfant, le concept de **période critique** occupe la place centrale. Il existerait dans le développement certaines périodes précises durant lesquelles l'organisme est particulièrement sensible à la présence (ou à l'absence) de certaines sortes d'expériences. Par exemple, pour les canetons, la quinzaine qui suit l'éclosion est cruciale pour le développement de l'attachement et du comportement d'escorte. Ils suivront n'importe quel canard ou n'importe quel objet mobile qui fait coin-coin autour d'eux à ce moment critique. Si rien ne se déplace ni n'émet le cri du canard, les canetons n'auront aucune réaction d'attachement ni d'escorte (Hess, 1972).

On observe des périodes similaires dans l'action de plusieurs agents tératogènes au cours du développement prénatal. Un **agent tératogène** est un agent extérieur, tels un germe infectieux ou une substance chimique, qui perturbe le processus de développement. L'effet de la plupart des agents tératogènes est néfaste uniquement à l'intérieur de ces périodes critiques. Par exemple, si une femme enceinte contracte la *rubéole* pendant les trois premiers mois de grossesse, le fœtus risque de présenter des malformations à sa naissance. L'infection par le même virus est beaucoup moins dangereuse au-delà du troisième mois.

Au cours des mois qui suivent la naissance, il semble qu'il existe également des périodes critiques du développement cérébral — des semaines ou des mois spécifiques durant lesquels l'enfant a besoin de connaître certains types d'expériences ou de stimulation pour que son système nerveux se développe normalement et pleinement (Hirsch et Tieman, 1987).

> Les adultes aujourd'hui dans la cinquantaine, et qui vont bientôt prendre leur retraite, représentent le groupe de tête d'une cohorte qui a connu l'arrivée massive des femmes sur le marché du travail ainsi que l'augmentation en flèche du nombre de divorces. Quels peuvent être les effets de ces caractéristiques démographiques sur l'expérience du vieillissement de cette cohorte (qui sera probablement différente de l'expérience des cohortes précédentes)?

Dans les années 50 et 60, les Nord-Américaines avaient en moyenne trois ou quatre enfants, un modèle à l'origine du fameux baby-boom. À la fin des années 70, le nombre d'enfants par famille était tombé au-dessous de deux. Cette simple différence statistique a eu des retombées considérables sur les expériences de vie de deux cohortes adjacentes.

Période critique: Période dans le développement de l'organisme qui offre une sensibilité particulière à certains stimuli. Les mêmes stimuli n'ont guère d'effets à d'autres périodes du développement.

Agent tératogène: Tout agent extérieur (une maladie ou un produit chimique, par exemple) qui augmente de façon considérable les risques d'anomalies ou de perturbation durant le développement prénatal.

On a aussi recours au concept plus large et plus souple de **période sensible.** Une période sensible est une durée de quelques mois ou d'années au cours de laquelle un enfant peut se montrer particulièrement réceptif à certains types d'expériences ou particulièrement influencé par leur absence. Par exemple, la période de 6 à 12 mois constitue probablement une période sensible pour la formation d'un lien d'attachement fondamental envers les parents.

Dans les études sur les adultes, le concept d'opportunité occupe la place centrale ; ce concept repose sur le contraste entre les événements *opportuns* et *inopportuns* (Neugarten, 1979). Selon Neugarten, toute expérience qui se produit à un moment normal et prévisible (moment opportun) à l'intérieur de cette culture (ou de cette cohorte) entraînera des difficultés d'adaptation moins grandes qu'une expérience inopportune. Ainsi, un veuvage à 30 ans ou la perte d'emploi à 40 ans risque de causer des troubles sérieux, voire un comportement pathologique tel qu'une dépression. Par contre, un veuvage à 70 ans ou la retraite professionnelle à 65 ans auront généralement des conséquences moins graves.

Il semble à première vue que le concept de période critique, ou sensible, et le concept d'opportunité soient deux notions très différentes, mais elles ont néanmoins une similarité sous-jacente. Dans les deux cas, l'idée directrice veut que la trajectoire normale du développement repose sur une base d'expériences communes survenant selon une chronologie particulière à un moment particulier. Chaque individu — enfant ou adulte — dont les expériences de vie diffèrent de la chronologie normale ou surviennent à un mauvais moment, peut, d'une certaine manière, s'écarter de la trajectoire normale.

CONTINUITÉ DES CONDUITES AU COURS DE LA VIE

Comme ce manuel porte sur le *développement* au cours du cycle de vie, nous traiterons abondamment des changements qui surviennent avec l'âge. Il nous est cependant difficile de ne pas prendre en considération les continuités, que nous aborderons sous divers angles.

Continuité des conduites due à des influences biologiques

Le concept de maturation suppose que tous les individus d'une même espèce ont le même bagage génétique, lequel façonne les modèles du développement normal. Mais notre patrimoine génétique est à la fois individuel et collectif. Chacun de nous hérite d'une large gamme de caractéristiques ou de tendances uniques. Et parce que ces caractéristiques et ces prédispositions sont inscrites dans nos gènes, elles ont tendance à persister tout au long de notre vie.

On connaît un très large éventail de caractéristiques qui subissent, au moins en partie, l'influence de l'hérédité (Plomin, Rende et Rutter, 1991). On peut citer aussi bien des différences physiques manifestes comme la taille ou une tendance à la maigreur ou à l'obésité, que des aptitudes cognitives comme l'intelligence générale ou encore des aptitudes cognitives particulières comme les habiletés spatiales. De

---

?

Changement des conduites au cours de la vie

Q 1 Que devons-nous étudier pour comprendre le développement humain ? (*Trois réponses principales.*)

Q 2 Quelles sont les trois catégories fondamentales de changements survenant avec l'âge ? Donnez des exemples pour chacune.

Q 3 Les changements communs associés à l'âge sont attribuables à trois facteurs principaux. Nommez-les et expliquez-les.

À l'heure actuelle, les jeunes adultes de notre société retardent fréquemment la venue d'un premier enfant jusqu'à la trentaine ou même la quarantaine, repoussant ainsi la période de procréation « normale ». Selon vous, quels seront les effets potentiels de ce glissement temporel ? Citez tous les effets qui vous viennent à l'esprit.

Le cerveau de ce bébé se développe à une vitesse fulgurante. En fait, la première année de vie est cruciale pour certains aspects du développement cérébral. Le cerveau du bébé a besoin de certains types d'expériences pour se développer pleinement. Apparemment, s'il ne peut en bénéficier, une stimulation ultérieure ne suffira pas à combler ce manque.

Période sensible : Notion qui s'apparente à la période critique, sauf qu'elle est plus vaste et moins précise. Elle marque une période du développement au cours de laquelle un certain type de stimulation est particulièrement important ou efficace.

nombreux aspects du tempérament ou de la personnalité sont aussi héréditaires, tels que l'introversion et l'extraversion, la sensibilité émotionnelle et la réceptivité aux expériences (Plomin *et al.*, 1988; Plomin et Rende, 1991; Loehlin, 1989). Des recherches récentes montrent que certains comportements pathologiques relèvent également en partie de l'hérédité, notamment l'alcoolisme, la schizophrénie, une agressivité excessive et même l'anorexie (Plomin, Rende et Rutter, 1991).

Il faut cependant préciser qu'aucune de ces caractéristiques n'est totalement déterminée par le patrimoine génétique. De plus, elles ne seront pas non plus invariables tout au long de la vie d'une personne. Le comportement d'un individu sera *toujours* le résultat de l'interaction du modèle génétique et de l'environnement dans lequel, enfant, il a grandi, ou de l'environnement dans lequel, adulte, il évolue. Cependant, il est clair que nous sommes nés dotés de certaines prédispositions, ou modèles de réponse, qui déterminent notre attitude face à l'environnement. Puisque nous portons en nous les mêmes prédispositions tout au long de notre vie, certains aspects de notre comportement tendent à demeurer invariables dans le temps, même si ce n'est que modérément.

Continuité des conduites due à des influences environnementales

La continuité des conduites est aussi déterminée par l'environnement et par notre propre comportement (Caspi, Bem et Elder, 1989). Par exemple, nous avons tendance à choisir un environnement adapté à nos caractéristiques, nous créant ainsi une «place» unique au sein de notre famille, auprès de nos pairs et dans notre milieu de travail (Scarr, 1992). Dans l'enfance, nous entreprenons des activités que nous pensons réussir et nous évitons celles que nous nous croyons incapables de faire. À l'âge adulte, nous nous orientons vers des emplois qui correspondent à nos aptitudes et à notre personnalité. Ces choix nous protègent d'expériences qui nous obligeraient à changer et nous permettent donc de maintenir une certaine continuité dans notre comportement. Cette continuité est également influencée par le fait que nous acquérons en vieillissant certains types de stratégies efficaces dans la résolution de problèmes. Face à de nouvelles situations, nous essayons ce que nous connaissons d'abord. C'est ce qu'on appelle la **continuité cumulative.**

De même, notre façon de réagir, nos modèles habituels, déclenche chez autrui des réactions qui sont susceptibles de perpétuer ces mêmes modèles. Ainsi, un adulte névrosé et geignard risque de susciter des critiques ou des plaintes plus souvent qu'une personne toujours bien disposée. Les critiques des autres renforcent à leur tour son comportement geignard et entraînent la continuité de cette conduite. Il s'agit là de **continuité interactive.**

Avshalom Caspi et ses collaborateurs ont rassemblé des données fascinantes illustrant l'effet combiné des forces qui assurent la continuité des conduites, de l'enfance à l'âge adulte. Ces données portent sur le même groupe de sujets étudiés par Elder dans ses recherches sur la crise des années 30 (Caspi, Elder et Bem, 1987, 1988; Caspi et Elder, 1988). Caspi s'est penché sur l'histoire de 214 enfants, depuis leur naissance dans les années 1920 jusqu'à l'âge adulte moyen. (Ces mêmes sujets sont représentés à la figure 1.1.) Caspi a suivi le développement de deux groupes distincts: les enfants timides et les enfants maussades. Voici un résumé des résultats obtenus.

Les hommes au caractère revêche ont, étant enfants, suivi un cheminement très différent de celui des hommes au caractère égal. Ils ont quitté l'école plus jeunes, ont occupé des emplois moins prestigieux et, arrivés à la quarantaine, ont connu un taux de divorce deux fois plus élevé. Ils ont eu également tendance à changer plus souvent d'emploi. Cependant, ces observations ne valent que pour les métiers subalternes. Les hommes maussades qui ont été capables d'occuper des emplois mieux rémunérés ont eu des carrières stables. Comment expliquer cette différence? Selon Caspi, la difficulté pour l'ensemble de ces hommes tenait au fait qu'ils réagissaient fortement à toute forme d'autorité en raison de leur mauvais caractère. Comme les emplois mieux rémunérés accordent en général une plus grande autonomie à l'individu, et supposent par conséquent une supervision plus souple, les hommes irascibles au départ et qui avaient atteint de telles positions risquaient moins que l'on mette au jour leur mauvais caractère. Par contre, ceux qui occupaient des emplois subalternes et qui étaient soumis à l'autorité de leur supérieur

---

Continuité des conduites au cours de la vie

Q 4 Qu'est-ce qui détermine la continuité des conduites? (*Deux réponses principales.*)

Q 5 Pouvez-vous énumérer des exemples de caractéristiques qui sont, au moins en partie, influencées par l'hérédité individuelle?

Q 6 Expliquez comment les influences environnementales peuvent assurer une certaine continuité des conduites chez un individu.

Continuité cumulative : Stabilité des conduites influencée par nos choix personnels face aux événements ou expériences extérieures.

Continuité interactive : Stabilité des conduites influencée par les réactions des autres face à nos comportements.

continuaient à réagir selon leur mode habituel, ce qui pouvait irriter leur supérieur et amener ce dernier à les congédier.

Caspi et Elder ne mettent pas en cause l'hérédité ici. Il est tout à fait probable que la tendance initiale à la timidité ou à l'irascibilité est héréditaire. Mais de tels modèles perdurent en grande partie en raison de forces externes et, inversement, peuvent disparaître si l'environnement ne les soutient pas.

NATURE ET CULTURE

Nous allons maintenant aborder la question, à la fois vaste et fondamentale, des rôles respectifs de la nature et de la culture dans le façonnement du développement.

Préjugés innés

La controverse qui oppose nature et culture puise ses racines dans de très vieux débats philosophiques. Platon par exemple pensait que certaines idées étaient innées. Les empiristes britanniques, tel John Locke, et les behavioristes américains qui leur ont succédé, comme J. B. Watson et B. F. Skinner, ont critiqué la notion d'idées innées. Toutefois, cette notion a connu un regain d'intérêt auprès des psychologues du développement qui, au cours de la dernière décennie, ont élaboré le concept de **préjugés innés** (ou **contraintes innées**). De nos jours, de nombreux théoriciens affirment que les bébés possèdent à leur naissance une structure initiale de préjugés innés. Cette structure permet à l'enfant de réagir à l'environnement et aux différentes expériences d'une façon qui lui est propre. Par exemple, dès leurs premiers jours de vie, les nourrissons semblent prêter plus d'attention aux débuts et aux fins de phrases qu'au milieu (Slobin, 1985a), et ils réagissent visuellement au mouvement (un objet en mouvement) et au passage de l'obscurité à la lumière (Haith, 1980). Ces préjugés innés constituent un point de départ. Le développement ultérieur est le résultat de l'interaction entre l'expérience et ces préjugés initiaux.

Modèles internes construits à partir de l'expérience

Le **modèle interne** est un autre concept important dans l'étude du développement de l'enfant, et les psychologues le prennent de plus en plus en compte dans l'étude du développement de l'adulte. Selon ce modèle, l'effet d'une expérience ou d'un événement repose sur l'*interprétation* que l'on en fait et sur la *signification* qu'on lui accorde plutôt que sur les propriétés objectives de l'expérience elle-même. De fait, de nombreux exemples de la vie courante illustrent cette notion. Par exemple, si un ami vous fait un commentaire qu'il juge inoffensif mais que vous interprétez comme une critique, ce qui

importe pour vous, c'est votre interprétation, et non ce que votre ami a vraiment voulu dire. Si vous interprétez régulièrement les commentaires des autres comme des critiques, nous dirons que votre modèle interne de vous-même et des autres comprend une attente de base que l'on peut résumer ainsi : « Je fais généralement les choses de travers, alors les autres me critiquent. »

Les théoriciens qui insistent sur l'importance de tels systèmes de signification affirment que chaque enfant se crée un ensemble de modèles internes — un ensemble de suppositions ou de conclusions sur le monde, sur lui-même et sur ses relations avec les autres — à travers lesquels toutes les expériences sont filtrées (Epstein, 1991). John Bowlby (1969, 1980) exprime cette idée lorsqu'il parle du « modèle interne d'attachement » de l'enfant. Un enfant dont le modèle d'attachement repose sur une confiance fondamentale sait que quelqu'un va venir lorsqu'il pleure. Il sait aussi qu'il bénéficie d'une affection et d'une attention inconditionnelles. Un enfant dont le modèle d'attachement est moins sécurisant pense que, si un adulte fronce les sourcils, il va se faire gronder. Ces attentes sont évidemment basées sur des expériences réelles, mais une fois qu'elles forment un modèle interne, elles s'étendent au-delà des expériences initiales et interviennent dans la façon dont un enfant interprète ses expériences ultérieures. Un enfant qui perçoit les adultes comme des personnes dévouées et affectueuses aura tendance à interpréter le comportement des autres adultes de la même façon, et il recréera des relations amicales et affectueuses même avec des étrangers. Par contre, un enfant qui pressent de l'hostilité ressentira cette hostilité lors de rencontres pourtant assez neutres.

Le concept de soi de l'enfant semble fonctionner d'une façon très semblable, en tant que modèle interne du « Qui je suis » (Bretherton, 1991). Ce modèle de soi est basé sur l'expérience passée, mais il détermine aussi l'expérience future.

Le concept de modèle interne a été élaboré au cours d'études portant sur les enfants et les jeunes adultes. On le retrouve aujourd'hui dans les recherches sur les adultes. Ainsi, Deborah Cohn et ses collaborateurs (Cohn *et al.*, 1991) ont montré que les couples d'adultes dont les modèles d'attachement ne sont pas sécurisants présentent plus de conflits et moins d'interactions positives que les autres couples.

Les recherches sur le stress et le soutien social arrivent à des conclusions similaires. En effet, il s'avère que ce n'est

---

Préjugés innés (ou contraintes innées) : Prédisposition ou mode particulier de réaction aux stimuli de l'environnement que possède le nouveau-né et qui provient de son patrimoine génétique.

Modèle interne : Terme maintenant utilisé par de nombreux théoriciens pour décrire un système intériorisé, construit par l'enfant ou l'adulte (par exemple, les modèles internes d'attachement ou les modèles internes de soi).

pas tant la quantité objective de stress ou le nombre d'amis ou de parents dans le réseau de soutien qui importent, mais bien la façon dont l'adulte *perçoit* le stress et le soutien social dont il dispose. Si la personne perçoit ce soutien comme adéquat, alors ses risques de maladie, de dépression ou de troubles divers liés au stress diminuent. Par contre, si elle perçoit ce soutien comme inadéquat, et ce en dépit de tout le soutien dont elle bénéficie objectivement, ses risques de tomber malade augmentent (Cohen et Wills, 1985).

Le concept de modèle interne permet aussi de comprendre la continuité du comportement dans le temps. Les modèles que nous créons au cours de l'enfance ne sont pas immuables ; ils tendent à nous accompagner et à façonner nos expériences d'adultes. Grâce à ce concept, on peut également mieux comprendre comment la même expérience semble influer sur les individus de façons aussi variées.

Perspective écologique

La recherche actuelle sur les influences environnementales accorde une importance de plus en plus grande à une grille d'explications plus complexe. En effet, pour comprendre le développement d'un enfant, il ne suffit pas de s'intéresser à l'enfant et à sa famille. Il faut aussi prendre en considération la totalité du système écologique (environnement) dans lequel il évolue : le voisinage, l'école, le métier de ses parents et leur degré de satisfaction à cet égard, les relations que les parents entretiennent entre eux et avec leur propre famille, etc. (Bronfenbrenner, 1979, 1986, 1989 ; Pence, 1988).

Bronfenbrenner propose un modèle dans lequel il représente l'environnement par un système composé de quatre niveaux imbriqués les uns dans les autres, qui gravitent autour de l'enfant. La figure 1.2 offre une représentation schématique de ce système. Le premier niveau correspond à l'environnement immédiat de l'enfant. Ce dernier évolue dans un contexte précis, et il est en relation avec ses parents, ses frères et sœurs, ses grands-parents, son école, sa garderie et ses amis.

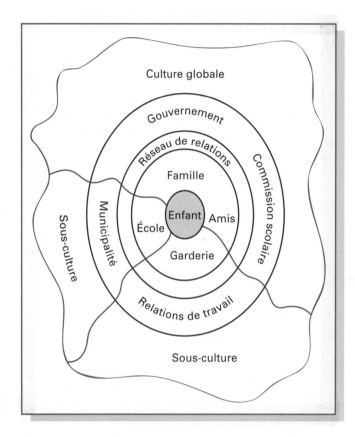

Figure 1.2 Modèle écologique de Bronfenbrenner. (*Source*: Adapté de Bee, 1995, figure 1.3, p. 11.)

L'enfant est un élément actif de ce système caractérisé par une influence mutuelle entre les divers éléments. Le deuxième niveau est constitué par le réseau de relations qu'entretiennent entre eux les différents éléments du premier niveau, par exemple les rapports entre la famille et la garderie. L'enfant est un membre actif de ces réseaux. L'enfant qui manque de motivation à l'école est peut-être perturbé par des relations difficiles entre la famille et l'école ou entre le groupe d'amis et l'école. Le troisième niveau s'intéresse aux contextes sociaux. L'enfant n'y participe pas, mais les décisions qui y sont prises influent directement sur lui. Il s'agit des relations de travail, des conseils de la commission scolaire, des mesures sociales décidées par le gouvernement, etc. Lorsque l'un des parents perd son emploi, l'incidence sur l'enfant est évidente. Enfin, il existe un quatrième niveau, qui a particulièrement retenu l'attention des psychologues ces dernières années. Ce niveau englobe tout le système et représente la culture globale dans laquelle évolue l'enfant. Il n'existe pas

Le modèle interne de Delphine, cette fillette de 10 ans, comprend peut-être le sentiment qu'elle est « bonne en danse » ou « douée physiquement ». De tels modèles internes sont en partie basés sur l'expérience. Delphine a peut-être constaté qu'elle avait certaines aptitudes physiques et une bonne coordination. Mais, une fois que ce modèle interne est établi, il influera sur les décisions de Delphine ainsi que sur l'interprétation qu'elle donnera à ses expériences à venir.

Pouvez-vous imaginer d'autres exemples de modèles internes qui peuvent influer sur le comportement d'un enfant ou d'un adulte ?

de définition satisfaisante du mot « culture », mais on peut affirmer que, fondamentalement, la culture fait référence à un système de coutumes et de significations, incluant les valeurs, les attitudes, les lois, les croyances, les idéologies et la moralité aussi bien que les artéfacts physiques de toutes sortes comme les outils ou le type d'habitation. De plus, il faut qu'un groupe identifiable de la population — qu'il représente une fraction seulement de celle-ci ou un ensemble plus vaste — adhère à ce système de coutumes et de significations, et qu'une génération de ce groupe le transmette à la génération suivante (Betancourt et Lopez, 1993, et Cole, 1992, *in* Bee, 1995).

La figure 1.2 donne également à penser que, à l'intérieur d'une culture globale, peuvent coexister différentes sous-cultures, souvent associées à des groupes d'appartenance ethnique, lesquels se définissent comme des « sous-groupes dont les membres se perçoivent et sont perçus comme ayant une origine et une culture communes, partageant des activités où l'origine et la culture communes semblent l'ingrédient essentiel » (Porter et Washington, 1993, p. 140, *in* Bee, 1995). Ce modèle écologique de Bronfenbrenner pose un défi considérable à la recherche quant au contrôle des variables (Cloutier et Renaud, 1990), mais il peut cependant fournir des informations pertinentes et nouvelles dans plusieurs champs de recherche. Par exemple, la violence dans la famille peut aussi bien résulter d'une supervision inadéquate des parents que d'une situation de stress que connaît la famille, de l'isolement vécu, de ressources économiques insuffisantes, etc. (Bouchard et Desfossés, 1989). Un enfant vivant dans un quartier défavorisé, où l'on trouve des revendeurs de cocaïne à tous les coins de rue et où la violence fait partie de la vie quotidienne, se heurte à des problèmes très différents de ceux d'un enfant vivant en banlieue dans un quartier paisible. De la même manière, lorsque les parents sont submergés par leurs propres problèmes et qu'ils sont coupés de leur famille ou des amis qui pourraient leur venir en aide, ils vont vraisemblablement créer un environnement familial très différent de celui que connaissent des parents qui mènent une vie stable et qui sont très entourés.

Gerald Patterson a effectué un travail qui est en ce sens exemplaire. Il s'est penché dans son étude sur les nombreux aspects de ce grand système d'influences, et il a étudié en particulier l'origine du comportement antisocial des enfants (Patterson, DeBarsyshe et Ramsey, 1989 ; Patterson, Capaldi et Bank, 1991). Il a trouvé qu'une agressivité excessive chez les enfants résulte de la réaction des parents à leur comportement. Les parents qui font preuve de peu de discipline et d'une piètre supervision ont tendance à avoir des enfants qui sont indisciplinés ou qui ont un comportement antisocial. En outre, une fois établi, ce comportement antisocial aura des répercussions dans d'autres domaines : l'enfant sera rejeté par ses pairs et éprouvera des difficultés scolaires. Ces problèmes risquent à leur tour d'entraîner l'adolescent vers un groupe

déviant, voire la délinquance (Dishion *et al.*, 1991). Ainsi, un modèle conçu dans la cellule familiale se perpétue et se voit exacerbé par les interactions avec les pairs et le système scolaire.

Patterson a étendu cette grille d'explications encore plus loin, comme vous pouvez le noter à la figure 1.3 : il a cherché les raisons qui avaient pu conduire les parents à manquer d'autorité à l'origine. Il a remarqué que ces parents avaient eux-mêmes été élevés dans un milieu permissif et appliquaient les mêmes stratégies. Ils reproduisent alors le modèle initial. Mais les observations de Patterson montrent que certains parents, malgré de bons principes d'éducation, peuvent verser dans des modèles inefficaces en raison d'un stress accru dans leur propre vie. Un divorce ou un licenciement récent débouchent parfois sur un relâchement des mesures disciplinaires, ce qui favorise l'apparition d'un comportement antisocial chez l'enfant.

L'étude du développement de l'adulte ne peut s'en tenir à l'observation de sa famille proche ou de son travail. Il faut prendre la mesure des forces sociales plus larges qui peuvent avoir des répercussions sur sa cohorte. Par exemple, l'évolution très rapide du rôle des femmes dans notre société au cours des dernières décennies a probablement eu une influence sur chaque adulte — mais cette influence s'est exercée différemment selon l'âge et l'éducation reçue.

Nature et culture (1)

Q 7   Définissez le concept de préjugés innés et donnez un exemple.

Q 8   Expliquez la notion de modèle interne et donnez un exemple.

Q 9   Nommez les quatre niveaux qui gravitent autour de l'enfant selon le modèle écologique de Bronfenbrenner, et décrivez-les.

Approches interactionnistes

Le modèle de Patterson et de nombreux modèles similaires nous obligent à envisager le développement de manière beaucoup plus complexe. Patterson ne fait pas intervenir la notion de « nature » dans son modèle. Que pouvons-nous observer si nous introduisons ce concept dans le modèle du développement ?

Le pas à franchir n'est pas énorme. Dans le cas du modèle de Patterson, il suffit de supposer que les enfants

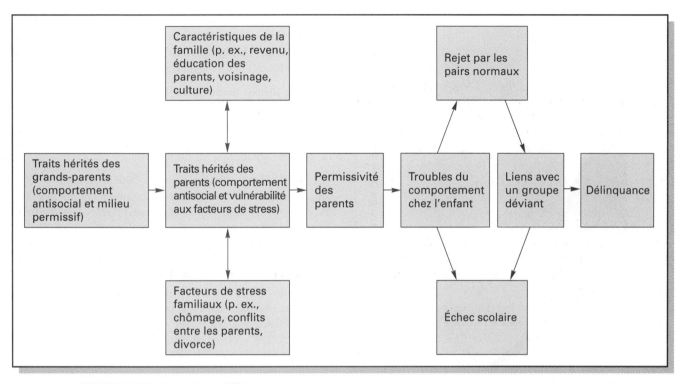

Figure 1.3 Modèle écologique de Patterson. Dans ce modèle, Patterson s'appuie sur une approche écologique globale des nombreux facteurs qui prédisposent à la délinquance. Dans cette perspective, l'interaction de l'enfant avec ses parents se situe au cœur du processus. Mais l'aptitude des parents à faire preuve d'autorité envers l'enfant quand cela est nécessaire est fonction de leur propre passé et du soutien social dont ils bénéficient ainsi que de leur degré de satisfaction face à la vie. (*Source*: Patterson, DeBarsyshe et Ramsey, 1989, figures 1 et 2, p. 331 et 333.)

naissent dotés de tempéraments différents. Certains sont grincheux et difficiles, d'autres font preuve d'un tempérament enjoué et ne posent aucun problème d'éducation particulier. Les parents qui ont des bébés capricieux et difficiles devront faire preuve de plus d'habiletés et d'efforts afin d'éviter de se laisser prendre dans la spirale qui débouche sur le renforcement de la déviance de l'enfant. Les qualités que l'enfant apporte avec lui dans la relation créent donc un biais initial dans le système, et les parents et les autres personnes de son entourage doivent en tenir compte.

Les idées de **vulnérabilité** et de **flexibilité** s'appuient implicitement sur ce modèle interactionniste (Masten, Best et Garmezy, 1990; Garmezy et Masten, 1991; Garmezy et Rutter, 1983; Rutter, 1987). Selon ce modèle, chaque enfant

naît avec certaines faiblesses, tels un tempérament difficile, des allergies, une tendance héréditaire à l'alcoolisme, etc. Mais chaque enfant est également doté à sa naissance de *facteurs de protection*, comme une grande intelligence, une bonne coordination, un tempérament facile ou un sourire charmant, qui lui confèrent une plus grande souplesse ou une plus grande capacité d'adaptation au stress.

Ces faiblesses et ces facteurs de protection interagissent avec l'environnement de l'enfant. Frances Horowitz a proposé un modèle particulièrement explicite de cette interaction (1987, 1990). Comme vous pouvez le voir à la figure 1.4, la variable du milieu qu'elle décrit est appelée « facilitation ». Par exemple, lorsque l'enfant a des parents réceptifs et affectueux et qu'il est entouré d'une multitude de stimuli, le milieu est très facilitant. Selon Horowitz, lorsque l'on combine différents niveaux de facilitation avec des faiblesses initiales, les effets

---

Essayez de vous rappeler vos expériences d'enfant. À quel point pensez-vous que votre vie a été influencée par le degré de satisfaction de votre mère et de votre père à l'égard de leur travail ou par les relations qu'ils entretenaient avec des amis ou d'autres membres de la famille?

Vulnérabilité : Trait de caractère résultant de caractéristiques innées et acquises, qui augmente les risques que l'individu réagisse au stress de façon non adaptée ou pathologique.

Flexibilité : Trait de caractère résultant de caractéristiques innées et acquises, qui permet à l'individu de bien s'adapter à l'environnement malgré le stress, les menaces ou les difficultés.

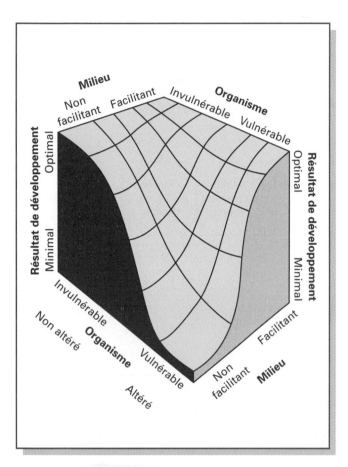

Figure 1.4 Modèle d'Horowitz. Ce modèle décrit un type d'interaction possible entre la nature et la culture. Dans ce cas, Horowitz soutient que la vulnérabilité de l'enfant est en rapport avec la facilitation du milieu. La surface de la courbe indique le niveau de certains résultats sur le développement, comme le Q.I. ou les aptitudes dans les relations sociales. Remarquez que, selon la chercheure, seule la combinaison d'une vulnérabilité élevée et d'un environnement pauvre entraîne toujours de faibles résultats. (*Source* : Horowitz, 1987, figure 1.1, p. 23.)

ne se limitent pas à l'addition des deux facteurs : ces facteurs interagissent. Un enfant qui fait preuve de flexibilité, c'est-à-dire qui possède de nombreux facteurs de protection et peu de faiblesses, peut très bien connaître un développement harmonieux dans un milieu peu stimulant, car il peut profiter de tous les stimuli et de toutes les occasions qui s'offrent à lui. De la même façon, un enfant vulnérable peut fort bien s'épanouir s'il évolue dans un milieu de facilitation élevée. Selon ce modèle, ce n'est que le double mauvais sort — un enfant vulnérable évoluant dans un milieu peu stimulant — qui entraîne de piètres résultats pour l'enfant.

Des recherches de plus en plus nombreuses viennent étayer le modèle d'Horowitz. Par exemple, les scores de Q.I. très bas sont extrêmement courants chez les enfants ayant un faible poids de naissance issus de familles très défavorisées. Par contre, les enfants ayant un faible poids de naissance issus de la classe moyenne atteignent un Q.I. normal, tout comme

les enfants de poids normal à la naissance qui sont issus de familles défavorisées (Werner, 1986). En d'autres termes, le même milieu provoque des effets différents selon les qualités ou les capacités que l'enfant apporte dans l'équation.

De même, les faiblesses (et la flexibilité) sont probablement cumulatives. Un enfant dont le milieu originel ne peut favoriser suffisamment le développement deviendra plus vulnérable et il exigera encore plus de l'environnement afin de pouvoir répondre à ses futurs besoins.

Ces mêmes théories peuvent également nous aider à mieux comprendre les réactions de l'adulte à l'égard du stress. Face aux problèmes de la vie, lesquels d'entre nous se laisseront submerger et lesquels sauront les surmonter ? Si l'on prend en considération les faiblesses et les facteurs de protection de chaque personne, il est possible de faire des prévisions raisonnables. Un bon soutien émotionnel de la part des autres constitue un facteur de protection, tout comme l'aptitude cognitive qui nous permet de mesurer les possibilités qui s'offrent à nous. Des relations pauvres avec autrui, une instabilité professionnelle, une faible estime de soi, le sentiment de ne pouvoir agir sur les événements sont autant de faiblesses vraisemblablement responsables d'une réaction inadaptée face à une crise ou à un stress. Certaines de ces faiblesses et de ces forces s'acquièrent à l'âge adulte, mais bon nombre d'entre elles se mettent en place dès l'enfance ou l'adolescence.

Nature et culture (2)

Q 10   Comment Patterson explique-t-il l'origine du comportement antisocial observé chez certains enfants ?

Q 11   Expliquez les concepts de vulnérabilité et de flexibilité et ce que Horowitz entend par l'expression « double mauvais sort ».

Nature des changements dans le développement

CHANGEMENTS QUALITATIFS ET QUANTITATIFS. Nous allons également aborder dans ce manuel une question essentielle sur laquelle tous les théoriciens du développement se sont penchés, à savoir la nature même du changement au cours du développement. Les changements sont-ils qualitatifs ou quantitatifs ? Il est peu probable qu'un enfant de deux ans possède de véritables amis parmi ses compagnons de jeu, mais un enfant de huit ans en a sans doute plusieurs. On peut interpréter cette observation comme un changement dans le nombre d'amis, soit de zéro à plusieurs (changement *quantitatif*), ou comme un changement d'un type de relation entre pairs à un autre (changement *qualitatif*). On peut percevoir les changements cognitifs chez l'adulte et chez la personne âgée en termes de perte graduelle de la vitesse d'apprentissage ou de la mémoire (changement quantitatif), ou en termes d'acquisition graduelle de la sagesse (changement qualitatif).

STADES ET SÉQUENCES. La présence ou l'absence de *stades* au cours du processus du développement est également une question importante dans l'étude du développement. La figure 1.5 propose une représentation schématique des notions de stades et de séquences. Si l'on considère que le développement ne se compose que de changements quantitatifs par ajout d'éléments, alors la notion de stade n'a pas d'utilité. Par contre, si l'ajout d'éléments fait en sorte que le développement met en jeu une réorganisation d'anciennes habiletés ou l'apparition de nouvelles stratégies (changement qualitatif), la notion de stade présente un grand intérêt. Ainsi, l'accumulation d'unités qui s'ajoutent les unes aux autres sans modifier la structure initiale fait référence à une *séquence*. Par contre, si la structure change, alors on parle de *stades*. Le fait même que les cours qui traitent du développement soient organisés de façon chronologique, en chapitres jalonnés par des périodes, reflète l'intérêt de la notion de stade. De même, le langage courant comprend de nombreux termes qui définissent différents stades, tels l'« âge ingrat » ou la « crise de la quarantaine ».

Mais jusqu'à quel point peut-on dire que le processus du développement se divise en stades ? Il est certes possible de classer les années en tranches d'âge, comme le suggère Matilda Riley, et nous avons précisément organisé de cette façon les chapitres de ce manuel. Mais l'existence de tranches d'âge ne signifie pas nécessairement qu'il existe des changements essentiellement qualitatifs entre un stade et le suivant. On peut affirmer sans risque de se tromper que les enfants de 12 ans diffèrent qualitativement des enfants de 2 ans sur le plan de la façon de penser et des relations sociales. En revanche, peut-on vraiment soutenir que les personnes de 20 ans diffèrent qualitativement des personnes de 40 ans ?

Nature des changements

Q 12 Qu'est-ce qui différencie un changement quantitatif d'un changement qualitatif ?

Q 13 Expliquez les notions de stades et de séquences.

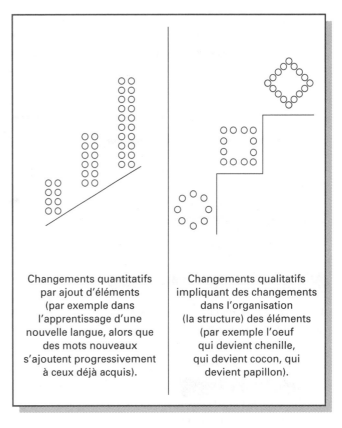

Figure 1.5 Illustration des conceptions quantitative (à gauche) et qualitative (à droite) du développement. (*Source*: Cloutier et Renaud, 1990, figure 1.1, p. 9.)

LA RECHERCHE SUR LE DÉVELOPPEMENT HUMAIN

Nous avons soulevé un grand nombre de questions jusqu'à présent. Avant d'aller plus loin dans notre étude du développement, il est nécessaire que nous nous familiarisions avec la méthodologie et les méthodes de collecte de données utilisées par les chercheurs dans ce domaine.

Prenons un exemple : les personnes âgées se plaignent souvent d'avoir plus de difficulté à se souvenir du nom des gens ou des numéros de téléphone que lorsqu'elles étaient jeunes. Nous voulons savoir si la mémoire diminue avec l'âge. Pour répondre à cette question, il nous faut choisir entre diverses approches.

• Comment mesurer la mémoire ? Peut-on se contenter de demander aux gens s'ils ont de la difficulté à se rappeler certaines choses, ou est-il nécessaire d'avoir recours à une évaluation standardisée ? Comment choisir les sujets de la recherche ? Comment les évaluer ? Quelles autres informations faudrait-il réunir sur chacun des sujets à l'étude ? Ces questions relèvent de la *méthode de recherche*.

- Faut-il procéder à des comparaisons entre des groupes d'âges différents afin d'observer si la mémoire décline chez les groupes plus âgés ? Ou bien faut-il commencer à étudier des adultes d'âge moyen et les suivre pendant plusieurs années afin d'observer si chaque individu présente une diminution de la mémoire ? Ces questions relèvent du choix de la *méthode de collecte de données*.

- Comment interpréter les résultats ? Dispose-t-on de données suffisantes pour déterminer si les personnes âgées sont ou non victimes d'une diminution de la mémoire ? Peut-on effectuer d'autres analyses afin d'obtenir de meilleurs résultats, et si oui, lesquelles ? Ces questions relèvent de l'*analyse des résultats*.

MÉTHODES DE RECHERCHE

Le choix de la méthode à utiliser constitue une première décision cruciale pour un chercheur. Il est en effet tout aussi important de choisir les sujets sur lesquels portera la recherche que les outils de recherche et d'analyse.

CHOIX DES SUJETS. Idéalement, on aimerait trouver des modèles de base du développement qui s'appliquent à tous les enfants, à tous les adolescents ou à tous les adultes ; pour ce faire, il faudrait sélectionner un échantillon aléatoire de l'ensemble des habitants de la planète, ce qui est évidemment impossible. Les sociologues et les épidémiologistes tentent de surmonter le problème en sélectionnant de gros échantillons représentatifs de certains sous-groupes ou d'une population. Par exemple, le National Survey of Black Americans comprend un échantillon national représentatif de plus de 2 000 adultes noirs américains, interrogés en 1979 et en 1980 (Taylor et Chatters, 1991).

Les psychologues pour leur part préfèrent étudier des groupes moins importants de manière plus approfondie et détaillée afin de découvrir les processus de base. Par exemple, Alan Sroufe et ses collaborateurs (Sroufe, 1989 ; Sroufe, Egeland et Kreutzer, 1990) ont sélectionné un groupe de 267 enfants et leur famille, et ont commencé leur étude avant même la naissance des enfants. Ils ont choisi délibérément des familles qui couraient un risque élevé de connaître des problèmes d'éducation ultérieurement, comme des mères célibataires qui n'avaient pas désiré leur grossesse et dont le niveau d'instruction était faible. Les enfants ont été étudiés plusieurs fois et de manière approfondie. Un sous-ensemble d'enfants a fréquenté une maternelle dirigée par Sroufe et ses assistants. Certains enfants de ce sous-ensemble ont par la suite fait des séjours dans des colonies de vacances spéciales où des observateurs pouvaient évaluer un vaste éventail de comportements chez l'enfant. L'échantillon n'est pas représentatif de l'ensemble de la population, mais il fournit une mine d'informations précieuses qui, mieux que des échan-

tillons plus importants étudiés de manière superficielle, permettent de comprendre le développement affectif et social de l'enfant. Il n'y a pas de démarche meilleure que l'autre ; chacune a son utilité. Dans les deux cas, nous devons nous rappeler que les conclusions que l'on peut en tirer ne valent que pour l'échantillon étudié.

COLLECTE DE L'INFORMATION AUPRÈS DES SUJETS. Après avoir choisi les sujets à étudier, il faut décider de quelle façon on va les évaluer. On doit alors se demander comment choisir, entre différentes méthodes de recherche, celle qui est la plus appropriée. On groupe habituellement les *méthodes descriptives* en deux sous-ensembles, soit les recherches *naturalistes* et les recherches en *laboratoire* (en fait, il existe de nombreuses variantes entre les deux). À une extrémité, on trouve les observations non structurées dans des milieux naturels, comme l'observation d'enfants sur un terrain de jeux ou de personnes âgées dans un centre d'accueil. À l'autre extrémité, on trouve les tâches très structurées que des sujets effectuent dans des milieux observés en laboratoire. Entre ces deux pôles, se situent des tests semi-structurés, souvent employés dans les études portant sur les enfants, ainsi qu'une vaste gamme d'entrevues, de questionnaires et de tests écrits largement utilisés dans les études portant sur les adultes.

OBSERVATION. Tout chercheur qui désire recueillir des informations sur un enfant ou sur son environnement en recourant à l'observation doit répondre à trois questions essentielles : Qu'est-ce que je veux observer ? Où (dans quel milieu) vont se dérouler ces observations ? Comment vais-je compiler mes observations ?

On peut diviser la première question en deux sous-questions : Devrais-je observer l'ensemble des comportements qu'un enfant peut émettre ou bien n'observer que certains comportements précis ? D'autre part, devrais-je observer uniquement l'enfant ou tenir compte par exemple de l'environnement dans lequel il évolue ou de la façon dont les personnes de son entourage interagissent avec lui ? La décision va dépendre largement de l'hypothèse ou de la question principale que nous posons. Si l'on s'intéresse aux premiers mots de l'enfant, alors il est inutile de prêter attention à la distance qui sépare l'enfant de l'adulte lorsque les deux interagissent ou au nombre de fois que leurs regards se croisent. On devrait plutôt se concentrer sur les objets que l'enfant manipule lorsqu'il émet des sons ou encore sur les paroles qui lui sont adressées. Par ailleurs, si l'on s'intéresse au développement du processus d'attachement chez l'enfant, alors on devrait accorder une importance particulière aux regards échangés aussi bien qu'à la distance séparant le parent de l'enfant lors des interactions.

Il n'est pas facile non plus de décider dans quel milieu s'effectuera l'observation. Cette dernière peut se réaliser en milieu naturel, par exemple au domicile de l'enfant ou à son école. Comme nous venons de le voir, ce type d'observation est considérablement limité. En effet, il introduit une très grande variabilité d'une observation à une autre, ce qui réduit la portée des informations obtenues. Pour contourner ce problème, on peut choisir un environnement contrôlé qui est identique pour chacun des enfants observés. Par exemple, les chercheurs qui étudient le processus d'attachement utilisent une technique qui fait appel à une mise en situation nommée la *Situation insolite*. La présentation d'une même situation à tous les enfants observés permet d'obtenir des résultats comparables. Par contre, on ne peut affirmer de manière catégorique que le comportement de l'enfant en situation insolite serait le même dans un environnement qui lui est plus familier. (Bee, 1995.)

QUESTIONNAIRES ET ENTREVUES. Pour les chercheurs qui s'intéressent aux enfants plus âgés, les questionnaires et les entrevues constituent une excellente alternative à l'observation, particulièrement lorsqu'on effectue des études sur le développement du raisonnement moral ou sur les relations sociales avec les pairs à l'école élémentaire ou secondaire. Les informations touchant les relations parents-enfant proviennent également de questionnaires. (Bee, 1995.)

Chacune de ces méthodes comporte des inconvénients et des avantages. Les tests structurés en laboratoire offrent à l'expérimentateur la possibilité de bien maîtriser la situation de sorte que chaque sujet soit soumis à la même tâche et aux mêmes stimuli. Mais, puisque ces tests sont menés dans un milieu artificiel, ils ne permettent guère de se faire une idée précise de la façon dont les individus se comportent dans un environnement naturel plus complexe. Les entrevues, en particulier lorsque l'individu répond à des questions ouvertes qui le guident vers des sujets généraux, peuvent certes donner une excellente idée des pensées et des sentiments d'une personne; cependant, comment peut-on interpréter les réponses et les comparer à des résultats préalablement obtenus? Les questionnaires n'apportent qu'une solution partielle à ce problème, même s'ils autorisent l'obtention de réponses riches et personnelles.

Méthode expérimentale

Les méthodes de recherche décrites jusqu'ici permettent d'observer et de décrire les changements chez l'individu. Il s'agit en fait de méthodes descriptives. Cependant, si on a l'intention d'examiner un processus de base — comme l'apprentissage ou la mémoire — ou d'*expliquer* un phénomène observé, il faut procéder à des expérimentations.

L'**expérimentation** est habituellement conçue pour vérifier une hypothèse, c'est-à-dire une explication causale particulière. Admettons que l'on pose comme hypothèse que les différences observées sur l'empan de mémoire d'un échantillon d'individus d'âges divers reflètent la fréquence avec

laquelle ces individus utilisent leur mémoire. Nous pouvons vérifier cette hypothèse en donnant à des personnes âgées des exercices qui font travailler la mémoire, et en ne donnant aucun exercice à un autre groupe du même âge. Si les adultes qui ont fait les exercices parviennent à mémoriser plus de lettres ou de chiffres qu'avant l'exercice, et que le groupe privé d'exercice ne montre aucun changement, le résultat de cette expérimentation concorderait avec l'hypothèse posée.

L'expérimentation se caractérise essentiellement par l'assignation aléatoire des sujets dans différents groupes. Les sujets du **groupe expérimental** reçoivent le traitement qui, selon l'expérimentateur, produira un effet connu (comme le travail de la mémoire), tandis que ceux du **groupe témoin** ne reçoivent aucun traitement spécial ou reçoivent un traitement neutre. L'élément causal présumé de l'expérimentation est appelé **variable indépendante** (dans ce cas, les exercices), alors que l'aspect du comportement qui est mesuré est appelé **variable dépendante** (dans ce cas, le résultat du test de mémoire).

Cette étude particulière pourrait être plus complexe et offrir un plus grand intérêt si l'on répétait l'ensemble de l'expérimentation plusieurs fois avec des sujets d'âges différents. De cette façon, on pourrait découvrir si les exercices ont le même effet chez tous les sujets, quel que soit leur âge, ou s'ils ont un effet plus bénéfique chez les sujets âgés comparativement aux sujets jeunes — ce dernier résultat confirmerait davantage l'hypothèse à l'étude.

PROBLÈMES D'EXPÉRIMENTATION DANS LES ÉTUDES SUR LE DÉVELOPPEMENT. Les expérimentations sont essentielles pour comprendre divers aspects du développement. Toutefois, deux problèmes particuliers reliés à l'étude du développement de l'enfant ou de l'adulte posent des limites à l'utilisation de la méthode expérimentale.

Premièrement, bon nombre de questions auxquelles on cherche à répondre portent sur les effets d'expériences désagréables ou stressantes pour les individus — mauvais

---

Expérimentation : Méthode de recherche qui suppose une manipulation systématique des variables et une assignation aléatoire des sujets à un ou plusieurs groupes témoins ou expérimentaux.

Groupe expérimental : Groupe (ou groupes) de sujets d'une expérimentation à qui l'on donne des traitements particuliers dans le but de vérifier les hypothèses de départ.

Groupe témoin : Groupe de sujets d'une expérimentation qui ne reçoit aucun traitement ou qui reçoit un traitement neutre.

Variable indépendante : Condition ou événement qu'un expérimentateur manipule de façon systématique afin d'observer l'effet produit sur le comportement du sujet.

Variable dépendante : Variable utilisée lors d'une expérimentation et devant démontrer l'effet des manipulations de la variable indépendante.

traitements, influences prénatales comme l'alcool ou le tabac, faible poids de naissance, pauvreté, chômage, veuvage. Pour des raisons d'éthique évidentes, on ne peut manipuler ces variables. On ne peut demander à un groupe de femmes enceintes de prendre deux verres d'alcool par jour et à un autre groupe de ne pas en prendre. On ne peut choisir des adultes au hasard et leur demander de se mettre au chômage. Ainsi, l'étude des effets de telles expériences exige des études non expérimentales.

Deuxièmement, la variable indépendante qui nous intéresse le plus est généralement l'âge lui-même, et on ne peut assigner aléatoirement des sujets dans des groupes d'âge. On peut comparer la façon dont les enfants de quatre ans et de six ans s'acquittent d'une tâche particulière, telle la recherche d'un objet égaré, mais outre l'âge, les enfants diffèrent sur bien des plans. Les enfants plus âgés ont une plus grande expérience de vie. Ainsi, contrairement aux psychologues qui étudient les autres aspects du comportement, les psychologues du développement *ne peuvent pas* manipuler systématiquement les variables auxquelles ils s'intéressent le plus.

Pour résoudre ce problème, il est possible d'utiliser une démarche, appelée parfois *quasi-expérience*, qui consiste à comparer des groupes sans répartir les sujets de façon aléatoire. Les comparaisons transversales sont une forme de quasi-expérience. Il en est de même pour des études dans lesquelles on sélectionne des groupes naturels qui diffèrent quant à une dimension offrant un intérêt, comme les adultes qui ont perdu leur emploi par comparaison à ceux qui ont conservé leur poste dans la même branche d'activité. Cependant, on se heurte à des problèmes inhérents à ce type de comparaisons : en effet, les groupes qui diffèrent sur un point ont de fortes chances de différer sur d'autres points. On peut tenter d'aplanir ces problèmes en sélectionnant au départ les groupes de comparaison de telle sorte qu'ils partagent les variables que l'on croit pertinentes, comme le revenu, la situation de famille

ou la religion. Toutefois, du fait même de leur nature, les quasi-expériences donneront toujours des résultats plus ambigus que les résultats obtenus grâce à une expérimentation entièrement contrôlée. La meilleure stratégie consiste souvent — même si on ne peut pas toujours y avoir recours, car elle est longue et coûteuse — à recueillir différents types d'information auprès de chaque sujet.

MÉTHODES DE COLLECTE DE DONNÉES

Le choix de la méthode de collecte de données utilisée dans la recherche est très important, surtout lorsqu'on étudie le changement (ou la continuité) lié à l'âge. On peut choisir entre trois méthodes : (1) l'étude transversale — il s'agit d'étudier des groupes de personnes d'âges différents ; (2) l'étude longitudinale — il s'agit d'étudier les mêmes personnes au cours d'une période donnée ; (3) l'étude séquentielle — il s'agit de combiner d'une certaine façon les deux types d'études précédentes (Schaie, 1983a).

Étude transversale

L'étude transversale a pour but d'évaluer différents groupes d'âge en ne testant chaque sujet qu'une seule fois. Pour étudier la mémoire de façon transversale, on sélectionne différents groupes d'âge, par exemple des groupes de sujets âgés de 25, 35, 45, 55, 65, 75 et 85 ans. On évalue ensuite chaque sujet selon une mesure déterminée de la capacité de mémoire, puis on vérifie si les résultats diminuent avec l'âge. La figure 1.6 montre les résultats d'une telle étude : des adultes d'âges différents ont écouté une suite de lettres lues à haute voix, à raison d'une lettre par seconde. Ils devaient ensuite répéter les lettres dans l'ordre — cet exercice se rapproche de l'effort requis pour mémoriser un numéro de téléphone. On constate que la performance des personnes âgées de 60 ans et de 70 ans a été très faible.

Puisque ces résultats concordent avec l'hypothèse de départ, on est tenté de conclure que la mémoire diminue avec l'âge. Or, l'étude transversale ne permet pas de tirer une telle conclusion, car ces adultes ont des âges différents et proviennent de cohortes différentes. De plus, on sait que, dans notre société, la scolarité des cohortes plus âgées a généralement été plus courte que celle des cohortes plus jeunes. Les différences enregistrées sur le plan de la mémoire pourraient donc refléter le niveau d'instruction (ou d'autres différences de cohortes), et non les changements liés à l'âge ou au développement.

Méthodes de recherche

Q 14   Quels sont les différents choix que doit faire le chercheur avant d'étudier un aspect du développement humain ? (*Trois réponses.*)

Q 15   Quels problèmes pose le choix des sujets ?

Q 16   Expliquez les différentes méthodes de recherche et leurs particularités.

Q 17   Qu'est-ce que la méthode expérimentale et quelles en sont les limites ?

Étude transversale : Étude qui consiste à observer et à évaluer en même temps plusieurs groupes de sujets d'âges différents.

LIMITES. L'étude transversale a souvent une grande utilité. Elle est relativement rapide à réaliser. De plus, en révélant des différences propres à l'âge, elle peut suggérer de nouvelles hypothèses sur le processus du développement. Toutefois, dans toute étude transversale, on *confond* l'âge et la cohorte — ce qui veut dire qu'ils varient simultanément et que l'on ne peut pas faire ressortir leur effet respectif. D'autre part, l'étude transversale ne donne pas beaucoup de renseignements sur les *séquences* du développement, telle la séquence du développement de l'identité sexuelle chez l'enfant. Une étude transversale peut montrer que les enfants de deux ans ne possèdent pas la même conception des deux sexes que les enfants de quatre ans, mais elle ne révèle pas s'il existe des étapes intermédiaires ou si tous les enfants acquièrent ce concept selon la même séquence. Par ailleurs, l'étude transversale ne nous dit rien sur la continuité du comportement de l'individu au fil des ans. Les adultes dotés d'une bonne mémoire à 40 ans l'auront-ils toujours à 60 ans ou à 80 ans?

Étude longitudinale

L'**étude longitudinale** semble résoudre tous ces problèmes, car elle suit les mêmes individus tout au long d'une certaine période. Elle permet d'observer les séquences de changement ainsi que la continuité ou la non-continuité au fil des années. Par ailleurs, comme cette méthode compare la performance des mêmes personnes à des âges différents, elle permet d'éviter le problème posé par la cohorte.

Le recours à l'étude longitudinale à court terme, dans laquelle on étudie des groupes d'enfants ou d'adultes pendant plusieurs années, s'est beaucoup répandu récemment. On a également effectué des études longitudinales à long terme, dans lesquelles on a suivi des groupes d'enfants jusqu'à l'âge adulte, ou des groupes de personnes du début de l'âge adulte jusqu'à l'âge adulte avancé.

L'étude de Berkeley/Oakland sur la croissance, que nous avons déjà mentionnée, est l'une des études longitudinales les plus connues (Eichorn *et al.*, 1981). L'étude de Grant, tout aussi célèbre (Vaillant, 1977), s'est penchée sur un échantillon composé d'étudiants de Harvard; plusieurs centaines d'hommes ont ainsi été suivis de l'âge de 18 ans jusqu'à l'âge de 60 ans.

> Supposons qu'une étude transversale sur les rôles sexuels révèle que les adultes âgés de 20 à 50 ans ont tendance à faire preuve d'une attitude égalitaire, alors que les adolescents et les personnes de plus de 50 ans montrent des attitudes plus traditionnelles. Comment pourriez-vous interpréter ces résultats?

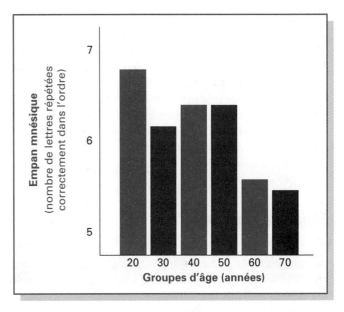

Figure 1.6 Mémoire et vieillissement. Dans cette étude, des adultes d'âges différents ont écouté une personne énoncer une série de lettres, au rythme d'une lettre à la seconde. La tâche du sujet consistait à essayer de répéter la liste de lettres dans le même ordre. Ces résultats indiquent le nombre moyen de lettres que chaque groupe a pu répéter. Peut-on conclure de ces résultats que la mémoire diminue avec l'âge? (*Source*: Botwinick et Storandt, 1974.)

LIMITES. Malheureusement, les études longitudinales ne sont pas aussi parfaites qu'il y semblerait. Deux grands problèmes se posent: les abandons sélectifs et l'effet du temps de la mesure.

1. ***Abandons sélectifs.*** Les chercheurs font face à un problème majeur dans la mesure où les sujets ne participent pas toujours à l'étude jusqu'à son terme. On imagine aisément combien il peut devenir gênant à la longue d'avoir à répondre tous les ans à une multitude de questions. Au bout de quelque temps, certains sujets refusent de continuer. D'autres déménagent sans laisser d'adresse. D'autres, encore, décèdent. En règle générale, ce sont les sujets en bonne santé et dotés d'une bonne instruction qui poursuivent l'étude jusqu'à son terme. Les résultats s'en trouvent faussés, particulièrement lorsque l'étude couvre les dernières décennies de la vie. En effet, chaque test porte de plus en plus exclusivement sur des sujets en bonne santé, ce qui peut laisser croire qu'il y a moins de changement ou moins de déclin qu'en réalité.

2. ***Effet du temps de la mesure.*** En outre, les études longitudinales ne s'appuient guère sur la notion de cohorte.

Étude longitudinale: Étude qui consiste à observer ou à évaluer les mêmes sujets à diverses reprises pendant plusieurs mois ou plusieurs années.

L'étude de Grant et l'étude sur la croissance de Berkeley/Oakland ont toutes deux observé et testé des sujets nés au cours de la même décennie (1918 à 1928). Même si les deux études révèlent le même modèle de changement associé à l'âge, on ne peut en conclure que ce modèle est propre à cette cohorte ou qu'il reflète des changements développementaux essentiels, que l'on retrouve dans d'autres cultures ou d'autres cohortes. C'est ce qu'on appelle un *effet du temps de la mesure*. Le recours à l'étude séquentielle permet d'éviter ce problème.

Étude séquentielle

Toutes les **études séquentielles** comprennent l'étude de plusieurs cohortes au cours d'une période donnée, mais il existe une multitude de possibilités, comme le montre la figure 1.7. En haut de la figure apparaissent les années de naissance de chaque cohorte ; à gauche, les années d'évaluation possible d'une cohorte donnée. Le tableau présente les *âges* de chaque cohorte au moment de l'évaluation. Dans cette matrice, on peut voir qu'une étude transversale établit une comparaison entre des éléments de n'importe quelle rangée du tableau, tandis qu'une étude longitudinale porte sur des portions de n'importe quelle colonne. Voici les autres possibilités logiques :

Année de naissance de chaque cohorte

Année où chaque mesure est obtenue	1905	1915	1925	1935	1945	1955	1965	1975
1920	15							
1930	25	15						
1940	35	25	15					
1950	45	35	25	15				
1960	55	45	35	25	15			
1970	65	55	45	35	25	15		
1980	75	65	55	45	35	25	15	
1990	85	75	65	55	45	35	25	15
2000	95	85	75	65	55	45	35	25
2010		95	85	75	65	55	45	35
2020			95	85	75	65	55	45

Figure 1.7 Matrice de groupes d'âges. Cette figure est complexe, mais il vaut la peine d'essayer de la comprendre. Chaque chiffre du tableau correspond à l'âge d'un groupe d'individus, nés dans une cohorte particulière, à un moment particulier de l'évaluation. L'étude transversale analyse certaines parties de n'importe quelle rangée. L'étude longitudinale analyse n'importe quelle colonne. L'étude séquentielle est une combinaison de ces deux analyses ; la combinaison la plus complexe est sans doute l'étude séquentielle de cohortes qui comprend des études transversales et longitudinales multiples, comme l'ensemble des cellules dans le rectangle. Les cercles illustrent une étude de décalage.

1. ***Étude de décalage.*** Cette étude séquentielle, la plus simple, consiste à observer plusieurs cohortes au *même âge*, ce qui entraîne des comparaisons entre les données d'une diagonale, comme les données encerclées sur la figure. Vous avez peut-être déjà lu dans la presse un rapport d'enquête sur les évaluations périodiques de la consommation de drogue chez les adolescents. À quelques années d'intervalle, on interroge un nouveau groupe d'adolescents afin de déterminer s'il y a eu augmentation ou diminution de la consommation de drogue. Ce type d'étude vise directement les différences de cohorte, sans prendre en compte l'effet de l'âge.

2. ***Étude séquentielle de temps.*** Cette méthode plus complexe consiste à effectuer plusieurs études transversales à quelques années d'intervalle. Dans la figure 1.7, ce genre d'étude consisterait à analyser des portions de deux rangées ou plus. Par exemple, si l'on avait réalisé une étude transversale sur la mémoire en 1960, on pourrait procéder à la même étude transversale en 1980. Si on obtenait le même modèle de différence d'âge, on pourrait en conclure que le modèle était lié non seulement aux effets de cohorte, mais aussi à ceux de l'âge.

3. ***Étude séquentielle de cohortes.*** L'autre possibilité logique consiste à effectuer deux études longitudinales ou plus, chacune portant sur une cohorte différente. Dans la figure 1.7, cette démarche impliquerait l'analyse de plusieurs colonnes. Si les investigateurs de l'étude de Grant, qui ont d'abord observé des étudiants de première année à l'université Harvard en 1937, s'étaient par la suite penchés sur un autre groupe (par exemple, les étudiants de première année en 1960), ils auraient obtenu une étude séquentielle de cohortes.

4. ***Étude trans-séquentielle.*** La dernière possibilité consiste à analyser à la fois plusieurs rangées et plusieurs colonnes, comme celles regroupées dans le rectangle de la figure. Le chercheur commence son analyse avec différents groupes d'âge, puis il étudie chaque groupe de façon longitudinale. Les études longitudinales de Duke sur l'âge (Palmore, 1981 ; Siegler, 1983) en constituent un bon exemple. Les investigateurs de cette étude ont commencé par évaluer un échantillon de chacun des cinq groupes d'âge, soit 45, 50, 55, 60 et 65 ans. Puis, ils ont testé de nouveau tous les sujets de chaque groupe d'âge, tous les deux ans, pendant six années.

Étude séquentielle : Ensemble d'études regroupant plusieurs études transversales ou longitudinales, ou les deux.

Les sociologues ont fréquemment recours à une variante de l'étude transversale qu'ils appellent l'*étude sur panel*. Ils sélectionnent un large échantillon de la population qui comprend des sujets de différents groupes d'âge, puis ils suivent chaque sujet pendant quelques années, parfois des décennies. L'étude sur panel du Michigan à propos de la dynamique du revenu (Duncan et Morgan, 1985) en est la parfaite illustration. Cette étude a débuté en 1968 avec un échantillon représentatif de 5 000 familles. Depuis le début de l'étude, un membre de chaque famille est interrogé chaque année en détail au sujet de tous ses proches. Ces études séquentielles tendent à prévaloir au fur et à mesure que les chercheurs s'efforcent de découvrir des modèles de base du développement.

La figure 1.8 propose une organisation des différentes méthodes de recherche en développement présentées dans ce chapitre.

ANALYSE ET INTERPRÉTATION

Enfin, la dernière étape d'une recherche consiste à analyser les résultats obtenus. Il existe deux grands types d'analyse dans les études sur le développement.

La première démarche met en jeu la comparaison de différents groupes d'âge en calculant simplement la note moyenne de chaque groupe à l'aide d'une unité de mesure, comme l'ont fait Botwinick et Storandt avec les données présentées à la figure 1.5. On peut tirer encore davantage d'informations de cette comparaison en subdivisant chaque groupe d'âge, selon le niveau d'instruction par exemple, puis en calculant les moyennes de chaque sous-groupe. Toutefois,

la démarche demeure la même. Nous ferons référence à de nombreux exemples de ce type d'analyse dans ce manuel.

La deuxième démarche permet d'établir une relation entre deux ou plusieurs variables distinctes grâce à un indice statistique appelé **corrélation.** L'indice de corrélation est tout simplement un nombre situé entre $-1,00$ et $+1,00$, qui décrit la force d'une relation entre deux variables. Un coefficient de corrélation zéro indique qu'il n'y a pas de relation linéaire entre les deux variables. Par exemple, on peut s'attendre à trouver une corrélation de zéro, ou se rapprochant de zéro, entre la taille des gros orteils et le Q.I. En effet, quelle que soit la longueur de leurs orteils, les individus peuvent avoir un quotient intellectuel élevé ou bas. Plus la corrélation se rapproche de $-1,00$ ou de $+1,00$, plus la relation décrite est étroite. Si la corrélation est positive, elle indique que des scores élevés, ou des scores faibles, sur les deux dimensions tendent à évoluer proportionnellement, tout comme la longueur des gros orteils et la grandeur des chaussures. La relation entre la taille et le poids ou la relation entre l'âge et l'empan de mémoire sont également très étroites.

Si la corrélation est négative, elle indique que des scores élevés d'une variable sont mis en relation avec des scores faibles d'une autre variable. On peut constater une corrélation négative entre un milieu familial perturbé et le Q.I. peu élevé d'un enfant (un milieu familial très perturbé est associé à un faible Q.I., et un milieu familial peu perturbé, à un Q.I. élevé).

Corrélation : Indice statistique utilisé pour décrire dans quelle mesure deux variables sont liées l'une à l'autre. Il peut varier entre $+1,00$ et $-1,00$. Plus la corrélation se rapproche de $+1,00$, plus la relation entre les deux variables est forte.

		Méthodes de collecte de données		
Méthodes de recherche		Étude transversale	Étude longitudinale	Étude séquentielle
Méthodes descriptives	Observation non structurée en milieu naturel			
	Tests semi-structurés (enfants) Questionnaires Entrevues			
	Tâches très structurées en laboratoire			
Méthode expérimentale				

Figure 1.8 Méthodes de recherche en développement (*Source :* Gosselin et Parent, manuscrit non publié, 1996.)

RAPPORT DE RECHERCHE

Questions d'éthique dans la recherche sur le développement

Chaque fois que l'on tente de comprendre le comportement humain soit en observant ou en effectuant des tests ou encore en posant des questions, on s'immisce dans la vie privée des gens. Lorsque l'on va chez un sujet pour observer la façon dont il agit avec ses enfants, on s'introduit dans sa vie privée. On peut même, malgré soi, donner l'impression que la façon dont cette personne élève sa famille n'est pas adéquate. Si l'on soumet des adultes ou des enfants à des tests de laboratoire, comme les tests présentés à la figure 1.5 qui mesurent l'empan de la mémoire, certains réussiront très bien et d'autres, moins bien. De quelle façon le sujet qui a obtenu les moins bons résultats interprétera-t-il son expérience ? Certains sujets risquent-ils d'être perturbés au point de faire une dépression s'ils pensent avoir donné une mauvaise performance ?

Toute recherche sur le comportement humain comporte des risques et soulève des questions d'éthique. C'est pourquoi les psychologues et les biologistes ont établi des règles et des lignes directrices précises que l'on doit respecter avant même de procéder à une observation ou de commencer un test. Dans tous les collèges et universités — les milieux où sont effectuées la plupart des recherches — un comité doit approuver tous les projets de recherche qui portent sur des sujets humains. La ligne directrice la plus fondamentale consiste à toujours protéger les sujets de préjudices mentaux ou physiques. Les chercheurs doivent respecter plus précisément les principes énumérés ci-dessous.

CONSENTEMENT LIBRE ET ÉCLAIRÉ. Pour participer à un test, chaque adulte doit donner son consentement par écrit. Dans le cas des travaux portant sur les enfants, on doit obtenir le consentement éclairé des parents ou du tuteur. Pour chaque test, la méthode et ses conséquences éventuelles doivent être expliquées en détail. S'il existe des risques potentiels, on doit les décrire. Par exemple, si vous étudiez les modèles de résolution de problèmes chez les couples mariés, vous voudrez sans doute observer les conjoints pendant qu'ils discutent entre eux d'un problème particulier. Lors de votre demande de consentement éclairé, vous devrez expliquer à chaque couple que, même si ces discussions finissent souvent par éclairer la situation, elles aboutissent parfois à une augmentation de la tension entre les deux personnes. De plus, vous devrez proposer un soutien et un compte rendu à la fin de l'expérimentation, afin d'aider les couples qui ont trouvé la tâche stressante ou déstabilisante.

RESPECT DE LA VIE PRIVÉE. Les sujets doivent avoir l'assurance que les informations très personnelles resteront confidentielles — y compris l'information sur le revenu, les comportements ou les agissements illégaux, comme la consommation de drogue. Les chercheurs peuvent utiliser l'information dans une compilation de données, mais ils ne peuvent en aucun cas la citer individuellement en associant le nom d'un sujet à des données particulières — à moins que le sujet n'ait donné son consentement.

En règle générale, il est contraire à l'éthique d'observer une personne derrière un miroir sans tain sans l'en avertir, ou de noter secrètement son comportement.

ÉTUDE SUR LES ENFANTS. Ces principes sont importants et les chercheurs doivent s'y conformer à la lettre, tout particulièrement en ce qui concerne les recherches sur les enfants. Il ne faut en aucun cas analyser ou observer un enfant contre son gré ; il faut le rassurer s'il est bouleversé et veiller à ne jamais mettre en péril son estime de soi.

Les corrélations parfaites (–1,00 ou +1,00) n'existent pas, mais on observe parfois des corrélations de 0,80 ou de 0,70. Les corrélations de 0,50 surviennent assez fréquemment dans la recherche en psychologie, et elles indiquent des relations d'intensité moyenne.

La corrélation constitue un outil de travail extrêmement utile. Si l'on veut savoir si des enfants timides à 4 ans le sont encore à l'âge de 20 ans, et que l'on possède un ensemble de données longitudinales pertinentes, on aura recours à une corrélation pour connaître le degré de consistance. Si l'on veut savoir si les mères ayant reçu une bonne instruction ont plus de chances d'avoir des enfants possédant un vocabulaire riche, on utilisera une corrélation. Cependant, les corrélations ne nous apportent pas d'information sur les relations de *causalité*.

Par exemple, de nombreux chercheurs ont trouvé une corrélation moyenne positive entre le tempérament difficile d'un enfant et le nombre de punitions qu'il reçoit de ses parents : plus le tempérament de l'enfant est difficile, plus il reçoit de punitions. Mais dans quel sens la causalité fonctionne-t-elle ? Les enfants difficiles *provoquent-ils* plus de punitions ? Ou bien les nombreuses punitions entraînent-elles un tempérament plus difficile ? Ou encore, existe-t-il un troisième facteur qui peut être simultanément responsable de ces deux situations, tel un facteur génétique lié à la fois au tempérament difficile de l'enfant et à la personnalité des parents ? La corrélation seule ne permet pas d'en décider. De façon plus générale, on peut dire qu'aucune corrélation ne suffit à elle seule à indiquer une causalité. Une corrélation peut prendre une direction particulière, ou suggérer des liens possibles de cause à effet. Cependant, pour découvrir ces causes, on doit explorer ces diverses possibilités au moyen d'autres techniques, y compris la méthode expérimentale.

> Les chercheurs ont découvert une corrélation positive entre l'âge d'une mère à l'accouchement et le Q.I. de l'enfant : les mères très jeunes ont des enfants avec un Q.I. plus bas. Combien d'éléments différents pouvez-vous trouver pour expliquer cette corrélation ?

Analyse et interprétation

Q 18 Quelles sont les différentes méthodes de collecte de données et quelles en sont les limites respectives ?

Q 19 Expliquez les deux grands types d'analyse des résultats.

Q 20 Quels principes éthiques les chercheurs en développement doivent-ils respecter ?

RÉSUMÉ

1. L'étude du développement au cours du cycle de la vie doit prendre en compte les notions de changement et de continuité, les modèles de développement individuels et communs ainsi que les influences relatives de la nature et de la culture.

2. Les changements communs associés à l'âge représentent un des principaux types de changements. Ces changements peuvent résulter de la maturation (horloge biologique), des pressions sociales courantes (horloge sociale) ou des changements intérieurs provoqués soit par l'horloge biologique, soit par l'horloge sociale.

3. Le fait d'être conscient des différences potentielles entre les cohortes est particulièrement important dans l'interprétation des études portant sur des adultes, car les comparaisons entre les différents groupes d'âge sont inévitablement confondues avec les effets de cohorte.

4. Les trajectoires de vie des individus sont également modifiées par des expériences personnelles uniques. Le moment auquel surviennent de telles expériences individuelles peut être particulièrement important dans la mise en place du modèle de développement d'un individu.

5. Les psychologues et les philosophes ont longtemps opposé les notions de nature et de culture ; or on sait que tout comportement et tout changement dans le développement résulte tant de la nature que de la culture. Dans l'étude de la culture, il est important de ne pas s'en tenir à la famille proche et de prendre en considération les influences culturelles plus globales ainsi que l'effet de l'ensemble des facteurs du milieu.

6. La vulnérabilité innée ou acquise et les capacités de flexibilité interagissent avec la richesse du milieu de façon non cumulative. La seule combinaison gravement préjudiciable semble l'association de la vulnérabilité et d'un milieu peu stimulant.

7. Les méthodes de recherche utilisées dans les études sur le développement vont de l'observation non structurée en milieu naturel à des tâches très structurées en laboratoire. À mi-chemin entre ces deux pôles, se trouvent les tests semi-structurés, les entrevues, questionnaires et tests écrits. L'expérimentation contrôlée, quant à elle, vise à expliquer le comportement.

8. Dans les études portant sur les aspects du développement, on a élaboré trois principaux types de méthodes de collecte de données : les études transversales, dans lesquelles les différents groupes d'âge sont évalués une fois chacun, les études longitudinales, dans lesquelles les mêmes individus sont évalués de façon répétitive au cours d'une période donnée, et les études séquentielles, qui offrent une combinaison des deux premières études.

9. Les recherches de corrélation, très courantes dans les études sur le développement, peuvent fournir des informations très pertinentes. Cependant, les corrélations ne décrivent pas les relations causales, si bien qu'il faut user de prudence dans l'interprétation qu'on en fait.

MOTS CLÉS

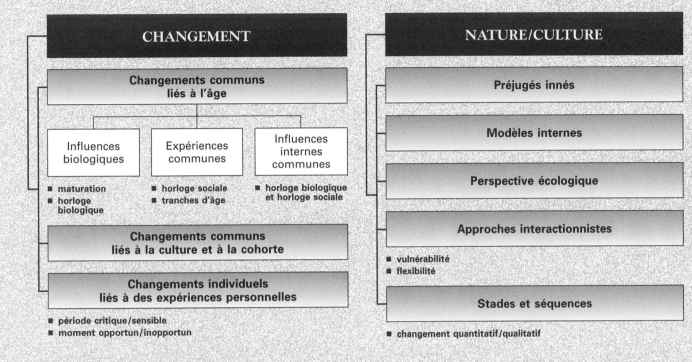

CHANGEMENT

Changements communs liés à l'âge

Influences biologiques

Expériences communes

Influences internes communes

■ maturation
■ horloge biologique

■ horloge sociale
■ tranches d'âge

■ horloge biologique et horloge sociale

Changements communs liés à la culture et à la cohorte

Changements individuels liés à des expériences personnelles

■ période critique/sensible
■ moment opportun/inopportun

NATURE/CULTURE

Préjugés innés

Modèles internes

Perspective écologique

Approches interactionnistes

■ vulnérabilité
■ flexibilité

Stades et séquences

■ changement quantitatif/qualitatif

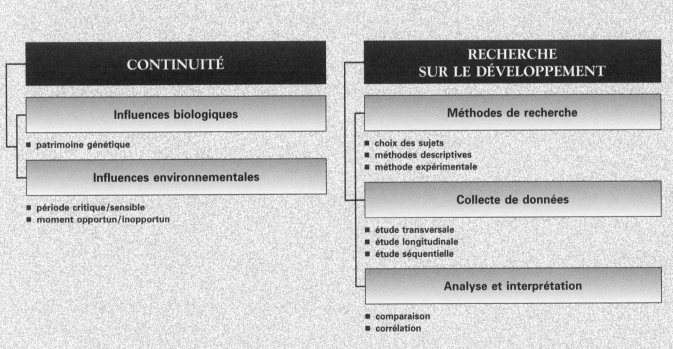

CONTINUITÉ

Influences biologiques

■ patrimoine génétique

Influences environnementales

■ période critique/sensible
■ moment opportun/inopportun

RECHERCHE SUR LE DÉVELOPPEMENT

Méthodes de recherche

■ choix des sujets
■ méthodes descriptives
■ méthode expérimentale

Collecte de données

■ étude transversale
■ étude longitudinale
■ étude séquentielle

Analyse et interprétation

■ comparaison
■ corrélation

2

*ne pas
dipasser
l'adolescence*

LES THÉORIES DU DÉVELOPPEMENT

L es étudiants disent fréquemment qu'ils ont horreur des théories. Ce qu'ils veulent, ce sont des faits. Mais les faits en soi ne servent pas à grand-chose s'ils ne sont pas accompagnés d'une explication ou d'un cadre théorique. Dans les interactions quotidiennes avec nos amis, notre famille et nos connaissances, nous interprétons constamment la situation, nous nous efforçons de découvrir le sens des paroles ou des actes d'autrui. Si un ami fronce les sourcils alors que nous nous attendions à un sourire, nous essayons de nous expliquer ce comportement. Nous avons en quelque sorte élaboré une mini-théorie à son égard, d'après son comportement passé ; nous interprétons donc ce froncement de sourcils à la lumière de cette théorie. En psychologie sociale, on désigne ce processus par le terme attribution : nous attribuons le comportement de la personne à une cause particulière, qui lui est soit interne, soit externe. Les modèles internes de relations ou de concept de soi, dont nous avons traité au chapitre 1, constituent également un type de théorie, c'est-à-dire un ensemble de propositions et d'hypothèses concernant la façon dont le monde fonctionne.

HELEN BEE

Ces théories nous aident à classer et à interpréter nos propres expériences.

Il en est de même pour les faits issus de la recherche. Voici un fait : certaines études menées dans des pays industrialisés nous indiquent qu'au cours des mois qui suivent immédiatement le décès du conjoint ou de la conjointe, les hommes ont plus tendance que les femmes à souffrir de maladie, à se suicider ou à mourir de causes diverses (Stroebe et Stroebe, 1986). Comment peut-on interpréter ce fait ? Il existe plusieurs pistes d'explication. On sait que l'espérance de vie des hommes est moins grande que celle des femmes. Il faut donc s'assurer que l'apparent effet du veuvage ne relève pas seulement d'une différence fondamentale entre l'espérance de vie des hommes et celle des femmes. Mais supposons que ce fait demeure après que nous avons écarté d'autres possibilités d'explication. Que se passe-t-il alors ? Dès que nous nous aventurons au-delà de la simple explication méthodologique, nous entrons dans le domaine de la théorie, par exemple les théories concernant le rôle possible des réseaux sociaux dans le soutien en temps de crise, ou encore les théories concernant l'origine des différences dans les réseaux sociaux entre hommes et entre femmes.

Il s'avère donc que la création de modèles ou de **théories** est un processus naturel et nécessaire pour décoder l'expérience. Les théories guident également la collecte des faits (données) en suggérant quels sont les éléments que l'on doit observer. Par exemple, on peut tenter d'expliquer les réactions différentes des hommes et des femmes face au veuvage par le fait que, en général, et comparativement à leur conjointe, les hommes possèdent un réseau social moins étendu et des relations sociales moins intimes, d'où leur vulnérabilité après leur veuvage. Si cette explication est valide (s'il s'agit d'une bonne

théorie), on devrait être en mesure de diviser les veufs en deux catégories : ceux qui ont accès à des réseaux sociaux étendus et intimes, et ceux qui n'y ont pas accès. On devrait donc découvrir des taux de décès et de maladie beaucoup plus élevés chez les hommes qui ne bénéficient pas d'un tel réseau. Ainsi, la théorie suggère une **hypothèse** précise qui oriente la prochaine expérimentation empirique.

Pour mériter son nom, une théorie n'a pas besoin de couvrir de grands ensembles de faits ou de connaissances issus de la recherche. En fait, on a souvent recours à des « mini-théories » qui rendent compte d'un registre étroit d'observations empiriques. Au cours de notre étude du développement humain, nous aborderons en détail plusieurs mini-théories. Dans la prochaine section, nous allons présenter certaines des théories majeures du développement humain, qui façonnent la pensée et la recherche depuis les dernières décennies.

APERÇU DES THÉORIES DU DÉVELOPPEMENT HUMAIN

Afin de vous aider à classer les différentes théories, nous vous proposons une « théorie des théories », c'est-à-dire un cadre théorique ou un tableau grâce auxquels vous pourrez établir

---

Théorie : Ensemble d'éléments de connaissances organisés afin de donner une signification aux faits et d'orienter la recherche.

Hypothèse : Proposition relative à l'explication de phénomènes, admise provisoirement avant d'être soumise à la vérification de l'expérience.

un lien entre les différentes théories. La figure 2.1 présente les principales théories organisées selon deux axes, ainsi que nous l'avons vu au chapitre 1. Le premier axe (plan horizontal) permet de déterminer si la théorie propose des stades de développement ou non. Le second axe, plus complexe (plan vertical), permet d'établir une distinction entre changement quantitatif et changement qualitatif. À une extrémité du continuum se trouvent les théories selon lesquelles le changement qui accompagne l'âge n'est pas seulement qualitatif, il comprend un but ou une direction identifiable ainsi qu'une réelle transformation structurale. À l'autre extrémité de ce continuum, se trouvent les théories selon lesquelles le changement est essentiellement quantitatif ou, tout au moins, ne comporte pas de direction ou de modification structurale. En d'autres termes, le premier ensemble de théories met l'emphase sur le seul *changement*, tandis que le deuxième ensemble s'attache au *développement*, soit une restructuration en quelque sorte des capacités de l'individu ou de ses caractéristiques, qui survient avec l'âge. Cette classification selon deux axes nous donne quatre grands groupes de théories, dont les théories modernes offrent toutes sortes de nuances et de variantes. Nous aurions pu choisir d'autres critères, par exemple l'importance relative attachée aux notions de nature et de culture. Mais ce cadre théorique va faciliter notre description des différentes théories de chaque groupe.

Théories du développement

Q 1   Expliquez ce qu'est le processus d'attribution.

Q 2   Qu'est-ce qu'une théorie ? une hypothèse ?

Q 3   Que représentent les deux axes (plan vertical et plan horizontal) de la figure 2.1 ?

THÉORIES DE TYPE A : CHANGEMENT QUALITATIF AVEC STADES

Les théories de ce groupe s'appuient sur la notion de stades : elles reposent sur la conviction que le développement possède un point d'arrivée, une direction, un but, ce qui se manifeste par une maturité grandissante, une plus grande intégrité, une intégration plus poussée de l'identité ou encore des modes de raisonnement plus complexes. De plus, les tenants de ces théories pensent que chacun de nous se dirige vers un objectif en franchissant des étapes déterminées et communes à tous.

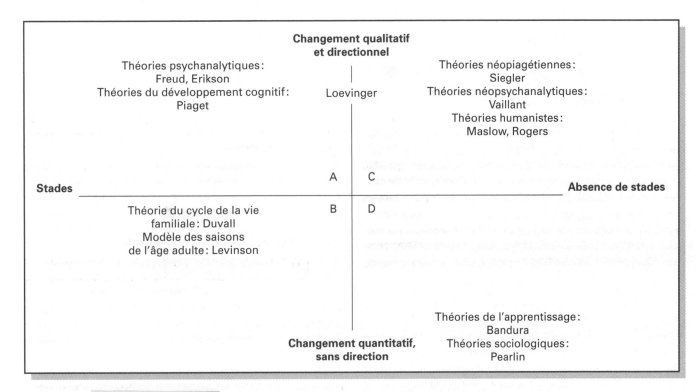

Figure 2.1 Classification des théories. Les différentes théories sur le développement humain peuvent être organisées selon divers critères. Nous les avons classées ici selon deux axes suivant qu'elles considèrent, d'une part, que le changement suit ou ne suit pas une séquence de stades et, d'autre part, que le changement est qualitatif (ou structural) et orienté vers un but, ou bien qu'il est quantitatif et sans but.

Théories psychanalytiques

La famille des *psychanalystes* comprend Sigmund Freud (1905, 1920/1965), Carl Gustav Jung (1916, 1939), Alfred Adler (1948) et Erik Erikson (1959, 1964, 1974). Ces théoriciens se sont tous efforcés d'expliquer le comportement humain en étudiant le processus sous-jacent de la *psyché,* un terme grec désignant l'« âme », l'« esprit ». On attribue généralement à Sigmund Freud la paternité de l'approche psychanalytique. Sa terminologie et nombre de concepts dont il est l'auteur font maintenant partie de notre culture intellectuelle, même si son influence directe sur la psychologie du développement a diminué.

THÉORIE DE FREUD. L'un des apports les plus originaux de Freud est l'idée selon laquelle le comportement est gouverné non seulement par des processus conscients, mais aussi par des processus *inconscients*. Le plus élémentaire de ces processus est une pulsion sexuelle instinctive, appelée **libido,** qui est présente à la naissance et constitue la force motrice à l'origine de presque tous nos comportements. Par ailleurs, certains éléments de l'inconscient apparaissent avec le temps sous la forme de divers **mécanismes de défense,** c'est-à-dire des stratégies automatiques, normales, inconscientes auxquelles nous avons quotidiennement recours pour réduire l'anxiété, et qui incluent entre autres le refoulement, la négation ou la projection. Nous étudierons ces mécanismes de défense plus en détail au chapitre 13.

Dans la théorie freudienne, la personnalité possède en outre une structure qui évolue avec le temps. Freud en définit trois composantes : le **ça,** le siège de la libido, le **moi** (ou ego), beaucoup plus conscient et qui dirige la personnalité, et enfin le **surmoi,** le centre de la moralité, qui intègre les normes et les restrictions morales imposées par la famille et la société. Selon Freud, ces trois composantes ne sont pas toutes présentes à la naissance. Le nourrisson et le trottineur ne sont que ça, instinct et désir, sans influence inhibitrice de la part du moi ou du surmoi. Le moi commence à se développer vers l'âge de deux ans jusqu'à quatre ou cinq ans, à mesure que le jeune enfant apprend à adapter ses stratégies de gratification immédiate. Le surmoi enfin commence à se développer juste avant l'âge scolaire, lorsque l'enfant tente d'assimiler les valeurs des parents et leurs coutumes sociales.

Freud définit par ailleurs cinq **stades psychosexuels** (présentés au tableau 2.1), que l'enfant va traverser en suivant une séquence déterminée, fortement influencée par la maturation. À chaque stade, la libido se fixe dans la partie du corps la plus sensible à cet âge. Chez le nouveau-né, la bouche est la partie du corps la plus sensible où se concentre l'énergie libidinale. Ce stade est par conséquent appelé stade *oral*. Plus tard, à mesure que le développement neurologique se poursuit, d'autres parties du corps deviennent sensibles, et le siège de l'énergie sexuelle se déplace vers l'anus (stade *anal*), puis vers les parties génitales (stade *phallique* et, pour finir, stade *génital*). Une *période de latence,* caractérisée par l'assoupissement de la pulsion sexuelle, sépare le stade phallique du stade génital.

Les théories psychanalytiques accordent toutes une place centrale au rôle formateur des premières expériences, en particulier les premières expériences au sein de la famille. Selon cette perspective, les cinq ou six premières années de la vie constituent une sorte de période sensible, un creuset dans lequel se forge la personnalité de l'individu.

THÉORIE D'ERIKSON. Après Freud, Erik Erikson est le théoricien de la psychanalyse dont l'influence a le plus marqué l'étude du développement. Erikson partage l'essentiel des principes de Freud, mais leurs théories présentent néanmoins certaines différences fondamentales. D'une part, Erikson rejette l'importance centrale de la pulsion sexuelle au profit de l'émergence d'une quête progressive de l'**identité.** D'autre part, bien qu'il considère comme Freud que les premières années de la vie sont cruciales, il ne pense pas que le processus menant à l'identité soit complété à la fin de l'adolescence : au contraire, ce processus se poursuit à l'âge adulte et passe par diverses étapes de développement. Vous pouvez remarquer au tableau 2.2 qu'il définit huit stades, dont trois ne sont atteints qu'à l'âge adulte.

Pour Erikson, la maturation joue un rôle relativement mineur dans la succession des stades. Les attentes communes dans une culture concernant ce que doit faire ou ne pas faire un enfant d'un certain âge sont bien plus importantes : un enfant doit être propre à l'âge de deux ans environ, il doit débuter l'école vers six ou sept ans, ou encore le jeune adulte doit rechercher l'intimité d'une relation amoureuse. Chaque stade comprend donc un dilemme, une tâche sociale parti-

---

Libido : Terme utilisé par Freud pour décrire l'énergie sexuelle présente chez tout individu.

Mécanismes de défense : Terme utilisé par Freud pour décrire les méthodes de défense du moi contre l'anxiété, lesquelles sont essentiellement inconscientes et déforment la réalité.

Ça : Dans la théorie de Freud, première partie primitive de la personnalité. Elle est le siège de l'énergie de base, laquelle exige continuellement une gratification immédiate.

Moi : Dans la théorie de Freud, aspect de la personnalité qui organise, planifie et maintient l'individu en contact avec la réalité. Le langage et la pensée sont deux fonctions du moi.

Surmoi : Dans la théorie de Freud, la partie consciente de la personnalité, qui se développe grâce au processus d'identification. Le surmoi comprend les valeurs parentales et sociétales et les attitudes assimilées par l'enfant.

Stades psychosexuels : Stades du développement de la personnalité proposés par Freud. Ils comprennent les stades oral, anal, phallique et génital, ainsi qu'une période de latence.

Identité : Dans la théorie d'Erikson, terme utilisé pour décrire le concept de soi qui émerge progressivement et qui évolue en traversant une succession de huit stades.

Tableau 2.1

Stades psychosexuels du développement selon Freud

Stade	Âge (années)	Zones érogènes	Tâche majeure du développement (source potentielle de conflit)	Certaines particularités des adultes qui ont fait une fixation à ce stade durant l'enfance
Stade oral	0 à 1	Bouche, lèvres, langue	Sevrage	Comportement oral, tel que le fait de fumer, de trop manger; passivité et crédulité.
Stade anal	2 à 3	Anus	Apprentissage de la propreté	Ordre, parcimonie, obstination, ou l'inverse.
Stade phallique	4 à 5	Parties génitales	Complexe d'Œdipe	Vanité, insouciance, et l'inverse.
Période de latence	6 à 12	Aucune zone particulière	Développement des mécanismes de défense	Aucune: aucune fixation ne survient habituellement à ce stade.
Stade génital	13 à 18	Parties génitales	Maturité de l'intimité sexuelle	Les adultes qui ont réussi à intégrer les stades précédents font preuve d'un intérêt sincère pour autrui et sont sexuellement épanouis.

culière. C'est pourquoi Erikson privilégie la notion de **stades psychosociaux** plutôt que celle de stades psychosexuels.

Le tableau 2.2 va vous permettre de vous familiariser avec les noms de ces stades et vous en donner une description sommaire. Parmi ces huit stades, quatre ont suscité de nombreuses recherches et la mise en place de théories: la confiance pendant l'enfance, l'identité à l'adolescence, l'intimité au début de l'âge adulte et la générativité au milieu de l'âge adulte.

L'une des idées maîtresses de la théorie d'Erikson est que chaque nouvelle tâche et chaque dilemme imposés à la personne au cours de son développement relèvent en fait de changements qui surviennent dans la demande sociale. Nous pouvons reformuler cette idée dans les termes de Mathilda Riley : chaque tranche d'âge possède sa propre tâche psychologique centrale. Au fur et à mesure qu'une personne avance en âge, elle se trouve bon gré mal gré face à de nouvelles tâches, qu'elle ait ou non réussi à résoudre les dilemmes précédents. Les questions non résolues seront traînées comme des boulets, ce qui rend plus difficile la résolution complète des prochains dilemmes. Les toutes premières tâches sont les plus déterminantes, car elles constituent la pierre angulaire de la suite du développement.

AUTRES THÉORICIENS DE LA PSYCHANALYSE. De nombreux autres théoriciens du développement se sont largement inspirés de la psychanalyse. Jane Loevinger (1976) s'est intéressée particulièrement au développement du moi qui, selon elle, se déroule de l'enfance à l'âge adulte en passant par une série de 10 stades ou étapes. Cependant, le

modèle de Loevinger diffère grandement des théories de Freud ou d'Erikson dans la mesure où elle considère que ces stades sont indépendants de l'âge. Il existe une *séquence* d'étapes que les individus traversent dans le même ordre, mais ils ne se rendent pas tous jusqu'au même niveau et ne progressent pas tous à la même vitesse. À la figure 2.1, le modèle de Loevinger se situe quelque part au milieu de la dimension des stades, mais vers l'extrémité qualitative de la dimension qualitative/quantitative. Selon Loevinger, chaque nouveau stade — s'il est atteint un jour — représente une restructuration radicale, une nouvelle perspective, une nouvelle façon de se comprendre et de comprendre ses relations avec les autres.

Par exemple, le cinquième stade de Loevinger est appelé le *stade conformiste*. Il est habituellement (mais pas toujours) atteint à la fin de l'adolescence ou au début de l'âge adulte. L'individu arrivé à ce stade associe son propre bien-être à celui d'un groupe — famille, équipe de travail, groupe religieux ou autre. Il se *définit lui-même* en fonction de son appartenance au groupe ou au sous-groupe, et décrit généralement les autres en fonction du groupe. À ce stade, on est plein de préjugés envers autrui et insensible aux différences individuelles. L'individu comprend ses propres émotions selon des extrêmes: heureux ou triste, bon ou mauvais, mais sans nuances entre les deux.

Stades psychosociaux : Stades du développement de la personnalité suggérés par Erikson. Ils comprennent la confiance, l'autonomie, l'initiative, la compétence, l'identité, l'intimité, la générativité et l'intégrité personnelle.

Tableau 2.2

Les huit stades du développement selon Erikson

Âge approximatif (années)	Qualités du moi qui se développe	Certaines tâches ou activités au cours du stade
0 à 1	Confiance ou méfiance	Confiance envers la mère ou la personne qui s'occupe du nouveau-né et confiance en sa propre capacité d'agir sur les choses. L'élément essentiel pour développer de bonne heure un sentiment d'attachement sécurisant.
2 à 3	Autonomie ou honte et doute	Nouvelles habiletés physiques menant au libre choix; apprentissage de la propreté; l'enfant apprend la maîtrise mais peut commencer à ressentir de la honte s'il n'est pas supervisé correctement.
4 à 5	Initiative ou culpabilité	Organiser ses activités autour d'un but; commencer à s'affirmer et à faire preuve d'agressivité; le complexe d'Œdipe envers le parent du même sexe peut conduire à la culpabilité.
6 à 12	Compétence ou infériorité	Assimiler toutes les habiletés et les normes culturelles élémentaires, y compris les habiletés scolaires ou l'utilisation d'outils.
13 à 18	Identité ou diffusion de rôle	Adapter la perception de soi aux changements associés à la puberté, choisir son orientation professionnelle, acquérir une identité sexuelle d'adulte et se créer de nouvelles valeurs.
19 à 25	Intimité ou isolement	Nouer au moins une relation intime véritable; fonder un foyer.
26 à 40	Générativité ou stagnation	Avoir des enfants et les éduquer, se concentrer sur la réussite professionnelle et la créativité, éduquer la prochaine génération.
41 et plus	Intégrité personnelle ou désespoir	Intégrer les stades précédents, parvenir à un sentiment d'identité fondamental et s'accepter soi-même.

Après une phase transitionnelle que Loevinger appelle le niveau de conscience de soi, l'adulte *peut* quitter le stade conformiste et atteindre le *stade de conscience*. Un changement radical s'opère pendant la transition. Au stade conformiste, l'autorité est extérieure à soi; au stade de conscience, l'autorité est intérieure. La personne se crée désormais ses propres règles et tente de s'y conformer. Sa vie intérieure est beaucoup plus riche, avec des sentiments beaucoup plus nuancés et elle perçoit les autres de façon plus subtile et plus individuelle.

Comme de plus en plus de données remettent en cause l'existence de stades strictement reliés à l'âge, la notion de stades séquentiels mais non inévitables de Loevinger a séduit de nombreux chercheurs contemporains.

Critique des théories psychanalytiques

Le succès même de la psychanalyse depuis plusieurs décennies indique combien cette théorie est séduisante. Le concept de motivations inconscientes s'est avéré profondément marquant, et nous pouvons encore en déceler l'influence dans les théories actuelles qui proposent des modèles internes.

Freud et Erikson se sont intéressés à l'importance de la relation qui unit l'enfant et les personnes qui s'en occupent dans la formation des modèles internes de l'enfant, de ses habitudes et de sa personnalité. De plus, en soulignant que l'enfant est inévitablement amené à accomplir certaines tâches — selon un agenda du développement en quelque sorte —, les théoriciens de la psychanalyse insistent sur la nature *transactionnelle* du processus développemental. Cela ne signifie pas que l'enfant est un récepteur passif soumis à l'influence familiale. Au contraire, l'enfant entre dans le système avec des besoins et des tâches qui lui sont propres. C'est pourquoi ces théories offrent un grand intérêt, car la plupart des recherches actuelles s'orientent de plus en plus vers une telle conceptualisation transactionnelle.

Par ailleurs, ces théories présentent quelques faiblesses de taille. Les théories de Freud et d'Erikson reposaient essentiellement sur des observations cliniques et non sur des recherches systématiques. En ce qui concerne la théorie de Freud, toutes les observations cliniques de Freud portaient sur des personnes qui avaient voulu entreprendre une psychothérapie. Cela a pu le conduire à mettre l'accent sur les pathologies et les processus psychologiques négatifs. Cette critique est moins fondée en ce qui concerne la théorie d'Erikson, laquelle mettait l'accent autant sur les adaptations saines et constructives que sur les adaptations négatives.

Néanmoins, les approches psychanalytiques sont toujours en butte à la critique à cause du flou qui les caractérise. Comme le souligne Jack Block :

> En dépit de la richesse et de la profondeur que la théorie psychanalytique apporte à la compréhension du fonctionnement de la personnalité, elle demeure très imprécise, repose trop souvent sur de simples spéculations, et elle ne peut apparemment pas se plier aux exigences de la méthode scientifique. (1987, p. 2.)

En raison de cette imprécision, les chercheurs se sont souvent heurtés à des difficultés pour traduire les concepts de Freud et d'Erikson en mesures valides et fiables. Par conséquent, il est difficile de mettre à l'épreuve les théories mêmes et donc de les infirmer. Les théories actuelles à tendance psychanalytique, comme celles de Loevinger et de Bowlby, sont construites dans un cadre plus précis, ce qui a suscité un regain d'intérêt pour l'approche psychanalytique au cours des dernières années.

Théories psychanalytiques

Q 4   Quels sont les fondements de la théorie psychanalytique ?

Q 5   Que signifie la notion de changement qualitatif avec stades ?

Q 6   Quels sont les stades qui caractérisent le développement psychosexuel selon Freud ?

Q 7   Définissez les trois composantes de la personnalité.

Q 8   En quoi la théorie d'Erikson se différencie-t-elle de celle de Freud ?

Q 9   Quels sont les stades qui caractérisent le développement psychosocial selon Erikson ?

Q 10 Quelles sont les principales critiques adressées aux théories psychanalytiques ?

Théories du développement cognitif

La seconde tradition théorique qui met l'accent sur le changement qualitatif avec stades est l'approche qui se fonde sur le développement cognitif. À l'instar des psychanalystes, les tenants de cette théorie insistent sur le rôle majeur et actif de l'enfant dans le processus du développement. Les deux théories s'accordent également pour décrire des stades qualitativement différents de développement. Mais les points communs s'arrêtent là, en partie parce que les deux traditions théoriques abordent des facettes très différentes du développement de l'enfant. Les psychanalystes se sont intéressés quasi exclusivement au développement de la personnalité. Les théoriciens du développement cognitif, comme leur nom l'indique, ont tenté d'expliquer le développement de la pensée de l'enfant, et ils n'ont guère accordé d'importance aux relations particulières qui unissent l'enfant et les personnes qui s'occupent de lui.

Jean Piaget est l'une des figures centrales de la théorie du développement cognitif (1952, 1970, 1977 ; Piaget et Inhelder, 1969). Les théories de ce chercheur suisse ont marqué plusieurs générations de psychologues du développement. Piaget, comme d'autres précurseurs de la théorie cognitive tels que Lev Vygotsky (1962) et Heinz Werner (1948), a été frappé par le caractère régulier du développement de la pensée chez l'enfant. Piaget a noté que les enfants semblent tous faire le même genre de découvertes sur le monde, qu'ils font les mêmes erreurs et qu'ils arrivent aux mêmes solutions. Par exemple, lorsqu'on transvase l'eau contenue dans un verre large et peu profond dans un autre plus haut et plus étroit, les enfants de trois ou quatre ans sont convaincus qu'il y a plus d'eau dans ce dernier, car le niveau d'eau est plus élevé que dans l'autre verre. Par contre, la plupart des enfants de sept ans comprennent que la quantité d'eau est la même dans les deux verres. Si un enfant de deux ans perd son soulier, il le cherchera peut-être à tâtons pendant un moment, mais il sera incapable d'entreprendre des recherches systématiques. Un enfant de dix ans, au contraire, peut faire appel à de bonnes stratégies comme revenir sur ses pas ou fouiller sa maison pièce par pièce.

Les observations détaillées de Piaget l'ont conduit à émettre l'hypothèse que, par nature, l'être humain *s'adapte* à l'environnement. Il s'agit d'un processus actif et non passif. Piaget ne pense pas que le milieu *façonne* l'enfant. Il croit plutôt que l'enfant (comme l'adulte) cherche à comprendre son environnement de manière active. Il explore, palpe et examine les objets et les personnes qui l'entourent.

CONCEPT DE SCHÈME. L'un des pivots de la théorie de Piaget est le concept de **schème.** Selon Piaget, la connaissance consiste en un répertoire d'*actions* physiques ou mentales, par exemple l'action de regarder un objet, ou la façon

---

Schème : Terme utilisé par Piaget pour décrire les actions fondamentales de la connaissance, comprenant à la fois les actions physiques (schèmes sensorimoteurs, comme regarder ou atteindre un objet) et les actions mentales (classer, comparer ou changer d'avis, par exemple). Une expérience est assimilée à un schème, et le schème est modifié ou créé par l'accommodation.

particulière de le tenir ou de le répertorier comme *balle*, ou de l'associer mentalement avec le mot *balle*, ou encore de le comparer à autre chose. Piaget utilise le mot « schème » pour faire référence à ces actions. Le bébé commence sa vie avec un petit répertoire inné de schèmes sensoriels ou moteurs tels que regarder, goûter, toucher, entendre ou atteindre. Pour un bébé, un objet *est* une chose qui a un certain goût, une certaine texture au toucher, ou qui est d'une certaine couleur. Plus tard, le bébé acquiert manifestement des schèmes mentaux. Il crée des catégories, compare les objets, apprend des mots pour désigner les catégories. À l'adolescence, on observe la création de schèmes complexes tels que l'analyse déductive ou le raisonnement systématique. Mais comment l'enfant passe-t-il des simples schèmes sensorimoteurs innés aux schèmes mentaux complexes plus intériorisés que l'on observe au terme de l'enfance ? Piaget décrit trois processus qui engendrent, selon lui, ce changement : l'assimilation, l'accommodation et l'équilibration.

ASSIMILATION. L'assimilation est un processus d'intégration par lequel un individu incorpore de nouvelles informations ou expériences à des structures déjà existantes. Lorsqu'un bébé regarde, puis essaie d'atteindre un mobile au-dessus de son berceau, Piaget suggère que le bébé a assimilé le mobile à ses schèmes visuels et tactiles. Lorsqu'un enfant plus âgé voit un chien et lui associe le mot *chien*, il assimile l'animal à sa catégorie, ou schème, de chiens. En lisant ce paragraphe, vous êtes en train d'assimiler l'information, et vous rattachez ce concept à tout autre concept (schème) familier semblable.

Il importe de souligner que l'assimilation est un processus *actif*. En effet, nous assimilons les données extérieures de façon sélective. Lorsque nous apprenons à jouer au tennis et que nous observons la manière dont le professeur accomplit un coup droit, nous ne parvenons pas à assimiler l'ensemble des informations, car le schème existant n'est pas assez proche du modèle. Nous en assimilons seulement une partie et ne sommes capables d'imiter que la partie que nous avons assimilée. De plus, l'action même d'assimiler des données *modifie* ou *altère* l'information assimilée. Par exemple, si nous ren-

controns une amie portant une robe d'un rouge orangé inhabituel, nous qualifions la couleur de *rouge* dans notre esprit (en l'assimilant à notre schème de « rouge »), même si elle n'est pas tout à fait rouge. Plus tard, lorsque nous évoquerons le souvenir de cette robe, nous nous la rappellerons plus rouge qu'elle ne l'était en réalité. Le processus d'assimilation a donc modifié notre perception.

ACCOMMODATION. L'accommodation est le processus complémentaire qui consiste à *modifier un schème* afin d'y intégrer la nouvelle information que nous avons acquise par assimilation. Après avoir vu la robe de notre amie, notre schème de « rouge » peut en quelque sorte s'agrandir pour inclure cette nouvelle variation inhabituelle. De plus, si nous apprenons un mot nouveau pour cette teinte spéciale de rouge, nous nous ajusterons encore plus, en créant du même coup une nouvelle sous-catégorie (un nouveau schème). Le bébé qui regarde et saisit pour la première fois un objet carré accommodera son schème de préhension, si bien que la prochaine fois qu'il attrapera un objet de cette forme, sa main sera recourbée de façon plus appropriée pour le saisir. Ainsi, pour Piaget, l'accommodation est l'une des clés du développement cognitif. Grâce à elle, nous réorganisons nos pensées, nous améliorons nos habiletés et nous ajustons nos stratégies.

ÉQUILIBRATION. Le troisième aspect de l'adaptation est l'équilibration. Piaget considère que dans le processus d'adaptation, l'enfant s'efforce toujours de trouver une cohérence, de maintenir un « équilibre » afin que sa compréhension générale du monde soit logique et sensée. Ce que Piaget propose n'est pas sans rappeler le travail d'une scientifique qui cherche à établir une théorie. Elle veut un cadre théorique qui donne une signification à chaque observation et qui possède une cohérence interne. Elle assimile chaque nouveau

---

Cherchez trois ou quatre autres exemples d'assimilation et d'accommodation dans votre vie de tous les jours.

Dans le langage de Piaget, nous dirions que Nicolas, ce bébé de neuf mois, assimile le râteau à son schème de préhension.

Assimilation : Processus d'adaptation par lequel un individu associe de nouvelles informations ou expériences à des schèmes existants. L'expérience n'est pas adaptée telle quelle, mais elle est modifiée (ou interprétée) de façon à ce qu'elle concorde avec les schèmes déjà existants.

Accommodation : Processus d'adaptation par lequel un individu modifie les schèmes existants pour s'adapter à de nouvelles expériences, ou pour créer de nouveaux schèmes lorsque les anciens ne permettent plus d'incorporer les nouvelles données.

Équilibration : Dans la théorie de Piaget, troisième partie du processus d'adaptation, qui met en œuvre une restructuration périodique des schèmes.

résultat de recherche à sa théorie. S'il ne s'y intègre pas parfaitement, elle va mettre simplement de côté les données déviantes ou apporter de légères modifications à sa théorie. Mais si trop de données vont à l'encontre de sa théorie, elle va devoir l'abandonner et tout recommencer, ou bien modifier certaines hypothèses fondamentales sous-tendant sa théorie afin de retrouver une sorte d'équilibre.

Selon Piaget, un enfant fonctionne de la même façon, en créant des structures ou modèles cohérents, plus ou moins constants. L'enfant commence sa vie en possession d'un répertoire de schèmes très limité. Ses premières structures sont inévitablement primitives et imparfaites, mais, au cours des années suivantes, il procède à une série de changements significatifs de sa structure interne.

Piaget envisage trois grandes réorganisations particulières, ou équilibrations, dont chacune conduit vers une nouvelle période de développement. La première a lieu à deux ans environ, lorsque le trottineur s'éloigne de la prédominance des seuls schèmes sensoriels et moteurs pour se rapprocher des premières véritables représentations internes. La seconde équilibration prend place entre six et sept ans environ, lorsque l'enfant acquiert un nouvel ensemble de schèmes puissants que Piaget appelle **opérations.** Ces actions mentales sont beaucoup plus générales et plus abstraites, telles que les additions et les soustractions mentales.

La troisième équilibration se situe à l'adolescence, lorsque l'adolescent comprend comment «opérer» sur les idées de la même façon que sur les événements et les objets. Ces trois équilibrations déterminent quatre périodes composées de différents stades :

- La *période sensorimotrice,* de la naissance à environ 2 ans.

- La *période préopératoire,* de 2 ans à environ 7 ans.

- La *période des opérations concrètes,* de 7 ans à environ 12 ans.

- La *période des opérations formelles,* au-delà de 12 ans.

Le tableau 2.3 décrit ces périodes plus en détail. Nous reviendrons sur chacun d'elles dans les chapitres portant sur l'âge correspondant. Pour l'instant, il faut surtout retenir que chaque période se nourrit de la précédente et qu'elle implique une restructuration majeure du mode de pensée chez l'enfant. Piaget n'envisage pas la progression à travers ces périodes comme un processus inévitable ; la séquence est fixe — autrement dit, si l'enfant fait des progrès cognitifs, ce sera dans cet ordre précis —, mais tous les enfants n'atteignent

---

Opérations : Terme utilisé par Piaget pour désigner la nouvelle grande classe des schèmes mentaux qu'il a observée dans le développement de l'enfant de 5 à 7 ans, y compris la réversibilité, l'addition et la soustraction.

Tableau 2.3
Stades du développement cognitif selon Piaget

Âge (années)	Période	Description
0 à 2	Période sensorimotrice	Le bébé communique avec le monde principalement par le biais de ses sens et par ses actions motrices. Un mobile n'existe que par son contact au toucher, son apparence et son goût dans la bouche.
2 à 7	Période préopératoire	Vers 2 ans, l'enfant utilise des symboles pour se faire une représentation interne des objets, et il commence à être capable d'envisager la perspective (point de vue) des autres, de classifier les objets et d'avoir recours à une logique simple.
7 à 12	Période des opérations concrètes	L'enfant fait d'immenses progrès sur le plan de la logique et il parvient à effectuer des opérations mentales complexes comme l'addition, la soustraction et l'inclusion de classes. L'enfant est encore soumis aux expériences particulières, mais il est maintenant capable d'effectuer des opérations tant mentales que physiques.
12 et plus	Période des opérations formelles	L'enfant devient apte à manier les idées tout comme les événements et les objets. Il est capable d'imagination et pense à des choses qu'il n'a jamais vues, ou encore à des événements qui ne se sont pas encore produits. Il organise ses idées et les objets de façon systématique, et il utilise un mode de pensée déductif.

pas le même niveau et chacun évolue à son propre rythme. Piaget considère que presque tous les enfants atteignent au moins la période préopératoire de la pensée, et que la grande majorité vont réaliser des opérations concrètes. Mais ils ne se rendront pas nécessairement tous jusqu'aux opérations formelles.

AUTRES THÉORICIENS DU DÉVELOPPEMENT CO-GNITIF. Piaget pensait qu'il n'y avait pas d'autres changements cognitifs structuraux après l'adolescence. Récemment cependant, certains théoriciens ont suggéré l'existence de nouvelles équilibrations à l'âge adulte. Par exemple, Gisela Labouvie-Vief (1980, 1990) affirme que le mode hautement analytique propre aux opérations formelles peut s'adapter lorsqu'on est encore à l'école, mais que c'est à l'âge adulte que la plupart d'entre nous acquièrent une forme de pensée plus pragmatique et plus spécialisée. Nous sommes également davantage en mesure de comprendre et de manier les métaphores et les paradoxes.

Lawrence Kohlberg (1964, 1976, 1981, 1984), un autre théoricien du développement cognitif, considère lui aussi que le processus cognitif se poursuit à l'âge adulte. Sa théorie du développement du raisonnement moral présente un grand intérêt et elle a exercé une influence considérable. Ses travaux, que nous décrivons au chapitre 8, s'appuient largement sur les concepts de Piaget. Chacun des six stades de développement décrits par Kohlberg repose sur la restructuration de la façon de penser du stade précédent : il s'agit d'un mouvement vers une compréhension plus complexe et plus élaborée. Mais, contrairement à Piaget, Kohlberg estime que les derniers stades sont atteints, pour autant qu'ils le soient, uniquement à l'âge adulte. Cependant, Kohlberg partage la position de Piaget sur l'ordre préétabli du déroulement de ces stades fondamentaux pour tous les enfants (et les adultes) dans toutes les cultures. Le *rythme* d'accession peut varier d'une culture à l'autre ou d'un individu à l'autre, mais la *séquence* demeure exactement la même.

Critique des théories du développement cognitif

Les idées de Piaget ont connu un retentissement considérable dans l'étude et la compréhension du développement chez l'enfant. Ses travaux ont été très controversés précisément parce qu'il remettait en question les théories précédentes, beaucoup plus simplificatrices. Piaget a également mis au point un certain nombre de techniques très astucieuses permettant d'explorer la pensée de l'enfant — des techniques qui ont souvent mis à jour des réactions inattendues et parfois déconcertantes, comme vous pourrez le constater dans le rapport de recherche présenté au chapitre 6 (p. 179). Ainsi, non seulement nous a-t-il offert une théorie qui nous incite à envisager le développement de l'enfant dans une nouvelle optique, mais il nous a fourni un ensemble de données empiriques qu'il est impossible d'ignorer, même s'il est difficile de les expliquer.

En se montrant très explicite dans plusieurs de ses hypothèses et spéculations, Piaget a permis à d'autres chercheurs d'éprouver la valeur de sa théorie. De nombreux travaux ont révélé que Piaget avait commis quelques erreurs. Il s'est trompé sur l'âge spécifique auquel les enfants accèdent à certains concepts. Les chercheurs ont prouvé à maintes reprises que les enfants intègrent des concepts complexes bien plus tôt que ne le suggérait Piaget. En outre, il semblerait que l'idée centrale de Piaget, soit les stades de développement, soit partiellement erronée. Par exemple, la plupart des enfants de huit ans utilisent des « opérations concrètes » de la pensée dans certaines tâches et pas dans d'autres, et leur réflexion semble plus complexe lorsqu'ils effectuent des tâches familières que des tâches pour lesquelles ils possèdent peu d'expérience. L'ensemble du processus s'avère beaucoup moins dépendant des stades et subit beaucoup plus l'influence des expériences individuelles que Piaget ne le pensait.

Ces démentis apportés à la théorie de Piaget ne signifient pas qu'elle a perdu de sa force. De nombreux concepts fondamentaux de la théorie de Piaget ont été intégrés dans la pensée collective, et sa théorie continue de servir de point de référence à un grand nombre de recherches sur la pensée de l'enfant.

Théories du développement cognitif

Q 11 Quels sont les fondements des théories du développement cognitif ?

Q 12 Expliquez les processus suivants : « adaptation », « schème », « assimilation », « accommodation » et « équilibration ».

Q 13 Quelles sont les principales périodes du développement cognitif selon Piaget ?

THÉORIES DE TYPE B : CHANGEMENT QUANTITATIF AVEC STADES, MAIS SANS DIRECTION

Si vous vous reportez à la figure 2.1, vous remarquerez que les théories de type B, situées dans le quadrant inférieur gauche, conservent le concept de stades, mais qu'il n'y a pas évolution vers des stades plus complexes qui signifieraient une plus grande maturité ou une réflexion plus élaborée. Ce sont simplement des stades communs, déterminés par des changements physiologiques comme la puberté ou la ménopause, ou encore par l'ensemble des rôles que chacun de nous assume selon une certaine séquence dans notre vie. Nous allons aborder ici deux théories sur la vie adulte qui s'inscrivent dans cette catégorie.

Théorie du cycle de la vie familiale

La première de ces théories est issue du domaine de la sociologie familiale. Pour comprendre l'idée de base, nous devons définir de manière plus précise le concept de **rôle,** un terme que nous avons déjà utilisé à plusieurs reprises.

On peut considérer que toute structure sociale est composée de différents acteurs sociaux dotés de différents statuts interreliés comme ceux d'« employeur », de « travailleur », de « superviseur », ou de « professeur » et d'« étudiant ». Le rôle définit le *contenu* d'un statut social et de son prototype, c'est-à-dire le comportement, la conduite et les caractéristiques associées à la personne qui occupe une telle position. Ainsi, le rôle est en quelque sorte une description de la fonction. Par exemple, on s'attend d'un professeur qu'il connaisse sa matière, qu'il la communique bien, qu'il soit bien préparé, clair, organisé, qu'il donne le bon exemple, etc. Cet ensemble de comportements et de qualités escomptés définissent le *rôle* d'un professeur et éventuellement ses stéréotypes.

Les divers aspects de la notion de rôle sont très importants pour comprendre le processus du développement. Premièrement, les rôles sont, du moins en partie, propres à la culture et à la cohorte. Le rôle d'enseignant (un ensemble de comportements escomptés) varie selon les cultures et selon les époques. Deuxièmement, le fait d'assumer différents rôles simultanément peut faire naître des conflits de toute sorte. Nous avons parfois de la difficulté à concilier nos différents rôles, comme ceux d'étudiant, de travailleur, de conjoint, de frère, d'ami, etc. Les sociologues parlent de **conflit de rôles** pour décrire une incompatibilité, au moins partielle, entre deux rôles, soit parce qu'ils exigent des comportements différents, soit parce que leurs exigences respectives nécessitent plus d'heures qu'il n'y en a dans une journée pour les satisfaire.

Des **tensions de rôle** se produisent lorsque les qualités ou les aptitudes de la personne ne répondent pas aux exigences d'un rôle. Une mère qui se sent incompétente, parce qu'elle n'arrive pas à empêcher son enfant de deux ans de dessiner sur les murs, ou un nouveau diplômé qui vient de décrocher son premier emploi et qui met en doute ses capacités de faire un bon travail, éprouvent ce type de tension.

Il est enfin très important de souligner que les rôles changent systématiquement avec l'âge selon des séquences particulières : c'est notamment le cas des rôles *familiaux*. Certains sociologues, comme Evelyn Duvall (1962), soutiennent qu'on peut comparer la vie adulte à une évolution dans les rôles familiaux. Le tableau 2.4 dresse la liste des huit stades du cycle de la vie familiale proposés par Duvall, chacun d'eux impliquant l'ajout ou l'élimination de certains rôles, ou le changement du contenu d'un rôle central.

La notion de stades de la vie familiale ne signifie pas que chaque rôle qui succède à un autre est meilleur, plus complexe ou requiert une plus grande maturité que les précédents. Les stades se succèdent selon une séquence particulière, et chaque ensemble de rôles façonne les expériences individuelles. Toutefois, il n'y a ni but ou direction, ni changement profond.

Modèle de Levinson sur les saisons de l'âge adulte

Daniel Levinson envisage également l'âge adulte en fonction de rythmes et de stades communs (1978, 1980, 1986, 1990) sans croissance ou objectif final. La notion centrale de cet modèle est la **structure de vie,** qui représente « le modèle sous-jacent de la vie d'une personne à un moment donné » (1986, p. 6). La structure de vie comprend évidemment des rôles, mais elle fait également intervenir la qualité et le modèle de relations d'un individu, lesquels, à leur tour, reflètent la personnalité ou le tempérament de ce même individu. Les structures de vie ne sont pas permanentes. C'est précisément parce que les rôles et les relations changent que les structures de vie se modifient aussi. En fait, selon Levinson, chaque adulte se crée une série de structures de vie à des âges précis, et ces structures sont entrecoupées de périodes de transition au cours desquelles l'individu abandonne ou bien réévalue et change les anciennes structures. La figure 2.2 présente plus en détail le modèle de Levinson.

Rôle : Notion empruntée à la sociologie. Description du modèle de conduites associées à certains statuts ou positions sociales, par exemple ceux de professeur, d'employé, d'entraîneur au hockey, d'épouse, de mari, etc. Tous les individus occupent divers rôles.

Conflit de rôles : Fait d'occuper deux rôles ou plus qui sont en quelque sorte incompatibles du point de vue logistique ou psychologique.

Tension de rôle : Fait d'occuper un rôle pour lequel on ne possède pas les aptitudes ou les qualités personnelles nécessaires.

Structure de vie : Concept clé du modèle de Levinson, soit le réseau de rôles et de relations créé par une personne pendant une période de stabilité. Au cours des périodes de transition, la personne réexamine sa structure de vie pour décider de son maintien ou des changements à apporter.

Dressez la liste de tous les rôles que vous remplissez actuellement. Quels sont les conflits de rôles ou les tensions de rôle dont vous faites l'expérience ?

Tableau 2.4

Stades du cycle de la vie familiale

Stade	Description
1	Couple nouvellement marié et sans enfant ; le rôle d'époux vient s'ajouter.
2	Naissance du premier enfant ; le rôle de parent vient s'ajouter.
3	L'aîné a entre 2 et 6 ans ; le rôle de parent change.
4	L'aîné a entre 6 et 12 ans ; le rôle de parent change encore dès l'entrée de l'enfant à l'école.
5	L'aîné est adolescent ; le rôle de parent change encore.
6	L'aîné a quitté la maison ; on parle parfois de « phase de largage » : les parents aident l'enfant à devenir autonome.
7	Tous les enfants ont quitté la maison ; changement important du rôle parental ; certains auteurs appellent cette période le *nid déserté* ou *période postparentale*.
8	Un des époux ou les deux sont à la retraite ; certains auteurs qualifient les adultes à cette période de « famille vieillissante ».

Source : Duvall, 1962.

Levinson a divisé le cycle de vie en une série de longues *ères* qui durent au moins 25 ans chacune et qui sont entrecoupées de périodes de transition importantes. Il propose trois périodes pour chaque ère : la création d'une structure de vie initiale ou d'entrée, appelée *phase novice*, un réajustement de cette structure de vie, la *phase intermédiaire*, et enfin une *phase culminante* de la structure de vie, créée vers sa fin.

Selon Levinson, chaque phase, transition ou ère, possède son propre contenu, composé d'un ensemble particulier de problèmes ou de tâches. Par exemple, la transition du milieu de la vie, qui se produit entre l'âge de 40 et 45 ans, est centrée sur la préoccupation grandissante de notre propre mort, et sur la prise de conscience que nos rêves de jeunesse ne se réaliseront peut-être jamais.

Bien sûr, Levinson ne prétend pas que la vie de tous les adultes est exactement identique. Cela n'aurait aucun sens. Chaque nouvelle structure de vie n'est pas meilleure, plus intégrée ou plus élaborée que la précédente. Il souligne en revanche qu'il existe une alternance fondamentale entre les périodes de stabilité et les périodes de transition. Par ailleurs, ce modèle ordonné, qui comprend les tâches principales ou les questions reliées à chaque ère ou âge, serait universel.

Critique des théories de type B

Le principal problème des théories de ce groupe réside dans le fait que la théorie ne décrit plus la majorité des modèles de vie, et cela est particulièrement vrai pour la théorie des stades de la vie familiale. De nos jours, moins de la moitié des adultes américains ou canadiens suivent les stades du cycle de vie décrits par Duvall. Tout le monde ne se marie pas et les couples sans enfant sont de plus en plus nombreux. Ceux qui se marient finissent souvent par divorcer, puis peut-être par se remarier. En fait, la théorie de Duvall manque tout simplement de précision.

Il est également difficile d'accepter l'hypothèse de Levinson selon laquelle tous les adultes, de toutes les cultures et de toutes les cohortes, traversent les ères ou les transitions au même âge exactement (une vers 30 ans et une autre entre 40 et 45 ans, par exemple). De plus, l'échantillon étudié par Levinson ne comptait que des hommes ; il est donc difficile de généraliser les résultats à la majorité des individus. On sait que le cycle de vie des femmes diffère sur plusieurs points de celui des hommes. Des recherches plus récentes, qui incluent des études effectuées sur des hommes et des femmes, ne confirment guère le modèle de Levinson (Harris, Ellicott et Holmes, 1986 ; Reinke, Holmes et Harris, 1985).

Cependant, ces théories offrent des perspectives pleines d'intérêt sur le développement humain, entre autres la notion selon laquelle il y aurait un rythme de base de la vie adulte, voire de l'enfance et de l'adolescence. De fait, il existe un rythme biologique marqué par des changements, par exemple le développement moteur chez l'enfant, la puberté à l'adolescence et la ménopause vers le milieu de l'âge adulte.

On peut dire également que l'horloge sociale connaît un rythme de base. Si on aborde les changements de rôle de façon très générale, on peut affirmer que presque tous les adultes connaissent une séquence commune de changements. Au début de l'âge adulte, nous *acquérons* un éventail complet

	Transition de l'âge adulte avancé : de 60 à 65 ans	
Transition de la cinquantaine : de 50 à 55 ans		Ère de l'âge adulte avancé : de 60 à ? ans
Période culminante de l'âge adulte : de 55 à 60 ans		
Entrée dans l'âge mûr : de 45 à 50 ans		
Transition du milieu de l'âge adulte : de 40 à 45 ans		
Période d'établissement : de 33 à 40 ans	Ère du mitan de la vie : de 40 à 65 ans	
Transition de la trentaine : de 28 à 33 ans		
Entrée dans l'âge adulte : de 22 à 28 ans		
Transition du début de l'âge adulte : de 17 à 22 ans		
	Ère du début de l'âge adulte : de 17 à 45 ans	
Ère de l'enfance et de l'adolescence : de 0 à 22 ans		

Figure 2.2 Modèle de Levinson sur le développement à l'âge adulte. Chaque période de stabilité est suivie d'une période de transition durant laquelle la structure de vie est réévaluée. (*Source* : Levinson, 1986, tiré de Levinson, 1978.)

de rôles nouveaux, que nous soyons mariés ou non, que nous ayons des enfants ou non. Cette séquence comprend notamment de nouveaux rôles professionnels, de nouvelles définitions de l'amitié et un nouveau rôle en tant que personne autonome. Au milieu de l'âge adulte, nous *redéfinissons* nos rôles. Nous pouvons faire preuve de plus d'autorité au travail. Nos enfants devenus adultes finissent par quitter la maison, ce qui entraîne des changements dans le rôle de parents. À l'âge adulte avancé, nous *perdons* certains rôles. Ces exemples précis ne suivent pas forcément la séquence de rôles particuliers proposée par Duvall, mais ils soulignent l'existence d'un modèle de changement de rôle, qui caractérise presque toute notre existence.

Les éléments les plus utiles des théories de Levinson ou de Duvall ne sont pas les stades proposés — même s'ils peuvent nous aider à mieux comprendre certains groupes — mais plutôt l'idée d'une alternance fondamentale commune entre des périodes de stabilité et des périodes de transition, et la notion d'un modèle de base d'acquisition et de perte des rôles.

Selon Levinson, chaque individu, quelle que soit sa culture, traverse une période de transition entre 40 et 45 ans. Comment pourriez-vous vérifier cette hypothèse ?

En quoi les stades d'Erikson et les stades du cycle de la vie familiale de Duvall se ressemblent-ils ? En quoi diffèrent-ils ?

Les deux théories de type B décrivent le développement de l'adulte. Pouvez-vous élaborer une théorie du développement de l'enfant qui respecte la même logique ?

De nombreux adultes, telle cette mère célibataire, n'ont pas le sentiment de traverser des stades de la vie familiale ordonnés comme ceux que propose Duvall.

Théories de type B

Q 14 Expliquez la notion de stades sans point d'arrivée.

Q 15 Qu'est-ce qu'un rôle ? un conflit de rôles ? une tension de rôle ?

Q 16 Quels sont les fondements des modèles de Duvall et de Levinson ?

Q 17 Quelles critiques peut-on formuler à l'égard de ces modèles ?

THÉORIES DE TYPE C : CHANGEMENT QUALITATIF ET DIRECTIONNEL, MAIS SANS STADES

Si vous vous reportez à la partie droite de la figure 2.1, vous remarquez que la notion de stade disparaît. Toutefois, il existe encore des divergences d'opinion en ce qui concerne la nature des changements qui surviennent. Dans le quadrant supérieur droit de la figure, se retrouvent les théories néopiagétiennes et les théories néopsychanalytiques, qui ont éliminé la notion de stade établi, mais qui ont conservé la notion de changement qualitatif.

George Vaillant (1977), un psychiatre qui a été l'un des principaux investigateurs de l'étude de Grant sur des étudiants de l'université Harvard, a proposé un modèle psychanalytique du développement de la maturité chez l'adulte. Il retient l'idée que le développement se déroule suivant une séquence et comporte une direction, mais il rejette la notion de stades établis. Selon Vaillant, l'un des facteurs qui favorise l'accession à la maturité chez l'adulte est l'abandon graduel des formes les moins réalistes des mécanismes de défense comme le refoulement ou le déni de la réalité, et le passage à des mécanismes plus réalistes comme la répression ou l'intellectualisation. Le passage d'un type de défense à un autre se fait graduellement et ne se produit pas chez tous les adultes. C'est la raison pour laquelle Vaillant propose un modèle moins axé sur les stades que celui de Loevinger : il définit une trajectoire, le long de laquelle doit s'effectuer le passage vers la maturité, mais il ne la divise pas en stades. De plus, il ne prétend pas que tous les adultes atteindront le même point.

De la même façon, un certain nombre d'approches néopiagétiennes mettent actuellement l'accent sur les séquences plutôt que sur les stades ; citons notamment le modèle de John Flavell sur le développement des stratégies de mémorisation chez l'enfant (1985) et la théorie de Robert Siegler sur le développement des « règles » cognitives (1981, 1984, 1988 ; Siegler et Jenkins, 1989), que nous aborderons au chapitre 6.

Théories humanistes

L'approche humaniste diffère considérablement des approches précédentes, mais elle fait néanmoins partie du même groupe de théories. Elle se caractérise par la célèbre hiérarchie des besoins d'Abraham Maslow (1968, 1970a, 1970b, 1971). Les théoriciens humanistes, notamment Carl Rogers et Maslow, s'opposent à l'accent mis sur la pathologie par la plupart des approches psychanalytiques. Ils réfutent toute division ou structuration de la psyché humaine, et soutiennent que l'organisme tout entier est visé par le développement humain (Bouchard et Morin, 1992). Selon Rogers, la force la plus primitive, la plus fondamentale de l'être humain est naturellement positive et pousse ce dernier à se développer. Le cheminement humain est un devenir, c'est-à-dire un processus de changement au cours duquel la personne s'adapte continuellement et restructure sans cesse son **champ phénoménologique.** Ainsi, tous les individus naissent avec une pulsion fondamentale qui va leur permettre de réaliser pleinement leurs capacités et d'atteindre l'*autoactualisation,* dans les termes de Maslow. Par conséquent, le développement suit une direction et le changement est d'ordre qualitatif au fur et à mesure que l'individu se dirige vers une plus grande autoréalisation. Toutefois, il n'est pas question de stades.

Maslow s'est surtout intéressé au développement des motivations ou besoins, qu'il a divisés en deux sous-ensembles : les **besoins D** (pour déficience) et les **besoins E** (pour être). Les besoins D ont un objectif d'autoconservation ; ils comprennent les pulsions visant à maintenir l'homéostasie physique ou émotionnelle, telles les pulsions qui nous poussent à nous alimenter ou à boire, les pulsions sexuelles, ou même les pulsions qui nous incitent à vouloir obtenir amour ou res-

> Connaissez-vous une personne que vous pourriez qualifier d'autoactualisée ? Quels sont les traits de personnalité de cette personne ?

Champ phénoménologique : Ensemble des expériences (pensées, perceptions, sensations) qui peuvent occuper la conscience.

Besoins D (pour déficience) : Catégorie de besoins proposée par Maslow, basée sur les instincts ou les forces fondamentales qui poussent un individu à corriger un déséquilibre et à maintenir l'homéostasie. Ils comprennent les besoins biologiques, le besoin de sécurité, le besoin d'amour et d'affection, et le besoin d'estime de soi.

Besoins E (pour être) : Catégorie de besoins proposée par Maslow. Elle comprend le désir de découvrir et de comprendre son potentiel et celui des autres.

pect de la part des autres. Les besoins E ont un objectif d'auto-actualisation ; ils incluent le désir de comprendre, de donner aux autres et de croître. Selon Maslow, c'est la satisfaction que l'on retire des besoins E qui procure une santé optimale.

Maslow classe ces divers besoins selon une *hiérarchie des besoins*, illustrée à la figure 2.3. Il soutient que les besoins doivent être comblés dans un ordre ascendant. Ce n'est que lorsque les besoins physiologiques sont comblés que les besoins de sécurité se manifestent. De même, ce n'est que lorsque les besoins d'amour et d'estime sont satisfaits que le besoin d'autoactualisation prédomine. Ainsi, Maslow pense que le besoin d'autoactualisation n'est significatif qu'à l'âge adulte, et ce uniquement chez les personnes qui ont trouvé des moyens stables de satisfaire leurs besoins d'amour et d'estime — besoins qui ressemblent beaucoup aux stades de l'intimité et de la générativité d'Erikson.

Maslow, comme Vaillant, Siegler et bien d'autres, a donc proposé une séquence *potentielle* du développement qui ne peut toutefois être menée à terme par tous les enfants ou tous les adultes.

Critique des théories de type C

D'un certain point de vue, les théories de ce groupe représentent la pointe du courant de pensée actuel sur le développement des adultes et des enfants. Les théories reposant uniquement sur la notion de stades offrent de moins en moins d'intérêt pour diverses raisons. Dans bien des cas, il semble

que l'expérience particulière exerce une plus grande influence que l'âge dans la détermination des capacités et du comportement d'un individu. La notion de *séquences* communes permet de conserver l'idée manifestement très séduisante que le développement des enfants et des adultes s'effectue de façon semblable. De plus, elle autorise un plus grand nombre de variations individuelles et accorde un rôle plus important à l'environnement de l'individu et à ses propres expériences.

Cependant, ces théories sont relativement récentes et aucune ne s'insère complètement dans un « grand schème » du développement comparable en ampleur à ceux de Piaget, de Freud ou d'Erikson. Il est donc trop tôt pour savoir si ces théories offriront le type de modèle synthétique qui fera progresser notre connaissance du développement humain.

Théories de type C

Q 18 Expliquez la notion de changement qualitatif et directionnel sans stades.

Q 19 Qu'est-ce que la hiérarchie des besoins selon Maslow ?

Q 20 Quelles critiques peut-on formuler à l'égard de l'approche humaniste ?

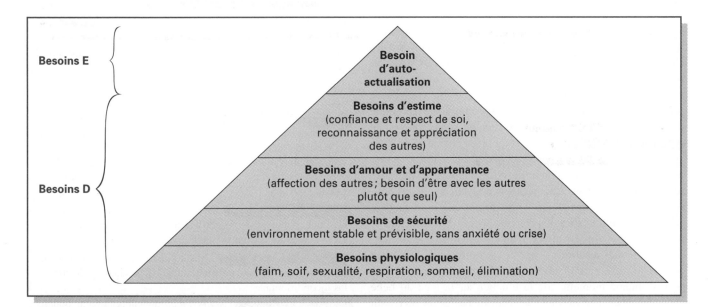

Figure 2.3 Hiérarchie des besoins de Maslow. Selon Maslow, les besoins apparaissent dans un ordre ascendant. Aucun autre besoin ne se manifestera tant que les besoins physiologiques ne seront pas satisfaits. Les besoins d'estime n'apparaîtront pas tant que les besoins d'amour ne seront pas comblés, etc. Par conséquent, il existe un aspect développemental : un bébé est avant tout dominé par ses besoins physiologiques, un trottineur par un besoin de sécurité, et ainsi de suite. Ce n'est qu'à l'âge adulte que le besoin d'autoactualisation devient dominant. (*Source* : Maslow, 1968, 1970b.)

THÉORIES DE TYPE D : CHANGEMENT QUANTITATIF SANS STADES

Nous abordons enfin le dernier groupe de théories, selon lesquelles les changements qui se produisent au cours de la vie ne sont ni reliés à des stades ni qualitatifs. Les théoriciens les plus en vue de ce groupe mettent l'accent sur le rôle des processus d'apprentissage de base dans la création et le façonnement du comportement humain, de la naissance à la mort. Leur approche est soutenue par de nombreux sociologues qui s'opposent fortement à la notion de stades et à l'hypothèse selon laquelle le développement s'effectue avec des changements de structure ou de direction.

Théories de l'apprentissage

Les théoriciens de l'apprentissage ne s'accordent pas sur tous les points, mais ils partagent la position d'Albert Bandura lorsqu'il affirme que :

> La nature humaine est caractérisée par un vaste potentiel qui peut être façonné, par des expériences directes et vicariantes, en une multitude de formes conformément aux limites biologiques. (1989, p. 51.)

Cela n'exclut pas l'existence d'une base génétique ou de préjugés innés. En fait, les théoriciens de l'apprentissage comparent le comportement humain à une matière plastique façonnée par des processus d'apprentissage prévisibles, dont les plus importants sont le conditionnement classique et le conditionnement opérant.

CONDITIONNEMENT CLASSIQUE. Ce type d'apprentissage, rendu célèbre par les expériences de Pavlov sur les chiens, implique l'acquisition de nouveaux signaux pour des réactions déjà établies. Par exemple, si vous touchez un nouveau-né sur la joue, il se tournera du côté où vous l'avez touché et commencera à téter. Dans la terminologie technique du **conditionnement classique,** le toucher sur la joue est le **stimulus inconditionnel,** et le comportement de se tourner et de téter, la **réponse inconditionnelle.** Le nouveau-né est déjà programmé pour réagir de cette façon : ce sont des réflexes automatiques. L'apprentissage se fait lorsqu'un *nouveau* stimulus est perçu par l'organisme. Selon le modèle général, les autres stimuli présents juste avant le stimulus inconditionnel (ou en même temps) vont finir par déclencher les mêmes réactions. Dans la vie normale de l'enfant à la maison, il se produit un certain nombre de stimuli à peu près au même moment que le toucher sur la joue du bébé avant la tétée, par exemple le son des pas de la mère qui s'approche, la sensation kinesthésique d'être soulevé et la sensation tactile d'être pris dans les bras de la mère. Tous ces stimuli peuvent devenir des **stimuli conditionnels** et déclencher chez le nouveau-né la réaction de se tourner et de téter, avant même qu'on ne le touche sur la joue.

Même si l'étude du conditionnement classique n'a pas été un sujet de recherche prisé, elle n'en garde pas moins un certain intérêt pour plusieurs raisons. Premièrement, si l'on pouvait déterminer l'âge à partir duquel un bébé ou un enfant est en mesure d'associer une conduite à un signal particulier, on en saurait davantage sur les types de connexions neuronales possibles au début de la vie. La notion de conditionnement classique offre également un intérêt en raison du rôle qu'il joue dans le développement des réactions émotionnelles. Par exemple, les choses ou les personnes qui sont présentes lorsque nous nous sentons bien seront associées à des sensations de bien-être, tandis que celles qui sont présentes lors de sensations de malaise seront associées à des sensations de crainte ou d'anxiété. Cela s'avère particulièrement important chez l'enfant, puisque sa mère ou son père sont très souvent présents dans des circonstances agréables, par exemple lorsque l'enfant se sent au chaud, en sécurité et aimé dans les bras de sa mère. Ainsi, le père et la mère deviennent généralement un stimulus conditionnel pour les sensations agréables. Par contre, une sœur ou un frère aînés agaçants peuvent devenir des stimuli conditionnels pour les sensations de colère, et le rester longtemps après que ce frère ou cette sœur auront cessé de tourmenter l'enfant. De telles réactions émotionnelles peuvent également se produire à l'âge adulte.

Ces réponses émotionnelles conditionnelles qui ont leur origine dans un conditionnement classique sont très fortes. Elles se créent très tôt dans la vie et continuent de se créer durant l'enfance et à l'âge adulte. Elles influent profondément sur les expériences émotionnelles de chaque individu.

CONDITIONNEMENT OPÉRANT. Il existe un deuxième processus d'apprentissage, communément appelé **conditionnement opérant** ou encore *conditionnement instrumental*. Le principe qui sous-tend cette forme d'apprentissage est simple et peut s'énoncer de la manière suivante : tout comportement

---

Conditionnement classique : Un des trois principaux types d'apprentissage. Une réponse automatique ou inconditionnelle, telle qu'une émotion ou un réflexe, est déclenchée par un nouveau signal, que l'on appelle stimulus conditionnel, après que ce dernier a été associé plusieurs fois au stimulus inconditionnel initial.

Stimulus inconditionnel : Dans la théorie du conditionnement classique, signal qui déclenche automatiquement (sans apprentissage) la réponse inconditionnelle.

Réponse inconditionnelle : Dans la théorie du conditionnement classique, réponse fondamentale innée déclenchée par le stimulus inconditionnel.

Stimulus conditionnel : Dans la théorie du conditionnement classique, signal qui, après avoir été associé plusieurs fois au stimulus inconditionnel, finit par déclencher une réponse inconditionnelle.

Conditionnement opérant : Un des trois principaux types d'apprentissage dans lequel les renforcements positifs ou négatifs façonnent le comportement d'un individu.

qui a été renforcé est plus susceptible de se reproduire dans des situations identiques ou semblables. Quand un comportement précis est suivi de conséquences agréables (des renforcements) telles que des éloges, un sourire, de la nourriture, une étreinte ou de l'attention, l'individu aura tendance à reproduire cette conduite dans des situations analogues. Ce **renforcement** est dit **positif** parce qu'il augmente la probabilité d'apparition d'une réponse. Le **renforcement négatif** se produit lorsqu'un événement ou une situation désagréables sont éliminés. Supposons que votre nourrisson pleurniche parce qu'il veut se faire prendre dans les bras. Au début, vous l'ignorez, mais vous finissez par le prendre. Votre comportement (le fait de le prendre dans vos bras) a été renforcé négativement lorsque vous avez mis fin à ses pleurs, et vous aurez tendance à le prendre la prochaine fois qu'il pleurnichera. Du côté de l'enfant, son comportement (ses pleurs) ont été renforcés positivement par votre attention, si bien qu'il se mettra probablement à pleurer chaque fois qu'il aura envie d'être cajolé.

Les renforcements positifs et négatifs consolident les comportements, tandis que les **punitions** ou les situations aversives visent à en éliminer certains. Tel est le but d'une réprimande ou d'une punition, lorsqu'on prive un enfant de son émission préférée à la télévision. L'utilisation du mot punition ici reflète donc bien son acception courante. En revanche, il est plus malaisé de comprendre que de telles punitions ne produisent pas toujours l'effet escompté: en effet, elles n'éliminent pas toujours le comportement non désiré. Si votre fils vous lance son verre de lait en plein visage pour attirer votre attention, il est bien possible que la fessée que vous lui donnez devienne un renforcement positif et non une punition, comme vous en aviez l'intention.

Cherchez dans votre vie de tous les jours des exemples de conditionnement classique ou opérant dans votre comportement, ou des situations dans lesquelles vous utilisez ces principes afin d'influer sur le comportement des autres.

Presque tous les enfants considèrent les étreintes comme un renforcement.

Les renforcements ne consolident pas les comportements de façon permanente. Le processus inverse se nomme **extinction.** On définit ce processus comme une diminution de certaines réponses à la suite de l'arrêt de la présentation du renforcement. Si vous arrêtez tout simplement de renforcer les pleurnichements de votre enfant, il cessera graduellement de pleurnicher non seulement dans la situation même, mais aussi dans les situations ultérieures.

En laboratoire, les expérimentateurs peuvent s'assurer de renforcer certains comportements chaque fois qu'ils se produisent, ou d'éliminer complètement les renforcements de façon à produire une extinction de la réponse. Dans le monde réel par contre, la constance du renforcement constitue l'exception plutôt que la règle. Le modèle de **renforcement partiel,** dans lequel on renforce un comportement dans certaines occasions seulement, est plus courant. Les études sur les renforcements partiels ont montré que les enfants et les adultes mettent plus de temps à apprendre certains comportements dans des conditions de renforcement partiel, mais que, une fois établis, de tels comportements présentent une plus forte résistance à l'extinction. Même si vous ne souriez à votre fille qu'une fois sur cinq ou sur six lorsqu'elle vous apporte des dessins, elle continuera de vous en apporter pendant longtemps, même lorsque vous ne lui souriez plus du tout.

DIFFÉRENTES THÉORIES DE L'APPRENTISSAGE. Tous les théoriciens qui mettent l'accent sur le rôle essentiel de l'apprentissage s'entendent sur l'importance de ces processus fondamentaux. Malgré tout, certaines théories divergent considérablement.

À un pôle du continuum théorique, se trouvent les *behavioristes radicaux.* Ces théoriciens, grandement influencés par les travaux de B. F. Skinner, adoptent une position extrême: le milieu produit l'individu. Donald Baer (1970) qualifie cette théorie de «concept de développement indépendant de l'âge». Ainsi, selon les behavioristes radicaux, les principes d'apprentissage fondamentaux sont les mêmes pour tous les individus, quel que soit leur âge.

Très peu de psychologues du développement partagent cette vision. Bon nombre des tenants de cette théorie ont

Renforcement positif: Événement qui renforce un comportement en présence de certains stimuli agréables ou positifs.

Renforcement négatif: Événement qui renforce un comportement dû au retrait ou à l'arrêt d'un stimulus désagréable.

Punition: Conséquences désagréables infligées à un enfant ou un adulte à la suite d'un comportement non désiré, dans le but de bannir ce comportement.

Extinction: Diminution de la force de certaines réactions en l'absence de renforcement.

Renforcement partiel: Type de renforcement d'un comportement qui se manifeste à l'occasion seulement.

LE MONDE RÉEL

Principes d'apprentissage dans la vie familiale

Tous les parents, consciemment ou non, renforcent certains comportements chez leurs enfants en leur faisant des éloges, en leur manifestant de l'attention ou en leur donnant des récompenses. Et tous les parents font de leur mieux pour décourager les comportements désagréables en ayant recours à des punitions. Mais les parents ont souvent l'*impression* de renforcer un comportement alors que, en fait, ils font tout le contraire. Il peut nous sembler que nous encourageons les comportements que nous apprécions et que nous passons sous silence ceux que nous n'aimons pas. Toutefois, les résultats sont loin d'être ceux espérés. Lorsque cette situation se produit, c'est peut-être parce que plusieurs principes d'apprentissage interagissent négativement, ou parce que nous appliquons mal ces principes — tout comme cela peut arriver à n'importe quel parent.

Supposons que votre chaise préférée dans le salon est complètement salie par la boue et les marques de pieds de vos enfants qui grimpent dessus. Vous désirez que vos enfants arrêtent de grimper sur la chaise. Donc, vous les réprimandez. Après un certain temps, vous pourriez même cesser vos réprimandes. Si vous êtes vraiment consciencieuse et bien informée, vous arrêterez de les réprimander lorsqu'ils cessent de grimper sur la chaise de façon à ce que vos efforts de réprimande agissent comme un renforcement négatif. Toutefois, rien ne fonctionne. Ils continuent de grimper avec leurs pieds boueux sur votre chaise préférée. Pourquoi ? Peut-être tout simplement parce que les enfants *aiment* grimper sur les chaises. Alors, le fait même de grimper les encourage, et cet effet est nettement plus fort que votre renforcement négatif ou vos punitions. Une façon de régler le problème consisterait peut-être à donner *autre* chose aux enfants pour qu'ils puissent grimper dessus.

Il existe aussi d'autres situations où vous avez peut-être créé, par inadvertance, un schéma de renforcements partiels. Supposons que votre fils de trois ans demande sans arrêt votre attention lorsque vous préparez le repas — une attitude très courante que n'importe quel parent d'un enfant de trois ans peut confirmer. Puisque vous ne voulez pas renforcer ce comportement, vous faites semblant de ne pas entendre votre enfant les six ou huit premières fois qu'il dit «Maman» ou qu'il tire sur vos vêtements. Toutefois, après la neuvième ou dixième tentative, alors qu'il hausse de plus en plus la voix et qu'il pleurniche chaque fois, vous n'en pouvez plus et vous lui dites quelque chose comme «Bon, que veux-tu ? ». Puisque vous avez sciemment ignoré presque toutes ses demandes, vous pouvez être convaincue que vous n'avez pas renforcé son besoin d'attention. Mais en réalité vous venez de créer un schéma de renforcements partiels. Vous avez consenti seulement après la dixième demande. Et on sait que ce type de renforcement contribue à créer des comportements qui offrent une grande résistance à l'extinction. Alors, votre fils peut continuer à être insistant et à pleurnicher pendant très longtemps, même si vous réussissez à feindre de ne pas l'entendre.

Puisque beaucoup de parents ont de la difficulté à maîtriser de telles situations et à se rendre compte des comportements qu'ils encouragent, de nombreux thérapeutes familiaux demandent aux parents de noter en détail le comportement de leurs enfants ainsi que leur propre réaction. Dans son livre *Families : Applications of social learning to family life* (1975), Gerald Patterson a élaboré des stratégies pour aider les parents. Il a obtenu beaucoup de succès en utilisant ces stratégies auprès de familles qui avaient des enfants très agressifs ou désobéissants. Ce livre pourrait vous être utile. Lorsque vous voyez, dans vos propres données et observations, comment vous contribuez à renforcer un comportement pleurnicheur, désobéissant, destructif, etc., il est beaucoup plus facile de modifier vos réactions.

élargi leur schème théorique pour y introduire des notions interactives et écologiques, à l'instar de Gerald Patterson dont le modèle est illustré à la figure 1.3 (p. 15). Mais aujourd'hui, la théorie de l'apprentissage qui connaît le plus de succès est la *théorie de l'apprentissage social.* Son théoricien le plus en vue est Albert Bandura (1977a, 1982b, 1989), dont la pensée a évolué au fil des ans. Bandura admet l'importance des conditionnements classiques et des conditionnements opérants, mais il les accompagne de nouveaux éléments intéressants.

Premièrement, Bandura soutient que le renforcement direct n'est pas un élément indispensable pour l'apprentissage. Selon lui, le simple fait d'observer une autre personne accomplir une action constitue une forme d'apprentissage. Cet **apprentissage par observation** fait partie d'un grand éventail de comportements. Les enfants apprennent des formes d'agression en observant d'autres personnes se battre ou en regardant la télévision. Ils apprennent à adopter un comportement généreux en observant d'autres personnes faire des dons d'argent ou de biens. Les adultes apprennent des savoir-faire en observant les autres.

Deuxièmement, Bandura attire l'attention sur une autre catégorie de renforcements, appelés *renforcements intrinsèques.* Il s'agit de renforcements internes, tels que le plaisir qu'un enfant éprouve lorsqu'il parvient enfin à dessiner une étoile ou le sentiment de satisfaction que l'on ressent après une série d'exercices vigoureux. La fierté, la découverte et toute expérience positive sont de puissants renforcements intrinsèques. Ils encouragent les comportements avec autant de force que les renforcements extrinsèques comme les louanges ou l'attention.

Troisièmement, et il s'agit là sans doute de l'aspect le plus important de sa théorie, Bandura établit un rapprochement entre la théorie de l'apprentissage et la théorie du développement cognitif en mettant l'emphase sur les principaux éléments *cognitifs* de l'apprentissage. C'est ainsi qu'il désigne sa théorie par le nom de « théorie sociale cognitive » (Bandura, 1986, 1989). Par exemple, Bandura insiste sur le fait que

l'imitation peut être le véhicule de l'apprentissage des habiletés ou des informations abstraites et concrètes. En utilisant l'*imitation abstraite,* l'observateur élabore une règle qui peut être la base du modèle du comportement, puis il assimile à la fois la règle ainsi que le comportement imité. De cette façon, un enfant ou un adulte peut acquérir des attitudes, des valeurs ou des méthodes de résolution de problèmes, voire des standards d'autoévaluation, grâce à l'imitation. De plus, ce que nous apprenons en observant une personne dépend d'autres processus cognitifs, comme notre attention sélective, notre habileté à interpréter ce que nous voyons et à nous le remémorer, et notre capacité de mettre en application l'action observée. Hélas, il ne suffit pas d'observer Jacques Villeneuve piloter une voiture de formule 1 ou encore Myriam Bédard courir un biathlon pour devenir un champion ou une championne !

Bandura souligne enfin l'importance d'autres éléments cognitifs. En situation d'apprentissage, les enfants et les adultes *établissent des objectifs, créent des attentes* sur les conséquences possibles et *jugent* leur propre performance. L'introduction de telles notions fait de la théorie de l'apprentissage de Bandura une théorie axée sur l'âge, car les enfants d'âges différents (et probablement les adultes d'âges différents) sont portés à observer ou à remarquer des éléments différents et à analyser ou à interpréter ces observations de manière différente. Ainsi, tout ce que l'on apprend dans une situation donnée peut varier de façon systématique avec l'âge.

Critique des théories de l'apprentissage

Cette approche théorique a de nombreuses implications qui méritent une attention particulière. En premier lieu, les théoriciens de l'apprentissage peuvent apporter une explication au changement ou à la continuité dans les comportements de l'enfant ou de l'adulte. Si un enfant est aimable et souriant aussi bien à la maison qu'à l'école, on peut dire qu'il a connu un renforcement pour ce comportement au lieu de conclure qu'il possède un « tempérament grégaire ». Mais on peut également expliquer comment un adulte peut se montrer amical et serviable dans un environnement de travail, puis désobligeant et maussade à la maison. Il suffit de supposer que les renforcements sont différents dans les deux situations. Bien sûr, il faut se rappeler que les individus sont portés à choisir des situations qui permettent la continuité de leur comportement habituel, et que le comportement d'une personne aura tendance à *provoquer* chez d'autres individus des réponses semblables (renforcements) dans différentes

Les enfants apprennent une grande variété de comportements et d'habiletés par l'imitation.

Apprentissage par observation : Apprentissage d'habiletés motrices, d'attitudes ou de comportements effectué par le biais de l'observation d'une autre personne.

Imitation : Terme employé par Bandura et d'autres psychologues pour décrire l'apprentissage par observation.

situations. Il y a donc une tendance vers la continuité des conduites. Toutefois, les partisans de la théorie de l'apprentissage ont moins de difficulté à expliquer la « variabilité situationnelle » normale du comportement que les autres théoriciens du développement.

Par conséquent, les théoriciens de l'apprentissage font généralement preuve d'optimisme quant à la possibilité de changement. Le comportement d'un enfant peut changer si le système de renforcement ou son opinion de lui-même change. Il s'ensuit qu'un « comportement à problèmes » peut être modifié.

L'intérêt principal de cette vision du comportement social réside dans le fait qu'elle semble donner une idée précise sur la façon dont plusieurs comportements sont acquis. Il est avéré que les enfants apprennent par l'imitation et que les enfants et les adultes continueront d'adopter des comportements qui leur sont favorables. L'ajout d'éléments cognitifs à la théorie de Bandura lui donne encore plus de force, puisqu'elle permet une intégration des modèles d'apprentissage et des approches du développement cognitif.

Toutefois, cette approche n'est pas vraiment développementale. Elle n'apporte que très peu d'informations sur les changements *associés à l'âge*, chez l'enfant ou chez l'adulte. C'est pourquoi elle aide davantage à comprendre le *comportement* humain que le *développement* humain.

Autres théories du changement sans stades

Un certain nombre de psychologues et de sociologues qui étudient la vie des adultes (Fiske, 1980 ; Pearlin, 1980) sont assez sceptiques à l'égard des diverses théories reposant sur la notion de stades. Par exemple, Leonard Pearlin affirme :

> *Ce n'est pas parce que des personnes ont le même âge ou en sont au même stade du cycle de vie que l'on est en droit de supposer qu'elles ont parcouru le même chemin pour atteindre cette situation ou qu'elles prendront ultérieurement les mêmes directions. (1982, p. 64.)*

De même, selon plusieurs théoriciens, il est erroné de supposer que la vie adulte « se dirige » vers autre chose que vers la mort. Pearlin perçoit plutôt la vie adulte comme « un processus continu d'ajustements aux circonstances extérieures » (1980, p. 180). Selon lui, on ne comprendra l'expérience de la vie adulte que lorsque l'on cessera de vouloir la considérer en termes de stades ou de développement, et que l'on essaiera plutôt de découvrir les processus fondamentaux qui s'appliquent aux adultes de tout âge, par exemple la façon dont les adultes réagissent au stress ou aux crises importantes. Les tenants de cette pensée admettent que les demandes de l'adulte ont de fortes chances de changer avec l'âge. C'est

plutôt la façon dont l'adulte répond à ces demandes, et non pas la demande elle-même, qui façonne sa vie. On ne peut nier l'importance de telles demandes dans le développement de chaque individu ; toutefois une question essentielle demeure : est-il possible que notre façon d'interpréter une expérience, ou notre façon de répondre à ces demandes, se modifie avec l'âge ? Cela semble être le cas lorsque l'on observe les enfants. Cela peut également s'appliquer aux adultes, à la suite des changements liés aux structures de vie, aux mécanismes de défense ou aux modes de raisonnement que l'on utilise habituellement, ou des changements plus marqués comme un revirement dans les stades de Loevinger. Dans l'ensemble, les théories de ce dernier groupe attirent notre attention sur les processus fondamentaux qui sont applicables à chaque âge. Toutefois, nous n'avons pas besoin d'éliminer la notion de séquences, ni même celle de stades, pour inclure certains de ces processus fondamentaux dans notre conceptualisation.

Théories de type D

Q 21   Expliquez la notion de changement quantitatif sans stades.

Q 22   Qu'est-ce que le conditionnement classique ? le conditionnement opérant ?

Q 23   Quel est le fondement des théories de l'apprentissage social ?

Q 24   Quelles critiques peut-on formuler à l'égard des théories de l'apprentissage ?

SYNTHÈSE DES THÉORIES DU DÉVELOPPEMENT HUMAIN

Dans ce chapitre, nous avons voulu vous procurer une vision d'ensemble des différentes théories du développement. Ces modèles théoriques vont se concrétiser au fur et à mesure que nous approfondirons les données qui s'y rattachent et, en même temps, vont vous permettre d'assimiler et d'intégrer ces données. Il faut surtout garder à l'esprit, à cette étape-ci, qu'il existe de nombreuses divergences entre les théoriciens sur la nature même du développement.

Par exemple, les théories de l'apprentissage, y compris la remarquable version cognitive de Bandura, mettent l'accent sur le rôle essentiel de l'expérience dans le *façonnement* de l'individu. Piaget, d'un autre côté, croit que l'enfant utilise son expérience pour *construire* sa propre réalité et permettre sa compréhension du monde. Les théoriciens de la psychanalyse se situent quelque part entre ces deux pôles. Il ne s'agit pas d'un désaccord insignifiant: il soulève des types de questions différents et mène à des types de recherche différents.

De la même façon, les chercheurs qui étudient l'âge adulte posent des hypothèses très différentes et interprètent les résultats de manière très différente selon leurs convictions théoriques ou même leur formation académique initiale. Le sociologue Dale Dannefer (1984a, 1984b, 1988) déplore l'attitude des psychologues qui, dès qu'ils découvrent le moindre semblant de modèle dépendant de l'âge, en tirent immédiatement la conclusion qu'ils ont découvert un processus fondamental du développement humain. Face au même ensemble de données, un sociologue va être porté à analyser les forces sociales qui ont peut-être façonné les réponses des différentes cohortes ou des différents sous-groupes de la population. Les psychologues considèrent que la notion de différences de cohortes n'est pas pertinente dans le système, car elle nuit à leur tentative pour découvrir les modèles fondamentaux. Selon les sociologues par contre, les différences de cohortes constituent le principal centre d'intérêt, puisqu'elles apportent des renseignements sur la façon dont les individus et la société interagissent.

Au fil des chapitres, nous reviendrons souvent sur ces approches théoriques, en essayant de démontrer non seulement comment les données recueillies ont été façonnées par les hypothèses des chercheurs, mais aussi comment les différentes théories permettent de comprendre l'information accumulée. Ces approches se révéleront très utiles pour classer le vaste ensemble des faits concernant le développement.

RÉSUMÉ

1. Les théories du développement humain nous permettent de classer, d'organiser et d'interpréter les faits issus de la recherche. Les théories proposent des hypothèses précises qui orientent la recherche.

2. Les théories du développement humain peuvent être divisées selon deux axes majeurs: suivant qu'elles définissent ou ne définissent pas de stades du développement, et qu'elles considèrent que les changements sont orientés et qualitatifs ou sans but et quantitatifs.

3. Parmi les tenants des changements directionnels avec stades, se trouvent les théoriciens de la psychanalyse comme Freud et Erikson et les théoriciens du développement cognitif comme Piaget.

4. Selon Freud, le comportement est régi par des motivations inconscientes et conscientes, et la personnalité se développe par étapes: le ça, le moi et le surmoi. Freud propose également une séquence de cinq stades psychosexuels: oral, anal, phallique et génital, les deux derniers étant séparés par une période de latence.

5. Erikson insiste davantage sur les forces sociales que sur les pulsions inconscientes comme facteurs du développement. Le concept clé est le développement de l'identité, qui passe par huit stades psychosociaux au cours du cycle de vie: la confiance, l'autonomie, l'initiative, la compétence, l'identité, l'intimité, la générativité et l'intégrité personnelle.

6. Piaget met l'accent sur le développement de la pensée plutôt que de la personnalité. L'adaptation, composée des sous-processus d'assimilation, d'accommodation et d'équilibration, est le concept clé. Le résultat des principales équilibrations est un ensemble de stades regroupés en quatre périodes de développement qui, selon Piaget, forment un système cognitif cohérent: période sensorimotrice, période préopératoire, période des opérations concrètes et période des opérations formelles.

7. Les théories qui proposent des stades sans objectif ou sans direction définis comprennent le modèle sociologique du cycle de la vie familiale de Duvall et le modèle de Levinson sur les saisons de l'âge adulte.

8. Le concept de rôle décrit les fonctions propres à un statut particulier à l'intérieur d'une culture, comme le rôle d'un enseignant ou un rôle sexuel. Les rôles changent systématiquement avec l'âge, particulièrement à l'âge adulte.

9. Levinson propose la notion de flux et de reflux entre les périodes de stabilité et les périodes de transition.

10. Parmi les tenants du changement structural sans stades, se trouvent les théoriciens néopiagétiens et les théoriciens néopsychanalytiques ainsi que les théoriciens humanistes comme Maslow.

11. Selon Maslow, chaque individu a des besoins D (visant l'autoconservation) et des besoins E (visant l'autoactualisation).

12. Pour les théoriciens de l'apprentissage et les sociologues, les changements survenant avec l'âge ne correspondent pas à des stades et ne suivent pas de direction.

13. Les principes d'apprentissage fondamentaux, comme le conditionnement classique ou opérant et l'imitation, régissent l'acquisition et le maintien de nombreux comportements.

14. Aucune de ces théories ne peut expliquer de façon appropriée toutes les caractéristiques du développement humain, mais chacune offre des concepts utiles et peut fournir un cadre théorique pour examiner les données obtenues par les chercheurs.

MOTS CLÉS

Accommodation, p. 36

Apprentissage par observation, p. 47

Assimilation, p. 36

Besoins D (pour déficience), p. 42

Besoins E (pour être), p. 42

Ça, p. 32

Champ phénoménologique, p. 42

Conditionnement classique, p. 44

Conditionnement opérant, p. 44

Conflit de rôles, p. 39

Équilibration, p. 36

Extinction, p. 45

Hypothèse, p. 30

Identité, p. 32

Imitation, p. 47

Libido, p. 32

Mécanismes de défense, p. 32

Moi, p. 32

Opérations, p. 37

Punition, p. 45

Renforcement négatif, p. 45

Renforcement partiel, p. 45

Renforcement positif, p. 45

Réponse inconditionnelle, p. 44

Rôle, p. 39

Schème, p. 35

Stades psychosexuels, p. 32

Stades psychosociaux, p. 33

Stimulus conditionnel, p. 44

Stimulus inconditionnel, p. 44

Structure de vie, p. 39

Surmoi, p. 32

Tension de rôle, p. 39

Théorie, p. 30

Théorie

HYPOTHÈSE

Stades ou absence de stades

**Changement qualitatif et directionnel
ou changement quantitatif sans direction**

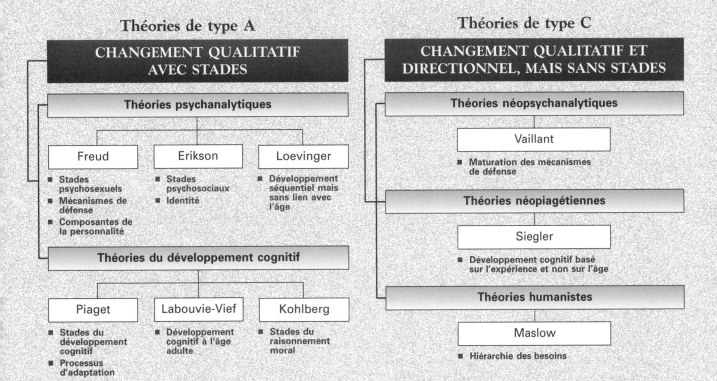

Théories de type A

CHANGEMENT QUALITATIF AVEC STADES

Théories psychanalytiques

Freud	Erikson	Loevinger

- Stades psychosexuels
- Mécanismes de défense
- Composantes de la personnalité

- Stades psychosociaux
- Identité

- Développement séquentiel mais sans lien avec l'âge

Théories du développement cognitif

Piaget	Labouvie-Vief	Kohlberg

- Stades du développement cognitif
- Processus d'adaptation

- Développement cognitif à l'âge adulte

- Stades du raisonnement moral

Théories de type C

CHANGEMENT QUALITATIF ET DIRECTIONNEL, MAIS SANS STADES

Théories néopsychanalytiques

Vaillant

- Maturation des mécanismes de défense

Théories néopiagétiennes

Siegler

- Développement cognitif basé sur l'expérience et non sur l'âge

Théories humanistes

Maslow

- Hiérarchie des besoins

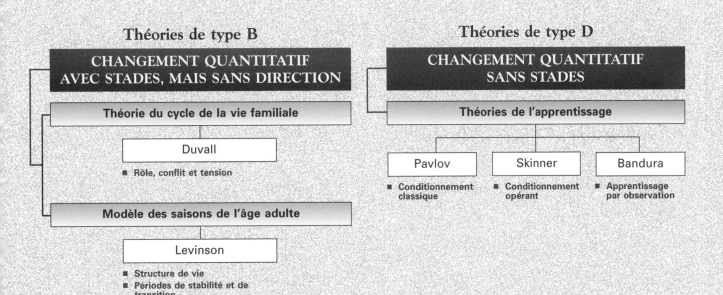

Théories de type B

CHANGEMENT QUANTITATIF AVEC STADES, MAIS SANS DIRECTION

Théorie du cycle de la vie familiale

Duvall

- Rôle, conflit et tension

Modèle des saisons de l'âge adulte

Levinson

- Structure de vie
- Périodes de stabilité et de transition

Théories de type D

CHANGEMENT QUANTITATIF SANS STADES

Théories de l'apprentissage

Pavlov	Skinner	Bandura

- Conditionnement classique

- Conditionnement opérant

- Apprentissage par observation

LECTURES SUGGÉRÉES

EN FRANÇAIS

BOUCHARD, S. et P.-C. Morin (1992), *Introduction aux théories de la personnalité*, Boucherville, Gaëtan Morin Éditeur. (Cet ouvrage présente une mise à jour des différentes théories de la personnalité.)

CLOUTIER, R. et A. Renaud (1990), *Psychologie de l'enfant*, Boucherville, Gaëtan Morin Éditeur. (Cet ouvrage majeur offre une introduction poussée à la psychologie de l'enfant dans son ensemble.)

EN ANGLAIS

BORNSTEIN, M. H. (dir.) (1987), *Sensitive periods in development : Interdisciplinary perspectives*, Hillsdale, Erlbaum. (L'article de Bornstein constitue une excellente introduction au concept de période sensible. Ce recueil comporte également d'autres articles excellents qui analysent l'existence de périodes critiques ou sensibles dans plusieurs domaines du développement, y compris le langage et les relations sociales.)

LERNER, R. M. (1986), *Concepts and theories of human development*, 2ᵉ éd., New York, Random House. (Une très bonne analyse des principales approches théoriques citées dans cette partie du manuel.)

NEUGARTEN, B. L. (1979), « Time, age, and the life cycle », *American Journal of Psychiatry*, 136, p. 887 à 894. (Il s'agit de l'un des meilleurs résumés des discussions sur les effets du moment de l'expérience sur la vie adulte.)

ROWE, J. W., S. Y. Wang et D. Elahi (1990), « Design, conduct, and analysis of human aging research », *in* E. R. Schneider et J. W. Rowe (dir.), *Handbook of the biology of aging*, 3ᵉ éd., San Diego, Academic Press, p. 63 à 71. (Cet article offre une discussion particulièrement intéressante — quoique pointue — sur les avantages et les inconvénients des études longitudinales dans le contexte des recherches sur l'âge adulte et sur le vieillissement.)

SEITZ, V. (1988), « Methodology », *in* M. H. Bornstein et M. E. Lamb (dir.), *Developmental psychology : An advanced textbook*, 2ᵉ éd., Hillsdale, Erlbaum, p. 51 à 84. (Une récapitulation bien structurée et très claire des nombreux problèmes méthodologiques abordés dans cette partie.)

SMELSER, N. J. et E. H. Erikson (1980), *Themes of work and love in adulthood*, Cambridge, Harvard University Press. (Excellente collection d'articles des principaux théoriciens qui s'intéressent à la vie adulte, y compris Levinson et Pearlin. Les articles ne sont pas trop techniques.)

THOMAS, R. M. (dir.) (1990), *The encyclopedia of human development and education : Theory, research, and studies*, Oxford, Pergamon Press. (Ce manuel très utile comprend de brèves descriptions de presque toutes les théories abordées dans cette partie, ainsi qu'un chapitre sur le concept de stades.)

Deuxième partie

La période de l'enfance

Dans la première partie de ce manuel, vous avez pu vous familiariser avec les différents outils théoriques utilisés par les psychologues du développement humain. Dans cette deuxième partie, nous entrons pour ainsi dire dans le vif du sujet. En effet, nous allons voir de manière concrète comment les notions théoriques permettent de rendre compte de l'expérience de l'individu.

Nous commençons notre étude des âges de la vie chronologiquement, soit par la période de l'enfance. Nous nous intéressons dans un premier temps aux débuts de la vie, qui influent de manière non négligeable sur le développement de l'enfant. Puis, dans les chapitres 4 et 5, nous nous penchons respectivement sur le développement physique et cognitif et sur le développement des relations sociales et de la personnalité au cours des premières années. Nous suivons ces mêmes aspects du développement chez l'enfant d'âge préscolaire et scolaire dans les chapitres 6 et 7.

Parallèlement à cette approche chronologique, nous mettons constamment l'accent sur les caractéristiques fondamentales, la trame de cette période du développement — et nous aurons le même souci tout au long de ce manuel. Par exemple, ce que nous appelons l'horloge biologique (la maturation) joue un rôle prédominant et assure le rythme des changements communs. Cependant, l'horloge sociale n'est pas inaudible. L'enfant connaît des changements de rôles sociaux particulièrement importants entre l'âge préscolaire et scolaire. Le tempérament inné représente une source de continuité, et la personnalité résulte de l'interaction entre les tendances initiales et l'environnement. Des modèles internes stables mais non immuables s'établissent au milieu de l'enfance et deviennent plus définitifs à l'adolescence et à l'âge adulte. Enfin, il ne faut pas oublier que l'expérience constitue un élément primordial de l'équation et que l'activité de l'enfant est essentielle dans le processus du développement.

Dans chaque chapitre, nous nous efforçons de présenter l'état des connaissances actuelles sur divers aspects du développement. Nous soulignons également les différences individuelles malgré les traits communs, ainsi que l'influence toujours active de l'environnement sur la trajectoire du développement.

Nous vous souhaitons un bon voyage au pays de l'enfance.

3

par de question
d'examen.

LES DÉBUTS
DE LA VIE

omme toutes les histoires, le développement humain a un début, un milieu et une fin. Commençons donc notre histoire par le début, c'est-à-dire la conception et le développement prénatal. Comment se déroule habituellement le développement prénatal ? Quelles sont les forces qui le façonnent et quelles sont celles qui peuvent le faire dévier de la voie normale ? Par exemple, dans quelle mesure la santé ou les habitudes de vie de la mère peuvent-elles influer, de manière positive ou négative, sur ce processus du développement ? Ces questions revêtent une grande importance pour ceux et celles d'entre vous qui souhaitent avoir des enfants. Mais il s'agit également de questions fondamentales pour aborder l'étude du développement au cours du cycle de vie. En effet, le patrimoine génétique dont hérite le nouvel individu au moment de la conception ainsi que le développement neurologique et physique au cours des premiers mois constituent la base sur laquelle HELEN BEE vont s'édifier les différentes composantes de l'individu.

CONCEPTION

La conception est la première étape du développement d'un individu ; elle se produit au moment où un seul spermatozoïde de l'homme perce la membrane de l'ovule de la femme, comme le montre la photographie ci-dessous (figure 3.1). Habituellement, l'un des deux ovaires de la femme libère un **ovule** (œuf) tous les mois, et ce vers le milieu de deux périodes de menstruations. Si l'ovule n'est pas fécondé, il chemine dans l'une des **trompes de Fallope** vers l'**utérus,** où il se décompose progressivement ; il est ensuite expulsé au cours des prochaines menstruations.

Par contre, si le couple a des relations sexuelles pendant la période féconde de quelques jours où l'ovule se trouve dans la trompe de Fallope, l'un des millions de spermatozoïdes éjaculés lors de chaque orgasme masculin peut se déplacer du vagin de la femme vers le col de l'utérus, puis dans l'utérus

et la trompe de Fallope, et enfin pénétrer dans la paroi de l'ovule. Un enfant est alors conçu. L'œuf fécondé est appelé **zygote** avant la première division cellulaire. La moitié seulement des ovules fécondés survivront jusqu'à la naissance (le taux de survie est plus faible pour les produits de la conception mâles que femelles). Environ un quart d'entre eux meurent dès les premiers jours de la conception, souvent en raison d'une imperfection génétique. Un autre quart est avorté spontanément (fausse couche) à un moment plus avancé de la grossesse (Wilcox *et al.*, 1988).

FONDEMENTS GÉNÉTIQUES DE LA CONCEPTION

L'importance des événements génétiques accompagnant la conception est cruciale. La combinaison des gènes mâles du père et des gènes femelles de la mère crée une empreinte génétique unique, le génotype. Pour bien comprendre le déroulement de ces événements, il nous faut revenir quelque peu en arrière.

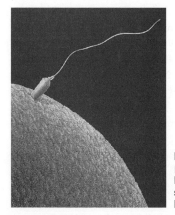

Figure 3.1 Spermatozoïde perçant l'ovule. Le moment de la conception, lorsqu'un seul spermatozoïde perce la membrane de l'ovule.

Ovule : Gamète femelle qui, après fertilisation par un spermatozoïde de l'homme, forme la base de l'organisme qui se développe.

Trompe de Fallope : Conduit dans lequel l'ovule chemine jusqu'à l'utérus où se produit généralement la conception.

Utérus : Organe féminin dans la paroi duquel s'implante le blastocyste et où l'embryon puis le fœtus se développe.

Zygote : Œuf fécondé qui résulte de l'union de l'ovule et du spermatozoïde.

Le noyau de chaque cellule de notre corps renferme un ensemble de 46 **chromosomes,** regroupés en 23 paires. Les chromosomes contiennent toute l'information génétique propre à un individu, c'est-à-dire qu'ils déterminent des caractéristiques individuelles comme la couleur des cheveux, la taille, l'aspect physique, le tempérament et certains aspects de l'intelligence. Ils définissent en outre les caractéristiques communes à tous les membres d'une même espèce, telles que les séquences du développement physique.

Les spermatozoïdes et les ovules, appelés **gamètes** ou cellules sexuelles, sont les seules cellules qui ne comprennent pas 46 chromosomes. Durant les premiers stades du développement, les gamètes se divisent comme toutes les autres cellules selon un processus appelé *mitose,* et chaque paire de chromosomes se scinde et se multiplie pour donner d'autres cellules identiques contenant chacune 23 *paires* de chromosomes. Cependant, les gamètes ont ceci de particulier qu'ils connaissent un stade final appelé *méiose,* au cours duquel chaque nouvelle cellule reçoit un chromosome seulement de chaque paire originale. C'est ainsi que les gamètes ne contiennent que 23 chromosomes au lieu de 23 paires. Lorsqu'un enfant est conçu, les 23 chromosomes de l'ovule (la moitié du patrimoine héréditaire de la mère) et les 23 chromosomes du spermatozoïde (la moitié du patrimoine héréditaire du père) s'unissent pour former les 23 paires qui composeront chaque cellule du nouvel individu (dont chacune compte donc 46 chromosomes).

Les chromosomes sont eux-mêmes constitués de longues chaînes de molécules d'une substance chimique appelée **acide désoxyribonucléique (ADN).** James Watson et Francis Crick (1953), qui se sont vu décerner le prix Nobel pour leurs travaux, ont découvert que l'ADN avait la forme d'une spirale à double hélice, semblable à un escalier en colimaçon. Les marches de cet escalier sont disposées de telle sorte qu'elles peuvent se scinder en deux, sur la longueur, si bien que chaque moitié peut guider la reconstruction de la partie manquante. Ce phénomène remarquable permet la multiplication des cellules, qui comprennent toutes l'ensemble des informations génétiques.

La chaîne d'ADN qui compose chaque chromosome se divise en segments appelés **gènes.** Chacun de ces gènes influe sur un trait particulier ou sur une partie du processus de développement. Les gènes responsables de certaines caractéristiques — comme ceux qui déterminent le groupe sanguin ou la couleur des cheveux — semblent être toujours situés au même endroit (le *locus, loci* au pluriel) sur le même chromosome chez tous les individus d'une même espèce. Ainsi, le locus du gène qui détermine si vous appartenez au groupe sanguin A, B ou O se trouve sur le chromosome 9. Le locus du gène qui détermine si votre sang comprend un facteur Rh se trouve sur le chromosome 1, et ainsi de suite (Scarr et Kidd, 1983). Au cours des dernières années, les généticiens ont accompli des progrès remarquables dans l'établissement des cartes des loci pour un très grand nombre de traits et de caractéristiques. Cette réussite scientifique a par ailleurs permis d'effectuer des progrès tout aussi considérables dans le diagnostic prénatal de différentes anomalies génétiques et de maladies héréditaires.

GÉNOTYPE ET PHÉNOTYPE

Grâce aux données obtenues au cours de recherches menées sur les jumeaux et sur l'adoption, les psychologues du développement ont accompli de grands progrès dans la détermination des aptitudes, des caractéristiques et des traits de caractère influencés par l'hérédité. Aucun généticien n'affirme cependant que la destinée d'un individu est déterminée entièrement par l'héritage d'une certaine combinaison de gènes. Les généticiens (et les psychologues) établissent une distinction importante entre le **génotype,** soit l'ensemble spécifique d'« instructions » inscrites dans les gènes d'un individu, et le **phénotype,** qui définit les particularités effectivement observées chez l'individu. Le phénotype est le produit de trois éléments : le génotype, les influences du milieu depuis le moment de la conception, et l'interaction entre le milieu et le génotype. Par exemple, un enfant peut avoir un génotype associé à un Q.I. très élevé, mais si la mère a consommé une quantité excessive d'alcool pendant sa grossesse, le système nerveux de l'enfant peut subir des lésions qui provoqueront une légère déficience intellectuelle. D'autre part, un enfant peut avoir un génotype associé à un tempérament difficile, mais si ses parents font preuve de sensibilité et d'attention, il pourra apprendre de nouvelles façons de s'adapter.

Cherchez d'autres exemples illustrant la différence entre le phénotype et le génotype.

Chromosome : Petite structure filamenteuse d'ADN contenant des instructions pour une grande variété de processus normaux de développement et des caractéristiques individuelles uniques. Chaque cellule humaine possède 46 chromosomes disposés en 23 paires.

Gamète : Cellule sexuelle (spermatozoïde ou ovule) qui, contrairement à toutes les autres cellules du corps, ne contient que 23 chromosomes au lieu de 23 paires.

Acide désoxyribonucléique (ADN) : Composition chimique des gènes, souvent désignée par l'abréviation ADN.

Gène : Segment d'ADN présent dans le chromosome, qui influe sur un ou plusieurs processus corporels particuliers.

Génotype : Ensemble des caractéristiques et des séquences de développement inscrites dans les gènes de tout individu.

Phénotype : Ensemble des caractéristiques observables chez un individu, résultat des influences génétiques et environnementales conjuguées.

La distinction entre génotype et phénotype est très importante. En effet, les codes génétiques ne constituent pas des signaux irrévocables décidant de tel modèle de développement ou de telle maladie. Le développement est également fonction des expériences propres à l'individu depuis le moment de sa conception.

GÈNES DOMINANTS ET GÈNES RÉCESSIFS

Lors de la fécondation, chaque individu reçoit un chromosome de chacun des parents, ce qui va constituer une paire. Par conséquent, les instructions génétiques en un locus donné peuvent être soit identiques (*homozygotes*), soit contradictoires (*hétérozygotes*). Si vous héritez du gène des yeux bleus de vos deux parents, votre héritage est homozygote et vous aurez donc les yeux bleus. Mais que se passe-t-il lorsque vous recevez des instructions hétérozygotes, comme un gène pour des yeux bleus de la part d'un parent et un gène pour des yeux bruns de la part de l'autre parent?

Le problème est résolu de différentes façons selon les gènes impliqués. Parfois, les deux informations paraissent se mélanger et donnent une caractéristique intermédiaire. Ainsi, un enfant dont l'un des parents est grand et l'autre petit sera généralement de taille moyenne. Il arrive aussi, mais plus rarement, que les deux caractéristiques s'expriment. Ainsi, le groupe sanguin AB résulte de la transmission d'un gène de type A d'un parent et d'un gène de type B de l'autre parent. Cependant, la plupart du temps, l'un des deux gènes est *dominant*, c'est-à-dire qu'il inhibe l'expression de l'autre gène et s'exprime seul. Le gène le plus «faible», appelé gène *récessif*, continue néanmoins à faire partie du génotype, et il peut être transmis à la génération suivante grâce à la méiose. Toutefois, il n'a pas d'incidence visible sur les traits physiques ou sur le comportement.

Il semble qu'un grand nombre de maladies soient transmises par des gènes dominants ou récessifs, comme c'est le cas pour la maladie de Tay-Sachs, la drépanocytose et la fibrose kystique. La figure 3.2 illustre ce qui se produit dans le cas de la drépanocytose, une maladie transmise par un gène récessif. Pour qu'un individu contracte cette maladie, il faut qu'il ait hérité des gènes de la maladie de ses deux parents.

En ce qui concerne l'hérédité pour la couleur des yeux, on sait que le brun l'emporte sur le bleu. Pouvez-vous déterminer le génotype de vos parents pour la couleur des yeux, d'après la couleur de vos yeux, ceux de vos frères et sœurs et ceux de vos grands-parents?

Un *conducteur* (*conductrice*) est une personne qui hérite du gène anormal d'un seul de ses parents (on dit aussi *porteur*). Cette personne est elle-même indemne, mais elle peut transmettre la maladie à ses enfants. Si deux parents conducteurs conçoivent des enfants ensemble (exemple 3 sur la figure), ou si un porteur a un enfant avec une personne atteinte de la maladie (exemple 4 sur la figure), alors leur progéniture peut hériter des gènes de la maladie des deux parents et, par conséquent, être atteinte par la maladie.

Contrairement à cet exemple relativement simple, la plupart des caractéristiques humaines sont déterminées par plusieurs gènes à la fois. Le tempérament, l'intelligence, la croissance, ainsi que des caractéristiques apparemment simples comme la couleur des yeux, résultent de l'interaction de plusieurs gènes. La recherche en génétique a récemment mené à des découvertes extrêmement intéressantes, qui soulignent la complexité de ce domaine. Par exemple, les chercheurs qui étudient la dystrophie musculaire, une maladie à transmission héréditaire récessive, ont observé que ses manifestations s'aggravent de génération en génération, vraisemblablement en raison d'une multiplication de l'ADN dans la section chromosomique où s'inscrit la maladie (Fu *et al.*, 1992). D'autres chercheurs ont découvert que, contrairement à ce que l'on croyait jusqu'à présent, les conséquences peuvent varier selon que le gène provient du père ou de la mère, même si les gènes semblent signaler la même caractéristique génotypique (Rogers, 1991; McBride, 1991). Les travaux de ce type commencent à révéler les secrets de la transmission génétique, mais il nous reste encore beaucoup d'éléments à découvrir.

DÉTERMINATION DU SEXE

Dans 22 des paires de chromosomes, appelés *autosomes* ou chromosomes non sexuels, les éléments de la paire se ressemblent et possèdent des loci génétiques exactement correspondants. La 23e paire est cependant différente. Les chromosomes de cette paire déterminent le sexe de l'enfant et portent donc le nom de *chromosomes sexuels*. Il en existe deux types, appelés par convention chromosomes X et chromosomes Y. La 23e paire de chromosomes d'une femme comprend normalement deux chromosomes X (génotype XX), alors que chez l'homme, elle se compose d'un X et d'un Y (génotype XY). Le chromosome X est considérablement plus gros que le chromosome Y, et il contient de nombreux loci qui n'ont pas de correspondance sur le chromosome Y.

Il est important de noter que le sexe de l'enfant est fonction du chromosome sexuel qu'il reçoit du spermatozoïde. Comme la mère possède uniquement des chromosomes X, chaque ovule porte un chromosome X. Par contre, le père possède un chromosome X et un chromosome Y. Lorsque les gamètes du père se divisent au cours de la méiose, la moitié des spermatozoïdes va porter un X et l'autre moitié va porter

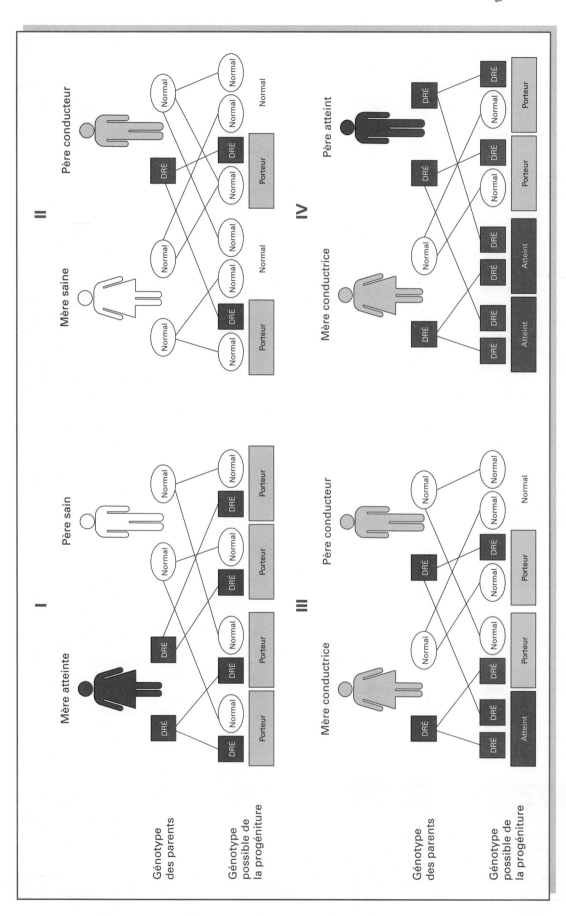

Figure 3.2 Transmission par un gène récessif. Quelques exemples illustrant la façon dont une maladie comme la drépanocytose est transmise par un gène récessif. Dans la section I, une mère qui est atteinte de la maladie transmet le gène de la drépanocytose à tous ses enfants, mais comme son partenaire est sain, aucun de leurs enfants n'est touché par la maladie. Dans la section II, aucun des enfants d'une mère saine et d'un père conducteur ne sont malades, mais chacun d'entre eux présente 50 % de chances d'être porteur du gène de la drépanocytose. L'enfant peut hériter de la maladie de trois façons : lorsque les deux parents en sont atteints, auquel cas tous les enfants héritent de la maladie ; lorsque les deux parents sont conducteurs (section III) ; et lorsqu'un des parents est conducteur et l'autre, atteint de la maladie (section IV).

un Y. Si le spermatozoïde qui fertilise l'ovule porte un X, l'enfant hérite d'un génotype XX: ce sera donc une fille. Si le spermatozoïde porte un Y, la combinaison sera XY: l'enfant sera donc un garçon.

Les généticiens ont récemment découvert qu'une toute petite portion seulement du chromosome Y détermine la masculinité. On appelle ce segment le facteur testiculaire déterminant (FTD) (Page *et al.*, 1987). Certains ovules fécondés qui sont génétiquement des XY, mais auxquels il manque le FTD, vont donner des filles.

Par ailleurs, la différence de taille entre les chromosomes X et Y fait en sorte que le garçon hérite, par sa mère, de nombreux gènes sur le chromosome X qui ne sont pas compensés (n'ont pas de loci équivalents) par le matériel génétique sur le chromosome Y. Cela signifie, entre autres, qu'une mère peut transmettre directement à son fils les maladies récessives ou d'autres caractéristiques génétiques dont les loci se trouvent sur les parties sans segments équivalents du chromosome X. On parle alors de *transmission liée au sexe*. La figure 3.3 en fournit un exemple avec l'hémophilie (dans cette maladie, le sang ne coagule pas).

Vous pouvez remarquer que, pour les femmes, les gènes récessifs liés au sexe produisent exactement les mêmes effets que les autres maladies récessives. La fille hérite des caractéristiques d'une maladie héréditaire uniquement si elle reçoit le gène récessif de ses deux parents. Par contre, le fils peut être atteint même s'il ne reçoit le gène récessif que de sa mère.

Comme le chromosome Y qu'il a hérité de son père ne contient pas de loci parallèles pour ces caractères, il n'y a pas d'instructions compensatrices et le gène récessif de la mère provoque la maladie ou d'autres troubles. Dans le cas des maladies liées au sexe, comme la dystrophie musculaire ou l'hémophilie, la moitié des fils d'une mère conductrice seront atteints, et la moitié des filles seront porteuses du gène. Les filles transmettront à leur tour la maladie à la moitié de leurs fils.

JUMEAUX FRATERNELS ET JUMEAUX IDENTIQUES

Le plus souvent, un seul enfant à la fois est conçu. On assiste cependant à des naissances multiples une fois sur cent. Le cas le plus fréquent est celui des jumeaux fraternels ou *dizygotes*, qui survient lorsque plusieurs ovules ont été produits et ont été fécondés chacun par un spermatozoïde différent. Ces jumeaux ne présentent pas plus de similitudes génétiques que n'importe quels frères ou sœurs, et ils ne sont même pas forcément du même sexe. Dans d'autres cas relativement rares, il arrive qu'un seul ovule fécondé se divise en deux et que chaque moitié se développe séparément par la suite, donnant ainsi naissance à deux enfants que l'on appelle *jumeaux identiques* ou *monozygotes*. Ces jumeaux ont forcément le même patrimoine génétique (et sont donc du même sexe), car ils sont issus du même ovule fécondé.

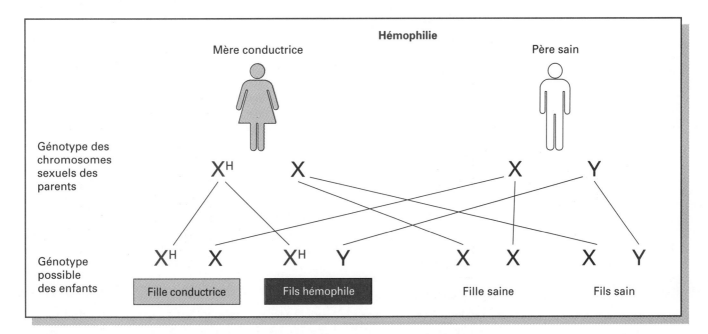

Figure 3.3 Transmission de l'hémophilie. Comparez la transmission liée au sexe d'une maladie récessive (l'hémophilie ici) avec les modèles illustrés à la figure 3.2. Dans le cas de l'hémophilie, une mère conductrice peut transmettre la maladie à la moitié de ses fils (en moyenne), car il n'existe pas de segment compensateur sur le chromosome Y. Par contre, la fille d'une mère conductrice ne contractera pas la maladie, à moins que son père n'en soit atteint.

Fondements génétiques de la conception

Q 1 Expliquez le processus de la conception (où, quand, comment).

Q 2 Qu'est-ce que le génotype d'un individu ? le phénotype ?

Q 3 Expliquez le mécanisme de transmission de l'hérédité.

Q 4 Qu'est-ce qu'un gène dominant ? un gène récessif ?

Q 5 Comment le sexe d'un individu est-il déterminé ?

Q 6 Qu'est-ce qui différencie les jumeaux fraternels des jumeaux identiques ?

DÉVELOPPEMENT PRÉNATAL

Si nous supposons que la conception a lieu deux semaines après les règles, au moment où a lieu habituellement l'ovulation, alors la période de gestation de l'enfant est de 38 semaines (environ 265 jours). La plupart des médecins calculent 40 semaines de gestation à partir des dernières règles. Toutes les références aux semaines de gestation dans ce manuel sont basées sur le calcul de 38 semaines, en partant du moment présumé de la conception.

Les biologistes et les embryologistes divisent les semaines de gestation en trois périodes de longueurs inégales : la *période germinale*, qui débute à la conception et dure environ 2 semaines, la *période embryonnaire*, qui couvre les 6 à 10 semaines suivantes (jusqu'à la 8e ou 12e semaine suivant la conception), et la *période fœtale*, qui s'étend sur les 26 à 30 semaines restantes.

PÉRIODE GERMINALE : DE LA CONCEPTION À L'IMPLANTATION

La division cellulaire débute entre 24 à 36 heures après la conception. En deux ou trois jours, il se forme des douzaines de cellules dont l'ensemble n'est pas plus gros qu'une tête d'épingle. Cet amas de cellule est indifférencié (cellules identiques) jusqu'à environ quatre jours après la conception. À ce moment, l'amas commence à se subdiviser et prend le nom de *blastocyste*. Une cavité se creuse au cœur de la boule de

cellules, et l'amas se divise en deux. Les cellules situées à la périphérie vont former les différentes structures qui vont elles-mêmes soutenir le développement de l'organisme, et la masse intérieure deviendra l'embryon. Lorsqu'elle touche la paroi de l'utérus, l'enveloppe périphérique du blastocyste, qui est composée de cellules, se rompt au point de contact. De petits crampons permettent à la masse cellulaire de se fixer à la paroi utérine : ce processus (illustré à la figure 3.4) est appelé *implantation*. Lorsque l'implantation se produit, dix jours à deux semaines après la conception normalement, le blastocyste compte près de 150 cellules (Tanner, 1978).

PÉRIODE EMBRYONNAIRE

La période embryonnaire débute à la fin de l'implantation et s'étend sur six à dix semaines. À la fin de cette période, les diverses structures de soutien sont complètement formées et les principaux organes du corps sont présents sous une forme rudimentaire.

STRUCTURES DE SOUTIEN. Deux structures de soutien importantes se développent à partir de la couche externe de cellules : il s'agit de l'**amnios,** c'est-à-dire la membrane qui contient le liquide dans lequel le bébé flotte, et du **placenta,** un organe composé de cellules de protection qui s'appuie contre la paroi utérine. Le placenta est totalement développé après quatre semaines de gestation ; il fait office de foie, de poumons et de reins pour l'embryon et le fœtus. Son rôle de filtre permet les échanges de nutriments (tels que l'oxygène, les protéines, les glucides et les vitamines) entre le sang de la mère et celui de l'embryon ou du fœtus. Il autorise également le passage des déchets digestifs et du gaz carbonique du sang de l'enfant vers celui de la mère, dont l'organisme est capable d'éliminer ces déchets (Rosenblith et Sims-Knight, 1989). Par ailleurs, les différentes membranes du placenta empêchent généralement le passage de substances nocives (comme les virus), et elles filtrent la plupart des hormones de la mère. Cependant, de nombreux médicaments et anesthésiques parviennent à traverser cette barrière placentaire, de même que certains agents pathogènes.

DÉVELOPPEMENT DE L'EMBRYON. Durant cette période, l'amas cellulaire qui deviendra l'embryon se scinde encore en plusieurs types de cellules différenciées. Ces cellules formeront les rudiments de la peau, des récepteurs sen-

---

Amnios : Membrane remplie de liquide amniotique dans lequel baigne l'embryon ou le fœtus.

Placenta : Organe qui se développe durant la gestation entre le fœtus et la paroi de l'utérus. Le placenta filtre les nutriments du sang de la mère, et il fait office de foie, de poumons et de reins pour le fœtus.

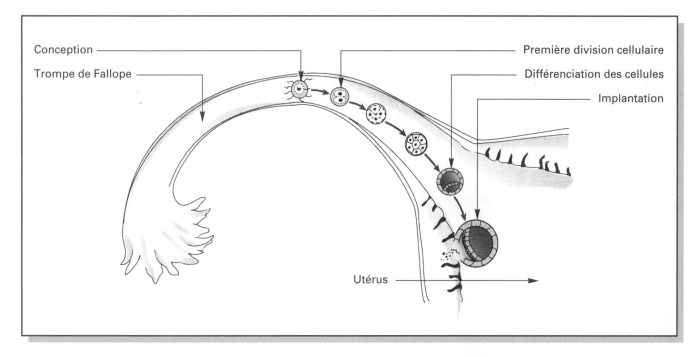

Figure 3.4 Séquence des changements au cours de la période germinale. Vous pouvez suivre sur ce schéma la séquence des changements qui se produisent au cours de la période germinale. La première division cellulaire et la première différenciation des fonctions cellulaires ont normalement lieu dans la trompe de Fallope.

soriels, des cellules nerveuses, des muscles, du système circulatoire et des organes internes. Cette différenciation cellulaire est remarquablement rapide. Au bout de huit semaines de gestation, l'embryon mesure environ 3,75 cm de long, il possède un cœur qui bat, un système circulatoire primitif, des ébauches d'oreilles et d'yeux, une bouche qui s'ouvre et se ferme, des jambes, des bras et une colonne vertébrale primitive.

PÉRIODE FŒTALE

Les sept mois de la période fœtale sont consacrés au perfectionnement des systèmes organiques primitifs déjà en place. On peut comparer ce processus à la construction d'une maison : la structure est créée rapidement mais la finition est plus longue à réaliser. Les photographies de la figure 3.5 illustrent les changements remarquables qui interviennent durant cette période.

DÉVELOPPEMENT DU SYSTÈME NERVEUX. Le système nerveux est encore très rudimentaire à la fin de la période embryonnaire. Il se compose de deux types de cellules de base, les **neurones** et les **cellules gliales.** Les cellules gliales constituent en quelque sorte le ciment qui assure la cohésion des différentes structures du système nerveux, en conférant au cerveau sa fermeté et sa structure (Kandel, 1985). Les neurones reçoivent et transmettent les messages

d'une partie du cerveau à une autre, ou d'une partie du corps à une autre.

Les neurones comprennent quatre parties principales, comme vous pouvez le voir sur le schéma de la figure 3.6 : (1) un corps cellulaire, (2) des prolongements du corps cellulaire, appelés **dendrites,** qui sont les principaux récepteurs des impulsions nerveuses, (3) un prolongement tubulaire du corps cellulaire appelé **axone,** qui peut mesurer jusqu'à 1 m de long chez les humains, et (4) des fibres terminales ramifiées à l'extrémité de l'axone, qui forment l'appareil primaire de transmission du système nerveux. En raison de l'aspect ramifié des dendrites, les physiologistes emploient souvent

Neurone : Deuxième classe importante des cellules du système nerveux. Les neurones assurent la transmission et la réception des influx nerveux.

Cellules gliales : Une des deux principales catégories de cellules qui composent le système nerveux. Elles assurent la cohésion des centres nerveux en donnant au cerveau sa fermeté et sa structure.

Dendrite : Prolongement filamenteux d'un neurone qui forme avec d'autres dendrites la moitié d'une connexion synaptique vers d'autres cellules. Les dendrites se développent rapidement au cours des trois derniers mois de la grossesse et durant la première année de vie.

Axone : Prolongement d'un neurone ; les fibres terminales de l'axone servent de transmetteurs dans la connexion synaptique avec les dendrites des autres neurones.

une terminologie propre à la botanique pour les décrire ; ils parlent d'« arbre dendritique » ou d'« émondage » de l'arbre dendritique.

La **synapse** est le point de contact entre deux neurones, c'est-à-dire l'endroit où les fibres de transmission de l'axone entrent en contact avec les dendrites d'un autre neurone. Le nombre de synapses est très élevé. Ainsi, une seule cellule dans la région du cerveau qui régit la vision peut compter de 10 000 à 30 000 synapses réceptrices dans ses dendrites (Greenough, Black et Wallace, 1987).

Les cellules gliales commencent à se développer vers la 13e semaine qui suit la conception, et elles continuent à se multiplier jusqu'aux alentours de la deuxième année après la naissance. Les neurones commencent à se former aux envi-

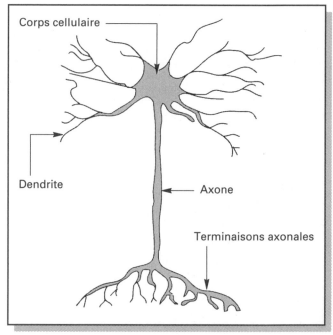

Figure 3.6 Structure d'un neurone. Les corps cellulaires sont les premiers à se développer, essentiellement entre la 12e et la 24e semaine. Les axones et les dendrites se développent plus tard, surtout durant les 12 dernières semaines de la gestation, et leur développement se poursuit au cours des premières années de la vie.

rons de la 12e semaine, et tous les neurones que possédera un individu sont pratiquement présents dès la 28e semaine. À ce stade cependant, les neurones ne sont encore que des corps cellulaires : leurs axones sont courts et leur développement dendritique, peu avancé. C'est au cours des deux derniers mois de la grossesse et des premières années de la vie que se produisent l'allongement des axones et la croissance majeure de l'arbre dendritique, qui vont permettre le développement des très nombreuses synapses nécessaires au bon fonctionnement de l'être humain (Parmelee et Sigman, 1983). Ainsi, on peut considérer que les derniers mois de la gestation et les deux premières années de la vie représentent une période critique pour la croissance dendritique.

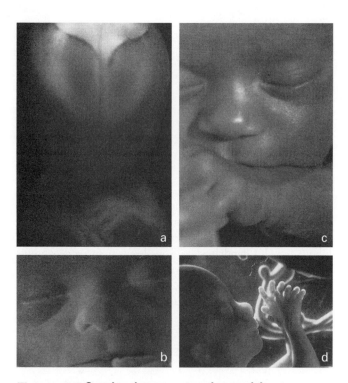

Figure 3.5 Certains changements qui se produisent durant la période fœtale.
(a) 10 à 12 semaines de gestation : Il est possible de déterminer le sexe de l'enfant. Les muscles, les paupières et les lèvres sont formés, ainsi que les orteils et les doigts.
(b) 16 semaines : La mère perçoit généralement les premiers mouvements du fœtus. Les os commencent à se développer et les oreilles sont pratiquement formées.
(c) 22 semaines : Les yeux sont complètement formés (mais clos, comme vous pouvez le voir), ainsi que les cheveux, les ongles, les glandes sudoripares et les papilles gustatives. Certains enfants nés prématurément entre 22 et 24 semaines vivent parfois, mais les chances de survie sont faibles, et l'incidence des problèmes est très élevée.
(d) 28 à 30 semaines : Les systèmes nerveux, circulatoire et respiratoire sont suffisamment développés pour assurer la survie, bien que le bébé soit encore minuscule et que son système nerveux n'en soit qu'aux premiers balbutiements du développement dendritique.

Quelles sont les conséquences pratiques du fait que tous les neurones d'un individu sont présents dès la 28e semaine de gestation ?

Synapse : Point de contact entre l'axone d'un neurone et les dendrites d'un autre neurone, qui permet la transmission des influx nerveux d'un neurone à l'autre, ou d'un neurone à un autre type de cellule, comme les cellules musculaires.

CROISSANCE EN TAILLE ET EN POIDS. De la même façon, la croissance en taille et en poids du fœtus a lieu relativement tard durant la période fœtale. Le fœtus atteint la moitié de sa longueur de naissance au bout de 20 semaines environ de gestation, mais il n'atteint la moitié de son poids de naissance que 3 mois plus tard environ, vers la 32e semaine.

Développement prénatal

Q 7   Décrivez les principales caractéristiques des trois périodes de la gestation (durée, événements, etc.).

Q 8   Qu'est-ce que la différenciation cellulaire ?

Q 9   Quels sont les composants d'un neurone et quelle est leur fonction ?

INFLUENCES SUR LE DÉVELOPPEMENT PRÉNATAL

Le développement de l'enfant s'effectue de manière remarquablement régulière et prévisible. Si l'embryon survit à la période critique initiale (les 12 premières semaines environ), le développement se poursuit généralement sans problèmes et les différents changements interviennent à intervalles réguliers, selon un plan de maturation apparemment bien précis.

Cette séquence du développement n'est pas à l'abri de modifications et d'influences extérieures, comme nous le verrons bientôt. Mais avant d'aborder les problèmes éventuels, il faut souligner que le système de maturation présente une grande robustesse. Le développement prénatal normal requiert un environnement « adéquat », mais ce terme est assez vague. Les enfants sont le plus souvent normaux. La liste des problèmes éventuels est longue, et elle ne cesse de s'allonger à mesure que les connaissances progressent. Cependant, la plupart de ces problèmes restent rares. On peut en prévenir certains, du moins en partie ; d'autres n'auront pas forcément de conséquences permanentes pour l'enfant. Vous devez garder cela à l'esprit en lisant les pages suivantes.

On peut diviser les problèmes potentiels en deux grandes catégories : les anomalies génétiques et les agents tératogènes (les facteurs nuisibles présents dans l'environnement). Les anomalies génétiques surviennent au moment de la conception et on ne peut guère les éviter. Les agents tératogènes peuvent avoir un effet sur le développement à n'importe quel moment à partir de la conception.

ANOMALIES GÉNÉTIQUES

Dans 3 à 8 % des ovules fécondés (Kopp, 1983), le matériel génétique lui-même comporte des anomalies, parce que le spermatozoïde ou l'ovule ne se sont pas divisés correctement et que le nombre de chromosomes est alors trop ou pas assez élevé. Selon certaines études, les grossesses ne se rendent pas à terme dans 90 % des cas d'anomalies chromosomiques observés. Seulement 1 % des nouveau-nés sont victimes de telles anomalies.

On dénombre plus de 50 types d'anomalies chromosomiques, et plusieurs d'entre elles sont très rares. La plus répandue est le **syndrome de Down** (aussi appelé trisomie 21 ou mongolisme), qui se caractérise par la présence de trois chromosomes sur la 21e paire au lieu de deux en raison d'une méiose imparfaite du spermatozoïde ou de l'ovule. Il existe d'autres formes de trisomie, mais le syndrome de Down est la plus courante. L'incidence de cette anomalie oscille entre 1 cas pour 600 et 1 cas pour 1 000 (Hook, 1982 ; Nightingale et Goodman, 1990). Les enfants atteints de ce type de trisomie ont des traits distinctifs (voir la figure 3.7) et ils présentent généralement une déficience intellectuelle.

Le risque est accru pour les mères de plus de 35 ans (bien que le risque soit également élevé pour les mères très jeunes). Chez les femmes de 35 à 39 ans, le risque de donner naissance à un enfant atteint du syndrome de Down est de 1 pour 280 naissances ; chez les femmes de plus de 45 ans, le risque s'élève à 1 pour 50 naissances (Kopp, 1983). Selon certains travaux récents effectués par des épidémiologistes, il existerait un lien entre l'exposition aux toxines de toutes sortes et le risque d'avoir une progéniture souffrant du syndrome de Down. Ainsi, une importante étude réalisée au Canada a montré que des hommes travaillant comme mécaniciens, agriculteurs ou ouvriers dans des scieries, et qui étaient de ce fait régulièrement exposés à des produits toxiques tels que les solvants, les hydrocarbures, le plomb et les pesticides, avaient un risque plus élevé d'avoir des enfants atteints du syndrome de Down que d'autres hommes travaillant dans des environnements plus sains (Olshan, Baird et Teschke, 1989). De telles études suggèrent que les anomalies chromosomiques ne seraient pas le fruit du hasard et qu'elles pourraient être causées par des agents tératogènes.

Syndrome de Down : Anomalie génétique caractérisée par la présence d'un chromosome surnuméraire sur la 21e paire au lieu de deux. Les individus atteints présentent généralement une déficience intellectuelle et des caractéristiques physiques particulières.

ANOMALIES DES CHROMOSOMES SEXUELS. Il existe un second type d'anomalie associé à une division incomplète ou imparfaite des chromosomes sexuels, qui survient 1 fois sur 400 naissances environ (Berch et Bender, 1987). Le plus courant est le syndrome de Klinefelter, qui se caractérise par la présence de trois chromosomes sexuels (XXY). Ce syndrome touche les garçons (1 sur 500 naissances) : leurs testicules sont atrophiés et ils sont stériles ; ils ont de grandes jambes, manquent de coordination et souffrent d'une légère déficience intellectuelle. Le triplet XYY, ou syndrome du double Y, est un peu moins fréquent : les enfants atteints sont également des garçons ; ils sont souvent exceptionnellement grands et présentent un léger retard intellectuel. On observe par ailleurs des cas de chromosome X unique (X0), ou syndrome de Turner, et des cas de triple X (XXX), ou syndrome triplo-X, qui touchent les filles. Le syndrome de Turner constitue une exception à la règle selon laquelle les embryons dotés d'un nombre insuffisant de chromosomes ne sont pas viables. Ce syndrome se caractérise par le nanisme et la stérilité ; les enfants atteintes n'obtiennent généralement que des scores très bas aux tests de visualisation spatiale, mais leurs résultats aux tests de langage se situent dans la moyenne et même au-dessus de la moyenne (Scarr et Kidd, 1983). Les filles atteintes du syndrome triplo-X ont une taille normale mais accusent un retard sur le plan du développement physique. Elles font preuve également de piètres capacités verbales (Rovet et Netley, 1983). En règle générale, les anomalies des chromosomes sexuels sont moins graves que le syndrome de Down, mais les enfants touchés présentent des particularités physiques inhabituelles et certains déficits cognitifs.

SYNDROME DE FRAGILITÉ DU CHROMOSOME X. Ce type très différent d'anomalie génétique a dernièrement suscité un vif intérêt. Il ne s'agit pas d'un nombre incorrect de chromosomes, mais plutôt d'une rupture ou d'une cavité à un endroit précis du chromosome X (McBride, 1991). Cette fragilité du chromosome X peut toucher aussi bien les filles que les garçons. Cependant, comme les garçons ne possèdent pas l'influence potentiellement équilibrante d'un chromosome X normal, ils offrent une plus grande vulnérabilité aux conséquences négatives de ce syndrome, aussi bien sur le plan intellectuel que comportemental. Les garçons atteints semblent présenter des risques élevés de déficience intellectuelle : ainsi, certaines études attribuent à ce syndrome 5 à 7 % des déficiences intellectuelles chez les hommes (Zigler et Hodapp, 1991).

MALADIES DÉTERMINÉES PAR UN SEUL GÈNE. Il arrive également qu'un enfant hérite du gène d'une maladie particulière. Dans certains cas relativement rares, ces maladies sont causées par un gène dominant. La chorée de Huntington en constitue l'exemple le plus connu : ce trouble neurologique sévère, dont les symptômes apparaissent généralement au milieu de la vie, s'accompagne d'une perte rapide des facultés intellectuelles et des capacités physiques. Les maladies à gène dominant sont relativement rares, car une personne malade connaît le plus souvent sa condition et peut décider de ne pas avoir d'enfants, mais elle peut être aussi incapable de procréer. Les maladies récessives sont beaucoup plus courantes, et le tableau 3.1 en présente quelques-unes. Parmi les causes avérées de déficience intellectuelle, on dénombre 141 maladies ou troubles dont le locus génétique est connu, et 361 autres dont le locus n'est pas encore déterminé (Wahlström, 1990).

Les généticiens pensent que chaque adulte porte des gènes de quatre maladies ou anomalies à transmission récessive (Scarr et Kidd, 1983). Toutefois, la distribution des gènes, pour l'une ou l'autre de ces maladies, n'est pas aléatoire. Par exemple, la drépanocytose frappe le plus souvent les individus de race noire, tandis que la maladie de Tay-Sachs touche plutôt les Juifs d'origine ashkénase (de l'Europe de l'Est).

AGENTS TÉRATOGÈNES : MALADIES, DROGUES ET MÉDICAMENTS

Un développement prénatal anormal peut également résulter de changements de l'environnement dans lequel se trouve l'embryon ou le fœtus. Nous avons déjà mentionné dans le chapitre 1 que l'effet de la plupart des agents tératogènes semble largement fonction du moment précis où ces derniers interviennent (Vorhees et Mollnow, 1987), ce qui illustre bien les concepts de périodes critiques et de périodes sensibles. En règle générale, tout organisme présente une grande vulnérabilité au moment où son développement est le plus rapide (Moore, 1988). Au cours du développement prénatal, l'organisme offre une plus grande sensibilité aux influences extérieures, qu'il s'agisse d'un agent pathogène traversant la barrière placentaire, d'hormones inappropriées, de médicaments, etc. Puisque la plupart des organes se développent très rapidement durant les 12 premières semaines de gestation,

Figure 3.7 Fillette de 20 mois atteinte du syndrome de Down. Cette enfant présente les traits distinctifs de ce syndrome, c'est-à-dire des yeux bridés et un visage aplati.

Tableau 3.1

Certaines maladies héréditaires courantes

Phénylcétonurie

Désordre métabolique à transmission récessive, caractérisé par un déficit dans le métabolisme d'un acide aminé courant (phénylalanine). Le traitement consiste en un régime alimentaire pauvre en phénylalanine. On interdit à l'enfant de nombreuses catégories d'aliments, y compris le lait. Si l'enfant ne suit pas un régime particulier dès la naissance, il peut présenter de graves problèmes de déficience intellectuelle (on observe fréquemment des Q.I. de 30 ou moins). Cette affection ne touche que 1 enfant sur 8 000. On ne peut procéder à un diagnostic prénatal, mais un test très courant permet le dépistage à la naissance.

Maladie de Tay-Sachs

Maladie dégénérative du système nerveux à transmission récessive, irrévocablement mortelle. Les enfants qui en sont atteints ne vivent que trois ou quatre ans. Le gène se trouve essentiellement chez les personnes qui ont des ancêtres juifs d'Europe de l'Est, et le risque s'élève à environ 1 pour 3 600 naissances. Cette maladie peut faire l'objet d'un diagnostic prénatal.

Drépanocytose

Affection du sang parfois létale à transmission récessive et caractérisée, entre autres, par des douleurs dans les articulations et une vulnérabilité accrue aux infections. Le gène se trouve surtout chez les individus de race noire; environ 2 millions d'Américains sont porteurs du gène et 1 enfant sur 400 dans cette population hérite de la maladie. On peut maintenant procéder à un diagnostic prénatal de ce trouble.

Fibrose kystique

Maladie mortelle qui touche les poumons et les voies intestinales. Beaucoup d'enfants atteints de la fibrose kystique vivent jusqu'à l'âge de vingt ans environ. Dix millions d'Américains, de race blanche pour la plupart, portent le gène récessif et 1 enfant sur 1 600 hérite de la maladie. On ne peut actuellement détecter les porteurs avant la grossesse ni procéder à un diagnostic prénatal, bien que le locus du gène de la fibrose kystique ait été déterminé. Cependant, si un couple donne naissance à un enfant atteint de cette maladie, il sait que les autres enfants ont une chance sur quatre d'en être également atteints.

Dystrophie musculaire

Maladie mortelle à transmission autosomique presque toujours liée au sexe, caractérisée par une atrophie musculaire. Des chercheurs viennent de localiser le gène le plus courant, celui de l'atrophie musculaire progressive spinale de type Aran-Duchenne. On devrait donc pouvoir procéder bientôt au dépistage prénatal de ce trouble.

Source: Nightingale et Goodman, 1990.

l'organisme s'avère particulièrement vulnérable à l'attaque des agents tératogènes pendant cette période. Les agents tératogènes les plus nuisibles pendant cette période critique sont probablement les drogues et les médicaments consommés par la mère, ainsi que les maladies dont elle est atteinte ou qu'elle contracte pendant la grossesse.

Maladies de la mère

Une maladie contractée par la mère peut causer des dommages à l'embryon ou au fœtus de trois manières différentes au moins. Dans certaines maladies, en particulier les maladies virales, des agents infectieux s'attaquent au placenta et diminuent ainsi la quantité de nutriments qui alimentent l'embryon. Dans d'autres maladies, les agents pathogènes possèdent des molécules suffisamment petites pour passer au travers des filtres placentaires et s'attaquer directement au fœtus ou à l'embryon. Tel est le cas de la rougeole et de la rubéole, du cytomégalovirus (CMV), de la syphilis, de la diphtérie, de la grippe, de la typhoïde, de l'hépatite sérique et de la varicelle. Certains agents pathogènes présents dans les muqueuses du canal génital peuvent infecter l'enfant au moment même de l'accouchement. L'herpès génital est transmis de cette façon. D'après les connaissances actuelles, le sida peut être transmis par la mère de trois manières: pendant la grossesse à travers le placenta, pendant l'accouchement, ou après la naissance par l'intermédiaire du lait maternel (Van de Perre *et al.*, 1991). De toutes ces maladies, les plus dangereuses pour l'enfant sont probablement la rubéole, le sida et le cytomégalovirus.

RUBÉOLE. Cette maladie est très dangereuse pendant le premier mois de grossesse. La moitié des enfants qui y sont

LE MONDE RÉEL

Le dépistage prénatal des anomalies génétiques

Il n'y a pas si longtemps, beaucoup d'enfants naissaient avec toutes sortes de maladies ou de malformations, contre lesquels les parents ne pouvaient rien. Aujourd'hui par contre, les parents ont accès à des examens génétiques, aux conseils de spécialistes et à tout un éventail de tests prénatals pour diagnostiquer les anomalies du fœtus.

Examens génétiques avant la grossesse. Avant d'avoir un enfant, vous pouvez décider avec votre conjoint de passer des tests sanguins afin de déterminer si vous êtes porteur du gène de certaines maladies dont le locus est connu, comme la maladie de Tay-Sachs ou la drépanocytose. Étant donné qu'on ne connaît pas encore la localisation des gènes de toutes les maladies génétiques, les porteurs de nombreuses maladies (la fibrose kystique, par exemple) ne peuvent être dépistés de cette façon. Cependant, ces examens demeurent très importants si vous ou votre conjoint appartenez à un groupe susceptible de porter des gènes récessifs.

Examen prénatal du fœtus. Il existe aujourd'hui quatre méthodes de dépistage prénatal. Deux d'entre elles, le **test de l'alphafœtoprotéine** et l'**échographie,** sont utilisées essentiellement pour détecter les problèmes de formation du tube neural, c'est-à-dire la structure qui va donner l'encéphale et la moelle épinière. Si l'extrémité inférieure du tube ne se ferme pas, il se produit une malformation appelée spinabifida. Les enfants atteints sont souvent partiellement paralysés, et la plupart d'entre eux (mais pas tous) souffrent d'une déficience intellectuelle.

L'alphafœtoprotéine est une substance sécrétée par le fœtus, que l'on peut déceler dans le sang de la mère. Un taux supérieur à la normale peut indiquer un problème touchant la moelle épinière ou l'encéphale. On n'effectue généralement pas de test sanguin avant le deuxième trimestre de la grossesse. Si le taux d'alphafœtoprotéine est élevé, cela ne signifie pas forcément qu'il y a un problème ; cela veut simplement dire que le risque est élevé et que d'autres tests sont indiqués.

L'un de ces tests, l'échographie, s'appuie sur les ondes ultrasoniques pour fournir une « image en mouvement » du fœtus. Il est généralement possible de détecter, ou d'exclure, la possibilité d'une malformation du tube neural — ou d'autres anomalies physiques — grâce à cette méthode. Le procédé n'est pas douloureux, et il permet aux parents de voir leur enfant bouger. Il ne fournit cependant aucune indication sur la présence d'anomalies chromosomiques ou de maladies héréditaires.

Pour obtenir ces dernières informations, on peut avoir recours à deux examens, l'**amniocentèse** et la **biopsie des villosités choriales,** au cours desquels on utilise une aiguille afin de prélever des cellules de l'embryon. Dans le cas de la biopsie, on prélève un échantillon du trophoblaste, qui deviendra ultérieurement le placenta ; dans le cas de l'amniocentèse, on prélève un échantillon du liquide amniotique.

L'amniocentèse et la biopsie des villosités choriales donnent des renseignements sur toute anomalie chromosomique et sur la présence de gènes de nombreuses maladies génétiques. Chaque technique a des avantages et des inconvénients. L'amniocentèse est plus ancienne et plus répandue. Cependant, on ne peut pratiquer cet examen avant la 16e semaine de gestation ; en effet, l'amnios doit être suffisamment grand pour que le prélèvement de liquide ne mette pas la vie du fœtus en danger. De plus, il faut attendre plusieurs semaines pour obtenir les résultats. Si le test révèle une anomalie et que les parents décident de mettre fin à la grossesse, il est généralement trop tard pour pratiquer un avortement. Par contre, la biopsie des villosités choriales est réalisée entre la 9e et la 11e semaine de grossesse.

Les premières études effectuées sur ces techniques avaient révélé que la biopsie pouvait présenter un plus grand danger que l'amniocentèse, à cause d'un risque plus élevé de fausse couche après l'intervention. Cependant, des recherches récentes font état de risques à peu près équivalents dans les deux cas (Nightingale et Goodman, 1990).

D'ici à ce que vous ayez à faire ce choix, il existera peut-être de nouveaux examens basés uniquement sur le sang maternel. Certaines expériences révèlent d'ores et déjà que de telles techniques permettraient de diagnostiquer le syndrome de Down ou même de déterminer le sexe du fœtus (Wald *et al.*, 1988; Lo *et al.*, 1989). Cependant, quelle que soit la méthode pour laquelle vous opterez, les choix moraux et éthiques auxquels vous devrez faire face seront très délicats.

Songez par exemple aux maladies qui peuvent se déclarer sous une forme aussi bien bénigne que sévère, comme la drépanocytose. Les tests prénatals vont vous indiquer si l'enfant a hérité d'une maladie, mais ils ne vous diront pas à quel point il sera touché. La décision est tout aussi difficile à prendre lorsqu'on décèle une anomalie chromosomique très rare au sujet de laquelle on ne possède que très peu d'information. Les conseillers en génétique peuvent alors s'avérer d'un grand secours, mais c'est au couple ultimement qu'il revient de prendre la décision.

exposés à ce moment-là présentent des malformations auditives, oculaires ou cardiaques, tandis que seulement un quart des enfants exposés durant le deuxième mois de grossesse présentent des symptômes (Berg, 1974; Kopp, 1983). La surdité est la conséquence la plus courante.

Heureusement, on peut prévenir la rubéole. Il existe des vaccins, qui doivent être administrés à tous les enfants dans le cadre des programmes nationaux de vaccination. Les femmes qui n'ont pas été vaccinées étant enfants peuvent l'être plus tard, mais trois mois au moins avant la grossesse afin d'assurer une immunité complète.

SIDA. En 1991 au Canada, 58 enfants étaient atteints du sida, un nombre relativement peu élevé si on le compare à la fréquence des maladies infantiles (Statistique Canada, 1992). Cependant, comme le nombre des femmes contaminées en âge de procréer ne cesse d'augmenter, le nombre d'enfants atteints est aussi en progression. Heureusement, tous les enfants nés de mères séropositives ne sont pas contaminés. On évalue le taux de contamination à 13 % dans certaines études européennes (Étude européenne de collaboration, 1991) et à 30 % dans certaines études américaines

(Hutto *et al.*, 1991). Les chercheurs n'ont pas encore trouvé une explication satisfaisante du mode de transmission de ce syndrome.

CYTOMÉGALOVIRUS (CMV). Il s'agit d'une maladie très répandue mais bien moins connue et très grave. Ce virus appartient à la famille des herpès. Il représente aujourd'hui la cause infectieuse la plus courante de déficience intellectuelle et de surdité congénitales.

Environ 60 % des femmes développent des anticorps contre le cytomégalovirus, mais la plupart n'ont pas de symptômes connus. Entre 1 et 2 % des bébés dont la mère possède ces anticorps sont contaminés avant la naissance. Chez les mères qui sont à un stade avancé de la maladie, le taux de transmission est supérieur à 40 ou 50 % (Blackman, 1990).

Test de l'alphafœtoprotéine: Épreuve diagnostique prénatale couramment utilisée pour détecter les risques de lésion du tube neural.

Échographie: Méthode de diagnostic prénatal dans lequel on utilise les ultrasons afin d'obtenir une image du fœtus en mouvement. Permet de détecter de nombreuses anomalies physiques, comme les lésions du tube neural, ainsi que de repérer les grossesses multiples ou de déterminer l'âge gestationnel du fœtus.

Amniocentèse: Méthode de diagnostic prénatal qui permet de déceler la présence d'anomalies génétiques chez l'embryon ou le fœtus. Elle peut être pratiquée vers la 15e semaine de grossesse.

Biopsie des villosités choriales: Épreuve diagnostique génétique prénatale consistant à prélever des échantillons de cellules du placenta. Peut être effectuée plus tôt que l'amniocentèse au cours de la grossesse.

À l'intention des lectrices: Avez-vous été vaccinée contre la rubéole? Si vous l'ignorez, renseignez-vous. Si vous n'êtes pas vaccinée, il est temps de le faire, mais seulement si vous êtes sûre de ne pas être enceinte!

Comme dans le cas du sida, les chercheurs n'ont pas encore découvert tous les mécanismes de transmission, et ils ne comprennent pas davantage pourquoi seulement 5 à 10 % des bébés contaminés avant la naissance présentent des symptômes à la naissance. Cependant, les 2 500 bébés qui naissent chaque année aux États-Unis porteurs des symptômes de la maladie souffrent de divers problèmes très graves, dont la surdité et des lésions importantes du système nerveux. La plupart d'entre eux sont aussi atteints d'une déficience intellectuelle (Blackman, 1990).

Drogues et médicaments consommés par la mère

On dispose maintenant d'une importante littérature traitant des effets des drogues et des médicaments prénatals, qui vont de l'aspirine et des antibiotiques à l'alcool et à la cocaïne. Le classement de leurs effets s'avère une tâche ardue. En effet, on ne peut guère répartir les femmes au hasard par groupes de drogue ou de médicament. En outre, la plupart des femmes prennent plusieurs types de drogues ou de médicaments pendant leur grossesse. Par ailleurs, les femmes qui consomment de l'alcool sont susceptibles de fumer; les femmes qui consomment de la cocaïne sont susceptibles de prendre d'autres drogues illégales, de fumer ou de boire de façon excessive. De surcroît, les effets des drogues peuvent être subtils et ne se manifester que plusieurs années après la naissance sous la forme de difficultés mineures d'apprentissage ou de risque accru de troubles du comportement chez l'enfant. Cependant, nous pouvons tirer quelques conclusions assez claires dans plusieurs domaines. En voici quelques exemples ci-dessous.

TABAC. De nombreux travaux de recherche ont porté sur les effets nocifs du tabac. Il s'en dégage invariablement deux résultats: les nouveau-nés dont la mère fume présentent en moyenne un poids de 200 g inférieur à la normale (Vorhees et Mollnow, 1987) et ont deux fois plus de chances de naître avant le terme des 38 semaines de gestation (Shiono, Klebanoff et Rhoads, 1986). Cela ne veut pas dire que toutes les mères qui fument donnent naissance à des

Figure 3.8 Syndrome d'alcoolisme fœtal. Les enfants atteints du syndrome d'alcoolisme fœtal (SAF) présentent des traits distinctifs.

bébés prématurés avec un faible poids à la naissance; mais cela signifie que le risque est plus grand.

Les effets nocifs du tabac semblent dus au mécanisme suivant: la nicotine entraîne une constriction des vaisseaux sanguins, ce qui réduit l'irrigation sanguine du placenta et provoque ainsi une diminution de l'apport de nutriments au fœtus. À long terme, cette carence nutritive semble augmenter légèrement le risque de problèmes d'apprentissage et de faible durée de l'attention à l'âge scolaire (Naeye et Peters, 1984).

Bien qu'il ne soit pas toujours aisé d'interpréter les travaux sur les effets du tabac (les fumeuses diffèrent considérablement sur d'autres plans entre elles et avec les femmes qui ne fument pas), la conclusion semble claire: l'attitude la plus saine consiste à ne pas fumer pendant la grossesse. Ces travaux établissent un lien très net entre la « dose » (la quantité de nicotine absorbée) et la gravité des retombées pour l'enfant. Par conséquent, il est préférable de conseiller à une femme enceinte d'arrêter complètement de fumer, ou du moins de diminuer sa consommation de tabac.

ALCOOL. Des travaux récents concernant les effets de la consommation d'alcool sur le développement prénatal et postnatal sont également porteurs d'un message très clair: pour assurer une plus grande sécurité à votre enfant, ne buvez pas pendant la grossesse.

Les effets de l'alcool sur le développement du fœtus sont variés, ils vont des plus mineurs aux plus sérieux. Certains enfants présentent ainsi le **syndrome d'alcoolisme fœtal (SAF)** (Jones *et al.*, 1973). Ces enfants nés de mères alcooliques ont généralement une taille inférieure à la normale, et leur cerveau est également plus petit. Ils souffrent souvent d'une insuffisance cardiaque, et leur visage possède des traits distinctifs (voir la figure 3.8). Durant l'enfance, l'adolescence et l'âge adulte, leur taille et leur tête demeurent inférieures à la moyenne, et leurs résultats aux tests de Q.I. les classent dans la déficience intellectuelle légère. En fait, le syndrome d'alcoolisme fœtal est la cause la plus répandue de déficience intellectuelle en Amérique du Nord, bien avant le syndrome de Down (Streissguth *et al.*, 1991b).

Les méfaits de l'alcool pendant la grossesse ne concernent pas seulement les mères alcooliques ou les grandes consommatrices d'alcool. On a récemment découvert des effets moins évidents chez les enfants de mères qui boivent occasionnellement. On parle alors d'effets d'alcoolisme fœtal. Ces enfants sont plus susceptibles d'avoir des Q.I. inférieurs à 85 et ils éprouvent de la difficulté à fixer leur attention. Le rapport de recherche ci-contre donne de nombreux détails sur l'une des meilleures études effectuées sur ce sujet: vous pour-

Syndrome d'alcoolisme fœtal: Ensemble de malformations souvent associées à l'abus d'alcool par la mère durant la grossesse.

rez ainsi étudier la façon dont les chercheurs procèdent pour aborder ce problème.

On ignore encore s'il existe un seuil tolérable de consommation d'alcool pendant la grossesse ; cependant, la plupart des chercheurs qui se sont penchés sur la question sont convaincus qu'il existe une relation linéaire entre la quantité d'alcool consommée pendant la grossesse et les risques auxquels l'enfant est exposé. Par conséquent, même en petite quantité, la consommation d'alcool augmente les risques. Cela dépend probablement du moment de la grossesse où la mère consomme de l'alcool, et il est évident que la quantité joue un rôle déterminant. Il est nettement plus risqué de s'enivrer que de boire régulièrement de petites doses d'alcool (Streissguth, Barr et Sampson, 1990). Mais, face au manque de données, l'attitude la plus saine consiste à ne pas boire d'alcool du tout.

COCAÏNE. Un nombre considérable de femmes enceintes consomment également des drogues illégales, en particulier la cocaïne. Une étude réalisée récemment à Chicago a révélé que 8 % des femmes enceintes consomment de la cocaïne. À New York, on décèle des traces de cocaïne dans les urines de 10 à 20 % des enfants nés dans les hôpitaux de la ville (Neerhof *et al.*, 1989 ; Heagarty, 1991). Il semble que la cocaïne traverse la barrière placentaire assez facilement et entraîne des effets nocifs, tels qu'un risque élevé de naissances prématurées, de mortalité à la naissance, de faible poids à la naissance, de mort subite du nourrisson au cours de la première année de vie, de retard du développement prénatal, de défaillances cardiaques ainsi que de malformations neurologiques qui peuvent se manifester ultérieurement sous forme de difficultés considérables d'apprentissage (Kaye *et al.*, 1989 ; Neerhof *et al.*, 1989 ; Lipshultz, Frassica et Orav, 1991).

RAPPORT DE RECHERCHE

Étude effectuée par Streissguth sur les effets de l'alcool durant la grossesse

La meilleure étude sur les effets de l'alcool durant la période prénatale a été réalisée par Ann Streissguth et ses collaborateurs (1980a, 1980b, 1981, 1984, 1989, 1990, 1991a). Ces chercheurs ont suivi une groupe de 500 mères et enfants à partir du début de la grossesse. L'étude a débuté avant la mise en place des campagnes d'information dénonçant les effets possibles de la consommation d'alcool pendant la grossesse. L'échantillon regroupait de nombreuses femmes de la classe moyenne avec un bon niveau d'instruction, qui avaient un régime alimentaire adéquat et ne consommaient pas de stupéfiants, mais qui buvaient de l'alcool en quantité modérée ou même considérables pendant leur grossesse. Il serait impossible aujourd'hui de reproduire l'ensemble de ces conditions, tout au moins en Amérique du Nord ou dans les pays bien informés sur les risques liés à la consommation d'alcool au cours de la grossesse.

Streissguth a examiné les enfants à plusieurs reprises, et ce peu de temps après l'accouchement, plus tard pendant la petite enfance, puis à 4 ans, à 7 ans et à 11 ans. Elle a découvert que la consommation d'alcool par la mère durant la grossesse était associée à une certaine apathie et à une faible succion chez les nourrissons ainsi qu'à des résultats peu élevés aux tests d'intelligence à 8 mois et à un Q.I. peu élevé à l'âge de 4, 7 et 11 ans. Les enseignants ont également confirmé que les enfants de 11 ans dont la mère avait consommé de l'alcool pendant la grossesse faisaient preuve d'une moins bonne performance générale et présentaient plus de problèmes de comportement.

Streissguth s'est également appliquée à obtenir des informations sur la consommation d'autres types de drogues pendant la grossesse, y compris le tabac. Elle a interrogé les mères sur leur régime alimentaire, leur niveau d'instruction et leurs habitudes de vie. Elle a découvert que le lien entre la consommation d'alcool et les résultats insatisfaisants de l'enfant subsistait, même lorsque toutes les autres variables étaient contrôlées statistiquement.

Mis à part les cas de syndrome d'alcoolisme fœtal, on peut dire que la consommation d'alcool en quantité modérée pendant la grossesse n'a pas d'effets considérables en termes absolus, mais elle a néanmoins des conséquences non négligeables. En effet, la différence de Q.I. à l'âge de 7 ans entre les enfants de femmes qui buvaient 30 mL d'alcool par jour, ou plus, pendant leur grossesse et les enfants de femmes qui ne consommaient pas d'alcool n'était que de 6 points pour l'échantillon de Streissguth (Streissguth, Bar et Sampson, 1990). Cette différence relativement mineure dans l'absolu signifie cependant que les enfants exposés à l'alcool sont trois fois plus nombreux à avoir un Q.I. en dessous de 85. Les enfants qui ont été exposés à l'alcool sont surreprésentés dans les classes spécialisées des écoles ; ils se comptent probablement en grand nombre parmi les adolescents qui décrochent au secondaire et parmi les adultes au chômage, bien que ces relations restent à confirmer par des études longitudinales à long terme.

Les nourrissons de mères cocaïnomanes présentent une variété de symptômes : manque de coordination des mouvements, peau empreinte de rougeur, cris discordants, grimaces, yeux fuyants ou clos. Ces bébés ont une tête plus petite que la moyenne (ce qui peut être le signe d'une croissance neurale anormale), ils s'agitent facilement, se calment difficilement et éprouvent des difficultés à établir un cycle de sommeil régulier — ce qui complique d'autant plus la tâche de la mère (Lester *et al.*, 1991). Ainsi, la cocaïne peut avoir comme effet secondaire l'instauration d'une relation insatisfaisante entre la mère et l'enfant.

MÉDICAMENTS. Il est impossible ici de dresser la liste des médicaments et de toutes les substances qui semblent avoir un effet tératogène ; nous nous contenterons d'en présenter deux exemples.

Le *diéthylstilbestrol* (DES) est un œstrogène synthétique qui, pendant une certaine période, fut souvent prescrit aux femmes enceintes dans le but d'empêcher les avortements spontanés. On a découvert que les filles de ces femmes présentaient des prédispositions élevées à certaines formes de cancer et que jusqu'à 30 % des garçons étaient stériles (Rosenblith et Sims-Knight, 1989).

L'un des médicaments les plus utilisés, l'*aspirine*, a des effets tératogènes sur les animaux lorsqu'il est administré à forte dose. Les humains absorbent rarement des doses suffisamment élevées pour produire directement de tels effets. Il s'avère cependant que l'aspirine prise en petite quantité peut entraîner des effets néfastes pour le fœtus si elle est ingérée avec de l'acide benzoïque, une substance chimique dont l'usage est très répandu comme agent de conservation alimentaire (dans la mayonnaise, par exemple). Cette combinaison, particulièrement au cours du premier trimestre, semble augmenter les risques de malformations physiques.

AUTRES INFLUENCES SUR LE DÉVELOPPEMENT PRÉNATAL

RÉGIME ALIMENTAIRE. Une alimentation maternelle non équilibrée présente également un risque pour le fœtus. Durant les périodes de famine, par exemple, on assiste à une augmentation significative des naissances d'enfants prématurés et de faible poids à la naissance ainsi que du taux de mortalité infantile au cours de la première année de vie (Stein *et al.*, 1975). Les études sur les famines indiquent que les conséquences sont plus graves lorsque les femmes souffrent de malnutrition au cours des trois derniers mois de leur grossesse, alors que la densité dendritique des neurones de l'enfant se développe rapidement. La malnutrition ou la sous-alimentation associées à la pauvreté paraissent avoir des effets nuisibles équivalents. Cette conclusion est renforcée par l'observation répétée que les femmes pauvres (et que l'on pré-

sume mal nourries) à qui l'on donne des suppléments nutritifs pendant la grossesse ont des bébés sensiblement plus lourds, plus vifs et ayant moins de risque de décéder durant la première année de vie (Brown, 1987).

ÂGE DE LA MÈRE. L'une des tendances les plus remarquables de la vie familiale moderne est le report de la première grossesse à la fin de la vingtaine ou au début de la trentaine. En 1994, environ 11 % des premières naissances au Québec concernaient des mères de plus de 30 ans, soit deux fois plus qu'en 1984 (Bureau de la statistique du Québec, 1995). Bien entendu, de nombreuses raisons expliquent ce report de la grossesse, les principales étant le besoin grandissant d'une deuxième source de revenus dans les familles ainsi que le désir des jeunes femmes de terminer une formation professionnelle et de débuter une carrière avant d'avoir des enfants. Plus le niveau d'instruction d'une jeune femme est élevé, plus elle est susceptible de retarder la maternité jusqu'à la trentaine (nous abordons ce phénomène dans les chapitres sur le début de l'âge adulte). À cette étape de notre étude, que pouvons-nous dire des répercussions de l'âge de la mère sur sa grossesse et sur le développement de l'enfant ?

Il semblerait que le moment idéal pour la maternité se situe au début de la vingtaine. Les mères de plus de 30 ans (particulièrement celles de plus de 35 ans) courent un risque accru de présenter toutes sortes de problèmes, dont les avortements spontanés (McFalls, 1990), les complications au cours de la grossesse, telles que l'hypertension artérielle et les hémorragies (Berkowitz *et al.*, 1990), et la mort du fœtus durant la grossesse ou l'accouchement (Buelher *et al.*, 1986). Par exemple, dans une étude récente réalisée à New York et portant sur 4 000 femmes ayant toutes reçu des soins prénatals appropriés, Gertrud Berkowitz et ses collaborateurs (1990) ont montré que les femmes de 35 ans et plus au moment de leur première grossesse couraient deux fois plus de risques que les femmes dans la vingtaine de présenter des complications pendant la grossesse. Les effets de l'âge semblent être amplifiés si la mère n'a pas reçu les soins prénatals appropriés et si elle n'a pas des habitudes de santé saines. Par exemple, l'effet néfaste du tabac durant la grossesse sur le poids du bébé à la naissance est sensiblement plus significatif chez les femmes de plus de 35 ans que chez les femmes plus jeunes (Wen *et al.*, 1990).

En ce qui concerne l'enfant, les connaissances dont on dispose permettent un plus grand optimisme. Mis à part les risques accrus de syndrome de Down, il ne semble pas que l'âge avancé de la mère entraîne plus de risques et de problèmes. Berkowitz a trouvé que les mères plus âgées avaient légèrement plus de risques de donner naissance à des enfants de faible poids, mais qu'elles n'accouchent pas plus souvent avant terme que les mères âgées de 20 ans. D'autres épidémiologistes (Baird, Sadovnick et Yee, 1991) ont découvert que les mères plus âgées ne couraient pas un risque plus élevé de donner naissance à des enfants malformés.

LE MONDE RÉEL

Quel poids devriez-vous prendre pendant votre grossesse ?

Jusqu'à tout récemment, les médecins recommandaient aux femmes enceintes de ne pas prendre plus de 1 kg par mois de grossesse. En effet, selon eux, il était plus facile d'accoucher de petits bébés. Ils croyaient de plus que le fœtus agissait comme un « parasite » dans le corps de la mère en absorbant toute la nourriture dont il avait besoin, et ce même si la mère prenait peu de poids. Toutefois, de nouvelles recherches ont montré que le gain pondéral de la mère est directement lié au poids de l'enfant à la naissance et aux risques de naissance prématurée (Abrams *et al.*, 1989). Par ailleurs, les enfants de faible poids à la naissance et les enfants prématurés semblent courir un plus grand nombre de risques.

À la suite de ces constatations, les médecins conseillent actuellement aux femmes de prendre de 11 à 13 kg dans le cas des femmes qui ont leur poids normal au début de la grossesse, et un peu plus pour celles qui ont un poids inférieur (Seidman, Ever-Hadani et Gale, 1989). Les femmes qui prennent moins de 11 kg sont plus susceptibles de donner naissance à des enfants qui souffrent d'un retard de croissance intra-utérin et qui présentent donc un poids de naissance insuffisant par rapport à l'âge gestationnel.

D'autre part, le moment du gain pondéral est très important. Durant le premier trimestre, la femme enceinte n'a besoin de prendre que de 1 à 2,5 kg. Toutefois, durant les deux trimestres restants, il lui faut prendre 350 à 400 g par semaine afin d'assurer la bonne croissance du fœtus (Pitkin, 1977 ; Winick, 1980). Ainsi, si vous avez pris près de 9 kg durant les quatre ou cinq premiers mois de votre grossesse, vous ne devez pas chercher à réduire votre gain pondéral pour atteindre un chiffre magique. Restreindre la consommation d'aliments énergétiques durant les derniers mois de grossesse est exactement la chose à ne pas faire.

L'étude effectuée par Berkowitz met l'accent sur l'augmentation des risques pour les mères plus âgées, quand bien même elles ont bénéficié de soins prénatals adéquats ; cependant, d'autres données suggèrent que l'effet de l'âge sur la grossesse est encore plus important chez les femmes vivant dans un milieu défavorisé et chez les femmes qui n'ont pu avoir accès à des soins prénatals adéquats (Roosa, 1984). De telles découvertes soulignent que l'âge est en corrélation avec d'autres facteurs, tel l'état de santé général de la mère.

Les mères très jeunes courent également des risques élevés. Pendant longtemps, les chercheurs ont cru que ces risques étaient liés à l'incapacité du corps de l'adolescente d'assumer une grossesse normale. Toutefois, des recherches récentes indiquent que le risque élevé de faible poids à la naissance ou d'autres problèmes similaires chez les mères très jeunes est davantage lié à des soins prénatals insuffisants qu'à l'âge maternel. Ainsi, les problèmes pendant la grossesse, les naissances prématurées ou les enfants de faible poids à la naissance ne surviennent pas plus fréquemment chez les adolescentes qui suivent un régime équilibré et qui reçoivent des soins prénatals appropriés que chez les femmes dans la vingtaine (Strobino, 1987).

Si l'on fait la synthèse de ces deux séries de données, il semblerait que l'âge de la mère puisse nous aider à déterminer les problèmes à prévoir pendant la grossesse. Cependant, on remarque que ce n'est pas l'âge en tant que tel qui cause la plupart des problèmes. La qualité des soins prénatals, le régime alimentaire et l'état de santé général sont des facteurs encore plus influents.

ÉTAT ÉMOTIONNEL DE LA MÈRE. Enfin, l'état d'esprit de la mère durant la grossesse peut être un facteur déterminant, même si les recherches menées dans ce sens aboutissent à des résultats quelque peu divergents (Istvan, 1986). Les résultats d'études effectuées sur les animaux ne

---

À quel genre d'étude devriez-vous procéder pour déterminer s'il est souhaitable pour les femmes enceintes de maintenir un niveau élevé d'exercice, par exemple courir 50 km par semaine ?

Quels sont les trois conseils que vous donneriez à une amie enceinte, après la lecture de cette section ? Expliquez les raisons de votre choix.

laissent aucun doute : l'exposition d'une femelle en gestation à des agents de stress comme la chaleur, la lumière, le bruit, les chocs ou la foule augmente considérablement les risques de faible poids à la naissance. Toutefois, les études réalisées auprès de femmes n'ont pas donné des résultats aussi explicites, en partie parce qu'il est très difficile pour les chercheurs de s'entendre sur la définition du stress. L'hypothèse la plus plausible semble indiquer que les agents stressants chroniques et à long terme n'ont que de faibles répercussions directes sur la grossesse, tandis qu'une augmentation soudaine du degré d'anxiété ou de stress peut provoquer des effets plus néfastes. Par exemple, Emmy Werner (1986) a découvert, lors d'une étude longitudinale effectuée sur des femmes de la classe moyenne à Hawaï, que les mères qui souffraient d'appréhensions (sentiments négatifs au sujet de leur grossesse) ou qui avaient subi des traumatismes psychologiques durant leur grossesse présentaient davantage de complications au moment de l'accouchement ; par ailleurs, le nombre d'enfants de faible poids à la naissance était plus élevé dans ce groupe que chez les mères moins stressées et moins anxieuses. Toutefois, ces explications ne s'appliquaient pas aux femmes issues d'un milieu défavorisé, car la plupart vivaient dans un état constant de stress.

Dans presque toutes les cultures, on établit un lien causal entre les expériences émotionnelles de la mère durant la grossesse et la santé de l'enfant. Mais dans l'état actuel des connaissances, nous ne pouvons ni confirmer ni infirmer cette hypothèse.

DIFFÉRENCES ENTRE LES SEXES DURANT LE DÉVELOPPEMENT PRÉNATAL

Puisque tout le développement prénatal est régi par des règles de maturation communes à tous les membres de notre espèce, le développement prénatal chez les garçons et les filles ne présente pas de grandes différences. Mais il en existe tout de même quelques-unes qui semblent régir certaines caractéristiques physiques que l'on observe à des âges plus avancés.

- Entre la quatrième et la huitième semaine qui suivent la conception, les testicules rudimentaires de l'embryon mâle commencent à sécréter une hormone mâle, la testostérone. Si cette hormone n'est pas secrétée ou est secrétée en quantité insuffisante, l'embryon sera

« démasculinisé » et développera des organes génitaux femelles. La sécrétion de testostérone stimule également le cerveau de telle sorte que les hormones mâles seront secrétées aux moments appropriés plus tard au cours de la vie. Les filles ne secrètent pas d'hormone équivalente lors de la période prénatale.

- Les filles ont un développement prénatal un peu plus rapide dans certains domaines, particulièrement sur le plan du développement du squelette ; ainsi, à la naissance, elles ont une à deux semaines d'avance sur les garçons (Tanner, 1978).

- Malgré un développement moins rapide que celui des filles, les garçons sont plus lourds et plus grands à la naissance (Tanner, 1978).

- Les garçons offrent une plus grande vulnérabilité à toutes sortes de problèmes prénatals. Par ailleurs, on constate que le nombre de garçons conçus est plus élevé que celui des filles — soit 120 à 150 embryons mâles pour 100 embryons femelles —, mais un plus grand nombre d'embryons mâles sont spontanément avortés. Malgré tout, il naît environ 105 garçons pour 100 filles. Les garçons sont également plus sujets aux blessures à la naissance (peut-être à cause de leur taille

---

Influences sur le développement prénatal

Q 10   Qu'est-ce qu'une anomalie génétique ? un agent tératogène ? Donnez des exemples.

Q 11   Quelles sont les différentes anomalies liées aux chromosomes sexuels ?

Q 12   Nommez et définissez les différentes techniques de dépistage des anomalies génétiques durant la grossesse.

Q 13   Quelles sont les maladies de la mère qui ont les effets les plus dangereux pour le fœtus ? Pourquoi ?

Q 14   Quels sont les effets, sur le fœtus, du tabac, de l'alcool, de la cocaïne et des médicaments consommés par la mère durant la grossesse ?

Q 15   Faites un résumé des connaissances actuelles concernant l'âge, le régime alimentaire et l'état émotionnel de la femme enceinte, et les effets possibles de ces caractéristiques sur l'enfant.

Quelles hypothèses pourrait-on avancer pour expliquer le fait que les garçons éprouvent plus de problèmes d'apprentissage que les filles et que les hommes réagissent habituellement moins bien que les femmes à des agents stressants comme le divorce ?

plus élevée) et aux malformations (Zaslow et Hayes, 1986). Parmi les enfants qui montrent des complications graves à la naissance, le taux de mortalité est plus élevé chez les garçons (Werner, 1986).

Cette différence frappante dans la vulnérabilité entre les sexes est d'autant plus curieuse qu'elle semble persister tout au long de la vie. Les jeunes garçons sont plus prédisposés aux problèmes que les filles. Il en va de même pour les hommes adultes qui ont une espérance de vie plus courte, présentent un taux plus élevé de troubles du comportement, connaissent plus de problèmes d'apprentissage et réagissent habituellement moins bien que les femmes à des agents stressants comme le divorce. Dans certains cas, l'explication possible réside peut-être dans la différence génétique fondamentale entre sexes masculin et féminin. La combinaison XX confère aux filles une meilleure protection contre le syndrome de fragilité du chromosome X et contre tout gène nuisible que peut porter le chromosome X. Les généticiens ont aussi découvert que le chromosome X porte un gène qui joue un rôle dans la réponse aux maladies infectieuses (Brooks-Gunn et Matthews, 1979). Puisque les mâles ne possèdent qu'un seul chromosome X, un tel gène a bien plus de chances d'être exprimé phénotypiquement chez le garçon.

NAISSANCE

Au bout de 38 semaines de gestation, le fœtus doit venir au monde. La naissance représente un événement qui est à la fois source de douleur et de grand bonheur pour les parents.

À partir des premières contractions, le déroulement normal de l'accouchement se divise en trois étapes de longueurs inégales.

PREMIÈRE ÉTAPE : LE TRAVAIL. Durant la première étape, deux processus importants se produisent : l'effacement et la dilatation du col de l'utérus. Cette ouverture située à la base de l'utérus doit s'amincir (**effacement**) puis s'ouvrir comme la lentille d'un appareil photo (**dilatation**). Lorsque le bébé est prêt à sortir, le col de l'utérus doit normalement être dilaté à 10 cm, comme vous pouvez le voir à la figure 3.9. On compare souvent cette étape du travail à la tentative pour enfiler un chandail dont le col est trop étroit. Pour enfiler ce chandail, vous devez tirer sur le col et l'étirer avec votre tête pour être capable de la faire passer. Finalement, le col s'étire suffisamment pour laisser passer la partie la plus large de votre tête.

Ordinairement, la première étape se divise elle-même en deux phases. Durant la première phase (ou phase latente), les contractions sont relativement espacées et peu douloureuses. Durant la phase avancée, qui commence lorsque le col de l'utérus est à moitié dilaté et se poursuit jusqu'à ce qu'il atteigne 8 cm, les contractions se rapprochent et s'intensifient. La dilatation des deux derniers centimètres se produit durant cette phase de transition. C'est généralement cette

---

Effacement : Amincissement du col de l'utérus qui, avec la dilatation, permet la naissance du bébé.

Dilatation : Première étape de la naissance où le col de l'utérus s'ouvre suffisamment pour permettre à la tête du fœtus de passer dans le canal génital.

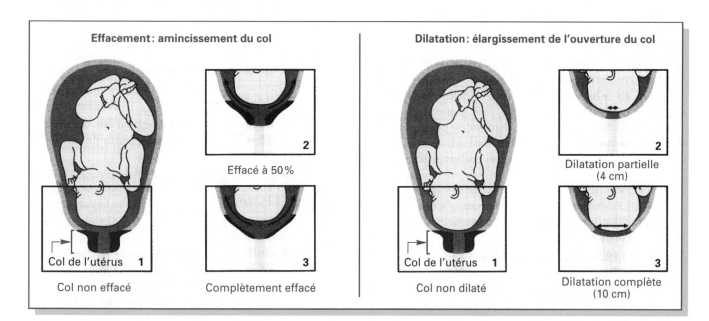

Figure 3.9 Effacement et dilatation durant le travail. (*Source*: Stenchever, 1978, figure 5-4, p. 84.)

période que la femme trouve la plus pénible, car les contractions sont très rapprochées et très intenses. Heureusement, la phase de transition est habituellement la plus courte. Le besoin d'expulser l'enfant devient alors impérieux. Lorsque la personne qui assiste la mère (le médecin ou la sage-femme) est certaine que le col de l'utérus est complètement dilaté, elle encourage la mère à pousser. C'est alors que débute la deuxième étape de l'accouchement.

La durée de la première étape de l'accouchement est très variable. L'étape du travail dure en moyenne 8 heures chez les femmes qui accouchent de leur premier enfant (sans anesthésie), mais elle peut durer entre 3 et 19 heures (Kilpatrick et Laros, 1989). La durée du travail chez les femmes qui accouchent de leur deuxième enfant est habituellement plus courte. Toutefois, le travail est légèrement plus long pour les femmes qui accouchent sous anesthésie.

DEUXIÈME ÉTAPE : L'EXPULSION DU FŒTUS. L'accouchement proprement dit constitue la deuxième étape. C'est à ce moment que la tête du bébé s'engage dans le col de l'utérus étiré, puis dans le canal génital pour finalement faire son entrée dans le monde extérieur. La majorité des femmes trouvent cette étape beaucoup moins pénible que la phase de transition parce qu'elles peuvent participer à l'accouchement en poussant. Cette phase dure généralement moins d'une heure et rarement plus de deux heures.

La plupart des bébés se présentent par la tête, le visage tourné vers le sol. Environ 3 % des bébés se présentent autrement, soit par les pieds ou par les fesses (présentation du siège). Aujourd'hui en Amérique du Nord, en cas de présentation du siège, on a recours généralement à une **césarienne** (incision dans les parois abdominale et utérine de la mère) (Taffel, Placek et Liss, 1987).

Dans la majorité des accouchements pratiqués en Amérique du Nord, on pose le nouveau-né sur le ventre de la mère ou on le met dans ses bras (ou ceux du père) aussitôt que l'on a coupé le cordon ombilical et qu'on a lavé le bébé, soit quelques minutes après l'accouchement. Le premier contact avec l'enfant représente souvent pour les parents un moment de joie intense ; ils caressent sa peau, comptent ses doigts et regardent ses yeux.

TROISIÈME ÉTAPE : L'EXPULSION DU PLACENTA. L'expulsion du placenta et des autres tissus provenant de l'utérus constitue la troisième étape de l'accouchement.

CHOIX LIÉS À L'ACCOUCHEMENT

En Amérique du Nord et dans la plupart des pays industrialisés, les mères (et les pères) ont le choix entre diverses méthodes d'accouchement. Ce choix peut favoriser le bien-être psychologique et physique de la mère. Il faut prendre des

décisions quant à l'utilisation de médicaments antidouleurs durant l'accouchement, quant au lieu de l'accouchement (l'hôpital, la maison de naissance ou le domicile) et quant à la présence du père durant l'accouchement. Puisque bon nombre d'entre vous aurez à prendre ces décisions un jour, nous allons nous pencher brièvement sur les différentes options.

MÉDICAMENTS DURANT L'ACCOUCHEMENT. Il est important de prendre une décision en ce qui concerne l'utilisation de médicaments durant l'accouchement. Au Québec, il existe trois catégories de médicaments couramment utilisés. On administre des analgésiques (comme le Demerol) durant la première étape du travail dans le but d'atténuer la douleur. On administre parfois des sédatifs légers (comme le Gravol) durant la première étape du travail dans le but de réduire l'anxiété. On administre des anesthésiques durant la transition ou durant la deuxième étape du travail dans le but d'enrayer la douleur dans une partie du corps (anesthésie locale, comme l'épidurale) ou dans tout le corps (anesthésie générale). Il faut noter ici que l'anesthésie générale n'est employée que dans des cas extrêmes de souffrance fœtale. La majorité des femmes ont recours à au moins une de ces médications (Brackbill, McManus et Woodward, 1985). Cependant, les pratiques diffèrent d'un établissement à l'autre. Il est très difficile d'étudier les liens de causalité entre l'utilisation de médicaments et le comportement ou le développement futur du bébé. Les expériences contrôlées sont évidemment impossibles, puisqu'on ne peut répartir les femmes de façon aléatoire dans un programme de médication. De plus, les médicaments sont administrés suivant des milliers de combinaisons différentes. Il est toutefois possible de dégager quelques conclusions.

Premièrement, il est avéré que presque tous les médicaments administrés durant le travail franchissent la barrière placentaire et circulent dans le système sanguin du fœtus ; ils peuvent y demeurer pendant des jours. Il n'est donc pas surprenant que, durant les premières semaines qui suivent la naissance, les enfants dont les mères ont pris un médicament pendant le travail sont généralement moins vifs, prennent un peu moins de poids et dorment plus que les autres enfants (Maurer et Maurer, 1988). Ces différences sont minimes, mais on les a observées à maintes reprises.

Deuxièmement, quelques jours après la naissance, les effets liés aux analgésiques et aux tranquillisants tendent à disparaître, et on ne décèle que de rares indices d'effets à long terme liés à l'anesthésie (Rosenblith et Sims-Knight, 1989 ; Sepkoski, 1987) et, qui plus est, dans quelques études seulement. Face à des résultats aussi contradictoires, on ne peut

---

Césarienne : Méthode d'accouchement consistant à extraire le fœtus en pratiquant une incision dans les parois de l'abdomen et de l'utérus de la mère plutôt que par voie vaginale.

faire qu'un seul commentaire : si vous prenez des médicaments, vous devez savoir que votre enfant en subira également les effets et que son comportement s'en trouvera troublé durant les premiers jours de vie. Si vous en avez conscience et que vous savez que les effets secondaires disparaîtront, votre relation avec votre enfant ne s'en trouvera pas amoindrie.

ENDROIT DE L'ACCOUCHEMENT. Les parents peuvent également choisir l'endroit où aura lieu l'accouchement. Aujourd'hui, il existe quatre possibilités au Québec : (1) la maternité d'un centre hospitalier conventionnel ; (2) une chambre d'accouchement située dans le centre hospitalier, qui offre un décor chaleureux pour le travail et l'accouchement avec la participation des membres de la famille ; (3) une maison de naissance semblable à une maternité de centre hospitalier, mais qui ne fait pas partie de l'hôpital, où l'accouchement est dirigé par une sage-femme ; (4) l'accouchement à domicile.

Actuellement en Amérique du Nord, seulement 1 % des femmes accouchent à domicile. Toutefois, ce type

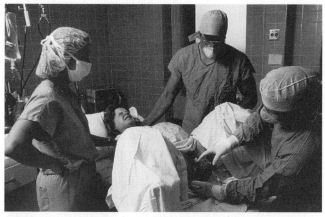

La tête vient de sortir. Remarquez que le visage est tourné vers le sol, comme dans la plupart des accouchements. Notez également la présence du père (à l'arrière-plan) ; il s'agit d'une pratique courante en Amérique du Nord.

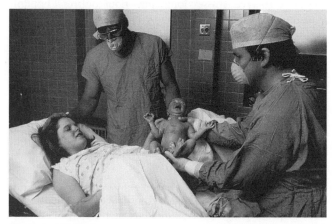

Bonjour, bébé !

d'accouchement se pratique plus couramment en Europe où on le considère comme une méthode à la fois naturelle et moins coûteuse pour le système médical. Par contre, en cas de complications, un centre hospitalier offre plus de sécurité.

Pour des questions de sécurité en Europe, on autorise l'accouchement à domicile uniquement aux femmes qui n'ont présenté aucune complication pendant la grossesse et qui ont reçu des soins prénatals de qualité. Des études effectuées en Europe et aux États-Unis ont montré que les complications ou les problèmes menaçant l'enfant ne surviennent pas plus fréquemment à domicile lorsqu'un professionnel de la santé dirige l'accouchement que dans une maison de naissance ou un centre hospitalier (Rooks *et al.*, 1989 ; Tew, 1985). Toutefois, le taux de mortalité infantile est beaucoup plus élevé à domicile lorsque l'accouchement n'est pas planifié, qu'il se déroule sans l'aide d'un professionnel de la santé ou que la mère a souffert de complications pendant la grossesse (Schramm, Barnes et Bakewell, 1987).

Par ailleurs, aucun élément ne prouve que les bébés nés à domicile ou dans une maison de naissance se développent mieux que les bébés nés dans un centre hospitalier conventionnel. Par conséquent, en tenant compte des règles de sécurité élémentaires, le choix devrait se porter sur l'endroit le plus agréable pour la mère et le père.

PRÉSENCE DU PÈRE PENDANT L'ACCOUCHEMENT. On peut également décider si le père devrait assister ou non à l'accouchement. Cette question ne se pose presque plus en Amérique du Nord, où la présence du père constitue désormais la norme.

Il existe de nombreux arguments en faveur de cette pratique. La présence du père peut réduire l'anxiété de la mère et lui offrir un soutien psychologique. En aidant la mère à maîtriser sa respiration et à utiliser des techniques de relaxation, le père l'aide à combattre la douleur. De plus, il est possible qu'il noue des liens d'attachement fort envers l'enfant en assistant à la naissance. De nombreuses indications tendent à confirmer les deux premiers arguments mais, contrairement à ce que vous pourriez penser, très peu de preuves viennent étayer le troisième.

Lorsque le père assiste au travail et à l'accouchement, la mère ressent moins de douleur et consomme donc moins de médicaments (Henneborn et Cogan, 1975). De plus, lorsque le père ou une autre personne soutient et conseille la mère, la fréquence des problèmes liés au travail et à l'accouchement diminue, de même que la durée du travail (Sosa *et al.*, 1980). Une étude au moins a montré que les femmes ont

Après avoir lu cette section, quel endroit choisiriez-vous pour votre accouchement ? Pourquoi ?

plus de chances de considérer l'accouchement comme une expérience extraordinaire lorsque le père est présent (Entwisle et Doering, 1981). Toutefois, la présence du père à l'accouchement ne semble avoir aucun effet magique sur le lien affectif unissant le père à l'enfant (Palkovitz, 1985). Le père qui voit son enfant pour la première fois à la pouponnière ou quelques jours plus tard à la maison peut manifester un attachement aussi important à l'enfant que celui qui a assisté à l'accouchement.

Cet argument ne vient nullement mettre en cause la participation du père à l'accouchement. Le fait que la présence du père aide la mère à combattre la douleur, à réduire la prise de médicaments, à écourter le travail et à consolider la relation du couple sont autant de raisons excellentes pour encourager la participation du père. De plus, les pères ressentent généralement une joie immense lorsqu'ils assistent à la naissance de leur enfant. Cette raison est amplement suffisante.

COMPLICATIONS À L'ACCOUCHEMENT

Comme dans le développement prénatal, certains facteurs peuvent perturber le déroulement normal de l'accouchement. Il arrive couramment que l'on pratique une césarienne en cas de complications. Au Québec, on a fréquemment recours à l'épisiotomie, c'est-à-dire une incision du périnée, afin d'éviter les déchirures. On compte également les naissances prématurées parmi les problèmes communs.

ACCOUCHEMENT PAR CÉSARIENNE. Au cours des dernières décennies, la fréquence des césariennes a fortement augmenté dans de nombreux pays industrialisés, notamment en Australie, au Canada, en Grande-Bretagne, en Norvège et dans d'autres pays d'Europe (Jonas, Chan et MacHarper, 1989; Borthen *et al.*, 1989). En 1989 au Canada, 19,5 % des acccouchements ont été effectués par césarienne (Statistique Canada, 1991). Cette situation a fait l'objet de vives controverses dans le milieu médical au cours de la dernière décennie (Berkowitz *et al.*, 1989; de Regt *et al.*, 1986; Taffel, Placek et Liss, 1987). On pratique maintenant une césarienne de façon systématique dans les cas de présentation du siège et dans les cas d'infection maternelle due à l'herpès (lequel pourrait être transmis à l'enfant lors d'un accouchement par voie vaginale) ou lorsque le moniteur fœtal indique une détresse du fœtus. Les femmes qui ont accouché de leur premier enfant par césarienne devront probablement donner naissance aux prochains de la même façon. Toutefois, en dehors de raisons précises comme celles citées ci-dessus, on ne pratique plus de césariennes de façon aussi systématique que par le passé. La plupart des médecins sont d'avis que le taux de césariennes est devenu beaucoup trop élevé.

FAIBLE POIDS À LA NAISSANCE. Dans notre étude des divers agents tératogènes, nous avons mentionné à

plusieurs reprises que l'une de leurs conséquences les plus néfastes était le faible poids du bébé à la naissance. On utilise diverses appellations pour décrire les enfants dont le poids à la naissance est inférieur au poids optimal. On dit que les bébés pesant moins de 2 500 g à la naissance ont un **faible poids à la naissance,** et que ceux dont le poids se situe en dessous de 1 500 g ont un très faible poids à la naissance; les bébés dont le poids ne dépasse pas 1 000 g représentent des cas extrêmes. Au Canada, les naissances de bébés de faible poids à la naissance ont beaucoup diminué depuis ces dix dernières années, mais elles demeurent fréquentes. En 1994 au Québec, 7,1 % des nouveau-nés pesaient moins de 2,5 kg, soit un total d'environ 6 500 enfants sur 90 500 par année (Bureau de la statistique du Québec, 1995).

Les causes de faible poids à la naissance sont nombreuses, mais l'une des plus courantes est la naissance de l'enfant avant la 38e semaine de gestation. On appelle ces bébés des nouveau-nés prématurés. Toute naissance survenant avant la 36e semaine de gestation est généralement dite prématurée. Il arrive parfois qu'un enfant naisse à terme, mais qu'il pèse moins de 2,5 kg, ou moins que le poids normal pour son âge gestationnel, quel qu'il soit. On parle alors de nouveau-né petit pour l'âge gestationnel. Il semble que ces enfants ont souffert de malnutrition prénatale, à la suite d'une constriction du flux sanguin d'une mère fumeuse par exemple, ou de divers problèmes importants. Par contre, les bébés prématurés ne présentent pas nécessairement une anomalie du développement.

Tous les enfants de faible poids à la naissance possèdent des caractéristiques communes, dont une faible réactivité à la naissance et durant les premiers mois (DiVitro et Goldberg, 1979; Barnard, Bee et Hammond, 1984). Ils courent également un risque plus élevé de détresse respiratoire dès les premières semaines suivant la naissance, et leur développement moteur peut être plus lent que celui des enfants de poids normal.

La mortalité infantile est aussi liée au poids de naissance. Environ 80 % de tous les enfants de faible poids à la naissance survivent assez longtemps pour quitter l'hôpital, mais plus le poids de naissance est faible, plus les risques de

---

Pourquoi la récente augmentation des accouchements par césarienne inquiète-t-elle les psychologues et les médecins? Comment pouvez-vous déterminer s'il s'agit d'une tendance négative?

Faible poids à la naissance: Poids d'un nouveau-né inférieur à 2 500 g, qu'il s'agisse d'une naissance prématurée ou d'un enfant petit pour l'âge gestationnel.

mort néonatale sont élevés. Cependant, de nombreux bébés très menus survivent lorsqu'ils reçoivent des soins néonatals de qualité. Dans les centres hospitaliers modernes qui offrent des services de **néonatologie,** plus de la moitié des enfants pesant entre 500 g et 1000 g à la naissance parviennent à survivre (Astbury *et al.,* 1990).

Contrairement à ce que l'on pourrait croire, ces bébés n'éprouvent pas tous de graves difficultés développementales. Les conséquences à long terme dépendent non seulement de la qualité des soins offerts au moment (et à l'endroit) où l'enfant est né, mais aussi de son poids à la naissance et de la famille dans laquelle il sera élevé. Puisque la science de la néonatologie a considérablement progressé au cours des dernières décennies, plus la naissance d'un enfant de faible poids est récente, plus le pronostic à long terme sera favorable (Kitchen *et al.,* 1991). Évidemment, plus le bébé est petit, plus ses risques de présenter des problèmes dans l'avenir sont élevés. Le tableau 3.2 montre les résultats de deux études récentes portant sur les problèmes potentiels et leur fréquence.

Il est important de souligner deux points concernant les résultats des études de ce tableau. Premièrement, il se peut que les problèmes n'apparaissent qu'à l'âge scolaire, alors que l'enfant doit faire face à un nouveau degré de tâches cognitives. Bon nombre des enfants de faible poids à la naissance qui semblent avoir un développement normal à l'âge de deux et trois ans éprouvent des difficultés considérables à l'école. Deuxièmement, la majorité des enfants de très faible poids semblent se développer de façon satisfaisante. On ne peut donc pas dire que tous les enfants de faible poids à la nais-sance ont des difficultés, mais plutôt que certains d'entre eux sont sérieusement perturbés tandis que d'autres se développent normalement. Malheureusement, les médecins et les chercheurs n'ont pas encore trouvé de méthodes fiables pour déterminer quels sont les enfants susceptibles de présenter des difficultés dans l'avenir. Ainsi, les parents d'enfants de faible poids devront encore vivre dans l'inquiétude pendant de nombreuses années.

POINT DE VUE PLUS OPTIMISTE SUR LES RISQUES ET LES CONSÉQUENCES À LONG TERME DES PROBLÈMES PRÉNATALS ET DES PROBLÈMES D'ACCOUCHEMENT

Les médecins, les biologistes et les psychologues font sans cesse de nouvelles découvertes sur les risques associés à la période prénatale et à la naissance, si bien que le nombre de recommandations aux femmes enceintes ne cesse d'augmenter. Ainsi, paradoxalement, une femme qui se fait trop de soucis à propos de difficultés potentielles peut devenir anxieuse, et le facteur d'anxiété figure sur la liste des éléments à proscrire durant la grossesse! Il importe donc de relativiser ces informations.

Néonatologie : Branche de la médecine qui étudie le nouveau-né.

Tableau 3.2

Deux exemples de problèmes à long terme chez les enfants de très faible poids à la naissance

	Étude australienne[a]	Étude américaine[b]
Nombre de bébés suivis	89	249
Poids à la naissance	500 à 999 g	< 1 500 g
Âge au moment du test	8 ans	8 ans
Pourcentage ayant de graves problèmes (Q.I. inférieur à 70, surdité, cécité, infirmité motrice cérébrale, etc.)	21,3 %	15,7 %
Pourcentage additionnel ayant des problèmes d'apprentissage considérables ou un Q.I. compris entre 70 et 85	19,1 %	15,4 %

[a] Victorian Infant Collaborative Study Group, 1991. Cette étude comprend tous les enfants nés entre 1979 et 1980 dans l'État de Victoria en Australie, qui pesaient entre 500 et 999 g à la naissance et qui ont survécu. Puisque 351 enfants de faible poids étaient nés dans cette fourchette, cela signifie que seul le quart ont survécu.

[b] Hack *et al.,* 1991. L'étude comprenait à l'origine 490 enfants d'un poids de naissance inférieur à 1 500 g, nés entre 1977 et 1979 dans un hôpital de Cleveland (Ohio, États-Unis). Soixante-quatre pour cent (316 enfants) ont survécu jusqu'à l'âge de 8 ans. Sur ce nombre, 249 ont été examinés.

Premièrement, rappelez-vous que la grande majorité des grossesses sont normales et se déroulent sans incidents. Les bébés sont généralement en bonne santé et normaux à la naissance.

Deuxièmement, il existe des mesures préventives précises, à la portée de toutes les femmes, visant à réduire les risques encourus par elles-mêmes et par le futur bébé. Les futures mères peuvent être immunisées contre certains virus ; elles peuvent arrêter de fumer et de boire, surveiller leur régime alimentaire et s'assurer qu'elles prennent suffisamment de poids pendant la grossesse. Elles peuvent également recevoir régulièrement des soins prénatals, et ce dès le début de la grossesse.

Troisièmement, les conséquences des problèmes prénatals et des problèmes d'accouchement ne sont pas toujours permanentes. Bien sûr, certains problèmes le sont et ont des conséquences à long terme pour l'enfant, par exemple les anomalies chromosomiques qui sont presque toujours liées à une déficience intellectuelle ou à des difficultés d'apprentissage scolaire. Certains agents tératogènes ont aussi des effets permanents, comme le syndrome d'alcoolisme fœtal, la surdité consécutive à une rubéole, ou encore le sida. Et il est vrai qu'un pourcentage non négligeable des enfants de très faible poids à la naissance présentent des problèmes chroniques.

Mais bon nombre de ces difficultés ne peuvent être décelées qu'au cours des premières années de l'enfance, et seulement dans certaines familles. En fait, la relation entre les problèmes prénatals ou les problèmes à la naissance et les problèmes à long terme illustre bien le modèle d'interaction entre la nature et la culture de Horowitz (figure 1.4, p. 16). Un problème biologique peut être amplifié par un environnement non stimulant, mais à l'inverse ses conséquences négatives peuvent être considérablement réduites par un environnement qui offre un grand soutien. Par exemple, de nombreuses études montrent que les enfants de faible poids à la naissance, qui souffrent d'hypotrophie nutritionnelle ou de troubles équivalents, risquent de présenter des problèmes persistants s'ils sont élevés dans un environnement non stimulant ; par contre, leurs chances d'avoir un développement plus normal s'accroissent s'ils sont élevés par des parents ayant un niveau d'instruction élevé et qui sont très dévoués (Breitmayer et Ramey, 1986 ; Kopp, 1990 ; Beckwith et Rodning, 1991). Ce n'est donc pas uniquement le problème prénatal ou le problème à la naissance qui met en cause l'avenir de l'enfant, mais plutôt un environnement prénatal non optimal qui peut augmenter sa vulnérabilité à un environnement inadéquat. Ces enfants peuvent avoir besoin d'un meilleur environnement familial pour se développer normalement, mais dans bien des cas, un développement normal est possible. Donc, ne vous désespérez pas en lisant la longue liste de recommandations et de problèmes potentiels. L'histoire dont nous avons commencé le récit n'est pas aussi triste qu'il y paraît au départ.

Naissance

Q 16 Qu'est-ce que l'effacement du col de l'utérus ? la dilatation ?

Q 17 Expliquez les trois étapes de l'accouchement.

Q 18 Quels sont les différents choix qui s'offrent au couple quant à la médication et à l'endroit de l'accouchement ?

Q 19 Quelles sont les complications qui peuvent survenir lors de l'accouchement ?

NOUVEAU-NÉ

Nous allons maintenant étudier le développement physique du nouveau-né au cours des premiers mois de la vie.

ÉVALUATION DU NOUVEAU-NÉ

La plupart des hôpitaux procèdent désormais à un test d'évaluation routinier de l'enfant immédiatement après la naissance, puis cinq minutes plus tard. On espère ainsi détecter les problèmes éventuels qui pourraient nécessiter des soins. La méthode d'évaluation la plus répandue est l'**indice d'Apgar**, mis au point par le médecin Virginia Apgar en 1953. On évalue le nouveau-né selon cinq critères bien précis, énumérés dans le tableau 3.3. On attribue un score de 0, 1 ou 2 pour chaque critère d'évaluation, pour un total maximal de 10. Il est très rare que les nouveau-nés totalisent le score parfait de 10 immédiatement après la naissance, car la plupart d'entre eux ont encore les doigts et les orteils bleus. Toutefois, au bout de cinq minutes, 85 à 90 % des nouveau-nés obtiennent un score de 9 ou 10 (National Center for Health Statistics, 1984). Un total supérieur ou égal à 7 indique que l'enfant se porte bien. Un score de 4, 5 et 6 révèle que l'enfant a besoin d'une assistance pour l'aider à respirer normalement. Le bébé qui obtient un total inférieur ou égal à 3 se trouve dans un état critique, mais il possède néanmoins des chances de survie.

Indice d'Apgar : Méthode d'évaluation du nouveau-né qui permet d'évaluer la fréquence cardiaque, la respiration, le tonus musculaire, la réponse aux stimuli et la couleur de la peau.

Tableau 3.3

Indice d'Apgar

Signe observé chez l'enfant	Score attribué		
	0	1	2
Fréquence cardiaque	Aucun	< 100/min	> 100/min
Respiration	Aucun souffle	Faibles pleurs et respiration superficielle	Pleurs vigoureux et respiration régulière
Tonus musculaire	Flasque	Certaine flexion des membres	Bonne flexibilité
Irritabilité réflexe*	Aucune	Faible mouvement	Pleurs
Couleur de la peau	Bleue ; pâle	Corps rose, doigts et orteils bleus	Rose partout

* Réponse des pieds à la stimulation
Source: Adapté de Robinson, 1978, tableau 5-2, p. 102.

RÉFLEXES

L'être humain vient au monde avec un important bagage de **réflexes,** c'est-à-dire des réactions physiques involontaires en réponse à certains stimuli spécifiques. Plusieurs de ces réflexes sont encore présents chez l'adulte et doivent donc vous être familiers, comme le réflexe rotulien que le médecin teste avec un petit marteau, ou le clignement des yeux lorsque vous recevez un souffle d'air dans les yeux (réflexe palpébral) ou encore la contraction involontaire de la pupille de vos yeux lorsque vous regardez une lumière vive (réflexe pupillaire).

Nous pouvons, grosso modo, grouper les réflexes des nouveau-nés en deux catégories distinctes : les réflexes d'adaptation et les réflexes primitifs (voir le tableau 3.4). Les *réflexes d'adaptation* aident le bébé à survivre dans le monde extérieur. Ils comprennent le réflexe de succion et le réflexe de déglutition ainsi que le réflexe des points cardinaux :

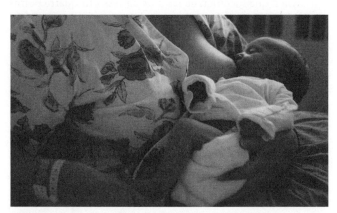

Heureusement, les bébés naissent munis du réflexe de succion.

lorsque l'on touche la joue du bébé, il tournera la tête en direction de la stimulation, un réflexe qui l'aide à prendre le mamelon dans sa bouche pendant l'allaitement. La plupart des réflexes disparaissent avec l'âge et sont totalement absents chez l'adulte, mais ils permettent au nouveau-né de s'adapter convenablement.

Cependant, certains réflexes d'adaptation persistent notre vie durant, comme le réflexe de retrait quand nous ressentons de la douleur ou le réflexe d'adaptation de notre pupille à l'intensité lumineuse. D'autres réflexes d'adaptation, qui ont eu leur utilité au cours de l'évolution de l'espèce humaine, ont perdu leur raison d'être. On pense par exemple au réflexe de préhension. Quand vous mettez un doigt dans la paume d'un nouveau-né, il referme fermement son poing sur votre doigt. Si vous mettez un doigt dans les deux paumes du bébé, il agrippera vos doigts tellement fort que vous pourrez le soulever de terre. On observe également ce réflexe chez les singes pour qui cette réaction s'avère très utile, car le petit doit s'agripper à sa mère quand elle grimpe aux arbres ou se déplace de liane en liane. La plupart des experts sont d'avis que ce réflexe représente un vestige de notre passé lointain.

Il existe une autre catégorie de réflexes chez le nouveau-né, les *réflexes primitifs*, ainsi nommés car ils relèvent de parties plus primitives du cerveau, soit le bulbe rachidien et le mésencéphale, dont le développement est presque achevé à la naissance. À l'âge de six mois, lorsque la région du

---

Réflexe : Réaction corporelle automatique à une stimulation précise, comme le réflexe rotulien ou le réflexe de Moro. L'adulte possède de nombreux réflexes, mais les nouveau-nés présentent également des réflexes primitifs qui disparaissent lorsque le cortex est complètement développé.

Tableau 3.4
Classification des réflexes

Réflexes d'adaptation	Réflexes primitifs
Réflexe de succion[1]	Réflexe de Moro[3]
Réflexe des points cardinaux[1]	Signe de Babinski[3]
Réflexe de préhension[1]	
Réflexe de déglutition[1]	
Réflexe de retrait (douleur)[2]	
Réflexe pupillaire[2]	

[1] Disparaît avec l'âge.
[2] Persiste toute la vie.
[3] Disparaît vers l'âge de 6 mois.

cerveau qui régit la perception, le mouvement, la pensée et le langage est plus développée, ces réflexes primitifs tendent à disparaître, comme s'ils étaient remplacés par des fonctions plus complexes du cerveau. Ainsi, si vous provoquez un bruit très fort ou que vous faites sursauter un bébé d'une autre façon, vous le verrez projeter ses bras vers l'extérieur et cambrer son dos (*réflexe de Moro*). Si vous stimulez la plante de son pied, le bébé aura un réflexe d'abduction des orteils appelé *signe de Babinski*. L'intérêt de ces réflexes est que leur présence au-delà de six mois peut témoigner de certains pro-

Qu'adviendrait-il du développement du bébé et de la relation adulte-enfant si l'être humain naissait *sans* aucun réflexe inné et qu'il devait tout apprendre ?

Les nouveau-nés ont une acuité visuelle relativement faible, mais ils peuvent focaliser leur regard à une distance de 20 à 25 cm, comme sur cette photographie, c'est-à-dire la distance qui sépare le visage de la mère et les yeux du bébé pendant l'allaitement.

blèmes neurologiques. Le signe de Babinski en particulier est utilisé par les neurologues pour confirmer un diagnostic de dysfonctionnement chez l'enfant ou l'adulte.

Ces deux catégories de réflexes se recoupent certainement. De nombreux réflexes d'adaptation — y compris le réflexe de succion et le réflexe des points cardinaux — commencent à s'estomper dès la fin de la première année, ce qui indique qu'ils sont régis par les parties les plus primitives du cerveau. Cependant, il est utile d'établir une distinction entre les réflexes qui continuent d'avoir une utilité quotidienne pour le bébé et ceux qui traduisent purement et simplement l'état du système nerveux, sans aucune fonction d'adaptation.

CAPACITÉS PERCEPTIVES INITIALES : CE QUE LE NOUVEAU-NÉ VOIT, ÉCOUTE ET RESSENT

Les bébés naissent également munis de facultés perceptives étonnamment évoluées. Nous allons donner ici un bref aperçu des aptitudes du nouveau-né :

- Il peut faire converger ses deux yeux sur le même point, à une distance focale idéale d'environ 20 cm. Après quelques semaines, le bébé peut suivre à peu près des yeux un objet en déplacement, et entre un et deux mois, il distingue le visage de sa mère de celui des autres personnes.

- Il entend les sons du registre de la voix humaine et de la **tessiture**. Il parvient à localiser approximativement les objets d'après les sons, et il reconnaît certaines voix, en particulier celle de sa mère.

- Il fait la différence entre quatre goûts fondamentaux (le sucré, l'acide, l'amer et le salé). Il reconnaît les odeurs corporelles familières et distingue l'odeur de sa mère de celle d'une autre femme.

Bien que succinct, ce résumé fait ressortir quatre points importants. Tout d'abord, la perception des enfants est beaucoup plus avancée que ne le croient généralement les parents — et même que ne le pensaient la plupart des psychologues et des médecins il y a quelques années encore. Plus les recherches progressent dans ce domaine, plus on s'aperçoit à quel point l'éventail d'habiletés du nourrisson est étendu.

Il est encore plus frappant de constater à quel point les capacités perceptives sont adaptées aux interactions que le bébé aura avec les personnes de son entourage. Il entend très bien le registre de la voix humaine. De plus, il reconnaît sa

Tessiture : Échelle des sons qui peuvent être émis par une voix sans difficulté.

mère (ou la personne qui s'occupe de lui régulièrement) et la distingue des autres personnes grâce à l'odorat et à l'ouïe presque dès la naissance, et il reconnaît son visage (vision) au bout de quelques semaines seulement. Il est capable de fixer son regard à une distance d'environ 20 cm, ce qui correspond à la distance qui sépare les yeux de l'enfant du visage de sa mère durant l'allaitement.

L'enfant devra affûter ses capacités perceptives pendant longtemps encore. Cependant, lorsque le bébé vient au monde, il est capable d'établir des discriminations clés et de localiser les objets grâce à des indications sensorielles.

CAPACITÉS MOTRICES INITIALES : DÉPLACEMENTS

Les capacités motrices des nouveau-nés sont beaucoup moins impressionnantes. Ils ne peuvent pas attraper les objets qu'ils regardent. Ils ne peuvent pas tenir leur tête droite ni se retourner ou s'asseoir. Certaines de ces aptitudes apparaissent rapidement dès les premières semaines. À partir de un mois, le nourrisson peut ainsi redresser la tête lorsqu'il est couché en position ventrale. À deux mois, il commence à utiliser ses mains pour essayer de toucher les objets qui l'entourent. Les progrès du développement moteur s'effectuent plus lentement que ceux du développement cognitif, qui est plus sophistiqué.

VIE QUOTIDIENNE DU NOURRISSON

À quoi ressemble la vie avec un nouveau-né ? Comment les journées d'un nourrisson sont-elles organisées ? Quels sont les rythmes naturels qui régissent les cycles quotidiens ? Que pouvez-vous attendre d'un bébé lorsque vous tentez de vous adapter à sa présence et de lui prodiguer tous les soins dont il a besoin ?

Les chercheurs qui ont étudié les nourrissons ont défini cinq états de sommeil et d'éveil différents appelés états de conscience (voir le tableau 3.5). À sa naissance, le bébé passe le plus clair de son temps à dormir. Lorsqu'il ne dort pas, il ne reste environ que deux à trois heures en état d'éveil calme et en état d'éveil actif sans pleurnicher.

En général, ces cinq principaux états sont cycliques, ils reviennent donc à intervalles réguliers. Chez le nourrisson, la période de base du cycle dure entre 1,5 et 2 heures. La plupart des nourrissons passent de l'état de sommeil profond à l'état de sommeil actif, puis ils pleurnichent et mangent pour finalement passer à l'état d'éveil actif. Après quoi, ils s'assoupissent et s'endorment profondément. Cette séquence se

répète environ toutes les deux heures. Vers l'âge de six semaines, la majorité des bébés commencent à regrouper deux ou trois étapes sans passer par l'état d'éveil actif. On dit souvent à ce stade que le bébé « fait ses nuits » (Bamford *et al.*, 1990). En fonction de ce rythme, il semblerait donc que le meilleur moment pour établir de bons contacts et interagir avec le nourrisson soit celui qui suit immédiatement la tétée, alors qu'il est en état d'éveil actif.

Voici une description plus détaillée des principaux états de conscience.

SOMMEIL

Les périodes de sommeil du nourrisson revêtent une grande importance pour les parents, car elles leur permettent de se reposer. Autrement, ils passeraient tout leur temps à prendre soin de l'enfant. Les bébés n'ont pas de rythme jour-nuit (rythmes circadiens) établi dans leurs habitudes de sommeil. Ils dorment autant le jour que la nuit. Toutefois, vers l'âge de six semaines, la plupart des nourrissons ont établi un début de rythme circadien, même s'ils dorment 15 à 16 heures par jour en moyenne. À six mois, les bébés dorment encore un peu plus de 14 heures par jour, mais la régularité et la prédictibilité du sommeil se sont considérablement améliorées. Les enfants de six mois acquièrent non seulement des habitudes de sommeil nocturne plus régulières, mais ils commencent aussi à faire des siestes pendant la journée à des heures plus régulières.

Bien entendu, il s'agit de moyennes, car les habitudes de sommeil varient considérablement d'un enfant à l'autre. Une étude a récemment révélé que les bébés de 6 semaines dorment un minimum de 8,8 heures et un maximum de 22 heures par jour (Bamford *et al.*, 1990). De plus, certains bébés ne commencent à avoir de longues périodes de sommeil nocturne (faire leur nuit) que tard dans leur première année de vie — une situation que bien des parents trouvent difficile.

> Contrairement aux bébés humains, les veaux, les poulains, les agneaux et les petits de presque tous les mammifères sont capables de se tenir debout et de marcher quelques heures seulement après la naissance. Pensez-vous qu'une quelconque utilité évolutionniste justifie la plus grande incompétence motrice des nourrissons humains ?

États de conscience : Les cinq principaux états de sommeil et d'éveil chez le nourrisson. Ils vont de l'état de sommeil profond à l'état d'éveil actif.

Tableau 3.5

Principaux états de conscience chez le nourrisson

État de conscience	Caractéristiques	Moyenne d'heures consacrées à chaque état	
		À la naissance	À un mois
Sommeil profond	Yeux fermés, respiration régulière; aucun mouvement à l'exception de quelques soubresauts occasionnels.	16 à 18 heures	14 à 16 heures
Sommeil actif	Yeux fermés, respiration irrégulière, petits sursauts, aucun mouvement corporel prononcé.		
Éveil calme	Yeux ouverts, aucun mouvement corporel important, respiration régulière.		
Éveil actif	Yeux ouverts, mouvements de la tête, des membres et du tronc; respiration irrégulière.	6 à 8 heures	8 à 10 heures
Pleurs et pleurnichements	Yeux partiellement ou entièrement fermés, mouvements vigoureux, diffus avec pleurs ou pleurnichements.		

Sources: D'après les travaux de Prechtl et Beintema, 1964; Hutt, Lenard et Prechtl, 1969; Parmelee, Wenner et Schulz, 1964.

Mis à part la durée et l'horaire des périodes de sommeil chez l'enfant, les psychologues se sont intéressés à deux autres aspects du sommeil. Tout d'abord, la difficulté d'un nourrisson à mettre en place un cycle régulier de sommeil peut révéler un trouble particulier. Plus haut dans ce chapitre, nous avons mentionné que les enfants nés de mères toxicomanes semblaient incapables d'établir un cycle régulier de périodes de sommeil et de périodes d'éveil. Les enfants qui présentent des troubles neurologiques ont les mêmes problèmes. On peut donc affirmer que la difficulté qu'un enfant éprouve à développer un cycle régulier de périodes de sommeil et de périodes d'éveil constitue parfois le signe d'un problème plus important.

Le deuxième aspect intéressant du sommeil touche le type de sommeil en question. En effet, tout semble indiquer que le nourrisson rêve autant que l'enfant plus âgé et l'adulte. Les chercheurs ont observé que, pendant son sommeil, le nourrisson présente les mêmes signes extérieurs qu'une personne en période de rêve, soit des mouvements oculaires rapides typiques du sommeil paradoxal. Les bébés prématurés ne manifestent pas ces signes. Il semble donc évident que ce type de sommeil nécessite une certaine maturité neurologique. Chez le nourrisson, le sommeil paradoxal occupe une place beaucoup plus importante que chez l'adulte. Chez l'adulte, le sommeil paradoxal survient habituellement en de brefs épisodes durant le cycle de sommeil; pour le bébé, il se produit de façon plus stable pendant toute la période de sommeil (Berg et Berg, 1987). On ne sait pas exactement ce que

ces différences entre les habitudes de sommeil peuvent signifier sur le plan du développement du système nerveux ou sur les rêves chez le nourrisson. Cependant, il est clair que le degré d'activité est très élevé durant le sommeil du nourrisson.

PLEURS

Les pleurs prolongés d'un enfant irritent parfois les parents, particulièrement lorsqu'il est difficile de le consoler. Toutefois, les pleurs sont d'une importance cruciale, car ils indiquent aux parents que le nourrisson a besoin de soins. Les enfants présentent un vaste répertoire de pleurs, lesquels diffèrent selon qu'ils ont faim, qu'ils sont en colère ou qu'ils sont malades. Les pleurs réguliers, qui indiquent souvent que l'enfant a faim, commencent généralement par des plaintes et suivent un modèle très rythmique: pleurs, silence, respiration, pleurs, silence, respiration (l'inspiration s'accompagne souvent de sifflements). Les cris de colère sont plus forts et plus intenses que les pleurs réguliers, tandis que les pleurs associés à la douleur commencent de façon beaucoup plus soudaine, sans pleurnichements. Toutefois, les enfants ne pleurent pas tous de la même manière. Les parents doivent donc apprendre à reconnaître les caractéristiques de chaque type de pleurs. Alen Wiesenfeld et ses collaborateurs (Wiesenfeld, Malatesta et DeLoach, 1981) ont découvert que les mères (mais pas les pères) de bébés de cinq mois pouvaient distinguer les pleurs de colère des pleurs de douleur de leur enfant enregistrés sur une cassette, tandis qu'aucun parent ne pouvait faire la différence entre les pleurs enregistrés d'un autre enfant.

Les nourrissons pleurent moins qu'on pourrait le penser — soit entre 2 et 11 % du temps (Korner *et al.*, 1981). Les périodes de pleurs semblent augmenter au cours des six premières semaines, puis elles diminuent. Au début, les bébés pleurent davantage le soir, mais ensuite ils pleurent surtout avant les repas.

Le type et la nature des pleurs sont très variés selon les individus. On observe que 15 à 20 % des enfants souffrent d'une affection bénigne appelée coliques du nourrisson, carac-

térisée par d'intenses périodes quotidiennes de pleurs pouvant totaliser trois heures et plus par jour. Les pleurs empirent généralement vers la fin de l'après-midi ou au début de la soirée, à un moment particulièrement inapproprié, bien sûr, car les parents sont fatigués et ont besoin d'un peu d'intimité. En général, les coliques se manifestent vers l'âge de deux semaines puis disparaissent soudainement vers l'âge de trois ou quatre mois, sans traitement. Pas plus les psychologues que les médecins ne connaissent les raisons de l'apparition et de la disparition des coliques. C'est un phénomène auquel il est difficile de s'adapter, mais on sait tout au moins que les coliques ne durent pas et qu'elles finissent par disparaître.

> L'explication la plus évidente pour justifier le fait que la mère établit mieux que le père la distinction entre les différents pleurs, c'est qu'elle consacre plus de temps à s'occuper de l'enfant. Quel type d'étude pourriez-vous effectuer pour vérifier cette hypothèse?

ALIMENTATION

Le fait de se nourrir n'est pas un « état », mais il s'agit tout de même d'une des activités préférées des nouveau-nés! Comme le cycle naturel du nourrisson dure environ 1,5 à 2 heures, le bébé peut manger jusqu'à 10 fois par jour. Vers l'âge de 1 mois, cette moyenne baisse à environ 5,5 repas par jour, puis diminue progressivement au cours de la première

RAPPORT DE RECHERCHE

Les différents pleurs de l'enfant

Les parents savent bien que certains bébés ont des pleurs particulièrement irritants ou discordants, tandis que d'autres enfants semblent avoir des pleurs beaucoup moins désagréables. Les chercheurs ont confirmé cette observation dans diverses études.

De nombreux groupes d'enfants atteints d'anomalies connues ont des pleurs particuliers, notamment ceux qui sont atteints du syndrome de Down, d'encéphalite, de méningite ainsi que ceux qui souffrent de divers types de lésions cérébrales. Dans des recherches récentes, Barry Lester a pu appliquer cette observation à des bébés qui ont une apparence physique normale, mais qui courent des risques de présenter des problèmes ultérieurs en raison de complications périnatales, tels les bébés prématurés et les bébés de faible poids à la naissance (Lester, 1987; Lester et Dreher, 1989; Zeskind et Lester, 1978). En général, les pleurs de ces enfants sont acoustiquement très différents des pleurs d'un enfant normal qui présente de faibles risques. Les pleurs des enfants ayant des risques élevés sont plus discordants et stridents.

En supposant que les pleurs d'un bébé reflètent certains aspects fondamentaux de l'intégrité neurologique,

Lester s'est également demandé si l'on pouvait utiliser les caractéristiques des pleurs comme épreuve diagnostique. Par exemple, dans un groupe de bébés susceptibles de courir des risques élevés, peut-on prévoir les fonctions intellectuelles ultérieures en mesurant le registre ou la discordance des pleurs de l'enfant? La réponse semble être positive. Lester a découvert que, parmi les bébés prématurés, ceux qui poussaient des cris très aigus au cours des premiers jours de vie avaient des résultats plus bas aux tests de Q.I. à l'âge de cinq ans (Lester, 1987). On a procédé au même genre de rapprochement chez des enfants normaux et des enfants exposés à la méthadone pendant la période prénatale. Dans tous ces groupes, plus le son était aigu et discordant, plus le Q.I. ou le développement moteur de l'enfant étaient faibles (Huntington, Hans et Zeskind, 1990).

Par ailleurs, les médecins pourraient s'appuyer sur la présence de cris discordants ou stridents pour rechercher un problème physique sous-jacent chez l'enfant ou pour établir de meilleures prévisions à long terme dans le cas d'enfants ayant un risque élevé de présenter des problèmes ultérieurs, comme les bébés de faible poids à la naissance.

année de vie (Barnard et Eyres, 1979). Les enfants nourris au sein et ceux nourris au biberon mangent à peu près à la même fréquence, mais ces deux modes d'alimentation diffèrent sensiblement de bien des façons.

ALLAITEMENT MATERNEL ET ALLAITEMENT ARTIFICIEL. Après plusieurs dizaines d'années de recherche intensive dans de nombreux pays, médecins et épidémiologistes se sont entendus sur le fait que l'allaitement maternel est, du point de vue nutritionnel, nettement supérieur à l'alimentation au biberon. Le lait maternel procure à l'enfant d'importants anticorps contre plusieurs types de maladies, particulièrement les infections gastro-intestinales et les infections des voies respiratoires supérieures (Cunningham, Jelliffe et Jelliffe, 1991). Le lait maternel semble également favoriser la croissance des nerfs et des voies intestinales (Carter, 1988) et, à long terme, stimuler les fonctions du système immunitaire.

Les femmes qui ont de la difficulté à allaiter en raison du travail ou d'autres contraintes seront rassurées d'apprendre que, selon les recherches, une seule tétée par jour suffit à conférer au bébé un certain degré de protection. Il est également réconfortant d'apprendre que l'alimentation au biberon ne semble pas avoir d'effets négatifs sur la qualité de la relation mère-enfant. Les bébés nourris au biberon reçoivent autant de caresses et de réconfort que les bébés nourris au sein, et leurs mères sont aussi réceptives et attentionnées que les autres (Field, 1977).

Il ne faut surtout pas que ces observations entraînent un sentiment de culpabilité chez les mères qui décident de ne pas allaiter leur enfant pour des raisons physiques ou autres. Les bébés nourris au lait maternisé se développent très bien. Cependant, il est clair que, si vous avez le choix, il est préférable que vous nourrissiez le bébé au sein car il en retirera de nombreux avantages.

Nouveau-né

Q 20   En quoi consiste l'indice d'Apgar ?

Q 21   Quels sont les réflexes que possède le nouveau-né ? Donnez des exemples.

Q 22   Quelles sont les capacités perceptives initiales du nourrisson ?

Q 23   Quels sont les différents états de conscience du nourrisson ?

Q 24   Pourquoi le lait maternel est-il un meilleur aliment que le lait maternisé ?

RÉSUMÉ

1. Au moment de la conception, les 23 chromosomes du spermatozoïde s'unissent aux 23 chromosomes de l'ovule pour former un ensemble de 46 chromosomes qui seront reproduits dans chaque cellule du corps de l'enfant. Chaque chromosome est composé d'une longue chaîne d'acide désoxyribonucléique (ADN), qui se divise en segments appelés gènes.

2. Les généticiens établissent une distinction entre le génotype, qui est l'ensemble des caractéristiques héréditaires, et le phénotype, qui est le résultat de l'interaction entre le génotype et l'environnement.

3. Durant les premiers jours qui suivent la conception, soit la période germinale du développement, la cellule initiale se divise, descend dans une trompe de Fallope et va se loger contre la paroi de l'utérus.

4. La deuxième période, la période embryonnaire, comprend le développement des diverses structures qui soutiennent le développement du fœtus, comme le placenta, ainsi que les formes primitives de tous les systèmes organiques.

5. Les 30 dernières semaines de la gestation, soit la période fœtale, sont avant tout consacrées au développement et au perfectionnement de tous les systèmes organiques.

6. L'évolution normale du développement prénatal semble être grandement déterminée par la maturation, une « carte routière » en quelque sorte, contenue dans les gènes. Cette séquence du développement peut connaître des ruptures. Le moment des ruptures détermine la nature et la gravité de leur effet.

7. Les déviations du modèle normal de développement peuvent être causées au moment de la conception par n'importe quelle anomalie chromosomique, comme le syndrome de Down, ou par la transmission des gènes de certaines maladies.

8. Avant la conception, il est possible de faire passer des tests aux parents afin de déceler la présence des gènes de plusieurs maladies héréditaires. Après la conception, de nombreuses épreuves diagnostiques permettent de déterminer la présence d'anomalies chromosomiques ou de maladies à gène récessif chez le fœtus.

9. Certaines maladies de la mère, comme la rubéole, le sida et le cytomégalovirus (CMV), peuvent atteindre l'enfant et causer des maladies ou des malformations chez ce dernier. D'autre part, l'alcool, la nicotine et la cocaïne consommés par la mère semblent avoir un effet nuisible considérable sur le développement du fœtus.

10. Le régime alimentaire de la mère revêt une grande importance. Si la mère souffre de malnutrition grave, les risques de mort néonatale, de faible poids à la naissance et de mortalité infantile durant la première année de vie sont accrus.

11. Les mères âgées ou très jeunes courent également des risques, mais bon nombre de ces risques sont sensiblement réduits ou éliminés si la mère est en bonne santé et si elle reçoit des soins prénatals appropriés. Par ailleurs, un degré élevé d'anxiété ou de stress chez la mère peut augmenter les risques de complications pendant la grossesse ou de problèmes chez l'enfant.

12. Le processus normal de l'accouchement comprend trois étapes: le travail, l'expulsion du fœtus et l'expulsion du placenta.

13. La plupart des médicaments administrés à la mère durant l'accouchement passent dans le sang de l'enfant et ont donc des effets temporaires sur la réactivité et le mode d'alimentation de l'enfant. Certains effets peuvent devenir chroniques, mais cette question fait encore l'objet de débats.

14. Dans le cas des grossesses sans complication et à faibles risques, l'accouchement à domicile ou dans une maison de naissance offre autant de sécurité que l'hôpital.

15. Pour tous les nouveau-nés pesant moins de 2,5 kg, on parle de bébés de faible poids à la naissance. Plus le poids du bébé est faible, plus les risques de problèmes chroniques, comme un faible Q.I. ou des difficultés d'apprentissage, sont élevés.

16. Certains problèmes prénatals ou à l'accouchement peuvent causer des incapacités permanentes ou des malformations, mais de nombreux troubles associés à la vie prénatale ou à la naissance peuvent être surmontés si l'enfant est élevé dans un environnement stimulant.

17. On évalue généralement les nourrissons en utilisant l'indice d'Apgar, qui comprend cinq critères.

18. Les bébés possèdent à la naissance des réflexes d'adaptation et des réflexes primitifs. Les réflexes d'adaptation sont des réflexes essentiels à l'adaptation du nouveau-né, comme le réflexe de succion et le réflexe des points cardinaux. Les réflexes primitifs comprennent le réflexe de Moro et le signe de Babinski, qui disparaissent au bout de quelques mois.

19. À la naissance, le bébé est déjà muni d'une gamme de capacités perceptives beaucoup plus large que ne le supposaient les psychologues. En particulier, il voit et il entend suffisamment bien pour interagir avec son environnement social.

20. Les bébés présentent divers «états de conscience», qui vont du sommeil profond au sommeil actif en passant par les pleurnichements, les repas et l'état d'éveil calme et actif, selon un cycle qui dure entre 1,5 et 2 heures environ.

21. Il est avéré que l'allaitement au sein est meilleur pour le bébé sur le plan nutritif, qu'il lui fournit les anticorps nécessaires et réduit les risques de diverses infections.

MOTS CLÉS

Acide désoxyribonucléique (ADN), p. 58

Amniocentèse, p. 69

Amnios, p. 62

Axone, p. 63

Biopsie des villosités choriales, p. 69

Cellules gliales, p. 63

Césarienne, p. 76

Chromosome, p. 58

Dendrite, p. 63

Dilatation, p. 75

Échographie, p. 69

Effacement, p. 75

États de conscience, p. 83

Faible poids à la naissance, p. 78

Gamète, p. 58

Gène, p. 58

Génotype, p. 58

Indice d'Apgar, p. 80

Néonatologie, p. 79

Neurone, p. 63

Ovule, p. 57

Phénotype, p. 58

Placenta, p. 62

Réflexe, p. 81

Synapse, p. 64

Syndrome d'alcoolisme fœtal, p. 70

Syndrome de Down, p. 65

Tessiture, p. 82

Test de l'alphafœtoprotéine, p. 69

Trompe de Fallope, p. 57

Utérus, p. 57

Zygote, p. 57

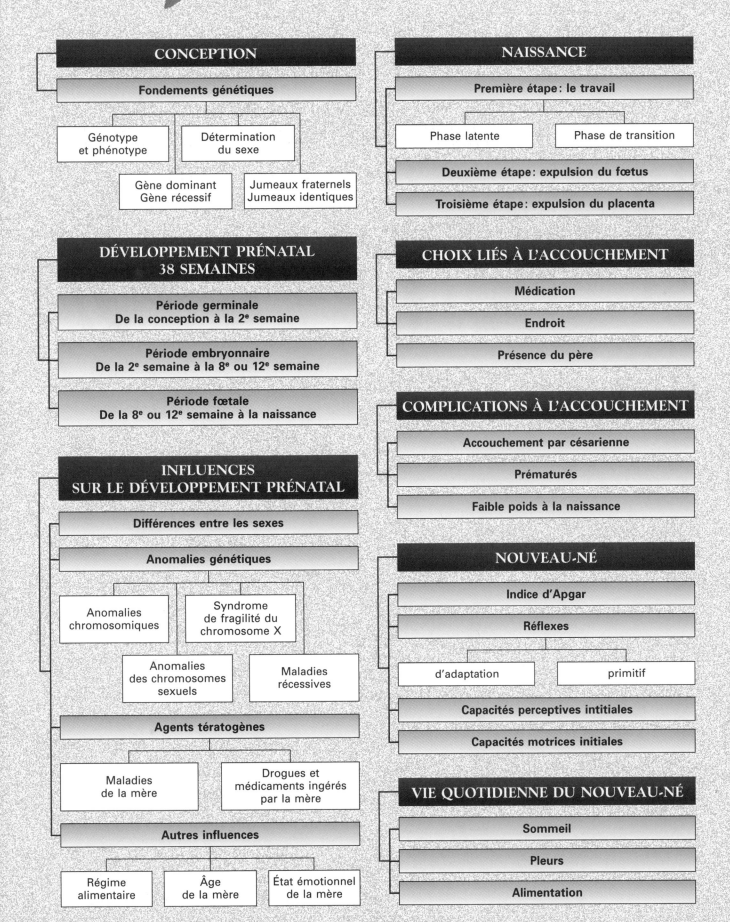

CONCEPTION

Fondements génétiques

Génotype et phénotype

Détermination du sexe

Gène dominant Gène récessif

Jumeaux fraternels Jumeaux identiques

DÉVELOPPEMENT PRÉNATAL 38 SEMAINES

Période germinale De la conception à la 2ᵉ semaine

Période embryonnaire De la 2ᵉ semaine à la 8ᵉ ou 12ᵉ semaine

Période fœtale De la 8ᵉ ou 12ᵉ semaine à la naissance

INFLUENCES SUR LE DÉVELOPPEMENT PRÉNATAL

Différences entre les sexes

Anomalies génétiques

Anomalies chromosomiques

Syndrome de fragilité du chromosome X

Anomalies des chromosomes sexuels

Maladies récessives

Agents tératogènes

Maladies de la mère

Drogues et médicaments ingérés par la mère

Autres influences

Régime alimentaire

Âge de la mère

État émotionnel de la mère

NAISSANCE

Première étape : le travail

Phase latente

Phase de transition

Deuxième étape : expulsion du fœtus

Troisième étape : expulsion du placenta

CHOIX LIÉS À L'ACCOUCHEMENT

Médication

Endroit

Présence du père

COMPLICATIONS À L'ACCOUCHEMENT

Accouchement par césarienne

Prématurés

Faible poids à la naissance

NOUVEAU-NÉ

Indice d'Apgar

Réflexes

d'adaptation

primitif

Capacités perceptives intitiales

Capacités motrices initiales

VIE QUOTIDIENNE DU NOUVEAU-NÉ

Sommeil

Pleurs

Alimentation

4

matière de base

LES PREMIÈRES ANNÉES : DÉVELOPPEMENT PHYSIQUE ET COGNITIF

DÉVELOPPEMENT PHYSIQUE

DÉVELOPPEMENT DE LA PERCEPTION AU COURS DES PREMIERS MOIS

CHANGEMENTS PHYSIQUES DE LA NAISSANCE À DEUX ANS
Changements du système nerveux
Changements osseux et musculaires
Taille et morphologie

DÉVELOPPEMENT MOTEUR
Maturation et hérédité
Facteurs environnementaux :
alimentation et exercice physique

DIFFÉRENCES INDIVIDUELLES DANS LE DÉVELOPPEMENT PHYSIQUE

SANTÉ

DÉVELOPPEMENT COGNITIF

PERSPECTIVES THÉORIQUES
Trois conceptions de l'intelligence
Période sensorimotrice selon Piaget

RECHERCHES RÉCENTES SUR LA COGNITION CHEZ L'ENFANT
Développement du concept d'objet
Imitation

DIFFÉRENCES INDIVIDUELLES DANS LE DÉVELOPPEMENT SENSORIMOTEUR

VUE D'ENSEMBLE DU DÉVELOPPEMENT COGNITIF PENDANT LA PÉRIODE SENSORIMOTRICE

DÉVELOPPEMENT DU LANGAGE

J e m'entretenais récemment avec une amie qui a un bébé de six mois. Quand je lui ai demandé si tout se passait bien, sa réponse a été typique : « On ne m'avait jamais dit que cela pouvait être aussi amusant. Personne ne m'avait non plus prévenue du travail que cela représente. C'est fascinant, elle change de jour en jour. Maintenant, j'ai l'impression que c'est une personne à part entière : elle s'assoit, elle rampe et elle commence à babiller. »
Je suis presque sûre que quelqu'un lui avait déjà parlé en ces termes, mais elle ne s'en souvenait pas. Quand vous passez le plus clair de vos journées avec votre enfant, à lui prodiguer des soins et à l'entourer d'affection, alors seulement vous prenez conscience de ces réalités. Je vais tenter de vous traduire cet émerveillement, même si ces mots ne prendront véritablement un sens   HELEN BEE
pour vous que lorsque vous élèverez vous-même un enfant.

DÉVELOPPEMENT PHYSIQUE

La première section de ce chapitre traite du développement physique au cours des deux premières années. Nous nous pencherons sur le développement de la perception dans les premiers mois, les principaux changements physiques qui se produisent jusqu'à l'âge de deux ans, l'évolution du développement moteur chez les jeunes enfants et leur santé en général.

DÉVELOPPEMENT DE LA PERCEPTION AU COURS DES PREMIERS MOIS

Les recherches effectuées sur les aptitudes des nouveau-nés conduisent à la même conclusion : les capacités perceptives des bébés sont bien supérieures à ce à quoi on s'attendait. Dès la naissance ou les premières semaines, le bébé peut fixer son regard, suivre des yeux un objet en déplacement, distinguer les différents goûts et entendre la plupart des registres sonores. Ces aptitudes sont évidemment très importantes. Elles permettent au bébé d'interagir de façon efficace avec la personne qui s'occupe de lui et de réagir aux objets qui l'entourent. En outre, des recherches récentes ont montré que les jeunes enfants sont capables d'établir des discriminations très subtiles entre les sons, les stimuli visuels et les sensations, qu'ils réagissent aux relations entre les objets et non pas seulement à des événements individuels. Il n'est pas possible ici de traiter l'ensemble de ces fascinantes recherches, et nous nous contenterons de vous en donner un bref aperçu à travers quelques exemples.

DISTINGUER LA MÈRE DES AUTRES PERSONNES.
Jusqu'à tout récemment, la plupart des psychologues pensaient que le nouveau-né ou le nourrisson étaient incapables de faire la différence entre deux personnes, même entre la mère ou le père et une autre personne. On commence à se rendre compte que cela est faux.

Il semble en fait que les nouveau-nés distinguent d'abord les personnes les unes des autres grâce à l'ouïe. DeCasper et Fifer (1980) ont découvert qu'un nourrisson peut distinguer la voix de sa mère de celle d'une autre femme (mais non la voix du père de celle d'un autre homme) et qu'il préfère la voix de la mère, probablement parce qu'elle lui est familière depuis qu'il était dans l'utérus. À l'âge de six mois environ, les bébés sont capables d'associer les voix à des visages. Si vous mettez un enfant de cet âge dans une situation où il voit ses deux parents et entend un enregistrement de leur voix, il regardera le parent dont il entend la voix (Spelke et Owsley, 1979).

Le bébé semble également posséder très tôt la capacité de distinguer les personnes grâce à son odorat. Les nouveau-nés d'une semaine sont capables de reconnaître l'odeur de leur mère de celle d'une étrangère ; cependant, cette observation ne vaut que pour les bébés allaités au sein, qui passent donc beaucoup de temps avec leur nez appuyé sur la peau nue de la mère (Cernoch et Porter, 1985).

La capacité de distinguer visuellement la mère des autres personnes n'apparaît qu'en dernier, même si elle se met en place dès les deux ou quatre premières semaines (C. Nelson, 1989). Les bébés de quatre à six semaines peuvent même distinguer leur mère d'une autre femme sur des photographies. Au début, cette discrimination semble reposer

Avancez quelques hypothèses afin d'expliquer pourquoi les nouveau-nés sont capables de discriminer la voix de la mère et celle d'une étrangère, mais non celle du père et celle d'un inconnu.

essentiellement sur la différence entre la forme des contours, comme la ligne entre les cheveux et le front. En effet, lorsque des chercheurs montrent à des bébés des photographies sur lesquelles la mère et une inconnue portent toutes deux un bonnet de bain dissimulant l'implantation des cheveux, les bébés ne sont plus capables de faire la différence (Bushnell, 1982). À l'âge de trois mois, cependant, les nourrissons paraissent en mesure de reconnaître leur mère d'une étrangère, et ce quelle que soit son apparence (C. Nelson, 1989).

Ces résultats sont tout à fait conformes à la découverte plus générale d'un changement fondamental, aux environs de six à huit semaines, dans la façon dont l'enfant regarde les objets qui l'entourent. Dès les premiers jours de vie, les nouveau-nés observent le monde autour d'eux — pas de façon très habile, bien sûr, mais de façon régulière, même dans le noir (Haith, 1980). Leurs yeux bougent jusqu'à ce qu'ils rencontrent le contraste lumière/obscurité qui signale typiquement le contour d'un objet. Quand son regard rencontre un tel contour, le bébé cesse de chercher et ses yeux explorent l'objet en suivant son contour. Par exemple, lorsque de très jeunes enfants observent un visage, ils regardent surtout l'implantation des cheveux et la forme du menton. C'est pourquoi ils ne reconnaissent plus les visages lorsqu'on dissimule cette ligne.

Cette façon de procéder semble changer à l'âge de deux mois, peut-être en raison du développement plus poussé du cortex ou en raison de l'expérience, ou les deux. Quoi qu'il en soit, l'attention du bébé ne se porte plus sur l'*endroit* où se trouve un objet, mais plutôt sur la *nature* même de l'objet. Autrement dit, la stratégie du bébé ne consiste plus à *trouver* l'objet, mais à l'*identifier*. Les bébés de cet âge commencent à observer un objet sous tous les angles au lieu de s'en tenir aux contours. Lorsqu'ils regardent les visages, par exemple, ils s'intéressent désormais aux traits, en particulier aux yeux.

RECONNAISSANCE DE L'EXPRESSION DES ÉMOTIONS. Quelques mois plus tard, les bébés ne prêtent plus seulement attention aux traits du visage, mais aussi aux expressions. En effet, vers cinq ou six mois, les bébés sont capables de faire la différence aussi bien entre des visages exprimant diverses émotions qu'entre des voix dont le timbre exprime diverses émotions. Ils perçoivent la nuance entre une voix enjouée et une voix triste (Walker-Andrews et Lennon, 1991) et entre les visages heureux, surpris et effrayés (C. Nelson, 1987). Vers 10 mois, les bébés s'appuient sur de telles indications afin de déterminer la façon de se comporter dans une situation inhabituelle, par exemple en présence d'un inconnu venu en visite chez eux, dans le cabinet du médecin ou même lorsqu'on place un nouveau jouet devant eux. Les enfants de cet âge regarderont d'abord le visage de leur mère ou de leur père pour en lire l'expression. Si la mère a l'air satisfait ou heureux, il y a davantage de chances que l'enfant explore le nouveau jouet ou accepte l'étranger avec moins d'agitation. Par contre, si la mère semble préoccupée ou inquiète, le bébé reproduit ces indications par une réaction de peur ou une appréhension équivalentes. Ce phénomène est appelé **référence sociale** par les chercheurs (Hirshberg et Svejda, 1990; Walden, 1991).

PERCEPTION DE LA PROFONDEUR. La perception de la profondeur est un autre aspect intéressant du développement de la perception. L'expérience réalisée par Eleanor Gibson et Richard Walk (1960) est l'une des plus anciennes (et des plus judicieuses) qui aient été mises au point pour étudier la perception de la profondeur. Gibson et Walk ont construit un appareil appelé «falaise visuelle»; il s'agit d'une table de verre avec un passage au centre. D'un côté du passage, se trouve un panneau quadrillé juste sous la vitre, alors que, de l'autre côté — la falaise visuelle —, le panneau quadrillé se trouve à plus d'un mètre sous la vitre. Si le nourrisson ne possède pas la perception de la profondeur, il se déplacera des deux côtés du passage, mais s'il possède cette perception, il hésitera avant de s'engager au-dessus de la falaise.

L'étude originale de Gibson et Walk a été réalisée auprès de nourrissons de six mois et plus. En général, ces bébés ne franchissaient pas la falaise, même lorsque les mères se trouvaient de ce côté et les encourageaient. Joseph Campos et ses collaborateurs (Campos, Langer et Krowitz, 1970) ont utilisé le même appareillage et un équipement spécial qui permettait d'enregistrer la fréquence cardiaque des nourrissons. La fréquence cardiaque des nourrissons de deux mois baisse légèrement lorsqu'on les dépose du côté de la falaise, alors

Falaise visuelle. Cet appareil, conçu par Eleanor Gibson et Richard Walk, a été employé dans de multiples recherches portant sur la perception de la profondeur. (Source: Gibson et Walk, 1960.)

> Comment un parent pourrait-il utiliser sa connaissance du phénomène de la référence sociale?

Référence sociale : Fait d'utiliser la réaction d'une autre personne comme référence pour sa propre réaction. Un bébé agit de cette façon lorsqu'il observe l'expression ou le langage corporel de ses parents avant de réagir positivement ou négativement à une situation nouvelle.

R A P P O R T   D E   R E C H E R C H E

Études de Langlois sur la préférence des bébés pour les visages attrayants

Un courant de recherches modernes sur la perception de l'enfant tend à la conclusion que le nourrisson possède plus de capacités et de préférences innées qu'on ne le supposait. Parmi ces recherches, la plus surprenante et la plus fascinante est celle de Judith Langlois sur la préférence des enfants pour les visages attrayants.

Dans leurs premiers travaux, Langlois et ses collaborateurs (Langlois *et al.*, 1987) ont fait passer des tests à des enfants âgés de deux à trois mois et de six à huit mois. Chaque enfant était assis sur les genoux de sa mère et on lui montrait des paires de diapositives de 16 femmes de race blanche. La moitié de ces diapositives présentait, selon des juges adultes, une physionomie attrayante, alors que l'autre moitié avait un visage peu attrayant. À chaque essai, on projetait deux diapositives simultanément sur un écran devant le bébé. Les visages étaient approximativement de grandeur nature. L'expérimentateur regardait à travers un trou percé dans l'écran pour calculer le nombre de secondes durant lesquelles le bébé regardait chaque photographie. On montrait à chaque bébé des paires de visages attrayants/attrayants, peu attrayants/peu attrayants ainsi que des paires mixtes.

Les tests les plus importants étaient évidemment ceux où l'on retrouvait un visage attrayant et un visage peu attrayant. Les résultats, indiqués dans la partie gauche du tableau ci-dessous, révèlent que les bébés de deux ou trois mois préféraient regarder les visages attrayants.

Cette étude présente un intérêt particulier parce qu'on utilisait des visages attrayants et peu attrayants très différents, ce qui rend la conclusion encore plus évidente. Cependant, le fait que les chercheurs n'avaient eu recours qu'à des femmes de race blanche limitait considérablement la généralisation des résultats. Dans une étude plus récente (Langlois *et al.*, 1991), Langlois a utilisé la même méthode, mais cette fois elle a montré à des enfants de six mois des photographies de (1) des visages d'hommes et de femmes attrayants et peu attrayants, ou (2) des visages de femmes noires attrayants et peu attrayants, ou (3) des visages de bébés dont le degré d'attraction variait mais qui présentaient tous la même expression neutre. Vous pouvez consulter les résultats dans la partie droite du tableau ci-dessous. Une fois de plus, les résultats sont concordants : dans tous les cas, les bébés regardent nettement plus longtemps les visages attrayants que les visages peu attrayants.

Lors d'une autre étude sur le même thème, Langlois, Roggman et Rieser-Danner (1990) ont observé des enfants de un an en interaction avec un adulte portant un masque attrayant ou un masque peu attrayant. Les enfants manifestaient un comportement plus positif sur le plan affectif, moins de repliement et plus d'implication dans le jeu lorsque l'adulte portait un masque attrayant.

Il est difficile d'imaginer que des expériences reliées à l'apprentissage puissent être responsables d'une telle préférence chez l'enfant de deux mois. Ces résultats appuient davantage l'hypothèse que le nouveau-né possède un modèle inné des formes et des configurations « correctes » ou « les plus désirées » par les membres de notre espèce, et que nous préférons simplement ce qui se rapproche le plus de ce modèle. Si tel est le cas, quelles en sont les conséquences sur le développement de l'enfant et de l'adulte, en particulier sur le développement de bébés, d'enfants et d'adultes au physique plutôt ingrat ?

Résultats de deux recherches par Langlois

	Durée moyenne de l'observation				
	Groupes d'âge		Types de photos		
	2 à 3 mois	6 à 8 mois	Hommes et femmes	Femmes noires	Visages de bébés
Visages attrayants	9,22[a]	7,24[a]	7,82[a]	7,05[a]	7,16[a]
Visages peu attrayants	8,01	6,59	7,57	6,52	6,62

[a] Différence statistiquement significative entre les visages attrayants et les visages peu attrayants.

Sources : Langlois *et al.*, 1987, tableau 1, p. 365 ; Langlois *et al.*, 1991, tableau 1, p. 81.

qu'elle ne change pas quand on les place de l'autre côté. Cela indique qu'ils perçoivent la différence. Chez les nourrissons de moins de deux mois, on ne constate pas cet effet, probablement parce qu'ils ne possèdent pas l'acuité visuelle qui leur permettrait de percevoir le panneau quadrillé au-dessous de la falaise. Même si on ne sait pas exactement quand la perception de la profondeur se met en place, de telles études indiquent que le phénomène apparaît très tôt au cours de la période néonatale. (Bee et Mitchell, 1986.)

Développement de la perception

Q 1   Quel est le changement fondamental qui survient vers l'âge de deux mois dans la façon dont le bébé regarde les objets ?

Q 2   Vers quel âge le bébé reconnaît-il l'expression des émotions sur le visage des personnes ?

Q 3   Qu'est-ce que la référence sociale ?

Q 4   À partir de quel moment le nourrisson perçoit-il la profondeur ?

CHANGEMENTS PHYSIQUES DE LA NAISSANCE À DEUX ANS

Au cours des premiers mois de la vie, le développement s'effectue dans deux directions principales. Dans le développement **céphalocaudal,** le développement se déroule de la tête vers les membres inférieurs, alors que dans le développement **proximodistal,** le développement se déroule du tronc vers les extrémités. On peut observer la combinaison de ces deux tendances tout au long du développement. En effet, le bébé tient la tête droite avant d'être capable de se tenir assis, et il s'assoit avant de marcher à quatre pattes. Les mêmes règles s'appliquent au développement du système nerveux.

Changements du système nerveux

La figure 4.1 illustre les structures principales du cerveau. À la naissance, les structures les plus développées sont le **mésencéphale** et le **bulbe rachidien,** qui assurent la régulation de certaines fonctions fondamentales comme l'attention, l'habituation, le sommeil, l'éveil, l'élimination et les mouvements de la tête et du cou. Le **cortex cérébral,** composé de substance grise en circonvolutions autour du mésencéphale, est la structure du cerveau la moins développée. Le cortex

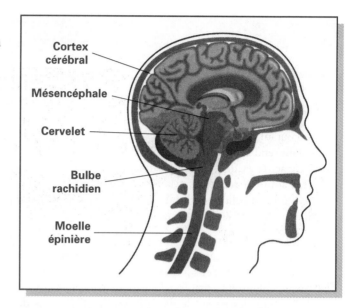

Figure 4.1 Structures du cerveau. Le bulbe rachidien et le mésencéphale sont déjà bien développés à la naissance. Au cours des deux premières années de la vie, c'est surtout le cortex qui se développe : les dendrites de chaque neurone croissent rapidement, et le nombre de synapses augmente de manière considérable.

régit les fonctions supérieures de la perception, les mouvements du corps et tous les aspects de la pensée et du langage. À la naissance, le cortex possède tous ses neurones et la croissance des dendrites est déjà amorcée. Jusqu'à l'âge de 18 mois, un grand nombre de synapses sont créées, d'où une croissance rapide de l'arbre dendritique ainsi que des axones et de leurs fibres terminales. En raison de la multiplication rapide de ces dernières, la masse totale du cerveau triple entre la naissance et l'âge de deux ans (Nowakowski, 1987).

DÉVELOPPEMENT DES NEURONES ET DES SYNAPSES. Le développement des dendrites ne s'effectue pas de manière continue et régulière. Les neurophysiologistes ont découvert

Céphalocaudal : De la tête vers les membres inférieurs ; décrit un modèle de développement physique chez l'enfant.

Proximodistal : Du tronc vers les membres ; tout comme l'adjectif *céphalocaudal,* ce terme décrit un modèle de développement physique chez l'enfant.

Mésencéphale : Partie du cerveau située au-dessus du bulbe rachidien et sous le cortex, qui assure la régulation de l'attention, du sommeil, de l'éveil et d'autres fonctions « automatiques ». Il est déjà très développé à la naissance.

Bulbe rachidien : Partie du cerveau située immédiatement au-dessus de la moelle épinière. Il est déjà très développé à la naissance.

Cortex cérébral : Partie convolutée de l'encéphale, composée de substance grise. Elle est responsable, entre autres, de la régulation de la pensée, du langage et de la mémoire.

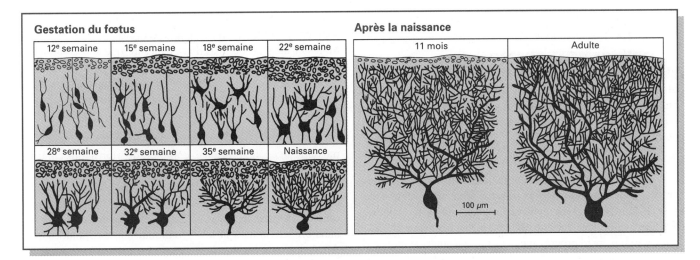

Figure 4.2 Croissance des dendrites. Sur ce schéma, vous pouvez observer la croissance remarquable des dendrites pendant la première année de la vie ainsi que l'« émondage » de l'arbre dendritique après l'âge de un an, lorsque les synapses redondantes ont disparu.

qu'il existe une période initiale de formation des synapses, suivie d'une période d'émondage vers l'âge de deux ans. Les connexions redondantes disparaissent alors et l'aspect de « diagramme filamenteux » est éclairci (Greenough, Black et Wallace, 1987). La figure 4.2 montre l'augmentation rapide du nombre de synapses ainsi que l'émondage.

Par exemple, au début du développement, chaque cellule des muscles squelettiques établit des connexions synaptiques avec plusieurs neurones moteurs situés dans la moelle épinière. Cependant, après le processus d'émondage, chaque fibre musculaire se trouve connectée à un seul neurone. Suivant en cela un argument semblable à celui qui sous-tend le concept de « préjugés innés » (voir le chapitre 1), certains neurophysiologistes comme Greenough (Greenough *et al.*, 1987) ont suggéré que le tout début du développement des dendrites et des synapses suit un modèle préétabli. L'organisme est programmé pour créer un nombre très élevé de connexions neuronales, ce qui donne des voies redondantes. D'après cette théorie, l'émondage qui se produit vers l'âge de deux ans constituerait une réaction à des expériences précises, de sorte qu'une sélection des voies les plus utilisées ou

les plus efficaces s'opère. En d'autres mots, « l'expérience ne crée pas de traces sur une table rase ; on peut dire au contraire que l'expérience en efface quelques-unes » (Bertenthal et Campos, 1987). Il semble qu'un autre processus d'émondage des synapses ait lieu à l'adolescence, ce qui tendrait à suggérer qu'une réorganisation supplémentaire des voies neuronales s'effectue peut-être durant cette période.

Greenough et ses collaborateurs n'affirment pas que tout le développement des synapses est entièrement régi par un programme préétabli. Greenough pense que certaines synapses sont formées à la suite d'expériences précises, et que ce type de formation se poursuit tout au long de notre vie. Mais l'apparition de la régulation neuronale des principaux processus moteurs et sensoriels semble suivre, au départ, des modèles préétablis, puis les synapses subiraient un émondage basé sur l'expérience.

MYÉLINISATION. Un autre processus important caractérise le développement du système nerveux : il s'agit de la formation des gaines qui enveloppent chaque axone. Ces gaines protectrices, composées d'une substance appelée **myéline**, isolent les axones les uns des autres et améliorent la

Puisque le développement moteur s'effectue dans une direction aussi bien céphalocaudale que proximodistale, la petite Laure, âgée de cinq mois, montre une plus grande habileté à atteindre et à saisir les objets qu'à ramper.

La découverte de l'émondage de dendrites au cours de la deuxième année de la vie a provoqué de grands remous parmi les psychologues du développement. Pourquoi cette découverte suscite-t-elle autant d'intérêt ?

Myéline : Substance qui compose la gaine entourant la plupart des axones. Les gaines de myéline ne sont pas complètement développées à la naissance.

conductivité de la fibre nerveuse. On nomme **myélinisation** le processus de développement de ces gaines.

La séquence de myélinisation des fibres nerveuses suit le développement céphalocaudal et proximodistal. Ainsi, les fibres nerveuses qui desservent les cellules musculaires des bras et des mains sont myélinisées plus tôt que celles qui desservent le tronc inférieur et les jambes. La myélinisation est pratiquement complétée à l'âge de deux ans, mais elle se poursuit dans l'encéphale jusqu'à l'adolescence.

La *sclérose en plaques*, une maladie caractérisée par un processus de démyélinisation, illustre bien l'importance du rôle de la myéline. Une personne atteinte de cette maladie, dont les symptômes varient selon les structures lésées du système nerveux, perd progressivement toute régulation motrice.

Changements osseux et musculaires

Parallèlement aux changements du système nerveux, on observe des changements des autres structures corporelles, dont les muscles et les os. Toutefois, les changements musculaires et osseux s'échelonnent de l'enfance à l'adolescence et ne surviennent pas aussi brusquement que les changements du système nerveux.

OSSATURE. La main, le poignet, la cheville et le pied comportent moins d'os à la naissance qu'à la pleine maturité. Ainsi, le poignet d'un adulte compte neuf os distincts, alors que le poignet d'un enfant de un an n'en comprend que trois. Les six autres os se formeront durant l'enfance, et le développement ne sera achevé qu'au terme de l'adolescence.

Dans une certaine partie du corps, par contre, les os fusionnent au lieu de se différencier. En effet, le crâne d'un nouveau-né se compose de plusieurs os séparés par des espaces membraneux appelés **fontanelles.** À la naissance, les fontanelles permettent à la tête du bébé de subir une compression sans risque de dommages. Plus tard, elles laissent suffisamment d'espace pour assurer le développement de l'encéphale. Chez la plupart des enfants, les fontanelles sont comblées entre 12 et 18 mois (Kataria *et al.*, 1988) pour former un seul os crânien.

Les os de l'enfant sont également plus mous que ceux de l'adulte, et ils contiennent plus d'eau. Le durcissement des os, l'**ossification,** s'effectue régulièrement de l'enfance à la puberté. L'ossature de tout le corps se renforce suivant une séquence qui respecte le développement proximodistal et céphalocaudal. Ainsi, les os de la main et du poignet durcissent avant ceux du pied.

On pourrait penser que l'ossification ne présente pas un grand intérêt. Pourtant, songez à l'importance que revêt pour le fœtus le fait de posséder des os souples afin de se loger dans la cavité restreinte de l'utérus. Cependant, cette même souplesse est par ailleurs responsable de la vulnérabilité du nouveau-né. Les nourrissons sont relativement mous; ils ne sont pas capables de tenir leur tête droite, et encore moins de rester assis ou de marcher. À mesure que son ossature se renforce, le bébé devient capable de se servir de son corps avec plus d'assurance, ce qui élargit son champ d'exploration tout en lui permettant d'acquérir une plus grande indépendance.

MUSCULATURE. Comme pour les neurones, les bébés naissent avec leur bagage complet de fibres musculaires (Tanner, 1978). Néanmoins, ces fibres musculaires, à l'instar des os, sont au départ plus petites et aqueuses. Elles s'allongent et épaississent de façon assez régulière jusqu'à l'adolescence tout en perdant leur aquosité. Le développement s'effectue dans un sens tout à la fois proximodistal et céphalocaudal. Ainsi, les muscles du cou se renforcent assez vite, mais les muscles des jambes ne se fortifieront que quelques mois plus tard, permettant alors à l'enfant de faire ses premiers pas.

Taille et morphologie

L'ensemble de ces modifications internes influent évidemment sur la taille et la morphologie du bébé. La croissance se déroule très rapidement au cours des premiers mois: les enfants gagnent de 25 à 30 cm et triplent leur poids pendant la première année. À l'âge de 2 ans, avec 5 à 8 cm de plus, ils ont déjà *atteint la moitié de leur taille d'adulte* — nous mettons l'accent sur cette observation, car elle peut surprendre beaucoup d'entre vous. En fait, les proportions du corps de l'enfant diffèrent de celles de l'adulte, d'où une apparence trompeuse.

Changements physiques

Q 5 Qu'est-ce que le développement céphalocaudal ? proximodistal ? Donnez des exemples.

Q 6 Quelles sont les parties du cerveau les plus développées à la naissance ? les moins développées ? Pourquoi ?

Q 7 Qu'est-ce que l'émondage ? la myélinisation ? l'ossification ? Donnez des exemples de chacun de ces processus.

Myélinisation : Processus de développement des gaines de myéline.

Fontanelles : « Espaces mous » du crâne présents à la naissance. Elles disparaissent avec l'ossification du crâne.

Ossification : Processus de durcissement par lequel les tissus fibreux ou cartilagineux deviennent des os.

Par exemple, les bébés ont proportionnellement une tête beaucoup plus grosse que celle des adultes, sans doute afin de contenir le cerveau déjà presque complètement développé.

DÉVELOPPEMENT MOTEUR

Tous ces changements physiques forment le substrat du développement rapide des habiletés motrices de l'enfant. Évidemment, ces nouvelles habiletés physiques revêtent un caractère stupéfiant et extraordinaire pour les parents (et les grands-parents) !

Robert Malina (1982) suggère de classer le large éventail des habiletés motrices en trois catégories : les *habiletés locomotrices*, comme la marche, la course, les sauts, les sautillements ; les *habiletés posturales*, comme le fait de pousser, de tirer et de se pencher ; et les *habiletés de manipulation*, comme le fait de saisir, de jeter, d'attraper, de donner des coups de pied, ainsi que toutes les actions de réception et de déplacement des objets. Le tableau 4.1, basé sur deux études récentes dont l'une a été conduite aux États-Unis et l'autre aux Pays-Bas, résume le développement dans chacun de ces trois domaines jusqu'à l'âge de 18 mois. L'étude américaine

L'extraordinaire rapidité du développement des habiletés motrices au cours des premiers mois est facile à illustrer. Le bébé de 9 mois, en haut et à gauche, s'assoit tout seul, le bébé de 11 mois, en bas et à gauche, se déplace aisément à quatre pattes, et le bébé de 13 mois, à droite, trottine joyeusement.

(Capute *et al.*, 1984) portait sur 381 bébés régulièrement évalués par leur pédiatre jusqu'à l'âge de 2 ans. L'étude hollandaise (Den Ouden *et al.*, 1991) portait sur 550 enfants évalués régulièrement jusqu'à l'âge de 5 ans. La séquence des grandes étapes du développement est très similaire dans les deux études, de même que l'âge auquel les bébés ont subi les tests.

Les progrès réalisés sont extraordinaires. Un simple coup d'œil suffit pour remarquer que les mouvements du bébé ne se limitent pas à ramper ou à marcher à quatre pattes. Les jeunes enfants font également preuve de ce que Esther Thelen (1981) appelle des *stéréotypies rythmiques* — lorsque l'enfant semble prendre un immense plaisir à répéter sans cesse certains mouvements tels que donner des coups de pied, se balancer, s'agiter, rebondir, frapper, frotter, griffer, secouer. Ces mouvements rythmiques répétés, amorcés dès les premières semaines — qu'il s'agisse du mouvement des doigts ou des pieds qui pédalent —, semblent atteindre un sommet à l'âge de 6 ou 7 mois. Même si ces mouvements ne paraissent pas totalement volontaires et coordonnés, ils ne sont sans doute pas uniquement le fruit du hasard. Par exemple, Thelen a observé que le mouvement des pieds qui pédalent s'accélère juste avant que l'enfant commence à ramper, comme si les coups de pieds rythmiques servaient de préparation au déplacement.

Ce type d'observation nous rappelle que les nouvelles habiletés motrices du bébé ne surgissent pas d'un coup. Chaque nouvelle habileté est le résultat de la coordination d'un grand éventail de capacités tant perceptives que motrices (Thelen, 1989 ; Thelen et Ulrich, 1991). Par exemple, l'utilisation d'une cuillère pour se nourrir nécessite le développement des muscles de la main et du poignet, le développement des os du poignet, la coordination entre le regard et la main pour permettre de réajuster le mouvement de la cuillère en direction de la bouche, ainsi que la coordination de tous ces mouvements avec l'ouverture de la bouche au bon moment (Connolly et Dalgleish, 1989).

Nous ne prenons pas conscience, la plupart du temps, de la complexité du processus du développement lorsque nous observons un enfant. Nous sommes davantage surpris par les progrès quotidiens du bébé et l'adresse dont il fait preuve dans certains comportements.

Lorsque l'on cherche à déterminer les causes des différents changements moteurs qui se mettent en place chez le nourrisson, certains facteurs s'imposent : la maturation, l'hérédité et divers facteurs environnementaux, dont l'alimentation et l'exercice physique.

Maturation et hérédité

Les séquences de maturation jouent un rôle majeur dans le développement moteur, tout particulièrement en ce qui concerne des changements aussi fondamentaux que les

Tableau 4.1

Les grandes étapes du développement des habiletés motrices au cours des dix-huit premiers mois

Âge	Habiletés locomotrices	Habiletés posturales	Habiletés de manipulation
1 mois	Réflexe de la marche.	Redresse légèrement la tête ; suit des yeux les objets qui se déplacent lentement.	Tient un objet qu'on lui place dans la main.
2 à 3 mois		En position ventrale, redresse la tête à 90 degrés.	Commence à tendre la main vers les objets en vue.
4 à 6 mois	Se tourne sur lui-même ; se déplace par reptation (poussée des bras avec appui ventral) ; se déplace sur les mains et les genoux (rampe).	Se tient assis avec support ; en position assise, tient la tête droite.	Cherche à atteindre les objets et les saisit.
7 à 9 mois	Marche à quatre pattes.	Se tient assis sans support.	Transfère les objets d'une main à l'autre.
10 à 12 mois	Se redresse pour se mettre debout ; marche en se tenant aux meubles (« cabotage ») ; puis marche sans aide.	S'accroupit et se penche.	Montre des signes de préférence pour l'une des deux mains ; saisit une cuillère mais éprouve des difficultés à diriger la nourriture vers la bouche.
13 à 18 mois	Marche à reculons et de côté ; court (14 à 20 mois).	Envoie une balle à un adulte en la faisant rouler.	Empile deux cubes ; introduit des objets dans un petit récipient et les lâche.

Sources : Sources principales : Capute *et al.,* 1986, et Den Ouden *et al.,* 1991. *Autres sources* : Connolly et Dalgleish, 1989 ; The Diagram Group, 1977 ; Fagard et Jacquet, 1989 ; Mathew et Cook, 1990 ; Thomas, 1990.

changements neuronaux et les changements musculosquelettiques. Les diverses *séquences de la croissance physique sont très constantes*, c'est-à-dire qu'elles suivent le même ordre chez tous les enfants, bien que le rythme du développement varie considérablement d'un enfant à l'autre. Ces séquences sont d'ailleurs identiques chez les enfants atteints de handicaps physiques ou intellectuels. Ainsi, les enfants atteints d'une déficience intellectuelle présentent souvent un développement moteur plus lent que les enfants normaux, mais il suit les mêmes séquences. La présence de séquences aussi nettes laisse penser que la maturation constitue un agent causal évident.

Par ailleurs, notre patrimoine génétique est à la fois individuel et propre à l'espèce. Ainsi, chacun de nous est programmé pour observer plusieurs séquences communes de développement physique, mais reçoit également des instructions spécifiques déterminant des tendances de croissance uniques. Le patrimoine génétique influe sur la taille et la morphologie. Les parents de grande taille ont généralement des enfants grands ; les parents de petite taille ont généralement des enfants petits (Garn, 1980). Il existe également des ressemblances entre parents et enfants en ce qui concerne la largeur des hanches, la longueur des bras et la longueur du tronc.

Le patrimoine génétique détermine aussi la vitesse ou le rythme de croissance, ainsi que la taille et l'apparence physique finales. Les parents qui ont eu un développement précoce (ce que l'on peut mesurer entre autres à l'ossification) ont tendance à avoir des enfants qui se développent très vite (Garn, 1980).

Facteurs environnementaux : alimentation et exercice physique

Nous avons mentionné dans le chapitre précédent que les mères qui souffrent de malnutrition durant leur grossesse courent un plus grand risque d'avoir des enfants mort-nés ou des enfants qui meurent au cours de la première année. L'alimentation du bébé après la naissance constitue aussi un élément majeur dans le développement, bien qu'il soit extrêmement difficile de déterminer dans une étude ce qui relève essentiellement de l'alimentation postnatale. En effet, les bébés qui ne reçoivent pas une alimentation adéquate grandissent souvent dans des milieux qui présentent également d'autres déficiences.

Comme nous l'avons vu, la période de croissance maximale des dendrites et des synapses se situe dans les derniers trois à cinq mois de la grossesse et dans les deux ou trois premières années de la vie. Une malnutrition grave au cours de cette période provoque apparemment un ralentissement du développement physique et moteur (Malina, 1982). Les enfants dont le régime alimentaire s'améliore plus tard peuvent en partie rattraper leur retard sur le plan de la taille et du poids, mais ils demeurent généralement plus petits et plus lents que leurs pairs. Certaines études effectuées sur les animaux, et certaines études parallèles réalisées sur le cerveau et sur le système nerveux d'enfants décédés ayant souffert de malnutrition, montrent que les principaux effets physiques de la malnutrition comprennent notamment une réduction de la taille de l'arbre dendritique et du nombre de synapses ainsi qu'un ralentissement du taux de la myélinisation (Dickerson, 1981 ; Ricciuti, 1981). En conséquence, le cortex n'atteint pas une masse suffisante. Si la malnutrition se prolonge pendant les deux ou trois premières années, ses effets deviennent permanents.

Il est plus difficile de déceler les effets d'une malnutrition moins grave, c'est-à-dire la sous-alimentation. On ne peut suspecter que l'enfant souffre de sous-alimentation qu'à travers ses répercussions sur le rythme de la croissance physique et la coordination motrice. Il apparaît cependant qu'une sous-alimentation chronique abaisse le niveau d'énergie de l'enfant, ce qui à son tour influe sur la nature de l'interaction qu'il entretient avec les objets et les personnes qui l'entourent (Barrett, Radke-Yarrow et Klein, 1982 ; Lozoff, 1989).

EXERCICE PHYSIQUE. On peut également analyser les influences du milieu sur le développement moteur en fonction des différents exercices physiques pratiqués par l'enfant. Un bébé qui passe beaucoup de temps dans une *marchette* — un jouet qui soutient le bébé lorsqu'il se déplace debout — apprend-il à marcher seul plus vite qu'un autre enfant ? Un trotteur habitué à monter les escaliers apprend-il à grimper plus vite ou est-il plus agile qu'un bébé qui n'en a pas l'occasion ?

La réponse n'est pas tranchée. Lorsque les occasions normales de pratiquer certains mouvements sont grandement *restreintes*, le développement moteur de l'enfant subit un retard. Wayne Dennis (1960) a réalisé une étude très instructive auprès d'enfants iraniens placés dans des orphelinats. Dans le plus pauvre des orphelinats, les bébés observés par Dennis étaient toujours couchés sur le dos dans leur berceau, sur des matelas complètement défoncés. Ils ne se trouvaient presque jamais sur le ventre et avaient même de la difficulté à se tourner en raison de la trop grande souplesse des matelas. La plupart de ces enfants ne sont pas passés par les étapes normales d'apprentissage de la marche, probablement parce qu'ils n'ont jamais eu l'occasion de s'exercer à l'étape qui consiste à ramper sur le ventre. Ils ont tout de même fini par apprendre à marcher, mais avec un an de retard.

Il découle de cette étude et d'études similaires (Razel, 1985) que le développement de compétences élémentaires communes, comme la marche à quatre pattes ou la marche debout, exige un minimum d'entraînement physique afin que le système fonctionne comme il se doit. Par ailleurs, le fait que l'exercice soit supérieur à ce minimum n'accélère pas les séquences élémentaires. En effet, les bébés qui passent beaucoup de temps dans les marchettes ne marchent pas plus vite que les autres (Ridenour, 1982). De même, les bébés qui ont eu souvent l'occasion de monter des escaliers ne les gravissent pas beaucoup plus vite ni de manière beaucoup plus agile que ceux qui n'ont pas eu le loisir de le faire.

Lorsqu'on se penche sur des activités motrices secondaires, telles que lancer une balle ou grimper aux arbres, on s'aperçoit que la maturation permet de déterminer à quel moment un enfant est *capable* d'acquérir une nouvelle habileté, mais qu'il lui faut absolument de la pratique pour effectuer une bonne performance. La force et la coordination requises pour envoyer un ballon de basket suffisamment haut afin d'atteindre le panier se développent de diverses façons prévisibles dès les premières années, à condition que le milieu fournisse le soutien nécessaire. Cependant, pour parvenir à marquer des paniers régulièrement de plusieurs angles et à des distances différentes, un entraînement assidu est indispensable, tout comme pour perfectionner une habileté régulière et coordonnée dans n'importe quelle tâche motrice complexe.

Bien que cela puisse surprendre, les recherches montrent qu'un bébé ayant eu souvent l'occasion de monter un escalier ne développe pas une agilité particulière plus tôt qu'un enfant qui n'a jamais vu un escalier avant le moment propice au développement de cette habileté.

La comparaison entre les enfants qui ont utilisé des marchettes et ceux qui n'en ont pas eu l'occasion permet d'étudier l'effet de l'exercice physique sur les premières habiletés motrices. Pouvez-vous penser à d'autres méthodes d'évaluation de cet effet ?

Développement moteur

Q 8 Quelles sont les trois catégories d'habiletés motrices ? Donnez des exemples.

Q 9 Quelle influence le régime alimentaire et l'exercice physique ont-ils sur le développement ?

DIFFÉRENCES INDIVIDUELLES DANS LE DÉVELOPPEMENT PHYSIQUE

Nous avons abordé précédemment divers facteurs qui touchent le développement physique des enfants au cours des premières années : alimentation, exercice physique, qualité des soins avant et après l'accouchement. Nous allons en présenter quelques autres.

ENFANTS PRÉMATURÉS. Les enfants prématurés et de faible poids à la naissance franchissent moins rapidement les grandes étapes du développement énumérées dans le tableau 4.1, comme on peut le constater dans le tableau 4.2. Les données de ce tableau proviennent d'une étude hollandaise sur le développement normal, dont une partie des résultats sont présentés au tableau 4.1. Den Ouden et ses collaborateurs (1991) ont fait passer des tests à 555 bébés nés à terme et à 555 bébés prématurés. Le groupe des prématurés comprenait des enfants physiquement normaux nés à moins de 32 semaines aux Pays-Bas en 1983. Vous remarquerez que les prématurés présentent un retard de 10 à 15 semaines sur les enfants nés à terme pour la plupart des habiletés physiques.

Ces résultats sont tout à fait conformes à nos attentes, car les prématurés sont en fait moins avancés à âge égal par rapport aux bébés nés à terme. Si l'on tient compte de l'âge gestationnel de l'enfant, l'écart s'estompe presque (mais pas tout à fait). Les parents d'enfants prématurés doivent garder ce fait à l'esprit lorsqu'ils comparent les progrès de leur enfant avec ceux d'enfants nés à terme. À l'âge de deux ou trois ans, le prématuré qui est normalement constitué physiquement aura rattrapé ses pairs, mais au cours des premiers mois, il accuse un net retard.

GARÇONS ET FILLES. La première question qui vient à l'esprit lorsqu'on apprend qu'un ami ou un membre de la famille vient d'avoir un enfant est la suivante : « Est-ce une fille ou un garçon ? » On pourrait supposer qu'une telle question trouve son origine dans une différence marquée entre les bébés filles et les bébés garçons. Cela n'est pas le cas. Il existe peu de différences sexuelles dans le développement des jeunes enfants. Les filles gardent la légère avance qu'elles possédaient sur les garçons à la naissance en ce qui concerne certains aspects du développement physique, et les garçons présentent toujours une plus grande vulnérabilité ainsi qu'un taux de mortalité plus élevé. Les garçons possèdent plus de tissu musculaire que les filles. En revanche, les résultats concernant le niveau d'activité sont beaucoup moins tranchés. Lorsque les chercheurs observent néanmoins une différence, les garçons paraissent plus actifs (Eaton et Enns, 1986). Cependant, la plupart du temps, les chercheurs ne remarquent aucune différence (Cossette, Malcuit et Pomerleau, 1991). Les différences sont en fait plus prononcées entre les enfants issus de groupes ethniques distincts qu'entre les garçons et les filles (voir l'encadré intitulé « À travers les cultures »).

Le développement des enfants paraît essentiellement régi par des séquences et un calendrier innés. C'est assurément l'aspect du développement où l'on constate le moins de différences individuelles.

Tableau 4.2

Comparaison de bébés prématurés et nés à terme au cours des grandes étapes du développement de la première année de la vie

Étapes du développement	Âge d'accession pour 50 % des bébés	
	Prématurés (< 32 semaines)	Accouchement à terme
Redresse légèrement la tête	10 semaines	6 semaines
Passe un objet d'une main à l'autre	36 semaines	23 semaines
Se tourne sur lui-même	37 semaines	24 semaines
Rampe	51 semaines	36 semaines
Se met debout	51 semaines	42 semaines

Source : Den Ouden *et al.*, 1991, adapté du tableau V, p. 402.

À TRAVERS LES CULTURES

DIFFÉRENCES AU DÉBUT DU DÉVELOPPEMENT PHYSIQUE

Les séquences des changements physiques que nous avons décrites jusqu'ici valent apparemment pour les bébés de toutes les cultures, mais on note cependant quelques différences intéressantes.

Les bébés noirs — nés en Afrique ou ailleurs — ont un développement relativement plus rapide, avant et après la naissance. En fait, la période gestationnelle semble légèrement plus courte pour le fœtus noir que pour le fœtus blanc (Smith et Stenchever, 1978). Les bébés noirs semblent également se développer plus vite sur le plan moteur pour des habiletés comme la marche, et ils ont une taille légèrement supérieure à celle de leurs pairs blancs, des jambes plus longues, plus de tissu musculaire et des os plus lourds (Tanner, 1978).

En comparaison, le développement des enfants asiatiques est relativement plus lent en ce qui concerne les premières étapes du développement moteur. Cela peut refléter de simples différences dans la vitesse de maturation ou bien certaines différences ethniques quant au niveau d'activité ou de placidité du bébé ; c'est à cette conclusion qu'aboutissent les recherches effectuées par Daniel Freedman (1979).

Freedman a observé des nourrissons de quatre cultures différentes, soit nord-américaine (de race blanche), chinoise, navaho et japonaise. Il a découvert que les bébés de race blanche faisaient preuve de la plus grande activité et de la plus forte irritabilité, et qu'il était plus difficile de les consoler. Les enfants navahos et chinois étaient relativement calmes, alors que les enfants japonais réagissaient vigoureusement, mais il était plus facile de les consoler que les enfants de race blanche.

Par exemple, lorsque Freedman a fait passer des tests à chaque enfant pour vérifier le réflexe de Moro, les enfants de race blanche étendaient typiquement les deux bras en croix, pleuraient fort et longtemps, et tout leur corps s'agitait. Les bébés navahos réagissent très différemment. Plutôt que de projeter leurs membres vers l'extérieur, ils ramenaient leurs bras et leurs jambes, pleuraient rarement et manifestaient peu d'agitation ou une agitation très passagère.

De telles différences entre les nouveau-nés ne peuvent être le résultat d'un façonnement systématique de la part des parents. Par contre, l'éducation culturelle des parents intervient aussi dans l'interaction. Freedman et d'autres chercheurs ont noté que les mères japonaises et chinoises parlaient beaucoup moins à leurs enfants que les mères de race blanche. Ces différences de comportement des mères s'observent dès leur premier contact avec l'enfant, après l'accouchement. On peut donc en conclure que ce comportement ne constitue pas une réaction face au caractère plus calme de l'enfant. Cependant, de telles similitudes entre le tempérament de la mère et celui de l'enfant peuvent renforcer de tels modèles, ce qui tend à accentuer les différences culturelles avec le temps.

L'un des éléments clés de cette recherche nous apprend donc que ce que nous considérons comme « normal » peut être largement influencé par notre propre modèle culturel et nos propres suppositions.

SANTÉ

MORTALITÉ INFANTILE. En 1993 au Québec, le taux de mortalité infantile, soit le nombre d'enfants morts au cours de la première année de vie, s'élevait à 5,7 pour 1 000 naissances vivantes (il y a 10 ans, ce taux était de 7,6‰, et il y a 15 ans, de 11,5‰) ; la région du Nord du Québec présente toujours un taux inquiétant de 16‰ (Bureau de la Statistique du Québec, 1995). Aux États-Unis, le taux de mortalité infantile s'élève aujourd'hui à 9,1 pour 1 000 naissances vivantes. Le risque de mortalité ne sera plus jamais aussi élevé avant l'âge de 65 ans (Wegman, 1991).

La plupart des décès d'enfants se produisent pendant la période *néonatale*, à savoir le premier mois de la vie, et ils sont directement liés soit à des affections périnatales ou à des anomalies congénitales. Des décès surviennent plus tard au cours de la première année de vie. Certains de ces décès sont des cas de **mort subite du nourrisson** dans lesquels un enfant apparemment en bonne santé meurt de façon imprévisible. En 1993, 64 enfants, soit 12 % de la mortalité infantile, sont

Mort subite du nourrisson : Décès soudain d'un nourrisson jusque-là en bonne santé. La cause de ces décès est inconnue.

morts de cette façon au Québec (Statistique Canada, 1995). Certains bébés semblent plus prédisposés à ce syndrome, en particulier les enfants de faible poids à la naissance. Les mères jeunes ou celles qui ont été malades pendant leur grossesse, qui fumaient ou consommaient des drogues, ou qui ont déjà eu un enfant victime de ce syndrome, courent également un risque plus élevé de donner naissance à un enfant qui mourra dans ces conditions (Kandall et Gaines, 1991 ; Mitchell *et al.*, 1991).

Malgré l'ampleur des recherches consacrées à ce problème, les médecins ne connaissent toujours pas les causes de décès. Dans l'état actuel des connaissances, il semblerait qu'une anomalie dans la façon dont le cerveau assure la régulation de la respiration soit responsable de ce syndrome. On a constaté que la majorité — mais non pas la totalité — des nourrissons morts au berceau présentaient des irrégularités respiratoires avec des périodes *d'apnée* (interruption provisoire de la respiration) ou bien avaient récemment attrapé un rhume (Hunt et Brouillette, 1987). Par ailleurs, ces décès surviendraient plus fréquemment par temps frais et dans les pays au climat froid. Rappelons cependant que l'immense majorité des bébés qui attrapent un rhume ne meurent pas au berceau. Les chercheurs poursuivent activement leurs travaux afin de trouver la cause de ces décès mystérieux et de définir les mesures préventives appropriées.

MALADIES AU COURS DES DEUX PREMIÈRES ANNÉES. Presque tous les bébés tombent souvent malades. En Amérique du Nord, les données indiquent que les bébés contractent en moyenne sept maladies respiratoires au cours de la première année et huit durant la deuxième année. Certaines études récentes montrent que l'incidence de telles maladies est plus élevée chez les bébés en garderie que chez ceux qui sont élevés exclusivement à la maison, probablement parce qu'ils sont plus exposés à différents germes et virus dans les groupes de garderie (Hurwitz *et al.*, 1991). En règle générale, plus un bébé fréquente de personnes différentes, plus il risque de tomber malade (Wald, Guerra et Byers, 1991). Il faut cependant nuancer cette vision pessimiste. En effet, les enfants élevés exclusivement à la maison, et qui ont peu de

contacts extérieurs, présentent des risques élevés de contracter des maladies plus tard, lorsqu'ils commencent à aller à l'école. La fréquentation d'une garderie expose l'enfant plus tôt aux microorganismes responsables des infections des voies respiratoires.

DÉVELOPPEMENT COGNITIF

Dans notre quotidien, nous sommes tous appelés à accomplir des tâches qui nécessitent des compétences variées. Nous étudions en vue des examens, nous tentons de nous souvenir d'une liste d'épicerie, nous faisons les comptes, nous mémorisons des numéros de téléphone, nous utilisons des cartes routières. Chacun d'entre nous ne s'acquitte pas de ces tâches de la même façon ou à la même vitesse. Cependant, nous accomplissons ces activités chaque jour de notre vie.

Ces activités font appel à la *fonction cognitive*, soit ce que l'on appelle communément « pensée », « raisonnement » ou « intelligence ». Nous nous proposons d'étudier ici, et dans les autres chapitres traitant de la fonction cognitive à des âges différents, les processus qui permettent à l'individu d'acquérir de telles habiletés. Un enfant de un an ne peut se servir d'une carte routière ni équilibrer un budget. Quel cheminement nous conduit à accomplir ces tâches ? Pourquoi les enfants n'apprennent-ils pas tous au même rythme et avec la même facilité ?

PERSPECTIVES THÉORIQUES

Apporter une réponse à ces questions constitue une tâche complexe ; en effet, on peut concevoir la cognition ou l'intelligence selon trois perspectives différentes, qui ont mené chacune à des recherches et à des conclusions propres.

Trois conceptions de l'intelligence

La première approche du développement cognitif ou de l'intelligence en psychologie s'est attachée aux différences individuelles. De fait, nous ne sommes pas tous dotés des mêmes capacités intellectuelles, nous n'avons pas tous la même capacité de mémorisation, nous ne résolvons pas tous les problèmes à la même vitesse, nous n'avons pas tous le même vocabulaire et nous n'avons pas tous les même capacités d'analyse face à une situation complexe. Quand nous affirmons qu'une personne est « brillante » ou « très intelligente », nous faisons référence à de telles facultés et notre affirmation suppose qu'il est possible de classer les gens selon leur degré d'intelligence. C'est de cette hypothèse que sont nés les tests d'intelligence, qui servent à mesurer les capacités intellectuelles dans une optique comparative.

Santé

Q 10 Quelles sont les explications actuelles de la mort subite du nourrisson ? Quelles sont les possibilités d'intervention ?

Q 11 Quelle est la fréquence des maladies respiratoires au cours des deux premières années de la vie ?

Cette perspective, que Robert Sternberg (1979) qualifie d'*approche différentielle*, a longtemps prévalu. Elle fait ressortir les écarts entre les capacités intellectuelles de chacun. Cependant, cette théorie présente une grave lacune : elle ne tient pas compte de l'incontournable évolution des aptitudes cognitives, lesquelles deviennent plus complexes et plus abstraites avec l'âge. Si vous énoncez verbalement une liste d'épicerie à un enfant de cinq ans, ce dernier ne pourra se souvenir que de quelques articles parce qu'il n'utilisera pas une bonne stratégie pour se remémorer la liste. Par contre, un enfant de huit ans se souviendra d'un plus grand nombre d'articles car, sur le chemin de l'épicerie, il passera sans doute la liste en revue dans sa tête. Il peut également se rappeler que la liste comporte trois légumes, une stratégie qui lui permettra de ne pas oublier d'acheter ces trois articles.

Le fait que l'intelligence se développe de cette manière constitue le fondement de la deuxième grande théorie, à savoir la théorie du développement cognitif proposée par Jean Piaget et ses nombreux disciples. Piaget étudie le développement des *structures* cognitives plutôt que les capacités intellectuelles, en s'attachant aux modèles de développement *communs* à tous les enfants plutôt qu'aux différences individuelles.

Ces deux grandes théories se sont côtoyées pendant de nombreuses années, mais sans faire vraiment bon ménage. Une troisième théorie récente, appelée approche du traitement de l'information, intègre en partie les notions de capacités et de structures intellectuelles. Les tenants de cette dernière approche, tels Robert Sternberg (1985), Earl Butterfield (Butterfield, Siladi et Belmont, 1980) et Robert Siegler (1986 ; R. Siegler et Richards, 1982), tentent de repérer et de comprendre les *mécanismes sous-jacents*, c'est-à-dire les stratégies qui sous-tendent les activités cognitives, comme la mémoire et la planification. Une fois que l'on a repéré les mécanismes fondamentaux, on peut soulever des questions ayant trait aussi bien au développement qu'aux différences individuelles : Les mécanismes de base évoluent-ils avec l'âge ? La vitesse et l'habileté à utiliser ces mécanismes varient-elles d'un individu à l'autre ?

Nous ferons référence à ces trois théories quand nous traiterons du développement cognitif de l'être humain. Néanmoins, ces approches ne manifestent pas un intérêt égal pour tous les groupes d'âge. La théorie de Piaget prévaut nettement dans les recherches qui ont pour objet l'intelligence chez l'enfant, peut-être parce que Piaget fut le premier théoricien à expliquer le comportement de l'enfant en termes d'intelligence. C'est pourquoi l'essentiel de la section qui suit s'inscrit dans un cadre piagétien.

Période sensorimotrice selon Piaget

Nous avons vu au chapitre 2 que, pour Piaget, le bébé est engagé dès la naissance dans un processus d'*adaptation* qui vise à donner un sens à son environnement. Le bébé assimile l'information avec les schèmes dont il dispose à la naissance (vision, ouïe, succion, préhension) et il adapte (accommodation) ces schèmes en se basant sur son expérience. Tel est, selon Piaget, le point de départ du développement cognitif. Il désigne cette forme primitive de la pensée par le terme *intelligence sensorimotrice*, et il parle de **période sensorimotrice** pour définir l'ensemble des stades de cette période.

Caractéristiques fondamentales de l'intelligence sensorimotrice. Selon Piaget, le bébé vient au monde doté uniquement de schèmes sensoriels et moteurs. Dans un premier temps, il ne réagit qu'aux stimuli immédiats. Il ne fait pas de lien entre les événements d'une fois à l'autre, il ne semble pas réfléchir dans le sens d'une intention ou d'une planification. Cependant, au cours des deux premières années de la vie, le bébé parvient progressivement à comprendre que les objets continuent d'exister même lorsqu'ils sont hors de sa vue, et il est capable de se souvenir d'objets, d'actions et de personnes pendant un certain temps. Piaget précise néanmoins que l'enfant sensorimoteur n'est pas en mesure de *manipuler* ces premières images mentales ou souvenirs, ni de recourir à des *symboles* pour représenter des objets ou des événements. C'est cette capacité de maîtriser des symboles, mots ou images, vers l'âge de 18 à 24 mois, qui détermine

À première vue, ce bébé semble simplement s'amuser, mais il est en fait absorbé dans d'importantes activités cognitives : il essaie de comprendre le monde qui l'entoure.

Traitement de l'information : Terme utilisé pour désigner une nouvelle et troisième approche de l'étude du développement cognitif, qui s'attache aux changements survenant avec l'âge et aux différences individuelles dans les processus intellectuels fondamentaux.

Période sensorimotrice : Terme utilisé par Piaget pour définir la première période importante du développement cognitif, qui correspond à peu près aux deux premières années de la vie et au cours de laquelle l'enfant passe des mouvements réflexes aux actes volontaires.

l'accession à l'étape suivante, soit la *période préopératoire*. Selon John Flavell :

> *L'intelligence de l'enfant est très pratique, elle est centrée sur la perception et l'action. L'enfant n'utilise pas les stratégies que l'on attribue traditionnellement à l'intelligence, soit la contemplation, la réflexivité et la manipulation des symboles. Le savoir de l'enfant va dans le sens d'une reconnaissance des objets ou d'une anticipation d'événements connus, et sa pensée est une réaction à ces objets ou événements qu'il actualisera en utilisant ses mains, sa bouche, ses yeux ou d'autres instruments sensorimoteurs de façon prévisible, organisée et souvent adaptative. C'est le genre d'intelligence non contemplative qui permet à votre chien de s'adapter à son environnement. (1985, p. 13.)*

Le passage du répertoire très limité de schèmes du nouveau-né à la maîtrise des symboles vers l'âge de 18 à 24 mois s'effectue de façon très progressive. Piaget décrit six stades (voir le tableau 4.3).

Chacun des stades se démarque du précédent par des progrès bien spécifiques. Au stade 1, le nouveau-né pratique l'« *exercice des réflexes* » ; les mouvements effectués, essentiellement réflexes, vont peu à peu s'adapter et devenir de plus en plus harmonieux. C'est ainsi que le réflexe de succion, par exemple, devient de mieux en mieux exécuté par le bébé. Le stade 2 se caractérise par la mise en place d'importantes coordinations telles que la coordination entre la vision et l'ouïe, le geste d'atteinte et la vision, ainsi que le geste d'atteinte et la succion, qui constituent les principaux moyens dont dispose un nourrisson de deux mois pour explorer son environnement. Le terme *réactions circulaires primaires* désigne les actions simples et répétitives que le bébé exécute à ce stade et qui sont toutes centrées sur son propre corps. Le bébé met son pouce à la bouche de façon fortuite, trouve cela agréable et répète cette action. Les *réactions circulaires secondaires*, au stade 3, ne diffèrent que par le fait que, cette fois, le bébé répète une action dans le but de provoquer une réaction à l'extérieur de son corps. Le bébé gazouille et maman sourit,

alors il gazouille encore, apparemment pour faire sourire sa mère de nouveau. Les premières relations entre l'action et le résultat extérieur sont très simples et plutôt automatiques. Ce n'est qu'au stade 4, avec l'apparition de la *coordination des schèmes secondaires*, que l'on observe véritablement un début de compréhension des liens de cause à effet, et c'est à ce moment que le bébé fait un réel bond en avant dans l'exploration du monde qui l'entoure.

Au stade 5, l'exploration s'accentue encore avec l'apparition de ce que Piaget appelle les *réactions circulaires tertiaires*. Le bébé ne se contente plus de répéter l'action d'origine, il essaie des variations sur le même thème. Au cours de ce stade, il va essayer d'autres sons ou d'autres expressions faciales pour voir si elles vont provoquer le sourire de maman, ou bien il va essayer de faire tomber un jouet de plusieurs hauteurs différentes pour voir si celui-ci fera un bruit différent ou s'il atterrira à des endroits différents. Ce comportement de l'enfant fait penser à une démarche expérimentale où chaque variable est étudiée systématiquement. Néanmoins, Piaget pense que, même à ce stade, le bébé ne se représente pas encore les objets au moyen de *symboles*. Ce n'est qu'au stade suivant que le bébé va commencer à s'en servir. L'accès à la *représentation symbolique* permet à l'enfant de s'imaginer un objet même en son absence.

En consultant le tableau 4.3, vous pouvez également constater que, parallèlement à ses expérimentations, le bébé devient de plus en plus doué pour l'imitation. Selon Piaget, le nouveau-né est incapable d'imiter. Mais des travaux récents montrent que le bébé peut imiter les actions des autres au stade 3, à condition que ces actions fassent déjà partie de son propre répertoire comportemental — en d'autres termes, s'il possède déjà ce schème. Au stade 4, le bébé peut maintenant apprendre quelque chose de nouveau en imitant. Au stade 6, on voit apparaître l'imitation différée. Ainsi, le trottineur est capable de différer l'exécution de son imitation, c'est-à-dire de reproduire le geste plusieurs minutes ou plusieurs heures après l'avoir observé. Pour ce faire, il doit se représenter l'action mentalement, la garder en mémoire afin de la reproduire à un moment donné.

La description par Piaget de cette séquence de développement, largement inspirée de l'observation détaillée des

Ce bébé de deux mois utilise simultanément deux schèmes sensorimoteurs de base : l'observation et la préhension.

Théories du développement cognitif

Q 12   Quelles sont les trois conceptions de l'intelligence ? En quoi diffèrent-elles ?

Q 13   Quelles sont les caractéristiques des six stades de la période sensorimotrice ?

Tableau 4.3

Stades de la période sensorimotrice selon Piaget

Stade	Âge	Nom donné par Piaget	Caractéristiques de ce stade
1	0 à 1 mois	Exercice des réflexes	Le nouveau-né exerce ses réflexes innés (comme la succion et l'observation). Ces réflexes sont progressivement modifiés (accommodés) par l'expérience. Il est incapable d'imiter ou de combiner des informations perçues par plusieurs sens.
2	1 à 4 mois	Réactions circulaires primaires	Autres accommodations des schèmes de base que le nourrisson répète sans relâche (préhension, observation, succion). Début de coordination entre des schèmes provenant de différents sens. Le bébé observe maintenant quand il entend et il porte à sa bouche tout ce qu'il peut trouver. Il n'établit pas encore de lien entre ses actions et leurs effets à l'extérieur de son corps.
3	4 à 8 mois	Réactions circulaires secondaires	Le bébé devient de plus en plus conscient des événements qui se déroulent à l'extérieur de son corps, et il les provoque même de manière répétitive, dans une sorte d'apprentissage par essais et erreurs. La compréhension du lien de cause à effet n'est pas encore évidente. Le bébé commence à imiter, mais seulement lorsque les schèmes figurent dans son répertoire. Le concept d'objet se développe durant ce stade.
4	8 à 12 mois	Coordination des schèmes secondaires	Les comportements intentionnels apparaissent clairement à ce stade. L'enfant ne se contente pas de chercher à obtenir ce qu'il veut, il combine des gestes pour y parvenir. Le bébé peut par exemple déplacer un oreiller afin d'atteindre un jouet. Il imite de nouveaux comportements et transfère l'information d'un sens à l'autre (transfert intermodal).
5	12 à 18 mois	Réactions circulaires tertiaires	L'expérimentation commence : le jeune enfant expérimente de nouvelles façons de jouer ou de manipuler les objets. Il entreprend des explorations volontaires très actives, en recherchant les différents effets que produisent ces variations.
6	18 à 24 mois	Représentation symbolique	L'enfant commence à utiliser des symboles pour représenter les objets ou les événements. L'enfant comprend que le symbole est distinct de l'objet. C'est aussi le début de l'imitation différée, car elle nécessite la capacité de se représenter mentalement un événement absent.

premiers mois de vie de ses trois enfants, a suscité de nombreuses recherches ; certaines confirment, d'autres infirment la justesse de ses hypothèses générales.

RECHERCHES RÉCENTES SUR LA COGNITION CHEZ L'ENFANT

Nous avons abordé au début de ce chapitre le développement des capacités perceptives au cours des premiers mois. Nous allons maintenant traiter de certains résultats de recherches récentes sur la cognition, plus particulièrement en ce qui concerne l'intérêt des bébés pour les relations entre les objets, la capacité de combiner l'information provenant de plusieurs sens (transfert intermodal), ou encore le développement du concept d'objet et l'imitation. Ces travaux de recherche n'ont pas tous été menés dans l'optique de Piaget, mais ils nous renseignent sur les capacités du bébé et nous permettent par la même occasion d'évaluer plusieurs aspects de la théorie de Piaget.

INTÉRÊT DES BÉBÉS POUR LES RELATIONS ENTRE LES OBJETS. Selon nous, la découverte la plus surprenante issue des recherches récentes est la capacité du nourrisson, dès l'âge de trois ou quatre mois, de prêter attention aux *relations* entre les objets ou à certaines caractéristiques des objets. Supposez que vous montriez un par un une série de dessins à des enfants, lesquels représentent un petit objet au-dessus d'un gros objet de la même forme (comme sur la rangée supérieure de la figure 4.3). Après avoir observé une série de ces dessins, les bébés s'habituent. Autrement dit, ils vont les observer pendant des périodes de plus en plus courtes, et finalement ils ne jetteront plus qu'un coup d'œil à la nouvelle version de la figure avant de regarder ailleurs : « Hum, encore un de ces dessins ! » Une fois que l'**habituation** est établie, vous pouvez introduire un dessin de test, semblable à celui qui est montré en bas de la figure 4.3, qui illustre le modèle inverse, soit un gros objet au-dessus d'un petit. Vous risquez fort de constater un regain d'intérêt de la part des nourrissons de trois ou quatre mois pour ce modèle différent. Par conséquent, l'habituation initiale du bébé ne concerne pas les stimuli *particuliers*, mais bien la répétition d'une organisation particulière des stimuli (Caron et Caron, 1981).

Lorsque l'on utilise des stimuli auditifs, on observe le même intérêt pour les relations sonores chez les bébés plus jeunes encore. C'est ce qu'illustre une autre étude remarquable effectuée par DeCasper (DeCasper et Spence, 1986). Ce chercheur a demandé à des femmes enceintes de lire chaque jour à voix haute une histoire pour enfants, comme « The Cat in the Hat » de Seuss (des histoires pleines de jeux de mots qui favorisent l'apprentissage de la langue chez l'enfant), pendant les six dernières semaines de leur grossesse. Après la naissance des enfants, il a fait écouter aux nourrissons l'enregistrement de la mère en train de lire la même histoire ou une autre histoire inconnue, afin de voir laquelle ils préféraient. La préférence des nouveau-nés allait très nettement à l'histoire qu'ils avaient entendue lorsqu'ils étaient dans l'utérus.

De même, certaines études ont montré que des enfants de six mois qui écoutent des mélodies peuvent y reconnaître des séquences spécifiques. Sandra Trehub et ses collaborateurs (Trehub, Thorpe et Morrongiello, 1985 ; Trehub, Bull et Thorpe, 1984) ont habitué des bébés de six mois à tourner la tête vers un haut-parleur pour écouter une mélodie particulière en six tons. Trehub a ensuite vérifié si les bébés tournaient toujours la tête lorsqu'ils entendaient des variantes de la mélodie. Les bébés continuaient de tourner la tête lorsque les mélodies suivaient la même progression (les notes montant et descendant suivant la même séquence) et se situaient à peu près dans le même registre. Ils ne tournaient pas la tête si la mélodie changeait ou si les notes étaient beaucoup plus graves ou beaucoup plus aiguës. Par conséquent, dès les premiers mois, les nourrissons semblent prêter attention aux relations entre les stimuli ; ils ne réagissent pas seulement aux sons particuliers. Il reste à déterminer si cette tendance à réagir aux structures est inscrite dans le système neurologique ou si elle est le résultat de l'apprentissage de l'enfant après la naissance. Cette question se trouve au cœur de nombreux débats théoriques et empiriques (Morrongiello, 1988).

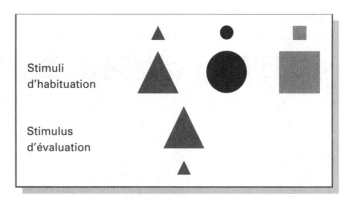

Figure 4.3 Test sur les relations entre les stimuli. Caron et Caron ont utilisé ce type de dessins dans une étude visant à vérifier si les enfants accordaient de l'attention aux relations entre les stimuli. Les bébés ont, dans un premier temps, été habitués à des séries de dessins, reproduisant toutes la même structure d'organisation, comme sur la rangée supérieure ici. Puis, on leur a montré soit d'autres dessins reproduisant la même organisation, soit des dessins reproduisant une organisation inversée, comme le dessin en bas de la figure. Les bébés de trois ou quatre mois manifestaient alors un regain d'intérêt pour le stimulus d'évaluation, ce qui indique qu'ils avaient repéré la structure et voyaient qu'elle avait changé.

Cependant, on peut difficilement imaginer que cette tendance découle exclusivement de l'apprentissage, comme en témoigne l'étude de DeCasper sur les histoires racontées aux fœtus. Quoi qu'il en soit, il est remarquable que les bébés soient attentifs à l'organisation, aux séquences et aux relations entre les sons et les objets.

TRANSFERT INTERMODAL. Si vous songez à la façon dont vous recevez et utilisez l'information perceptive, vous vous rendrez compte que vous obtenez rarement de l'information d'un seul sens à la fois. Souvent interviennent *à la fois* l'ouïe et la vue, le toucher et la vue, ou des combinaisons plus complexes faisant intervenir l'odorat, la vue, le toucher et l'ouïe. Vous êtes en outre capable de combiner cette information, de sorte que vous connaissez le son associé à telle vision particulière, ou la sensation associée à une vision

---

À un âge plus avancé, la capacité de retenir une mélodie varie beaucoup d'un enfant à l'autre. On peut supposer que les bébés qui étaient particulièrement doués pour différencier les mélodies vont faire preuve de facilité plus tard pour apprendre des chansons. Quel type de recherche vous permettrait de vérifier cette hypothèse ?

Habituation : Diminution automatique de l'intensité d'une réaction à un stimulus répété, laquelle permet à l'enfant ou à l'adulte d'ignorer ce qui est familier et de se concentrer sur la nouveauté.

particulière. Vous pouvez également transférer l'information d'un sens à l'autre. Après avoir observé un objet sans le toucher, vous seriez probablement capable de le trouver dans le noir. En effet, vous savez à quelle sensation vous attendre, d'après ce que vous avez vu. Il s'agit d'un exemple de **transfert intermodal**.

Si vous consultez de nouveau le tableau 4.3, vous verrez que Piaget pensait que l'intégration la plus primitive d'informations sensorielles (comme regarder dans la direction d'un son ou regarder ses mains lorsque l'on touche un objet) ne s'observait pas avant le stade 2, et que le transfert intermodal n'apparaissait pas avant le stade 4, soit à l'âge de huit mois ou plus tard. Ces deux affirmations ont été remises en cause. Les bébés associent au moins la vision et l'ouïe immédiatement après la naissance : en effet, ils tournent la tête pour regarder en direction de la provenance du son. Il semble même que le transfert intermodal soit possible dès l'âge de un mois, et qu'il soit très courant à six mois (Rose et Ruff, 1987).

Par exemple, si vous donnez une tétine rugueuse à un bébé, vous pouvez évaluer le transfert intermodal en montrant au bébé des photographies de tétine rugueuse et de tétine lisse. Si le bébé regarde plus longtemps la tétine rugueuse, cela signifiera qu'il y a eu un transfert intermodal. Lorsque Meltzoff et Borton (1979) ont réalisé cette expérience, ils ont noté que les enfants de un mois préféraient toujours regarder l'objet qu'ils avaient sucé plus tôt. Les autres investigateurs n'ont pas toujours observé des transferts intermodaux chez des enfants aussi jeunes, ce qui indique que le phénomène n'est pas encore bien ancré à cet âge.

Chez les enfants plus âgés, on observe de façon beaucoup plus systématique l'intégration intersensorielle (le transfert), et ce non seulement entre le toucher et la vue, mais encore entre l'ouïe et la vue. Ainsi, grâce à des expériences particulièrement ingénieuses, Elizabeth Spelke a montré que les nourrissons de quatre mois pouvaient associer des sons rythmiques à des mouvements (1979). Spelke a présenté simultanément deux films à des bébés. L'un des films montrait un jouet : un kangourou en train de sauter de haut en bas. L'autre film montrait un âne en train de sauter lui aussi, mais l'un sautait plus rapidement que l'autre. Un haut-parleur situé entre les deux écrans diffusait le son rythmique des sauts correspondant au rythme de l'un des deux films. Dans cette situation, les bébés passaient plus de temps à regarder le film correspondant à la bande sonore qu'ils entendaient. Par conséquent, dès un très jeune âge, les bébés associent le son à la vision et s'attendent à ce que les modèles des deux sources correspondent.

Le nombre croissant de recherches sur le transfert intermodal ont soulevé quelques questions théoriques importantes. D'une part, il est maintenant parfaitement clair que le bébé n'a pas besoin du langage pour transférer l'information d'un sens à l'autre. Par ailleurs, le fait que l'enfant effectue au moins certains transferts dès les premières semaines de la vie, avant même d'avoir expérimenté directement chaque sens, met en évidence la possibilité que certaines relations peuvent être innées.

En définitive, il semble que Piaget ait mésestimé les capacités du nourrisson, non seulement en ce qui concerne l'âge auquel ces habiletés se développent, mais peut-être quant à la réalité même d'un tel développement. On commence à croire qu'une grande partie de notre compréhension fondamentale des événements serait déjà présente à la naissance ; des études récentes sur le concept d'objet viennent étayer cette conclusion.

Développement du concept d'objet

L'une des observations les plus remarquables de Piaget porte sur le fait que les enfants paraissent ignorer totalement certaines propriétés des objets que les adultes tiennent pour acquises. Nous savons vous et moi que les objets existent en dehors des actions que nous exerçons sur eux. Un ordinateur existe indépendamment du fait qu'on le regarde ou non, et nous savons pertinemment qu'il est toujours dans notre bureau, même si nous sommes ailleurs. Piaget parle de **permanence de l'objet** pour qualifier cette conscience. Selon Piaget, les bébés n'ont aucune idée de ce genre de chose à la naissance, et ils n'acquièrent des connaissances que progressivement au cours de la période sensorimotrice (Piaget, 1952, 1954 ; Flavell, 1985).

À 6 mois, Claire ne regarde pas son jouet quand elle le porte à sa bouche, mais elle est néanmoins en train d'apprendre quelque chose : ce à quoi il devrait ressembler, d'après ce qu'elle sent dans sa bouche et dans ses mains.

Transfert intermodal : Aptitude à coordonner l'information donnée par deux sens, ou à transmettre l'information obtenue par un sens à un autre sens à un moment ultérieur, comme reconnaître visuellement un objet que l'on a précédemment exploré avec les mains seulement.

Permanence de l'objet : Conscience qu'un objet continue d'exister même s'il n'est plus visible. De façon plus générale, c'est le fait de comprendre que les objets existent indépendamment de l'action que l'on exerce sur eux.

Durant les stades 1 et 2 de la période sensorimotrice, le bébé suit un objet ou une personne jusqu'à ce qu'ils quittent son champ de vision, puis il semble perdre tout intérêt. Littéralement, loin des yeux, loin du cœur. Piaget pensait que le jeune enfant n'avait aucune intuition du fait que les personnes ou les objets ont une existence propre et qu'ils continuent d'exister même lorsqu'ils sont hors de son champ de vision ou hors de portée.

Au cours du stade 3, le bébé commence à anticiper le mouvement des objets. S'il fait tomber un objet de sa chaise haute, il se penche pour voir où l'objet est probablement tombé. Si vous recouvrez partiellement d'un linge un objet convoité par le bébé, il continuera d'essayer de l'attraper. Par contre, si vous couvrez totalement l'objet, il s'en désintéressera, comme on peut le voir sur les photographies de la figure 4.4.

Pendant le stade 4, lequel débute à environ huit mois, le bébé continuera de chercher à attraper l'objet ou retirera la couverture que l'on a posée sur l'objet convoité. Cependant, les bébés de cet âge sont curieusement limités dans ce nouveau comportement. Supposons maintenant que vous dissimuliez plusieurs fois un objet au même endroit, et que le bébé le retrouve à chaque fois. Puis, à la vue du bébé,

Figure 4.4 Permanence de l'objet. Un bébé au stade 3 du développement de la permanence de l'objet. Elle cesse d'essayer d'atteindre un objet dès que l'on place un écran devant, et rien dans son comportement n'indique qu'elle sait que l'objet est toujours là.

vous cachez le jouet dans un autre endroit et vous le couvrez d'un autre linge. Les bébés au stade 4 cherchent encore l'objet au *premier* endroit. Piaget considérait par conséquent que le bébé ne possède pas de représentation interne complète de l'objet et qu'il ne comprend pas que l'objet peut être déplacé. Il a seulement développé un schème sensorimoteur qui associe l'objet à sa découverte au premier endroit. En termes d'apprentissage, il a acquis une simple habileté sensorimotrice plutôt qu'une véritable compréhension de la permanence des objets.

Au stade 5, l'enfant cherche à l'endroit où il a vu l'objet pour la dernière fois. Ainsi, le bébé distingue l'objet de ses propres actions pour le retrouver. Il a franchi un grand pas vers la permanence de l'objet.

Cette séquence du développement s'est révélée si remarquable, si intéressante et tellement surprenante pour la plupart des chercheurs (et des parents) qu'elle a fait l'objet d'un nombre considérable de recherches. La plupart des chercheurs sont arrivés à la conclusion que la description de Piaget concernant cette séquence était exacte. De fait, si l'on suit la même méthode que Piaget, on obtient des résultats très similaires, et ce avec des enfants de n'importe quelle culture.

Des recherches plus récentes ont cependant mis en évidence que la compréhension que les bébés ont de la permanence des objets va au-delà de ce que Piaget supposait. Ainsi, René Baillargeon (1987; Baillargeon, Spelke et Wasserman, 1985; Baillargeon et DeVos, 1991) a trouvé, dans une série d'études très astucieuses, que les bébés de trois mois et demi ou quatre mois montrent des signes d'entendement de la permanence des objets lorsqu'on étudie leur réaction *visuelle* et non tactile. De même, Elizabeth Spelke (1991) a montré que les très jeunes enfants réagissaient aux objets d'une façon beaucoup moins transitoire et éphémère que Piaget ne le pensait. En particulier, les nourrissons de deux ou trois mois sont remarquablement conscients du genre de mouvements dont les objets sont capables, même lorsqu'ils sont hors de vue. Ils s'attendent à ce que les objets continuent leur déplacement selon leur direction initiale, et manifestent de la surprise s'ils apparaissent ailleurs. Ils semblent également se rendre compte que les objets solides ne peuvent pas passer au travers d'autres objets solides.

Lors d'une de ses expériences, Spelke (1991) a utilisé le procédé illustré schématiquement dans la partie supérieure de la figure 4.5. On a montré à des bébés de deux mois une série répétitive d'événements. Il s'agit de la section «familiarisation» sur la figure: on faisait rouler un ballon de la gauche vers la droite, et il disparaissait derrière un écran. On enlevait l'écran et le bébé pouvait alors constater que le ballon avait été arrêté par un mur, sur la droite. Une fois que le bébé semblait se lasser de cette séquence (habituation), on lui faisait passer des tests avec deux variantes, l'une concordante

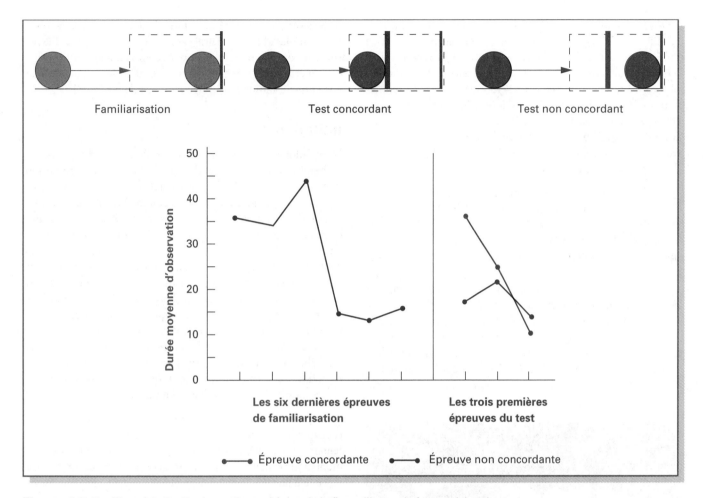

Familiarisation   Test concordant   Test non concordant

Figure 4.5 Expérience de Spelke. La partie supérieure de la figure illustre de façon schématique les trois conditions que Spelke a utilisées. La partie inférieure montre les résultats de l'expérience. Vous pouvez remarquer que le bébé cesse de regarder la balle et l'écran après quelques épreuves de familiarisation, mais qu'il manifeste un regain d'intérêt pour la version non concordante. Cela prouve que le bébé la considère d'une certaine manière comme différente ou surprenante. L'étonnement des enfants devant l'épreuve non concordante constitue en soi une preuve que, dès l'âge de deux mois, les enfants ont une connaissance des objets et de leur comportement bien plus grande que ne le pensait Piaget. (*Source*: Spelke, 1991, figures 5.3 et 5.4.)

Tous les bébés âgés de 8 à 12 mois aiment jouer à « faire coucou ». Le plaisir qu'ils en retirent semble provenir de la certitude que le visage de la personne existe toujours lorsqu'il est couvert. Lorsque le visage réapparaît, cela confirme leurs attentes et ils sont ravis.

et l'autre non. Dans la variante concordante, un second mur était placé derrière l'écran. La séquence était reproduite comme avant, à la différence que, lorsqu'on ôtait l'écran, le ballon était arrêté par le mur le plus proche. Dans la variante non concordante, le ballon était discrètement placé de l'autre côté du nouveau mur. Lorsqu'on enlevait l'écran, le ballon se trouvait donc dans ce nouvel endroit logiquement impossible. Dans cette expérience, les bébés ont manifesté peu d'intérêt pour la version concordante, mais ils ont présenté un regain d'intérêt pour la version non concordante, comme vous pouvez le constater au bas de la figure 4.5, qui montre les résultats de l'expérience.

De telles découvertes ont réouvert le débat sur la théorie de Piaget concernant la permanence de l'objet. De façon plus générale, elles ont relancé la discussion sur l'opposition entre nature et culture (Fischer et Bidell, 1991 ; Diamond,

1991; Karmiloff-Smith, 1991). Quel est notre bagage inné à la naissance? Piaget n'a jamais dit, bien sûr, que *rien* n'est inné. Il pensait que le bébé naissait doté d'un répertoire de schèmes sensorimoteurs. Mais sa proposition théorique la plus fondamentale soutient que l'enfant *construit* sa compréhension du monde grâce à l'expérience. Le nouvel argument consiste à dire que le bébé naît doté non seulement d'une connaissance particulière du monde, mais encore de contraintes ou de préjugés innés qui déterminent la façon dont il traite l'information.

Spelke a conclu de ses recherches que le développement de la compréhension des objets relève davantage d'un processus d'élaboration que de découverte. Les nouveau-nés ou les nourrissons peuvent avoir une conscience considérable des objets en tant qu'entités distinctes, répondant à certaines organisations. Toutes les recherches sur la perception des relations entre les objets donnent à penser assurément que les bébés accordent beaucoup plus d'attention aux relations entre les événements que les théories de Piaget ne permettaient de le supposer. En réalité, la recherche sur les préférences des bébés pour les visages attrayants, dont il est question dans l'encadré de la page 95, suggère l'existence de préférences innées pour certains modèles. Cependant, Spelke ne va pas

jusqu'à dire que le bébé naît doté d'une connaissance sophistiquée sur les objets ou d'une capacité bien développée d'expérimenter dans le monde. Il reste à savoir à quel point de telles découvertes remettent en question la théorie de Piaget, mais elles ont du moins l'avantage d'avoir relancé le débat.

Imitation

Nous allons nous pencher ici sur l'une des directions de recherche inspirées par la théorie de Piaget sur la cognition de l'enfant, soit les études sur l'*imitation*. Piaget estimait que, dès les premiers mois, les enfants étaient capables d'imiter les actions qu'ils pouvaient se voir eux-mêmes reproduire, comme les gestes avec les mains. Par contre, il était convaincu que le bébé ne pouvait imiter les mimiques faciales qu'à partir du stade 4 (8 à 12 mois). Ces imitations requièrent en effet une forme de transfert intermodal: il faut transférer les informations visuelles, que l'on observe sur le visage de l'autre, en indications kinesthésiques sur son propre visage. Comment pourrions-nous imiter l'expression autrement? Enfin, Piaget pensait que l'imitation différée, dans laquelle un bébé voit quelque chose à un moment donné mais le reproduit plus tard, ne survient qu'au stade 6, lorsque la représentation interne a déjà commencé.

La détermination du moment à partir duquel un bébé est capable d'imiter revêt une grande importance, et pas seulement afin de vérifier la théorie de Piaget. Cela peut également nous enseigner à partir de quel moment un enfant est capable d'apprendre grâce à un modèle, c'est-à-dire une forme majeure d'apprentissage proposée par les théoriciens de l'apprentissage social comme Bandura.

Globalement, la séquence proposée par Piaget a été confirmée. L'imitation par les enfants du mouvement des mains ou des actions avec des objets semble s'améliorer considérablement dès l'âge de un ou deux mois. L'imitation d'actions en deux parties vient beaucoup plus tard, peut-être à l'âge de 15 ou 18 mois (Poulson, Nunes et Warren, 1989). Cependant, des études sur l'imitation chez les nouveau-nés et sur l'imitation différée proposent des résultats qui vont à l'encontre de la théorie de Piaget (voir la figure 4.6).

La recherche sur la capacité d'imitation des nouveau-nés fait l'objet de controverses. Récemment, de nombreux travaux ont montré que les nourrissons imitent certaines expressions du visage, comme tirer la langue (Meltzoff et Moore, 1983; Field *et al.*, 1982). Toutefois, cette découverte

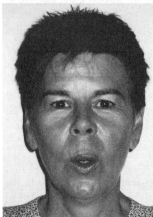

Figure 4.6 Imitation précoce. On a demandé à cette maman de prendre une expression de surprise devant son nourrisson. Le bébé a imité cette expression. Cette expérience nous confirme que le bébé est capable d'imiter à un âge beaucoup plus précoce que ne le pensait Piaget.

Selon Spelke, sa recherche montre que les bébés ont, dès la naissance, une grande connaissance innée des objets. Que répondrait à cela un disciple de Piaget?

capitale n'a pas toujours été confirmée (Poulson *et al.*, 1989). Le facteur clé semble être la durée de la présentation du modèle. Si le modèle tire la langue pendant au moins 60 secondes, le nouveau-né l'imitera ; au-dessous de cette durée, le bébé ne l'imitera pas (Anisfeld, 1991).

L'âge auquel un enfant est en mesure de produire une imitation différée fait l'objet d'un autre débat. Meltzoff (1988) a découvert que les bébés de 9 mois avaient parfois la capacité de différer une imitation de 24 heures. Généralement, on considère que la capacité d'imitation différée se développe entre 14 et 18 mois, ce qui rejoint davantage la théorie de Piaget.

Ces découvertes suggèrent que les bébés sont plus habiles et possèdent plus de capacités innées que ne le pensait Piaget. Toutefois, on ne saurait encore dire si le bébé *construit* sa compréhension du monde en se basant sur ses expériences, ou si sa compréhension et son expérience sont *contraintes* par des préjugés innés. Vous ne serez pas étonnés d'apprendre que les mêmes questions se posent lorsqu'on observe les premiers stades du développement du langage pendant la petite enfance.

DIFFÉRENCES INDIVIDUELLES DANS LE DÉVELOPPEMENT SENSORIMOTEUR

Les discussions portant sur les différences individuelles en ce qui concerne les capacités cognitives sont presque toujours exprimées en terme d'« intelligence ». On se demande si les individus se développent à des rythmes différents et si ces différences persistent dans le temps. Ce type de questions sur le développement infantile a d'importantes répercussions pratiques : si l'on pouvait mesurer avec précision les différents rythmes de développement (ou modèles de développement) pendant les premiers mois de la vie, il serait peut être possible de dépister les enfants susceptibles d'avoir des difficultés scolaires ou des problèmes d'apprentissage de la lecture.

La construction d'une tour de plusieurs cubes par des enfants de 17 mois constitue l'un des éléments des échelles de Bayley, qui évaluent le développement de l'enfant.

On serait alors en mesure d'intervenir très tôt en prévenant le problème ou du moins en réduisant son ampleur.

Le principal objectif des divers tests de Q.I. (quotient intellectuel) pour enfants était de repérer, grâce aux scores obtenus, les enfants ayant des problèmes réels ou potentiels. En général, ces tests sont conçus davantage comme des tests de Q.I. destinés à des enfants plus âgés : ils comportent des items classés en fonction de l'âge de l'enfant, ou des éléments classés par ordre croissant de difficulté. La performance des enfants est alors comparée à la performance moyenne d'autres enfants du même âge pour obtenir un score de type Q.I. Dans le cas des tests pour très jeunes enfants, les items mesurent d'abord les capacités sensorielles et motrices, comme :

- Atteindre une clochette suspendue (3 mois)
- Découvrir un jouet caché sous un linge (8 mois)
- Mettre, lorsqu'on le demande, des cubes dans une tasse (9 mois)
- Construire une tour avec trois cubes (17 mois)

Les **échelles de Bayley** (Bayley, 1969) constituent la version moderne la plus fréquemment utilisée du test de Q.I. Ces tests mesurent le développement mental (échelle mentale) et le développement moteur (échelle motrice) de l'enfant.

La plupart des auteurs de tests destinés aux très jeunes enfants pensaient que les tests pour jeunes enfants mesuraient les mêmes processus intellectuels que les tests pour des enfants plus âgés et qu'ainsi, les résultats seraient confirmés plus tard par des tests équivalents. Toutefois, les résultats empiriques ne valident pas cette hypothèse. Les scores de tests pour enfants ne prédisent pas avec précision les scores ultérieurs obtenus aux tests de Q.I. La corrélation typique entre le score sur l'échelle mentale de Bayley obtenu par un enfant de 12 mois et le score de Q.I. d'un enfant de 4 ans n'est que de 0,20 à 0,30 (Bee *et al.*, 1982) ; ce résultat est significatif, mais pas convaincant. Les échelles de Bayley et d'autres échelles semblables permettent de repérer les enfants qui présentent de sérieux retards de développement (Frankenberg *et al.*, 1975 ; M. Lewis et Sullivan, 1985). Mais dans l'ensemble, ces tests se sont révélés moins fiables qu'on ne l'avait cru pour prédire le Q.I. ou la performance scolaire d'un enfant. Il y a plus de dix ans, Robert McCall résumait de manière succincte les découvertes empiriques effectuées dans ce domaine :

> *Cinq décennies de recherche montrent que la corrélation entre le comportement de l'enfant et son Q.I. ultérieur est tellement faible qu'elle ne présente aucun intérêt sur le plan théorique et aucune utilité sur le plan clinique. (1981, p. 141.)*

Échelles de Bayley : Test le plus connu et le plus utilisé pour évaluer l'intelligence d'un enfant.

McCall en était donc arrivé à la conclusion qu'il fallait abandonner les recherches visant à établir un lien entre le rythme (vitesse) ou la séquence du développement de l'intelligence sensorimotrice et les capacités cognitives ultérieures. Cependant, McCall, ainsi que de nombreux autres psychologues, devait changer d'avis lorsqu'il prit connaissance des nouveaux travaux effectués sur le traitement de l'information.

En effet, il y a une dizaine d'années, certains chercheurs ont affirmé que l'on faisait fausse route dans l'évaluation d'indicateurs des fonctions intellectuelles ultérieures chez l'enfant (Fagan et McGrath, 1981 ; M. Lewis et Brooks-Gunn, 1981 ; Miranda et Fantz, 1974). Selon eux, il fallait plutôt mesurer la capacité de l'enfant à traiter l'information de façon fondamentale. La méthode qu'ils ont suggérée consistait à mesurer la vitesse d'habituation chez les bébés âgés de trois et quatre mois. Dans le procédé courant, les chercheurs comptent le nombre d'expositions nécessaires à un stimulus avant que le bébé cesse d'y prêter attention. La rapidité avec laquelle une telle habituation se met en place peut nous fournir des informations sur l'efficacité du système perceptif/conceptuel et sur sa structure neurologique sous-jacente. Si cette efficacité sous-tend certaines caractéristiques que l'on appelle « intelligence », il est alors possible que les différences individuelles du degré d'habituation observées pendant les premiers mois de la vie laissent présager les scores ultérieurs aux tests d'intelligence.

Et c'est exactement ce qu'ont découvert certains chercheurs. En effet, il existe une corrélation positive entre le degré d'habituation des bébés de quatre à six mois, le Q.I. et le développement du langage à l'école maternelle et à l'école élémentaire. Ainsi, un degré d'habituation lent est associé à un Q.I. faible et à une faible capacité verbale, tandis qu'un degré d'habituation rapide est associé à un meilleur Q.I. (Bornstein, 1989 ; Colombo et Mitchell, 1990 ; Fagan, 1984 ; Sigman *et al.*, 1991). La corrélation moyenne se situe entre 0,45 et 0,50, ce qui n'est pas parfait, mais beaucoup plus élevé que les corrélations que l'on observe entre les scores de Q.I. standard d'un enfant et son Q.I. ou sa performance scolaire ultérieurs. Malgré les difficultés qu'entraîne l'évaluation du degré d'habituation chez les bébés, les corrélations sont en fait très élevées.

Ces corrélations ne fournissent certainement pas la preuve que l'intelligence, telle qu'on l'évalue avec un test de Q.I., n'est que le reflet de la « vitesse d'un processus de base ». Mais de tels résultats soulignent combien il peut être important de prendre en considération les composantes sous-jacentes du traitement de l'information si l'on veut comprendre les différences individuelles entre les capacités au tout début de l'enfance. Ces résultats indiquent également l'orientation à prendre pour la conception de nouveaux tests destinés à mesurer l'intelligence ultérieure de l'enfant. De fait, Fagan a conçu un test de ce genre, basé en grande partie sur l'évalua-

tion du degré d'habituation dans la petite enfance (Fagan et Shepherd, 1986).

VUE D'ENSEMBLE DU DÉVELOPPEMENT COGNITIF PENDANT LA PÉRIODE SENSORIMOTRICE

Dans bien des domaines, il semble que Piaget ait sous-estimé la capacité qu'ont les enfants d'emmagasiner, de mémoriser et d'organiser l'information sensorielle et motrice. L'attention des très jeunes enfants se porte bien davantage sur les relations entre les objets, les séquences d'organisation et les caractéristiques des prototypes qu'il ne le pensait. Il apparaît même qu'ils peuvent mémoriser ces informations pendant de courtes périodes. De nos jours, bon nombre de théoriciens s'appuient sur cette découverte pour suggérer que le bébé vient au monde doté d'une vaste gamme de connaissances ou de préjugés innés qui vont l'aider à comprendre le monde qui l'entoure.

Par ailleurs, malgré leurs remarquables capacités perceptives et cognitives, il est évident que les nouveau-nés ne sont pas aussi doués que les enfants de 6 ou 12 mois. Les nouveau-nés n'utilisent pas les gestes pour communiquer, ils ne parlent pas et ils n'ont pas recours à l'imitation différée. Les enfants de 6 mois ne combinent pas différentes stratégies pour atteindre un objectif et ne semblent pas explorer les objets de la même façon que les bébés plus âgés. Même à 12 mois, les trottineurs n'utilisent pas de symboles pour représenter des choses. Ils utilisent quelques mots, mais ils ne se livrent pas encore à des jeux imaginaires, par exemple. Donc, malgré toutes les nouvelles découvertes fascinantes qui jettent le doute sur les observations de Piaget et sa théorisation de base, il semble bien que l'enfant est davantage *sensorimoteur* que *symbolique* dans sa façon de penser. C'est entre 18 et

Recherches récentes sur la cognition

Q 14   Qu'est-ce que le transfert intermodal ?

Q 15   Expliquez le développement du concept de la permanence de l'objet.

Q 16   Quelles sont les conclusions des recherches portant sur l'imitation chez l'enfant ?

Q 17   Les tests chez le jeune enfant, comme les échelles de Bayley, sont-ils de bons indicateurs du développement cognitif ultérieur de l'enfant ? Pourquoi ?

24 mois que le bébé commence à recourir à la symbolisation, un changement que John Flavell qualifie de remarquable :

> *Un système cognitif qui utilise des symboles semble… radicalement et qualitativement différent d'un système qui n'en utilise pas. La différence est telle que la transformation d'un système à l'autre pendant les deux premières années de la vie tient à mon sens du miracle, quoi que nous puissions apprendre à son sujet. (1985, p. 82.)*

DÉVELOPPEMENT DU LANGAGE

PRÉCURSEURS DU LANGAGE

La plupart d'entre nous pensent que le terme « langage » fait référence à l'apprentissage des premiers mots du bébé, qui commence (au grand plaisir de la plupart des parents) vers l'âge de 12 mois. Toutefois, toutes sortes de développements importants précèdent l'apparition des premiers mots du bébé.

Perception des sons articulés

Nous allons nous pencher dans un premier temps sur les capacités perceptives fondamentales. Un bébé ne peut apprendre à parler avant de pouvoir distinguer les sons. À quel âge un enfant peut-il distinguer les sons ? Si vous n'aviez pas lu le début de ce chapitre, la réponse pourrait vous étonner fortement. Mais vous savez maintenant de quoi il retourne : cela se produit très tôt.

Dès l'âge de un mois, l'enfant peut distinguer des syllabes comme *pa* et *ba* (Trehub et Rabinovitch, 1972). Vers l'âge de six mois environ, il peut reconnaître des « mots » de deux syllabes comme *bada* et *baga*, et il peut même reconnaître une syllabe à l'intérieur d'un ensemble de syllabes (*tibati* ou *kobako*, par exemple) (Morse et Cowan, 1982 ; Goodsitt *et al.*, 1984). De plus, il semblerait que le timbre de la voix qui produit le son ne fasse aucune différence. À six mois, les bébés réagissent de la même manière aux sons, qu'ils soient prononcés par la voix d'un homme, d'une femme, d'un adulte ou d'un enfant (Kuhl, 1983).

Il est encore plus étonnant d'apprendre que les bébés distinguent mieux certaines syllabes que les adultes. Chaque langue n'utilise qu'un sous-ensemble de toutes les syllabes existantes. La langue anglaise, par exemple, n'a pas le son *u* que l'on trouve en français. L'espagnol, contrairement à l'anglais, fait la distinction entre le *d* et le *t*. Il semble donc que, jusqu'à l'âge de 12 mois, les bébés peuvent nettement distinguer tous les sons de n'importe quelle langue, y com-

pris ceux qu'ils n'entendent pas dans la langue qu'on leur parle. À l'âge de un an, cette capacité est déjà très réduite.

Une étude approfondie, menée par Janet Werker et Richard Tees (1984), fait la lumière sur ce point. En combinant des études transversales et longitudinales, ces chercheurs ont d'abord observé des groupes d'enfants de 6 à 8 mois, de 8 à 10 mois et de 10 à 12 mois, qui ont grandi dans des familles anglophones. On faisait entendre à chaque bébé trois paires de sons, soit une en anglais (*ba* et *da*), une en salish, une langue amérindienne (*ki* et *qi*), et une en hindi, une langue de l'Inde du Nord (*ta̠* et *ta*). Vous pouvez constater à la figure 4.7 que les bébés anglophones de 6 à 8 mois peuvent facilement distinguer les sons des langues hindi et salish, alors que très peu d'enfants de 10 à 12 mois y parviennent. Werker et Tees ont refait passer le test au groupe de bébés de 6 mois lorsqu'ils ont atteint l'âge de 9 et 12 mois, et ils ont observé le même phénomène. Ces bébés n'étaient plus capables de percevoir ces distinctions. Dans une autre étude, Werker et Tees ont découvert que les enfants indiens âgés de 12 mois pouvaient toujours facilement distinguer les syllabes de la langue hindi, et que les bébés amérindiens de 12 mois pouvaient toujours distinguer les syllabes du salish.

Ces résultats semblent concorder avec nos connaissances sur les modèles de la croissance synaptique au cours des premiers mois de la vie. Nous avons vu au début de ce chapitre que de nombreuses connexions sont d'abord créées, puis émondées. Ainsi, les nourrissons peuvent distinguer tous les sons possibles. Toutefois, le bébé finira par ne retenir que les sons qui sont employés dans le langage qu'il entend à la maison, car les synapses non utilisées seront émondées. Quelle que soit la justesse de cette explication, il est évident que les bébés prêtent attention à tous les détails du langage parlé dès les premiers jours de la vie.

Premiers sons et premiers gestes : phase prélinguistique

La capacité de distinguer les sons dès un très jeune âge ne concorde pas avec la capacité de les produire. De la naissance jusqu'à environ un mois, les seuls sons émis par le nouveau-né sont les pleurs. Puis, il commence à émettre de nouveaux sons comme des pleurnichements, des gazouillements et des soupirs. Ce répertoire s'étend jusqu'à l'âge de un ou deux mois, lorsque l'enfant commence à rire et à articuler des sons de voyelles comme *eueueueu*; on appelle ce phénomène **gazouillement.** Ces sons semblent être associés à des moments agréables pour le nourrisson. Leur tonalité peut varier considérablement, allant de aiguë à grave.

Gazouillement : Un des premiers stades de la phase prélinguistique, soit de 1 à 4 mois, au cours duquel des sons de voyelles sont constamment répétés, en particulier le son *eueueu*.

Les sons de consonnes ne sont produits que vers l'âge de six ou sept mois. Le nourrisson combine souvent le son d'une consonne avec celui d'une voyelle pour prononcer quelque chose qui ressemble à une syllabe. Les bébés de cet âge semblent commencer à jouer avec les sons, en répétant sans arrêt de telles syllabes (*babababa* ou *dédédédé*). Cette nouvelle gamme de sons, appelée **babillage**, représente la moitié des sons émis (autres que les pleurs) par des enfants âgés de 6 à 12 mois (Mitchell et Kent, 1990).

Tous les parents vous diront que le babillage est un plaisir pour l'oreille. Mais il semble également que le babillage constitue une phase essentielle de la préparation au langage parlé. Nous savons que les enfants qui babillent acquièrent progressivement ce que les linguistes appellent un *modèle d'intonation* de la langue qu'ils entendent parler autour d'eux — un processus qui, selon Elizabeth Bates, consiste à « apprendre l'air avant la chanson » (Bates, O'Connell et Shore, 1987). En tous les cas, les enfants semblent développer au moins deux intonations dans leur babillage. Une inflexion montante à la fin d'une séquence de sons semble indiquer le désir d'une réponse, tandis qu'une inflexion descendante ne nécessite pas de réponse.

Par ailleurs, comme les travaux de Werker et Tees sur le babillage l'ont montré, lorsque les enfants commencent à babiller, ils émettent généralement toutes sortes de sons, y compris des sons qui n'appartiennent pas à la langue parlée par les adultes qui les entourent. Cependant, vers l'âge de 9 ou 10 mois, leur répertoire de sons commence progressivement à se restreindre aux sons qu'ils entendent, et ils cessent d'émettre des sons qu'ils n'entendent pas (Oller, 1981). Ces découvertes ne nous indiquent pas si le babillage représente une étape nécessaire au développement du langage, mais elles semblent bien révéler qu'il s'inscrit dans un processus de développement connexe, qui débute à la naissance.

GESTES DURANT LA PREMIÈRE ANNÉE. Ce processus développemental connexe comprend également un genre de langage gestuel qui se développe vers 9 ou 10 mois. À cet âge, les bébés commencent à « demander » ce qu'ils veulent par des gestes ou une combinaison de gestes et de sons. Ainsi, un bébé de 10 mois qui veut visiblement que vous lui donniez son jouet préféré peut s'étirer pour atteindre l'objet, en ouvrant et refermant la main, tout en émettant des sons plaintifs ou déchirants. Cette attitude est très explicite. À peu près au même âge, les bébés apprennent des mouvements de gestuelle très prisés par les parents, comme faire au revoir ou taper des mains (E. Bates, Camaioni et Volterra, 1975; E. Bates *et al.*, 1987).

Babillage : Vocalises d'un enfant de 6 mois ou plus comportant au moins une consonne et une voyelle.

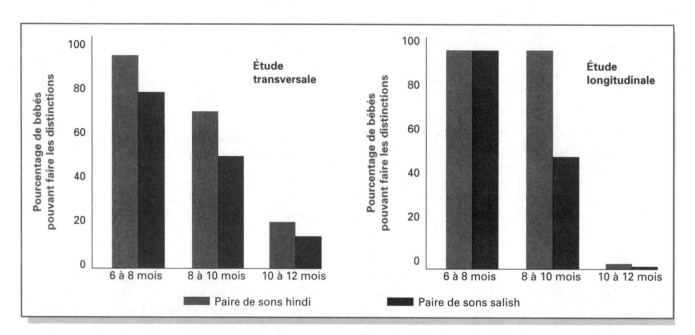

Figure 4.7 Distinction des sons chez les bébés. Tous les résultats de cette figure se rapportent à des bébés élevés dans des familles anglophones. Toutefois, on a évalué chaque bébé à partir de syllabes de langues autres que l'anglais. On a particulièrement évalué la capacité de chaque bébé de distinguer des sons des langues salish et hindi. Le côté gauche de la figure illustre des comparaisons transversales ; le côté droit illustre des données longitudinales pour un petit nombre d'enfants évalués à trois reprises sur une période de six mois. Vous pouvez constater qu'à l'âge de 6 et 8 mois, les bébés sont encore capables de distinguer les sons de ces langues, mais qu'ils perdent cette capacité vers l'âge de 12 mois. (*Source*: Werker et Tees, 1984, figure 4, p. 61.)

Il est intéressant de noter que les enfants commencent également à *comprendre* le sens des mots individuels (ce que les linguistes appellent le **langage réceptif**) vers 9 ou 10 mois. Dans des travaux récents, Elizabeth Bates et ses collaborateurs ont demandé à des mères de dresser la liste des mots que leur bébé de 10 mois comprenait (Bates, Bretherton et Snyder, 1988). Ces listes comportaient en moyenne 17,9 mots. À l'âge de 13 mois, ce nombre était passé à environ 50. Puisque les enfants de 9 à 13 mois n'emploient pas de mots individuels, de telles études indiquent que le langage réceptif (ou compréhension du langage) se développe avant le **langage expressif** (ou production du langage). Les enfants comprennent avant de pouvoir parler.

En compilant diverses informations, on peut constater qu'une série de changements semblent se produire vers 9 ou 10 mois : le début du langage gestuel, le babillage orienté vers les sons du langage parlé, les jeux d'imitation gestuelle et la première compréhension des mots individuels. C'est comme si l'enfant commençait à comprendre quelque chose dans le processus de la communication et qu'il avait l'intention de communiquer avec les adultes.

Premiers mots : phase linguistique

C'est pendant la période du babillage, en général entre 12 et 13 mois, qu'apparaissent les premiers mots (Capute *et al.*, 1986). Le premier mot d'un enfant est un événement que les parents attendent avec impatience ; il est toutefois très facile de le manquer. Selon la définition des linguistes, un *mot* est un son ou un groupe de sons utilisé de façon constante pour faire référence à une chose, une action ou une qualité. Il peut s'agir de n'importe quel son, et il peut ne pas concorder avec les mots utilisés par les adultes. L'un des premiers mots de Brenda, une fillette étudiée par Ronald Scollon (1976), a été *nini*. Au départ, ce mot semblait indiquer un aliment liquide, car elle l'utilisait pour désigner du *lait*, du *jus de fruit* et son *biberon*. Mais elle l'employait également pour dire *maman* et *dormir*.

Souvent, un enfant n'utilise ses premiers mots que dans une ou deux situations particulières et en présence de plusieurs signaux. Par exemple, l'enfant dira « pitou » ou « wouf

wouf » seulement lorsqu'on lui demande : « Qu'est-ce que c'est ? » ou « Que fait le chien ? ». Plus tard, l'enfant emploiera spontanément un mot dans plusieurs contextes différents, comme s'il avait compris la caractéristique *symbolique* de base du langage, à savoir que les choses portent un nom (Bates, Bretherton et Snyder, 1988).

ACQUISITION DE NOUVEAUX MOTS. Une fois que le trottineur a franchi l'étape du premier mot, il traverse une période au cours de laquelle son vocabulaire s'enrichit lentement, jusqu'à ce qu'il connaisse environ 30 mots. Après ce stade, l'enfant ajoute 10, 20 ou 30 mots à son vocabulaire en l'espace de quelques semaines. Vous pouvez précisément observer ce modèle d'une croissance d'abord lente, puis rapide du vocabulaire à la figure 4.8. Cette étude longitudinale, effectuée par Goldfield et Reznick (1990), portait sur treize enfants.

Langage réceptif : Terme utilisé par les linguistes pour décrire la capacité de l'enfant à comprendre (recevoir) le langage, par comparaison avec sa capacité à exprimer le langage.

Langage expressif : Terme utilisé par les linguistes pour décrire les capacités de l'enfant à s'exprimer et à communiquer oralement.

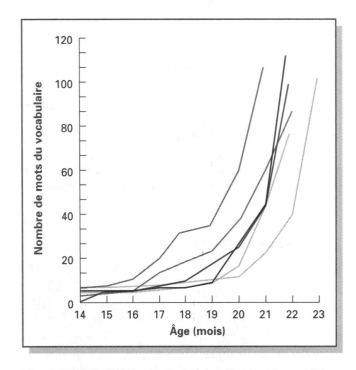

Figure 4.8 Croissance du vocabulaire. Chacune des courbes de cette figure illustre la croissance du vocabulaire de l'un des 13 enfants observés par Goldfield et Reznick dans leur étude longitudinale. Les résultats de six enfants présentés ici montrent que les enfants ont appris des mots nouveaux selon le modèle le plus courant, soit une croissance initiale lente suivie d'une croissance particulièrement rapide. Toutefois, d'autres enfants dans la même étude ont appris leurs premiers mots de façon plus progressive, sans croissance soudaine. (*Source :* Goldfield et Reznick, 1990, figure 3, p. 177.)

À neuf mois, Alexandre n'a probablement pas encore prononcé son premier mot, mais il est fort possible qu'il comprenne déjà plusieurs mots. Le langage réceptif se développe généralement avant le langage expressif.

Précurseurs du langage

Q 18 Vers quel âge l'enfant peut-il distinguer les sons ? Expliquez.

Q 19 Quel est le lien entre le langage et l'émondage des connexions neuronales ?

Q 20 Quelle est la séquence des premiers sons émis par l'enfant ? Précisez l'âge d'apparition.

Q 21 Qu'est-ce que le langage réceptif ? le langage expressif ? Lequel se met en place en premier ?

FORMULATION DE PHRASES : LES ÉTAPES SUIVANTES DU DÉVELOPPEMENT DU LANGAGE

Après avoir prononcé ses premiers mots, l'enfant se met rapidement à formuler des phrases simples, puis complexes. Vers l'âge de trois ans, la plupart des enfants ont acquis tous les outils de base pour construire des phrases et converser (Bloom, 1991). Mais leur langage est bien différent de celui des adultes.

Pour comprendre cet étonnant développement, nous devons étudier comment l'enfant enchaîne les mots pour former des phrases et comment il parvient à saisir la signification des mots qu'il emploie. Selon la terminologie employée par les linguistes, il s'agit de comprendre la *syntaxe* (grammaire) et la *sémantique* (le sens des mots). Commençons par la grammaire.

Développement de la grammaire

Dans leur analyse de la façon dont les jeunes enfants commencent à formuler des phrases, la plupart des linguistes adhèrent à la théorie de Roger Brown, qui découpe ce processus en différentes étapes ou phases (Brown, 1973).

PREMIER STADE GRAMMATICAL. La première étape, que Brown appelle le premier stade grammatical, possède différentes caractéristiques uniques : les phrases sont *courtes* — en général, elles sont formées de deux ou trois mots — et elles sont *simples*. Les phrases contiennent le plus souvent un nom, un verbe et un adjectif, mais aucun repère purement grammatical (que les linguistes nomment **flexions**). Au début, par exemple, les enfants qui apprennent le français n'emploient généralement pas la règle pour marquer le pluriel ou ne conjuguent pas les verbes pour obtenir un temps au passé. Ils n'utilisent ni les formes possessives ni les verbes auxiliaires. Ils parlent donc ainsi : « moi mange », « papa toto », « patti lolo », etc.

DEUXIÈME STADE GRAMMATICAL. Le début du deuxième stade grammatical correspond à la première utilisation des flexions grammaticales, comme les pluriels, les verbes auxiliaires, les prépositions, etc ; ces changements surviennent généralement entre l'âge de deux et trois ans. L'enfant apprend à poser des questions, de même qu'à créer des phrases négatives. Dans chaque cas, il semble que l'enfant suit une séquence prévisible. Au cours de celle-ci, l'enfant traverse des périodes durant lesquelles il crée des phrases qu'il n'a pas entendu prononcer par des adultes, mais qui correspondent aux règles particulières dont il semble alors faire usage. Par exemple, dans la formulation des phrases interrogatives, il y a une période durant laquelle l'enfant utilise le mot *que* (*qui, quoi, quand, qu'est-ce que*) placé en début de phrase ; cependant, il ne place pas le verbe au bon endroit. Il dira : « Pourquoi moi dort maintenant ? » Un phénomène semblable se produit dans le cas des formes négatives : il y a une période durant laquelle le *ne*, le *n'* ou le *pas* est inséré, mais le verbe auxiliaire est omis : « moi pas pleurer » ou « pas d'écureuils ».

SURGÉNÉRALISATION. La **surgénéralisation** ou généralisation excessive constitue un autre phénomène intéressant de la grammaire du deuxième stade. Dans ce cas, l'enfant dispose d'un ensemble de règles qu'il respecte, et ce même dans les toutes premières phrases qu'il formule. Stan Kuczaj (1977, 1978) a constaté que les jeunes enfants apprennent d'abord un petit nombre de temps irréguliers au passé et les utilisent correctement pendant une courte période. Puis, assez soudainement, l'enfant semble découvrir la règle qui consiste à ajouter *aient* et à la généraliser à outrance, c'est-à-dire qu'il l'applique à tous les verbes. Par exemple, l'enfant dira « sontaient » au lieu de « étaient ». Ce type d'erreur est très courant chez les enfants âgés de trois à cinq ans.

SURDISCRIMINATION. On peut aussi observer un phénomène parallèle à la surgénéralisation, qui consiste à augmenter les caractéristiques d'un concept général. Dans ce cas, l'enfant fait de la **surdiscrimination**. Il dira « lolo » pour désigner du jus de raisin clair, et manifestera sa frustration et son mécontentement lorsque vous apporterez de l'eau, du lait ou du jus de raisin foncé ! (Lindsay et Norman, 1980.)

Flexions : Marques grammaticales comme les pluriels, les temps passés, etc.

Surgénéralisation : Tendance qu'ont les enfants à vouloir régulariser le langage, comme l'utilisation de formes incorrectes des verbes au temps passé (« j'ai moudu » pour « j'ai moulu », par exemple).

Surdiscrimination : L'enfant utilise une appellation générale qui englobe plusieurs significations et la restreint à une signification unique.

Développement de la compréhension des mots

Pour comprendre le développement du langage, il ne suffit pas de savoir comment les enfants apprennent à enchaîner des mots pour former des phrases. Il faut également savoir comment l'enfant développe la compréhension des mots qui composent les phrases. Le tableau 4.4 présente un résumé du développement du langage. Jusqu'à maintenant, de nombreuses séries de questions ont dominé les recherches.

LE MOT PRÉCÈDE-T-IL LE SENS ? Essentiellement, l'enfant apprend-il un mot pour décrire une catégorie ou une classe *déjà* créée par la manipulation des objets de son environnement ? Crée-t-il plutôt de nouvelles catégories cognitives afin de distinguer les objets regroupés sous une même appellation ? Ces questions peuvent paraître fort abstraites, mais elles touchent à la notion fondamentale du lien entre le langage et la pensée. L'enfant apprend-il à se représenter des objets parce qu'il maîtrise le langage, ou le langage ne fait-il qu'apparaître à ce stade, facilitant ainsi cette représentation ?

Il semble que les deux aspects sont valables (Greenberg et Kuczaj, 1982 ; Clark, 1983 ; Cromer, 1991). Le point de vue cognitif est appuyé par différentes preuves, que nous avons décrites plus haut, par exemple le fait que le bébé est capable de se souvenir et d'imiter des objets et des actions durant une période donnée — bien avant qu'il ne maîtrise le langage.

D'autres preuves à l'appui de la primauté cognitive proviennent d'études effectuées sur l'utilisation par l'enfant de différentes prépositions, comme *dans*, *entre* ou *en face de*. L'enfant semble utiliser spontanément ces prépositions dans le langage seulement après en avoir compris le concept (Johnston, 1985).

Parallèlement, le langage de l'enfant semble aussi influer sur ses concepts. Comme le psychologue russe Lev Vygotsky l'a remarqué (1962), l'enfant « découvre » que les objets ont un nom vers l'âge de deux ans. Cette découverte semble en partie reposer sur une nouvelle aptitude cognitive, l'aptitude de classer des objets par catégories. Lors d'une étude longitudinale, par exemple, Alison Gopnik et Andrew Meltzoff (1987) ont constaté que l'« explosion de l'identification des objets » se produit généralement après ou au même moment que l'enfant effectue une classification spontanée d'ensembles d'objets variés. Ayant découvert des « classes » d'objets, l'enfant peut désormais apprendre rapidement les noms des classes déjà existantes. En même temps, l'explosion de l'identification des objets signifie que l'enfant est aussi apte à apprendre un grand nombre de nouveaux mots, ce qui l'aidera à créer de nouvelles classes, de nouveaux schèmes mentaux.

THÉORIES DU DÉVELOPPEMENT DU LANGAGE

L'explication du développement du langage chez l'enfant s'est révélée l'une des difficultés les plus captivantes et les plus ardues de la psychologie du développement. Il se peut que cela vous surprenne. La plupart d'entre vous tiennent sans doute pour acquis qu'un enfant apprend à parler simplement en écoutant la langue qu'il entend. Il n'y aurait là rien de magique ou de complexe. Eh bien, plus on y pense, plus ce phénomène est merveilleux et mystérieux. Comme Steven Pinker (1987) le fait remarquer, il existe un véritable gouffre entre la langue (apport verbal) que l'enfant entend et la langue que l'enfant va finir par parler. L'apport verbal englobe certaines séries de phrases dites à l'enfant, avec des intonations, des accents et une certaine synchronisation. On parle aux enfants dans un certain environnement et lors d'événements particuliers, et on énumère les mots dans un ordre précis. Toutes ces phrases peuvent être utiles, voire essentielles. Mais ce que l'enfant doit acquérir à partir de cet apport verbal, c'est un ensemble précis de règles qui lui permettront de *créer* des phrases. Les règles ne lui sont pas directement fournies avec les phrases qu'il entend. Comment l'enfant accomplit-il donc cette tâche ? Les théories abondent. Nous

À 16 mois, la petite Catherine est dans une période que Vygotsky appelle l'« explosion de l'identification des objets ». Elle répond ici à la question : « Où est la bouche de papa ? »

Si une personne pointait son doigt en direction du gazon et disait « gazon », comment cet enfant de deux ans saurait-il si le mot signifie « vert », « terre », « là » ou « gazon » ?

> Pour beaucoup d'étudiants, les discussions sur le lien entre le langage et la pensée sont abstraites et ne présentent guère d'intérêt. Tentez, en vos propres termes, d'expliquer en quoi cette discussion peut être importante ou intéressante. Pouvez-vous songer à une raison pour laquelle il serait important, dans le monde réel, de savoir lequel de ces deux éléments, soit le langage ou la pensée, prédomine ?

Tableau 4.4
Développement du langage

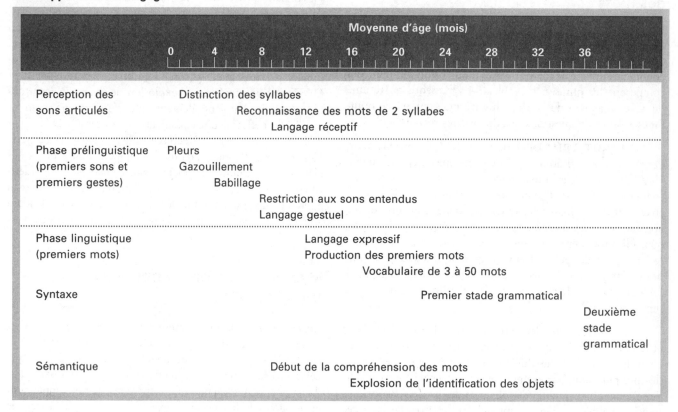

	Moyenne d'âge (mois)								
	0 — 4 — 8 — 12 — 16 — 20 — 24 — 28 — 32 — 36								
Perception des sons articulés	Distinction des syllabes								
	Reconnaissance des mots de 2 syllabes								
	Langage réceptif								
Phase prélinguistique (premiers sons et premiers gestes)	Pleurs								
	Gazouillement								
	Babillage								
	Restriction aux sons entendus								
	Langage gestuel								
Phase linguistique (premiers mots)	Langage expressif								
	Production des premiers mots								
	Vocabulaire de 3 à 50 mots								
Syntaxe	Premier stade grammatical								
	Deuxième stade grammatical								
Sémantique	Début de la compréhension des mots								
	Explosion de l'identification des objets								

allons d'abord traiter de la notion de culture dans le continuum théorique.

IMITATION ET RENFORCEMENT. Les premières théories du langage étaient basées soit sur la théorie de l'apprentissage soit sur l'idée pratique que le langage s'apprend par imitation. En effet, l'imitation joue un rôle, puisque l'enfant apprend la langue qu'il entend. De cette façon, les bébés passent du babillage sans signification à la langue qu'ils entendent ; les enfants imitent les phrases qu'ils entendent. De plus, ils adoptent l'accent de leurs parents. Les bébés qui imitent davantage les actions et les gestes sont ceux qui apprennent la langue le plus rapidement (Bates *et al.*, 1982). L'imitation semble donc constituer un élément essentiel. Toutefois, l'imitation ne peut expliquer à elle seule tout le processus d'acquisition du langage, car elle ne tient pas compte de l'aspect créatif du langage de l'enfant. En effet, les enfants créent des types de phrases et des mots qu'ils n'ont jamais entendus.

Les théories sur le renforcement, comme celle de Skinner (1957), ne sont pas davantage satisfaisantes. Selon Skinner, les adultes façonnent les premiers mots et les premières phrases de l'enfant, en renforçant de façon sélective les mots et les phrases qui se rapprochent le plus du langage désiré. Mais en fait, peu de preuves viennent appuyer cette hypothèse. Au contraire, les parents manifestent une tolérance remarquable à l'égard des efforts linguistiques de

l'enfant (Brown et Hanlon, 1970 ; Hirsh-Pasek, Trieman et Schneiderman, 1984). De plus, les enfants apprennent différentes formes de langage, comme les pluriels, en commettant relativement peu d'erreurs. Ainsi, le façonnement ou le renforcement semblent peu adéquats pour expliquer le développement du langage. Nous devons donc nous tourner vers d'autres théories.

NOUVELLES THÉORIES ENVIRONNEMENTALES : PARLER À L'ENFANT. Cependant, il semble évident que certains éléments du langage entendus par l'enfant favorisent le développement initial de son propre langage. En effet, on sait que l'enfant à qui on parle beaucoup, à qui on lit régulièrement des histoires et aux verbalisations duquel on réagit commence à parler plus tôt. L'apport des parents influe donc sur la *vitesse* du développement du langage.

La qualité du langage des parents peut également constituer un facteur déterminant. On sait que les adultes parlent aux enfants dans un langage particulièrement simple, que l'on appelle le **langage maternel.** Dans ce langage simple, les mots

---

Langage maternel : Terme employé par les linguistes pour décrire le type de langage particulier que les parents utilisent pour parler aux jeunes enfants. Les phrases sont plus courtes, plus simples, répétitives, et la voix est plus aiguë.

LE MONDE RÉEL

Les enfants bilingues

Nous venons de voir ce qui se produit lorsqu'un enfant n'apprend qu'une seule langue. Mais que se passe-t-il lorsqu'un enfant apprend plusieurs langues dès un très jeune âge ? À quel point cette situation peut-elle perturber l'enfant ? Comment les parents peuvent-ils simplifier le processus d'apprentissage ? En ce qui concerne le bilinguisme, deux questions importantes au moins se posent :

- Les parents qui parlent des langues différentes devraient-ils mettre leurs enfants en contact avec ces deux langues, ou cela ne ferait-il que semer la confusion chez l'enfant et compliquer son apprentissage du langage ? Quelle est la meilleure façon de procéder ?

- Si un enfant d'âge scolaire ne parle pas la langue qui prévaut à l'école, quelle est la meilleure méthode pour que l'enfant apprenne cette deuxième langue ?

Apprentissage simultané de deux langues. Les parents ne devraient pas craindre de mettre leur enfant en contact avec plus d'une langue dès le début. Ce contact simultané semble donner lieu à un léger ralentissement des étapes de l'apprentissage et de la construction des phrases, mais les enfants bilingues finissent par rattraper rapidement ce retard.

La meilleure façon d'aider un enfant à apprendre deux langues consiste à parler les deux langues à l'enfant dès la naissance, *particulièrement* lorsque ces deux langues proviennent de deux sources différentes. Par exemple, si la langue maternelle de la mère est l'anglais et celle du père, le français, la mère ne devrait parler à l'enfant qu'en anglais et le père uniquement en français (les parents, bien sûr, se parleront dans la langue de leur choix). Si les deux parents utilisent les deux langues en s'adressant à l'enfant ou les combinent dans leur discours, la situation sera beaucoup plus difficile pour l'enfant, et son apprentissage du langage sera plus lent (McLaughlin, 1984). L'enfant peut aussi apprendre simultanément deux langues, si on lui parle une langue à la maison et une autre à la garderie, avec des amis ou dans une autre situation extérieure.

Enseignement bilingue. Pour un grand nombre d'enfants, il ne devient nécessaire d'être bilingue qu'à l'entrée à l'école. Un certain nombre d'enfants arrivent à l'école avec une faible connaissance du français, voire aucune. Les enseignants se trouvent face à la tâche difficile d'inculquer aux enfants une deuxième langue, en même temps qu'ils essaient de leur enseigner certaines matières comme la lecture et les mathématiques. Les écoles ont dû rechercher la meilleure méthode d'enseignement dans ces circonstances. L'enfant doit-il immédiatement être immergé dans la nouvelle langue ? L'enfant doit-il apprendre les connaissances scolaires de base dans la langue maternelle et n'apprendre que plus tard le français comme langue seconde ? Ou une combinaison de ces deux solutions serait-elle idéale ?

Les résultats des recherches ne sont pas concluants. Cependant, une tendance se dégage : ni l'immersion complète ni les programmes d'enseignement du français comme langue seconde ne sont aussi efficaces que les programmes entièrement bilingues. Dans ces programmes, l'enfant reçoit une formation de base pour chaque matière dans sa langue maternelle au cours de la première et de la deuxième année scolaire, tout en étant mis en contact avec la deuxième langue dans la même classe (Padilla *et al.*, 1991; Willig, 1985). Après avoir reçu un enseignement bilingue pendant plusieurs années, l'enfant effectue une transition rapide et suit alors tous les cours dans la deuxième langue. Il est intéressant de noter que, lors de l'analyse de cette recherche, Ann Willig a découvert que la solution idéale était très semblable à la meilleure forme d'apprentissage des deux langues à la maison : en leur enseignant constamment les mêmes matières dans une langue et d'autres matières dans une autre langue, les enfants apprennent les deux matières très facilement. Toutefois, si chaque phrase est traduite, les enfants n'apprennent pas la nouvelle langue aussi rapidement ni aussi bien.

Notez cependant que de tels programmes d'enseignement bilingue ne sont pas efficaces pour les enfants qui entrent à l'école et ne parlent pas bien leur langue maternelle. L'apprentissage de la lecture dans toute langue exige chez l'enfant une connaissance relativement approfondie de la structure de la langue (nous aborderons cette question plus en détail au chapitre 6). L'enfant qui ne possède pas cette connaissance fondamentale — sans doute parce qu'il n'a eu que peu de contact avec la langue, car on ne lui faisait pas la lecture ou on ne lui parlait pas durant l'enfance et les années préscolaires — aura de la difficulté à apprendre à lire, que les cours lui soient donnés dans sa langue maternelle ou dans une autre langue.

sont prononcés d'une voix plus aiguë et plus lente que lors d'une conversation entre adultes. Les phrases sont plus courtes, le vocabulaire est simple et plutôt concret, et les formes grammaticales employées sont très simples. Lorsque les parents parlent aux enfants, ils ont tendance à répéter les mêmes phrases ou à en donner de légères variations (« Où est la balle ? Vois-tu la balle ? Voici la balle ! »). Ils répètent aussi les phrases de leur enfant en les *augmentant* ou en les *reformulant* pour en faire des formes plus longues ou plus conformes à la grammaire — un modèle communément appelé « remaniement » ou « refonte ».

Les parents n'agissent pas de cette façon dans le but d'enseigner la grammaire à leurs enfants. Ils cherchent plutôt à mieux communiquer avec eux. En fait, plusieurs d'entre nous, sans nous en rendre compte, utilisons ce mode de langage lorsque nous communiquons avec les personnes âgées, les personnes handicapées ou les personnes hospitalisées — tout individu dans une position de dépendance. Lorsqu'on utilise cette forme de langage avec un adulte, ce dernier considère généralement qu'on le traite avec condescendance. Malgré tout, cette forme de langage peut être fort utile, voire nécessaire, pour aider l'enfant à apprendre une langue.

On sait, par exemple, que les nouveau-nés distinguent le langage maternel du langage qui s'adresse à un adulte, et qu'ils préfèrent écouter le langage maternel (Cooper et Aslin, 1990). C'est le ton de voix plus aigu de la mère que les bébés semblent surtout préférer (Fernald et Kuhl, 1987). Lorsque l'attention de l'enfant est attirée par ce ton particulier, la simplicité et la répétition des phrases peuvent l'aider à apprendre les formes grammaticales répétitives (Hoff-Ginsberg, 1986).

Il semble également que l'attention de l'enfant est attirée par les phrases remaniées. Lors d'une étude récente, par exemple, Farrar (1992) a découvert que les enfants de deux ans étaient de deux à trois fois plus susceptibles d'imiter une forme grammaticale correcte après avoir entendu leur mère remanier leur propre phrase qu'ils n'étaient aptes à le faire lorsque leur mère utilisait cette même forme grammaticale de façon naturelle. Des études expérimentales confirment l'effet du remaniement. Les enfants qui sont mis en contact délibérément et de manière régulière avec des types spécifiques de phrases reformulées semblent apprendre ces formes grammaticales plus rapidement (Keith Nelson, 1977).

Ces résultats présentent un grand intérêt. Toutefois, cette théorie comporte des lacunes. Tout d'abord, bien que les enfants qui entendent plus souvent des phrases reformulées apprennent la grammaire plus tôt, ceux qui entendent rarement de telles formes acquièrent néanmoins une grammaire complexe, quoique de façon plus lente. Et, bien qu'on retrouve le langage maternel dans la plupart des cultures et des contextes, il existe des exceptions. Par exemple, Pye (1986) n'a pu trouver de signe de langage maternel dans aucune langue maya. Par ailleurs, des études effectuées aux États-Unis ont prouvé que cette forme de langage est fortement réduite chez les mères dépressives (Bettes, 1988). Les enfants de ces mères apprennent pourtant à parler. Bien que

Nous ne pouvons entendre ce que dit cette mère à son enfant, mais il est bien possible qu'elle lui parle en utilisant le langage maternel, soit des phrases courtes et simples prononcées d'une voix plus aiguë, plus mélodieuse. Les enfants préfèrent cette forme de discours, qui les aide sans doute à identifier les éléments réguliers du langage.

le langage maternel soit utile, il n'est pas *essentiel* à l'apprentissage du langage.

THÉORIES DE L'INNÉITÉ DU LANGAGE. À l'autre extrémité du continuum théorique, se trouvent les théoriciens de l'innéité du langage, selon lesquels l'être humain possède une prédisposition biologique innée au langage. Les premiers théoriciens de l'innéité du langage, dont Noam Chomsky (1965, 1975, 1986, 1988), ont été particulièrement étonnés par deux phénomènes : l'extrême complexité de la tâche que l'enfant doit accomplir et les similitudes apparentes entre les premières étapes de l'apprentissage du langage chez l'enfant. Toutefois, des études récentes effectuées sur des enfants qui apprennent plusieurs langues indiquent qu'il y a moins de similitudes qu'on ne le croyait. Néanmoins, les théories de l'innéité du langage connaissent toujours un grand succès.

À l'heure actuelle, Dan Slobin (1985a, 1985b) est le théoricien de l'innéité du langage le plus influent. Selon lui, chaque enfant a une capacité de base de création du langage, qui comporte un ensemble d'importants *principes d'exploitation*. Tout comme le nouveau-né semble être programmé avec « des règles d'observation », Slobin soutient que le bébé et l'enfant possèdent des « règles d'écoute ».

Nous avons déjà vu un grand nombre d'exemples qui confortent cette affirmation. On sait que, dès un très jeune âge, les bébés se concentrent sur les sons et les syllabes qu'ils entendent, qu'ils portent attention au rythme du son et qu'ils préfèrent les discours présentant un modèle particulier, notamment le langage maternel. Selon Slobin, les bébés naissent avec un « programme » pour porter attention au début et à la fin des suites de sons ainsi qu'aux sons accentués. Ensemble, ces principes d'exploitation expliqueraient certaines des caractéristiques des premières flexions grammaticales chez l'enfant.

Ce modèle concorde avec la quantité croissante d'informations que l'on possède sur les aptitudes de perception innées et les préjugés innés de traitement de l'information ; il constitue donc un argument solide en faveur de la théorie de Slobin. Cependant, on en est encore aux premières étapes dans l'exploration de cette approche et il existe d'autres hypothèses intéressantes. Notamment, selon certains théoriciens, on ne doit pas s'attarder sur les préjugés innés, mais plutôt sur le fait que la *construction* du langage chez l'enfant s'inscrit dans le plus vaste processus du développement cognitif. De ce point de vue, l'enfant est un « petit linguiste » qui applique sa compréhension cognitive naissante au problème du langage, toujours à la recherche de régularités, de principes et de modèles.

THÉORIES CONSTRUCTIVISTES DU LANGAGE. Melissa Bowerman offre la présentation la plus claire de ce type de théories. Elle l'exprime ainsi :

Lorsque le langage commence à être assimilé, il n'apporte pas de nouveaux concepts à l'enfant. Il sert

plutôt à exprimer les concepts que l'enfant avait déjà établis sans avoir recours au langage. (1985, p. 372.)

Si cet énoncé est vrai, il devrait être possible d'observer des liens apparents entre les réalisations accomplies dans le développement du langage et le développement cognitif plus global de l'enfant. Par exemple, les jeux symboliques, comme l'acte de boire le contenu d'une tasse vide, et l'imitation de sons et de gestes apparaissent à peu près au moment où l'enfant apprend ses premiers mots. Cette observation suggère une vague compréhension « symbolique » qui se reflète dans de nombreux comportements. Chez les enfants dont l'acquisition du langage est nettement retardée, le jeu symbolique et l'imitation le sont également (Snyder, 1978 ; E. Bates, O'Connell et Shore, 1987 ; Ungerer et Sigman, 1984).

On peut noter un deuxième exemple qui se produit plus tard : lorsqu'apparaissent les premières formulations de phrases à deux mots, l'enfant commence aussi à combiner différents gestes en une séquence lors de son jeu imaginaire, comme verser un liquide fictif, le boire, puis essuyer sa bouche. Les enfants qui sont les premiers à manifester cette mise en séquence dans le jeu sont aussi les premiers à formuler des phrases à deux ou à trois mots dans leur discours (Bates *et al.*, 1987 ; Shore, 1986 ; Brownell, 1988).

Évidemment, nous n'avons pas à choisir entre l'approche de Slobin et celle de Bowerman. Elles peuvent être toutes les deux vraies. L'enfant vient au monde avec des principes d'exploitation innés qui concentrent son attention sur les caractéristiques essentielles de l'apport linguistique. Il traite alors ces informations selon ses stratégies ou ses schèmes (peut-être innés) fondamentaux. Puis, il modifie ces stratégies ou ces règles pour les adapter à l'information nouvelle. Il s'ensuit une série de règles servant à comprendre et à créer le langage. Les premières constructions de phrases des enfants présentent de grandes similitudes. Cela s'explique par le fait que les enfants partagent les mêmes règles fondamentales de traitement du langage et qu'ils reçoivent le même type d'information de leur entourage. Cependant, cette information n'étant pas identique en raison des différentes langues, le développement du langage suit des voies de moins en moins communes à mesure que l'enfant progresse.

S'il n'existait aucune similitude entre les enfants ou entre les langues sur le plan des premières étapes de l'apprentissage du langage, il y aurait là un argument solide allant à l'encontre de la théorie de l'innéité du langage. Mais combien de similitudes doit-on observer pour qu'une théorie de préjugés innés soit plausible ? Cette question complexe demande beaucoup de réflexion.

Comme ces brèves descriptions théoriques l'attestent, les linguistes et les psychologues qui étudient le langage ont réalisé de nets progrès. On sait davantage comment ne *pas* expliquer l'acquisition du langage. Toutefois, on n'en a pas encore déchiffré le code. Le fait que les enfants apprennent à utiliser leur langue maternelle de manière complexe et variée en quelques années seulement tient à la fois du miracle et du mystère.

Les changements plus profonds sur le plan des aptitudes cognitives de l'enfant au cours des mêmes années semblent moins mystérieux, mais nos connaissances ne cessent de s'élargir quant aux remarquables réalisations cognitives qu'accomplit l'enfant ou aux limites de sa pensée.

Développement du langage

Q 22　Qu'est-ce que la syntaxe ? la sémantique ?

Q 23　Quelles sont les caractéristiques du premier stade grammatical ? du deuxième stade grammatical ?

Q 24　Qu'est-ce que la surgénéralisation ?

Q 25　Quelles sont les différentes explications du développement du langage ?
　　　(*Quatre théories.*)

DIFFÉRENCES INDIVIDUELLES DANS LE LANGAGE ET LA FONCTION COGNITIVE

Les séquences et les modèles de développement du langage et de la cognition que nous venons de décrire vous donnent une vue d'ensemble, bien qu'elle soit un peu déformée. Il existe également des différences marquées entre les enfants, surtout en ce qui concerne le rythme du développement ainsi que la capacité à effectuer des tâches intellectuelles. On observe de telles différences non seulement dans le rythme de développement du langage de l'enfant, mais aussi dans les mesures des capacités intellectuelles telles que les tests de quotient intellectuel.

Certains enfants commencent à utiliser des mots dès l'âge de 8 mois, alors que d'autres attendront l'âge de 18 mois ; certains n'utilisent pas de phrases composées de deux mots avant l'âge de 3 ans ou même plus tard.

Les variations individuelles dans ce domaine ne permettent *pas* de prévoir le quotient intellectuel. Vous ne devriez donc pas vous inquiéter si votre enfant prend du retard dans l'acquisition du langage (ni être spécialement heureux si votre enfant prononce ses premiers mots dès l'âge de huit mois). Il semble que de telles variations soient partiellement attribuables à des facteurs génétiques (Mather et Black, 1984 ; Plomin et DeFries, 1985a, 1985b), mais que l'environnement ait également un effet considérable sur le langage. Par exemple, les enfants élevés dans des familles adoptives et à qui on lit et on parle beaucoup acquièrent le langage plus rapidement.

RÉSUMÉ

1. Durant les premières semaines de la vie, l'enfant commence à localiser les objets ; à l'âge de deux mois, il est prêt à reconnaître les objets, ce qui traduit des changements dans ses capacités de perception.

2. Dès les premières semaines de vie, les nouveau-nés peuvent différencier leur mère d'une autre personne, d'abord grâce à l'ouïe et à l'odorat, puis grâce à la vision. Vers l'âge de deux mois, ils perçoivent la profondeur, et vers l'âge de cinq ou six mois, ils sont capables de reconnaître des expressions émotionnelles.

3. Des changements extrêmement rapides se produisent dans le système nerveux au cours des deux premières années de la vie. Le développement des dendrites et des synapses est maximal entre 12 et 24 mois, après quoi il se produit un « émondage » des synapses. La myélinisation des fibres nerveuses est aussi largement complétée vers l'âge de deux ans.

4. Le nombre et la densité des os augmentent ; les fibres musculaires s'élargissent et perdent de leur aquosité.

5. Les bébés triplent leur poids au cours de la première année et gagnent de 25 à 30 cm avant l'âge de deux ans.

6. Les progrès sont très rapides sur le plan moteur et sur le plan de la manipulation au cours des deux premières années : le bébé cesse de ramper pour marcher et courir, et ses capacités de préhension s'améliorent.

7. Les séquences de développement communes subissent manifestement l'influence des modèles de maturation communs. Cependant, le patrimoine génétique et l'alimentation jouent un rôle important.

8. Il faut exercer suffisamment les habiletés fondamentales pour maintenir le système physiologique. Néanmoins, un exercice supérieur à ce minimum n'accélère pas le développement de ces habiletés.

9. La plupart des morts infantiles survenant au cours des premières semaines sont attribuables à des malformations ou à un faible poids à la naissance. Après les premières semaines, la mort subite du nourrisson est la cause la plus répandue de mortalité durant la première année.

10. Les bébés contractent en moyenne sept à huit maladies respiratoires au cours de chacune des deux premières années. Ce taux est plus élevé chez les enfants en garderie.

11. Les enfants prématurés accusent un retard comparativement aux enfants nés à terme dans le franchissement des grandes étapes du développement, mais ils rattrapent généralement ce retard en quelques années.

12. L'étude du développement cognitif requiert une distinction entre trois perspectives théoriques : la première orientée vers les capacités intellectuelles (la mesure de l'intelligence), la deuxième, vers les structures cognitives, et la troisième, vers les capacités de traitement de l'information.

13. Les études sur les structures cognitives de l'enfant ont été largement influencées par la théorie de l'intelligence de Piaget.

14. Selon Piaget, les enfants possèdent un petit répertoire de schèmes fondamentaux au cours de la période sensorimotrice, puis ils évoluent vers une représentation symbolique divisée en six stades sensorimoteurs.

15. Le stade 1 est essentiellement régi de façon automatique ; le stade 2 comprend la coordination de différentes modalités ; au stade 3, le bébé manifeste un plus grand intérêt envers le monde extérieur ; au stade 4, le bébé commence à comprendre les relations causales et le concept d'objet ; au stade 5, le bébé commence à expérimenter davantage ; enfin, au stade 6, l'enfant commence à utiliser des symboles.

16. Les bébés réagissent très tôt à l'organisation des stimuli (ou relations entre les stimuli), comme « gros au-dessus de petit » ou la sonorité d'une histoire particulière ou d'une mélodie. Ils sont aussi en mesure d'effectuer des transferts intermodaux dès l'âge de un mois, soit beaucoup plus tôt que ne le pensait Piaget.

17. Selon Piaget, les bébés commencent à comprendre réellement le concept de la permanence de l'objet vers l'âge de huit mois. De nouvelles études suggèrent que les bébés peuvent comprendre les propriétés des objets — y compris la permanence de l'objet — beaucoup plus tôt que ne le pensait Piaget ; cependant, cette question suscite encore de vifs débats.

18. Les bébés sont capables d'imiter des mimiques faciales dès les premiers jours de la vie. Toutefois, ils ne sont en mesure de faire des imitations différées que bien plus tard.

19. Dans l'ensemble, Piaget paraît avoir sous-estimé les capacités de l'enfant. Il existe un plus grand nombre de comportements innés à la naissance qu'il ne le supposait. Cependant, tous les chercheurs dans ce domaine s'entendent pour

dire que le développement s'effectue de manière progressive. Le développement initial atteint un point culminant lorsque l'enfant utilise des symboles dans les jeux et dans ses pensées, soit entre 18 et 24 mois.

20. Les premiers mots apparaissent vers 12 mois et sont précédés de nombreuses étapes importantes.

21. Les bébés peuvent distinguer les sonorités du langage dès les premières semaines de la vie. En fait, ils sont même capables de faire certaines distinctions inaccessibles aux adultes.

22. Les pleurs sont les premiers sons émis par le bébé. Vers deux mois, il gazouille et vers six mois, il babille. À neuf mois, les bébés utilisent généralement le langage gestuel et comprennent quelques mots.

23. Après le premier mot, le vocabulaire du bébé s'enrichit lentement pendant quelques mois, puis de façon plus rapide. À 18 mois, la plupart des enfants possèdent un vocabulaire d'environ 50 mots.

24. Le développement du langage s'effectue à un rythme rapide entre l'âge de deux et trois ans. Les enfants commencent à former des phrases de deux mots et passent rapidement à la formation de phrases complexes grâce à l'ajout de diverses flexions grammaticales. Les enfants confèrent différents sens à leurs phrases.

25. Dès les premières phrases, le langage de l'enfant est créatif; il comprend des formes et des combinaisons que l'enfant n'a sûrement jamais entendues, mais qui semblent obéir à des règles précises de la compréhension du langage.

26. Les théories de l'imitation et du renforcement ne peuvent à elles seules expliquer le développement du langage. Des théories environnementales plus complexes, qui mettent l'accent sur le rôle de la richesse de l'environnement ou de la langue maternelle, ont une certaine utilité, mais elles comportent aussi des lacunes.

27. Les théories de l'innéité du langage, qui prônent des principes d'exploitation innés ou des règles d'écoute, connaissent un grand succès, mais elles ne tiennent pas compte des capacités d'analyse et de synthèse de l'information linguistique que possède l'enfant.

28. Le développement du langage se déroule à des rythmes différents chez les enfants, les développements les plus rapides étant associés aux environnements linguistiques les plus riches.

MOTS CLÉS

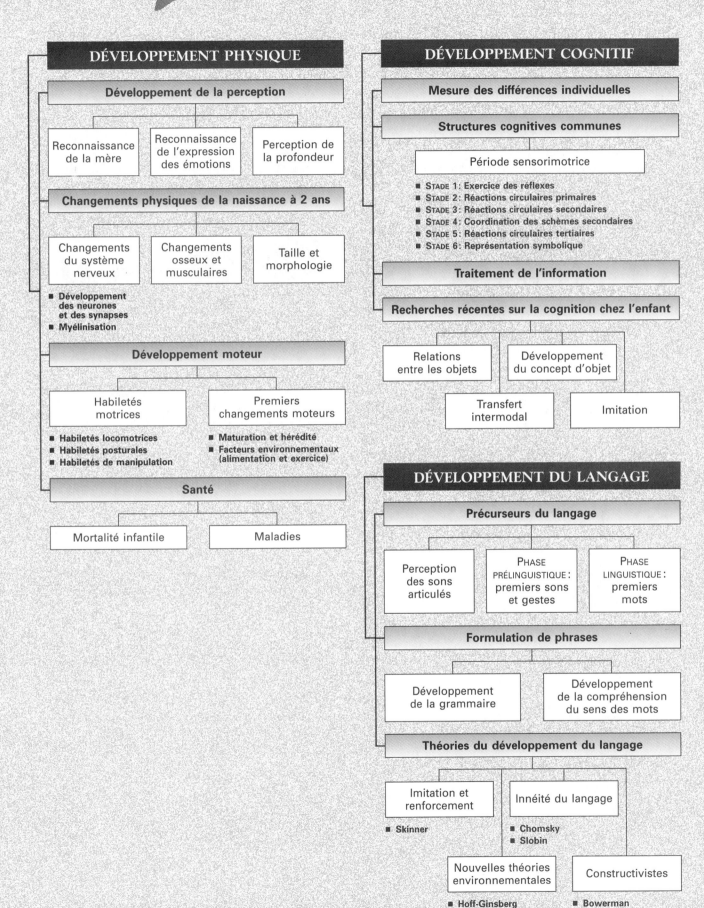

5

matière de base

L ES PREMIÈRES ANNÉES : DÉVELOPPEMENT DES RELATIONS SOCIALES ET DE LA PERSONNALITÉ

EFFETS DE L'ENVIRONNEMENT

**INFLUENCE DE LA FAMILLE :
LES DIFFÉRENTS STYLES D'ÉDUCATION**

AU-DELÀ DE LA FAMILLE : LES GARDERIES
Qui s'occupe des enfants ?
Effets des garderies sur le développement cognitif
et la personnalité
Effets des garderies sur l'attachement de l'enfant
aux parents

RÉSUMÉ
MOTS CLÉS

S i vous demandez à un échantillon d'adultes choisis au hasard de vous nommer les caractéristiques les plus marquantes des premières années de l'enfant, je parie que leur liste ne commencerait pas par les aptitudes physiques et cognitives grandissantes des enfants. Peut-être les nouvelles capacités de langage que nous avons abordées dans le chapitre précédent figureraient-elles sur la liste, mais je suis certaine que la plupart des personnes interrogées parleraient d'abord des « terribles deux ans » : la période du « non », celle où le trotteur veut faire les choses par lui-même et s'oppose à l'autorité parentale. Cette caractérisation populaire est exagérée, mais il demeure cependant que certains des changements caractéristiques de ces années se situent effectivement sur le plan du comportement social.

HELEN BEE

Ces changements dans la personnalité de l'enfant et dans ses relations avec les autres se déroulent en même temps que se met en place le concept de soi. Nous allons étudier dans un premier temps le développement du concept de soi, puis nous aborderons les différentes perspectives théoriques sur le développement de la personnalité chez le jeune enfant.

DÉVELOPPEMENT DU CONCEPT DE SOI

Durant les mois où le bébé développe des liens avec sa mère et son père, il crée en même temps un premier modèle interne de *concept de soi*. En se rendant compte que ses parents continuent d'exister même lorsqu'ils sont hors de sa vue, il comprend qu'il forme une entité distincte des autres, et qu'il a une personnalité propre.

Notre vision du concept de soi chez le bébé a été fortement influencée par Freud et Piaget qui présumaient que le nourrisson, au début de sa vie, est incapable de se distinguer des autres. Freud insistait sur ce qu'il appelait la relation *symbiotique* entre la mère et le nourrisson, relation dans laquelle les deux personnes n'en font qu'une. Il croyait que le jeune enfant ne pouvait se concevoir comme un être séparé de sa mère. Piaget, quant à lui, soutenait que le concept fondamental de la permanence de l'objet était une condition préalable à la notion de permanence du moi, une conception du moi en tant qu'entité stable et continue. Ces deux facettes du début du développement du moi sont reprises dans les descriptions actuelles de l'émergence du moi existentiel. Michael Lewis (1990, 1991 ; Lewis et Brooks-Gunn, 1979) divise ce processus en deux étapes ou tâches.

PREMIÈRE ÉTAPE : LE MOI EXISTENTIEL

Lewis pense que la première tâche de l'enfant consiste à comprendre qu'il est une personne distincte des autres et que son moi distinct persiste dans le temps et l'espace. Il nomme cet aspect de la conception de soi le *moi existentiel*, car ce premier pas crucial est la conscience de soi : « j'existe ». En accord avec Freud, Lewis situe l'éveil de cette conscience vers deux ou trois mois. À ce moment, le bébé saisit la distinction entre le moi et le reste du monde. D'après Lewis, à l'origine de cet éveil se trouvent les innombrables interactions que le bébé vit chaque jour avec les objets et les personnes et qui l'aident à comprendre qu'il peut exercer une influence sur les choses. Quand l'enfant touche le mobile, il bouge ; quand il pleure, quelqu'un vient le réconforter ; quand il sourit, sa mère fait de même. Dans ce processus, le bébé fait la distinction entre lui et tout le reste, et la conscience de soi émerge.

Cependant, ce n'est que lorsque l'enfant a saisi le concept de permanence de l'objet, ce qui survient entre 9 et 12 mois, que le moi existentiel émerge probablement. Ce n'est qu'à ce moment que le bébé, au moins de façon préliminaire, comprend sa propre permanence en tant que personne et se rend compte qu'il existe de façon stable et continue dans le temps et l'espace.

DEUXIÈME ÉTAPE : LE MOI DIFFÉRENTIEL

Mais il ne s'agit là que d'une première étape vers la prise de conscience de soi. Il ne suffit pas de se percevoir comme une personne qui agit sur l'environnement ou comme une personne qui vit des expériences. Pour atteindre une pleine conscience de soi, l'enfant doit aussi comprendre qu'il est un *objet* dans le monde. Prenons l'exemple d'une balle et de ses caractéristiques: elle est ronde, elle peut rouler, et elle procure une sensation particulière dans la main. L'enfant possède lui aussi des caractéristiques: le genre, la taille, le nom, et des qualités, comme la timidité ou l'intrépidité, la coordination ou la maladresse. C'est cette *conscience de soi* qui caractérise la deuxième étape du développement de l'identité. Lewis l'appelle le *moi différentiel*, ou parfois le *moi catégoriel*, car une fois que l'enfant a établi cette conscience de soi, le processus servant à définir le concept de soi conduit l'enfant à se placer dans une série de catégories.

Il n'a pas été facile de déterminer le moment où l'enfant développe une forme de conscience de soi. La technique d'étude la plus courante consiste à utiliser la représentation de soi dans un miroir. Tout d'abord, on place le bébé devant un miroir pour observer son comportement. La plupart des enfants entre 9 et 12 mois se regardent dans le miroir, ils font des grimaces ou essaient d'interagir avec leur image d'une façon ou d'une autre. L'expérimentateur laisse l'enfant agir librement pendant un certain temps. Ensuite, tout en faisant semblant de lui essuyer le visage avec un linge, l'expérimentateur lui met une tache rouge sur le nez et le laisse de nouveau se regarder dans le miroir. La reconnaissance de soi chez l'enfant (et, par conséquent, la conscience de soi) est établie lorsque l'enfant cherche à toucher la tache sur son propre nez et non sur son image dans le miroir.

La figure 5.1 illustre les résultats d'une des études de Lewis qui fait usage de cette technique. On constate qu'aucun des enfants âgés de 9 à 12 mois ne touche son nez, mais qu'à partir de 21 mois, les trois quarts des enfants le font. On peut aussi noter la relation entre l'âge et le pourcentage d'enfants qui disent leur nom lorsqu'on leur montre une photographie d'eux-mêmes. Cette technique représente une autre façon courante d'évaluer la conscience de soi. Un tel développement se produit presque au même rythme que la reconnaissance de soi dans le miroir. Ces deux comportements s'établissent vers le milieu de la deuxième année de la vie; d'autres chercheurs ont confirmé ces résultats (Bullock et Lütkenhaus, 1990).

On observe des signes de cette nouvelle conscience de soi dans d'autres comportements, comme dans celui d'un enfant de deux ans qui refuse de l'aide et qui veut tout faire par lui-même, ou la nouvelle attitude de propriétaire que prend l'enfant face à ses jouets («C'est à moi!»). De ce point de vue, on pourrait interpréter la période des terribles deux ans comme une manifestation de la conscience de soi.

ÉMERGENCE DE L'EXPRESSION ÉMOTIONNELLE.

Ces changements dans la compréhension du concept de soi de l'enfant concordent avec une progression parallèle dans l'expression des émotions de l'enfant. Les nouveau-nés utilisent déjà un répertoire d'expressions faciales pour traduire

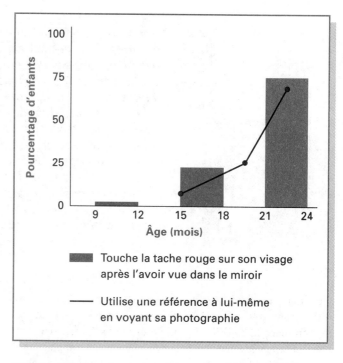

Figure 5.1 Conscience de soi. La reconnaissance dans le miroir et la référence à soi-même se développent presque en même temps. (*Source*: Lewis et Brooks, 1978, p. 214 et 215.)

un état de bonheur ou de tristesse. Les observateurs adultes sont capables de différencier diverses expressions émotionnelles du répertoire de l'enfant de trois ou quatre mois: intérêt, colère, surprise et tristesse. Quelques mois plus tard, il est possible de reconnaître une expression faciale de peur (Izard *et al.*, 1980; P. Harris, 1989). Ce n'est que vers le début de la deuxième année, au moment où l'enfant commence à se reconnaître dans le miroir, que l'on peut voir apparaître des émotions dites de «conscience de soi» ou «sociales», comme la gêne ou l'empathie (Lewis *et al.*, 1989).

DÉFINITION DU MOI. Lorsque l'enfant a conscience d'être une personne distincte des autres et qu'il est doté de qualités ou de caractéristiques qui lui sont propres, il commence à se *définir* par rapport à plusieurs aspects. Le genre est l'une des premières dimensions par rapport à laquelle l'enfant se définit dès son plus jeune âge. Les enfants de deux ans peuvent se définir en tant que garçon ou fille, et ils commencent à manifester des comportements propres à leur sexe. Par exemple, si vous observez des enfants s'amuser dans une pièce remplie de jouets, les fillettes de deux ou trois ans seront plus portées à jouer avec des poupées ou des jeux domestiques de couture ou de cuisine. Les garçons du même âge préféreront des camions ou des outils de menuiserie (Fagot, 1974; O'Brien et Huston, 1985). À cet âge, on note également une préférence pour les compagnons de jeu du même sexe (Maccoby, 1988, 1990; Maccoby et Jacklin, 1987) — un modèle qui se renforce progressivement au cours de l'âge préscolaire et scolaire.

Les trotteurs se classent déjà selon des dimensions dichotomiques, comme gros par rapport à petit, intelligent par rapport à stupide, gentil par rapport à méchant. À ce stade précoce, ils se perçoivent comme étant l'un ou l'autre, mais jamais les deux à la fois.

Selon la terminologie de Bowlby, il semble que l'enfant de cet âge crée un modèle interne de concept de soi, en même temps qu'il développe un modèle interne de relations avec les autres. Il apprend d'abord qu'il est une entité distincte et qu'il a une certaine influence sur le monde. Puis, il commence à comprendre qu'il est aussi un objet dans ce monde, un objet doté de caractéristiques, comme la taille et le genre. Le modèle interne de concept de soi, ou le schème du concept de soi comme on l'appelle souvent, ne se développe pas complètement à ce jeune âge. Toutefois, le trotteur construit déjà sa propre image de soi, à partir de ses qualités et de ses habiletés. Ce modèle de concept de soi influe sur les choix que fait l'enfant — par exemple choisir de jouer avec d'autres enfants du même sexe — et sur la façon dont l'enfant interprétera ses expériences. De cette façon, le modèle interne n'est pas seulement renforcé, il tend à se perpétuer. Nous

allons nous pencher dans la prochaine section sur les différentes perspectives théoriques concernant le développement de la personnalité chez l'enfant.

PERSPECTIVES THÉORIQUES

Freud et Erikson ont tenté de décrire les changements qui se produisent dans la personnalité de l'enfant et dans ses relations avec les autres. Nous avons présenté ces théories au chapitre 2, mais nous allons les revoir brièvement. Puis, nous nous pencherons sur la théorie de l'attachement chez l'enfant.

SELON FREUD

Freud a identifié cinq stades du développement psychosexuel (Piaget a suivi cette classification). Deux de ces stades couvrent la période qui s'étend de la naissance à trois ans environ. Chacun de ces stades privilégie une zone corporelle particulière qui constitue la zone érogène, c'est-à-dire la principale source de satisfaction sexuelle de l'enfant. La façon dont les stades sont vécus au cours de l'enfance détermine les bases de la personnalité, d'où l'importance des premières années de la vie dans l'adaptation future (Cloutier et Renaud, 1990). Nous allons décrire ici le stade oral et le stade anal, qui mettent en lumière un aspect différent de la sensibilité sexuelle.

STADE ORAL : DE LA NAISSANCE À UN AN. Durant cette période, la bouche est le centre principal de la stimulation et le sevrage constitue la tâche principale à laquelle doit faire face le nourrisson. Pendant la première année de la vie en effet, c'est la bouche qui apporte le plus de plaisir à l'enfant ; sucer, mâchouiller, mordre, manger et embrasser permettent de libérer les tensions sexuelles. La zone orale (lèvres, langue, bouche) est investie d'énergie libidinale et demeurera plus ou moins importante tout au long de la vie en tant que source de satisfaction. Si l'expression normale de ces comportements est entravée, du fait d'une éducation rigide par exemple, une frustration peut s'instaurer (Goldhaber, 1988). Cette frustration peut entraîner une *fixation* à ce stade, laquelle aura des répercussions sur le comportement ultérieur de l'adulte. C'est ainsi que l'enfant peut devenir un adulte boulimique ou sarcastique afin de compenser ces frustrations précoces.

STADE ANAL : DE UN AN À TROIS ANS. À mesure que le corps du bébé se développe et se soumet à sa volonté, l'enfant devient de plus en plus sensible dans la région anale. À peu près à la même période, les parents commencent à mettre plus d'emphase sur l'apprentissage de la propreté et montrent leur satisfaction quand le bébé réussit « à faire à la

Concept de soi

Q 1   Citez et définissez les deux étapes du développement du concept de soi selon Lewis.

Q 2   Nommez et expliquez les différents tests que l'on utilise pour étudier la conscience de soi chez l'enfant.

Q 3   Quelle est la séquence d'évolution de l'expression émotionnelle chez l'enfant de 0 à 2 ans ?

La réaction de l'enfant qui protège son jouet, comme sur la photographie, peut traduire davantage l'établissement de la notion de conscience de soi et de territoire qu'un comportement égoïste ou un comportement relié à l'âge des terribles deux ans.

bonne place au bon moment ». Ces deux forces combinées déplacent le centre d'énergie sexuelle de la région orale à la zone érogène anale.

Selon l'attitude des parents, qui permettront ou non à l'enfant d'explorer la région anale et d'en tirer plaisir, l'enfant traversera avec succès ou non le stade anal. Cependant, l'apprentissage de la propreté peut devenir source de conflit, puisque l'enfant peut affirmer son indépendance (et son plaisir anal) en résistant aux tentatives de ses parents pour le discipliner. Dans ce cas, il se peut que l'énergie sexuelle de l'enfant reste fixée sur ce mode et que l'enfant devienne par exemple un adulte aux habitudes d'ordre ou d'économie excessives ou, à l'opposé, un adulte extrêmement désordonné.

Ainsi, selon Freud, chacun de ces stades comporte la possibilité d'un conflit entre l'enfant et ses parents.

SELON ERIKSON

Erikson ne néglige pas l'importance des interactions parents-enfant et des conflits au cours des premières années, mais il met surtout l'accent sur l'influence des habiletés physiques et cognitives grandissantes de l'enfant sur son sentiment d'indépendance. Erikson identifie également deux stades psychosociaux dans la période qui s'étend de la naissance à trois ans.

CONFIANCE OU MÉFIANCE : DE LA NAISSANCE À UN AN. Pour l'enfant de cet âge, la tâche principale consiste à acquérir la conviction que, quoi qu'il arrive, quelqu'un l'aime et le soutient. Le bébé, par les contacts qu'il entretient avec la personne qui lui prodigue des soins, le plus souvent la mère, doit développer une confiance de base en autrui et en lui-même. L'expérience intime d'une harmonie entre ses besoins et la réponse du milieu lui permet de développer sa confiance, son assurance de compétence, de réussite et de sécurité. L'expérience d'un manque d'harmonie et d'une insensibilité du milieu à l'égard de ses besoins favorisera le développement de comportements opposés, soit l'anxiété, l'insécurité et la méfiance (Cloutier et Renaud, 1990). Nous abordons dans la section suivante la notion d'attachement, qui constitue l'élément central de ce stade.

AUTONOMIE OU HONTE ET DOUTE : DE UN AN À TROIS ANS. Au deuxième stade proposé par Erikson, la mobilité accrue de l'enfant forme la base de son sens de l'indépendance, ou autonomie. Mais si les efforts de l'enfant pour conquérir son indépendance ne sont pas soigneusement guidés et encouragés par ses parents et qu'il vit sans cesse des échecs ou est ridiculisé, ses explorations pourraient se solder par la honte et le doute au lieu de le conduire à un sentiment de maîtrise et d'estime de soi.

Selon Freud et Erikson, il semble donc que l'élément clé de cette période réside dans l'équilibre entre les nouvelles aptitudes et les nouveaux besoins d'autonomie de l'enfant d'une part, et le besoin des parents de protéger l'enfant et de maîtriser son comportement d'autre part.

THÉORIE DE L'ATTACHEMENT

Les études récentes sur les rapports parents-enfant portent la marque de la théorie de l'attachement, en particulier des travaux de John Bowlby (1969, 1973, 1980, 1988a, 1988b). Bowlby a été influencé par la pensée psychanalytique, et il accorde une importance majeure aux premières relations entre la mère et son enfant, ainsi qu'à des concepts évolutionnistes et éthologiques. Selon lui, les enfants naissent avec une inclinaison naturelle à rechercher des liens émotionnels forts avec leurs parents. De telles relations ont une valeur de *survie*, car elles assurent nourriture et bien-être au nourrisson. Ce système d'interactions est composé d'un répertoire de comportements instinctifs qui instaurent et entretiennent une certaine proximité entre les parents et l'enfant ou entre toutes personnes unies par un lien affectif.

Les travaux de Bowlby et ceux de Mary Ainsworth (1972, 1982, 1989 ; Ainsworth *et al.*, 1978) reposent sur plusieurs concepts clés : le lien affectif, l'attachement et les comportements d'attachement.

Ainsworth définit le lien affectif comme « un lien relativement durable qui accorde de l'importance au partenaire en raison de son caractère unique et irremplaçable. Dans un

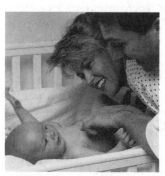

Ces parents peuvent sans doute obtenir facilement un sourire de leur bébé ; même à ce stade précoce de la relation, parents et enfant ont appris à décoder leurs signaux mutuels.

> Pensez à vos propres relations avec autrui. D'après les définitions de Bowlby et d'Ainsworth, lesquelles sont des attachements et lesquelles sont des liens affectifs ?

Lien affectif : Lien relativement durable dans lequel le partenaire est important, car il est perçu comme un individu unique et irremplaçable.

lien affectif, on désire préserver l'intimité avec le ou la partenaire » (1989, p. 711). L'attachement est un type particulier de lien affectif qui fait intervenir un sentiment de sécurité. Quand vous êtes attaché, vous éprouvez (ou recherchez) un sentiment de sécurité et de bien-être en la présence de l'autre personne, qui vous sert de « base de sécurité » à partir de laquelle explorer le monde.

En d'autres termes, la relation qui unit l'enfant à ses parents est un attachement, mais il n'en est pas de même de la relation qui unit les parents à l'enfant. En général, les parents ne se sentent pas plus en sécurité en présence de l'enfant et ils n'ont pas recours à lui comme à une base de sécurité. Par contre, la relation qu'entretient un adulte avec un ami intime ou un conjoint comporte toutes les caractéristiques de l'attachement au sens de Ainsworth et Bowlby.

L'attachement et les liens affectifs ne peuvent être observés directement, car ce sont des états internes. On ne peut en déduire l'existence que par l'examen des **comportements d'attachement**, c'est-à-dire les manifestations qui permettent à l'enfant ou à l'adulte de maintenir une certaine proximité avec l'être auquel il est attaché. En voici quelques exemples : le fait de sourire, d'échanger des regards, d'appeler une personne située à l'autre bout d'une pièce, de la toucher, de s'agripper à elle, de pleurer. Il faut souligner qu'il n'existe pas de lien direct entre l'intensité de l'attachement montré par un enfant (ou un adulte) et le nombre de comportements d'attachement. Les comportements d'attachement s'observent surtout au moment où le sujet a besoin de soins, de soutien ou de réconfort. Le nourrisson reste longtemps dans une telle situation de dépendance. Un enfant plus âgé (ou un adulte) est plus porté à manifester des comportements d'attachement quand il a peur ou lorsqu'il est fatigué ou anxieux. Ce sont les *caractéristiques* de ces comportements, et non pas leur fréquence, qui sont pertinentes pour mesurer l'intensité et la qualité de l'attachement ou des liens affectifs.

Perspectives théoriques

Q 4   Définissez le stade oral et le stade anal selon Freud. Quelles en sont les tâches respectives ?

Q 5   Définissez le stade de la confiance ou de la méfiance et le stade de l'autonomie ou de la honte et du doute selon Erikson. Quelles en sont les tâches respectives ?

Q 6   Différenciez lien affectif et attachement dans la théorie de l'attachement.

ÉMERGENCE DE L'ATTACHEMENT

L'attachement est un processus à double sens. Les parents et l'enfant créent des liens dans les deux sens et il faut comprendre la dynamique de ces deux processus. Nous allons dans un premier temps étudier l'attachement des parents.

PROCESSUS DE L'ATTACHEMENT DES PARENTS À L'ENFANT

PREMIÈRE ÉTAPE : LES PREMIERS CONTACTS. Si vous lisez les journaux, vous avez certainement déjà vu un article dans lequel on affirmait l'importance cruciale du contact immédiat de la mère (ou du père) avec le nouveau-né pour

Les relations entre les partenaires adultes, comme ce couple, offrent habituellement toutes les caractéristiques de l'attachement tel que le définit Bowlby.

Pensez à l'une de vos relations caractérisées par l'attachement et dressez une liste des comportements d'attachement que vous manifestez envers cette personne. L'un de ces comportements est-il semblable aux comportements observés chez les nourrissons ?

Attachement : Lien affectif positif unissant une personne à une autre, tel que celui que l'enfant nourrit à l'égard de sa mère et vice versa. L'attachement fait intervenir un sentiment de sécurité.

Comportements d'attachement : Ensemble des comportements (probablement) spontanés qu'une personne manifeste envers une autre, qui visent à établir ou à maintenir l'attachement et l'attention, comme le sourire chez le jeune enfant. Comportements qui reflètent un attachement.

qu'un lien solide puisse se tisser entre eux. Cette affirmation repose essentiellement sur les travaux de deux pédiatres, Marshall Klaus et John Kennell (1976), qui avaient avancé l'hypothèse que les premières heures après la naissance représentaient une «période critique» dans le développement du lien de la mère avec son enfant. Selon eux, les mères qui sont privées de ce contact immédiat risquent d'établir des liens moins forts et, par conséquent, courent des risques élevés de présenter un dysfonctionnement dans le rôle parental.

Cette hypothèse ainsi que les recherches connexes de ces pédiatres ont largement contribué à modifier les pratiques d'accouchement; la présence désormais normale du père à l'accouchement est due à leur vision. Loin de nous l'intention de revenir en arrière sur ces progrès certains. Mais il apparaît maintenant que l'hypothèse de Klaus et Kennel est erronée. Le contact immédiat ne semble être ni indispensable ni suffisant pour former des liens durables entre les parents et l'enfant (Myers, 1987).

Quelques études attestent un certain nombre d'effets positifs à court terme des tout premiers contacts. Dans les jours qui suivent la naissance, les mères qui ont bénéficié de ce premier contact avec leur enfant font preuve d'une plus grande tendresse à l'égard du bébé et le contemplent davantage que les mères pour qui ce contact n'a eu lieu que quelques heures après l'accouchement (Campbell et Taylor, 1980; de Chateau, 1980). Il existe peu d'indications d'effets durables. Deux à trois mois après la naissance, les mères qui ont eu un contact immédiat avec leur nourrisson ne leur sourient pas plus et ne le prennent pas plus dans leurs bras que les mères qui ont eu un contact différé.

On n'observe des indices d'effets durables que chez deux groupes particuliers de mères. Ainsi, le contact immédiat semble déterminant chez les mères qui accouchent de leur premier enfant et chez celles qui présentent des risques élevés de problèmes dans la fonction parentale (par exemple, les mères très jeunes ou provenant d'un milieu défavorisé).

Susan O'Connor et ses collaborateurs (O'Connor *et al.*, 1980) ont réparti au hasard certaines femmes issues d'un milieu défavorisé dans des chambres de «cohabitation» spécialement conçues pour qu'elles puissent s'occuper du nouveau-né dans leur chambre et bénéficier ainsi d'un contact prolongé. Les autres mères occupaient des chambres classiques où elles ne voyaient leur bébé qu'à l'heure de la tétée. *Aucun* des deux groupes n'avait eu de contact immédiat avec l'enfant après l'accouchement. La distinction importante entre les deux situations est donc le nombre de contacts qui ont eu lieu au cours des premiers jours, et non pas le moment précis du premier contact. Ces deux groupes ont fait l'objet d'un suivi pendant les premiers 18 mois de vie des enfants. O'Connor était particulièrement à l'affût de signes reflétant les inaptitudes parentales, comme les mauvais traitements ou les retards importants dans le développement de l'enfant. Le tableau 5.1 présente les résultats de l'étude.

Évidemment, peu de mères faisaient montre d'inaptitudes, que ce soit dans le groupe qui bénéficiait de chambres de cohabitation ou dans le groupe qui occupait des chambres classiques. Le taux d'inaptitudes le plus élevé se trouvait malgré tout dans le groupe où les mères avaient eu moins de contacts avec le bébé dans les premiers jours suivant la naissance. Ces résultats laissent entendre que des contacts soutenus et précoces avec l'enfant peuvent contribuer à *prévenir* de futurs problèmes d'inaptitude parentale, mais ce, seulement

> Si vous faisiez partie du conseil d'administration d'un hôpital et que vous deviez décider de l'adoption de «chambres de cohabitation» comme formule d'accueil standard pour les mères et leur enfant, seriez-vous convaincu par les résultats obtenus par O'Connor? Quels autres facteurs prendriez-vous en considération?

Tableau 5.1

Effet du contact immédiat et prolongé sur la qualité du lien parents-enfant

	Groupe de cohabitation avec l'enfant (143 cas)	Groupe bénéficiant de soins hospitaliers courants (158 cas)
Nombre d'enfants signalés au Service de protection de la jeunesse sur présomption de mauvais traitements	1	5
Nombre d'enfants hospitalisés pour maladie ou retard de développement	1	8

Source: O'Connor *et al.*, 1980, p. 356 et 357.

chez les mères qui présentent des risques élevés dès le départ. Pour la majorité des mères, un contact durant les premiers jours ne semble pas jouer un rôle essentiel dans la formation de liens affectifs solides.

DEUXIÈME ÉTAPE : FORMATION DES COMPORTE-MENTS D'ATTACHEMENT. La possibilité pour le parent et l'enfant d'instaurer un système mutuel d'interaction de comportements d'attachement joue un rôle beaucoup plus critique dans la formation du lien parents-enfant. Voici une description des échanges que l'on peut observer entre le bébé et ses parents : le bébé manifeste ses besoins en pleurant ou en souriant, et quand il se fait prendre dans les bras, il se calme ou se blottit. Il regarde ses parents quand ceux-ci le regardent. Les parents entrent à leur tour dans cette « danse à deux » en usant de leur propre répertoire (peut-être inné) de comportements attentionnés. Ils prennent le bébé dans leurs bras quand il pleure, réagissent quand le bébé a faim ou signale d'autres besoins, sourient quand il sourit et échangent un regard avec lui quand il les regarde. Certains chercheurs et théoriciens décrivent ce phénomène comme une « danse interactive », qui est en fait le développement de la **synchronie** (Isabella, Belsky et von Eye, 1989).

L'un des aspects les plus fascinants de ce processus est que nous semblons tous savoir comment s'exécute cette danse interactive. La plupart des adultes entrent spontanément dans le jeu lorsqu'ils se trouvent en présence d'un très jeune enfant : ils sourient, haussent les sourcils tout en ayant les yeux grands ouverts. En outre, nous modifions notre voix en présence d'un bébé. Dans une étude sur les interactions mère-enfant chez les mères chinoises, allemandes et américaines, Hanus et Mechthild Papousek (1991) ont constaté que non seulement toutes les mères observées prenaient une voix aiguë aux intonations mélodieuses, mais qu'elles utilisaient aussi les mêmes séquences d'intonations. Par exemple, elles avaient toutes tendance à employer des inflexions ou des tonalités ascendantes quand elles voulaient que le bébé prenne son tour dans l'interaction, et des inflexions descendantes pour le réconforter.

Tous les adultes ont la même expression exagérée de surprise quand ils parlent et jouent avec un bébé. La bouche est grande ouverte lorsqu'ils sourient, les sourcils sont haussés et le front est plissé.

Même si nous pouvons exécuter tous ces *comportements* d'attachement avec un grand nombre d'enfants, nous ne créons pas de lien affectif avec le bébé que nous avons amusé à l'épicerie du quartier. Pour l'adulte, l'élément critique dans la formation d'un lien authentique semble être la possibilité de développer une véritable réciprocité, en répétant cette danse jusqu'à ce que les partenaires se répondent de façon harmonieuse et avec plaisir. Cela prend du temps et de nombreuses répétitions, et certains parents (et enfants) deviennent plus doués que d'autres dans ce domaine. En général, plus le processus est régulier et prévisible, plus il semble être satisfaisant pour les parents et plus le lien qui les unit à l'enfant s'en trouve consolidé. Cette seconde étape semble bien plus importante pour l'établissement d'un lien parental solide que le contact initial à la naissance. Cependant, ce deuxième processus peut lui aussi échouer. Dans l'encadré présenté aux pages suivantes, nous faisons état des causes possibles d'un tel échec.

ATTACHEMENT PATERNEL. Il faut noter que la plupart des recherches que nous avons mentionnées ont été réalisées avec les mères des enfants. Malgré tout, plusieurs de ces principes semblent s'appliquer de la même façon au père. La qualité du lien paternel, au même titre que celui de la mère, semble beaucoup plus tributaire de la réciprocité des interactions que du contact immédiat après la naissance. Le fait que les pères disposent du même répertoire de comportements d'attachement que les mères favorise le développement d'une telle réciprocité. Au cours des premières semaines, le père touche le nourrisson, lui parle et le cajole de la même façon que la mère (Parke et Tinsley, 1981).

Après quelques semaines, toutefois, on constate une spécialisation dans le comportement des parents envers le nourrisson. Les pères passent plus de temps à jouer avec l'enfant et le font de façon plus physique. Les mères passent plus de temps à prodiguer quotidiennement les soins et elles parlent et sourient davantage au bébé (Parke et Tinsley, 1987). Cela ne signifie pas pour autant que le lien qui unit le père à son enfant est moins fort, mais seulement que ses comportements d'attachement sont typiquement différents de ceux de la mère.

On ne sait pas encore si ces différences dans le comportement des parents reflètent la définition culturelle des rôles (environnement) ou si elles sont innées ou instinctives. Une expérience déterminante consisterait à prendre pour objet d'étude des familles dans lesquelles le père s'occupe de l'enfant à plein temps. Jusqu'à présent, on ne dispose que de versions insuffisantes de ce test crucial — des situations où le père s'était occupé à plein temps ou à part égale de l'enfant pendant les premiers mois de la vie de l'enfant.

Synchronie : Système mutuel d'interaction établi entre l'enfant et la personne qui s'en occupe ; aussi appelé « danse interactive ».

Malheureusement, les rares études de ce type, menées en Suède, aux États-Unis et en Australie, ont donné des résultats totalement contradictoires (Lamb *et al.*, 1982 ; Field, 1978 ; Russell, 1982). Pour le moment donc, la question demeure entière.

> Pouvez-vous imaginer une autre méthode que le chercheur pourrait utiliser afin de déterminer si les différences typiques observées entre la mère et le père dans leur interaction avec l'enfant sont culturelles ou innées ?

Processus de l'attachement des parents à l'enfant

Q 7   Comment s'élabore l'attachement des parents à l'enfant ?

Q 8   Expliquez ce que l'on entend par « spécialisation dans le comportement des parents envers le nourrisson ».

Q 9   Qu'est-ce que la synchronie ?

Les enfants maltraités et quelques autres conséquences de l'échec de l'attachement

Ces dernières années au Québec, entre 0,88 et 0,95 % des enfants se sont trouvés dans des situations prises en charge par les services à l'enfance (Bien-être de l'enfance au Canada, 1994). La figure à la fin de cet encadré présente les différentes causes qui ont conduit à cette prise en charge selon la *Loi sur la protection de la jeunesse* (LPJ). Dans de nombreux cas, l'inaptitude des parents à créer un lien affectif fort avec le bébé dans les premiers mois pourrait être à l'origine de cette négligence ou de ces mauvais traitements infligés plus tard. Comment un tel échec est-il possible ?

Le système mutuel d'interaction (synchronie) que nous avons décrit réussit à créer un lien profond et solide entre les parents et leur enfant. En règle générale, les parents s'attachent véritablement à leur bébé. Cependant, l'élaboration de ce lien présuppose que les parents et l'enfant maîtrisent les signaux voulus et possèdent les habiletés requises. Si ces habiletés font défaut à l'un des deux partenaires, il peut s'ensuivre un échec ou un affaiblissement du lien affectif. La négligence ou les mauvais traitements sont parfois, mais pas toujours, les conséquences d'un tel échec.

Dans ce genre d'interaction, il est possible que ce soit l'enfant qui ne manifeste pas de manière adéquate les comportements d'attachement requis pour attirer et conserver l'attention des parents. Selma Fraiberg (1974, 1975), par exemple, a étudié un groupe de bébés non voyants. Ces enfants sourient moins que les enfants voyants et, bien sûr, n'échangent pas de regards avec leurs parents. La plupart des parents d'enfants malvoyants croient, après plusieurs mois, que leur enfant est déprimé ou les rejette. Ces parents sont moins attachés à leur enfant malvoyant qu'à leurs enfants voyants. Des problèmes analogues peuvent se présenter chez les parents d'enfants prématurés. En effet, comme ces enfants sont souvent séparés de leurs parents pendant les premières semaines ou les premiers mois de leur vie, il est possible qu'ils ne manifestent que peu de réactions lors des premières semaines passées à la maison.

Bien sûr, les enfants souffrant d'un handicap visuel, les prématurés ou ceux qui diffèrent de la norme ne seront pas tous nécessairement maltraités. La plupart des parents arrivent à surmonter ces difficultés. Néanmoins, les enfants prématurés sont en moyenne plus souvent maltraités que les enfants nés à terme, et le taux de mauvais traitement est également plus élevé chez les enfants qui sont très malades pendant les premiers mois de vie (Sherrod *et al.*, 1984).

Il se peut également que les parents soient à l'origine de l'échec de l'attachement. Ainsi, un adulte qui a subi des sévices durant son enfance et qui, par conséquent, n'a pas développé d'attachement avec ses propres parents, n'aura pas appris les comportements appropriés. On sait d'ailleurs que la majorité des parents qui maltraitent leurs enfants ont eux-mêmes été brutalisés par leurs parents. Par contre, il est important de noter que l'inverse n'est pas vrai : la majorité des adultes qui ont subi des sévices étant enfants arrivent à briser ce cycle de la violence et ne maltraitent pas leurs propres enfants (Zigler et Hall, 1989). Les parents incapables de sortir de ce cercle vicieux sont habituellement ceux qui ne possèdent que de faibles habiletés sociales, qui ne bénéficient pas d'un soutien social suffisant ou qui font face à un stress très intense.

La dépression constitue un autre obstacle à l'attachement des parents, car elle perturbe le rôle parental et influe sur la réaction de l'enfant. Les bébés qui interagissent avec des mères déprimées, ou même des mères qui font semblant d'avoir l'air déprimé ou qui affichent un visage sans expression, sourient moins, sont davantage perturbés et montrent de l'anxiété (Field *et al.*, 1990 ; Cohn *et al.*, 1990 ; Gusella *et al.*, 1988). Les mères déprimées, quant à elles, réagissent moins rapidement aux signaux lancés par le bébé et ont une attitude plus négative, voire hostile, à l'endroit de leur progéniture (Rutter, 1990). On peut dire que ces relations souffrent d'un manque de synchronie : les deux partenaires « ne dansent pas bien ensemble ». Par ailleurs, ces lacunes dans le comportement de la mère face à l'enfant tendent à se poursuivre même après l'épisode de dépression, ce qui indique peut-être que le lien qui l'unit à l'enfant est moins fort. On observe également l'influence de la dépression de sa mère sur le comportement du bébé. Tiffany Field et ses collaborateurs (Field *et al.*, 1988) ont noté que les bébés âgés de trois mois ayant des mères dépressives montrent des signes d'anxiété similaires, ainsi qu'un manque de synchronie même dans leurs interactions avec des adultes non déprimés.

Toutes les mères déprimées ne se comportent pas de cette façon. Si elles jouissent du soutien de leur con-joint, de leurs amis et de leur famille, et si le bébé dispose d'une bonne capacité d'interaction, les mères déprimées semblent être en mesure de développer un processus d'interaction positif avec l'enfant (Teti, Gelfand et Pompa, 1990).

Vous avez probablement remarqué la présence d'un thème récurrent dans les conditions qui génèrent les mauvais traitements, la négligence ou une interaction parent-enfant inadéquate. N'importe quel parent, quels que soient ses antécédents de dépression et de violence, est plus susceptible de maltraiter un enfant quand ses conditions de vie sont hautement stressantes. Parmi les familles à risques, on compte donc les familles qui comprennent un parent alcoolique (Famularo *et al.*, 1986), les familles nombreuses, les familles monoparentales et les familles défavorisées vivant à plusieurs dans un espace restreint (Garbarino et Sherman, 1980 ; Sack, Mason et Higgins, 1985 ; Pianta, Egeland et Erickson, 1989). Il reste que même ces conditions défavorables peuvent être surmontées si les parents s'apportent mutuellement un soutien affectif adéquat ou disposent d'une assistance extérieure.

La prévention de la négligence et de la violence faite aux enfants en raison de stress intense ou de l'état dépressif d'un parent s'avère une tâche très ardue (Olds et Henderson, 1989). Les interventions sont plus concluantes dans les cas où c'est le bébé qui semble présenter des lacunes dans sa façon de réagir. Par exemple, Fraiberg (1974) a constaté qu'elle pouvait apprendre aux parents d'enfants non voyants à interpréter la gestuelle des mains et du corps de l'enfant plutôt que de rechercher les regards et les sourires. Après cet apprentissage, l'attachement de ces parents à l'égard de leurs enfants s'est accru.

Les bienfaits d'un tel apprentissage ne se limitent pas à l'amélioration du sentiment de sécurité dans l'attachement. Thomas Achenbach et ses collaborateurs (Achenbach *et al.*, 1990) ont découvert que l'enseignement aux parents du décodage des signaux du bébé était aussi utile pour le développement à long terme des enfants de faible poids à la naissance. Sept ans après une telle formation, les enfants du groupe expérimental obtenaient de meilleurs résultats aux tests d'intelligence que les enfants de faible poids à la naissance dont la famille n'avait pas bénéficié de cette intervention. À longue échéance, il semble donc que la meilleure stratégie de prévention des mauvais traitements consiste non pas à se concentrer sur la violence en tant que telle, mais plutôt à intervenir dans le but de promouvoir des liens d'attachement plus forts entre les parents et l'enfant, et réciproquement.

Nombre de situations d'enfants prises en charge en vertu de la LPJ: 16 208

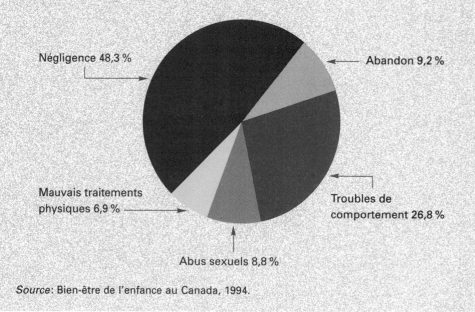

Source: Bien-être de l'enfance au Canada, 1994.

PROCESSUS DE L'ATTACHEMENT DE L'ENFANT AUX PARENTS

De même que le lien qui unit les parents à l'enfant, l'attachement du bébé apparaît graduellement. Bowlby (1969) définit trois étapes dans le développement de l'attachement de l'enfant, représentées dans la partie supérieure de la figure 5.2.

PREMIÈRE ÉTAPE : LE PRÉATTACHEMENT INITIAL.
À l'instar de Piaget, Bowlby pense que l'enfant débute dans la vie doté d'un répertoire de comportements innés qui l'orientent vers les autres et qui signalent ses besoins. Mary Ainsworth décrit ces comportements comme «favorisant la proximité», c'est-à-dire qu'ils rapprochent les gens. Comme vous le savez déjà, le nourrisson peut pleurer, regarder dans les yeux, s'agripper, se blottir et réagir aux soins attentionnés en se laissant réconforter. Cependant, au début, ainsi que le mentionne Mary Ainsworth, «ces comportements d'attache-

ment sont simplement émis, sans être adressés à une personne particulière» (1989, p. 710).

À ce stade, peu de signes démontrent l'existence d'un véritable attachement. Malgré tout, l'attachement puise ses racines dans cette phase. Le bébé construit ses «attentes», ses schèmes, sa capacité de distinguer son père et sa mère des autres. Cette interaction sans heurt, prévisible, qui renforce le lien qui unit les parents à l'enfant constitue le fondement de l'attachement naissant de l'enfant.

DEUXIÈME ÉTAPE : L'ÉMERGENCE DE L'ATTACHE-MENT.
Vers l'âge de trois mois, le bébé commence à faire preuve de plus de discrimination dans ses comportements d'attachement. Il sourit davantage aux personnes qui s'occupent régulièrement de lui, alors qu'il sourit moins spontanément à un étranger. En dépit de cette évolution, le bébé n'est pas encore complètement attaché. Les comportements «favorisant la proximité» sont encore dirigés vers plusieurs individus privilégiés, mais personne n'est encore devenu sa

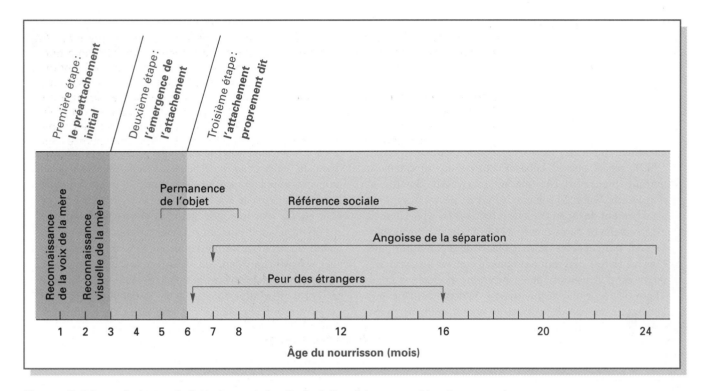

Figure 5.2 Les trois étapes de l'attachement chez l'enfant. Ce schéma vous aidera à comprendre comment se constitue l'attachement.

« base de sécurité ». À ce stade, les enfants ne font montre d'aucune anxiété particulière quand ils sont séparés de leurs parents et n'ont pas peur des étrangers (il faut noter cependant qu'une nouvelle étude, décrite dans le rapport de recherche à la page suivante, soutient le contraire).

TROISIÈME ÉTAPE : L'ATTACHEMENT PROPREMENT DIT. Selon Bowlby, le véritable attachement ne se forme que vers l'âge de six mois. À ce stade, la nature des comportements d'attachement change. Le bébé qui utilisait des signaux sur le mode « viens ici » (favorisant le rapprochement) passe à ce que Ainsworth appelle la « recherche de la proximité » en manifestant des comportements sur le mode « va là-bas ». Parce que l'enfant de six à sept mois commence à se déplacer en rampant et en marchant à quatre pattes, il peut se déplacer vers la personne qui s'occupe de lui tout comme il peut l'inciter à venir à lui. À cet âge, la « personne la plus importante » pour l'enfant lui sert également de « base de sécurité », à partir de laquelle il explore le monde. Ce comportement représente un élément clé traduisant la présence de l'attachement.

Il faut tout de même préciser que tous les enfants ne sont pas aussi exclusifs dans leur attachement, même à ce stade précoce. Il se peut que des enfants de cet âge fassent preuve d'un attachement fort envers les deux parents, ou envers un parent et une autre personne qui prend soin de lui, comme une gardienne ou un grand-parent. Cependant, ces bébés, lorsqu'ils sont en situation de stress, montrent malgré

tout une préférence marquée pour l'une de ces personnes, à l'exclusion des autres.

Une fois que l'enfant a clairement développé un attachement, soit entre six et huit mois, on assiste à l'apparition de plusieurs comportements connexes. Parmi ces comportements, apparaît la référence sociale, une notion abordée au début du chapitre 4. L'enfant de dix mois utilise ses nouvelles aptitudes afin de distinguer les différentes expressions faciales pour ensuite orienter son comportement. Il faut rappeler ici que le comportement du bébé est toujours guidé par la recherche de la sécurité. Il observe l'expression de sa mère ou de son père avant de s'aventurer vers de nouvelles expériences. À peu près au même âge, les bébés manifestent également de la peur envers les étrangers et une résistance à la séparation.

RÉSISTANCE À LA SÉPARATION ET PEUR DES ÉTRANGERS. Il est rare que ces deux formes de détresse apparaissent avant l'âge de cinq ou six mois. En général, elles s'intensifient entre 12 et 16 mois, pour disparaître ensuite progressivement. Les résultats de recherche ne sont pas tous concordants, mais il semblerait toutefois que la peur des étrangers soit la première à se développer, tandis que la résistance à la séparation se met en place un peu plus tard et dure plus longtemps. Ce modèle est illustré à la figure 5.2.

On a observé une augmentation de la peur et de l'anxiété chez des enfants de différentes cultures, et aussi bien

RAPPORT DE RECHERCHE

Nouvelles découvertes sur le préattachement

Voici un bon exemple pour démontrer comment une nouvelle découverte peut remettre en question la théorie. Un chercheur japonais, Keiko Mizukami (Mizukami *et al.*, 1990), pense que le bébé développe un attachement marqué bien plus tôt que ne le croient Bowlby et Ainsworth. Selon Mizukami, si l'on ne peut observer cet attachement de façon évidente chez les bébés plus jeunes, c'est seulement parce que les bébés de deux ou trois mois ne sont pas capables de se déplacer de façon autonome. Puisque le test déterminant dans le constat de l'attachement est l'utilisation de la personne préférée comme « base de sécurité », le nourrisson de deux mois ne sera jamais en mesure de manifester un tel comportement, même s'il y a attachement.

Mizukami et ses collaborateurs ont contourné cette difficulté en mesurant la température de la peau des bébés, qui a tendance à baisser quand le bébé est stressé. En étudiant de petits groupes de bébés, ils ont découvert qu'au moment où la mère sortait de la pièce, la température de la peau des bébés de 8 à 16 semaines baissait. Cette baisse était encore plus marquée quand la mère était remplacée par un étranger. Toutefois, si la mère restait avec l'enfant quand un étranger se présentait, le bébé ne manifestait aucun signe équivalent de stress, ce qui concorde avec l'hypothèse que même les bébés de deux à quatre mois se servent de leur mère comme « base de sécurité ». Si cette découverte est corroborée par une autre étude, Bowlby, Ainsworth et beaucoup d'autres théoriciens pourraient avoir à réviser leur conception des premiers stades du développement de l'attachement.

chez les enfants nord-américains élevés à la maison que chez ceux qui vont à la garderie. Tout semble indiquer que ce processus est relié à la séquence du développement cognitif ou du moins à un processus de maturation lié à l'âge (Kagan, Kearsley et Zelazo, 1978).

Cependant, même si l'apparition de ces deux phénomènes est commune à la plupart des enfants, l'intensité du sentiment de peur ne l'est pas. Les enfants réagissent différemment devant les étrangers ou face aux situations nouvelles. Certaines de ces différences reflètent les variations individuelles dans le tempérament (Berberian et Snyder, 1982), un sujet que nous aborderons un peu plus loin. Un sentiment de peur grandissante peut traduire une réaction à un bouleversement récent ou à une situation stressante, comme un déménagement ou un changement d'emploi des parents (Thompson et Lamb, 1982). Quelle que soit l'origine des variations de l'intensité de la peur, ce phénomène disparaît généralement chez le trottineur vers le milieu de la deuxième année.

ATTACHEMENT DE L'ENFANT AUX PARENTS

Nous avons mentionné plus haut que le père et la mère établissaient des liens d'attachement étroits avec leur enfant, quoique leur comportement face à leur enfant varie de

diverses façons. Mais que dire du lien qui unit l'enfant à ses parents ? Les nourrissons et les jeunes enfants s'attachent-ils avec la même intensité à leur père et à leur mère ?

Il semblerait que oui. À partir de sept ou huit mois, l'âge auquel commencent à se manifester les attachements profonds, les enfants préfèrent leur père ou leur mère à un étranger. De plus, lorsque l'enfant est en présence des deux parents, il sourit aux deux ou se rapproche des deux, sauf s'il a peur ou s'il est dans une situation de stress. Dans ces conditions, et surtout entre l'âge de 8 et 24 mois, l'enfant se tourne vers la mère plutôt que vers le père (Lamb, 1981).

Comme vous pourriez le penser, l'intensité de l'attachement de l'enfant à l'égard du père semble reliée au temps que celui-ci lui consacre. Gail Ross (Ross, Kagan, Zelazo et Kotelchuk, 1975) a même établi qu'elle pouvait prédire l'intensité de l'attachement d'un enfant à l'égard du père à partir du nombre de couches que celui-ci change en moyenne au cours de la semaine. Plus ce nombre est élevé, et plus l'attachement est fort. Toutefois, le nombre d'heures que le père passe avec l'enfant n'est pas le seul facteur important. Michael Lamb et ses collaborateurs suédois ont montré qu'un enfant dont le père était responsable des soins quotidiens pour une période minimale d'un mois au cours de la première année de vie était malgré tout plus fortement attaché à sa mère qu'à son père (Lamb, Frodi, Hwang et Frodi, 1983). Pour que l'enfant *préfère* son père à sa mère, il faudrait probablement que le père s'occupe de lui à temps plein. Comme cette situation se produit de plus en plus dans notre société, il sera bientôt possible d'étudier la relation père-enfant pour savoir si l'enfant peut développer une préférence pour le père.

MODÈLES INTERNES D'ATTACHEMENT

Durant les premiers mois de la vie, où l'enfant crée un premier modèle interne du concept de soi, il élabore également un modèle interne d'attachement. Presque tous les bébés semblent passer, comme nous venons de l'expliquer, d'une phase de préattachement à une phase d'attachement. Toutefois, la *qualité* de l'attachement diffère d'un enfant à l'autre. Selon la terminologie de Bowlby, l'enfant crée différents *modèles internes d'attachement* avec ses parents et les personnes importantes dans sa vie. Ces modèles internes d'attachement comprennent des éléments tels que l'assurance ou non que la personne à laquelle il est attaché sera disponible et accessible, les attentes de l'enfant en matière d'affection ou de rejet, et l'assurance que l'autre constitue réellement une « base de sécurité » pour l'exploration du monde qui l'entoure.

Le modèle interne d'attachement se développe vers la fin de la première année de la vie, puis continue de s'élaborer et de se consolider durant les quatre ou cinq premières années. À l'âge de cinq ans, la majorité des enfants ont nettement établi un modèle interne de la mère (ou de la personne qui s'occupe d'eux), un modèle du concept de soi et un modèle d'interactions avec les autres. Une fois établis, ces modèles façonnent les expériences, fournissent des explications, et ils influent aussi sur la mémoire et l'attention. Nous nous rappelons des expériences qui concordent avec nos modèles et nous oublions ou ignorons celles qui n'y correspondent pas. En termes piagétiens, nous assimilons davantage les données qui se conforment à notre modèle. Fait plus important encore, le modèle influe sur le comportement de

Les pères qui consacrent plus de temps aux soins quotidiens de leur enfant semblent bénéficier d'un attachement plus fort de la part de ce dernier.

l'enfant : celui-ci tente essentiellement de recréer, dans chaque nouvelle relation, le modèle qui lui est familier. Alan Sroufe donne un exemple pour illustrer ce point :

> *Ce qu'un enfant considère comme un rejet sera tout à fait anodin pour un autre enfant. Ce qui peut paraître réconfortant pour un enfant peut sembler confus et ambigu pour un autre. Prenons l'exemple d'un enfant qui s'approche d'un autre enfant pour jouer. Si son compagnon de jeu le rejette, il peut s'en aller et bouder dans un coin. Toutefois, un autre enfant, face à la même réaction négative, pourrait aller voir un autre compagnon, établir une relation positive et jouer avec lui. Les expériences de rejet de ces deux enfants sont très différentes. Chaque enfant reçoit une confirmation de modèles internes très différents. (1988, p. 23.)*

ATTACHEMENTS FORTS ET ATTACHEMENTS FAIBLES

Tous les théoriciens qui étudient l'attachement s'entendent pour dire que l'attachement initial est l'élément qui influe le plus sur la création du modèle interne de l'enfant. Mary Ainsworth (Ainsworth et Wittig, 1969 ; Ainsworth *et al.*, 1978) a conçu un système de classification pour les divers types d'attachement initial, lequel est aujourd'hui utilisé dans le monde entier. Elle fait une distinction entre les attachements forts et deux types d'attachements faibles, qu'elle évalue en utilisant une technique d'observation appelée Situation insolite.

La Situation insolite consiste en une suite de huit épisodes se déroulant dans un laboratoire, au cours desquels l'enfant se trouve successivement en présence de sa mère (1), avec sa mère et un étranger (2), seul avec l'étranger (3), tout seul pendant quelques minutes (4), puis se retrouve en présence de sa mère (5), seul de nouveau (6), seul avec l'étranger (7) et enfin avec l'étranger et sa mère (8). Selon les

---

Attachement fort : Attachement caractérisé par la capacité, pour l'enfant, de considérer ses parents comme une « base de sécurité » et d'être consolé par eux après une séparation, s'il a peur ou s'il éprouve du désarroi.

Attachement faible : Ensemble des modèles d'attachement ambivalents et des modèles d'évitement chez l'enfant. L'enfant ne considère pas ses parents comme une base de sécurité et ceux-ci ne parviendront pas vraiment à le consoler.

Situation insolite : Suite d'épisodes utilisée par Mary Ainsworth et d'autres chercheurs dans des études sur l'attachement. Il s'agit d'observer un enfant en présence de la mère, seul avec un étranger, complètement seul et, finalement, en présence de la mère et d'un étranger.

réactions de l'enfant, celui-ci est classé soit dans la catégorie des enfants *fortement attachés (attachement sécurisant)*, soit dans l'une des deux catégories d'enfants *faiblement attachés (attachement insécurisant)*, c'est-à-dire les *détachés/fuyants* et les *résistants/ambivalents*. Mary Main définit même une troisième catégorie d'enfants faiblement attachés qu'elle appelle *les désorganisés/désorientés* (Main et Soloman, 1985). Une liste de caractéristiques des enfants faiblement et fortement attachés est présentée au tableau 5.2.

On a observé ces divers types d'attachement au cours d'études effectuées dans différents pays, et le modèle d'enfants fortement attachés reste le modèle le plus courant (van IJzendoorn et Kroonenberg, 1988). On retrouve ce modèle chez 60 à 65 % de tous les enfants observés. En fait, les variations d'une culture à l'autre reposent sur l'incidence relative des deux types d'attachement faible. Dans chaque culture, on trouve surtout les enfants faiblement attachés dans les familles défavorisées, dans les familles où il y a des antécédents de sévices ou encore dans les familles où la mère est très dépressive (Spieker et Booth, 1988).

Puisque tous les travaux actuels qui portent sur le sentiment de sécurité provenant de l'attachement ont de nombreuses ramifications dans plusieurs domaines théoriques et pratiques, nous allons maintenant étudier leurs caractéristiques et leurs implications respectives.

CONTINUITÉ DU TYPE D'ATTACHEMENT. L'attachement sécurisant d'un enfant demeure-t-il stable ou évolue-t-il dans le temps ? Est-ce qu'un enfant fortement attaché à 12 mois le sera encore à 24 mois ou à 36 mois ? Un enfant d'âge scolaire manifestera-t-il ce même sentiment d'attachement ? Il s'agit là de questions très importantes pour les chercheurs et les théoriciens qui tentent de découvrir si la négligence, les mauvais traitements infligés pendant la petite enfance, ou toute autre source d'attachement faible, peuvent avoir des effets permanents. Les enfants qui ont subi des mauvais traitements à un très jeune âge peuvent-ils s'en remettre plus tard ? Un enfant présentant un attachement sécurisant dès son très jeune âge sera-t-il toujours protégé contre les adversités de la vie ?

Comme d'habitude, la réponse est mitigée ! Lorsque le milieu familial ou les conditions de vie de l'enfant sont suffisamment structurés, le type d'attachement (sécurisant ou insécurisant) demeure généralement stable. Everett Waters (1978) a constaté par exemple que, sur les 50 nourrissons qu'il a étudiés, seulement 2 ont changé de catégories d'attachement entre l'âge de 12 et 18 mois. En observant un échantillon d'enfants provenant de familles stables de la classe moyenne, Mary Main et ses collaborateurs (Main, Kaplan et Cassidy, 1985 ; Main et Cassidy, 1988) ont établi de fortes corrélations entre le degré de sécurité de l'attachement à 18 mois et à 6 ans. Cependant, lorsque le milieu de l'enfant change considérablement — lorsqu'il commence à aller à la garderie, que la grand-mère vient vivre à la maison, ou que les parents divorcent ou déménagent, par exemple — l'attachement de l'enfant peut changer, en passant de fort à faible, ou vice versa (Thompson, Lamb et Estes, 1982, 1983). On observe également ce phénomène dans les familles défavorisées, car elles n'offrent pas toujours un milieu stable à l'enfant (Vaughn *et al.*, 1979).

Tableau 5.2

Comportement d'enfants âgés de 12 mois fortement attachés et faiblement attachés dans la Situation insolite de Ainsworth

Fortement attaché. L'enfant fait preuve d'un certain degré (de faible à modéré) de recherche de rapprochement ; il n'évite pas le contact et ne résiste pas au contact établi par sa mère. Lorsqu'il la retrouve après une absence, il l'accueille de façon positive. Elle est capable de le consoler lorsqu'il est bouleversé. Il préfère nettement sa mère à un étranger.

Faiblement attaché : détaché/fuyant. L'enfant évite le contact avec sa mère, surtout lorsqu'il la retrouve après une absence. Il ne résiste pas aux efforts de contact de sa mère, mais n'essaie pas lui-même d'établir le contact. Il traite sa mère et un étranger à peu près de la même façon.

Faiblement attaché : résistant/ambivalent. L'enfant se montre bouleversé lorsqu'on le sépare de sa mère ; elle ne réussit pas à le réconforter à son retour. L'enfant peut soit rechercher, soit éviter le contact, selon le moment. Il peut manifester de la colère envers sa mère lorsqu'il la retrouve ; il résiste aux efforts d'un étranger pour le réconforter et s'approcher de lui.

Faiblement attaché : désorganisé/désorienté. L'enfant semble sidéré, désorienté ou inquiet. Il peut éviter le contact, puis rechercher un contact très étroit. Il peut présenter des modèles conflictuels, comme se rapprocher de la mère en gardant un regard fuyant ; il peut exprimer des émotions sans relation apparente avec les personnes présentes.

Sources: Ainsworth *et al.*, 1978 ; Main et Solomon, 1985 ; Sroufe et Waters, 1977.

Le fait même que le sentiment de sécurité puisse changer d'une fois à l'autre ne réfute pas la notion d'attachement comme modèle interne. Bowlby affirme que pendant les deux ou trois premières années, le modèle particulier d'attachement d'un enfant est en quelque sorte propre à chaque relation donnée. Ainsi, des études récentes sur l'attachement des trottineurs à l'égard du père ou de la mère ont montré que, dans environ 40 % des cas, l'enfant est fortement attaché à l'un des parents et faiblement attaché à l'autre, qu'il s'agisse de la mère ou du père (Fox, Kimmerly et Schafer, 1991). C'est la qualité de chaque relation qui détermine la sécurité de l'enfant dans cette paire. Si cette relation change considérablement, le sentiment de sécurité de l'enfant à l'égard de cette personne peut changer également. Selon Bowlby, le modèle

> Si les modèles internes tendent à persister et à influer sur les relations futures, est-il juste de dire que les premières années de la vie constituent une période critique en ce qui concerne la création de modèles de relations ? Avez-vous trouvé dans ce chapitre des arguments allant à l'encontre de cette hypothèse ?

interne d'attachement se généralise vers l'âge de quatre ou cinq ans, l'*enfant* se l'approprie, l'applique dans ses relations, et ce modèle devient ainsi plus résistant au changement. C'est alors que l'enfant tend à imposer ce modèle à ses nouvelles relations, y compris à ses professeurs et à ses pairs.

Un enfant peut se rétablir d'un attachement initial insécurisant tout comme il peut perdre un attachement sécurisant. Ainsi, l'attachement de l'enfant peut se consolider ou s'affaiblir. Toutefois, la continuité de l'attachement à travers le temps est plus courante, car les relations des enfants sont relativement stables durant les premières années de la vie et parce que, une fois que le modèle interne d'attachement est bien implanté, il tend à se perpétuer.

ORIGINES DES ATTACHEMENTS FORTS ET DES ATTACHEMENTS FAIBLES. D'où proviennent ces différences ? Les dénominateurs communs d'un véritable attachement sécurisant semblent être l'acceptation de l'enfant par les parents (Benn, 1986) ainsi qu'une *réaction appropriée* des parents face à l'enfant (Sroufe et Fleeson, 1986 ; Isabella, Belsky et von Eye, 1989 ; Pederson *et al.*, 1990). Cela ne signifie pas seulement que les parents aiment leur enfant ou qu'ils en prennent soin, mais aussi qu'ils réagissent au bon moment et de façon appropriée aux signaux qu'il émet. Ils sourient à

LE MONDE RÉEL

Les porte-bébés favorisent-ils un attachement fort chez les enfants ?

Dans bien des pays, et particulièrement dans les pays en voie de développement, les mères portent presque toujours leur bébé en les enveloppant dans un genre d'écharpe qui les maintient contre le corps de la mère, comme le montre cette photographie d'une mère masai. En Amérique du Nord, depuis quelques années, on voit de plus en plus de parents transporter leurs enfants de manière semblable, dans des porte-bébés ou des sacs kangourous. Cette façon de procéder ne permet pas seulement aux parents d'avoir une liberté complète des bras ou de travailler tout en ayant leur bébé près d'eux, il semblerait qu'elle favorise un attachement fort chez l'enfant. Mary Ainsworth a observé ce phénomène dans ses études en Ouganda (Ainsworth, 1967). Aujourd'hui, des études américaines confirment ces résultats.

Elizabeth Anisfeld et ses collaborateurs (Anisfeld *et al.*, 1990) ont donné des cadeaux à un groupe de mères à faible revenu, immédiatement après la naissance de leur bébé. À la moitié du groupe, ils ont donné des porte-bébés souples, et à l'autre moitié, des sièges d'enfant en plastique. On a incité les deux groupes à utiliser quotidiennement cet accessoire, et la majorité l'ont utilisé assez régulièrement. Lorsque les bébés ont eu 13 mois, on leur a fait passer des tests en Situation insolite. Anisfeld a découvert que 87 % des enfants qui ont été transportés dans des porte-bébés souples présentaient un attachement fort, contre 38 % des enfants dont la mère avait reçu un siège en plastique. Puisque les mères ont été assignées au hasard dans ces deux groupes, on peut établir un lien causal entre le contact physique renforcé par le porte-bébé et l'attachement fort de l'enfant.

L'application, dans la vie de tous les jours, est très simple : une augmentation des contacts directs entre l'enfant et ses parents est bénéfique, et les porte-bébés sont une façon particulièrement efficace d'obtenir un tel contact.

l'enfant lorsqu'il sourit, ils lui parlent lorsqu'il gazouille, le prennent dans leurs bras lorsqu'il pleure, etc. Les parents d'enfants ayant un attachement sécurisant sont plus sensibles aux besoins des enfants et expriment plus leurs émotions — ils sourient plus, prennent une voix douce et aiguë et touchent l'enfant plus souvent (Egeland et Farber, 1984; Izard *et al.*, 1991).

Au contraire, les mères d'enfants classés comme faiblement attachés/fuyants ne sont psychologiquement pas accessibles pour l'enfant (selon la terminologie de Sroufe). Elles peuvent négliger ou rejeter l'enfant pour diverses raisons, mais l'élément commun est la dépression — un phénomène dont il a été brièvement question dans l'encadré « Le monde réel » de la page précédente.

Les mères d'enfants classés comme résistants/ambivalents ne réagissent pas de façon constante aux désirs de leur enfant. Par exemple, elles peuvent indifféremment rejeter les demandes de contact de l'enfant ou y réagir de manière positive. On retrouve le type désorganisés/désorientés chez les enfants maltraités ainsi que chez ceux qui sont exposés à la cocaïne en période prénatale (Carlson *et al.*, 1989; Lyons-Ruth *et al.*, 1991; Rodning, Beckwith et Howard, 1991).

EFFETS À LONG TERME DE L'ATTACHEMENT FORT ET DE L'ATTACHEMENT FAIBLE. Si nous nous sommes penchée aussi longuement sur ces deux principaux types d'attachement, c'est parce que cette classification s'est avérée extrêmement utile dans la prédiction d'une vaste gamme de comportements tant chez les trottineurs que chez les enfants plus âgés (voir la liste du tableau 5.3). Les enfants fortement attachés à leur mère sont généralement plus sociables, plus ouverts aux autres et font preuve d'une plus grande maturité émotionnelle à l'école et dans d'autres situations extrafamiliales.

La plupart des informations du tableau 5.3 proviennent d'études faites sur des enfants à la maternelle ou au début de l'élémentaire. Toutefois, il existe au moins une étude qui a suivi jusqu'à la prépuberté des enfants dont les antécédents d'attachement initial étaient connus. Alan Sroufe et ses collaborateurs, dans une étude que nous avons brièvement décrite au chapitre 1, ont suivi jusqu'à l'âge de 10 ou 11 ans 32 sujets d'un échantillon composé de quelques centaines d'enfants (Sroufe, 1989). Ces 32 enfants ont été sélectionnés de façon très précise : la moitié d'entre eux présentaient un attachement fort, et l'autre moitié présentait à part égale les deux principaux types d'attachement faible.

Sroufe et ses collaborateurs ont observé ces enfants dans une colonie de vacances spécialement conçue pour cette étude. Les moniteurs du camp classaient chaque enfant selon des caractéristiques précises, et les observateurs notaient le temps que l'enfant passait avec les autres enfants ou avec les moniteurs. Bien entendu, ni les moniteurs ni les observateurs ne connaissaient le type d'attachement initial de l'enfant. Les

résultats étaient concluants : les enfants qui avaient un attachement initial fort montraient une plus grande confiance en soi et une plus grande aptitude sociale. Ils collaboraient davantage avec les moniteurs, faisaient preuve d'émotions plus positives et avaient une perception plus réaliste de leurs capacités à effectuer une tâche. Sur les huit enfants qui avaient des antécédents de type fuyant, cinq ont présenté un modèle soit d'isolation sociale face à leurs pairs soit de comportement étrange. De plus, les huit enfants faiblement attachés de type résistant ou ambivalent ont montré des modèles de comportement déviant. Quatre d'entre eux étaient passifs, trois étaient hyperactifs et un, très agressif. Seulement 2 des 16 enfants fortement attachés ont suivi un de ces modèles déviants.

Nous devons une fois de plus insister sur le fait que ces 32 enfants sont les seuls à avoir été étudiés pendant une telle période, et qu'il est risqué de bâtir une théorie sur une base empirique aussi peu solide. Cependant, les données de Sroufe concordent très bien avec les résultats des recherches effectuées sur des enfants plus jeunes. Dans l'ensemble, les études font ressortir les effets à long terme des modèles d'attachement ou des modèles internes des relations établis durant la première année de la vie. Toutefois, ces modèles peuvent changer, et il nous reste beaucoup à apprendre sur les facteurs qui tendent à les maintenir ou à les altérer.

Attachement de l'enfant aux parents

Q 10   Expliquez les trois étapes du processus de l'attachement de l'enfant aux parents.

Q 11   Quelles sont les conséquences de l'échec de l'attachement ?

Q 12   À quel moment s'installent la peur des étrangers et la résistance à la séparation ? Comment peut-on expliquer ces comportements ?

Q 13   Quels sont les différents types d'attachement et leurs caractéristiques respectives ?

DIFFÉRENCES INDIVIDUELLES CHEZ LES BÉBÉS : LE TEMPÉRAMENT

Lorsqu'ils commencent à développer simultanément leur concept de soi et leur modèle interne d'attachement, les bébés ne sont pas totalement démunis. Chaque bébé possède des

Tableau 5.3

Quelques différences entre les enfants fortement attachés et les enfants faiblement attachés

Les enfants fortement attachés, lorsqu'ils sont plus âgés, présentent certaines caractéristiques :
Sociabilité. Ils se montrent plus aimables avec leurs pairs, sont plus populaires et possèdent plus d'amis. Ils sont plus sociables avec les adultes étrangers et manifestent moins de peur à leur égard.
Estime de soi. Ils ont une plus grande estime de soi.
Relations avec leurs frères et sœurs. Ils ont de meilleures relations avec leurs frères et sœurs, surtout si ces derniers sont, eux aussi, fortement attachés. Par contre, si les deux sont faiblement attachés, la relation est particulièrement conflictuelle.
Dépendance. Ils sont moins portés à attirer l'attention du professeur ou d'autres adultes en étant très affectueux ou insupportables.
Colère et agressivité. Ils ont un tempérament moins colérique ou perturbateur.
Collaboration et conduite. À l'école, ils sont plus faciles à discipliner ; ils demandent moins d'interventions de la part du professeur, sans toutefois être très dociles.
Empathie. Ils se montrent plus empathiques envers les autres enfants et les adultes. Ils ne retirent pas de plaisir à voir les autres en détresse, ce qui est courant chez les enfants fuyants.
Troubles du comportement. Les résultats varient, mais de nombreuses études ont montré que les enfants fortement attachés sont moins portés à présenter des troubles du comportement en grandissant.
Résolution de problèmes. Ils ont une concentration plus grande dans les jeux libres, ils sont plus confiants dans les tâches avec des outils (résolution de problèmes), et font appel plus efficacement à l'assistance de leur mère ou de leur professeur en cas de besoin.

Sources : Cohn, 1990 ; Frankel et Bates, 1990 ; Greenberg et Speltz, 1988 ; Lütkenhaus, Grossman et Grossman, 1985 ; Matas, Arend et Sroufe, 1978 ; Plunkett, Klein et Meisels, 1988 ; Sroufe, 1988, 1989 ; Teti et Ablard, 1989.

qualités innées, des modes et des styles de réaction qui lui sont propres. Ces modèles innés influent sur la réaction des autres envers chaque enfant ainsi que sur la façon dont chaque enfant comprend ou interprète ses expériences.

En général, les psychologues utilisent le terme **personnalité** pour décrire les différentes réactions des enfants et des adultes face aux objets et aux personnes qui les entourent. Comme le concept d'intelligence, le concept de personnalité est conçu pour décrire les *différences individuelles* persistantes dans le comportement. Que nous soyons grégaires ou timides, impulsifs ou réfléchis, autonomes ou dépendants, confiants ou craintifs, toutes ces qualités servent à décrire certaines propriétés fondamentales de la personnalité.

Lorsqu'on parle des différences de personnalité chez les enfants on utilise presque toujours le terme **tempérament,** lequel fait référence à un sous-ensemble de traits de caractère, soit « la réactivité émotionnelle ou le style de réaction d'un individu en interaction avec l'environnement » (W. Carey, 1981). On classe les bébés en fonction de leur réaction à toutes sortes de stimuli, selon des catégories allant de placide à vigoureux. Les enfants diffèrent également dans

leur niveau d'activité, leur disposition émotionnelle (irritable ou souriant), leur degré de sociabilité, la régularité de leur rythme quotidien, et sur bien d'autres plans. Le terme *tempérament* décrit la *façon* dont l'enfant réagit à une situation plutôt que ce qu'il est capable de faire et les raisons pour lesquelles il le fait.

Les psychologues qui étudient le tempérament des enfants ne s'entendent toujours pas sur la meilleure façon de décrire les dimensions clés des différences observées sur le plan du tempérament. Jerome Kagan s'est penché sur une seule dimension, l'inhibition, qui selon lui est la base de ce que l'on décrit plus tard comme étant de la *timidité.* Buss et Plomin (1984, 1986), qui ont employé une approche couramment utilisée depuis dans les études sur les adultes et les

---

Personnalité : Ensemble de réactions individuelles relativement durables, propres à chaque personne, enfant ou adulte.

Tempérament : Réactions typiques d'une personne à l'expérience. Les différences de tempérament peuvent être d'origine génétique et sont relativement durables.

enfants, soutiennent qu'il existe trois dimensions fondamentales : l'émotivité, l'activité et la sociabilité. Rothbart (1989a) quant à lui définit deux dimensions, la réactivité et l'autorégulation, tandis que Thomas et Chess (1977) décrivent neuf dimensions (voir le tableau 5.4).

Il n'est pas évident de déterminer laquelle de ces théories prévaudra, si tant est que cela arrive. Toutefois, les théoriciens les plus influents dans ce domaine sont Thomas et Chess. Nous allons maintenant aborder plus en détail leur système de catégorisation.

Comme vous pouvez le voir au tableau 5.4, Thomas et Chess proposent neuf dimensions. Ils ont découvert toutefois que ces neuf dimensions du tempérament se regroupent en trois types fondamentaux. Ce sont ces trois types, énumérés ci-dessous, qui ont exercé la plus grande influence sur le plan théorique.

- *L'enfant facile*. L'enfant facile aborde de nouveaux événements de façon positive et avec confiance. Par exemple, sa réaction face à des aliments nouveaux sera modérée. Ses fonctions biologiques sont normales : il dort bien et mange à des heures régulières. Il est généralement de bonne humeur et s'adapte facilement au changement.

- *L'enfant difficile*. Au contraire, l'enfant difficile a des fonctions biologiques moins régulières, de sorte qu'il lui faut plus de temps pour acquérir des habitudes normales de sommeil et d'alimentation. Ce type d'enfant réagit vigoureusement et négativement au changement ; il pleure et est souvent irritable. D'ailleurs, ses pleurs sont plus stridents et irritants que les pleurs de l'enfant facile (Boukydis et Burgess, 1982). Cependant, Thomas et Chess soulignent que, une fois que l'enfant difficile s'est adapté à quelque chose de nouveau, il est tout à fait heureux. Par contre, le processus d'adaptation est généralement laborieux.

Si ce poupon est toujours aussi souriant que sur la photographie, nous pouvons dire qu'il a un tempérament facile. Puisqu'il reçoit divers types de soins de la personne qui s'occupe de lui, l'enfant facile vit différentes expériences pendant la petite enfance et l'enfance, ce qui va influer sur le développement de son modèle interne de concept de soi.

- *L'enfant lent*. L'enfant lent ne réagit pas aussi négativement aux choses nouvelles ou aux personnes nouvelles que l'enfant difficile. Il fait cependant preuve d'une certaine résistance passive. Par exemple, au lieu de pleurer et de recracher violemment sa nourriture, l'enfant lent se contentera de laisser la nourriture tomber de sa bouche, tout en s'opposant doucement à tout effort subséquent pour le nourrir. De tels enfants manifestent peu de réactions fortes, que ce soit de manière positive ou négative. Leur adaptation à une nouvelle personne ou à une nouvelle expérience s'avère généralement positive.

Ce système de catégorisation n'est pas le seul utilisé, mais il a eu beaucoup d'influence, particulièrement sur la description des enfants difficiles.

Chess et Thomas, ainsi que les autres théoriciens qui étudient le tempérament des bébés, considèrent que ces différences sont innées et résultent d'un modèle génétique ou d'une expérience prénatale. Ils ne vont pas jusqu'à dire qu'il existe un « gène social » ou un « gène de l'intensité de réaction ». Ils voient plutôt ces différences de comportement comme le reflet des variations sous-jacentes dans la façon dont le cerveau, le système nerveux ou le système hormonal de l'enfant fonctionnent (Rothbart, 1989b ; Gunnar, 1990).

L'étude effectuée par Kagan est l'illustration parfaite de ce type d'hypothèse. Selon lui, les différences dans l'inhibition du comportement trouvent leur origine dans divers seuils de stimulation de certaines régions du cerveau, soit l'amygdale cérébelleuse et l'hypothalamus, qui régissent les réactions face à l'incertitude. La stimulation de ces régions du cerveau entraîne des augmentations de la tension musculaire et du rythme cardiaque. On suppose que les enfants timides ou inhibés ont un *faible* seuil de tolérance à ces stimulations. Ainsi, ils deviennent plus facilement tendus et vigilants en situation d'incertitude. Il semblerait également qu'ils interprètent ou considèrent beaucoup plus de situations comme incertaines (Kagan, Reznick et Snidman, 1990 ; Kagan et Snidman, 1991). Nous n'héritons donc pas d'un trait héréditaire qui s'appelle « timidité » ou quelque chose d'équivalent, mais bien d'une propension que possède le cerveau à réagir de façon particulière.

Enfin, la plupart des personnes qui étudient le tempérament des enfants supposent que de telles dispositions persistent durant l'enfance et à l'âge adulte. Aucun théoricien cependant n'affirme que les dispositions initiales du tempérament demeurent les mêmes au fil des expériences. Le

Observez attentivement les quatre systèmes de catégories présentés au tableau 5.4. Retrouvez-vous des éléments communs ?

modèle de comportement éventuel d'un individu (phénotype) est le produit de l'héritage génétique original (génotype) et des expériences subséquentes. Ainsi, le tempérament ne détermine pas nécessairement la personnalité. Ce sont plutôt les variations du tempérament qui constituent les fondements de la personnalité. Elles créent des sortes de « préjugés innés » qui influent sur le mode d'interaction de l'individu. Compte tenu de ces préjugés, on devrait observer

Tableau 5.4

Dimensions du tempérament selon différents théoriciens

Thomas et Chess	Buss et Plomin	Rothbart	Kagan
Niveau d'activité : quantité habituelle de mouvements chez le nourrisson ; durée des périodes quotidiennes d'activité.	**Activité** : variations dans le rythme, la vigueur et la persistance.	**Réactivité** : variations dans l'éveil des activités motrices, de l'affect (état affectif élémentaire) et de certaines réactions physiologiques provenant du système endocrinien et du système nerveux autonome.	**Inhibition** : degré de rapprochement ou de retrait face à de nouvelles situations, de nouveaux objets ou des étrangers.
Rythme : degré auquel les activités quotidiennes de l'enfant sont prévisibles.	**Émotivité** : variations dans la propension à devenir facilement ou intensément bouleversé ou contrarié (accompagnées d'un sentiment de peur ou de colère).		
Rapprochement/retrait : réaction initiale de l'enfant à un nouveau stimulus.	**Sociabilité** : variations dans la disposition à se rapprocher des autres et à être récompensé par l'intermédiaire d'interactions sociales. Haut niveau de responsabilité envers les autres.	**Autorégulation** : variations dans les processus qui modulent la réactivité, comme l'attention, le retrait, les inhibitions du comportement et la capacité à revenir à un état calme.	
Adaptabilité : degré selon lequel la réaction initiale à un nouveau stimulus est modifiée.			
Seuil de réaction : intensité nécessaire pour qu'un stimulus déclenche une réaction.			
Intensité de la réaction : niveau d'énergie de la réaction (positive ou négative) de l'enfant.			
Qualité de l'humeur : caractéristiques du comportement (agréable ou désagréable, joyeux ou triste, amical ou inamical).			
Propension à la distraction : degré auquel le comportement de l'enfant est modifié par un événement externe.			
Capacité d'attention et persistance : temps consacré par l'enfant à une activité, même en présence d'obstacles.			

Sources : Buss, 1989 ; Rothbart, 1989a ; Kagan, Reznick et Snidman, 1990 ; Thomas et Chess, 1977.

une certaine continuité du tempérament dans le temps. Une telle continuité se traduit par des corrélations modestes entre les mesures d'une certaine dimension du tempérament d'une catégorie d'âge à l'autre.

Nous allons maintenant nous pencher sur certaines des hypothèses émises sur le tempérament des enfants.

ORIGINE GÉNÉTIQUE DU TEMPÉRAMENT

Le fait que les tempéraments de jumeaux identiques soient plus semblables que ceux de jumeaux fraternels tend à prouver que le tempérament de l'enfant et, par conséquent, sa personnalité d'adulte font partie de l'héritage génétique. Des études effectuées sur des jumeaux identiques adultes — élevés ensemble ou séparément — ainsi que des études longitudinales sur des nourrissons âgés de plus de un an et sur des enfants l'ont également démontré. Nous expliquons les résultats de ces études dans le rapport de recherche de la page suivante. Les résultats appuyant cette hypothèse sont tirés d'une étude de Buss et Plomin portant sur 228 paires de jumeaux identiques et 172 paires de jumeaux fraternels dont le tempérament a été évalué lorsqu'ils avaient 5 ans (Buss et Plomin, 1984). La corrélation entre les tempéraments des jumeaux fraternels sur le plan de l'émotivité, de l'activité et de la sociabilité variait entre 0,53 et 0,63, tandis que celle des jumeaux identiques allait de −0,13 à +0,12. Ces résultats indiquent une composante génétique importante.

Deux autres preuves, toutefois, affaiblissent la force de l'argument génétique : (1) des études sur des jumeaux durant leur première année ne montrent pas cette corrélation ; lorsqu'ils sont bébés, les jumeaux identiques ne sont pas plus semblables que les jumeaux fraternels (Gunnar, 1990) ; et (2) parmi les enfants adoptés, la corrélation entre le tempérament de l'enfant et celui des parents naturels n'est pas plus élevée que la corrélation entre le tempérament de l'enfant et celui des parents adoptifs (Scarr et Kidd, 1983). La plupart des experts en ont conclu qu'il existe une certaine composante génétique dans les différentes mesures courantes du tempérament. Ils s'entendent également pour dire que cette influence génétique *devient plus évidente* avec l'âge.

CONTINUITÉ DU TEMPÉRAMENT

Dans la petite enfance, le type de tempérament (facile ou difficile), le degré de sociabilité et le niveau d'activité semblent assez stables. Les bébés qui sont grincheux à deux mois le sont généralement encore à neuf mois ou à un an ; les bébés qui sourient deviennent généralement des enfants chaleureux (Rothbart, 1986). Plus tard dans l'enfance, la continuité du tempérament s'observe sur de plus longues périodes. Par exemple, parmi les sujets choisis à l'origine par Thomas et Chess, et qui ont été suivis à l'âge adulte, la corrélation entre les résultats des évaluations de tempérament effectuées quatre ans plus tard à l'école élémentaire était, en moyenne, de 0,42 (Hegvik, McDevitt et Carey, 1981), tandis que la corrélation entre des évaluations faites au début de l'adolescence, puis au début de l'âge adulte était de 0,62, soit une corrélation plus forte (Korn, 1984). Par contre, les évaluations du tempérament de ces mêmes sujets, lorsqu'ils étaient nourrissons, ne permettaient pas de prévoir leur tempérament à l'école élémentaire ou à l'âge adulte (Chess et Thomas, 1990).

Cet écart entre les évaluations du tempérament durant l'enfance et à un âge plus avancé est extrêmement intéressant et pose d'importants problèmes théoriques. Toutefois, les explications possibles ne manquent pas. Par exemple, un peu comme l'évaluation de l'intelligence d'un enfant et les tests de Q.I. ultérieurs peuvent mesurer des aspects différents de son fonctionnement, les évaluations du tempérament des nourrissons et des enfants peuvent, elles aussi, mesurer différentes caractéristiques. La fréquence des pleurs d'un nourrisson constitue un élément essentiel de l'évaluation de l'émotivité dans la jeune enfance. Chez les enfants et les adultes, les pleurs n'ont plus vraiment d'importance dans cette évaluation. Il est également possible que, dans la petite enfance, les expériences prénatales et natales aient une forte incidence sur les évaluations du tempérament. Ces facteurs extérieurs influeraient ainsi sur le modèle génétique, alors que les évaluations dans l'enfance mesureraient plutôt des différences génétiques.

Évidemment, il est aussi possible que toutes les différences innées de tempérament dans l'enfance soient façonnées et modifiées par les réactions des parents face à l'enfant. Par exemple, Fish, Stifter et Belsky (1991) ont récemment étudié le changement et la continuité des types de pleurs d'un petit échantillon de nourrissons. Ils ont découvert que les nouveau-nés qui pleurent beaucoup à la naissance, mais beaucoup moins à cinq mois, ont des mères très attentives, contrairement aux enfants qui continuent de pleurer beaucoup à cinq mois. Ainsi, la réponse particulière d'une mère attentive peut modifier le tempérament inné de son bébé. Toutefois, on peut expliquer cet écart étonnant par le fait que le tempérament d'un enfant de cet âge est plus malléable, tandis que celui d'un enfant de deux ans et plus présente une certaine stabilité au fil des ans, même à travers les décennies.

TEMPÉRAMENT ET ENVIRONNEMENT

Les bébés qui ont des tempéraments différents réagissent non seulement différemment au monde qui les entoure, mais ils provoquent aussi des réactions différentes chez les personnes qui s'occupent d'eux. Toutefois, ce processus est complexe.

RAPPORT DE RECHERCHE

L'hérédité des traits de personnalité chez les jumeaux

Au cours des dix dernières années, bon nombre de nouvelles études rigoureuses effectuées sur des jumeaux adultes ont montré à plusieurs reprises que les jumeaux identiques sont plus semblables que les jumeaux fraternels sur une grande variété de mesures touchant la personnalité (Loehlin, 1992).

Par exemple, Robert Plomin et ses collaborateurs (Plomin *et al.*, 1988) ont utilisé des registres suédois très détaillés et à jour. Ces registres contiennent des renseignements sur 25 000 paires de jumeaux nés entre 1886 et 1958. À partir de ces renseignements, les chercheurs ont pu retrouver 99 paires de jumeaux identiques et 229 paires de jumeaux fraternels qui avaient été élevés séparément. Puis, ils les ont comparées à des paires de jumeaux qui avaient grandi ensemble. Sur les dimensions de l'émotivité et de l'activité, les jumeaux identiques étaient plus semblables que les jumeaux fraternels, qu'ils aient été élevés ensemble ou non. Les résultats étaient moins concluants sur la dimension du degré de sociabilité.

La Minnesota Twin Study est une étude de moindre envergure mais qui a connu un grand retentissement aux États-Unis (Tellegen *et al.*, 1988 ; Bouchard, 1984) et a fait l'objet de nombreux articles dans des revues qui s'adressent au grand public. Dans cette étude, les chercheurs se sont surtout intéressés aux jumeaux identiques qui ont été élevés séparément. Grâce à des tests standard de personnalité, ils ont découvert un modèle maintenant bien connu : les jumeaux identiques sont beaucoup plus semblables que les jumeaux fraternels, même s'ils n'ont pas été élevés ensemble. Ce résultat est vrai pour des comportements tels que l'émotivité positive et négative (qui est semblable à la dimension de l'émotivité de Buss et Plomin) et pour des comportements beaucoup moins évidents tels que le sens du « potentiel social » et le bien-être. Même

l'évaluation d'une dimension comme le traditionalisme, soit une affinité pour les valeurs traditionnelles et un grand respect pour l'autorité établie, montre une plus grande corrélation entre les jumeaux identiques qu'entre les jumeaux fraternels.

La presse populaire s'est davantage intéressée aux résultats, beaucoup moins précis mais étonnants, concernant les préférences vestimentaires, les intérêts, la posture et le langage corporel, la vitesse et le débit d'élocution, les plaisanteries préférées et les passe-temps de jumeaux identiques n'ayant pas été élevés ensemble.

> *Des jumeaux masculins qui ne s'étaient jamais rencontrés, avaient tous deux la même allure décontractée : une barbe, une coupe de cheveux identique, des lunettes à monture en métal et une chemise sport de style anglais... D'autres jumeaux transportaient les mêmes articles ou presque dans leurs trousses de voyage, notamment la même eau de Cologne et la même marque de dentifrice... Une autre paire avait les mêmes peurs et phobies. Les deux avaient peur de l'eau et avaient adopté la même stratégie d'adaptation : ils avançaient dans la mer jusqu'à ce que l'eau atteigne leurs genoux et n'allaient pas plus loin. (Holden, 1987, p. 18.)*

Il est difficile d'imaginer quel type de processus génétique pourrait expliquer les préférences pour une coupe de cheveux ou un dentifrice. Toutefois, on ne peut ignorer ces résultats simplement parce qu'il est difficile de les expliquer. Finalement, ces résultats indiquent qu'il existe une forte composante génétique dans de nombreux aspects de la personnalité et des réactions émotives que les chercheurs s'intéressant au tempérament essaient de définir et d'observer chez les enfants.

Buss et Plomin (1984) ont suggéré que, en général, les enfants qui ont un tempérament qui se situe dans la moyenne des dimensions s'adaptent à leur environnement, tandis que ceux qui ont un tempérament extrême, comme les enfants difficiles, forcent leur environnement à s'adapter à eux. Par exemple, on pourrait dire que les enfants difficiles sont plus souvent punis (Rutter, 1978) que les autres. Toutefois, cet énoncé est trop simpliste. Les habiletés d'éducation de la mère, le stress qu'elle subit et le soutien social ou émotionnel qu'elle reçoit sont des facteurs qui influent sur sa capacité d'interagir avec un enfant difficile ou irritable.

Par exemple, Susan Crockenberg (1981, 1986) a découvert que les bébés qui avaient des tempéraments difficiles courent plus de risques d'être faiblement attachés *seulement* si leurs mères considèrent qu'elles ne reçoivent pas un soutien

> L'énoncé selon lequel les bébés difficiles sont plus souvent punis peut donner lieu à différentes interprétations. Quelles sont-elles ?

social approprié. De même, les bébés difficiles dont les mères reçoivent un soutien approprié ne courent pas plus de risques d'être faiblement attachés que les bébés faciles. Mavis Hetherington (1989) soutient que les enfants difficiles présentent plus de troubles du comportement à la suite du divorce de leurs parents, surtout si la mère est dépressive et qu'elle ne reçoit pas un soutien social approprié. Les enfants difficiles dont la mère divorcée n'est pas dépressive subissent eux aussi un choc, mais ne montrent pas plus de problèmes comportementaux.

Ces exemples illustrent le fait que les phénomènes que l'on observe dans le développement de l'enfant sont le résultat complexe d'interactions entre divers éléments du système, comme les qualités innées de l'enfant, les habiletés et les modèles de comportement que les parents apportent dans l'équation, et l'environnement familial dans son ensemble. Il faut également voir au-delà de la famille. Lorsqu'on se penche sur des enfants plus âgés, il est important de tenir compte des systèmes extérieurs à la famille, tels que l'école, la garderie, les groupes de scouts ou de guides et tous les endroits où les enfants se réunissent, car ces systèmes jouent un rôle majeur dans le développement de l'enfant.

Tempérament

Q 14 Qu'est-ce que le tempérament? la personnalité?

Q 15 Quelles sont les caractéristiques de l'enfant facile? de l'enfant difficile? de l'enfant lent?

Q 16 Peut-on dire que le tempérament présente une continuité dans le temps? Expliquez.

Q 17 Existe-t-il un lien entre tempérament et environnement? Pourquoi?

EFFETS DE L'ENVIRONNEMENT

INFLUENCE DE LA FAMILLE : LES DIFFÉRENTS STYLES D'ÉDUCATION

Les recherches sur le tempérament nous indiquent combien il est important de comprendre l'influence de la famille sur le comportement social et sur la personnalité en formation de l'enfant. Depuis des années, les psychologues tentent de

déterminer la meilleure façon de décrire les nombreuses variations observées dans le style d'éducation donnée dans les familles. À l'heure actuelle, la conceptualisation la plus productive est celle de Diana Baumrind (1967, 1971, 1973), qui met l'accent sur quatre aspects du fonctionnement de la famille : encadrement attentif et chaleureux, fermeté et clarté de la discipline, exigences quant au niveau de maturité et qualité de la communication entre les parents et l'enfant.

Chacune de ces quatre dimensions est reliée, indépendamment des trois autres, à plusieurs comportements de l'enfant. Les enfants qui ont des parents attentifs et chaleureux, comparativement à ceux qui ont des parents qui les rejettent, font preuve d'un attachement plus sécurisant durant les deux premières années de la vie et possèdent une plus grande estime de soi. Ils sont aussi plus ouverts, plus altruistes, plus réceptifs à la détresse ou à la souffrance des autres. Leur Q.I. est plus élevé à la maternelle et à l'école primaire, et ils sont moins susceptibles d'adopter des comportements délinquants à l'adolescence ou des comportements criminels à l'âge adulte (Maccoby, 1980 ; Schaefer, 1989 ; Simons, Robertson et Downs, 1989 ; Stattin et Klakenberg-Larsson, 1990). Un niveau élevé d'affection pourrait même prémunir l'enfant contre les effets négatifs d'un environnement déficient et pauvre en stimulation. Joan McCord (1982), par exemple, a trouvé que parmi les garçons grandissant dans des familles monoparentales défavorisées économiquement, ceux dont la mère les rejetait étaient trois fois plus enclins à devenir délinquants ou criminels que ceux qui avaient une mère affectueuse et chaleureuse.

On a aussi montré que le degré et la clarté de la discipline exercée par les parents sur l'enfant étaient significatifs. Les parents qui établissent des règles claires et les appliquent de manière constante ont des enfants qui sont moins enclins à être rebelles ou désobéissants, un modèle où vous reconnaîtrez les recherches de Gerald Patterson, dont nous avons parlé au chapitre 1 (voir la figure 1.3, p. 15). Leurs enfants sont aussi plus compétents, plus sûrs d'eux (Baumrind, 1973) et moins agressifs (Patterson, 1980).

Le *type* de discipline qu'utilisent les parents est aussi très important. La situation idéale pour l'enfant serait celle où les parents ne sont pas restrictifs à l'excès, expliquent le pourquoi des choses et évitent de recourir aux punitions physiques comme la fessée (ce thème est abordé dans l'encadré « Le monde réel » à la p. 154).

Les enfants se trouvent aussi dans une situation idéale lorsque leurs parents possèdent de grandes attentes (ce que Baumrind appelle de « grandes exigences quant à la maturité »). Ces enfants ont en effet une plus grande estime de soi, font preuve de plus de générosité envers les autres et de plus d'altruisme et sont moins agressifs.

Enfin, une bonne communication régulière entre les parents et l'enfant semble également donner des résultats plus positifs. Il est aussi important d'écouter l'enfant que de lui parler. Idéalement, les parents devraient faire sentir à l'enfant que ce qu'il a à dire vaut la peine d'être écouté, que ses idées sont importantes et qu'il faut en tenir compte au moment de prendre des décisions familiales. On a découvert que les enfants provenant de familles qui véhiculent ces idées ont une plus grande maturité sociale et affective (Bell et Bell, 1982 ; Baumrind, 1971, 1973).

Chacune de ces caractéristiques familiales, prise séparément, peut être significative ; mais dans la réalité aucune ne se présente seule. Elles se combinent et suivent des modèles. Baumrind a donc identifié trois de ces modèles ou styles d'éducation :

- le *style permissif*, empreint d'affection mais comprenant peu d'exigences, peu de discipline et peu de communication ;

- le *style autoritaire*, où l'on retrouve beaucoup de discipline et d'exigences, mais peu d'affection et de communication ;

- le *style démocratique*, où l'on retrouve une bonne dose de ces quatre dimensions.

Eleanor Maccoby et John Martin (1983) ont proposé une variante des catégories de Baumrind, que nous présentons à la figure 5.3 et qui nous paraît encore plus fonctionnelle. Ces chercheurs séparent les familles selon deux dimensions : le niveau d'exigence et de discipline d'une part, et le degré d'acceptation ou de rejet d'autre part. L'intersection de ces deux dimensions crée donc quatre styles dont trois correspondent d'assez près aux comportements permissif, autoritaire et démocratique de Baumrind. Le modèle de Maccoby et de Martin ajoute un quatrième style, le comportement *désengagé*, ou *indifférent*, que les recherches actuelles présentent comme le plus dommageable des quatre.

Si cette petite fille se fâche souvent, témoignant de son comportement difficile, elle a plus de chances de présenter des problèmes de comportement à l'école primaire ou pendant l'adolescence. Cependant, ce résultat n'est pas inévitable. Le comportement de nombreux enfants difficiles évolue suffisamment pour qu'ils puissent s'entendre très bien avec leurs pairs à un âge plus avancé.

	Niveau d'acceptation ou de rejet	
Niveau d'exigence et de discipline	**Acceptation élevée : affectueux**	**Acceptation faible (rejet) : insensible**
Élevé	Démocratique ; fondé sur la réciprocité.	Autoritaire ; fondé sur le pouvoir.
Faible	Permissif ; indulgent.	Désengagé ; indifférent ; insouciant ; négligent.

Figure 5.3 Styles d'éducation. Maccoby et Martin se sont inspirés du modèle des trois catégories de Baumrind pour obtenir ce nouveau système à deux dimensions. Le style parental ainsi révélé s'appelle le style désengagé. (*Source* : Adapté de E. E. Maccoby et J. A. Martin (1983), « Socialization in the context of the family : Parent-child interaction », *in* E. M. Hetherington (dir.), *Handbook of child psychology*, figure 2, p. 39.)

Nous allons décrire brièvement ci-dessous chacun de ces quatre types.

STYLE AUTORITAIRE. Les enfants qui grandissent dans des familles au style d'éducation autoritaire, c'est-à-dire où le niveau d'exigence et de discipline est élevé mais où les démonstrations de chaleur ou d'affection sont relativement rares, font preuve en général de moins d'habileté dans leurs interactions avec les pairs que les enfants provenant d'autres types de familles, et ils ont en général une faible estime de soi. Certains de ces enfants paraissent réservés. D'autres manifestent parfois une grande agressivité ou certains signes qui portent à croire qu'ils ne se maîtrisent pas. L'apparition ou non de ces dernières caractéristiques dépendrait en partie de l'habileté des parents à appliquer différentes mesures disciplinaires. Les recherches de Patterson montrent en effet que l'enfant qui ne se maîtrise pas provient le plus souvent d'une famille où les parents sont autoritaires par inclination naturelle mais manquent d'adresse pour faire respecter les limites ou les règles qu'ils ont posées.

Ces effets ne se limitent pas aux enfants d'âge préscolaire. Dans une étude portant sur près de 8 000 élèves du secondaire, Sanford Dornbusch et ses collaborateurs (Dornbusch *et al.*, 1987 ; Lamborn *et al.*, 1991) ont découvert que les adolescents issus de familles autoritaires obtiennent de moins bons résultats à l'école et affichent un concept

---

Style d'éducation autoritaire : Un des trois styles d'éducation décrits par Baumrind, caractérisé par un niveau élevé de discipline et d'exigences, et un faible niveau d'affection et de communication.

LE MONDE RÉEL

Doit-on donner la fessée?

À la question «Devrais-je donner la fessée à mon enfant?», la réponse est claire et nette: «*non*». Nous savons tous que cela est plus facile à dire qu'à faire. Pourtant, les connaissances actuelles sur les effets des punitions physiques, dont la fessée, nous paraissent justifier cette réponse.

À court terme, une fessée amène effectivement l'enfant à cesser le comportement précis que vous n'aimez pas qu'il adopte, et la fessée réduit même *temporairement* les chances que l'enfant répète ce comportement. Puisque c'était là votre objectif, il semble bien que la fessée soit une stratégie efficace. Mais même à court terme, la fessée comporte déjà des effets secondaires indésirables. L'enfant a peut-être interrompu son mauvais comportement, mais après une fessée il est sûrement en train de pleurer, ce qui est désagréable en soi. Or les pleurs sont un comportement qu'une deuxième fessée n'arrêtera certainement pas: il est pratiquement impossible de mettre fin aux pleurs d'un enfant en lui administrant une fessée! Vous avez donc échangé un comportement déplaisant pour un autre, et vous ne pouvez plus utiliser la même punition pour corriger ce second comportement déplaisant (les pleurs).

Voici un autre effet secondaire à court terme: vous recevez vous-même un renforcement à recourir à la fessée chaque fois que votre objectif est atteint grâce à une fessée. En quelque sorte, vous vous *conditionnez* à la fessée pour la prochaine fois, et vous venez de créer un cercle vicieux.

À long terme, les effets sont indubitablement négatifs. Premièrement, quand vous le frappez, votre enfant vous voit recourir à la force ou à la violence physique pour résoudre un problème ou pour faire accomplir aux autres ce que vous voulez qu'ils fassent. Vous offrez donc à votre enfant un modèle de comportement que vous ne voulez justement pas qu'il adopte.

Deuxièmement, en vous associant de façon répétée à l'événement désagréable et douloureux de la fessée, vous minez votre image positive aux yeux de votre enfant. Avec le temps, vous en arriverez à ne plus pouvoir utiliser efficacement quelque renforcement que ce soit. À la fin, même vos félicitations ou votre affection perdront de leur efficacité à influencer le comportement de votre enfant, ce qui constitue un lourd tribut à payer.

Troisièmement, il y a souvent un très puissant message émotionnel sous-entendu qui accompagne la fessée: colère, rejet, irritation, aversion et rejet de l'enfant. Même les enfants très jeunes saisissent facilement ce message (Rohner, Kean et Cournoyer, 1991). La fessée sert donc à créer un climat familial de rejet plutôt que de chaleur, avec tout ce que cela comporte de conséquences négatives.

Quatrièmement, différentes études révèlent que les enfants qui reçoivent plus de fessées sont plus agressifs et moins populaires auprès de leurs pairs, possèdent une faible estime de soi et souffrent d'instabilité émotionnelle (Rohner *et al.*, 1991). Ils sont moins accommodants à l'égard des adultes (Power et Chapieski, 1986). Ce ne sont pas les résultats que les parents recherchent pour leurs enfants.

Nous n'affirmons pas qu'il ne faut jamais punir un enfant! Nous disons simplement que les punitions d'ordre physique, comme la fessée, ne sont jamais une bonne façon de s'y prendre. Dans ce cas, que faut-il faire? Les punitions les plus efficaces (celles qui produisent des changements à long terme sans produire d'effets secondaires négatifs) sont celles qui sont utilisées *tôt* dans la séquence de comportements indésirables, avec le moins d'émotion possible et le degré de punition le plus bas possible (Patterson, 1975; Holden et West, 1989). Retirer à un enfant un jouet *aussitôt* qu'il s'en sert pour frapper les meubles (ou son petit frère), ou lui retirer systématiquement ses petits privilèges quand il agit mal sont des actes qui ont de bonnes chances de modifier son comportement, surtout si le parent est en même temps chaleureux, constant et clair quant aux règles. Il est beaucoup moins efficace d'attendre que les cris aient atteint un niveau exaspérant, ou d'attendre qu'une adolescente sorte pour la quatrième fois sans dire où elle va, pour réagir ensuite par des commentaires vifs et des punitions démesurées.

S'il était d'usage de recourir à la fessée dans la famille où vous avez grandi, il se peut que vous ne connaissiez tout simplement pas d'autres méthodes. Si c'est votre cas, un cours sur l'art d'être parent comme en offrent les organisations communautaires pourrait vous être utile.

de soi plus négatif que les adolescents issus de familles démocratiques.

STYLE PERMISSIF. Les enfants qui grandissent dans des familles au style d'éducation permissif présentent eux aussi certains aspects négatifs. Dornbusch a trouvé qu'ils réussissent un peu moins bien à l'école pendant leur adolescence, qu'ils sont en général plus agressifs (surtout si les parents sont justement permissifs à l'égard de l'agressivité) et qu'ils manquent de maturité dans leurs comportements avec les pairs et à l'école. Ils assument moins de responsabilités et se montrent moins indépendants.

STYLE DÉMOCRATIQUE. Les résultats les plus souvent positifs ont été associés au style d'éducation démocratique, dans lequel les parents font preuve d'un niveau élevé de discipline et de chaleur tout à la fois, posent des limites claires, mais répondent aussi aux besoins individuels de l'enfant. Les enfants élevés dans de telles familles jouissent en général d'une meilleure estime de soi, sont plus indépendants tout en étant plus susceptibles de se soumettre aux demandes de leurs parents, et adoptent également des comportements altruistes. Ils ont confiance en eux, visent l'excellence à l'école, où ils obtiennent d'ailleurs de meilleurs résultats (Dornbusch *et al.*, 1987; Steinberg, Elmen et Mounts, 1989; Lamborn *et al.*, 1991; Crockenberg et Litman, 1990).

STYLE DÉSENGAGÉ. À l'opposé, les résultats les plus souvent négatifs sont associés au style d'éducation désengagé ou indifférent. Nous avons vu plus haut, dans la section portant sur les attachements sécurisants et insécurisants, que l'une des caractéristiques familiales courantes chez les enfants classés comme détachés/fuyants était la « non-disponibilité

psychologique » de la mère. La mère est soit déprimée, soit submergée par d'autres problèmes dans sa vie, si bien qu'elle n'a tout simplement pas établi de lien affectif profond avec son enfant. Quelle qu'en soit la raison, ces enfants continuent de manifester des troubles dans leurs relations avec les pairs et avec les adultes pendant de nombreuses années. À l'adolescence, par exemple, les jeunes provenant de familles désengagées sont plus impulsifs et antisociaux, moins compétents dans leurs interactions avec leurs pairs et beaucoup moins préoccupés par la réussite scolaire (Block, 1971; Pulkkinen, 1982; Lamborn *et al.*, 1991).

Plusieurs des conclusions de cette recherche sont importantes. Premièrement, il semble évident que les enfants sont influencés par le climat familial ou le style parental. Il est très probable que ces effets persisteront longtemps à l'âge adulte, bien que nous ne disposions pas des données longitudinales nécessaires pour étayer cette hypothèse. Deuxièmement, on pense généralement que seuls les styles permissif

Styles d'éducation

Q 18 Selon Baumrind, quatre aspects du fonctionnement de la famille influent sur le style d'éducation. Quels sont-ils ?

Q 19 Quels sont les styles d'éducation identifiés par Baumrind et par Maccoby et Martin ? Quelles en sont les conséquences ?

Il est quelque peu surprenant que les enfants élevés dans des familles permissives soient *moins* indépendants et assument *moins* de responsabilités. On aurait pu croire que ces enfants seraient encouragés et renforcés justement de façon à favoriser leur indépendance et leur prise de décision. Pouvez-vous imaginer pour quelle(s) raison(s) on obtient le résultat inverse ?

Style d'éducation permissif : Un des trois styles d'éducation définis par Baumrind, caractérisé par un niveau élevé d'affection et un faible niveau de discipline, d'exigences et de communication.

Style d'éducation démocratique : Un des trois styles d'éducation décrits par Baumrind, caractérisé par un niveau élevé de discipline, de chaleur, d'exigences et de communication.

Style d'éducation désengagé : Un style d'éducation identifié par Maccoby et Martin, caractérisé par l'indifférence et par l'absence de soutien adéquat pour l'enfant.

ou autoritaire existent; mais la recherche sur le style démocratique révèle sans aucun doute que l'on peut être à la fois affectueux et ferme, et que les enfants réagissent à cette combinaison de manière très positive.

AU-DELÀ DE LA FAMILLE: LES GARDERIES

De nos jours, la majorité des enfants en Amérique du Nord et dans plusieurs pays industrialisés passent une partie de leur temps en garderie. Au cours des dernières décennies, la présence accrue des femmes sur le marché du travail a provoqué un changement social rapide et massif. Aujourd'hui, la *majorité* des femmes travaillent à l'extérieur de leur foyer, à temps plein ou à temps partiel. Il est donc pratique courante de placer les bébés et les enfants dans une garderie.

Qui s'occupe des enfants?

Les services de garderie ne sont pas la seule ressource utilisée. Les parents prennent de nombreuses dispositions pour faire garder leurs enfants, comme l'illustre la figure 5.4. Cette figure montre les divers services de garderie offerts aux enfants de moins de 12 ans, à partir d'une étude effectuée par le Bureau de la statistique du Québec auprès d'un échantillon comprenant 4 700 couples québécois. Selon ces résultats, près de la moitié des couples font garder leurs enfants parce qu'ils travaillent à l'extérieur ou poursuivent des études. Le mode de garde varie selon l'âge des enfants, et 39 % d'entre eux sont régulièrement confiés à des tiers. La garde en *milieu familial* est le mode de garde le plus fréquent (43 %): l'enfant est gardé dans une autre famille, parfois par un parent mais plus

souvent par une autre mère qui s'occupe de quelques enfants. Puis vient la garde à la maison (25 %), où l'enfant est confié aux soins d'une autre personne chez lui. Les garderies proprement dites accueillent 17 % des enfants, alors que 14 % sont placés dans un milieu de garde scolaire. Ces modèles varient selon l'âge des enfants. Les parents d'enfants de moins de trois ans préfèrent la garde à domicile, tandis que les parents d'enfants de trois à cinq ans préfèrent la garderie. Les parents qui ont des enfants d'âge scolaire optent pour la garde en milieu scolaire (Enquête BSQ, novembre 1993).

Les trois premiers types de garde (maison, milieu familial et garderie) diffèrent sur bien des plans. Par exemple, les garderies offrent une grande stimulation intellectuelle comparativement à la garde en milieu familial. Les garderies et la garde en milieu familial permettent aux enfants de jouer avec d'autres enfants de leur âge, ce qui n'est pas le cas des enfants qui restent au foyer (Clarke-Stewart, 1987). De telles variations compliquent considérablement l'analyse des effets globaux des services de garderie parce que ces derniers sont, de prime abord, très différents. De plus, l'ensemble des recherches sont basées sur des études portant sur des enfants en garderie, et il n'est pas possible de généraliser ces résultats pour les enfants gardés en milieu familial ou ceux qui sont gardés à la maison par une personne autre que les parents.

Le fait que les enfants entrent à la garderie à des âges différents et que la stabilité des services varie grandement constitue un autre obstacle à la formulation d'une conclusion claire. Certains enfants passent d'une garderie à l'autre, tandis que d'autres restent à la même garderie pendant plusieurs années. Ces différences ont certainement des répercussions sur l'enfant et elles rendent le problème de la recherche encore plus complexe. Malgré tout, la pertinence pratique de ces questions a incité les psychologues à essayer de tirer certaines conclusions, qui font actuellement l'objet d'un vif débat.

Effets des garderies sur le développement cognitif et la personnalité

Surtout pendant la première année de la vie, les services de garderie qui offrent une grande stimulation intellectuelle semblent favoriser le développement cognitif de l'enfant (Ramey et Haskins, 1981a, 1981b; Ramey, Yeates et Short, 1984; Ramey et Campbell, 1987; Ramey, Lee et Burchinal, 1989). Les enfants confiés à ces garderies, surtout ceux qui proviennent de familles défavorisées, ont des Q.I. plus élevés que les enfants provenant de milieux équivalents élevés à la maison. Certaines études effectuées dans des garderies plus conventionnelles constatent également une amélioration du développement cognitif (Clarke-Stewart, 1984; Caldwell, 1986; Burchinal, Lee et Ramey, 1989). Des études menées en Suède confirment cet effet positif: on a observé chez des adolescents de 13 ans que ceux qui ont passé le plus de temps dans de très bonnes garderies ont obtenu de meilleurs résultats scolaires

Mode de garde utilisé	%
À la maison	25,9
Milieu familial (autre famille)	
Reconnue	3,8
Non reconnue	35,3
Ne sait pas	4,0
Total milieu familial	43,1
Garderie	17,3
Milieu scolaire	13,7
Total	100,0

Figure 5.4 Répartition des enfants de moins de 12 ans entre les modes de garde utilisés de façon régulière au Québec en 1993. (*Source*: Enquête BSQ, novembre 1993.)

à l'école élémentaire que ceux qui ont été élevés à la maison ou qui ont très peu fréquenté les garderies (Andersson, 1992).

Dans le cas de la majorité des enfants confiés aux autres types de services de garderie — garde en milieu familial, garde à la maison par une autre personne que la mère, garde par la grand-mère, etc. –, les améliorations sur le plan cognitif sont moins évidentes. Une importante étude récente rapporte un effet *négatif* sur la richesse du vocabulaire d'un enfant de trois ans qui a été confié aux soins d'une autre personne que sa mère pendant les neuf premiers mois de sa vie (Baydar et Brooks-Gunn, 1991). Un tel résultat négatif n'est évidemment pas une conséquence inévitable d'un service de garde alternatif à un très jeune âge. En effet, on ne peut tirer une telle conclusion uniquement à partir du fait que certains programmes de garderie obtiennent l'effet contraire. Toutefois, la plupart des services de garde alternatifs ne sont pas très stimulants sur le plan intellectuel. Il faut donc en apprendre davantage sur les conditions des services de garde alternatifs qui favorisent, ou non, un bon développement cognitif.

Les résultats de recherches concernant l'effet des garderies sur la personnalité des enfants sont encore plus variés. Un certain nombre d'études montrent que les enfants qui ont été confiés à des garderies, comparativement à ceux qui ont été élevés à la maison par leurs parents, sont plus agressifs avec leurs pairs et moins dociles avec leurs professeurs et leurs parents lorsqu'ils sont plus âgés (Haskins, 1985 ; Belsky et Eggebeen, 1991). Certains chercheurs n'ont trouvé aucun effet semblable (Lamb *et al.*, 1988), tandis que d'autres encore, comme Andersson dans ses recherches en Suède, ont découvert que les enfants en garderie sont plus sociables et habiles en grandissant (Andersson, 1989 ; 1992). Tiffany Field, par exemple, a découvert récemment que les nourrissons et les enfants d'âge préscolaire qui avaient fréquenté de bonnes garderies *stables* ont plus d'amis, sont plus appréciés par leurs pairs, présentent plus d'assurance et sont moins agressifs à l'école que des enfants comparables ayant été élevés à la maison (Field, 1991).

La majorité des enfants nord-américains fréquentent une garderie organisée comme celle-ci.

Il est évident qu'il n'y a pas d'effet universel. Mais le fait que *certaines* expériences de garderie semblent augmenter l'agressivité et la désobéissance chez l'enfant a provoqué un vif débat. Comment devrions-nous interpréter ces résultats ? Reflètent-ils le fait que les éducateurs de certaines garderies, dans un effort pour encourager les enfants à être autonomes, ont également renforcé, sans le vouloir, leur agressivité et leur frondeur ? C'est possible. Lorsque le personnel d'une garderie où les enfants présentaient une augmentation de l'agressivité a décidé d'axer son programme sur le développement d'habiletés sociales positives, il a observé une baisse considérable du degré d'agressivité chez les enfants (Finkelstein, 1982).

Par ailleurs, certains théoriciens ont attribué le phénomène de l'agressivité non pas à la déviance ou à une mauvaise adaptation, mais plutôt au fait que les enfants placés en garderie apprennent davantage à penser en fonction d'eux-mêmes et qu'ils sont moins dociles (Clarke-Stewart, 1990). D'autres théoriciens considèrent que la solution dépend de la qualité des services offerts et non pas du système de garderie lui-même, comme l'indiquent les résultats très positifs obtenus par Field sur des enfants placés dans des garderies stables et de bonne qualité. D'autres encore, à l'instar de Jay Belsky, un psychologue qui adopte un point de vue très pessimiste sur les garderies, concluent que les indices de mauvaise adaptation parmi les enfants en garderie devraient être pris très au sérieux (Belsky, 1990), car ils peuvent refléter des difficultés plus profondes chez l'enfant, tels des problèmes d'attachement.

Effets des garderies sur l'attachement de l'enfant aux parents

Le débat le plus vif porte sur la question de l'attachement, que nous avons abordée au début de ce chapitre. Un nourrisson ou un trottineur peut-il développer un attachement fort à l'égard de sa mère ou de son père s'il est continuellement séparé d'eux ? On sait que la majorité des enfants montrent un attachement fort pour leur père même si celui-ci part travailler à l'extérieur tous les jours ; il est donc évident que des séparations régulières n'empêchent pas un attachement fort. Toutefois, la séparation des deux parents sur une base quotidienne peut entraîner un effet néfaste sur la qualité de l'attachement aux parents.

Comment un théoricien de l'apprentissage expliquerait-il le fait que des enfants placés dans une garderie donnée peuvent développer un certain degré d'agressivité, tandis que des enfants dans d'autres garderies ne présentent pas ces comportements ?

Il est possible de diminuer considérablement la portée de l'incertitude si l'on tient compte de l'âge auquel l'enfant fait sa première expérience en garderie. Tous les participants au débat actuel s'entendent pour dire que le fait de placer un enfant en garderie après l'âge de 18 mois n'influe pas sur la qualité de l'attachement à ses parents. Le désaccord concerne les enfants qui sont placés en garderie avant l'âge de 12 mois.

Étant donné que l'attachement principal d'un enfant se construit pendant les premiers mois de la vie, il est juste de se demander si des séparations répétées altèrent ce processus. Il y a cinq ans encore, la plupart des chercheurs dans ce domaine pensaient qu'il n'y avait pas d'effet apparent. Puis, dans une série d'articles et lors d'un témoignage présenté à un comité du Congrès américain, Belsky a donné l'alarme (Belsky, 1985, 1987, 1990; Belsky et Rovine, 1988). En combinant les données de diverses études, il a conclu que les enfants placés en garderie avant l'âge de un an couraient un risque élevé d'être faiblement attachés. Le débat était lancé. Depuis quelques années, la tempête s'est quelque peu calmée et la principale conclusion empirique de Belsky a été majoritairement acceptée. En résumant les résultats de 16 études portant sur plus de 1 200 enfants, Alison Clarke-Stewart (1990) a montré que 36 % des enfants qui passent plus de 20 heures par semaine en garderie sont faiblement attachés, comparativement à 29 % des enfants qui restent à la maison ou qui passent moins de 20 heures par semaine en garderie. L'écart n'est pas considérable mais il est significatif du point de vue statistique. La controverse actuelle s'articule autour de la manière d'interpréter ou d'expliquer cet écart.

Plusieurs psychologues ont adopté les conclusions de Belsky. Alan Sroufe, l'un des principaux chercheurs sur l'attachement précoce, souligne que la sécurité de l'attachement est facilitée par la qualité du soutien que l'enfant perçoit de la part des personnes qui s'occupent de lui et par la possibilité pour les parents et l'enfant d'harmoniser leur danse interactive. Ces deux facteurs peuvent être altérés si l'enfant est placé en garderie. Toutefois, il est évident que, dans la majorité des cas, les parents trouvent des moyens d'atténuer ces ruptures, car la plupart des enfants en garderie présentent tout de même un attachement fort (Sroufe, 1990).

À l'opposé de cette hypothèse, on trouve un groupe de chercheurs qui ne reconnaissent pas la gravité du problème ou pour qui le nombre de facteurs en jeu est tel que l'on ne peut tirer une conclusion définitive. Voici quelques exemples de leurs arguments :

Quelles autres différences peut-on établir entre les mères qui travaillent et celles qui demeurent au foyer? En quoi ces différences peuvent-elles favoriser un attachement faible ou fort chez l'enfant?

- Le pourcentage d'enfants faiblement attachés en garderie est pratiquement identique à la moyenne mondiale établie par van IJzendoorn et Kroonenberg (1988) dans leur analyse des études portant sur l'attachement à travers les cultures. Sur la base de cette conclusion, certains psychologues soutiennent que le degré d'insécurité observé chez les enfants en garderie en Amérique du Nord ne reflète tout simplement pas un problème grave (Thompson, 1990; Clarke-Stewart, 1990).

- La Situation insolite n'est peut-être pas une méthode d'évaluation appropriée de l'attachement chez les enfants en garderie. Pour évaluer le degré de sécurité de l'attachement, l'enfant doit être dans une situation moyennement stressante, sinon on ne peut observer suffisamment de comportements d'attachement pour juger de la qualité de l'attachement. Un enfant en garderie, qui a l'habitude d'être séparé de sa mère, ne vivra pas forcément la situation insolite comme un événement stressant. Ainsi, il peut adopter un comportement qui ressemble à de l'évitement, mais il s'agit en fait d'un comportement de bien-être relatif face à la situation (Clarke-Stewart, 1990). Belsky s'oppose à cette hypothèse (Belsky et Braungart, 1991). Selon lui, si l'on observe le comportement des bébés dans une situation insolite, particulièrement pendant la période de réunion, les bébés en garderie présentent autant d'agitation, de plaintes et de pleurs que les bébés élevés à la maison, ce qui signifie qu'ils ont ressenti un stress.

- Il existe un sérieux problème d'autosélection dans toute comparaison faite entre des enfants en garderie et des enfants élevés à la maison. Les mères qui travaillent diffèrent sur bien des plans des mères qui restent à la maison. Un plus grand nombre d'entre elles sont célibataires; elles préfèrent travailler ou trouvent les garderies trop coûteuses. Par ailleurs, les enfants qui fréquentent les moins bonnes garderies ou qui changent souvent de garderie proviennent en majorité de familles moins stables, ce qui constitue un problème connexe (Howes et Stewart, 1987; Howes, 1990). Pour ces deux raisons, il est impossible d'attribuer l'augmentation du degré d'insécurité aux expériences vécues à la garderie plutôt qu'à la maison.

Pour toutes ces raisons, Alison Clarke-Stewart (1990) conclut que « à l'heure actuelle... il n'est pas approprié d'interpréter la différence, comme Belsky semble le faire, dans le sens que ces enfants vivent dans l'insécurité sur le plan émotionnel » (p. 69).

On peut également avancer que Belsky se concentre sur un faux problème ou pose les mauvaises questions. Dans la plupart des familles, les parents ne se demandent pas s'ils devraient mettre leur enfant à la garderie, ils se demandent plutôt : « Puisque je dois travailler pour faire vivre ma famille, comment puis-je trouver une garderie de bonne qualité à un coût abordable ?» Il est évident que la plupart des garderies sont bonnes ; la majorité des enfants qui fréquentent ces garderies ne subissent aucun effet néfaste ; au contraire, certains en retirent des effets bénéfiques. En tenant compte de ces faits, les psychologues devraient se pencher davantage sur les éléments qui caractérisent une garderie qui offre des services de qualité. D'ailleurs, certains ont tenté de répondre à cette question. Le tableau 5.5 présente un résumé des connaissances actuelles. Cette liste pourrait vous servir de point de départ lors de l'évaluation des choix possibles pour votre enfant, le cas échéant.

Les garderies

Q 20 Quels sont les effets de la garderie sur le développement cognitif et le développement de la personnalité de l'enfant ?

Q 21 Quels sont les effets de la garderie sur l'attachement de l'enfant ?

Q 22 Quelles sont les caractéristiques des services de garderie qui influent sur le développement de l'enfant ? Expliquez.

Tableau 5.5
Quelques caractéristiques des services de garderie qui influent sur le développement des enfants

Ratio éducateur/enfants. En général, plus ce rapport est faible, meilleur est le service de garderie. De même, plus les enfants sont jeunes, plus ce rapport devrait être faible. Dans le cas des enfants de moins de 2 ans, ce rapport ne devrait pas être supérieur à 1 pour 4 ; dans le cas des enfants de 2 à 3 ans, les rapports se situant entre 1 pour 4 et 1 pour 10 semblent acceptables, même si l'on pense que les plus jeunes enfants de ce groupe profiteraient d'un rapport inférieur.

Taille du groupe. Quel que soit le nombre d'éducateurs accompagnant chaque groupe d'enfants, plus le groupe est petit, qu'il soit dans une seule pièce ou dans une maison, plus les enfants en retirent des effets bénéfiques. Ainsi, un groupe de 30 enfants confiés aux soins de 5 adultes n'est pas aussi efficace que 3 groupes de 10 enfants confiés aux soins d'un adulte chacun. Dans le cas des nourrissons, les connaissances actuelles font suggérer un maximum souhaitable de six ou huit enfants par groupe ; dans le cas des enfants de 1 à 2 ans, on suggère des groupes de 6 ou de 12 enfants. Dans le cas des enfants plus âgés, les groupes de 15 ou 20 semblent acceptables.

Quantité de contacts personnels avec les adultes. En général, plus l'enfant passe de temps en interaction personnelle avec un adulte, plus il en profite. Par contre, si l'enfant est gardé par une personne à la maison, il est possible qu'il ait trop de contacts avec l'adulte. Dans les garderies, toutefois, la quantité de contacts personnels avec un adulte est particulièrement importante.

Stabilité de la relation avec l'éducateur. Un service de garderie stable est préférable à un service où il existe un important roulement du personnel, parce que les enfants qui ont l'occasion d'établir une relation durable avec un adulte ont une meilleure réussite.

Richesse de la stimulation verbale. Quelle que soit la variété des jouets offerts, la complexité et la variété des mots utilisés pour parler avec les enfants stimulent davantage le développement du langage et des facultés cognitives.

Espace, propreté et couleurs. L'organisation spatiale globale semble être un élément important. Les enfants jouent de manière plus créative dans un environnement coloré, propre et adapté à leurs besoins. Il n'est pas essentiel d'offrir aux enfants de nombreux jouets coûteux, il leur faut plutôt des activités attrayantes et de l'espace pour se déplacer librement.

Connaissance de l'éducateur des stades du développement de l'enfant. Le développement de l'enfant est favorisé dans les garderies et les maisons où les éducateurs ont des connaissances précises du développement infantile.

Situation familiale des éducateurs. En milieu familial, les éducateurs célibataires, donc seuls pour s'occuper de la maison et des enfants, passent plus de temps aux tâches ménagères qu'à prendre soin des enfants, comparativement aux éducateurs mariés.

Sources : C. Anderson *et al.*, 1981 ; Clarke-Stewart, 1987 ; Hayes, Palmer et Zaslow, 1990 ; Hunt, 1986 ; Long, Peters et Garduque, 1985 ; Ruopp et Travers, 1982 ; Smith et Spence, 1981 ; Howes, Phillips et Whitebook, 1992.

RÉSUMÉ

1. Au cours des premiers mois, l'enfant amorce le développement des premières étapes menant à l'élaboration d'un concept de soi, le moi existentiel. L'enfant comprend qu'il a une existence propre et qu'il peut exercer des actions sur les objets ou les personnes qui l'entourent.

2. Au cours de la deuxième année de la vie, le bébé acquiert un concept de soi en tant qu'objet durable, doté de propriétés telles que le genre, la taille, etc. C'est ce qu'on appelle le moi différentiel.

3. Freud et Erikson ont tous deux décrit deux stades du développement de la personnalité au cours des premières années de la vie : le stade oral et le stade anal dans la théorie de Freud ; le stade de la confiance ou de la méfiance et le stade de l'autonomie ou du doute et de la honte dans la théorie d'Erikson.

4. Selon la théorie de l'attachement, une distinction importante doit être faite entre le lien affectif (un lien durable établi avec un partenaire unique) et l'attachement, qui fait intervenir en outre un sentiment de sécurité et une base de sécurité. On peut étudier l'attachement grâce à l'existence de comportements d'attachement.

5. L'attachement des parents à l'enfant s'élabore en deux étapes, dont la seconde apparaît comme la plus significative : (1) un lien initial très fort peut s'instaurer dans les quelques heures qui suivent la naissance ; (2) ce lien peut être renforcé par la répétition de comportements d'attachement réciproques qui s'imbriquent les uns dans les autres et qui se renforcent mutuellement.

6. L'échec de la formation d'un tel lien de la part des parents peut être attribuable au fait que l'enfant ne possède pas le pouvoir de séduction nécessaire ou que les parents présentent des carences dans leur interaction avec ce dernier. Dans les deux cas, les conséquences peuvent être la négligence ou les mauvais traitements.

7. Les pères, tout comme les mères, établissent des liens d'attachement forts avec l'enfant. Toutefois, ils interagissent davantage sous forme de jeux que les mères. Les enfants, de leur côté, développent un attachement aussi fort envers leur père qu'envers leur mère.

8. Selon Bowlby, l'attachement de l'enfant envers la mère, ou la personne qui s'occupe de lui, se développe selon une série d'étapes débutant par un attachement relativement aveugle envers n'importe quelle personne de son entourage. Puis, le nourrisson s'attache à une ou plusieurs personnes en particulier. Vers six mois, il perçoit la personne qui s'occupe de lui comme une « base de sécurité » : ce comportement traduit la présence d'un attachement fort.

9. À partir de six mois, les bébés manifestent une certaine crainte à l'égard des étrangers et protestent lorsqu'on les sépare de la personne préférée.

10. La qualité de l'attachement initial est relativement stable ; un attachement fort est renforcé par une attention et une réaction appropriées de la part des parents.

11. Les enfants ayant un attachement fort font preuve de plus de compétences sociales, de plus de curiosité et de persévérance face aux nouvelles tâches. Ils semblent également plus matures.

12. Les bébés possèdent des tempéraments différents à la naissance, et ils ne réagissent pas de la même façon aux objets et aux personnes.

13. Les théoriciens ne s'entendent toujours pas sur la meilleure façon de décrire les dimensions du tempérament. Cependant, le système en trois catégories de Chess et Thomas — selon lequel on trouve des bébés faciles, difficiles et lents — est très influent.

14. Les différences de tempérament semblent relever d'une composante génétique, si minime soit-elle. De plus, elles présentent une certaine continuité, que ce soit durant la petite enfance ou entre l'âge préscolaire et l'âge adulte.

15. Les styles d'éducation sont aussi significatifs. Le style démocratique, qui comprend beaucoup d'affection, des règles clairement établies, une bonne communication et des exigences élevées, est associé aux résultats les plus positifs. Le style négligent/indifférent est associé aux résultats les plus négatifs.

16. Les enfants sont également influencés par les expériences extra-familiales, en particulier par leur vie à la garderie, qui est devenue une expérience courante pour les enfants vivant en Amérique du Nord.

17. Certaines garderies favorisent le développement cognitif de l'enfant, à plus forte raison chez les enfants issus de familles défavorisées.

18. La recherche a récemment montré que l'on observe chez les enfants placés en garderie une incidence légèrement plus élevée de faible attachement à l'égard de la mère que chez les enfants élevés à la maison. L'interprétation à donner à cette différence fait l'objet de controverses.

MOTS CLÉS

Attachement, p. 135
Attachement faible, p. 143
Attachement fort, p. 143
Comportements d'attachement, p. 135
Lien affectif, p. 134

Personnalité, p. 147
Situation insolite, p. 143
Style d'éducation autoritaire, p. 153
Style d'éducation démocratique, p. 155

Style d'éducation désengagé, p. 155
Style d'éducation permissif, p. 155
Synchronie, p. 137
Tempérament, p. 147

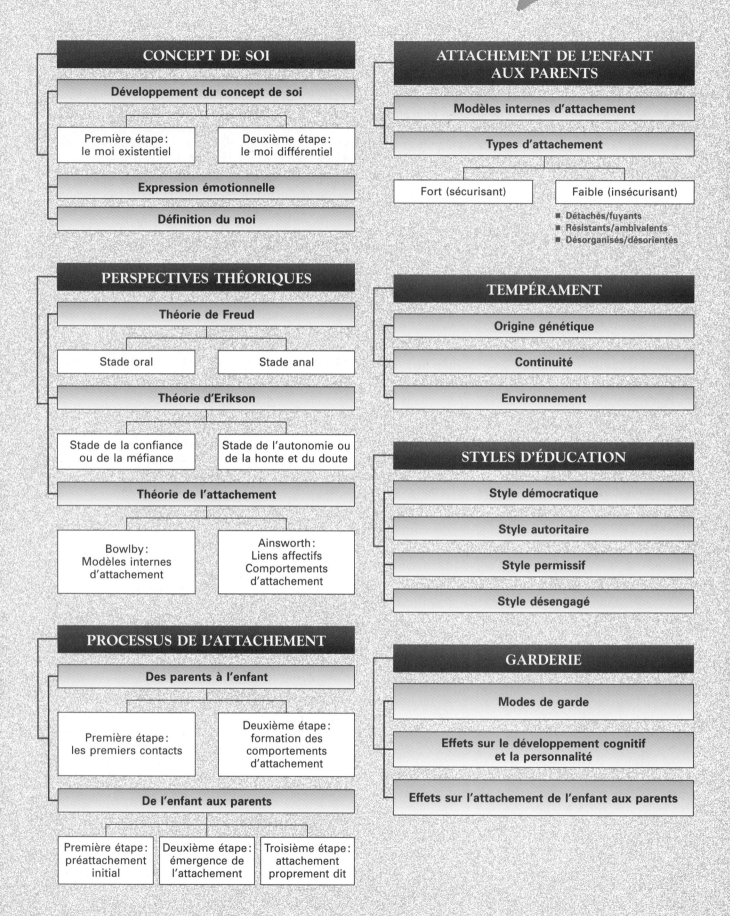

CONCEPT DE SOI

Développement du concept de soi

Première étape: le moi existentiel

Deuxième étape: le moi différentiel

Expression émotionnelle

Définition du moi

PERSPECTIVES THÉORIQUES

Théorie de Freud

Stade oral

Stade anal

Théorie d'Erikson

Stade de la confiance ou de la méfiance

Stade de l'autonomie ou de la honte et du doute

Théorie de l'attachement

Bowlby: Modèles internes d'attachement

Ainsworth: Liens affectifs Comportements d'attachement

PROCESSUS DE L'ATTACHEMENT

Des parents à l'enfant

Première étape: les premiers contacts

Deuxième étape: formation des comportements d'attachement

De l'enfant aux parents

Première étape: préattachement initial

Deuxième étape: émergence de l'attachement

Troisième étape: attachement proprement dit

ATTACHEMENT DE L'ENFANT AUX PARENTS

Modèles internes d'attachement

Types d'attachement

Fort (sécurisant)

Faible (insécurisant)

- Détachés/fuyants
- Résistants/ambivalents
- Désorganisés/désorientés

TEMPÉRAMENT

Origine génétique

Continuité

Environnement

STYLES D'ÉDUCATION

Style démocratique

Style autoritaire

Style permissif

Style désengagé

GARDERIE

Modes de garde

Effets sur le développement cognitif et la personnalité

Effets sur l'attachement de l'enfant aux parents

Interlude 1

RÉSUMÉ DU DÉVELOPPEMENT DURANT LES PREMIÈRES ANNÉES

POURQUOI DES INTERLUDES ?

Cet interlude étant le premier, nous allons vous expliquer ici notre objectif. Parce que ce manuel suit un ordre chronologique, avec des chapitres décrivant les différentes périodes du développement humain, vous devriez acquérir des rudiments de connaissances sur les caractéristiques fondamentales de chaque période. Cependant, comme la recherche en psychologie a tendance à étudier un seul système à la fois, par exemple l'attachement, les capacités perceptives ou le langage, nos descriptions tendent à suivre le même modèle. Dans les interludes, nous nous efforcerons donc d'assembler les différents aspects du développement afin d'obtenir une vision plus intégrée des données sur le nourrisson (ou l'enfant ou l'adolescent ou l'adulte).

Ces interludes nous permettront également d'examiner, même si ce n'est que brièvement, l'influence de certains facteurs externes sur les processus fondamentaux du développement humain. En effet, il est important de toujours garder en vue l'influence de l'environnement social dans lequel l'enfant ou l'adulte évolue.

Ainsi, dans chaque interlude, poserons-nous toujours les trois questions essentielles suivantes : Quelles sont les *caractéristiques fondamentales* du développement à cette période ? Quels sont les *processus fondamentaux* qui semblent façonner les modèles de développement ? Quelles sont les autres forces qui *influent* sur le développement ?

CARACTÉRISTIQUES FONDAMENTALES DES PREMIÈRES ANNÉES

Le tableau aux pages suivantes présente une synthèse des différents modèles de développement que nous avons abordés dans les trois derniers chapitres. Les rangées correspondent aux différents aspects du développement. Il faut lire le tableau à la fois verticalement et horizontalement.

L'impression prépondérante que l'on a du nouveau-né — en dépit de ses remarquables aptitudes et capacités —, c'est qu'il fonctionne sur pilotage automatique. Certaines règles ou certains schèmes innés semblent dicter la façon dont l'enfant observe, écoute, explore le monde et se conduit avec les autres.

Ces règles ou schèmes innés ont une particularité remarquable : ils amènent manifestement l'enfant et la personne qui s'en occupe à développer une synchronie ou « danse interactive » et un attachement mutuel. Pensez, par exemple, à l'enfant nourri au sein. Le bébé possède les réflexes des points cardinaux, de succion et de déglutition nécessaires à la tétée. Dans cette position, le visage de la mère se trouve à la distance focale idéale des yeux de son bébé. Les traits du visage de la mère, en particulier son nez et sa bouche, sont précisément le genre de stimuli susceptibles d'attirer l'attention du bébé. D'autre part, le nourrisson est particulièrement sensible au registre sonore de la voix humaine, surtout aux sons aigus. C'est pourquoi le nourrisson perçoit facilement la voix aiguë et mélodieuse qu'emploie généralement sa mère lorsqu'elle s'adresse à lui.

Un changement important survient de toute évidence entre la sixième et la huitième semaine, lorsque ces réactions instinctives font place peu à peu à des comportements plus volontaires. L'enfant porte un regard différent sur les objets : il essaie apparemment d'identifier la nature de l'objet plutôt que de situer son emplacement. Il commence à discriminer nettement entre les visages, sourit davantage, fait ses nuits au complet et, en règle générale, devient plus réceptif.

Ces changements dans le comportement du bébé modifient aussi profondément les structures de l'interaction parents-enfant. Comme l'enfant demeure éveillé pendant de plus longues périodes, sourit et utilise davantage le contact visuel, les échanges entre les parents et l'enfant deviennent plus animés, plus enjoués et plus réguliers.

Dans le courant de la première année, entre six et huit mois, un autre changement important semble se produire, marqué par l'émergence d'une nouvelle gamme remarquablement étendue de capacités et de comportements : (1) le bébé développe un attachement central fort, suivi quelques mois plus tard par la peur des étrangers et une appréhension (angoisse) de

Résumé de la trame du développement durant les premières années

Aspect du développement	Âge (mois)				
	0	2	4	6	8
Développement physique		Augmentation de l'activité corticale	Cherche à atteindre les objets	S'assoit	Se tient debout; marche à quatre pattes
Développement perceptif	Nombreuses capacités perceptives présentes à la naissance	Distingue visuellement sa mère des étrangers et cherche à identifier les objets	Perçoit les structures visuelles et sonores; transfert intermodal	Reconnaît les expressions faciales	
Développement cognitif	Imitation possible de certaines expressions faciales		Début de la permanence de l'objet		Permanence de l'objet bien établie; l'enfant coordonne ses actions afin de résoudre les problèmes
Développement du langage		Gazouillement		Babillage	Langage gestuel; comprend quelques mots
Développement des relations sociales et de la personnalité	Sourire social spontané / Stade oral selon Freud / Stade de la confiance ou de la méfiance selon Erikson		Premiers signes d'attachement; différenciation entre soi et les autres		Attachement marqué

la séparation; (2) l'enfant se déplace de façon autonome (bien que très lentement et de façon hésitante au début); (3) le bébé babille, se met à utiliser le langage gestuel pour se faire comprendre, puis s'engage dans des jeux d'imitation et, enfin, saisit ses premiers mots; (4) le bébé commence à comprendre, du moins de façon rudimentaire, que les objets et les gens continuent d'exister même lorsqu'ils sont hors de vue. Encore une fois, ces changements modifient considé-

rablement la relation parents-enfant et nécessitent la recherche d'un nouvel équilibre.

Le bébé continue de progresser graduellement à partir de ce nouvel ensemble d'habiletés — il apprend quelques mots nouveaux, commence à marcher et consolide son attachement central — jusqu'à l'âge de 18 à 20 mois, âge auquel le développement cognitif et le développement du langage semblent faire un énorme bond en avant.

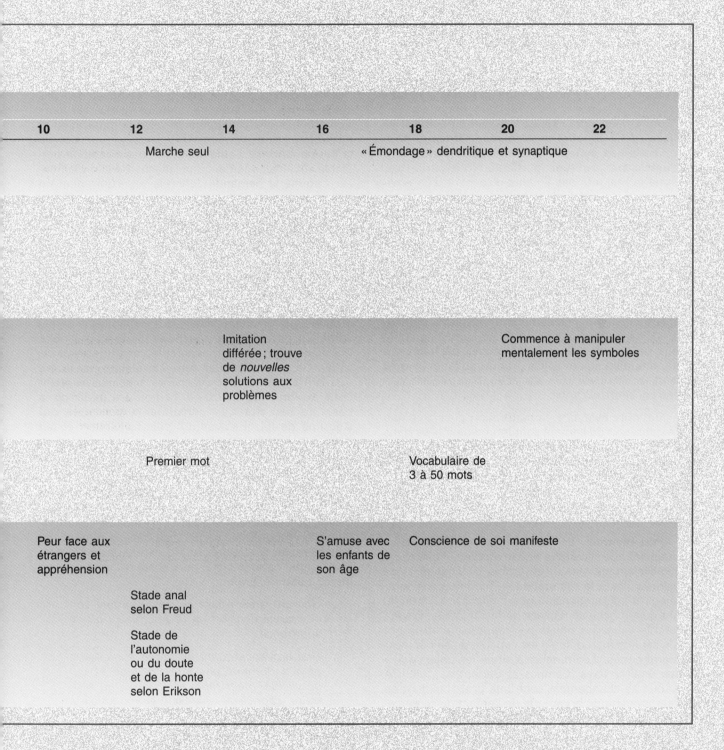

10	12	14	16	18	20	22
	Marche seul			« Émondage » dendritique et synaptique		

| | | Imitation différée ; trouve de *nouvelles* solutions aux problèmes | | Commence à manipuler mentalement les symboles | | |

| | Premier mot | | | Vocabulaire de 3 à 50 mots | | |

Peur face aux étrangers et appréhension			S'amuse avec les enfants de son âge	Conscience de soi manifeste		
	Stade anal selon Freud					
	Stade de l'autonomie ou du doute et de la honte selon Erikson					

PROCESSUS FONDAMENTAUX

À quoi sont dus tous ces changements ? N'importe quelle énumération succincte de ces causes serait inévitablement simplificatrice. Néanmoins, on peut citer quatre processus clés qui, selon nous, façonnent les changements indiqués dans le tableau.

MATURATION PHYSIQUE. Avant tout, il est évident que l'horloge biologique se manifeste de manière particulièrement bruyante au cours des tout premiers mois. Ce n'est qu'à l'adolescence ou à l'âge adulte avancé que l'on pourra noter de nouveau un tel modèle de maturation à l'œuvre. Au cours des premières années, la croissance phénoménale des dendrites et des synapses constitue vraisemblablement un processus clé. Le changement de comportement que l'on observe à l'âge de deux mois, par exemple, paraît dicté précisément par ces changements innés, alors que les synapses atteignent un degré de développement suffisant dans le cortex pour soutenir et régir davantage le comportement de l'enfant.

Quelle que soit l'importance de cette programmation innée, elle n'en demeure pas moins *dépendante* de la présence d'une stimulation minimale d'un environnement «prévisible» (Greenough, Black et Wallace, 1987). En effet, si le cerveau est conçu pour créer certaines synapses, ce mécanisme doit être déclenché par un type particulier d'expériences. Puisque la majorité des enfants disposent d'un environnement minimal, le développement moteur, cognitif et perceptif sont quasiment identiques d'un bébé à l'autre. Mais cela ne veut certainement pas dire que l'environnement n'est pas important.

EXPLORATIONS DE L'ENFANT. L'exploration par l'enfant du monde qui l'entoure constitue un autre processus fondamental. L'enfant naît *prêt* à explorer son environnement, à apprendre de ses expériences, mais il lui reste néanmoins à comprendre les liens particuliers existant entre la vue et l'ouïe, à distinguer le visage de sa mère de celui des autres personnes, à prêter attention aux tonalités propres au langage qu'il entend, à découvrir que ses actions entraînent certaines conséquences, etc.

De toute évidence, la maturation physiologique et l'exploration de l'enfant sont intimement liées dans une boucle de rétroaction. Les changements rapides des systèmes nerveux, osseux et musculaire permettent une exploration de plus en plus étendue, laquelle influe à son tour sur les capacités perceptives et cognitives de l'enfant, lesquelles entraînent des répercussions sur l'architecture du cerveau.

Par exemple, de nombreuses données nous apprennent que la marche à quatre pattes — une capacité qui s'appuie sur un ensemble de changements physiques liés à la maturation — modifie considérablement la compréhension que l'enfant a du monde. Avant que le bébé se déplace de façon indépendante, il semble situer les objets par rapport à son propre corps seulement. Lorsqu'il est capable de se déplacer à quatre pattes, il commence à situer les objets grâce à des repères fixes (Campos et Bertenthal, 1989). À son tour, ce changement contribue probablement au développement de la capacité de l'enfant de se percevoir en tant qu'objet dans l'espace.

ATTACHEMENT. La relation qui unit l'enfant à la personne qui lui prodigue des soins constitue manifestement un autre processus fondamental. Selon nous, Bowlby a vu juste en soulignant la *prédisposition innée* que possèdent tous les enfants à créer un lien d'attachement. Mais il faut noter que les expériences particulières que vit l'enfant dans ce domaine, semblent avoir un effet plus déterminant que pour d'autres aspects du développement. De nombreux environnements offrent un soutien «convenable» à la croissance physique, perceptive et cognitive de l'enfant au cours des premiers mois. Par contre, en ce qui concerne l'établissement d'un attachement central fort, l'éventail des environnements acceptables se restreint nettement.

Par ailleurs, l'attachement ne se développe pas sur une voie indépendante. Son émergence est fonction à la fois des changements liés à la maturation et à l'exploration de l'enfant. Ainsi, la compréhension de la permanence de l'objet peut être une condition préalable au développement d'un attachement fondamental. Comme le demande John Flavell, «Comment un enfant pourrait-il se languir et chercher une personne de façon constante lorsqu'il est incapable intellectuellement de se faire une représentation mentale de cette personne en son absence?» (1985, p. 135).

On peut aussi retourner la question en posant comme hypothèse que l'établissement d'un attachement fort cause le développement cognitif, ou tout au moins influe sur ce dernier. Ainsi, les enfants qui font preuve d'un attachement fort se montrent plus persévérants dans leurs jeux et élaborent le concept d'objet (permanence de l'objet) plus rapidement (Bates *et al.*, 1982). On peut expliquer cette corrélation par le fait que l'enfant fortement attaché se sent plus confiant pour explorer le monde qui l'entoure à partir de la base de sécurité que constitue la personne qui s'occupe de lui. Il s'aventure plus facilement et fait donc des expériences plus riches et plus variées, susceptibles de stimuler un développement cognitif (et neurologique) plus rapide.

MODÈLES INTERNES. On peut également considérer l'attachement comme une sous-catégorie d'un processus plus vaste, soit la création de modèles internes. Selon Seymour Epstein (1991), le bébé commence ni plus ni moins à élaborer une «théorie de la réalité». Dans cette optique, une telle théorie comprend au moins quatre éléments:

Une croyance quant au degré auquel son environnement est un lieu de plaisir ou de souffrance.

Une croyance quant au degré auquel son environnement possède un sens et est prévisible, maîtrisable et juste ou, au contraire, capricieux, chaotique et impossible à maîtriser.

Une croyance quant au degré auquel il peut faire confiance à son entourage.

Une croyance quant au degré de sa valeur personnelle.

Selon Epstein et ses partisans (Bretherton, 1991), cette théorie de la réalité trouve ses origines dans l'expérience de la petite enfance, en particulier les expériences avec les personnes qui prodiguent les soins et les autres personnes de l'entourage. Epstein estime même que les croyances ancrées dans l'enfance sont les plus fondamentales et, par conséquent, les plus durables et les plus résistantes aux changements à un âge ultérieur. Les psychologues n'admettent pas tous la «théorie de la réalité» d'Epstein. Cependant, la plupart reconnaissent maintenant que le bébé crée au moins deux modèles internes déterminants, l'un sur le concept de soi et l'autre sur les relations avec autrui (attachement). Le modèle interne d'attachement semble bien développé vers l'âge de 18 à 24 mois, alors que le modèle interne du concept de soi subit plusieurs transformations au cours des années suivantes. Ce n'est qu'à l'âge de six ou sept ans que l'enfant acquiert une perception de sa valeur *globale* — une caractéristique que l'on appelle souvent l'estime de soi (Harter, 1985, 1988).

INFLUENCES SUR LES PROCESSUS FONDAMENTAUX

La caractéristique majeure du développement pendant les premières années, et qu'il vous faut retenir, c'est à quel point il offre de la résistance et de la solidité (Masten, Best et Garmezy, 1990). Cependant, il arrive que le nourrisson dévie de la trajectoire normale en raison de plusieurs circonstances.

TROUBLES ORGANIQUES. Les troubles organiques constituent l'influence potentielle la plus évidente, qu'ils soient causés par des anomalies génétiques, des maladies héréditaires ou des agents tératogènes intervenus au cours de la grossesse. Même dans ces cas-là, il existe une interaction entre la nature et la culture. Nous avons vu au chapitre 3 que les conséquences à long terme de ces dommages peuvent être plus ou moins graves selon la qualité de l'environnement dans lequel l'enfant évolue, tant du point de vue de la richesse de la stimulation que du soutien reçu.

ENVIRONNEMENT FAMILIAL. On peut analyser de deux façons au moins l'influence du milieu familial. La première consiste à définir un environnement «idéal», qui fournirait un maximum de soutien et de richesse de stimulation, et favoriserait donc le développement optimal de l'enfant. Les recherches effectuées dans ce sens confirment que l'environnement idéal pour l'enfant comprend une grande variété d'objets à explorer et des occasions de les explorer librement, ainsi que des adultes chaleureux, attentifs et sensibles qui parlent souvent à l'enfant et réagissent aux signaux qu'il manifeste (Bradley *et al.*, 1989).

La seconde méthode d'analyse consiste à étudier les effets des environnements très pauvres en stimulation et en soutien affectif. De nombreux théoriciens comme Horowitz, dont nous avons présenté le modèle à la figure 1.4, considèrent que la majorité des environnements permettent généralement un développement normal. Seuls les milieux qui dévient considérablement de la norme causeront des problèmes sérieux et persistants, surtout si l'enfant s'avère lui-même très vulnérable. Cette catégorie comprend les négligences graves et les mauvais traitements, une dépression prolongée chez un parent, la persistance de bouleversements ou de stress au sein de la famille. Paradoxalement, ces deux méthodes d'analyse de la famille nous semblent aussi pertinentes l'une que l'autre. Pour l'essentiel des aspects du développement durant les premières années, la plupart des environnements sont «assez convenables» pour permettre une croissance normale. Pour autant, cela ne signifie pas que tous les bébés dont l'environnement familial ne présente pas de lacunes importantes vont se développer de façon optimale. Les variantes quant à la richesse de l'environnement, les bonnes réactions et le soutien affectif des parents influent non seulement sur le modèle interne d'attachement, mais probablement aussi sur la motivation de l'enfant, sur le contenu de son concept de soi, sur sa détermination à explorer le monde ainsi que sur ses connaissances personnelles. On peut noter ultérieurement les répercussions de telles différences sur le développement, lorsque l'enfant doit faire face aux tâches scolaires et aux interactions avec d'autres enfants.

INFLUENCES SUR LA FAMILLE. Nous avons déjà abordé cette question, mais permettez-nous d'y revenir: le bébé fait partie d'une famille, mais la famille fait elle-même partie d'un plus grand système économique, culturel et social, ce qui entraîne des répercussions directes ou indirectes sur l'enfant. Voici deux exemples.

Il est avant tout évident que la situation économique des parents exerce de multiples conséquences sur l'expérience de vie de l'enfant. Les familles défavorisées sont moins en mesure de fournir un environnement sûr et rassurant à leurs enfants, et les enfants de ces familles sont plus susceptibles d'avoir un régime alimentaire déficient. Ces familles ne disposent probablement pas des moyens financiers nécessaires pour placer leur enfant dans une garderie, et l'enfant risque davantage d'être ballotté d'un système de garde à un autre. Considérées ensemble, ces différences sont énormes. Pourtant, les effets ne sont pas immédiatement perceptibles: les bébés élevés dans un milieu défavorisé n'ont pas l'air si différent des bébés élevés dans un milieu plus aisé. Les différences commencent à être manifestes vers l'âge de deux, trois ou quatre ans.

On peut également penser à un autre exemple indépendant de la classe sociale; il s'agit du soutien social que reçoivent les parents eux-mêmes et qui influe sur le développement de l'enfant. Les mères ou les pères qui ont le sentiment de bénéficier d'un soutien social satisfaisant ont plus de chances que leurs enfants soient fortement attachés, et ils ont plus de chances de surmonter sans peine l'épreuve de la naissance d'un enfant prématuré ou d'un enfant doté d'un tempérament difficile, par exemple (Crockenberg, 1981). Cet effet a été vérifié de façon expérimentale.

Jacobson et Frye (1991) ont réparti au hasard 46 femmes enceintes issues d'un milieu défavorisé dans un groupe témoin et dans un groupe expérimental de soutien qui se réunissaient avant la naissance et pendant un an après. Lorsque Jacobson et Frye ont évalué l'attachement des enfants à 14 mois, ils ont observé que ceux dont la mère faisait partie du groupe de soutien présentaient un attachement plus fort que ceux dont la mère ne bénéficiait pas d'une telle aide.

UN DERNIER MOT. L'une des impressions prédominantes qui se dégage de la plupart des recherches actuelles sur le nourrisson, c'est qu'il est doté de bien plus de capacités qu'on ne l'a pensé pendant longtemps. Il naît avec un meilleur bagage d'habiletés qu'on ne le croyait. Il est en mesure d'apprendre beaucoup de choses des expériences qu'il vit. Cependant, il ne faut pas s'enthousiasmer outre mesure pour les grandes capacités du bébé. Comme vous allez le voir dans les prochains chapitres, l'enfant d'âge préscolaire fait des pas de géant dans chaque domaine.

6

L'ÂGE PRÉSCOLAIRE ET SCOLAIRE : DÉVELOPPEMENT PHYSIQUE ET COGNITIF

EFFETS DE L'ENVIRONNEMENT

QUALITÉ DE L'ÉCOLE

RÉSUMÉ
MOTS CLÉS

*S*i vous observez un enfant de 18 mois jouer près de sa mère ou de son père, vous remarquerez qu'il ne s'éloigne que très peu d'eux. Il jettera sans doute régulièrement un coup d'œil vers ses parents, afin de s'assurer que sa base de sécurité est toujours présente. Observez cet enfant quelques années plus tard : il sera probablement en train de jouer dans une autre pièce, avec un copain. Il ira régulièrement voir ses parents, mais il se sentira à l'aise d'être un peu plus à l'écart. Entre l'âge de deux et six ans, l'enfant qui était un trottineur dépendant se transforme en un être compétent, bavard, social et prêt à fréquenter l'école. Les recherches effectuées sur l'enfant de six à douze ans sont beaucoup moins nombreuses que celles sur les enfants d'âge préscolaire et les adolescents. Mais il est établi que des progrès cognitifs majeurs sont accomplis à cette époque de la vie et que les habitudes acquises à l'âge scolaire auront non seulement une portée sur l'adolescence, HELEN BEE mais également sur la vie adulte.

DÉVELOPPEMENT PHYSIQUE À L'ÂGE PRÉSCOLAIRE

Nous avons passé en revue dans le chapitre 4 les nombreux changements rapides que subit le corps de l'enfant durant les deux premières années de la vie. Les changements physiques qui se produisent à l'âge préscolaire, soit entre deux et six ans, sont moins spectaculaires et moins nombreux. Dans le système nerveux, de nouvelles synapses se créent et la myélinisation suit son cours en même temps que l'enfant explore le monde. Cependant, le rythme des changements est nettement plus lent si on le compare à celui des premiers mois de la vie.

Ces changements plus graduels se combinent pour permettre à l'enfant de continuellement progresser sur le plan du développement moteur. Ils ont un caractère moins radical par rapport à l'apprentissage de la marche, mais c'est grâce à eux que l'enfant d'âge préscolaire va acquérir des habiletés qui accroîtront nettement son indépendance et ses capacités d'exploration.

De même, les changements de taille et de poids se succèdent à un rythme beaucoup plus lent au cours des années préscolaires et scolaires que durant les deux premières années. Entre l'âge de 2 ans et l'adolescence, l'enfant gagne de 5 à 8 cm et prend environ 2,7 kilos par année.

HABILETÉS MOTRICES

Le tableau 6.1, qui entre en parallèle avec le tableau 4.1, présente les principales habiletés locomotrices, posturales et de manipulation qui se mettent en place au cours des années préscolaires. Dès l'âge de cinq à six ans, l'enfant est capable de se déplacer avec confiance dans toutes les directions, de monter à bicyclette et d'utiliser ses mains pour exécuter des gestes et des mouvements relativement précis, notamment ramasser, tenir et manipuler de petits objets comme un crayon ou des ciseaux. Il a aussi acquis une coordination visuelle et motrice qui lui permet de donner un coup de pied sur une balle ou de la frapper à l'aide d'un bâton.

SANTÉ

Les médecins établissent une distinction entre les maladies *aiguës* et les maladies *chroniques*. Les maladies aiguës englobent toutes les maladies qui se développent rapidement et durent moins de trois mois, telles que le rhume ou la grippe. Les maladies chroniques comprennent les maladies qui durent plus de trois mois, voire des années ou toute la vie, comme le diabète, la dystrophie musculaire ou l'asthme.

Les maladies aiguës sont tout aussi courantes chez les jeunes enfants que chez les nourrissons. En Amérique du Nord, l'enfant d'âge préscolaire subit entre quatre et six périodes de maladies aiguës chaque année, le rhume et la grippe étant les plus répandues (Parmelee, 1986). En revanche, seulement un enfant d'âge préscolaire sur dix est atteint d'une maladie chronique quelconque (Starfield et Pless, 1980). Les types les plus communs sont liés au système respiratoire, comme les allergies, l'asthme, les bronchites chroniques ou les sinusites (Statistique Canada, 1990 ; Starfield, 1991). Les allergies constituent la première cause d'hospitalisation chez les enfants de ce groupe d'âge.

Tableau 6.1

Étapes du développement des habiletés motrices entre l'âge de deux et six ans

Âge	Habiletés locomotrices	Habiletés posturales	Habiletés de manipulation
18 à 24 mois	Court (20 mois); marche bien (24 mois); monte des escaliers en posant les deux pieds sur chaque marche	Pousse et tire des boîtes ou des jouets sur roues; dévisse les couvercles sur les pots	Montre des signes de préférence pour l'une des deux mains; empile quatre à six cubes; tourne les pages d'un livre une à la fois; ramasse des objets sans perdre l'équilibre
2 à 3 ans	Court aisément; grimpe sur un meuble et en descend sans aide	Pousse et traîne de gros jouets autour d'obstacles	Ramasse de petits objets (des céréales, par exemple); lance une petite balle en se tenant debout
3 à 4 ans	Monte les escaliers en posant un pied par marche; saute sur les deux pieds; marche sur la pointe des pieds	Pédale et conduit un tricycle; marche dans toutes les directions en tirant un gros jouet	Attrape une grosse balle en tendant les bras; découpe du papier avec des ciseaux; tient un crayon entre le pouce et les deux premiers doigts de la main
4 à 5 ans	Monte et descend des escaliers en posant un pied par marche; se tient debout, court et marche sur la pointe des pieds		Frappe une balle avec un bâton; attrape une balle; donne un coup de pied sur un ballon; enfile des perles mais pas une aiguille; tient un crayon de façon appropriée
5 à 6 ans	Saute d'un pied à l'autre; marche sur une ligne étroite; glisse, se balance		Joue assez bien à des jeux de ballon; enfile une aiguille et fait quelques points

Sources: Connolly et Dalgliesh, 1989; The Diagram Group, 1977; Fagard et Jacquet, 1989; Mathew et Cook, 1990; Thomas, 1990.

Les accidents représentent également une source de danger. Au Canada, ils constituent la première cause de mortalité (40 %) chez les enfants de 1 à 4 ans (Institut canadien de la santé infantile, 1994). Quel que soit l'âge, les garçons sont plus fréquemment victimes d'accidents que les filles. Chez les enfants d'âge préscolaire, les accidents à la maison sont les plus courants — chute, coupure, empoisonnement accidentel, brûlures, etc. Les accidents de voiture représentent la deuxième principale cause de blessures chez les enfants de cet âge, bien que le taux d'accidents graves et de décès survenant à la suite de tels accidents ait chuté considérablement ces dernières années en raison des nouvelles lois qui imposent l'utilisation d'un siège d'automobile pour les nourrissons et les trottineurs voyageant en voiture (Christophersen, 1989).

Au cours de leurs travaux sur les maladies infantiles, les chercheurs ont fait une découverte particulièrement intéressante: il existe une corrélation entre le modèle répétitif de maladies infantiles — même les grippes fréquentes — et le taux élevé de maladie à l'adolescence et de mauvaise santé à l'âge adulte (Power et Peckham, 1990). La corrélation n'est en aucun cas parfaite. Un grand nombre d'enfants malades sont souvent en bonne santé lorsqu'ils sont adultes. Et, bien sûr, puisqu'il s'agit ici d'un indice de corrélation, on ne peut établir une relation de cause à effet. Cependant, on peut se *risquer* à un énoncé: un modèle de maladies infantiles fréquent ou de maladies chroniques accroît les risques de problèmes de santé ultérieurs.

LE MONDE RÉEL

Le développement moteur et les jouets

S'il vous est déjà arrivé d'acheter un jouet à un enfant, vous savez combien il peut être déconcertant de se retrouver devant des présentoirs remplis d'articles colorés et attrayants. Vous voulez trouver un jouet qui conviendra aux aptitudes de votre enfant, mais comment faire un bon choix ? Quels sont les jouets adaptés aux différents groupes d'âge ?

La première règle à suivre est de s'assurer que le jouet ne représente aucun danger pour l'enfant. Pour les bébés et les nourrissons, il faudra donc bannir les jouets munis de petites pièces qui pourraient être avalées ou qui se détachent (comme les yeux de poupées, ou des petits bouchons). De même, il faut éviter de choisir un jouet aux rebords tranchants. Au-delà du souci de sécurité, le choix des jouets peut être guidé en partie par une connaissance de base du développement de la perception et du développement moteur.

De la naissance à six mois. Puisque les bébés se servent de leurs mains et de leurs yeux pour jouer, un jouet coloré, auquel on peut se cramponner en toute sécurité et qui se fixe solidement au berceau est un choix judicieux. Les mobiles et les «centres d'activités» entrent dans cette catégorie, ainsi que les jouets mous que l'on peut attacher aux barreaux du lit.

De six à douze mois. Les bébés plus âgés et plus agiles s'intéressent davantage aux jouets qui leur permettent de mettre à l'épreuve les nouvelles capacités de leurs grands groupes musculaires. À cet âge, la meilleure stratégie à adopter consiste à éliminer de la portée de l'enfant tout objet potentiellement dangereux dans la maison tel que les objets pointus et les substances toxiques, afin que l'enfant puisse explorer son milieu en toute sécurité. Les parcs pour enfants ne s'avèrent pas aussi adéquats, bien que leur utilisation soit parfois nécessaire pour des raisons de sécurité.

Les enfants de cet âge aiment aussi empiler et emboîter les jouets.

Les pots gradués et les casseroles sont parfois plus appropriés pour cet usage que des jouets coûteux.

Deux ans. Présentez un jouet coûteux à un trottineur et il y a de fortes chances qu'il manifeste autant d'intérêt pour la boîte d'emballage que le jouet en soi. Les grandes boîtes dans lesquelles l'enfant peut se glisser connaissent un franc succès. Les trottineurs aiment aussi beaucoup les jouets sur roues. Ils préfèrent les jouets qu'ils peuvent pousser à ceux qu'ils doivent tirer, car ils aiment observer l'objet pendant qu'ils le déplacent. Vers le deuxième anniversaire, il se peut que l'enfant manipule de gros crayons et qu'il aime dessiner. Pour des raisons évidentes, il est préférable de choisir des crayons lavables.

Trois ans. En cas de doute, procurez-lui un jouet muni de roues. Les automobiles pour enfants, les tricycles et autres «véhicules» sont les jouets préférés des enfants. Parmi les jouets plus petits, les automobiles et les camions sont très appréciés, aussi bien par les filles que par les garçons. Les jeux de construction commencent aussi à plaire, surtout ceux qui offrent de nombreuses possibilités, comme les cubes de bois. Les pièces de bois maison sont tout aussi satisfaisantes que les ensembles coûteux achetés en magasin. N'oubliez pas que, pour les enfants de cet âge, les pièces de construction doivent être relativement grosses. Les petites billes, les Legos de petite taille ou les très petits cubes sont inadéquats, étant donné les aptitudes de manipulation de la plupart des enfants de cet âge. Les objets doivent pouvoir être saisis à pleine main.

Le coloriage et le dessin figurent parmi les jeux préférés des enfants, tout comme la peinture et la pâte à modeler qui sont des activités salissantes mais toujours de grands classiques. Comme pour les plus jeunes enfants, il est préférable de choisir des articles lavables.

De quatre à sept ans. La coordination des petits groupes musculaires se développe rapidement durant

cette période. L'enfant peut manipuler des jouets comme des perles à enfiler sur un fil ou encore des ciseaux — bien que les ciseaux pour enfants ne soient pas suffisamment coupants pour permettre des découpages précis. Une paire de ciseaux bien aiguisés constitue un excellent cadeau pour l'enfant assez âgé pour s'en servir de façon sécuritaire. Les jeux de jonchets, les billes et les dames représentent également de bons choix pour les enfants de ce groupe d'âge car ils exigent des habiletés motrices que possède maintenant l'enfant. De plus, ils stimulent les interactions avec d'autres enfants et sollicitent les capacités intellectuelles.

Les capacités des grands groupes musculaires s'améliorent durant ces années. Les enfants peuvent désormais manier différents types d'articles de sport *si* vous les choisissez dans les tailles appropriées: des raquettes de tennis et des bâtons de hockey

légers et des balles assez grosses. Vers la fin de cette période, l'enfant est souvent capable de monter à bicyclette, au moins sur une bicyclette munie de petites roues d'entraînement. Mais il importe de ne pas trop insister ni d'exiger trop tôt une grande aptitude.

Les jouets qui stimulent l'imagination sont également très appréciés, notamment les poupées ou les figurines qui incarnent des « personnages féeriques » bien connus, les déguisements ou les costumes, les trousses de médecin, les marionnettes.

En règle générale, pour les enfants de tout âge, évitez les jouets coûteux et complexes qui ne peuvent accomplir qu'une ou deux tâches, comme les robots qui ne font que vrombir et marcher. Les enfants sont intrigués la première fois, mais ils perdent rapidement tout intérêt. De plus, ces jouets ne peuvent s'adapter à d'autres formes de jeux.

DÉVELOPPEMENT PHYSIQUE À L'ÂGE SCOLAIRE

Chez l'enfant de 6 à 12 ans, le début de l'apprentissage scolaire est un changement remarquable en lui-même. Un nombre croissant d'enfants vont maintenant à la garderie et tous ou presque fréquentent la maternelle, puis l'école élémentaire. Ces enfants ont déjà vécu l'expérience d'être loin de la maison, ce qui facilite la transition. Mais, même pour ces enfants, l'école représente un changement majeur dans les exigences auxquelles ils doivent faire face.

Le fait que l'âge scolaire fasse figure de parent pauvre dans la recherche est sans doute attribuable à l'absence de changements physiques majeurs pendant cette période. Les changements s'opèrent de façon continue mais jamais brutale. Le processus de croissance établi dans les dernières années préscolaires se poursuit; l'enfant grandira de cinq à sept centimètres et prendra environ deux kilos et demi par année. La plupart des capacités motrices importantes sont acquises au moins dans leur plus simple expression dès l'âge de six ou sept ans. Les changements physiques survenant durant le milieu de l'enfance constituent un raffinement de plus en plus important de ces capacités motrices. Entre 6 et 12 ans, on constate notamment une augmentation de la vitesse d'exécution, une amélioration graduelle de la coordination et une plus grande compétence dans l'exécution d'activités physiques précises.

Les filles appartenant à ce groupe d'âge présentent un peu plus de tissus adipeux et un peu moins de masse musculaire que les garçons. Par ailleurs, elles possèdent une lon-

Dans le monde entier, les enfants entrent à l'école environ au même âge. À gauche, vous pouvez voir une classe du Bénin et, à droite, une classe de Chine.

Quelles hypothèses pouvez-vous émettre pour expliquer le fait que l'enfant de 6 à 12 ans n'ait pas fait l'objet d'études aussi nombreuses que l'enfant de 0 à 6 ans?

gueur d'avance sur le plan de la maturation en général. À cette période de la vie, les filles et les garçons ont des caractéristiques physiques comparables, tant sur le plan de la force que celui de la vitesse.

C'est aussi à cette période que s'amorcent les changements qui entraîneront finalement la puberté. Les changements hormonaux pubertaires peuvent s'amorcer dès l'âge de huit ans chez les filles et vers neuf ou dix ans chez les garçons. Même si le processus est enclenché durant les premières années d'apprentissage scolaire, ce n'est qu'à l'adolescence qu'il prend toute son ampleur.

SANTÉ

Le taux de maladie des enfants de ce groupe d'âge est, en moyenne, inférieur à celui des enfants d'âge préscolaire. À l'école élémentaire, les enfants contractent environ quatre à six fois par année une maladie aiguë ; la plupart du temps, il s'agit de rhumes et de grippes. Comme à tout âge, les enfants qui subissent un stress intense ou qui font l'expérience d'une crise familiale sont davantage portés à être malades. Par exemple, une importante étude effectuée aux États-Unis montre que les enfants vivant seuls avec leur mère souffrent davantage d'asthme, ont plus de maux de tête et offrent géné-

ralement une plus grande vulnérabilité à toutes sortes de maladies (Dawson, 1991). Au Canada, les problèmes respiratoires demeurent la première cause d'hospitalisation chez les enfants âgés de 5 à 9 ans. Par ailleurs, les blessures constituent toujours la première cause de mortalité (49 %) dans ce groupe d'âge (Institut canadien de la santé infantile, 1994).

DÉVELOPPEMENT COGNITIF À L'ÂGE PRÉSCOLAIRE

PÉRIODE PRÉOPÉRATOIRE SELON PIAGET

Comme nous l'avons vu au chapitre 4, Piaget considère que, à l'âge de deux ans, l'enfant commence à utiliser des *symboles*, c'est-à-dire des images, des mots ou des actions qui veulent dire autre chose. De plus, il peut désormais manipuler mentalement ces symboles. Ces deux changements marquent le début de ce que Piaget appelle la **période préopératoire.**

On observe clairement ce changement dans le jeu symbolique, un sujet abordé dans le rapport de recherche à la page suivante. Chez les enfants d'âge préscolaire, un balai peut se transformer en cheval, ou un cube, en train. L'utilisation de tels symboles se produit en même temps que l'apparition des premiers mots. D'ailleurs, lorsque l'enfant apprend à mieux manipuler les symboles, on observe aussi que sa mémoire s'améliore et qu'il cherche de façon plus systématique des objets perdus ou cachés.

Mis à part l'utilisation des symboles, Piaget a décrit sur un mode plutôt négatif la pensée de l'enfant d'âge préscolaire : il s'est principalement attardé sur ce que l'enfant n'arrive toujours pas à faire. Des études plus récentes donnent une vue d'ensemble beaucoup plus positive. Nous allons comparer ces deux points de vue en décrivant plusieurs dimensions clés de la pensée de l'enfant, d'abord selon Piaget puis selon des chercheurs plus près de nous.

PRISE DE CONSCIENCE DU POINT DE VUE DES AUTRES : L'ÉGOCENTRISME. Les observations de Piaget l'ont mené à la conclusion que les enfants à la période préopératoire n'abordent les choses que de leur point de vue, à partir de leur propre gamme de références, ce que Piaget

---

?

Changements physiques et santé à l'âge préscolaire et scolaire

Q 1   Quel est le gain moyen de taille et de poids chez l'enfant de 2 à 12 ans ?

Q 2   Qu'est-ce qu'une maladie aiguë ? chronique ? Donnez des exemples.

Q 3   Quelles sont les principales causes d'hospitalisation et de décès chez les enfants d'âge préscolaire et scolaire ?

Q 4   Existe-t-il une corrélation entre la fréquence des maladies infantiles et la santé à l'âge adulte ?

Q 5   Résumez les changements physiques qui ont lieu à l'âge préscolaire et scolaire.

Combien d'explications différentes pouvez-vous trouver pour justifier le lien existant entre les maladies de l'enfant et la santé de l'adulte ?

Période préopératoire : Terme utilisé par Piaget pour désigner la deuxième période importante du développement cognitif, entre 2 et 6 ans, et dont le début est caractérisé par la capacité d'utiliser des symboles.

appelle l'**égocentrisme** (Piaget, 1954). Cela ne veut pas dire que l'enfant est égoïste: il croit tout simplement que tout le monde pense comme lui (voir la figure 6.1).

CONSERVATION. De la même façon, Piaget était convaincu que l'enfant d'âge préscolaire devait acquérir un certain degré de compréhension de l'identité des objets. L'enfant sensorimoteur finit par comprendre que les objets continuent d'exister même s'il ne les voit plus. Cependant, certains objets, bien qu'ils semblent avoir subi des modifications de leur apparence, demeurent constants — *conservés*, dans le langage de Piaget — et cette conservation déconcerte l'enfant d'âge préscolaire.

Le rapport de recherche présenté à la page 179 décrit certains tests de Piaget portant sur le concept de la conservation. Le tableau 6.2 (p. 178) dresse la liste des six types de conservation étudiés par Piaget. Dans chaque cas, on présente deux objets identiques à l'enfant, puis on lui demande de confirmer l'identité des objets par rapport au poids, à la substance, à la longueur ou au nombre, par exemple. Puis, après avoir

---

Égocentrisme: État cognitif dans lequel l'individu (généralement un enfant) considère les choses uniquement selon son propre point de vue, sans se rendre compte qu'il existe d'autres perspectives.

RAPPORT DE RECHERCHE

Le jeu chez les jeunes enfants

Si vous observez de jeunes enfants en période libre, c'est-à-dire en dehors des heures de repas, de sieste et d'activités organisées par les adultes, vous les verrez construire des tours avec des cubes, jouer avec des poupées, faire semblant de servir le thé, faire rouler des camions sur le plancher, s'habiller avec des vêtements d'adulte ou encore faire des casse-tête. En d'autre termes, ils jouent. Ces activités ne sont pas insignifiantes: c'est sur cette base ludique que semble se construire une grande partie du développement cognitif.

L'activité ludique des enfants évolue de façon marquée entre l'âge de un et six ans. Les psychologues qui ont étudié ces changements décrivent plusieurs types distincts de jeux, répartis en stades (Rubin, Fein et Vandenberg, 1983). Ces stades coexistent souvent, les enfants jouant simultanément à des jeux appartenant à des stades différents. Malgré tout, le jeu, par ses caractéristiques distinctives, évolue selon la séquence suivante.

JEU SENSORIMOTEUR. Vers l'âge de 12 mois environ, l'enfant qui joue passe le plus clair de son temps à explorer et à manipuler des objets en se servant de tous les schèmes sensorimoteurs dont il dispose dans son répertoire. Il porte les objets à sa bouche, les secoue, les empile ou les déplace sur le plancher. De cette façon, il arrive à comprendre les différentes propriétés des objets et ce qu'il peut accomplir avec ces derniers.

JEU CONSTRUCTIF. L'exploration des objets se poursuit après la première année, particulièrement avec des objets complètement nouveaux. Puis, vers l'âge de deux ans, l'enfant commence à utiliser des objets pour construire ou réaliser des choses. Par exemple, il peut se servir de cubes pour construire une tour, faire un casse-tête ou encore fabriquer des objets avec de l'argile ou de la pâte à modeler. Ces jeux constructifs occupent la moitié des jeux des enfants de trois à six ans (Rubin, Fein et Vandenberg, 1983).

PREMIER JEU DE SIMULATION. Les jeux de simulation commencent à peu près en même temps. Vers deux ans, on peut observer les premières manifestations de cette simulation, par exemple lorsque l'enfant fait semblant de manger en se servant d'une cuillère ou de se coiffer avec un peigne-jouet. Les jouets sont encore utilisés selon leur usage initial (faire semblant de se nourrir avec une cuillère) et l'action est toujours dirigée vers soi. La différence s'établit ici sur le plan de la simulation. Entre l'âge de 15 et 21 mois, il se produit une transformation : le destinataire de la simulation devient une autre personne ou un jouet. L'enfant utilise toujours l'objet dans sa fonction initiale (faire semblant de boire avec une tasse), mais maintenant c'est la poupée qui simule l'action. Les pou-

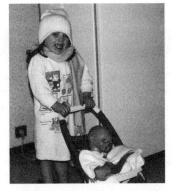

pées sont particulièrement appropriées pour ce type de simulation, parce qu'il n'y a pas une très grande différence entre le fait de s'inventer des actions ou des choses en fonction de soi et le fait de passer à la simulation avec une poupée. Ainsi, les enfants donnent de la nourriture imaginaire aux poupées, les habillent et les coiffent.

SUBSTITUTION DANS LA SIMULATION. Entre deux et trois ans, l'enfant se sert des objets dans des fonctions autres que celles auxquelles ils sont destinés. Ils peuvent, par exemple, coiffer les cheveux d'une poupée

avec un biberon en faisant semblant que c'est un peigne, faire du cheval sur un balai ou prétendre que les cubes sont des camions. Le jeu constructif, dans lequel les jouets sont utilisés selon leur « bon » usage, est encore pratiqué. Mais vers l'âge de 4 ou 5 ans, 20 % des activités ludiques des enfants consistent à faire des jeux de simulation toujours plus complexes (Field, De Stefano et Koewler, 1982).

JEU SOCIAL THÉÂTRAL. Dans leurs jeux, les enfants d'âge préscolaire aiment prétendre qu'ils sont quelqu'un d'autre ; ils commencent à tenir des rôles. Ils jouent à la maman et au papa, aux cow-boys et aux Indiens, au chef de train et aux passagers, au docteur et au malade. On peut voir des enfants de deux à trois ans prendre part à ces jeux quand ils s'amusent avec leurs frères et sœurs plus âgés. Toutefois, c'est généralement vers l'âge de trois à quatre ans qu'apparaît cette forme de jeu. Les enfants tirent beaucoup de plaisir de ces jeux qui exigent parfois un scénario très élaboré. Il faut souligner ici que, en tenant des rôles et en faisant semblant d'être une autre personne, l'enfant devient plus sensible au point de vue et aux sensations d'autrui, ce qui lui permet de dépasser progressivement son approche égocentrique du monde.

---

déplacé ou déformé l'un des objets, on demande à l'enfant si les objets sont toujours identiques. Les enfants reconnaissent rarement ce type de conservation avant l'âge de cinq ans ; Piaget explique cette situation par le fait que les enfants sont si absorbés par l'*apparence* du changement qu'ils ne se concentrent pas sur l'aspect inchangé et sous-jacent.

CLASSIFICATION. Piaget s'est aussi intéressé à l'aptitude de l'enfant à classer des objets — à regrouper des objets par ensembles ou par catégories et à utiliser des propriétés abstraites ou concrètes, telles que la couleur ou la forme ou même des étiquettes linguistiques, afin d'effectuer ces regroupements. Piaget a ainsi distribué à de jeunes enfants des ensembles d'objets ou des images de personnes, d'animaux ou

Figure 6.1 Perspective chez l'enfant. Cette situation expérimentale est semblable à celle utilisée par Piaget pour étudier l'égocentrisme chez l'enfant. On demande d'abord à l'enfant de choisir la photographie qui illustre la façon dont il voit les deux montagnes, puis de choisir la photographie qui représente la façon dont la figurine voit les montagnes. La plupart des enfants d'âge préscolaire choisissent la même photographie chaque fois — celle qui illustre les montagnes selon leur propre point de vue ou perspective.

de jouets et leur a demandé de regrouper ce qui va ensemble ou ce qui est semblable (Piaget et Inhelder, 1959). Les enfants de deux à trois ans, devant un tel ensemble, alignent généralement des formes ou des dessins sur une rangée, sans lien apparent, ce que Piaget appelle des *collections figurales*. À l'âge de quatre ans, les enfants commencent à trier et à regrouper de façon plus systématique les objets, en utilisant d'abord une caractéristique commune, comme la forme, puis deux ou plus à la fois, comme la taille et la forme.

En dépit de cette évolution, l'enfant a encore beaucoup de chemin à faire. L'enfant à la période préopératoire ne comprend toujours pas le principe de l'**inclusion de classes** notamment, c'est-à-dire que certaines classes englobent d'autres classes : les chiens font partie de la classe plus vaste des animaux, les roses font partie de la classe des fleurs, etc.

> Pouvez-vous citer des exemples de vos comportements égocentriques ? Par exemple, le fait d'offrir un cadeau que l'on espérait recevoir ? Avez-vous d'autres exemples ?

Inclusion de classes : Relation entre les classes d'objets, de telle sorte qu'une classe subordonnée est comprise dans une classe générique (par exemple, les bananes font partie de la classe des « fruits »).

Tableau 6.2

Types de conservation étudiés par Piaget

Type	Méthode d'évaluation
Nombre	Deux rangées parallèles de même longueur contenant le même nombre de pièces de monnaie ou de boutons. Puis, on augmente ou on resserre l'écart entre les pièces, ou on dispose les pièces autrement. On demande à l'enfant s'il y a toujours le même nombre de pièces dans les deux groupes.
Longueur	On emploie deux crayons de longueur identique de sorte qu'ils se correspondent parfaitement par la taille ; on déplace ensuite un crayon vers la gauche ou vers la droite pour que la pointe d'un des crayons ressorte. On demande ensuite à l'enfant si les deux crayons sont maintenant de la même longueur.
Liquide	Deux gobelets identiques, contenant la même quantité d'eau ; on verse le liquide d'un gobelet dans un grand verre étroit, puis le liquide contenu dans l'autre gobelet dans un verre petit et large. On demande à l'enfant s'il y a toujours la même quantité de liquide dans chaque verre.
Substance	Deux boules identiques d'argile. On écrase l'une d'elles ou on lui donne la forme d'un boudin ou d'une galette. On demande ensuite à l'enfant si les deux boules contiennent toujours la même quantité d'argile.
Poids	Deux boules identiques d'argile, comme dans l'expérience sur la conservation de la substance. On les pèse sur une balance pour montrer à l'enfant que les deux boules ont le même poids. Puis, on déforme l'une d'elles et on demande à l'enfant si les deux boules ont toujours le même poids.
Volume	On utilise encore deux boules d'argile identiques. On les plonge dans deux gobelets identiques contenant la même quantité d'eau pour montrer à l'enfant qu'elles occupent le même espace. Puis, on déforme l'une des deux boules et on demande à l'enfant si les deux boules occuperont toujours le même espace.

Un enfant qui comprend l'inclusion de classes ne se contente pas d'utiliser des mots, tel *animal*, pour désigner plusieurs types de créatures. Il comprend également les relations logiques.

LOGIQUE DURANT LA PÉRIODE PRÉOPÉRATOIRE. Chez l'enfant d'âge préscolaire, la logique paraît parfois « illogique ». Par exemple, un jour, une petite fille, qui n'avait pas fait sa sieste, ne voulait pas prendre le repas du soir car, selon elle, ce n'était pas encore l'après-midi. Elle avait correctement associé la sieste et l'après-midi, mais avait incorrectement prêté à ce lien un caractère directement causal. Cette logique infantile est appelée *logique transductive*.

NOUVELLES PERSPECTIVES SUR LA PÉRIODE PRÉOPÉRATOIRE

Des recherches récentes effectuées sur la pensée des enfants âgés de deux à six ans soulignent que Piaget a quelque peu sous-estimé les aptitudes de l'enfant à cet âge. Il semble bien qu'il possède plus d'habiletés cognitives que ne le suggèrent les observations de Piaget.

PRISE DE CONSCIENCE DU POINT DE VUE DES AUTRES (ÉGOCENTRISME). Des recherches réalisées sur la conscience du point de vue des autres, par exemple, montrent que les enfants âgés de deux à trois ans seulement sont capables de comprendre que les autres personnes voient ou expérimentent les choses de façon différente. C'est ainsi que les enfants de cet âge adapteront leur discours ou leurs jeux en fonction de leurs compagnons. Ils jouent différemment selon qu'ils sont en présence de personnes plus jeunes ou plus âgées, et modifient leur façon de parler lorsqu'ils s'adressent à un enfant plus jeune ou à un enfant handicapé (Brownell, 1990 ; Guralnick et Paul-Brown, 1984).

Cependant, cette compréhension n'est pas clairement établie à ce jeune âge. John Flavell suggère deux niveaux d'habiletés sur le plan de la prise de conscience du point de vue des autres. Premièrement, l'enfant sait que les autres personnes expérimentent les choses différemment. Deuxièmement, l'enfant développe un ensemble complet de règles complexes afin de comprendre exactement ce que l'autre personne voit ou expérimente (Flavell, 1985 ; Flavell, Green et Flavell, 1990). Les enfants âgés de deux et trois ans ont une connaissance de premier niveau, mais non de deuxième niveau. On constate que les enfants acquièrent une connaissance de deuxième niveau vers l'âge de quatre et cinq ans.

Cet écart net dans la prise de conscience du point de vue des autres n'est qu'un aspect de l'important changement dont l'enfant fait l'expérience vers l'âge de quatre ans, et qui

RAPPORT DE RECHERCHE

Les ingénieuses études de Piaget

L'influence de Piaget sur les psychologues du développement a été colossale : en effet, sa théorie était novatrice et audacieuse, et les méthodes qu'il a conçues pour évaluer la compréhension des enfants s'avéraient très ingénieuses. Ces méthodes ont souvent permis de découvrir des comportements ou des propos assez inattendus de la part des enfants — des résultats que d'autres théories ont du mal à assimiler dans leur modèle.

La plus connue des techniques utilisées par Piaget est probablement celle qui consiste à étudier la *conservation*. Piaget prend deux boules de pâte à modeler identiques. Il les montre à l'enfant et les lui laisse toucher et manipuler jusqu'à ce que l'enfant admette qu'elles contiennent la même quantité de pâte à modeler. Puis, devant l'enfant, Piaget écrase l'une des boules pour en faire une galette ou un boudin. Il demande alors à l'enfant si la galette et la boule représentent la même quantité de pâte à modeler. Les enfants de quatre à cinq ans répondent presque toujours qu'il y a plus de pâte à modeler dans la boule que dans la galette. Par contre, les enfants de six ou sept ans savent presque toujours que les quantités restent identiques.

Une autre technique utilisée par Piaget consiste à prendre deux verres identiques contenant exactement la même quantité de liquide. L'enfant reconnaît d'abord que les deux verres contiennent la même quantité d'eau ou de jus de fruit, sinon, il doit égaliser lui-même les quantités. Puis, devant l'enfant, Piaget transvase le contenu de l'un des verres dans un verre plus petit et plus large. Ainsi, le niveau est plus bas dans le nouveau verre que dans l'autre. Il interroge encore une fois les enfants sur la quantité. Les enfants de quatre ou cinq ans pensent que la quantité est maintenant différente, alors que les enfants de six ou sept ans savent que la quantité de liquide reste la même, quelle que soit la taille du verre dans lequel on le verse. Ainsi, les enfants plus âgés ont assimilé le concept de la conservation : ils comprennent que la quantité d'eau ou de pâte à modeler est *conservée* quelles que soient les transformations subies sur le plan de l'apparence.

Dans une autre étude, Piaget s'intéresse à l'*inclusion de classes* — le fait de comprendre qu'un objet peut appartenir simultanément à plus d'une catégorie. Par exemple, Fido est à la fois un chien et un animal ; une chaise haute est à la fois une chaise et un meuble. Piaget étudie généralement ce concept en laissant d'abord les enfants créer eux-mêmes leur propres classes et sous-classes, et en leur posant ensuite des questions. Un enfant de cinq ans et demi jouait ainsi avec des fleurs et avait composé deux bouquets, dont un gros bouquet de marguerites et un plus petit, de fleurs variées. Piaget engagea la conversation avec l'enfant :

Piaget : *Si je fais un bouquet avec toutes les marguerites et que toi, tu fais un bouquet avec toutes les fleurs, lequel sera le plus gros ?*

L'enfant : *Le tien.*

Piaget : *Et maintenant si je cueille toutes les marguerites d'un pré, restera-t-il d'autres fleurs ?*

L'enfant : *Oui. (Piaget et Inhelder, 1959, p. 108.)*

L'enfant comprend qu'il existe d'autres fleurs que les marguerites, mais ne comprend pas du tout que toutes les marguerites sont des fleurs, c'est-à-dire qu'une petite classe subordonnée est *incluse* dans une plus grande classe.

Dans ses conversations avec les enfants, Piaget essayait toujours de comprendre comment l'enfant raisonnait plutôt que de savoir si l'enfant allait donner la bonne réponse. Ainsi, il utilisait une « méthode clinique » selon laquelle il suivait la direction de l'enfant, en posant des questions ou en créant des tests exploratoires spécialement conçus pour découvrir la logique de l'enfant. Au début, les méthodes de Piaget ont été largement critiquées par les chercheurs américains, car il ne posait pas toujours exactement les mêmes questions aux enfants. Cependant, les résultats se sont avérés parfois si frappants, si étonnants, que l'on ne pouvait les ignorer. Lorsque l'on a imaginé des techniques de recherche plus rigoureuses, les chercheurs ont découvert que les observations de Piaget étaient exactes la plupart du temps.

---

l'amène à la pensée intuitive selon Piaget. Nous allons en présenter d'autres exemples ci-dessous.

John Flavell a découvert que, avant l'âge de quatre ans, les enfants confondent l'apparence et la réalité. Si vous leur

montrez une éponge que l'on a peinte de telle sorte qu'elle ressemble à une roche, ils diront que l'objet ressemble soit à une éponge et qu'il s'agit d'une éponge, soit à une roche et que c'est une roche. Cependant, les enfants de quatre et cinq ans arrivent à faire la différence entre les deux ; ils se rendent

compte que l'éponge ressemble à une roche mais qu'il s'agit bien d'une éponge (Flavell, 1986). Ainsi, l'enfant plus âgé comprend qu'un même objet peut être représenté de différentes façons, selon le point de vue de la personne qui le regarde.

En utilisant le même type de matériel, les chercheurs se sont aussi demandé si un enfant pouvait comprendre la notion de *fausse impression* (croyance). Après avoir fait toucher l'éponge (roche) à l'enfant et lui avoir posé des questions sur l'apparence de la roche et sur ce qu'elle est « en réalité », vous pouvez lui poser les questions suivantes : « Jean (un ami du sujet) n'a pas touché à cet objet ; il ne l'a pas pressé. Si Jean regarde cet objet de cet endroit, de quoi s'agira-t-il selon lui ? d'une roche ou d'une éponge ? » (Gopnik et Astington, 1988, p. 35). En général, les enfants de trois ans pensent que Jean croira qu'il s'agit d'une éponge, alors que les enfants de quatre à cinq ans savent que, puisque Jean n'a pas touché à l'éponge, il croira à tort qu'il s'agit d'une roche. Ainsi, l'enfant de quatre à cinq ans comprend qu'une autre personne peut être trompée par la fausse apparence d'une chose. Des études réalisées sur des enfants du Japon, de la Chine et d'une tribu pygmée du Cameroun ont également montré cette évolution. Entre l'âge de trois et cinq ans, tous les enfants arrivent à effectuer ce saut conceptuel (Avis et Harris, 1991 ; Flavell *et al.*, 1983 ; Gardner *et al.*, 1988).

De telles preuves ont mené de nombreux théoriciens (Astington et Gopnik, 1991 ; Harris, 1989 ; Perner, 1991) à suggérer que l'enfant de quatre ans développe une nouvelle théorie de la pensée plus sophistiquée. L'enfant de cet âge commence à comprendre qu'il n'est pas possible de prévoir ce que feront les autres simplement en observant une situation ; les désirs et les convictions d'une autre personne constituent également une part de la problématique. Ainsi, l'enfant élabore différentes théories sur les idées, les croyances et les désirs des autres et sur l'influence de ces éléments sur leur comportement.

Une telle théorie de la pensée ne surgit pas d'un coup à l'âge de quatre ans. Les enfants de trois ans arrivent en partie à faire le lien entre la pensée et le comportement des autres personnes. Ils savent qu'une personne qui désire une chose tentera de l'obtenir. Ils savent aussi que si cette personne essuie un échec, elle sera triste et que si elle réussit, elle sera heureuse (Wellman, 1988). Mais ils ne comprennent pas encore les croyances des autres personnes et leurs effets sur autrui. C'est ce nouvel aspect de la théorie de la pensée que l'on voit apparaître vers l'âge de quatre ou cinq ans.

Les théories de la pensée chez les enfants de trois à quatre ans diffèrent également sur d'autres plans. L'enfant de trois ans semble croire qu'il n'existe qu'un seul « monde » et que tous l'expérimentent de la même manière. L'enfant de quatre ans suppose qu'il existe plusieurs mondes, et que non seulement les autres connaissent (ou expérimentent) diffé-

rentes choses, mais qu'il est possible de « savoir » ou de croire que quelque chose n'est pas vrai et de changer sa propre perception. L'enfant de quatre ans se souvient qu'il pensait autrement auparavant — qu'il croyait que l'éponge était une roche, ce qu'il ne croit plus. Cet état de fait constitue un premier signe du développement de la capacité de *prise de conscience* du point de vue des autres personnes.

Les travaux effectués sur la théorie de la pensée chez l'enfant ont abouti à la création d'un nouveau domaine de recherche fascinant ; elles ont aussi démontré clairement que l'enfant d'âge préscolaire est beaucoup moins égocentrique que ne le pensait Piaget. À l'âge de quatre ans — et même avant, mais de façon plus restreinte —, l'enfant peut comprendre de façon remarquable le point de vue des autres et peut prévoir leur comportement en faisant des déductions sur leurs croyances ou sur leurs sentiments. Il s'agit là sans aucun doute d'une réalisation étonnante à cet âge.

CONSERVATION. Contrairement aux résultats des travaux sur la prise de conscience du point de vue des autres, la plupart des études sur la conservation confirment les observations de Piaget. Bien que les enfants plus jeunes comprennent en partie la conservation lorsqu'on leur simplifie la tâche qu'ils doivent exécuter (Gelman, 1972 ; Wellman, 1982), la plupart des enfants n'arrivent pas à résoudre infailliblement les problèmes de conservation avant l'âge de cinq ou six ans, ou même plus tard.

Par ailleurs, des chercheurs ont découvert que la conservation et la prise de conscience du point de vue des autres s'inscrivent dans le même processus de base, notamment la compréhension du lien entre apparence et réalité. Comprendre la notion de conservation, c'est comprendre qu'un objet peut changer d'apparence tout en demeurant le même, à l'instar de l'éponge qui a l'apparence d'une roche mais qui, en réalité, est une éponge. Flavell a étudié cette situation de différentes façons, en dehors du problème de l'éponge/roche ou de la tâche classique de conservation. Il a présenté des

---

Analysez votre propre théorie de la pensée. Quelles sont vos hypothèses sur la façon dont le comportement des autres est influencé par leurs croyances, leurs sentiments ou leurs idées ? Vous fonctionnez constamment en vous basant sur cette théorie, mais vous est-il possible de l'exprimer clairement ?

Théorie de la pensée : Terme utilisé pour décrire un aspect de la pensée chez l'enfant de 4 ou 5 ans, qui commence à comprendre non seulement que les autres ne pensent pas comme lui, mais qu'ils ont un processus de raisonnement différent du sien.

objets à des enfants sous des éclairages de différentes couleurs, faisant ainsi changer la couleur de l'objet. Il a également mis des masques sur des animaux pour qu'ils ressemblent à d'autres animaux. Lors de ces études, les enfants de deux et trois ans jugeaient constamment les objets sur leur apparence. Toutefois, les enfants de cinq ans étaient capables de distinguer l'apparence de la réalité et savaient que certains objets n'étaient pas «vraiment» rouges malgré l'éclairage rouge, ou que le chat qui portait un masque de chien était «véritablement» un chat (Flavell, Green et Flavell, 1989; Flavell *et al.*, 1987; Taylor et Hort, 1990). Ainsi, la capacité qu'a l'enfant de résoudre des problèmes de conservation vers l'âge de cinq ou six ans semble reposer sur une conscience plus générale de la différence entre l'apparence et la réalité.

HABILETÉS DE CLASSIFICATION. Les jeunes enfants sont en mesure d'effectuer une classification plus tôt que ne le pensait Piaget, surtout si vous leur simplifiez la tâche ou faites en sorte qu'ils utilisent une catégorie qui leur est familière pour accomplir cette classification. Par exemple, Sandra Waxman et Rochel Gelman (1986) ont expliqué à des enfants de trois à quatre ans qu'une marionnette aimait particulièrement les photographies de nourriture (ou d'animaux ou de meubles). On leur a alors distribué 12 photographies et on leur a demandé de mettre les photographies que la marionnette aimait dans un contenant et celles qu'elle n'aimait pas dans un autre contenant. Lorsqu'on présentait ainsi les catégories aux enfants, ils arrivaient facilement à classer les photographies selon des catégories aliments et non-aliments, ou meubles et non-meubles.

Même les enfants de deux ans sont en mesure d'accomplir de telles classifications. Lors d'une étude, Sugerman (1979, citée dans Gelman et Baillargeon, 1983) a distribué à des trottineurs des ensembles de jouets comprenant deux groupes, tels que quatre poupées et quatre anneaux. Elle a découvert que les enfants avaient tendance à déplacer les jouets de ces deux groupes dans différentes piles ou ensembles durant le jeu, ce qui indique que les enfants traitent déjà les jouets, dans une certaine mesure, en fonction de leur catégorie ou de leur classe.

Dans l'ensemble, ces recherches montrent que, dès l'âge de deux ans (et peut-être même avant), les enfants comprennent que l'on peut regrouper des objets par classe. Mais c'est la façon dont on définit la tâche qui fera ou non que l'enfant présentera cette habileté. Piaget avait sans doute proposé des tâches trop compliquées aux enfants, et a donc sous-estimé leur capacité de compréhension.

L'inclusion de classes, cependant, constitue une tout autre question. Les recherches post-piagétiennes ont révélé coup sur coup que l'enfant ne comprenait véritablement l'inclusion de classes qu'à l'âge de sept ou huit ans, comme Piaget le pensait (McCabe *et al.*, 1982).

VUE D'ENSEMBLE DE LA PÉRIODE PRÉOPÉRATOIRE. Si nous rassemblons les informations que nous venons d'étudier, deux conclusions s'imposent. D'abord, Piaget a quelque peu sous-estimé les capacités de l'enfant à la période préopératoire. L'enfant d'âge préscolaire peut utiliser certaines formes de logique que Piaget pensait impossibles à cette période. En plus de pouvoir classer les objets en fonction de leur forme ou de leur fonction, il est moins égocentrique que Piaget ne le pensait. À l'âge de quatre ans, la plupart des enfants ont développé des théories très élaborées sur la pensée des autres.

Cependant, bien que l'on puisse favoriser ces performances, les enfants de deux, trois et quatre ans ne présentent pas nécessairement cette compréhension plus évoluée de façon spontanée. Pour que l'enfant d'âge préscolaire fasse preuve de ces formes de réflexion relativement avancées, vous devez lui faciliter la tâche en lui proposant un problème familier, en lui donnant des indices particuliers et en éliminant

Ces bambins savent déjà que les actions des autres personnes sont influencées par leurs idées et leurs sentiments, mais ils ne comprennent sans doute pas encore les fausses impressions.

Période préopératoire

Q 6 Expliquez les termes suivants: pensée symbolique, égocentrisme, conservation, classification et inclusion de classes et collections figurales.

Q 7 Quels sont les différents types de conservation étudiés par Piaget?

Q 8 Quelles sont les nouvelles perspectives concernant l'égocentrisme, la conservation et la classification?

Q 9 Présentez brièvement les nouvelles perspectives sur la théorie de la pensée.

toutes distractions. Il est étonnant que l'enfant de cet âge arrive à résoudre ces problèmes, mais il ne faut pas oublier qu'il pense différemment des enfants plus âgés. La preuve en est qu'il peut exécuter certaines tâches *seulement* lorsqu'elles lui sont expliquées de façon simplifiée et qu'il n'y a rien pour le distraire. En général, l'attention de l'enfant sera plus facilement attirée par les apparences et les choses extérieures. Il ne semble pas expérimenter le monde ni traiter l'information selon un ensemble de règles générales ou de principes que l'on retrouve chez des enfants plus âgés ; ainsi il ne peut pas transposer (généraliser) aisément une notion apprise dans un contexte donné à une situation semblable, mais non identique. C'est précisément ce processus d'adoption de règles générales qui, selon Piaget, caractérise la transition à la période des opérations concrètes.

DÉVELOPPEMENT COGNITIF À L'ÂGE SCOLAIRE

Le milieu de l'enfance est riche en changements cognitifs, surtout au début de cette période, lorsque l'enfant fait son entrée à l'école. Selon Piaget, cette série de changements est aussi significative et aussi importante que le moment où l'enfant commence à utiliser des symboles à l'âge de deux ans.

PÉRIODE DES OPÉRATIONS CONCRÈTES SELON PIAGET

L'émergence de nouvelles habiletés que l'on peut observer à l'âge de cinq, six ou sept ans repose sur tous les petits changements que l'on a constatés chez l'enfant d'âge préscolaire. Toutefois, selon Piaget, l'enfant fait un grand bond en avant lorsqu'il découvre ou élabore un ensemble de règles et de stratégies d'exploration et d'interaction avec le monde qui l'entoure. Piaget nomme ce nouvel ensemble d'habiletés les *opérations concrètes*. Par « opérations », Piaget entend un ensemble de schèmes puissants, abstraits et internes comme la réversibilité, l'addition, la soustraction, la multiplication, la division et la sériation. Chacun de ces schèmes est une sorte de règle interne qui porte sur les objets et leurs relations. L'enfant comprend maintenant la *règle* qui veut que l'addition entraîne une augmentation et la soustraction, une diminution. Il comprend que le même objet peut appartenir à plusieurs catégories à la fois et que ces catégories ont un rapport logique entre elles.

De toutes ces opérations, Piaget pensait que la réversibilité — la possibilité que les actions et les opérations mentales puissent s'inverser — était la plus cruciale. Par exemple, le boudin de pâte à modeler de l'expérience de conservation

peut être retransformé en boule, et l'eau peut être reversée dans le verre plus petit et plus large. Cette compréhension élémentaire de la réversibilité des actions sous-tend d'autres acquisitions réalisées durant cette période. Par exemple, si vous maîtrisez l'opération de la réversibilité, vous savez que si A est plus grand que B, alors B est plus petit que A. La capacité de comprendre la hiérarchie de classes, comme *Fido, épagneul, chien* et *animal*, repose aussi sur la capacité de concevoir la réversibilité de la relation des objets entre eux.

Plusieurs de ces opérations semblent être acquises entre l'âge de cinq et sept ans. Les indices de ce changement dans le processus mental peuvent être observés dans la même séquence de développement que celle que nous avons décrite pour l'âge préscolaire : conservation, classification et logique.

CONSERVATION. Vers l'âge de six ans, presque tous les enfants comprennent le concept de la conservation de la substance, du liquide et du nombre. Le concept de la conservation du poids est acquis vers l'âge de sept ou huit ans, et celui de la conservation du volume vers dix ou onze ans. Différentes stratégies peuvent permettre à l'enfant d'arriver à ce type de compréhension : la réversibilité (« Si je le remets dans sa forme initiale, ce sera le même objet »), l'addition ou la soustraction (« On n'a rien ajouté ni rien enlevé, donc rien n'a changé »), ou la compensation (porter attention à plus d'un élément à la fois, par exemple « C'est plus gros, mais plus mince ; c'est donc la même chose »).

CLASSIFICATION. De la même façon, les enfants saisissent le principe de l'inclusion des classes vers l'âge de sept ou huit ans, un changement du processus mental clairement démontré par les résultats d'une étude assez ancienne qui compte parmi les plus intéressantes sur ce sujet. Mosher et Hornsby (1966) ont montré à des enfants de 6 à 11 ans une série de 42 images représentant des animaux, des personnes, des jouets et des appareils. L'expérimentateur pensait à une image en particulier et les enfants devaient deviner laquelle en posant des questions auxquelles il ne répondait que par « oui » ou par « non ».

Le sujet dispose de plusieurs moyens pour résoudre le problème et déterminer les questions qu'il posera. Il peut pointer du doigt une image après l'autre et demander : « Est-ce celle-ci ? » jusqu'à ce qu'il trouve la bonne. Mosher et Hornsby appellent ce procédé *balayage d'hypothèses*. Le sujet peut aussi classer mentalement les images selon une hiérarchie de classes, puis poser des questions par rapport à une classe à la fois. Il peut ainsi commencer par poser la question suivante : « Est-ce que c'est un jouet ? » Si la réponse est affirmative, il peut poser des questions sur une sous-catégorie de l'objet : « Est-ce un jouet rouge ? » Mosher et Hornsby nomment cette autre stratégie la *recherche par élimination*. On peut constater, en se reportant à la figure 6.2, que les enfants de six ans essaient essentiellement de deviner (balayage d'hypothèses). Vers l'âge de huit ans, toutefois, la plupart des

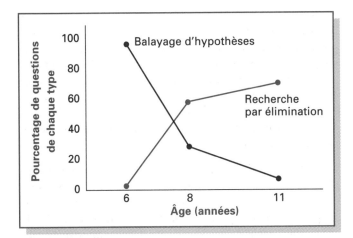

Figure 6.2 **Jeu des vingt questions.** Lorsque des enfants de six ans jouent au jeu des «vingt questions» avec des images, leurs questions ont presque toutes la forme de devinettes ou d'hypothèses spécifiques («Est-ce celle-ci?»). Les enfants de huit ans sont plus portés à utiliser une stratégie d'élimination qui repose sur leur capacité de classification des images en catégories hiérarchisées, en posant des questions comme «Est-ce un jouet?» (*Source*: Mosher et Hornsby, 1966, p. 91.)

enfants utilisent une stratégie cognitive plus élaborée, la recherche par élimination, ce qui reflète le passage à ce que Piaget appelle la période des opérations concrètes.

LOGIQUE DURANT LA PÉRIODE DES OPÉRATIONS CONCRÈTES. Selon Piaget, c'est pendant cette période que l'enfant développe sa capacité d'utiliser la logique inductive, ce qui consiste essentiellement à passer du particulier au général. L'enfant de cet âge peut induire un principe général de son expérience personnelle. Par exemple, il peut constater en s'amusant que s'il ajoute un jouet à un ensemble de jouets et qu'il fait ensuite le compte, il y en aura toujours un de plus. L'enfant de quatre ou cinq ans s'arrête à cette conclusion, mais l'enfant de sept ou huit ans applique cette observation au principe général selon lequel ajouter, c'est toujours aller en augmentant.

Les enfants d'âge scolaire sont de très bons observateurs scientifiques et ils aiment cataloguer et compter les variétés d'arbres et les espèces d'oiseaux ou découvrir les mœurs des cochons d'Inde. Ils ne maîtrisent pas encore très bien la logique déductive, qui permet de passer du général au particulier, comme émettre des hypothèses à partir d'une théorie. La logique déductive exige beaucoup plus d'aptitudes que la logique inductive. L'individu doit imaginer des faits ou des événements dont il n'a jamais fait l'expérience, aptitude que

l'enfant ne possède pas encore à la période des opérations concrètes. Même si le développement cognitif de l'enfant de cet âge est assez avancé, ce dernier est encore lié aux faits concrets, à ses propres observations et à ses expériences personnelles.

La découverte des caractéristiques de la pensée chez l'enfant à l'école élémentaire conduit à une importante application pratique : les enfants apprennent les sciences (et d'autres matières) beaucoup plus facilement si la matière est présentée d'une façon concrète, avec beaucoup d'expériences pratiques et d'expérimentations inductives. Ils apprennent moins facilement lorsque les concepts scientifiques et théoriques sont présentés selon un mode déductif (Saunders et Shepardson, 1987).

NOUVELLES PERSPECTIVES SUR LA PÉRIODE DES OPÉRATIONS CONCRÈTES

Contrairement aux chercheurs qui ont étudié les deux premières périodes proposées par Piaget (soit la période sensorimotrice et la période préopératoire), ceux qui ont fondé leurs travaux de recherche sur la description de la période des opérations concrètes s'entendent généralement sur la séquence et l'apparition de la plupart des types d'opérations observés par Piaget. Ils ont constaté, à l'instar de Piaget, que le concept de la conservation du liquide et de la substance se développe au début de cette période, suivi des concepts de la conservation du poids et de la conservation du volume. Ils ont aussi observé que les enfants appartenant à ce groupe d'âge peuvent utiliser la logique inductive, mais échouent aux tâches qui exigent une logique déductive (Markovitz, Schleifer et Fortier, 1989). Ils ont également établi que, au cours de la période des opérations concrètes, l'enfant acquiert l'aptitude de créer des systèmes de classification pour résoudre des problèmes, comme l'illustre l'étude des «vingt questions».

Vous pouvez observer plusieurs de ces changements dans les résultats d'une étude longitudinale sur les tâches accomplies à la période des opérations concrètes, étude effectuée par Carol Tomlinson-Keasey et ses collaborateurs

---

Dans votre vie de tous les jours, comment utilisez-vous la logique inductive? Comment utilisez-vous la logique déductive?

Période des opérations concrètes : Période du développement que Piaget situe entre 6 et 12 ans, au cours de laquelle sont acquises les opérations mentales comme la soustraction, la réversibilité et la classification.

Logique inductive : Forme de raisonnement qui consiste à passer du particulier au général, de l'expérience à des règles générales. Caractéristique de la pensée opératoire concrète.

Logique déductive : Forme de raisonnement qui consiste à passer du général au particulier, d'une règle à un exemple précis, ou d'une théorie à une hypothèse. Caractéristique de la pensée opératoire formelle.

(Tomlinson-Keasey *et al.*, 1978). Ces chercheurs ont suivi un groupe de 38 enfants, de la maternelle jusqu'à la troisième année. Chaque année, les enfants étaient évalués au moyen de cinq tâches : conservation de la substance, du poids, du volume, inclusion de classes et classification. Les résultats, illustrés à la figure 6.3, montrent que les enfant ont progressé au cours de ces trois années dans l'accomplissement des cinq tâches, particulièrement durant la période se situant entre la fin de la maternelle et le début de la première année de l'élémentaire (soit environ à l'âge où Piaget pensait que la période des opérations concrètes débutait) et durant la deuxième année.

Comme vous pouvez le constater en consultant la figure 6.3, les tâches comportaient divers niveaux de difficulté. Le concept de la conservation de la substance était plus facile à saisir que celui de la conservation du poids, et le concept de la conservation du volume était le plus difficile à comprendre des trois. La tâche d'inclusion de classes était en général plus difficile à accomplir que celle de la conservation de la substance. En fait, il semble que la compréhension du concept de la conservation de la substance soit une condition préalable à l'acquisition du concept d'inclusion de classes. Piaget a appelé ainsi *décalage horizontal* le fait que, à l'intérieur d'une même période de développement, les enfants ne réussissent pas à généraliser leur raisonnement à des contenus différents.

Certains chercheurs ont critiqué Piaget sur ce point précis, qui semble contredire son concept de stades. En effet, si l'on considère qu'une période se compose de stades et forme un ensemble cohérent, une structure qui influe sur tout le processus de la pensée, alors on devrait s'attendre à ce que l'enfant applique la même logique opérationnelle à toutes les tâches données. Or, la figure 6.3 montre que la constance des tâches croisées est beaucoup moins évidente chez l'enfant à la période des opérations concrètes. Des études sur la *compétence* peuvent nous aider à comprendre les facteurs qui influent sur le développement cognitif à la période des opérations concrètes.

ÉTUDES SUR LA COMPÉTENCE. Si l'enfant emploie des formes générales de logique dans toutes ses expériences, le bagage de connaissances spécifiques qu'il possède sur un ensemble d'objets ne devrait pas influer sur la forme de logique qu'il utilise. Par exemple, un enfant qui n'a jamais vu d'images de dinosaures, mais qui maîtrise le concept de classification, devrait être en mesure de classer des dinosaures aussi bien que l'enfant qui a joué avec des dizaines de figurines de dinosaures. Un enfant qui comprend le principe de la transitivité (si A est plus grand que B et B est plus grand que C, alors A est plus grand que C) devrait être en mesure de faire la démonstration de cette habileté autant avec des objets qu'il ne connaît pas qu'avec des objets qui lui sont familiers. Mais dans les faits, ce n'est pas le cas.

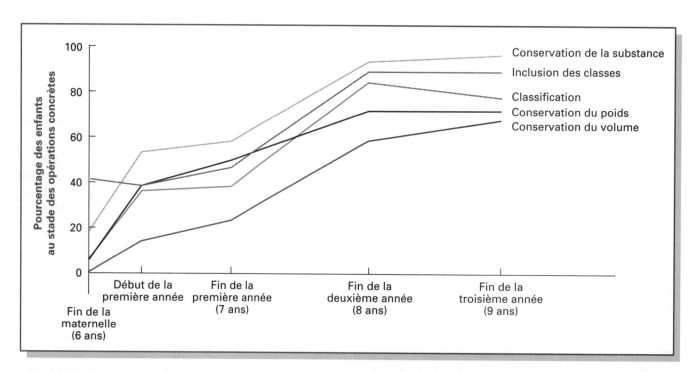

Figure 6.3 Évolution des opérations concrètes. Dans cette étude longitudinale, on a demandé cinq fois à des enfants d'effectuer les mêmes tâches d'opérations concrètes, sur une période comprise entre la maternelle et la troisième année. (*Source* : Tomlinson-Keasey *et al.*, 1979, adapté du tableau 2, p. 1158.)

On dispose maintenant de nombreuses études montrant que la connaissance spécifique préalable constitue un élément déterminant. Les enfants et les adultes qui possèdent un large éventail de connaissances spécifiques sur un sujet ou un ensemble d'objets, que ce soit les dinosaures, les cartes de hockey ou les mathématiques, n'ont pas la même perception de l'objet qu'un novice en la matière. Les spécialistes catégorisent l'information de leur sphère de connaissances de façon plus complexe et plus hiérarchisée. Ils mettent en application des formes de logique plus élaborées sur l'objet de leur **compétence** et ils mémorisent plus facilement l'information relative à leur spécialisation. Par exemple, une étude effectuée en Allemagne a trouvé que des enfants amateurs de football européen de deuxième et de quatrième année retenaient plus facilement une liste de termes propres à ce sport que des enfants du même âge qui ne regardaient que rarement les matchs de football (Schneider et Bjorklund, 1992). De plus, une telle compétence ne semble pas se généraliser pour des tâches similaires. Dans l'étude allemande, par exemple, il n'y avait aucune différence entre les amateurs de football et les novices en ce qui a trait à la mémorisation d'une liste de termes qui n'avaient aucun rapport avec ce sport.

Les travaux sur la compétence effectués par Michelene Chi et ses collaborateurs (Chi, Hutchinson et Robin, 1989 ; Chi et Ceci, 1987) comptent parmi les plus intéressants. Dans son étude la plus connue (1978), Chi a trouvé que les experts du jeu d'échecs pouvaient se rappeler de l'emplacement des pièces sur l'échiquier beaucoup plus rapidement et avec plus de précision que les amateurs, *même lorsque ces experts étaient des enfants et les amateurs, des adultes.*

Comme les jeunes enfants sont des novices dans presque tous les domaines et que les enfants plus âgés ont plus d'expertise dans plusieurs matières, il est possible que l'apparente différence dans les stratégies cognitives ou dans le fonctionnement entre les jeunes enfants et les enfants plus âgés soit seulement l'effet d'un plus vaste bagage de connaissances spécifiques et d'une plus grande expérience plutôt que le produit de changements reliés aux stades dans les structures cognitives de base.

Or, Piaget reconnaissait lui-même que l'expérience constitue un élément essentiel des processus du développement cognitif. Il semble de plus en plus évident que la performance de l'enfant varie grandement selon sa compétence, la clarté ou la simplicité des directives, la familiarité avec le

matériel et d'autres facteurs situationnels. Il demeure cependant qu'il existe une grande différence dans la manière dont l'enfant de deux ans et de huit ans aborde les problèmes, différence qui ne dépend pas seulement de l'expérience. Toutefois, si cette différence ne se retrouve pas dans les structures de base, comme le pensait Piaget, en quoi consiste-t-elle ? Une approche théorique différente, le *traitement de l'information*, apporte un autre éclairage sur cette question.

?

Période des opérations concrètes

Q 10   Définissez le terme « opérations concrètes » dans la théorie de Piaget.

Q 11   Pourquoi la réversibilité est-elle si importante pour Piaget ?

Q 12   Citez les trois types d'arguments utilisés par les enfants pour expliquer la conservation.

Q 13   Expliquez la stratégie par essais et erreurs (balayage d'hypothèses) et la stratégie de la recherche par élimination en ce qui touche la classification.

Q 14   Qu'est-ce que la logique inductive ? la logique déductive ?

Q 15   Que nous apprennent les études sur la compétence ?

TRAITEMENT DE L'INFORMATION : UNE AUTRE CONCEPTION DU DÉVELOPPEMENT COGNITIF

Les théoriciens qui, comme Piaget, étudient la structure cognitive se demandent à quelles structures de logique l'enfant a recours pour résoudre un problème, et comment ces structures changent avec l'âge. Les théoriciens du **traitement de l'information**, pour leur part, se demandent quels *processus* intellectuels l'enfant utilise lorsqu'il fait face à une tâche, et comment ces processus pourraient changer avec l'âge.

Pensez aux domaines dans lesquels vous êtes versés et aux sujets sur lesquels vous possédez peu de connaissances. Pouvez-vous constater des différences dans votre façon de percevoir ces matières, dans la forme de logique que vous utilisez ou dans vos techniques de mémorisation ?

Compétence : Comportement d'une personne dans des conditions idéales. Il est impossible de mesurer directement la compétence.

Traitement de l'information : Terme utilisé pour désigner une nouvelle et troisième approche de l'étude du développement cognitif, qui s'attache aux changements survenant avec l'âge et aux différences individuelles dans les processus intellectuels fondamentaux.

TRAVERS LES CULTURES

LES EFFETS DE L'APPRENTISSAGE SCOLAIRE SUR LA PENSÉE DE L'ENFANT

Une autre donnée qui pourrait influer sur le développement de ce que Piaget nomme les opérations concrètes est l'apprentissage scolaire. Cet apprentissage commence à l'âge de six ou sept ans partout dans le monde, parce qu'il est implicitement reconnu que les enfants de cet âge sont désormais prêts à acquérir des connaissances plus abstraites. Mais il est aussi possible que ce soit l'apprentissage scolaire lui-même qui stimule ou qui déclenche la transition à une forme de pensée plus abstraite. Si cette hypothèse est vraie, alors on devrait trouver que les enfants qui ne fréquentent pas l'école présentent un retard dans l'acquisition de leurs aptitudes opératoires concrètes.

Des chercheurs ont voulu mettre cette hypothèse à l'épreuve en étudiant les enfants de sociétés ou de cultures dans lesquelles la scolarité n'est pas obligatoire ou n'est pas accessible à tous. En comparant des groupes semblables d'enfants dont certains vont à l'école et d'autres pas, il pourrait être possible de découvrir le rôle que joue l'école dans le développement cognitif.

De nombreuses études de ce genre, effectuées au Mexique, au Pérou, en Colombie, au Liberia, en Zambie, au Nigéria, en Ouganda, à Hong-kong et dans beaucoup d'autres pays, mènent à la conclusion que l'apprentissage scolaire joue un rôle déterminant dans le développement de certaines structures cognitives complexes. Les enfants scolarisés, comparativement aux enfants du même âge qui ne le sont pas, sont meilleurs dans l'exécution de tâches qui font appel à la mémoire, surtout celles qui demandent l'élaboration de nouvelles catégories mentales ou l'usage de stratégies de mémorisation plus complexes. Ils sont également plus doués pour les tâches de classification, surtout celles qui utilisent comme élément discriminant des critères autres que la couleur ou la fonction, et ils passent plus facilement d'un critère de classification à un autre. De plus, ils comprennent mieux le principe de la conservation. En général, les enfants scolarisés parviennent mieux à généraliser un concept ou un principe pour l'appliquer ensuite à un nouvel ensemble de données (Rogoff, 1981).

Récemment, Harold Stevenson a réalisé une étude sur les enfants quechua du Pérou (Stevenson et Chen, 1989; Stevenson et al., 1991). Stevenson et ses collaborateurs ont évalué des enfants de six à huit ans en milieu rural et dans un milieu urbain défavorisé. Dans chacun des cas, certains enfants avaient fréquenté l'école à peu près six mois tandis que d'autres n'avaient pas commencé l'école ou vivaient dans une région ne disposant pas d'une école. Stevenson a observé que les enfants scolarisés, issus tant des milieux ruraux que des milieux urbains, accomplissaient mieux toutes les tâches, y compris une mesure de sériation et de formation de concept. Cet écart demeurait inchangé même en tenant compte d'autres paramètres comme le niveau d'instruction des parents, l'alimentation de l'enfant et la quantité de matériel éducatif disponible à la maison. Ce n'est que dans l'évaluation de la mémoire, comme la capacité de l'enfant de répéter une série de chiffres qu'on lui a lus, qu'il n'y avait aucune différence.

Cela ne veut pas dire pour autant que l'apprentissage scolaire est la seule façon pour l'enfant d'acquérir des structures cognitives plus complexes. Une expérience précise acquise dans un domaine particulier peut aussi promouvoir la compétence. Par exemple, Geoffrey Saxe (1988), dans une étude menée au Brésil, a trouvé que de jeunes marchands ambulants âgés de dix ans, sans instruction, avaient conçu leurs propres stratégies pour résoudre des problèmes d'arithmétique, et ils le faisaient avec beaucoup plus de précision que les autres enfants brésiliens non scolarisés qui n'avaient aucune expérience de vente. Toutefois, ces jeunes marchands avaient beaucoup de difficulté à résoudre des problèmes d'arithmétique semblables à ceux que l'on donne à l'école.

L'apprentissage scolaire met l'enfant en contact avec beaucoup d'habiletés particulières et de champs de connaissances, ce qui accroît sa compétence dans de nombreux domaines. Mais l'apprentissage scolaire semble aussi stimuler l'émergence et le développement de stratégies plus abstraites et plus souples en ce qui concerne la mémoire et la résolution de problèmes.

La métaphore à la base de l'approche du traitement de l'information permet de concevoir l'esprit humain comme un ordinateur. On peut se représenter le « matériel de base » (ou « hardware ») de la cognition comme la physiologie du cerveau, les neurones et le tissu conjonctif, et le « logiciel » (ou « software ») de la cognition comme l'ensemble des stratégies ou « programmes » qui utilisent le matériel de base. Pour comprendre la cognition dans son ensemble, il faut connaître la capacité de traitement (puissance du processeur) du matériel de base et la nature des programmes adaptés à l'exécution de tâches données. Pour comprendre le *développement* cognitif, il faut découvrir s'il y a des modifications dans la capacité de traitement de base du système ou dans la nature des programmes utilisés. Le processeur devient-il plus puissant avec l'âge ? De nouveaux types de programmes apparaissent-ils avec l'âge ? Sinon, il se peut que tous les programmes existent depuis la naissance, mais que l'enfant doive graduellement apprendre à utiliser ces programmes de base.

LE MONDE RÉEL

L'apprentissage de la lecture

L'importance de la connaissance et de la compétence, tellement évidente dans les recherches récentes sur le développement cognitif, apparaît également lorsque l'on étudie une activité cognitive courante, soit l'apprentissage de la lecture. Certains chercheurs ont découvert, ce qui est assez surprenant, que le Q.I. ne constitue pas un bon facteur prédictif de la vitesse à laquelle un enfant apprendra à lire en première année. Les tâches piagétiennes, conçues pour évaluer l'aptitude de l'enfant à résoudre des problèmes de classification, de sériation et de conservation, semblent mieux prédire l'aptitude à la lecture (Arlin, 1981 ; Tunmer, Herriman et Nesdale, 1988). Toutefois, les éléments déterminants demeurent les connaissances particulières de l'enfant sur le langage et l'alphabet.

Il semble particulièrement important et utile que l'enfant possède les deux types de connaissances suivants: (1) savoir reconnaître chaque lettre et (2) savoir que les mots parlés ou écrits sont composés de sons distincts (Adams, 1990).

Nous avons vu au chapitre 4 que les bébés sont attentifs à des sons individuels appelés *phonèmes*. Par contre, le fait de saisir que les mots sont formés d'une suite de ces sons — compréhension que l'on appelle *conscience phonémique* — semble être le fruit d'un entendement plus avancé qui est essentiel à l'apprentissage de la lecture. Les chercheurs ont observé ce phénomène en utilisant plusieurs méthodes, comme de demander à un enfant de donner un coup de crayon à chaque son qu'il peut isoler à la lecture d'un mot, ou encore de dire quel est le premier son d'un mot comme le *b* dans *balle* ou de dire le mot *poche* sans le *p*. La capacité de faire rimer les mots peut également mesurer la conscience phonémique. Toutes ces études, condensées de façon magistrale dans une publication récente de Marilyn Adams (1990), montrent que les enfants de cinq et six ans qui ont une plus grande conscience phonémique apprennent à lire beaucoup plus rapidement que les autres.

La reconnaissance des lettres et la conscience phonémique vont aussi de pair avec des aptitudes cognitives beaucoup plus élémentaires. Par exemple, Tunmer et ses collaborateurs (Tunmer, Herriman et Nesdale, 1988) ont découvert que le meilleur facteur prédictif de l'aptitude à la lecture à la fin de la première année scolaire est la capacité de reconnaissance des lettres au début de l'année. Toutefois, parmi les enfants qui avaient commencé la première année avec une faible conscience phonémique ou une faible capacité de reconnaître les lettres, ceux qui avaient de bonnes connaissances des opérations concrètes se sont rattrapés beaucoup plus vite que ceux qui présentaient un retard dans ces aptitudes cognitives de base. Même si les compétences dans ces deux domaines — connaissance du langage et aptitudes logiques — constituent le fondement de l'apprentissage de la lecture, l'aptitude essentielle serait celle du langage.

D'où vient cette connaissance du langage ? Comment se fait-il que certains enfants de cinq ou six ans, contrairement à d'autres, savent très bien comment se forment les mots? L'explication semble très simple: la mise en contact et la connaissance particulière. Pour qu'un enfant puisse apprendre les lettres et les sons, il doit avoir été fréquemment mis en contact avec la langue orale et écrite. Ce sont des enfants à qui l'on a beaucoup parlé et lu régulièrement des histoires lorsqu'ils étaient très jeunes. Ils ont joué avec des lettres et ils ont appris l'alphabet très tôt.

Les comptines constituent une grande part de l'expérience précoce des enfants doués pour la lecture. Dans une étude récente (Maclean, Bryant et Bradley, 1987) effectuée sur un échantillon d'enfants britanniques, on a découvert que ceux qui connaissaient le plus de comptines à l'âge de trois ans et demi avaient une plus grande conscience phonémique et apprenaient à lire plus facilement que les autres. La connaissance des comptines ne s'étant pas révélée un facteur prédictif des futures compétences mathématiques de l'enfant dans cette étude, il semble bien que nous ayons affaire ici à un domaine de compétences particulier.

Le fait de lire régulièrement des histoires à un enfant, de façon à susciter son attention et à encourager ses réactions, semble être un des facteurs déterminants dans l'acquisition d'aptitudes précoces à la lecture. Les parents qui ne font pas la lecture ou qui n'encouragent pas d'autres activités liées à la lecture ont des enfants qui apprennent plus difficilement à lire à l'école.

Pour les enfants qui ne jouissent pas d'une telle compétence au début de l'apprentissage scolaire, la seule solution consiste à bâtir une base de connaissances au moyen des mêmes types d'expériences que ceux dont ont bénéficié les enfants qui apprennent à lire avec plus de facilité. En d'autres termes, les enfants qui ont des difficultés d'apprentissage de la lecture doivent être mis très souvent en contact avec l'association son-lettre. Ils doivent également apprendre à reconnaître le dessin des lettres à l'intérieur des mots. Il ne faut surtout pas choisir entre les deux systèmes très contestés d'enseignement, soit l'apprentissage phonétique (méthode traditionnelle) et l'apprentissage par les mots (méthode dite globale). Ces deux méthodes sont nécessaires et doivent être accompagnées de notions de syntaxe pour que l'enfant arrive à mieux comprendre les mots selon leur emplacement dans la phrase.

Adams a aussi fait valoir de façon convaincante que, pour aider un enfant qui a de la difficulté à lire, il faut l'inciter à lire à haute voix, de préférence des textes comportant des rimes et des répétitions afin de favoriser la conscience phonémique et l'apprentissage de la régularité du langage. Les méthodes qui insistent sur cet aspect, comme le «Reading Recovery Program» conçu par Marie Clay (1979), ont eu beaucoup de succès auprès des enfants qui ont de la difficulté à lire. Les méthodes qui misaient sur des exercices phonétiques à répétition ont échoué. En d'autres termes, les enfants qui ont de la difficulté à lire apprennent plus aisément dans un contexte qui recrée quelque peu les expériences vécues à la maison par les enfants qui lisent facilement: beaucoup de lecture, des «jeux» de mots et de lettres, une participation active et l'expérimentation.

Avant de lire la section suivante, cherchez un moyen de découvrir si le matériel de base de la cognition change avec l'âge. Quelles différences de comportement pourrait-on observer si de tels changements faisaient partie du développement?

CHANGEMENTS DANS LA CAPACITÉ DE TRAITEMENT DE L'INFORMATION. Les ordinateurs ne peuvent effectuer qu'un nombre limité d'opérations à la fois. En outre, les ordinateurs ne possèdent pas la même vitesse de traitement. Il est possible que le développement du cerveau et du système nerveux pendant les premières années de la vie — avec la création de synapses, puis l'émondage des synapses superflues — soit relié à l'augmentation de la capacité, de la rapidité et de l'efficacité du système.

Une des preuves à l'appui de cette hypothèse provient d'une étude sur la portée de la mémoire, que nous avons citée au chapitre 1 (voir la figure 1.5, p. 17). Dans cette étude, le sujet doit se rappeler d'une liste d'éléments énoncés à haute voix (lettres, chiffres ou mots), puis il doit répéter toute la liste dans le même ordre. La première liste est généralement très courte. Ensuite, on ajoute un élément à la liste jusqu'à ce que le sujet ne puisse plus la répéter sans faire d'erreur. La figure 6.4 illustre les résultats de quelques études sur la mémoire des lettres chez les enfants et les adultes (Dempster, 1981). On peut constater que la portée (empan) de la mémoire augmente progressivement pendant l'enfance.

Ce type de découverte pourrait démontrer une augmentation de la capacité de traitement avec l'âge, mais les résultats pourraient aussi indiquer des différences dans l'expérience et la compétence. Les plus jeunes enfants ont moins d'expérience avec les chiffres, les lettres et les mots. Il est possible que leur faible performance à ces tests de mémorisation montre simplement que les spécialistes peuvent faire mieux que les novices. Lorsque les chercheurs ont effectivement tenté de découvrir si les résultats avaient un lien avec le niveau d'expérience, en demandant à des enfants plus âgés de mémoriser des figures ressemblant à des lettres, presque toutes les différences quant à la capacité de mémorisation selon le groupe d'âge ont disparu. À cause d'un tel résultat, la plupart des chercheurs s'entendent pour dire que la capacité de traitement de base n'augmente pas, mais qu'il y a peut-être une hausse de l'efficacité. Une meilleure efficacité permettrait de libérer l'« espace mémoire » pour le stockage d'informations (Schneider et Pressley, 1989).

Une efficacité accrue se traduit par une augmentation de la vitesse de traitement. Robert Kail (1991a, 1991b) a montré que les enfants réfléchissent et répondent plus vite en grandissant. De plus, ce modèle d'augmentation relié à l'âge est pratiquement le même pour de nombreuses tâches différentes, y compris les tâches de perception et les tâches motrices, comme le temps de réaction à un stimulus (par exemple, appuyer sur un bouton le plus vite possible chaque fois qu'un numéro apparaît sur un écran), et les tâches cognitives comme le calcul mental. On peut expliquer la constance de ce modèle d'augmentation pour toutes les tâches cognitives par un changement fondamental dans le système physique qui permettrait une plus grande vitesse de réaction et de traitement.

Le recours plus fréquent à diverses *stratégies* cognitives — les techniques que nous utilisons pour simplifier ou fractionner une tâche cognitive à accomplir — constitue une autre façon d'améliorer l'efficacité du traitement avec l'âge. De nombreuses études sur le traitement de l'information portent sur la compréhension de l'émergence de ces stratégies.

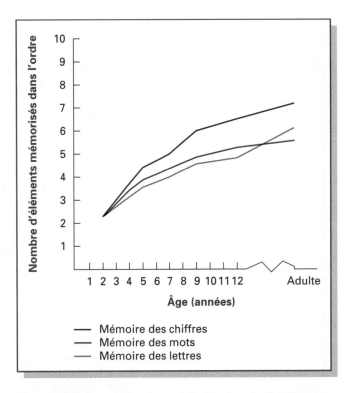

Figure 6.4 Capacité fondamentale de mémorisation. Des psychologues ont tenté de mesurer la capacité fondamentale de mémorisation en demandant aux sujets de répéter dans l'ordre une liste d'objets énumérée à haute voix. Ce tableau montre le nombre d'objets mémorisés dans le bon ordre par des enfants d'âges variés, selon quelques études. (*Source* : Dempster, 1981, adapté des figures 1, 2 et 3, p. 66 à 68.)

La recherche sur les stratégies de mémorisation en offre un bon exemple.

STRATÉGIES MNÉMONIQUES. Si la capacité maximale normale de mémorisation était de six ou sept éléments, comme le suggèrent les données de la figure 6.4, nous aurions des problèmes à nous rappeler d'une liste plus longue, comme une liste d'épicerie ou une liste de courses à faire. La solution réside dans l'utilisation de diverses stratégies de mémorisation dont quelques-unes sont décrites au tableau 6.3. Vous pouvez vous répéter une liste plusieurs fois, grouper les éléments d'une liste par thèmes (« tous les ingrédients nécessaires pour la recette de spaghettis », par exemple), créer un scénario qui lie entre eux tous les éléments d'une liste, ou encore mémoriser la route que vous devez emprunter pour faire vos courses.

À quel moment les enfants commencent-ils à avoir recours à de telles stratégies ? Jusqu'à récemment, la plupart des psychologues pensaient que l'usage spontané de stratégies n'apparaissait pas avant l'âge de six ans, âge correspondant au début de la période des opérations concrètes de Piaget (Keeney, Cannizzo et Flavell, 1967). Les recherches actuelles parviennent cependant à des conclusions légèrement différentes. Premièrement, on observe des signes de stratégies de

Tableau 6.3
Stratégies mnémoniques : quelques stratégies courantes du traitement de l'information dans la mémorisation

Répétition. Il s'agit sans doute de la stratégie la plus utilisée. Elle suppose une répétition mentale ou vocale, ou une répétition de mouvements (comme dans l'apprentissage de la danse). Elle est utilisée dès l'âge de deux ans, dans certains cas.

Organisation. Il s'agit de classer des idées, des objets ou des mots en catégories pour les mémoriser. Par exemple, « tous les animaux » ou « tous les ingrédients nécessaires pour la recette de lasagne » ou encore « les pièces d'échecs impliquées dans le roque ». Cette stratégie de regroupement se raffine avec l'exercice d'une activité particulière ou avec la connaissance d'un sujet précis, car on peut apprendre ou découvrir des catégories en explorant ou en manipulant une série d'objets. La stratégie de regroupement à l'état primaire se retrouve chez les enfants de deux ans.

Élaboration. Cette stratégie de mémorisation consiste à imaginer un lien entre deux objets ou plus. La méthode de mémorisation utilisée pour se rappeler les conjonctions de coordination (« mais ou et donc carnior ? ») est un genre d'élaboration au même titre que le fait d'associer le nom d'une personne que vous venez de rencontrer à un objet ou à un mot. Cette stratégie n'est pas utilisée spontanément par tous, et elle n'est employée plus fréquemment et plus efficacement que bien plus tard au cours du développement.

Recherche systématique. Lorsque vous cherchez à vous rappeler de quelque chose, vous pouvez passer votre mémoire au crible afin de trouver l'objet de votre recherche. Les enfants de trois et quatre ans peuvent utiliser ce type de recherche pour des objets tangibles, mais ils ne sont pas très habiles à « fouiller » leur mémoire. L'enfant apprend donc les stratégies de recherche pour le monde tangible, puis les applique plus tard à des recherches internes.

Source : Flavell, 1985.

mémorisation dans des conditions optimales dès l'âge de deux ou trois ans (DeLoache, 1989 ; DeLoache *et al.*, 1985). Mais, en grandissant, les enfants se servent de méthodes de plus en plus efficaces comme aide-mémoire. Deuxièmement, l'enfant passe d'une période où il n'emploie pas de stratégie à une période où il en utilisera si on les lui explique ou si on lui rappelle de les utiliser, pour finalement s'en servir spontanément. Troisièmement, en grandissant, et particulièrement entre l'âge de six et douze ans, l'enfant a recours à ces stratégies de manière de plus en plus efficace et les applique à un nombre croissant de situations. On observe alors des changements non seulement sur le plan de la quantité de stratégies utilisées, mais aussi sur le plan de la qualité de ces stratégies.

L'expérience de la bascule peut apprendre à ces enfants le fonctionnement d'une balance.

RÈGLES DE LA RÉSOLUTION DE PROBLÈMES. Les chercheurs qui étudient le traitement de l'information ont observé une progression qualitative dans un autre domaine, la résolution de problèmes. Les études de Robert Siegler sur le développement font partie des travaux les plus connus sur ce sujet (Siegler, 1976, 1978, 1981). L'approche de Siegler se situe à la croisée de la théorie piagétienne et de la théorie du traitement de l'information. Ce chercheur soutient que le développement cognitif consiste à acquérir un ensemble de règles fondamentales qui sont ensuite appliquées à un registre de plus en plus étendu de problèmes, selon l'expérience. Il n'existe pas de stades, seulement des séquences.

Dans une expérience basée sur cette approche, Siegler utilise une balance et une série de chevilles disposées sur chaque bras et conçues pour recevoir des disques (voir la figure 6.5). On demande à l'enfant de prédire de quel côté la balance penchera selon la position et le nombre de disques. Pour résoudre le problème, l'enfant doit tenir compte du nombre de disques placés sur chaque bras de la balance ainsi que de leur position. Toutefois, les enfants ne trouvent pas la solution immédiatement. Siegler pense que les enfants résoudront le problème en élaborant quatre règles successives selon un ordre précis.

La règle I, qui est fondamentalement une règle « préopératoire », ne tient compte que d'une donnée : le poids. L'enfant qui applique cette règle prédit que le bras qui comporte le plus de disques, quel que soit leur emplacement sur les chevilles, penchera. La règle II est une règle transitoire. L'enfant se base toujours sur le nombre de disques pour étayer son jugement, mais s'il y a le même nombre de disques de chaque côté, alors il tient compte de la distance par rapport au pivot. La règle III est une règle opératoire concrète. L'enfant essaie de prendre en considération simultanément les deux données, soit la distance et le poids. Toutefois, lorsque l'information est contradictoire (dans le cas où un bras comporte plus de disques près du pivot, par exemple), l'enfant tentera de deviner. La règle IV tient compte du poids et de la distance en utilisant la formule appropriée (la distance multipliée par le poids pour chaque côté).

Siegler a découvert que pratiquement tous les enfants accomplissent cette tâche et d'autres tâches semblables comme s'ils employaient l'une ou l'autre de ces règles, et que ces règles sont toujours élaborées dans le même ordre. Les très jeunes enfants se comportent comme s'ils n'obéissaient à aucune règle (ils devinent ou ils agissent aléatoirement, d'après les observations de Siegler). Lorsqu'une règle est créée, c'est invariablement la règle I qui vient en premier dans la séquence. Toutefois, le passage d'une règle à l'autre est fonction de l'expérience. Si les enfants peuvent se familiariser avec la balance, faire des prédictions et constater de quel côté elle penchera, beaucoup passeront rapidement aux étapes subséquentes de la séquence de règles.

Ainsi, Siegler tente de décrire la séquence logique que suivent les enfants, qui n'est pas sans rappeler la description de la succession des stades de Piaget. Toutefois, Siegler suggère que ce n'est pas tant l'âge que l'expérience qui détermine l'ordre d'apparition de la réponse dans la séquence.

MÉTACOGNITION ET PROCESSUS D'EXÉCUTION. Les chercheurs en traitement de l'information ont un troisième champ de prédilection : l'étude du processus par lequel les enfants en viennent à savoir ce qu'ils connaissent. Si l'on vous donne une liste d'objets à mémoriser et que l'on vous demande ensuite quelle méthode vous avez utilisée pour garder en mémoire chaque objet, vous pourriez expliquer votre façon de procéder. Vous pourriez même avoir pris en considération diverses stratégies de mémorisation avant de choisir la plus efficace. Vous pourriez aussi indiquer de bonnes méthodes d'étude ou les types de tâches les plus ardues, et pourquoi elles le sont. Voilà des exemples de **métamémoire** ou de **métacognition,** soit connaître le processus de mémorisation et d'acquisition de la connaissance. Lorsque les théoriciens du traitement de l'information font référence à ces facultés, ils parlent de **processus d'exécution** ; en effet, ces facultés supposent une planification et une organisation centralisées, un peu comme le font, par exemple, les directeurs d'entreprise.

Il semble évident que la performance de l'enfant dans l'exécution de nombreuses tâches aura tendance à s'améliorer avec l'apparition des facultés métacognitives, parce qu'il

Figure 6.5 Expérience de la balance. Cette balance est semblable à celle que Siegler a utilisée dans son étude. Elle était maintenue par un levier pendant que l'expérimentateur plaçait des poids sur une ou plusieurs chevilles, d'un côté ou de l'autre. À chaque nouvelle combinaison de poids, on demandait à l'enfant de prédire de quel côté pencherait la balance une fois le levier retiré. (*Source* : Adapté de Siegler, 1981, p. 7.)

pourra dorénavant être en mesure de suivre de près et de mesurer sa propre performance ou encore de reconnaître le moment où l'utilisation d'une stratégie particulière est appropriée ou non. Des études ont montré que les enfants de quatre et cinq ans font preuve d'une telle capacité d'évaluation (Schneider et Pressley, 1989), mais que celle-ci ne se manifeste que rarement avant cet âge et qu'elle augmente de façon considérable après l'âge scolaire. De telles facultés d'exécution peuvent appuyer les fondements de nombreux changements que Piaget associait à la période des opérations concrètes.

> Énumérez quatre bonnes méthodes d'étude. Lorsque vous choisissez une méthode, est-ce que la matière à étudier influe sur votre choix ? Comment faites-vous votre choix ? Avant de commencer à étudier, choisissez-vous consciemment une méthode de travail ? Le fait de savoir ces choses et de pouvoir y réfléchir est la preuve que vous possédez la faculté de métacognition — vous savez ce que vous connaissez et vous savez comment vous réfléchissez.

Métamémoire : Sous-catégorie de la métacognition. Connaissance de ses propres processus de mémorisation.

Métacognition : Terme généralement employé pour décrire les connaissances d'une personne sur ses propres processus de réflexion. Savoir ce que l'on sait et comment l'on fait pour apprendre et mémoriser.

Processus d'exécution : Sous-ensemble de traitements de l'information comprenant des stratégies d'organisation et de planification. Synonyme de *métacognition*.

RÉSUMÉ DES CHANGEMENTS LIÉS AU DÉVELOPPE-MENT DANS LE TRAITEMENT DE L'INFORMATION. Sous toutes réserves, voici un résumé de cette approche sous forme de propositions générales.

1. Il n'y a probablement pas d'augmentation dans les capacités de traitement de base du système, même si l'on peut observer une augmentation de la vitesse et d'autres améliorations relatives à l'efficacité d'utilisation du matériel.

2. Le bagage de connaissances particulières que possède un enfant pour une tâche donnée augmente progressivement avec l'expérimentation, l'exploration et l'apprentissage scolaire. Cette augmentation entraîne l'utilisation de méthodes de mémorisation et de résolution de problèmes de plus en plus efficaces.

3. De nouvelles stratégies sont acquises, probablement dans un certain ordre. Plus particulièrement, au milieu de l'enfance, l'enfant semble acquérir des habiletés d'exécution et des capacités métacognitives. Il sait ce qu'il connaît, et peut planifier l'usage d'une stratégie pour la première fois.

4. À l'âge scolaire, l'enfant commence à appliquer avec plus de souplesse les stratégies qu'il possède déjà à un nombre croissant de domaines. Un enfant de huit ou neuf ans qui apprend à répéter des problèmes de mémorisation sera plus porté à appliquer la même stratégie à un autre problème de mémorisation qu'un enfant de cinq ans.

5. En grandissant, l'enfant est davantage en mesure d'appliquer une plus grande variété de stratégies au même problème, de telle sorte que si la première s'avère inefficace, il peut alors employer une stratégie de rechange. Si vous ne trouvez pas vos clés en retournant sur vos pas, par exemple, vous allez essayer une autre stratégie comme regarder dans la poche de votre veste ou fouiller systématiquement toutes les pièces de la maison. Les jeunes enfants n'utilisent pas de stratégies de rechange, tandis que les enfants d'âge scolaire et les adolescents le font.

Si ce jeune enfant d'âge pré-scolaire ne trouve pas ce qu'il cherche après quelques essais seulement, il aura de la difficulté à concevoir d'autres méthodes de recherche ou à imaginer d'autres endroits où orienter sa recherche. Les enfants d'âge scolaire disposent d'un plus grand nombre de stratégies et les utilisent avec plus de souplesse.

Ainsi, certains changements que Piaget a observés et compilés avec minutie semblent être l'effet d'une plus grande expérience des tâches et des problèmes (on pourrait parler de changement quantitatif). Mais il semble aussi y avoir un changement qualitatif dans la complexité, la capacité de généralisation et la souplesse des stratégies employées par l'enfant, changement qui est beaucoup plus marqué durant les années scolaires.

Traitement de l'information

Q 16 En quoi l'approche du traitement de l'information diffère-t-elle de la théorie de Piaget ?

Q 17 Expliquez les stratégies courantes du traitement de l'information dans la mémorisation.

Q 18 À quel moment les enfants commencent-ils à utiliser de telles stratégies ?

Q 19 Le problème de la balance de Siegler peut être résolue selon quatre règles. Expliquez-les en précisant la séquence d'acquisition.

Q 20 Qu'est-ce que la métacognition ?

Q 21 Faites un résumé des changements liés au développement dans le traitement de l'information.

DIFFÉRENCES INDIVIDUELLES DANS LE DÉVELOPPEMENT COGNITIF

Au cœur de cette continuité du développement, se retrouve évidemment une infinité de variations individuelles. Puisque Piaget et les tenants de sa théorie ne se sont jamais intéressés à ces variations, presque toute l'information sur les différences individuelles dans le fonctionnement cognitif au cours des années de l'apprentissage scolaire provient d'études sur le Q.I. ou sur la performance scolaire.

DIFFÉRENCES DANS L'INTELLIGENCE

Nous avons vu au chapitre 4 que l'étude de l'intelligence s'inscrit dans la perspective traditionnelle de la « force » des aptitudes mentales de l'individu. Les chercheurs qui ont abordé l'étude de la pensée dans cette optique ont été frappés par les différences individuelles dans les habiletés intellectuelles, soit penser, analyser ou apprendre du matériel nouveau, d'où le terme d'*approche différentielle* utilisé pour qualifier cette perspective. Ces chercheurs ont mis au point des techniques afin de mesurer et de comprendre ces différences.

Premiers tests de Q.I.

Le premier test structuré d'intelligence a été publié en 1905 par Binet et Simon. Dès le départ, le test avait un but pratique, soit identifier les enfants susceptibles d'éprouver des difficultés scolaires. C'est d'ailleurs pourquoi les éléments des premiers tests étaient de nature scolaire : vocabulaire, compréhension des faits et des relations et raisonnements mathématique et verbal. L'enfant peut-il décrire la différence entre le bois et le verre ? Le jeune enfant peut-il toucher son nez, ses oreilles et sa tête ? Peut-il dire lequel parmi deux poids est le plus lourd ?

Le système de mesure de l'intelligence élaboré par Binet et Simon a été traduit et adapté par Lewis Terman et ses collaborateurs à l'université Stanford (Terman, 1916 ; Terman et Merrill, 1937) de façon à l'utiliser aux États-Unis. Les différentes révisions de Terman, appelées **test Stanford-Binet,** comportent une série de six éléments distincts dans chaque test pour chaque groupe d'âge. Lorsqu'un enfant passe ce test, on lui soumet les éléments en ordre croissant de difficulté jusqu'à ce que le sujet ne puisse accomplir aucune des tâches d'un groupe d'âge donné. Terman a initialement décrit la performance d'un enfant en terme de score appelé le **quotient intellectuel (Q.I.).** On calcule le score en comparant l'âge réel du sujet (en années et en mois) à son *âge mental,* c'est-à-dire au groupe d'âge le plus élevé atteint lors du test. Ainsi, un enfant de six ans qui répond correctement à tous les items correspondant à son groupe d'âge, mais qui ne réussit pas à répondre aux items correspondant au groupe d'âge de sept ans, aurait l'âge mental d'un enfant de six ans. La formule utilisée pour calculer le Q.I. est la suivante :

$$\frac{\text{âge mental}}{\text{âge réel}} \times 100 = \text{Q.I.}$$

Le Q.I. est supérieur à 100 lorsque l'âge mental est supérieur à l'âge réel ; il est inférieur à 100 lorsque l'âge mental est inférieur à l'âge réel.

Cette méthode de calcul du Q.I. n'est plus en usage aujourd'hui, même dans les révisions modernes du test Stanford-Binet ou de l'échelle d'évaluation de Wechsler pour enfants (WISC-3). On compare maintenant le score obtenu par l'enfant aux scores obtenus par des enfants du même groupe d'âge réel. Il n'en demeure pas moins qu'un Q.I. de 100 est un Q.I. moyen ; des scores plus élevés que 100 correspondent à des performances au test supérieures à la moyenne. Les deux tiers des enfants ont des scores se situant entre 85 et 115 ; environ 95 % se classent entre 70 et 130. On considère que

les enfants qui ont un score inférieur à 70 présentent une **déficience intellectuelle,** alors que ceux qui ont un score supérieur à 130 sont **doués.**

Stabilité et prévisibilité des tests de Q.I.

Puisque ces tests ont d'abord été conçus en vue de mesurer la performance scolaire d'un élève, il est évidemment essentiel de savoir s'ils sont efficaces. Les résultats des recherches sur cette question sont relativement homogènes ; la corrélation entre les scores obtenus par l'enfant d'âge préscolaire aux tests de Q.I. et ses notes scolaires se situe entre 0,50 et 0,60 (Carver, 1990 ; Brody, 1992). Cette corrélation n'est pas parfaite. Ces tests nous indiquent que, dans l'ensemble, les enfants qui ont des scores de Q.I. élevés seront de meilleurs élèves que les autres. Toutefois, certains enfants ayant obtenu des scores de Q.I. élevés n'ont pas de bons résultats scolaires, alors que d'autres qui ont eu des scores de Q.I. plus bas sont des élèves brillants. À l'âge scolaire, cependant, les tests de Q.I. constituent de meilleurs indices des capacités intellectuelles ultérieures, principalement en raison de la stabilité accrue des scores aux tests. Une étude longitudinale effectuée par Wilson, par exemple, a révélé des corrélations de 0,69 entre les scores de Q.I. à l'âge de 6 et 15 ans, et de 0,80 entre l'âge de 9 et 15 ans (Brody, 1992). Les résultats de l'étude longitudinale de Berkeley/Oakland sont similaires. Mais il ne faut pas voir là un lien de causalité direct et en déduire que le Q.I. *révèle nécessairement le niveau de performance* scolaire. Par ailleurs, ce dont on est certain, c'est que les deux situations — des scores de Q.I. faibles et élevés ou de bons ou de mauvais résultats scolaires — tendent à aller de pair, ce qui permet d'utiliser l'une de ces deux situations afin de prédire la seconde.

Toutefois, l'utilité des tests de Q.I. à l'école élémentaire ne réside pas tant dans leurs caractéristiques prédictives que dans la possibilité qu'ils offrent, conjointement avec d'autres données, d'identifier des enfants qui pourraient avoir besoin de programmes mieux adaptés. Cette utilisation des tests de Q.I. rejoint la vision qu'en avait Binet il y a plus de cent ans.

Test Stanford-Binet : Test d'intelligence le plus connu, conçu par Lewis Terman et ses collaborateurs qui se sont inspirés des premiers tests de Binet et Simon.

Quotient intellectuel (Q.I.) : À l'origine, ce terme désignait le rapport entre l'âge mental et l'âge réel. Aujourd'hui, il sert à comparer la performance d'un enfant à celle d'autres enfants de son âge.

Déficience intellectuelle : Terme qualifiant une personne qui a un Q.I. très faible, généralement inférieur à 70.

Doué : Terme utilisé pour définir un individu qui a un Q.I. très élevé (au-dessus de 140 ou 150). Ce terme peut également définir les aptitudes remarquables d'un individu dans un ou plusieurs domaines particuliers, comme les mathématiques et la mémoire.

Malgré tout, les fonctions diagnostiques que l'on prête aux tests de Q.I. prêtent à controverse.

Utilisation des tests de Q.I. à l'école

Tout le monde s'entend pour dire que l'on doit diagnostiquer à l'école les troubles d'apprentissage dont sont atteints les enfants afin d'intervenir le plus tôt possible. Il est évident que certains enfants ont besoin d'une assistance supplémentaire et que beaucoup pourraient profiter de programmes adaptés. L'objet de cette controverse est la pertinence de l'usage des tests de Q.I. comme critère de référence pour la répartition des enfants. Voici quelques-unes des raisons citées à l'encontre de cette utilisation particulière.

Premièrement, les tests de Q.I. ne mesurent pas tous les aspects significatifs du fonctionnement de l'enfant. Par exemple, des cliniciens ont découvert que certains enfants ayant un Q.I. inférieur à 70, qui pourraient être classés parmi les enfants présentant une déficience intellectuelle si ce score était utilisé comme seul critère de classification, possédaient malgré tout les aptitudes sociales nécessaires pour bien fonctionner dans une classe régulière. Si l'on ne tenait compte que du score aux tests de Q.I., certains de ces enfants seraient donc placés à tort dans des classes spécialisées. Donc, un score de Q.I. ne peut vous indiquer (ni à un professeur ni à une autre personne) si votre enfant possède des aptitudes particulières fixes ou sous-jacentes. En fait, les tests de Q.I. ne peuvent mesurer la performance que lors d'une journée donnée. Ainsi, les tests traditionnels de Q.I. ne mesurent pas toute une gamme d'habiletés qui seront sans doute essentielles pour bien fonctionner en société. Ils ont d'abord été conçus afin de mesurer une gamme précise d'habiletés, soit les habiletés nécessaires pour obtenir de bons résultats scolaires,

Le placement des enfants handicapés dans des classes spécialisées, comme celle-ci qui est adaptée aux malentendants, ne prête guère à controverse. Toutefois, on ne s'entend toujours pas sur la meilleure méthode à utiliser à l'égard des enfants présentant des difficultés d'apprentissage ou des enfants souffrant d'une déficience intellectuelle.

ce qu'ils font d'ailleurs relativement bien. Par contre, ils ne nous révèlent pas à quel point une personne peut obtenir de bons résultats dans l'accomplissement d'autres tâches cognitives faisant appel à des aptitudes comme la créativité, l'intuition, la conscience des dangers de la rue, la perspicacité sociale, la compréhension des relations spatiales (Gardner, 1983; Sternberg, 1985, 1986, 1991).

Deuxièmement, on doit faire face au caractère prédictif irrémédiable accordé au test de Q.I. Étant donné que beaucoup de parents et de professeurs croient encore que les scores des tests révèlent des caractéristiques innées, permanentes et immuables, les résultats revêtent une importance démesurée. Ainsi, un enfant à qui l'on appose une étiquette «particulière» aura de la difficulté à s'en défaire.

Troisièmement, l'objection fondamentale demeure que ces tests seraient tendancieux, c'est-à-dire qu'ils amèneraient certains groupes d'enfants à obtenir des résultats élevés et d'autres groupes, des scores faibles, même si les aptitudes sousjacentes des enfants sont les mêmes. Par exemple, les tests peuvent comprendre des éléments qui ne sont pas aussi accessibles pour les minorités ethniques que pour la majorité blanche. De plus, pour réussir ces tests, les enfants doivent posséder des aptitudes particulières dans l'exécution des tests, une motivation appropriée ou d'autres attitudes moins courantes chez les enfants des minorités, en particulier parmi les enfants noirs américains (R. Kaplan, 1985; Reynolds et Brown, 1984) ou les enfants amérindiens.

En réponse à ces objections, la plupart des tests ont été revus et corrigés de façon à éliminer les éléments tendancieux les plus manifestes. Mais un fait troublant demeure: lorsque les tests de Q.I. sont utilisés comme outil diagnostique dans les écoles, une plus grande proportion d'enfants des minorités ethniques que d'enfants de race blanche obtiennent des scores les classant parmi les enfants lents.

Quatrièmement, les scores de Q.I. sont aussi moins stables que l'on ne serait tenté de le croire. Si l'on fait passer deux tests à quelques mois ou à quelques années d'intervalle, les scores seront probablement très semblables. La corrélation entre les scores de Q.I. aux différents tests appliqués durant le milieu de l'enfance, par exemple, est généralement de 0,80 (Honzik, 1986). Cependant, ce haut degré de prévisibilité masque un fait intéressant: les scores aux tests de Q.I. chez la plupart des enfants sont très variables. Robert McCall

Étant donné les notions vues jusqu'à maintenant à propos des tests de Q.I., croyez-vous qu'il serait valable de faire passer un test à chaque enfant d'âge préscolaire? Comment utiliseriez-vous de tels scores? Quels seraient les désavantages liés à l'utilisation généralisée de ce genre de tests?

et ses collaborateurs (McCall, Appelbaum et Hogarty, 1973) ont étudié les scores des tests d'un groupe de 80 enfants à qui l'on avait fait passer régulièrement des tests de Q.I. entre 2,5 et 17 ans. La différence *moyenne* entre les scores les plus élevés et les plus faibles atteints par chaque enfant de ce groupe était de 28 points, et 1 enfant sur 7 avait obtenu un écart supérieur à 40 points sur ces scores.

De telles fluctuations sont communes chez les jeunes enfants. En règle générale, plus l'enfant est âgé, plus son Q.I. se stabilise. Par contre, les scores de Q.I. des enfants plus âgés peuvent aussi connaître des fluctuations à la suite de stress importants tels que le divorce des parents, le changement d'école ou la naissance d'un frère ou d'une sœur.

TESTS DE PERFORMANCE

Le **test de performance,** très répandu pour mesurer les capacités intellectuelles des enfants d'âge scolaire, constitue un autre type de mesure que vous avez certainement déjà expérimenté. Les tests de performance sont conçus pour évaluer des données *précises* apprises à l'école. L'enfant à qui l'on fait passer un test de performance ne se verra pas attribuer un score de Q.I., mais sa performance sera comparée à celle d'autres enfants de même niveau dans l'ensemble du pays.

En quoi ces tests sont-ils différents des tests de Q.I. ? La différence essentielle est que les tests de Q.I. mesurent les capacités de base, soit la *compétence* sous-jacente, alors que le test de performance est censé évaluer l'apprentissage de l'enfant (sa **performance**). Il s'agit d'une distinction importante. Nous possédons tous vraisemblablement une limite supérieure de capacités que nous pouvons atteindre dans des conditions idéales, quand nous sommes motivés, bien portants et reposés. Étant donné que ces conditions idéales sont rarement réunies, notre performance se situe habituellement au-dessous de notre capacité hypothétique ou de notre potentiel.

Ces enfants du primaire effectuent un test à partir de diverses pièces de bois.

En fait, il est *impossible* de mesurer la compétence. On ne peut jamais être certain d'évaluer une aptitude quelconque dans les meilleures conditions possibles. On mesure *toujours* la performance. Les créateurs des fameux tests de Q.I. croyaient que, en standardisant les procédures de soumission et de pointage, ils pourraient arriver très près d'une évaluation de la compétence. L'élaboration du meilleur test possible et sa soumission méticuleuse constituent des efforts louables, mais il faut comprendre qu'aucun test ne mesure vraiment la compétence sous-jacente. Ces tests évaluent la meilleure performance dans une journée donnée.

Si vous allez au bout de cette logique, vous vous rendrez compte que les tests de Q.I. sont, jusqu'à un certain point, des tests de performance. La différence entre les tests de Q.I. et les tests de performance n'est qu'une question de degré. Les tests de Q.I. comprennent des éléments qui sont conçus pour évaluer des processus intellectuels de base comme la comparaison et l'analyse. Les tests de performance visent les informations précises que l'enfant a apprises à l'école ou ailleurs.

MESURE DE L'INTELLIGENCE : UN DERNIER APERÇU. Les étudiants demandent souvent si, connaissant tous les facteurs qui peuvent influer sur les scores des tests, il est nécessaire d'avoir recours aux tests de Q.I. Nous croyons que ces tests évaluent certains aspects essentiels de la performance intellectuelle des enfants et qu'ils peuvent être utiles pour déterminer quels enfants éprouveront des difficultés scolaires. Cependant, nous insistons sur le fait que ces tests ne mesurent *pas* un grand nombre d'habiletés qui pourraient nous intéresser. Les tests de Q.I. constituent un outil spécialisé et, comme bon nombre de ces outils, ils ont une utilisation relativement limitée. Sans toutefois rejeter cette technique d'évaluation, il faut tenir compte de ces restrictions.

LIENS ENTRE LE Q.I. ET LE TRAITEMENT DE L'INFORMATION

Le traitement de l'information offre une nouvelle façon d'étudier les différences individuelles. Les tests de Q.I. sont conçus pour mesurer les différences dans les aptitudes de base en demandant aux sujets d'effectuer des tâches cognitives assez complexes, lesquelles peuvent nécessiter une série de stratégies fondamentales relevant du traitement de l'information.

Test de performance : Test soumis dans les écoles, conçu pour évaluer les capacités d'apprentissage d'un enfant dans une matière donnée, comme l'orthographe ou le calcul mathématique.

Performance : Comportement d'une personne dans des circonstances réelles. Même si l'on désire mesurer la compétence, on ne peut mesurer en réalité que la performance.

Il serait peut-être possible de comprendre les différences individuelles sur le plan de l'intelligence ou de la performance intellectuelle si l'on s'intéressait davantage à ces processus fondamentaux. La stratégie de recherche la plus courante utilisée par les chercheurs qui ont adopté cette approche consiste à observer la corrélation entre les scores de Q.I. et les mesures des habiletés particulières dans le traitement de l'information. Cette stratégie a permis d'établir quelques liens préliminaires.

VITESSE DU TRAITEMENT DE L'INFORMATION. L'une des différences individuelles fondamentales sur le plan du Q.I. est peut-être la vitesse à laquelle un individu peut effectuer des tâches de traitement de l'information, comme déterminer si deux lettres ou deux chiffres sont identiques ou non, ou bien se rappeler d'une information en faisant appel à la mémoire à long terme. Certains chercheurs ont établi un lien entre la vitesse et les résultats aux tests. En effet, les sujets capables de faire rapidement des tâches de reconnaissance de base ou de mémorisation obtiennent des scores de Q.I. plus élevés aux tests standard (Vernon, 1987). La plupart de ces études portaient sur des adultes, mais on a également établi un lien semblable grâce à quelques études sur les enfants (Keating, List et Merriman, 1985).

De plus, selon certaines hypothèses, les différences sur le plan de la vitesse du traitement de l'information seraient innées. Des recherches ont établi que les capacités d'habituation et de mémorisation d'un bébé de quatre mois sont fortement corrélées au Q.I. ultérieur. Il est difficile d'imaginer un ensemble d'expériences vécues dès les premiers mois de la vie qui auraient pu entraîner de telles différences dans la vitesse d'habituation. On en est donc réduit à l'hypothèse que les différences de vitesse sont présentes à la naissance.

DIFFÉRENCES DANS L'UTILISATION DES STRATÉGIES. Des comparaisons entre le Q.I. d'un enfant normal et celui d'un enfant attardé ont également montré des différences marquées dans les stratégies du traitement de l'information. Les enfants attardés sont beaucoup moins souples dans leur approche des tâches que les enfants qui ont un Q.I. moyen. De plus, ils effectuent moins facilement des généralisations pour accomplir les nouvelles tâches. Par exemple, Judy DeLoache (DeLoache et Brown, 1987) a comparé les stratégies de recherche d'un groupe d'enfants de deux ans qui

avaient un développement normal avec celles d'un autre groupe d'enfants du même âge qui présentaient certains retards de développement. Lorsque la tâche de recherche était très simple, comme chercher un jouet caché dans un endroit distinct d'une pièce, les deux groupes utilisaient les mêmes stratégies ou aptitudes de recherche. Mais lorsque l'expérimentateur déplaçait furtivement le jouet juste avant que l'enfant commence à chercher, les enfants dont le développement était normal cherchaient l'objet ailleurs, dans un endroit rapproché, tandis que les enfants attardés persistaient à regarder à l'endroit où le jouet avait été caché au départ. Ils étaient incapables de changer de stratégie ou, en d'autres termes, leur répertoire ne comprenait aucune alternative ou stratégie de recherche plus complexe. Ainsi, il est possible que l'élément qui distingue un enfant ayant un Q.I. élevé d'un enfant ayant un Q.I. bas ne soit pas seulement la vitesse de traitement de l'information, mais aussi la capacité de reconnaître les stratégies appropriées et de les appliquer avec souplesse.

Différences individuelles dans le développement cognitif

Q 22 Quelle est la différence entre performance et compétence ?

Q 23 Quelles sont les limites d'utilisation des tests de Q.I. ?

Q 24 Pourquoi est-il impossible de mesurer la compétence ?

EFFETS DE L'ENVIRONNEMENT

Tous les aspects de l'environnement que nous avons abordés dans les chapitres précédents continuent d'influer sur l'enfant. Le statut économique de la famille, le réseau social des parents et les valeurs de la sous-culture à laquelle appartient la famille de l'enfant sont tous des éléments formateurs. Mais pour l'enfant d'âge scolaire, l'influence extra-familiale la plus manifeste est l'école qu'il fréquente. Quelles conséquences la qualité de l'école a-t-elle sur le fonctionnement de l'enfant ?

QUALITÉ DE L'ÉCOLE

Les agents immobiliers mettent l'accent sur l'importance d'une « école de qualité » quand une famille doit choisir une

> Un des synonymes d'*intelligence* est *rapidité d'esprit.* Croyez-vous que cette correspondance appuie l'hypothèse de base selon laquelle la vitesse de traitement de l'information est un élément central de ce que nous croyons être un comportement intelligent ? Une personne peut-elle être à la fois très intelligente et lente d'esprit ?

ville ou un quartier pour élire domicile. Aujourd'hui, des recherches démontrent que les agents immobiliers ont raison : certaines caractéristiques particulières des écoles et des professeurs influent sur le développement de l'enfant.

Les chercheurs qui s'intéressent aux effets possibles de la qualité de l'école ont le plus souvent abordé la question en déterminant les caractéristiques que l'on retrouve dans les écoles exceptionnellement bonnes (Rutter, 1983 ; Good et Weinstein, 1986). Selon ces études, une école est bonne si les enfants qui la fréquentent présentent une ou plusieurs des caractéristiques suivantes, d'après le type de famille ou de quartier d'où ils viennent : résultats élevés aux tests standard, présence assidue à l'école, faible taux de comportement dérangeant en classe, taux élevé de poursuite des études au niveau collégial, ou très bonne estime de soi. Certaines écoles semblent posséder continuellement toutes ces qualités, année après année. On peut donc en déduire que l'effet n'est pas dû au seul hasard. Lorsque l'on compare ces bonnes écoles avec d'autres écoles de milieux similaires qui ont des annales moins impressionnantes, certains thèmes communs ressortent (voir le tableau 6.4.).

Il est intéressant de noter que ce qui ressort de cette liste, c'est la similitude entre les qualités des écoles performantes et celles des parents efficaces que nous avons décrites au chapitre 5. Les bonnes écoles ressemblent davantage aux écoles *démocratiques* qu'aux écoles permissives ou autoritaires.

Tableau 6.4
Caractéristiques des écoles performantes

Qualités des élèves. La clé du succès semble être une concentration élevée d'élèves ayant de bonnes aptitudes scolaires. Un trop grand pourcentage d'élèves ayant de piètres aptitudes scolaires ne permet pas à une école de posséder toutes les caractéristiques de cette liste.

Objectifs de l'école. Les écoles performantes mettent l'accent sur l'excellence, avec des exigences élevées et de grandes attentes. Les objectifs scolaires sont clairement établis par la direction et partagés par tous les membres du personnel.

Organisation des classes. Les cours sont concentrés sur un apprentissage scolaire précis. Les activités quotidiennes sont bien structurées et on alloue un pourcentage élevé du temps à l'explication des directives au groupe. On attend des élèves une performance scolaire élevée.

Devoirs. On donne régulièrement des devoirs et on les corrige rapidement.

Discipline. La discipline est appliquée en classe. On envoie rarement l'enfant chez le directeur. Dans les très bonnes écoles, on passe très peu de temps à faire la discipline en classe, car les professeurs exercent une excellente maîtrise sur leurs élèves. Ils interviennent tôt dans les situations potentiellement difficiles plutôt que d'imposer une discipline sévère après un événement perturbant.

Éloges. Les élèves sont complimentés lorsqu'ils offrent un bon rendement scolaire ou lorsqu'ils répondent aux attentes de l'école.

Expérience du professeur. Ce n'est pas tant la *formation* du professeur qui est directement reliée à l'efficacité de l'école, mais bien son *expérience,* peut-être parce qu'il faut un certain temps avant d'établir une gestion efficace dans une classe et la maîtrise des stratégies d'enseignement.

Aspect de l'établissement. L'âge ou l'aspect général de l'établissement n'a pas une grande importance, mais l'entretien, l'ordre, la propreté et l'aspect accueillant ont tous un certain effet.

Direction de l'école. Les écoles performantes ont à leur tête des directeurs qui établissent clairement les objectifs et les rappellent régulièrement.

Responsabilité des enfants. Dans les écoles performantes, on donne de vraies responsabilités aux enfants — tant en classe que dans l'école.

Taille. En règle générale, les écoles plus petites sont plus efficaces, en partie parce que les enfants se sentent davantage engagés et ont plus de responsabilités. Ce point ressort particulièrement dans des études portant sur les écoles secondaires.

Source: Rutter, 1983 ; Linney et Seidman, 1989.

Les objectifs et les règles de ces écoles sont clairement établis, il y existe une bonne discipline, une bonne communication et un haut niveau d'instruction. Il n'est pas surprenant d'observer un modèle similaire lorsque les chercheurs évaluent les bonnes classes : ce sont les professeurs démocratiques qui ont les élèves qui réussissent le mieux sur le plan scolaire. Ces professeurs établissent clairement leurs objectifs et leurs règles, ils utilisent de bonnes stratégies de gestion et nouent des relations chaleureuses et personnelles avec leurs élèves (Linney et Seidman, 1989).

L'une des caractéristiques d'une bonne école est qu'on y donne régulièrement des devoirs. Par ailleurs, les élèves qui réussissent bien à l'école ont des parents qui supervisent leurs devoirs, comme cette mère le fait avec son fils.

Mais comme dans tout système, la qualité globale est supérieure à la somme de l'ensemble des qualités individuelles. Chaque école possède une atmosphère qui lui est propre, laquelle influe, à son tour, sur les jeunes. Pour conférer à l'école une atmosphère positive, le directeur doit se montrer clair et ferme, les objectifs scolaires doivent être partagés par tous les membres du personnel, les professeurs doivent s'engager à dispenser un enseignement de qualité et l'école doit fournir aux professeurs le soutien approprié pour permettre une telle qualité d'enseignement. Dans ces écoles exceptionnelles, on respecte au plus haut point les élèves et leurs parents, et ces derniers participent souvent aux activités scolaires. Si vous devez choisir une ville ou un quartier dans lequel élever votre enfant, ce sont les qualités que vous devez rechercher.

Effets de l'environnement

Q 25 Quelles caractéristiques retrouve-t-on dans les familles où les enfants réussissent bien en classe, à la maternelle comme en première année ?

Q 26 Quelles sont les caractéristiques des écoles exceptionnellement bonnes ?

Résumé

1. Le développement physique est plus lent chez l'enfant de 2 à 6 ans que chez le nourrisson. Les capacités motrices continuent de s'améliorer graduellement et se raffinent entre l'âge de 6 et 12 ans.

2. Les enfants d'âge préscolaire contractent entre deux et six maladies aiguës par année. Les maladies chroniques sont moins communes. À l'âge scolaire, les maladies sont moins courantes mais elles se manifestent régulièrement. Les autres problèmes de santé dans ce groupe d'âge sont liés aux problèmes respiratoires et aux accidents.

3. Selon Piaget, les enfants d'âge préscolaire sont encore égocentriques, ne comprennent pas bien le concept de la conservation, et ne possèdent que des habiletés limitées de classification.

4. Des études récentes effectuées sur la fonction cognitive des enfants d'âge préscolaire montrent que Piaget a sous-estimé les capacités de ces enfants. Ils sont moins égocentriques qu'il ne le pensait et élaborent en fait des théories de la pensée remarquablement sophistiquées dès l'âge de quatre ou cinq ans. À cet âge, les enfants comprennent aussi la différence entre l'apparence et la réalité.

5. Selon Piaget, la pensée de l'enfant subit des changements importants vers l'âge de six ans lorsque certaines habiletés cognitives comme la réversibilité, l'addition ou la classification sont acquises.

6. Durant la période des opérations concrètes, l'enfant apprend également à utiliser la logique inductive, mais n'utilise pas encore la logique déductive.

7. Des études sur la compétence mettent davantage l'accent que Piaget sur le rôle de l'expérience de tâches ou de compétences particulières dans l'évolution de la pensée chez l'enfant.

8. La plupart des théoriciens du traitement de l'information s'entendent pour dire qu'il n'y a pas de changements associés à l'âge dans les capacités fondamentales (matériel de base), mais qu'il y a une amélioration sur le plan de la vitesse et de l'efficacité (processeur).

9. L'augmentation de l'efficacité se mesure aussi à l'utilisation accrue avec l'âge des divers types de stratégies de traitement de l'information, notamment les stratégies de mémorisation. Les enfants d'âge préscolaire utilisent déjà ces stratégies, mais les enfants d'âge scolaire les utilisent plus fréquemment et avec plus de souplesse.

10. À l'âge scolaire, la plupart des enfants acquièrent également des habiletés d'« exécution », qui leur permettent de maîtriser leurs propres processus cognitifs et de planifier ainsi leurs activités intellectuelles.

11. Les différences individuelles dans le fonctionnement cognitif à l'âge scolaire ont d'abord été évaluées au moyen des tests de Q.I. et des tests de performance. Ces deux types de tests font l'objet de vives controverses.

12. Les tests de Q.I. et les tests de performance doivent être utilisés comme des méthodes d'évaluation de la performance, et non de la compétence.

13. On a également étudié les différences individuelles dans le traitement de l'information. La vitesse de traitement semble fortement corrélée au Q.I., de même qu'à l'utilisation souple et générale des stratégies.

14. Le développement intellectuel et social de l'enfant est fortement influencé par la qualité de l'école qu'il fréquente. Les bonnes écoles partagent plusieurs des qualités que l'on trouve dans les familles démocratiques : des règles clairement établies, une bonne discipline, une bonne communication et beaucoup de chaleur.

MOTS CLÉS

Compétence, p. 185

Déficience intellectuelle, p. 193

Doué, p. 193

Égocentrisme, p. 176

Inclusion de classes, p. 177

Logique déductive, p. 183

Logique inductive, p. 183

Métacognition, p. 191

Métamémoire, p. 191

Performance, p. 195

Période des opérations concrètes, p. 183

Période préopératoire, p. 175

Processus d'exécution, p. 191

Quotient intellectuel (Q.I.), p. 193

Test de performance, p. 195

Test Stanford-Binet, p. 193

Théorie de la pensée, p. 180

Traitement de l'information, p. 185

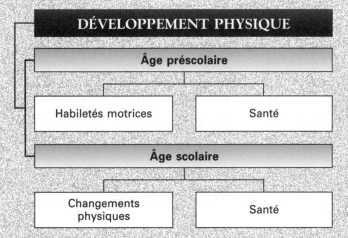

DÉVELOPPEMENT PHYSIQUE

Âge préscolaire

| Habiletés motrices | Santé |

Âge scolaire

| Changements physiques | Santé |

EFFETS DE L'ENVIRONNEMENT

Qualité de l'école

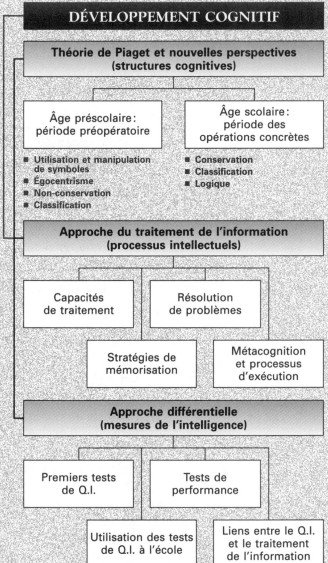

DÉVELOPPEMENT COGNITIF

Théorie de Piaget et nouvelles perspectives (structures cognitives)

Âge préscolaire : période préopératoire

Âge scolaire : période des opérations concrètes

- Utilisation et manipulation de symboles
- Égocentrisme
- Non-conservation
- Classification

- Conservation
- Classification
- Logique

Approche du traitement de l'information (processus intellectuels)

| Capacités de traitement | Résolution de problèmes |

| Stratégies de mémorisation | Métacognition et processus d'exécution |

Approche différentielle (mesures de l'intelligence)

| Premiers tests de Q.I. | Tests de performance |

| Utilisation des tests de Q.I. à l'école | Liens entre le Q.I. et le traitement de l'information |

7

L'ÂGE PRÉSCOLAIRE ET SCOLAIRE : DÉVELOPPEMENT DES RELATIONS SOCIALES ET DE LA PERSONNALITÉ

À *l'âge de huit ans, Étienne était colérique, il imposait ses volontés quand il jouait avec d'autres enfants et il brutalisait les plus faibles. Il a été arrêté à l'âge de treize ans pour vol à l'étalage et a abandonné ses études à l'âge de dix-sept ans. À l'âge adulte, il a eu beaucoup de difficulté à trouver un emploi et à le garder, et son mariage n'a duré que quelques années : sa femme ne pouvait plus supporter son mauvais caractère.*

Félix, par contre, était très timide à l'âge de huit ans. Il ne s'intégrait que rarement aux groupes d'enfants lors des jeux, quoiqu'il le faisait quand on le lui demandait ou le lui ordonnait. Il avait quelques amis à l'école, mais il était plutôt solitaire. Il est allé au collège, mais il a eu beaucoup de difficulté à choisir une carrière et a souvent changé d'emploi jusqu'à la fin de la vingtaine. Son mariage est stable, mais il est déçu par l'avancement de sa carrière. Les supérieurs de David disent qu'il a tendance à se dérober quand ils exigent quelque chose de lui, ou quand le niveau de stress au travail devient important, si bien qu'ils sont peu disposés à lui offrir une promotion.

Ces deux cas sont fictifs, mais les liens de cause à effet qui existent entre ces deux types de comportements sociaux dans l'enfance et leurs conséquences dans la vie adulte sont bien réels. Il est certain que les changements cognitifs décrits dans le chapitre précédent jouent un rôle primordial en préparant l'enfant aux exigences de l'adolescence et de la vie adulte. Mais c'est davantage sur le plan des relations sociales que de la cognition, que l'âge préscolaire et scolaire influe sur le cours de la vie en général.

Nous allons étudier le lien entre la cognition et les relations sociales en commençant par observer la manière dont les enfants d'âge préscolaire et scolaire se perçoivent eux-mêmes et perçoivent leurs rapports avec les autres. Cette compréhension constitue une HELEN BEE *partie des fondements des relations sociales.*

CONCEPT DE SOI À L'ÂGE PRÉSCOLAIRE ET SCOLAIRE

Nous avons vu au chapitre 5 que l'enfant de 18 à 24 mois commence à développer ce que Lewis appelle le *moi différentiel*. Le trottineur comprend déjà qu'il est un objet dans le monde et qu'il est doté de diverses propriétés. De deux à six ans, l'enfant élabore davantage son concept de soi mais toujours dans la même direction. À la fin de cette période, un enfant peut généralement faire de lui-même une description complète basée sur un large ensemble de critères. Cependant, ces premiers concepts de soi appartiennent surtout au domaine du concret. Par exemple, Susan Harter (1988, 1990 ; Harter et Pike, 1984) a découvert que les enfants de quatre à sept ans possèdent des notions claires de leurs capacités à accomplir un grand nombre de tâches physiques, intellectuelles et sociales, comme faire des casse-tête, savoir compter, connaître des tas de choses qu'on apprend à l'école, grimper ou sauter à la corde ou encore avoir des amis. Cependant, ces aspects distincts d'un *schème personnel*, ou modèle interne du concept de soi, ne s'emboîtent pas encore pour former une perception globale de la valeur personnelle. Harter souligne qu'il n'est donc pas approprié de parler de faible ou de forte estime de soi chez l'enfant d'âge préscolaire. L'enfant de cet âge a peut-être une bonne ou une mauvaise opinion de sa capacité à exécuter une tâche donnée, ou de sa capacité à interagir avec les autres dans une situation donnée, mais l'estime de soi en termes plus globaux n'interviendrait que vers l'âge de sept ans.

Le concept de soi de l'enfant d'âge préscolaire revêt aussi un caractère concret d'une autre façon : l'enfant a tendance à se décrire à partir de ses caractéristiques personnelles visibles (s'il est un garçon ou une fille, quelle est son apparence, avec qui il joue, où il habite, ce qu'il réussit le mieux) plutôt qu'à partir de ses qualités plus stables, plus intérieures. De toute évidence, ce modèle suit en tous points ce que nous avons vu du développement cognitif à cet âge. C'est en effet

au cours de cette période que l'attention des enfants tend à s'arrêter à l'apparence des objets plutôt qu'à leurs propriétés durables.

MOI SOCIAL

L'émergence du concept de soi chez l'enfant se manifeste également dans sa conscience croissante de lui-même en tant que joueur participant au grand jeu de la société. Dès l'âge de deux ans, le trottineur a appris un vaste éventail de « scénarios » sociaux, des routines de jeu ou d'interaction en quelque sorte avec les autres dans son entourage. Case (1991) fait observer que le trottineur commence alors à développer une compréhension implicite de son propre rôle dans ces scénarios. Il commence donc à se percevoir comme un « élément actif » dans certaines situations ou comme « le patron » quand il ordonne à un autre enfant de faire quelque chose. Cette perception apparaît notamment dans les jeux sociodramatiques, quand les enfants se mettent à adopter des rôles définis : « Moi je serai le père et toi tu seras la mère » ou « C'est moi le chef ». Dans la foulée, l'enfant d'âge préscolaire saisit peu à peu sa place au sein du réseau de rôles familiaux : il a des frères, des sœurs, une mère, etc.

CONCEPT DE GENRE

L'un des aspects les plus fascinants de l'émergence du concept de soi chez l'enfant d'âge préscolaire est le développement du concept de genre. L'enfant de cet âge doit accomplir plusieurs tâches interreliées. Sur le plan cognitif, il doit apprendre la nature de la catégorie « genre » elle-même : on est garçon ou fille pour toujours, et les vêtements ou la longueur des cheveux n'y changent rien. Cette acquisition cognitive s'appelle le **concept de genre**. Sur le plan social, l'enfant doit apprendre quels sont les comportements qui sont associés au fait d'être un garçon ou une fille. En d'autres mots, il doit apprendre le **rôle sexuel** qui est approprié à son genre.

Développement du concept de genre

On peut distinguer trois étapes dans la compréhension du concept du genre. Tout d'abord intervient l'**identité sexuelle**, qui correspond simplement à la capacité d'un enfant d'identifier correctement son propre genre et celui des autres. Nous avons vu au chapitre 5 que les enfants âgés de deux ans peuvent déjà s'étiqueter garçon ou fille avec une exactitude acceptable (S. Thompson, 1975). Dès l'âge de deux ans et demi ou trois ans, la plupart des enfants peuvent aussi déterminer correctement le sexe des autres. La longueur des cheveux et les vêtements constitueraient les indices clés leur permettant d'effectuer ces distinctions.

À la deuxième étape, appelée **stabilité du genre**, l'enfant comprend que le genre est une caractéristique permanente que l'on conserve tout au long de la vie. Des chercheurs ont mesuré cet entendement en posant à des enfants des questions comme « Quand tu étais bébé, étais-tu un bébé fille ou un bébé garçon ? » et « Quand tu seras adulte, seras-tu une maman ou un papa ? » La plupart des enfants comprennent la stabilité du genre vers l'âge de quatre ans (Slaby et Frey, 1975).

Enfin, au cours de la troisième étape, la **constance du genre**, l'enfant conçoit qu'une personne demeure du même sexe même si en apparence, par ses vêtements ou la longueur de ses cheveux, son genre semble différent. Par exemple, les garçons ne se changent pas en filles en laissant pousser leurs cheveux ou en portant des robes. Il peut paraître étrange qu'un enfant conscient du fait qu'il va rester du même sexe tout au long de sa vie (qui comprend donc la stabilité du genre) puisse néanmoins éprouver de la confusion quant aux effets des changements de vêtements ou d'apparence du genre. Pourtant de nombreuses études attestent l'existence d'une séquence en trois étapes, y compris des études réalisées auprès d'enfants d'autres cultures comme celles du Kenya, du Népal, du Belize et des îles Samoa (Munro, Shimmin et Munroe, 1984).

La logique sous-jacente de cette séquence apparaîtra peut-être plus clairement si nous établissons un parallèle entre la constance du genre et le concept de la conservation de Piaget. La conservation implique la reconnaissance qu'un objet demeure fondamentalement le même, que son aspect extérieur change ou non. La constance du genre est en quelque sorte une « conservation du genre » et n'est en général comprise que vers cinq ou six ans, en même temps que les autres types de conservation (Marcus et Overton, 1978).

En somme, dès l'âge de deux ans ou deux ans et demi, les enfants connaissent leur propre sexe et celui des personnes

---

Concept de genre : Conscience de son propre sexe, et compréhension de la permanence et de la constance du sexe.

Rôle sexuel : Modèle de conduites propre à chaque sexe. La connaissance du rôle est affichée non seulement dans le comportement différentiel, mais dans la notion du comportement approprié pour chaque sexe.

Identité sexuelle : Première étape dans le développement du concept de genre. L'enfant identifie correctement son sexe et celui des autres.

Stabilité du genre : Deuxième étape dans le développement du concept de genre. L'enfant comprend que le sexe d'une personne reste inchangé tout au long de sa vie.

Constance du genre : Étape finale dans le développement du concept de genre. L'enfant comprend que le sexe ne change pas même en présence de changements externes comme l'habillement ou la longueur des cheveux.

qui les entourent, mais leur concept de genre n'est ancré que vers l'âge de cinq ou six ans.

Développement du rôle sexuel

Le rôle sexuel comprend une composante cognitive et une composante comportementale. L'enfant doit d'abord comprendre ce qui est « approprié » ou « normal » pour les individus de chaque sexe et adapter ensuite son comportement à ces normes.

Dès l'âge de deux ans, les enfants associent certaines tâches et certaines attributions aux hommes et aux femmes : l'aspirateur ou la cuisinière et la nourriture « vont avec » les femmes, tandis que les voitures et les outils « vont avec » les hommes (Weinraub *et al.*, 1984). Vers trois ou quatre ans, les enfants peuvent assigner des occupations, des jouets et des activités à chacun des sexes ; à l'âge de cinq ans, ils commencent même à associer certains traits de personnalité aux hommes ou aux femmes. Ils perçoivent les femmes comme faibles, affectueuses, douces, sensibles et tendres, et les hommes comme agressifs, forts, cruels et rudes. Des études transculturelles menées dans 28 pays par John Williams et Deborah Best (1990) montrent que ces traits font partie des stéréotypes des enfants aussi bien que des adultes, et ce dans presque toutes les cultures, y compris des cultures non occidentales comme celles de la Thaïlande, du Pakistan et du Nigéria.

On retrouve un modèle très semblable dans des études portant sur les idées que se font les enfants de ce que les hommes et les femmes (ou les garçons et les filles) *devraient* être. Une étude effectuée par William Damon (1977) illustre ce dernier point de façon particulièrement éloquente. Ce chercheur a raconté à des enfants de quatre à neuf ans l'histoire de Georges, un petit garçon qui aimait jouer à la poupée. Les parents de Georges lui disent que seules les petites filles jouent avec des poupées, pas les petits garçons. Le chercheur a ensuite posé aux enfants les questions suivantes :

Pourquoi les gens disent-ils à Georges de ne pas jouer avec des poupées ?

Ont-ils raison de le faire ?

Y a-t-il une règle qui interdise aux garçons de jouer avec des poupées ?

Que devrait faire Georges ?

Est-ce que Georges a le droit de jouer avec des poupées ? (p. 242.)

Selon les enfants de quatre ans qui ont été interrogés, il n'y avait pas de problème à ce que Georges joue à la poupée. Il n'y avait pas de règle qui l'interdisait et s'il en avait envie, il pouvait le faire. Les enfants de six ans, au contraire, disaient que c'était « mal » que Georges joue avec des poupées. Vers l'âge de neuf ans, les enfants savaient distinguer ce que les garçons font habituellement de ce que font les filles, et savaient déterminer ce qui était « mal ». Par exemple, un garçon a expliqué que briser des vitres était mal, mais que jouer avec des poupées n'était pas *mal* de la même manière : « On ne doit pas casser des vitres. Et si on joue avec des poupées, bon, on peut, mais d'habitude les garçons ne font pas ça. »

Il semble que les enfants de cinq ou six ans, ayant admis que le genre est permanent, soient en quête d'une *règle* dictant la conduite des garçons et des filles (Martin et Halverson, 1981). Ils retiennent des informations en observant les adultes, en regardant la télévision, en retenant les étiquettes qu'on appose aux différentes activités (« Les garçons ne pleurent pas », par exemple). Au début, les enfants traitent ces informations comme des règles morales absolues. Plus tard, ils comprennent qu'il s'agit en fait de conventions sociales, et c'est alors seulement que le concept de rôle sexuel devient plus flexible et que les stéréotypes s'atténuent quelque peu.

Les comportements différents d'un sexe à l'autre suivent un modèle semblable. Ils se manifestent dès l'âge de deux ou trois ans, quand les enfants commencent à faire montre d'une préférence pour les compagnons de jeu du même sexe qu'eux de même que pour des jouets sexuellement stéréotypés. Ces comportements deviennent de plus en plus présents au cours des années préscolaires et sont complètement établis et stables vers l'âge de six ou sept ans.

À mesure que leur concept de genre se développe, les enfants modifient leur perception quant au fait que les petites filles devraient ou ne devraient pas jouer avec des camions.

Dans les cultures occidentales, on voit beaucoup plus souvent des petites filles devenir « garçonnes » que des petits garçons qui agissent en « fillettes ». Est-ce que cela signifie que les filles possèdent un concept de genre moins bien défini ? Selon vous, qu'est-ce qui peut causer cette différence ?

EXPLICATIONS DU DÉVELOPPEMENT DES RÔLES SEXUELS. Les théoriciens de presque toutes les écoles en psychologie ont tenté d'expliquer ce processus de développement. Selon Freud, le concept d'identification (que nous aborderons plus loin) permet d'expliquer pourquoi l'enfant adopte les comportements qui sont appropriés à son sexe. Mais cette théorie n'explique pas pourquoi les enfants manifestent des comportements clairement liés au sexe bien avant l'âge de quatre ou cinq ans, âge de la mise en place de l'identification.

Pour les théoriciens de l'apprentissage social, comme Mischel (1966, 1970), les parents jouent un rôle primordial dans la formation des attitudes et des comportements liés aux rôles sexuels chez leurs enfants. Il semble en effet que les parents encouragent les activités sexuellement stéréotypées chez leurs enfants dès l'âge de dix-huit mois, non seulement en leur achetant des jouets différents selon qu'ils sont garçons ou filles, mais en réagissant de façon plus positive quand leurs fils jouent avec des cubes ou des camions et quand leurs filles jouent avec des poupées (Fagot et Hagan, 1991 ; Lytton et Romney, 1991). Cette différence sur le plan du renforcement serait particulièrement évidente en ce qui touche les garçons. De plus, de nouvelles données suggèrent que les trottineurs dont les parents récompensent souvent les choix de jouets ou de jeux conformes à l'identité sexuelle habituellement véhiculée et dont les mères favorisent les rôles sexuels traditionnels dans la famille, apprennent à différencier les genres plus tôt que les trottineurs dont les parents accordent moins d'importance à ce type de choix (Fagot et Leinbach, 1989 ; Fagot, Leinbach et O'Boyle, 1992).

Pourtant, malgré leur utilité, ces découvertes n'apportent pas toutes les réponses, en particulier parce que la différence observée sur le plan des renforcements liés aux comportements de « garçon » et aux comportements de « fille » est moins nette qu'on pourrait le croire. En fait, cette différence n'est probablement pas assez marquée pour rendre compte de la discrimination très précoce et très vive qu'établissent les enfants entre les sexes. En effet, même les enfants dont les parents semblent traiter leurs filles et leurs garçons de façon pratiquement identique apprennent de toute façon à étiqueter les genres et manifestent des préférences envers les compagnons de jeu de même sexe qu'eux.

Selon une troisième école de pensée, principalement fondée sur la théorie de Piaget par Lawrence Kohlberg, l'aspect crucial du processus serait la compréhension du concept de genre par l'enfant (1966 ; Kohlberg et Ullian, 1974). Une fois que l'enfant a saisi qu'il est à jamais un garçon ou une fille, il devient très important pour lui d'apprendre à se comporter de façon à se conformer à la catégorie à laquelle il appartient. D'après Kohlberg, on ne devrait même observer une imitation systématique des personnes du même sexe qu'*après* la prise de conscience par l'enfant de la constance du genre. La plupart des études entreprises en ce sens ont vérifié l'hypothèse de Kohlberg. Les enfants deviendraient effectivement plus sensibles aux modèles de leur propre sexe après avoir compris la constance du genre (Ruble, Balaban et Cooper, 1981). Mais la théorie de Kohlberg n'explique pas le fait évident que les enfants adoptent pourtant des comportements sexuels clairs, notamment dans leur choix de jouets, bien avant d'avoir pleinement saisi le concept de genre.

L'explication actuelle la plus fonctionnelle est habituellement désignée sous le nom de **schème du genre** (Bem, 1981 ; Martin et Halverson, 1981, 1983 ; Martin, 1991 ; Ruble, 1987). De la même façon qu'on peut considérer le concept de soi comme un « schème » au sens de Piaget ou une « théorie du moi », on peut considérer la compréhension du genre chez l'enfant comme un schème. Le schème du genre commence à se développer aussitôt que l'enfant note des différences entre les hommes et les femmes, reconnaît son propre sexe et est capable de distinguer les deux groupes avec une certaine cohérence : ces trois habiletés interviennent vers l'âge de deux ou trois ans. Peut-être parce que le genre est une catégorie nettement binaire, les enfants semblent comprendre très tôt qu'il s'agit là d'une distinction essentielle, et la catégorie leur sert en quelque sorte d'aimant pour attirer de nouvelles informations (Maccoby, 1988). En termes piagétiens, une fois que l'enfant a établi ne serait-ce qu'un schème très primitif du genre, de très nombreuses expériences peuvent ensuite s'y assimiler. Ainsi, dès que ce schème s'est formé, les enfants se mettent à exprimer des préférences pour des compagnons de jeu de leur sexe ou des activités traditionnellement associées à leur sexe (Martin et Little, 1990).

L'enfant d'âge préscolaire apprend tout d'abord certaines distinctions assez globales sur les types d'activités ou de comportements qui conviennent à chaque sexe, aussi bien en observant les autres enfants qu'à travers les renforcements qu'il reçoit de ses parents. Puis, de quatre à six ans, l'enfant

Vers l'âge de deux ou trois ans, le choix des jouets témoigne déjà de différences frappantes dans les rôles sexuels. Laissés à eux-mêmes, les garçons choisissent des cubes ou des camions. Les filles du même âge choisiront probablement des poupées, un service à thé ou des déguisements.

Schème du genre : Schème fondamental, créé par l'enfant dès l'âge de 18 mois ou moins, qui lui permet de catégoriser les gens, les objets, les activités et les qualités selon le sexe.

apprend un ensemble d'associations plus subtiles et plus complexes reliées à son genre : ce que les enfants *du même sexe que lui* aiment ou n'aiment pas, comment ils jouent, comment ils parlent, avec quel type de personnes ils s'associent volontiers. C'est seulement vers l'âge de 8 à 10 ans que l'enfant établit une compréhension aussi complexe du sexe opposé (Martin, Wood et Little, 1990).

La différence la plus marquante entre cette théorie et celle de Kohlberg réside dans le fait que, pour qu'un schème du genre se dessine, il n'est pas nécessaire que l'enfant comprenne d'abord que le genre est permanent. Au moment où la constance du genre est acquise, vers cinq ou six ans, l'enfant forme une règle ou un schème plus élaborés de « ce que font les gens qui sont comme moi » et traite cette « règle » comme il traite toutes les autres règles, c'est-à-dire en règle absolue. Plus tard, l'application de cette règle deviendra plus flexible. Par exemple, il saura que les garçons ne jouent généralement pas à la poupée, mais qu'ils *peuvent* le faire s'ils le veulent.

Différences sexuelles dans les interactions sociales

Nous allons aborder brièvement ici un nouveau créneau de recherche particulièrement fascinant : il s'agit des études qui révèlent qu'à un âge aussi précoce que trois ou quatre ans, garçons et filles se distinguent non seulement par les jouets ou les compagnons de jeu qu'ils choisissent, mais aussi par leur façon d'interagir avec ces compagnons.

Maccoby (1990) décrit le modèle des filles comme un *style facilitant* ou *arrangeant*. Ce style comprend certains comportements comme le soutien du partenaire, l'expression de son accord, l'expression de suggestions. Tous ces comportements tendent à favoriser une plus grande égalité et une plus grande intimité dans les relations et nourrissent l'interaction. À l'opposé, les garçons sont plus susceptibles de faire preuve d'un style *contraignant* ou *restrictif*. « Le style restrictif tend à faire dévier l'interaction, en inhibant le partenaire ou en le poussant à se retirer, ce qui écourte ou même interrompt l'interaction » (p. 517). La contradiction, l'interruption, la vantardise ou toute autre forme d'étalage de soi caractérisent ce style.

Ces deux modèles différents apparaissent au cours des années préscolaires. Par exemple, Maccoby (1990) souligne que, dès l'âge de trois ou quatre ans, les garçons et les filles utilisent des stratégies très différentes quand ils essaient d'influer sur le comportement des autres. En général, les filles posent des questions ou font des requêtes ; les garçons sont plus susceptibles d'exiger des choses ou d'utiliser l'impératif (« Donne-moi ça ! »). On constate également que, même à un âge aussi jeune, les garçons ne se soumettent tout simplement pas aux tentatives d'influence des filles. Comme le fait de jouer avec des garçons ne conduit qu'à très peu de renfor-

cements positifs pour les filles, elles commencent à éviter ce type d'interactions et à faire bande à part entre filles.

On peut observer des différences similaires dans les styles relationnels chez les enfants plus âgés et chez les adultes. Les filles et les femmes entretiennent des relations plus intimes avec leurs amies. En paires ou en groupes, les filles et les femmes prennent soin d'agir de manière à alimenter l'interaction. Les hommes adultes sont plus susceptibles d'être soucieux d'abord de la tâche à accomplir, tandis que les femmes sont plus orientées vers la relation elle-même. Nous reviendrons plus en détail sur ces différences dans des chapitres ultérieurs. Pour l'instant, nous tenons seulement à souligner que ces différences subtiles et profondes semblent intervenir dès la petite enfance. Ce que l'on ne comprend pas encore, c'est *comment* ces différences se développent chez les enfants dès l'âge de trois ou quatre ans.

Évolution du concept de soi

Nous avons vu que, dès l'âge de cinq ou six ans, la plupart des enfants se définissent en fonction d'une gamme complète de dimensions. Cependant, ces premières perceptions de soi ont un caractère très concret lié à des contextes précis. Pendant les années d'école élémentaire, on observe une transition vers une définition de soi plus abstraite, plus comparative et plus générale. Un enfant de six ans se décrira comme « intelligent » ou « bête », alors qu'un enfant de dix ans aura tendance à faire une description comparative comme : « Je suis plus intelligent que la plupart des enfants » ou « Je ne suis pas aussi bon au hockey que mes amis » (Ruble, 1987). Le concept de soi des enfants s'éloigne donc des caractéristiques externes et se rapproche des qualités internes et stables (Harter, 1983, 1985). Ainsi, l'enfant aura davantage tendance à se décrire en fonction de ses sentiments et de ses idées, de la qualité de ses relations et des traits généraux de sa personnalité. Plus l'enfant avance vers l'adolescence, plus cette évolution se confirme et plus le concept de soi devient complexe.

Au cours de cette période également, l'enfant prend de plus en plus conscience de ses diverses habiletés dans plusieurs domaines, comme dans les études, le sport et les relations avec ses pairs, ce qui va l'aider à forger son estime de soi, c'est-à-dire une opinion sur sa valeur personnelle (Harter, 1988).

> Quand vous observez des relations entre adultes, faites-vous la même distinction que Maccoby ? Selon vous, que se passe-t-il lorsqu'un homme et une femme interagissent dans un contexte non amoureux ? Le style prédominant combine-t-il en quelque sorte les styles facilitant et restrictif, ou est-ce que l'un des deux styles prévaut ?

PERCEPTION DES AUTRES. La perception des autres suit une trajectoire très similaire, du concret à l'abstrait, de l'éphémère à la stabilité. Lorsque l'on demande à un enfant d'âge préscolaire de décrire une personne, il s'intéresse essentiellement à des caractéristiques externes: l'allure de cette personne, l'endroit où elle vit, ce qu'elle fait. Quand les jeunes enfants emploient des termes qui servent à évaluer des caractéristiques internes, ils ont tendance à utiliser des termes généraux comme *gentil, méchant, bon* ou *mauvais*. De plus, les jeunes enfants ne semblent pas être capables de concevoir ces qualités comme des traits constants de l'individu, applicables en toutes situations et permanents (Rholes et Ruble, 1984). En d'autres termes, les enfants de six à sept ans n'ont pas développé le concept de ce que nous pourrions appeler

« la conservation de la personnalité » selon la terminologie piagétienne.

Par contre, vers l'âge de sept ou huit ans, au moment même où l'enfant commence à se décrire en ayant davantage recours à des notions psychologiques et commence à construire sa perception globale de l'estime de soi, on assiste à l'émergence d'une vision d'ensemble ou du constat de la persistance dans le temps de la personnalité des autres. L'enfant met plus l'accent sur les traits ou les qualités internes d'une autre personne et suppose que ces traits seront observables dans plusieurs situations différentes (Gnepp et Chilamkurti, 1988).

PERSPECTIVES THÉORIQUES

Freud et Erikson ont tenté de décrire ces changements dans la personnalité de l'enfant et dans ses relations avec les autres. Nous avons présenté ces théories dans le chapitre 2, mais nous allons les revoir brièvement.

SELON FREUD

STADE PHALLIQUE : DE 3 À 5 ANS. Le stade le plus connu est certainement le stade phallique, puisque c'est à ce moment que le *complexe d'Œdipe* est censé se produire. Selon Freud, le jeune garçon de quatre ou cinq ans commence à manifester une sorte d'attachement sexuel envers sa mère, de sorte que son père devient un rival sur le plan sexuel. Son père dort avec sa mère, la serre dans ses bras, l'embrasse et, de façon générale, jouit avec elle d'une intimité physique inaccessible au petit garçon. L'enfant voit aussi son père comme un symbole d'autorité puissant et menaçant, dont le pouvoir ultime est celui de castrer. Il est alors pris entre son désir envers sa mère et sa crainte de la puissance paternelle.

La plupart de ces sentiments et des conflits qui en résultent sont inconscients. Le garçon ne fait pas montre ouvertement de sentiments ou d'un comportement à caractère sexuel envers sa mère. Mais le résultat de ce conflit, qu'il soit inconscient ou non, est le même: c'est l'anxiété. Comment le jeune garçon peut-il maîtriser cette anxiété? Dans la perspective de Freud, l'enfant réagit par un processus défensif d'*identification*: il « intègre » l'image de son père et tente d'accorder son propre comportement avec cette image. En essayant de s'identifier à son père le plus possible, non seulement il réduit les chances d'une attaque de la part de son père, mais il acquiert également un peu de son pouvoir. En outre, c'est cette image du « père intérieur » qui servira de noyau au surmoi.

Un processus parallèle est censé se produire chez les filles. La fillette perçoit sa mère comme une rivale face à

Concept de soi

Q 1 Qu'est-ce que le moi social ?

Q 2 Quelles sont les étapes du développement du concept de genre chez l'enfant ?

Q 3 Expliquez le concept de la conservation de la personnalité.

Q 4 Quelles sont les quatre hypothèses explicatives concernant le développement des rôles sexuels ?

Q 5 Quelles différences existe-t-il entre les sexes dans les interactions sociales ?

Q 6 On observe une transition dans le concept de soi pendant les années scolaires. Expliquez les changements qui surviennent.

Si vous demandez à un enfant de quatre ans et à un enfant de huit ans de décrire cette fillette, vous obtiendrez probablement des descriptions très différentes. Le plus jeune enfant décrirait sûrement des caractéristiques physiques, alors que l'enfant plus âgé mettrait davantage l'accent sur les sentiments ou sur d'autres caractéristiques plus stables.

l'attention sexuelle de son père, et la craint en même temps. À l'instar du jeune garçon, elle résout le problème en s'identifiant au parent du même sexe.

Le développement optimal requiert un environnement qui puisse satisfaire les besoins uniques de chaque période. Le bébé a besoin d'une stimulation orale et anale suffisante. Un jeune garçon de quatre ans a besoin de la présence d'un père à qui il puisse s'identifier et d'une mère qui n'est pas trop séduisante. Un environnement inadéquat au cours des premières années de la vie laissera un résidu de problèmes irrésolus et de besoins inassouvis qui seront alors transportés dans les prochains stades.

PÉRIODE DE LATENCE : DE 6 À 12 ANS. Freud considère qu'à cette période l'énergie sexuelle est relativement inactive, comme s'il s'agissait d'une période d'attente, d'accalmie psychosexuelle pendant laquelle il ne se produirait rien de très important. La sexualité n'est plus aussi exclusive ni dominante (Cloutier et Renaud, 1990). L'enfant consacre davantage de temps à parfaire ses connaissances scolaires, à interagir avec ses pairs de même sexe et à intégrer de nouveaux modèles sociaux. Comme nous l'avons mentionné au chapitre 2, certains éléments de l'inconscient se développent pendant cette période sous forme de mécanismes de défense — ces stratégies automatiques, normales, auxquelles nous avons recours pour réduire l'anxiété associée à des situations ou des expériences particulières (nous aborderons les mécanismes de défense plus en détail au chapitre 13).

SELON ERIKSON

INITIATIVE OU CULPABILITÉ : DE 4 À 5 ANS. Le troisième stade défini par Erikson, correspondant à peu près au stade phallique chez Freud, souligne encore une fois les nouvelles capacités de l'enfant. Au stade de l'initiative ou de la culpabilité, l'enfant de quatre ans est capable de planifier des actions et de prendre des initiatives afin d'atteindre un objectif particulier. Il utilise et perfectionne ses nouvelles aptitudes cognitives et tente de conquérir le monde qui l'entoure. Il essaie d'aller dans la rue tout seul ; il démonte entièrement un jouet et, s'il n'arrive pas à le réassembler correctement, il jette toutes les pièces en l'air. C'est une période d'actions énergiques et de comportements que les parents trouveront peut-être agressifs. Il arrive que l'enfant aille trop loin dans son attitude vigoureuse, ou que les parents le restreignent ou le punissent trop : dans les deux cas, il en résultera vraisemblablement de la culpabilité. Il faut bien entendu une certaine dose de culpabilité, sans quoi l'enfant ne développerait pas de conscience ou de maîtrise de soi. C'est pourquoi l'indulgence complète n'est certainement pas recommandée. Toutefois, trop de culpabilité peut inhiber la créativité de l'enfant et ses interactions spontanées avec les autres.

COMPÉTENCE OU INFÉRIORITÉ : DE 6 À 12 ANS. Le thème dominant du stade de la compétence ou de l'infériorité est l'apprentissage. L'enfant doit assimiler les habiletés élémentaires requises dans sa culture, y compris les habiletés scolaires et manuelles (utilisation d'outils), ainsi que les normes culturelles. Devant l'infinie quantité de connaissances à acquérir, la tâche consiste à devenir compétent et à éviter le sentiment d'infériorité associé à l'échec. Erikson croit que ce quatrième stade est plus calme que les précédents parce que les pulsions internes sont moins violentes (Cloutier et Renaud, 1990).

MODÈLE DES RELATIONS SOCIALES DE HARTUP

Ni Freud ni Erikson n'ont beaucoup parlé du rôle des pairs dans le développement de l'enfant ; récemment, un grand nombre de théoriciens ont souligné l'importance vitale des interactions avec les pairs. Willard Hartup (1989) suggère que chaque enfant a besoin d'expérimenter deux types de relations : les relations *verticales* et les relations *horizontales*. Une relation verticale suppose un attachement avec une personne qui possède un pouvoir social ou des connaissances plus étendues, comme un parent ou un professeur. Les relations de ce type sont complémentaires plutôt que réciproques : le parent éduque l'enfant et le dirige dans son cheminement, tandis que du côté de l'enfant la relation est faite de demandes d'attention de même que d'obéissance ou d'acquiescement. Les relations horizontales, à l'opposé, sont réciproques et égalitaires : les individus qui les entretiennent, soit les pairs du même âge, détiennent un pouvoir social équivalent.

Selon Hartup, les relations horizontales et les relations verticales remplissent des fonctions différentes auprès de l'enfant, et ces deux types de relations sont essentiels pour que l'enfant développe des habiletés sociales appropriées.

Perspectives théoriques

Q 7   Définissez le stade phallique et la période de latence selon Freud. Quelles en sont les tâches respectives ?

Q 8   Définissez le stade de l'initiative ou de la culpabilité et le stade de la compétence ou de l'infériorité selon Erikson. Quelles en sont les tâches respectives ?

Q 9   Expliquez ce que Hartup entend par relations verticales et relations horizontales.

Les relations verticales assurent à l'enfant la protection et la sécurité dont il a besoin. En effet, l'enfant va établir ses modèles internes et apprendre les habiletés sociales fondamentales à partir de ces relations. Mais c'est dans les relations horizontales, dans l'amitié, aussi bien dans les relations avec les groupes de pairs qu'auprès de ses frères et sœurs, que l'enfant met en pratique ces habiletés. C'est aussi dans les relations horizontales que l'enfant acquiert des habiletés sociales qu'il ne peut apprendre qu'à travers des relations entre individus égaux, habiletés telles que la coopération, la compétition et l'intimité.

RELATIONS SOCIALES À L'ÂGE PRÉSCOLAIRE ET SCOLAIRE

De toute évidence, ces deux grands types de relations influent l'un sur l'autre, mais la théorie et les données empiriques sont deux choses différentes. Nous allons donc d'abord traiter des relations verticales et, en particulier, de la relation principale entre l'enfant et ses parents; puis nous aborderons les relations avec les pairs.

RELATIONS AVEC LES PARENTS

Le rôle des parents change du tout au tout au cours de la période préscolaire. Dans les premiers mois de la vie d'un enfant, les parents doivent surtout lui donner beaucoup de chaleur et d'affection et être attentifs à ses besoins afin de mettre en place une relation d'attachement sécurisant et soutenir son développement physiologique fondamental. Mais dès que l'enfant devient plus indépendant sur les plans physique, linguistique et cognitif, c'est la nécessité de le discipliner qui devient l'aspect central de la tâche des parents. Les parents sont soucieux d'apprendre à l'enfant à acquérir son indépendance physique et à maîtriser son comportement. Ils s'inquiètent de son apprentissage de la propreté, de ses crises de colère, des défis qu'il pose à l'autorité et de ses disputes avec ses frères et sœurs. Ils recourent fréquemment à la discipline. Mais s'ils exercent trop de discipline, l'enfant ne pourra pas suffisamment explorer le monde autour de lui; s'ils n'en exercent pas assez, l'enfant va devenir rebelle et n'assimilera pas les habiletés sociales nécessaires à l'interaction harmonieuse avec ses pairs et avec les autres adultes.

De la même façon, à l'âge scolaire, un changement évident intervient dans la relation parents-enfant. Le besoin de mesures disciplinaires s'estompe graduellement. Les questions à l'ordre du jour comprennent désormais les tâches que l'enfant doit accomplir régulièrement à la maison, la réussite scolaire que l'on attend de lui et les libertés qu'on peut lui

accorder (Maccoby, 1984). Est-ce que Sébastien peut aller chez un de ses amis sans en avoir préalablement demandé la permission à ses parents ? Jusqu'à quelle distance de la maison peut-on permettre à Mélanie d'aller à bicyclette ? Dans beaucoup de sociétés non occidentales, les parents doivent apprendre à l'enfant de cet âge des tâches précises, comme le travail agricole et les soins à prodiguer aux enfants plus jeunes ou aux animaux, tâches qui s'avèrent souvent indispensables à la survie de la famille.

Attachement

Nous avons vu au chapitre 5 que, dès l'âge de douze mois, le bébé a normalement établi un attachement clair avec la personne qui s'occupe de lui. Le bébé témoigne de cet attachement par un large éventail de comportements d'attachement: il sourit, pleure, se blottit, fait des références sociales et recourt à sa base de sécurité. À l'âge de deux ou trois ans, cet attachement n'est pas moins puissant, mais plusieurs de ces comportements d'attachement disparaissent peu à peu. Les enfants de cet âge sont suffisamment avancés sur le plan cognitif pour comprendre leur mère quand elle explique qu'elle doit partir et qu'elle reviendra: l'anxiété de la séparation s'estompe. Les enfants peuvent même utiliser une photographie de leur mère comme base de sécurité quand ils explorent une situation qui leur est inconnue (Passman et Longeway, 1982), ce qui témoigne du progrès cognitif capital qu'est la représentation symbolique. Bien entendu, les comportements d'attachement ne s'éclipsent pas complètement. Les enfants de trois ou quatre ans veulent encore s'asseoir sur les genoux de papa ou de maman; il est probable qu'ils rechercheront encore la proximité au retour de la mère après une absence. Dans des situations qui ne sont ni terrifiantes ni stressantes, cependant, l'enfant est capable de s'éloigner de plus en plus de sa base de sécurité sans détresse apparente.

En marche vers l'indépendance... Les enfants de cet âge, surtout ceux qui ont établi un attachement sécurisant, sont beaucoup moins craintifs à l'idée de s'éloigner de leur base de sécurité.

En plus de la diminution du nombre de comportements d'attachement, on peut observer deux autres changements dans l'attachement de l'enfant à l'âge préscolaire. Premièrement, la relation avec la personne clé, en général la mère, subit un nouveau changement qui est basé sur un progrès cognitif. L'attachement initial exige probablement que le bébé comprenne que sa mère va continuer d'exister même si elle n'est pas là ; de la même façon, l'enfant d'âge préscolaire saisit que la *relation* elle-même continue d'exister même quand les partenaires de la relation ne sont pas ensemble. Les enfants de cet âge sont donc moins bouleversés par la séparation, mais ils peuvent le devenir s'ils ne savent pas ce qui se passe ou s'ils n'ont pas été informés de la situation (Marvin et Greenberg, 1982).

Il existe un deuxième changement encore plus important, que nous avons mentionné au chapitre 5, soit la généralisation du modèle interne d'attachement de l'enfant. Selon Bowlby, le modèle de l'enfant cesse d'être la caractéristique de chaque relation individuelle et devient davantage une caractéristique des relations dans un sens plus général. Les enfants de quatre et cinq ans ont par conséquent plus de chances d'appliquer leur modèle interne aux nouvelles relations qu'ils établissent, y compris les relations avec les pairs.

En somme, l'attachement de l'enfant d'âge préscolaire avec son ou ses parents demeure fort et central dans l'expérience de l'enfant, mais il subit des modifications significatives à mesure que l'enfant accomplit des progrès en matière d'habiletés cognitives.

À l'instar des enfants d'âge préscolaire, les enfants d'âge scolaire ne manifestent des comportements d'attachement, comme le fait de s'agripper ou de pleurer, qu'en situation de stress, par exemple lors de la première journée d'école, d'une maladie, d'une crise familiale ou de la mort d'un animal domestique. Parce qu'il vit moins d'expériences nouvelles et potentiellement stressantes, l'enfant de sept ou huit ans a moins besoin d'être sécurisé et témoigne moins de marques d'affection à ses parents que l'enfant d'âge préscolaire (Maccoby, 1984).

> Selon vous, quel effet la théorie de la pensée de plus en plus complexe de l'enfant peut-elle avoir sur sa relation avec ses parents ?

> Quels autres facteurs, à part l'habitude et la diminution du stress, pourraient expliquer la baisse radicale des marques d'affection de l'enfant à l'endroit de ses parents ?

Cependant, on commettrait une grave erreur en présumant que l'attachement s'est affaibli. Durant les années scolaires, l'enfant a toujours besoin d'être sécurisé par ses parents. Il compte sur leur présence et leur soutien et reste profondément influencé par leur jugement.

Obéissance et rébellion

Pendant la période préscolaire, l'autonomie grandissante de l'enfant de deux ans le place de plus en plus souvent dans des situations où il désire quelque chose tandis que ses parents veulent autre chose. Contrairement à ce que l'image populaire des « terribles deux ans » laisse croire, les enfants de deux ans se soumettent en réalité bien plus souvent qu'ils ne résistent. Lorsqu'ils résistent, ils le font surtout de façon passive, en refusant simplement de faire ce qu'on leur demande. L'enfant ne dit « non » ou ne défie concrètement le parent qu'un petit pourcentage du temps (Kuczynski *et al.*, 1987). Les refus catégoriques deviennent plus communs à l'âge de trois ou quatre ans, de même que les négociations actives avec les parents.

De nombreux psychologues croient qu'il faut établir une distinction entre les simples refus (que ce soit le simple « non » ou le « je ne veux pas ») et la rébellion, dans laquelle le refus de l'enfant s'accompagne de colère, de crises de rage ou de pleurnichements (Crockenberg et Litman, 1990). Il semble que le refus soit un aspect important et sain de l'affirmation du moi, et qu'il soit lié à la présence d'attachements sécurisants ainsi qu'à une plus grande maturité (Matas, Arend et Sroufe, 1978). La rébellion, par contre, serait liée à un attachement insécurisant ou à des antécédents de mauvais traitements.

Il est plus courant d'observer ce type de relations (le partage d'activités physiques) entre des parents et un enfant d'âge scolaire que des démonstrations d'affection. Cela ne signifie pas pour autant que l'attachement de l'enfant diminue.

La rébellion directe s'estompe au cours des années préscolaires. On assiste à moins de crises de rage, de pleurnichements ou de tout autre emportement équivalent chez un enfant de six ans que chez un enfant de deux ans, en partie parce que les aptitudes cognitives et linguistiques de l'enfant ont suffisamment évolué pour lui permettre de recourir davantage à la négociation. Ces changements cognitifs se manifestent également dans les échanges de l'enfant avec ses pairs.

Relations avec les parents

Q 10   « Le rôle des parents doit changer dès que l'enfant devient plus indépendant. » Expliquez cette affirmation.

Q 11   Comment évolue l'attachement à l'âge préscolaire et scolaire ?

Q 12   Quelle distinction doit-on faire entre le simple refus et la rébellion ?

RELATIONS AVEC LES PAIRS

L'expérience familiale exerce une influence majeure sur la personnalité émergente de l'enfant et l'établissement de ses relations sociales, en particulier durant les années préscolaires où il passe encore une grande partie de son temps avec ses parents et ses frères et sœurs. Mais tout au long de la période de deux à six ans, les relations avec les pairs prennent de plus en plus d'importance. Après l'âge de six ans, les relations avec les pairs sont même devenues plus importantes que les relations parents-enfant.

À cet âge, les garçons jouent avec les garçons et les filles, avec les filles. La pratique d'activités physiques communes, comme ici la corde à danser, est typique des filles de cet âge.

Les enfants commencent à montrer de l'intérêt envers les autres enfants dès l'âge de six mois. Si l'on assoit deux bébés de cet âge sur le sol, face à face, ils vont se regarder, se toucher, se tirer les cheveux, imiter les actions de l'autre et se sourire. Vers l'âge de 10 mois, ces comportements deviennent encore plus évidents. Il semble que les enfants de cet âge préfèrent jouer avec des objets, mais ils vont jouer ensemble s'ils n'ont pas de jouet sous la main. De 14 à 18 mois, on peut observer 2 enfants ou plus qui s'amusent ensemble avec des jouets. Ils coopèrent parfois, parfois ils jouent simplement l'un à côté de l'autre avec des jouets différents. À l'âge de trois ou quatre ans, cependant, les enfants sont plus organisés et jouent davantage ensemble, préférant nettement passer du temps entre pairs plutôt qu'en solitaire. Les interactions entre enfants de cet âge consistent surtout à s'amuser, en particulier à des jeux de construction ou des jeux de rôles : ils construisent des choses ensemble, s'amusent dans le carré de sable ou jouent avec des poupées, des camions ou des déguisements. Dans toutes ces interactions, on peut aussi observer des comportements positifs et négatifs, de l'agressivité et de l'altruisme.

Durant les années scolaires, la plus grande transformation dans les relations se manifeste dans l'importance grandissante du groupe d'amis. Les rapports verticaux avec les parents et les professeurs sont loin de disparaître, mais les enfants de sept à dix ans préfèrent jouer avec des enfants de leur âge. Ces jeux — en plus du temps passé à regarder la télévision — occupent pratiquement tout le temps des enfants quand ils ne sont pas à l'école, à table ou au lit (Timmer, Eccles et O'Brien, 1985).

Dans leur groupe de jeux, les enfants apprécient particulièrement le fait de « partager des activités ensemble ». Si vous demandez à des enfants de cet âge ce qui soude leur groupe, ils répondront souvent qu'il s'agit de la pratique d'activités communes : faire de la bicyclette, jouer à la corde à sauter, etc. Il est peu probable qu'ils mentionnent l'attitude ou les valeurs comme base de formation d'un groupe ou du mode de fonctionnement du groupe. Vous pouvez observer cette tendance à la figure 7.1, qui montre les résultats d'une étude de Susan O'Brien et Karen Bierman (1988). Ces chercheures ont demandé à des élèves de cinquième année du primaire et de première et de quatrième années du secondaire de leur parler des différents groupes qui existaient dans leur école, puis d'expliquer comment ils pouvaient affirmer qu'un ensemble d'enfants forme un groupe. Pour les élèves de cinquième année du primaire, le critère le plus fréquemment invoqué est la pratique d'activités communes. Pour les élèves de première année du secondaire, ce sont une attitude et une apparence communes. Ces critères différents illustrent l'évolution du concret vers l'abstrait dans les rapports sociaux.

Amitié

Dès l'âge de deux ans, les enfants manifestent également des signes d'amitié, et ces relations peuvent devenir un lieu pri-

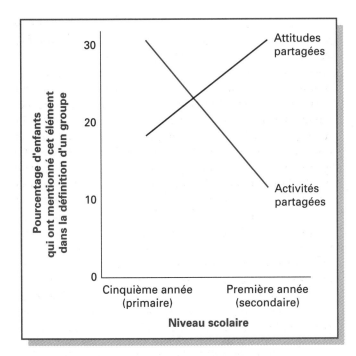

Figure 7.1 Critères pour la formation d'un groupe. Les résultats obtenus par O'Brien et Bierman illustrent le changement de la définition d'un groupe d'amis dans la conception de l'enfant entre le primaire et le secondaire. (*Source* : O'Brien et Bierman, 1988, tableau 1, p. 1363.)

vilégié pour l'apprentissage de la réciprocité et de l'intimité. Carollee Howes (1983, 1987) a observé que, dès l'âge de 14 à 24 mois, certains enfants font montre à la garderie d'une préférence répétée pour l'un ou l'autre de leurs compagnons de jeu tout au long de l'année. En se basant sur une définition un peu plus stricte de l'amitié (pour être considérés comme des amis, deux enfants devaient passer au moins 30 % de leur temps ensemble), Robert Hinde et ses collaborateurs (Hinde *et al.*, 1985) ont découvert que, dans un groupe d'enfants de 3,5 ans, seulement 20 % montraient des signes

d'amitié stable. À l'âge de 4 ans, 50 % des mêmes enfants répondaient à ce critère d'amitié.

Ces amitiés précoces semblent moins durables et davantage basées sur la proximité et les intérêts communs pour le jeu que les amitiés qui s'établissent entre enfants plus âgés (Berndt, 1981). Mais les paires d'amis d'âge préscolaire démontrent quand même plus d'amitié, plus de réciprocité, plus d'interactions prolongées, plus de comportements positifs et moins de comportements négatifs, et plus de soutien mutuel dans une situation nouvelle que n'en témoignent les paires d'enfants qui n'ont pas établi de liens d'amitié.

Ces amitiés se développent plus souvent entre enfants de même sexe, même chez les enfants de deux ou trois ans seulement. John Gottman (1986) précise qu'aux États-Unis environ 65 % des amitiés entre enfants d'âge préscolaire se nouent entre enfants de même sexe. On observe également des interactions sans amitié, le plus souvent entre enfants de même sexe, dès l'âge de deux ans et demi ou trois ans (Maccoby, 1988, 1990 ; Maccoby et Jacklin, 1987). À l'âge scolaire, les relations entre pairs s'établissent presque exclusivement entre enfants du même sexe. Vous pouvez observer l'évolution précoce de cette préférence à la figure 7.2, qui illustre les résultats d'une étude sur les compagnons de jeu d'enfants d'âge préscolaire menée par La Freniere, Strayer et Gauthier (1984). Dès l'âge de 3 ans, près de 60 % des groupes de jeu se forment entre enfants de même sexe et ce taux ne fait qu'augmenter par la suite.

Cette tendance grandissante à la ségrégation des sexes dans le jeu fait partie intégrante du processus plus large du développement du concept de soi, qui comprend aussi la conscience de son propre genre et de celui des autres.

Pour les enfants d'âge préscolaire, l'amitié semble donc être comprise en termes de caractéristiques physiques. Quand on demande à un jeune enfant comment les gens se font des amis, la réponse la plus commune est qu'ils « jouent

---

R A P P O R T   D E   R E C H E R C H E

Différences entre frères et sœurs

La grande majorité des enfants grandissent en compagnie de frères et sœurs. Les interactions avec la fratrie constituent une part importante du monde social de l'enfant, et ce durant les années préscolaires plus qu'à toute autre période. Jusqu'à récemment, la plupart des recherches en psychologie sur la fratrie se concentraient sur un seul sujet : l'importance du rang de l'enfant dans la famille. Est-ce que le développement de l'enfant était différent selon qu'il

était le plus vieux, le plus jeune ou au milieu de la fratrie ? Les résultats indiquaient que, en général, les aînés faisaient montre d'un fort besoin d'accomplissement et s'avéraient plus anxieux. Les enfants suivants avaient davantage de chances d'être plus sociables et aussi plus influençables. Des études récentes sur les relations entre frères et sœurs abordent des aspects plus intéressants du sujet, à notre sens, dont les deux questions suivantes :

(1) Quelle est la nature des relations entre frères et sœurs au cours des années préscolaires?

(2) Pourquoi les frères et sœurs d'une même famille sont-ils si différents les uns des autres?

RELATIONS ENTRE FRÈRES ET SŒURS. L'histoire d'Abel et de Caïn nous incite à penser que la rivalité et la jalousie sont les éléments dominants dans les relations entre frères et sœurs. Mais l'observation des enfants d'âge préscolaire en interaction avec leurs frères et sœurs fait ressortir d'autres éléments. Les trottineurs de cet âge aident leurs frères et sœurs, les imitent et leur prêtent leurs jouets. Judy Dunn (Dunn et Kendrick, 1982), dans une étude longitudinale exhaustive effectuée sur un groupe de quarante familles en Angleterre, a noté que l'aîné imite souvent le bébé, fille ou garçon. Quand le plus jeune enfant atteint l'âge de un an, il commence à son tour à imiter son frère ou sa sœur aînés et à partir de ce moment, l'imitation se poursuit surtout dans ce sens, le plus jeune copiant le plus âgé.

Au cours de la même période, frères et sœurs se frappent aussi entre eux, s'arrachent leurs jouets, se menacent ou s'insultent mutuellement. L'aîné d'une paire d'enfants d'âge préscolaire est généralement le meneur et, par conséquent, fait preuve plus souvent aussi bien de comportements agressifs que de comportements obligeants (Abramovitch, Pepler et Corter, 1982). Pour les deux membres de la paire, cependant, le trait dominant est l'ambivalence: on note à la fois des comportements de soutien et des comportements négatifs, en proportions à peu près égales. Dans l'étude effectuée par Abramovitch, pareille ambivalence se produisait aussi bien dans les cas d'enfants avec une grande ou faible différence d'âge, et que l'aîné soit un garçon ou une fille. Naturellement, il existe des variations sur ce thème: dans certaines paires on observe principalement des comportements antagonistes ou rivaux, tandis que dans d'autres paires on observe surtout des comportements d'aide et de soutien. À l'heure actuelle, on ne sait pas très bien ce qui peut conduire à de tels modèles; mais on sait que la plupart des frères et sœurs adoptent les *deux* types de comportements.

POURQUOI FRÈRES ET SŒURS NE SE RESSEMBLENT-ILS PAS? Si deux enfants grandissent dans la « même » famille, comment se fait-il qu'ils deviennent si souvent extrêmement différents l'un de l'autre? Nous supposons pour la plupart que les parents traitent tous leurs enfants de manière sensiblement pareille, mais Judy Dunn (1991, 1992) a montré que cela est faux. Les parents expriment parfois de la chaleur et de la fierté à l'endroit d'un enfant tandis qu'ils témoignent de l'indifférence

envers l'autre; ils peuvent être indulgents envers l'un et sévères envers l'autre. Voici un exemple tiré des observations de Dunn, mettant en scène le petit Andy, âgé de 30 mois, et sa petite sœur Susie, âgée de 14 mois:

> *Andy est un enfant plutôt timide, sensible, prudent et obéissant. Il manque de confiance en lui. Susie est tout le contraire: sûre d'elle, déterminée, elle ne laisse pas une minute de répit à sa mère, qui n'en est pas moins ravie d'avoir une fille aussi bouillonnante. En une certaine occasion, Susie persiste à essayer d'atteindre un objet défendu posé sur la table de la cuisine, hors de sa portée, malgré les interdictions répétées de sa mère. Elle finit par y parvenir, et Andy entend sa mère faire un commentaire affectueux et chaleureux sur le geste de Susie: « Susie, petite coquine! » Alors Andy, tout triste, réplique à sa mère: « Moi je ne suis pas un petit coquin. » Sa mère répond en riant: « Non! Tu sais ce que tu es? Un pauvre petit garçon bien ordinaire! »* (1992, p. 6.)

Non seulement ce genre de scènes se produisent-elles couramment dans les interactions familiales, mais les enfants sont très sensibles à de telles variations dans le traitement qu'on leur réserve. Remarquez bien comment Andy a suivi l'intervention de sa mère auprès de Susie, puis s'est comparé à sa sœur. Les enfants de cet âge sont déjà très conscients de la qualité des échanges émotionnels entre eux-mêmes et leurs parents, de même qu'entre leurs parents et leurs frères et sœurs. Dunn souligne que les enfants qui reçoivent moins d'affection et de chaleur de leur mère sont plus susceptibles de devenir déprimés, inquiets ou anxieux que leurs frères et sœurs. De la même manière, plus les parents traitent les divers membres de la fratrie de façon différente, plus il y a de chances que s'installent une certaine rivalité et une certaine hostilité entre frères et sœurs.

Bien entendu, les parents traitent les enfants différemment pour plusieurs raisons, dont l'âge des enfants. La mère de Susie et de Andy tolère probablement le comportement malicieux de sa fille tout simplement parce que Susie est très jeune. Les parents réagissent aussi aux différences de tempérament qui caractérisent les enfants. Quelle que soit la cause, on peut maintenant affirmer que ces différences dans la façon de traiter les enfants deviennent un élément important dans la formation du modèle interne du concept de soi et contribuent grandement aux différences de comportement observées chez les enfants d'une même famille.

ensemble » ou passent du temps l'un près de l'autre (Selman, 1980 ; Damon, 1977, 1983). Selon eux, l'amitié doit comporter le partage de jouets ou le don réciproque de biens.

Les travaux de Robert Selman (1980) et de Thomas Berndt (1983, 1986) montrent que, durant les années d'école primaire, cette première conception de l'amitié cède le pas à une vision dans laquelle le concept clé semble être la *confiance réciproque*. Les amis sont dorénavant des personnes qui s'entraident et qui se font confiance. Parce que cet âge est aussi celui où la compréhension des autres devient moins basée sur des caractéristiques externes et davantage sur des caractéristiques psychologiques, il n'est pas étonnant de constater que les amis sont désormais perçus comme des personnes spéciales, chez lesquelles on recherche des qualités qui dépassent la simple proximité physique. En effet, la générosité et la gentillesse deviennent des éléments importants de la définition de l'amitié pour beaucoup d'enfants de ce groupe d'âge.

LIEN ENTRE LA COGNITION ET L'ÉVOLUTION DE L'AMITIÉ. L'image qui apparaît lorsque l'on met en place toutes les pièces de ce casse-tête est celle d'un enfant dont le centre d'attention se déplace de l'aspect extérieur vers l'aspect intérieur. L'enfant d'âge scolaire peut comprendre le concept de la conservation en partie parce qu'il peut mettre de côté les *apparences* trompeuses de changement pour se concentrer sur ce qui est constant : il voit ainsi au-delà de l'apparence physique et recherche la cohérence profonde qui l'aidera à interpréter son propre comportement et celui des autres.

Selman suggère qu'il existe un autre lien entre la pensée et les relations au cours de ces années. L'enfant d'âge préscolaire peut se faire une idée des pensées des autres, mais il ne comprend pas encore que d'autres personnes puissent lire dans les siennes. En d'autres termes, l'enfant de quatre ans peut comprendre l'énoncé suivant : « Je sais que tu sais. » Mais il ne comprend pas encore l'étape suivante de cette régression potentiellement infinie : « Je sais que tu sais que je sais. » Cet aspect réciproque de la perspective, ce que Piaget identifie comme étant la réversibilité, semble être saisi à un moment donné au début de l'école primaire. Selman soutient que ce n'est qu'au moment où l'enfant comprend la réciprocité de la perspective que l'on peut observer de véritables relations de réciprocité entre amis. C'est seulement à ce moment que des qualités comme la confiance ou l'honnêteté deviennent primordiales dans la conception de l'amitié des enfants.

> Combien de raisons différentes pouvez-vous trouver pour expliquer le fait que les enfants commencent dès l'âge de trois ou quatre ans à préférer les jeux entre pairs du même sexe ?

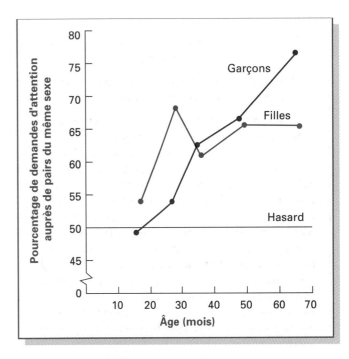

Figure 7.2 Ségrégation des sexes dans le jeu. La Freniere et ses collaborateurs ont mesuré le nombre de fois où les enfants d'âge préscolaire jouaient avec des compagnons de jeu du même sexe ou du sexe opposé. Dans leur échantillon, on peut voir que des enfants de deux ans et demi seulement exprimaient déjà une préférence pour les enfants du même sexe qu'eux. (*Source*: La Freniere, Strayer et Gauthier, 1984, figure 1, p. 1961.)

Dans tout ceci, il est difficile de distinguer clairement les causes et les effets. Nous ne devrions pas nécessairement présumer que c'est la locomotive cognitive qui tire le wagon des relations, même si cela demeure une possibilité. Il est également plausible que l'enfant tire des leçons importantes au sujet de l'écart entre les apparences et la réalité, les qualités extérieures et intérieures, dans le jeu avec ses pairs et dans les interactions avec ses parents et ses professeurs. Quelle que soit la direction de la causalité, il semble évident que les relations que l'enfant entretient avec les autres reflètent et façonnent à la fois sa propre compréhension de lui-même et sa compréhension de ses rapports avec les autres.

Ségrégation sexuelle

Nous avons vu que la ségrégation sexuelle se met en place dès l'âge préscolaire. De même, lorsqu'on observe des groupes d'enfants d'âge scolaire, ce qui frappe le plus n'est pas vraiment le type d'activités qu'ils partagent, mais la ségrégation sexuelle. Les garçons jouent avec les garçons et les filles, avec les filles, dans des endroits distincts et à des jeux différents. Il existe des rituels de violation territoriale entre ces deux groupes lors de jeux typiques comme la poursuite (« Tu ne peux pas m'attraper, la la la lalère » suivi d'une poursuite accompagnée des cris des filles) (Thorne, 1986). Mais, en

général, les filles et les garçons font un effort particulier pour éviter d'avoir des contacts (Hartup, 1983).

Cette tendance à la ségrégation sexuelle est encore plus marquée dans les relations d'amitié. À l'âge de sept ans, la ségrégation dans l'amitié est presque totale. Lors d'une étude, les parents ont révélé qu'un quart des amitiés de leurs enfants de cinq à six ans était mixte, alors qu'*aucune* des amitiés de leurs enfants de sept à huit ans ne l'était (Gottman, 1986).

La nature des rapports entre amis varie selon le sexe, quoiqu'il y ait des thèmes communs aux deux sexes. Entre autres, les filles et les garçons ont plus d'amis à l'âge scolaire qu'à l'âge préscolaire. Dans une étude, John Reisman et Susan Shorr (1978) ont constaté que les élèves de deuxième année

du primaire pouvaient nommer chacun quatre amis; en première année du secondaire, ce nombre passait à sept.

Plusieurs de ces amitiés sont remarquablement stables. Thomas Berndt, qui a effectué des études approfondies sur l'amitié chez les enfants, a découvert qu'entre la moitié et les trois quarts des amitiés intimes à l'école primaire durent toute l'année scolaire, et beaucoup durent plus longtemps (Berndt et Hoyle, 1985 ; Berndt, Hawkins et Hoyle, 1986). Une telle stabilité s'observe autant chez les élèves de première année que chez ceux de dernière année.

Les enfants de ce groupe d'âge traitent différemment leurs amis et les étrangers. Ils se montrent plus *polis* avec les étrangers ou encore avec les personnes qui ne sont pas leurs

 TRAVERS LES CULTURES

LA SÉGRÉGATION SEXUELLE CHEZ LES ENFANTS DE CULTURES DIFFÉRENTES

Plusieurs des affirmations que nous avons faites au sujet du développement de l'enfant sont exclusivement basées sur des recherches effectuées en Amérique du Nord ou dans d'autres pays occidentaux industrialisés. Il est toujours utile de se demander si l'on peut remarquer les mêmes changements dans le développement ou les mêmes modèles de comportement chez des enfants élevés dans un autre contexte culturel. Dans le cas de la ségrégation sexuelle, la réponse est très claire : ce que l'on observe dans les cours de récréation nord-américaines se produit dans le reste du monde.

L'étude d'enfants kipsigis dans un hameau kényen illustre bien cette thèse (Harkness et Super, 1985). Au moment de la recherche, ce hameau était constitué de 54 familles vivant de l'agriculture traditionnelle à la houe et de l'élevage du bétail. Les femmes s'occupent des enfants, de la cuisine ainsi que de l'approvisionnement en bois et en eau. Les hommes sont responsables du bétail et du labourage et participent à la vie politique de leur communauté.

Pour mener à bien cette étude, les observateurs ont rendu visite au hameau à différents moments de la journée afin de noter le sexe des compagnons de chaque enfant. Ils ont observé peu de ségrégation sexuelle parmi les enfants âgés de moins de six ans, mais une nette division chez les enfants âgés de six à neuf ans. Dans ce groupe d'âge, les deux tiers des compagnons des garçons

et les trois quarts de ceux des filles étaient du même sexe. L'écart était encore plus grand quand l'étude portait sur le sexe de l'enfant à qui chaque enfant destinait ses demandes d'attention : 72 % des garçons et 84 % des filles s'intéressaient à des enfants du même sexe.

Ces chiffres reflètent une ségrégation moins systématique que celle communément observée en Amérique du Nord. Mais il est remarquable qu'elle soit aussi marquée dans une société où les enfants passent le plus clair de leur temps à l'intérieur de leur concession (en Afrique, maison et cour closes par une enceinte), avec leurs frères et sœurs comme uniques compagnons de jeux.

Ces données ne signifient pas que le contexte ou la culture soit sans effet. Au contraire, le peuple kipsigis encourage certaines formes de ségrégation sexuelle en distribuant des tâches différentes aux garçons et aux filles. En Occident, les enfants qui fréquentent des écoles « progressistes », dont le postulat idéologique est l'égalité des rôles sexuels, font preuve de moins de ségrégation dans leurs jeux que les enfants inscrits dans les écoles traditionnelles (Maccoby et Jacklin, 1987). Cependant, même dans ces écoles progressistes, la majorité des contacts se font entre enfants du même sexe. Somme toute, à travers le monde entier, il semble bien que, lorsqu'ils sont libres de choisir leurs compagnons de jeux, les enfants de ce groupe d'âge préfèrent nettement la compagnie d'enfants du même sexe.

amis. Avec leurs copains, ils sont ouverts, une qualité qui s'exprime par une propension à plus de commentaires positifs et à plus de critiques.

Comportement prosocial

Les relations entre pairs comprennent un autre aspect important que les psychologues du comportement appellent le **comportement prosocial**. Il s'agit d'une série de comportements « intentionnels, volontaires, ayant pour but d'aider un autre » (Eisenberg, 1990, p. 240). Dans le langage ordinaire, c'est essentiellement ce qu'on nomme l'**altruisme.** Cette catégorie de comportements présente également une évolution.

On peut observer les premiers comportements altruistes entre un et deux ans. Les enfants de cet âge s'offrent pour aider un autre enfant qui s'est blessé, prêtent leurs jouets ou quelque autre trésor, ou encore tentent de réconforter un autre enfant ou un adulte qui paraît triste ou en détresse (Zahn-Waxler et Radke-Yarrow, 1982 ; Zahn-Waxler *et al.*, 1992 ; Marcus, 1986). Les enfants de cet âge n'ont qu'une compréhension très rudimentaire du fait que les autres peuvent avoir des sentiments différents des leurs. Mais, de toute évidence, ils comprennent suffisamment les émotions d'autrui pour y réagir en offrant sympathie et soutien quand ils voient d'autres enfants ou des adultes blessés ou tristes.

Les données empiriques dont on dispose à l'heure actuelle ne permettent pas encore de cerner les modèles de développement après cet âge. Il semble que certains comportements prosociaux s'accroissent avec l'âge. Par exemple, si vous donnez à un enfant l'occasion de partager ses friandises avec un autre enfant en disant que ce dernier n'en a pas, les enfants plus âgés seront portés à offrir une part plus grosse de la friandise que les enfants plus jeunes. La propension à rendre service tend elle aussi à s'accroître avec l'âge, jusqu'à l'adolescence. Toutefois, tous les comportements prosociaux ne suivent pas nécessairement cette tendance. L'action de réconforter un autre enfant, par exemple, est plus commune chez les enfants d'âge préscolaire et du début du primaire que chez les enfants plus âgés (Eisenberg, 1988, 1990).

On note également beaucoup de variations d'un enfant à l'autre quant au nombre de comportements altruistes dont ils font preuve. Cette variation serait liée aux modèles d'interaction qui existent au sein de la famille. Nous avons utilisé quelques-unes des données de recherche existantes sur ce sujet dans les conseils pratiques que nous présentons dans l'encadré intitulé « Le monde réel », page 219.

Agressivité

On définit l'**agressivité** comme un comportement dont l'intention manifeste est de blesser une autre personne ou d'abîmer un objet (Feshbach, 1970). Tous les enfants font preuve au moins à l'occasion de comportements de ce type, le plus souvent après avoir subi une frustration. Mais la forme et la fréquence de l'agressivité changent au cours de la période préscolaire, comme le résume le tableau 7.1.

Quand les enfants de deux à trois ans sont indisposés ou frustrés, ils sont plus enclins à lancer des objets ou à frapper les autres. À mesure que leurs aptitudes linguistiques progressent, toutefois, ils s'éloignent de l'agressivité physique et se rapprochent davantage de l'agressivité verbale, par exemple les railleries et les injures, de la même façon que leur rébellion envers leurs parents se manifeste par des stratégies verbales plutôt que physiques.

La compétition ou **dominance** constitue un autre aspect « négatif » des interactions entre enfants ; elle est liée à l'agressivité mais s'en distingue. On note l'apparition de la compétition chaque fois qu'il n'y a pas assez de jouets pour le nombre d'enfants, ou que l'animateur n'a pas assez de temps à leur consacrer, ou toute autre perception de manque parmi les objets désirés. La compétition finit parfois en agression ouverte. Le plus souvent, cependant, la compétition entraîne l'établissement d'une **hiérarchie de dominance** claire. Certains enfants réussissent mieux que d'autres à faire valoir leurs droits sur l'objet désiré, soit en proférant des menaces, soit en saisissant simplement l'objet en question, soit en regardant fixement l'autre enfant, soit en usant d'autres stratégies.

On peut généralement observer les hiérarchies de dominance dès l'âge préscolaire (Strayer, 1980). Dans un groupe d'enfants qui jouent ensemble régulièrement, certains enfants l'emportent presque toujours sur tous les autres. D'autres, qui sont placés au bas de la hiérarchie, perdent au contraire contre presque tous les autres. Il est intéressant de remarquer

---

Avez-vous des amitiés qui remontent à l'école élémentaire ? Dans la négative, pourquoi ces premières amitiés n'ont-elles pas duré ? Dans l'affirmative, qu'est-ce qui, d'après vous, différencie les premières amitiés qui perdurent de celles qui ne durent pas ?

Altruisme (ou comportement prosocial) : Comportement d'une personne qui vient en aide aux autres, donne de son temps ou partage ses objets ou d'autres possessions, sans intérêt personnel évident.

Agressivité : Habituellement définie comme l'ensemble des comportements physiques ou verbaux qui visent intentionnellement à nuire à quelqu'un ou à causer des dommages à un objet.

Dominance : Degré auquel un individu peut régulièrement « remporter » des situations d'affrontement social. Ordre hiérarchique.

Hiérarchie de dominance : Rapports de dominance dans les situations sociales qui décrivent l'ordre des « gagnants » et des « perdants ».

Tableau 7.1

Changements dans la forme et la fréquence de l'agressivité entre deux et huit ans

	De 2 à 4 ans	De 4 à 8 ans
Agressivité physique	À son maximum	En déclin
Agressivité verbale	Relativement rare à deux ans ; s'accroît à mesure que les aptitudes linguistiques de l'enfant s'améliorent	Forme d'agressivité dominante
But de l'agressivité	Agressivité fondamentalement « instrumentale », ayant pour but d'obtenir ou d'endommager un objet plutôt que de blesser directement quelqu'un	Agressivité plus marquée, ayant pour objectif de blesser une personne physiquement ou moralement
Contexte de l'agressivité	Le plus souvent après un conflit avec les parents	Le plus souvent après un conflit avec les pairs

Source: Goodenough, 1931 ; Hartup, 1974 ; Cummings *et al.*, 1986.

que chez les enfants de trois et quatre ans, la place d'un enfant dans le système de dominance du groupe *n'est pas* reliée à sa popularité ou aux interactions positives en provenance ou en direction de l'enfant. Par contre, chez les enfants de cinq et six ans, la dominance d'une part et la popularité-amitié d'autre part peuvent être liées. En effet, dans ce dernier groupe d'âge, les enfants dominants sont aussi les plus populaires (tant qu'ils ne jouent pas au petit tyran) (Pettit *et al.*, 1990 ; Strayer, 1980). En fin de compte, on peut dire qu'après l'âge de quatre ou cinq ans, les enfants qui sont positifs, qui aident et soutiennent les autres et qui s'abstiennent de poser des actes d'agression physique, en d'autres termes, les enfants *socialement compétents* sont ceux qui se trouvent placés au milieu ou plus haut dans la hiérarchie de dominance.

Nous avons vu que le recours à l'agressivité physique diminue durant les années préscolaires, alors que le recours à l'agressivité verbale augmente. Cette même tendance se poursuit à l'âge scolaire. L'incidence d'agressions physiques et de querelles diminue encore, en même temps qu'augmente le recours à l'insulte et aux remarques désobligeantes visant à porter atteinte à l'estime de soi d'un autre enfant plutôt qu'à son intégrité physique (Hartup, 1984).

Les chercheurs ont également découvert une différence sexuelle dans le degré d'agressivité. À tout âge, les garçons se montrent plus agressifs, plus tranchants et plus dominants. Les garçons sont aussi très fortement représentés parmi les enfants chez qui on a diagnostiqué des *troubles du comportement* : cette appellation désigne des comportements antisociaux ou agressifs comme la brutalité, la désobéissance, l'argumentation sans fin, une forte irritabilité et des comportements menaçants ou tapageurs.

Le tableau 7.2 présente des données représentatives compilées grâce à une importante enquête menée au Canada (Offord, Boyle et Racine, 1991). Dans cette étude, parents et professeurs ont rempli un questionnaire décrivant chaque comportement observé chez l'enfant. Le tableau ne contient

Jean-Philippe, six ans, et sa sœur Isabelle, quatre ans, sont peut-être moins enclins à se chamailler de la sorte qu'ils ne l'étaient il y a quelques années, mais on voit clairement que ce genre d'agressivité physique ne disparaît pas totalement au cours des années préscolaires.

Pensez aux groupes dont vous faites partie. Y règne-t-il une hiérarchie de dominance ? Imaginez maintenant un groupe d'adultes se réunissant pour la première fois. En quelques semaines s'établira sans doute une hiérarchie. Qu'est-ce qui la détermine ? Comment une personne dominante établit-elle sa dominance ?

LE MONDE RÉEL

Comment élever les enfants de façon qu'ils soient ouverts et altruistes

De plus en plus d'études (résumées dans Eisenberg, 1992) s'intéressent à certaines stratégies spécifiques dans la façon d'élever les enfants, qui seraient liées à un taux plus élevé de comportements altruistes ou attentionnés chez l'enfant. Nous en présentons quelques-unes ci-dessous.

Créer un climat familial chaleureux et fondé sur l'amour. Vous ne serez pas étonné d'apprendre que les parents chaleureux, réconfortants et attentifs aux besoins de l'enfant tendent à avoir des enfants qui sont plus serviables, plus ouverts et plus attentionnés envers les autres. Cet effet est encore plus avéré, cependant, quand l'attention témoignée est accompagnée d'explications claires.

Donner des explications et établir des règles. Les enfants altruistes ont des parents qui établissent clairement leurs règles et leurs normes. Cet effet est particulièrement bien illustré dans les recherches de Carolyn Zahn-Waxler et de ses collaborateurs. Les chercheurs ont demandé à un groupe de 16 mères ayant de jeunes enfants de consigner quotidiennement tous les incidents au cours desquels une personne dans l'entourage de l'enfant faisait preuve de détresse, de peur, de douleur, de tristesse ou de fatigue. Par exemple, la mère de John, deux ans, décrit un incident qui s'est déroulé pendant la visite de Jerry, un ami de John :

> *Aujourd'hui Jerry était de mauvaise humeur ; il s'est mis à pleurnicher et ne pouvait plus s'arrêter. John venait le voir et lui tendait des jouets, tentant en quelque sorte de l'égayer. Il disait : « Tiens, Jerry. » J'ai alors dit à John : « Jerry est triste, il ne se sent pas bien ; on lui a fait une piqûre aujourd'hui. » John m'a regardée, les sourcils froncés, avec l'air de vraiment comprendre que Jerry*

> *pleurait parce qu'il était malheureux, et pas pour faire le bébé. Il s'est alors dirigé vers Jerry et lui a caressé le bras en disant : « Gentil Jerry », et il a continué de lui offrir des jouets. (Zahn-Waxler et al., 1979, p. 321 et 322.)*

Zahn-Waxler a découvert que les mères qui expliquaient aux enfants les conséquences de leurs actions (« Si tu frappes Julie, ça va lui faire mal ») et qui énonçaient clairement les règles, de façon explicite et avec émotion (« Il ne faut jamais frapper les autres ! »), avaient des enfants qui étaient plus susceptibles de réagir aux autres personnes en leur offrant aide et sympathie. Le même résultat ressort de recherches effectuées sur des enfants plus âgés : en expliquant pourquoi il faut être généreux ou aider les autres, surtout si la raison invoquée met l'accent sur les sentiments d'autrui, on a plus de chances d'obtenir de l'enfant un comportement de soutien ou obligeant.

Comme parents, nous sommes nombreux à consacrer beaucoup de temps à dire aux enfants ce qu'ils ne doivent pas faire. Les recherches sur l'altruisme chez l'enfant soulignent combien il est important de dire aux enfants pourquoi ils ne doivent pas faire ce qu'on leur interdit ; il faut surtout leur préciser l'effet potentiel que leurs actes peuvent avoir sur les autres. De même, il est important d'établir des règles et lignes de conduites positives, par exemple : « C'est toujours bien d'aider les autres » ou encore « On devrait partager ce qu'on possède avec ceux qui n'ont pas autant que nous ».

Créer un contexte propice aux comportements utiles. On favorise aussi l'habitude de rendre service en donnant aux enfants la possibilité de faire des choses vraiment utiles. Les enfants peuvent aider à faire la cuisine (ce qui constitue une activité éducative), s'occuper des animaux, fabriquer des jouets à l'intention d'enfants hospitalisés ou défavorisés,

participer à la préparation d'un repas pour une voisine devenue veuve récemment, montrer à leurs jeunes frères et sœurs de nouveaux jeux. À l'âge scolaire, aider d'autres élèves semble avoir le même effet.

De toute évidence, les enfants ne font pas toujours ce genre de choses de façon spontanée. Il faut le leur demander, parfois même les y forcer. Mais la contrainte peut provoquer l'effet contraire: l'enfant associe sa «bonne action» à la contrainte dont il est l'objet («C'est maman qui m'a obligé») au lieu de l'associer à un trait de caractère personnel («Je suis généreux/aimable»). Les actions altruistes forcées n'entraînent donc pas l'altruisme chez l'enfant. En d'autres termes, la façon de s'y prendre avec l'enfant compte pour beaucoup.

Favoriser les attributions prosociales. Une quatrième stratégie consiste à attribuer les actions altruistes à la personnalité même de l'enfant: «Tu es vraiment un enfant serviable!» ou encore «Tu rends vraiment des services aux autres». Cette stratégie est efficace avec des enfants de sept ou huit ans, à peu près à l'âge où l'enfant commence à développer une compréhension globale de sa propre personnalité. En expliquant à votre enfant ses actions en termes de qualité personnelle, d'amabilité, de générosité ou d'attention, il se peut que vous ayez un effet sur le schème de son moi interne. À partir de ce moment, l'enfant essaiera de faire en sorte que ses actions soient conformes à ce schème.

Façonner les comportements généreux et attentionnés. La stratégie la plus efficace peut-être consiste à faire preuve devant votre enfant du type même de comportement généreux, attentionné et obligeant que vous voudriez qu'il adopte à son tour. S'il y a divergence entre ce que vous dites et ce que vous faites, les enfants vont imiter vos actions et non vos paroles. Vous établirez en vain des règles si ce que vous faites n'est pas en accord avec les règles établies. Si votre objectif est de faire naître chez votre enfant la valeur de l'altruisme, il est nécessaire que vous observiez votre propre comportement en premier lieu.

que les informations fournies par les professeurs, mais celles provenant des parents arrivent à peu près aux mêmes conclusions. Il est clair que les garçons remportent le championnat de l'agressivité dans toutes les catégories. Dans cette même étude, on a diagnostiqué des troubles du comportement chez 6,5 % des garçons et chez 1,8 % des filles seulement.

Certains fondements biologiques sont indubitablement à l'origine de cette différence. Eleanor Maccoby et Carol Jacklin (1974) proposent les explications suivantes:

(1) Les hommes sont plus agressifs que les femmes dans toutes les sociétés sur lesquelles on possède des données. (2) Les différences entre les sexes s'expriment très tôt dans la vie, à un moment où il n'est pas encore prouvé que les modèles d'agressivité présentés par les adultes agissent sur les enfants en façonnant des modèles d'agressivité distincts chez les deux sexes. (3) On observe des différences sexuelles analogues chez les humains et les grands primates. (4) Le degré d'agressivité est lié au taux d'hormones sexuelles et peut être modifié par une administration expérimentale de ces hormones.

Si l'on tient compte de toutes ces données, les hormones et d'autres facteurs biologiques — la nature — semblent responsables de la plus grande agressivité des garçons. Mais il ne faut pas oublier l'influence tout aussi considérable de la culture. Dans de nombreuses sociétés en effet, notamment la

Il est fort possible que ces deux garçons soient de très bons amis malgré leur dispute. Les garçons d'âge scolaire font plus souvent preuve d'agressivité envers leurs amis qu'envers de simples connaissances ou des étrangers.

Tableau 7.2

Pourcentage de garçons et de filles âgés de 4 à 11 ans faisant preuve de comportements agressifs selon les observations de leurs professeurs

Comportement	Garçons	Filles
Mesquin envers les autres	21,8	9,6
Agresse les autres physiquement	18,1	4,4
Participe à de nombreuses bagarres	30,9	9,8
Détruit ses biens personnels	10,7	2,1
Détruit les biens des autres	10,6	4,4
Menace d'agression physique	13,1	4,0

Source: Offord, Boyle et Racine, 1991, adapté du tableau 2.3, p. 39.

nôtre, d'importantes influences sociales favorisent un degré plus élevé d'agressivité chez les garçons (Brooks-Gunn et Matthews, 1979). Par exemple, comme nous l'avons vu plus haut, les parents renforcent les stéréotypes sexuels en encourageant le choix de certains jouets et de certains comportements très tôt chez l'enfant et particulièrement chez les garçons. D'autres données suggèrent également que les jeunes garçons sont punis plus souvent et qu'on leur interdit plus de choses (Snow, Jacklin et Maccoby, 1983) — il faut cependant noter que cela peut être le résultat, plutôt que la cause, de la plus grande agressivité des garçons.

Par ailleurs, on constate que les mêmes forces familiales semblent être à l'origine d'un haut degré d'agressivité tant chez les garçons que chez les filles. Les enfants très agressifs sont généralement issus de familles qui manquent de cohérence dans le recours à la discipline, où l'enfant est rejeté, où les punitions sont très sévères et où l'on note un manque de supervision parentale (Eron, Huesmann et Zelli, 1991). Ces caractéristiques correspondent apparemment aux styles d'éducation autoritaire et désengagé. Par conséquent, même si l'on observe un *degré* d'agressivité différent entre les sexes, la dynamique familiale qui contribue à cette agressivité est la même.

Relations avec les pairs

Q 13 Comment évoluent les relations avec les pairs à l'âge préscolaire et scolaire?

Q 14 Comment évolue la ségrégation sexuelle pendant l'enfance?

Q 15 Définissez le comportement prosocial.

Q 16 Quels sont les changements qui apparaissent dans la forme et la fréquence de l'agressivité entre l'âge de 2 et 8 ans?

Q 17 Quel style d'éducation semble favoriser les comportements agressifs? Pourquoi?

Q 18 Expliquez ce que représente une hiérarchie de dominance et citez les conditions qui favorisent son émergence dans un groupe d'enfants.

DIFFÉRENCES INDIVIDUELLES DANS LE COMPORTEMENT SOCIAL ET LA PERSONNALITÉ

Jusqu'ici, nous avons parlé surtout des modèles de développement qui sont communs à la plupart des enfants. Cependant, dans les années préscolaires et scolaires, les relations, le comportement social et la personnalité des enfants présentent encore plus de différences d'un individu à l'autre que chez les enfants plus jeunes. Certains trottineurs et enfants d'âge préscolaire sont très agressifs et rebelles et il est difficile de les discipliner (Patterson, Capaldi et Bank, 1991; Campbell et Ewing, 1990). Certains sont timides et introvertis, alors que d'autres sont sociables et extravertis. Ces différences relèvent évidemment de causes diverses. Le tempérament inné joue sans doute un certain rôle, même si à cet âge l'enfant a déjà subi l'influence du comportement des parents. La force ou la faiblesse qui caractérise l'attachement initial de l'enfant entre également dans l'équation, comme vous l'avez vu au tableau 5.3 (p. 147). Le style d'éducation adopté par les parents constitue un autre facteur d'influence, soit leur attitude envers la nécessité d'exercer une discipline sur l'enfant, l'intensité de leurs démonstrations de chaleur et d'affection ainsi que la stabilité de leurs réactions.

TEMPÉRAMENT

Comme nous l'avons mentionné au chapitre 5, les variations dans les tempéraments des enfants (par exemple, s'ils sont « faciles » ou « difficiles ») se stabilisent relativement au cours des années préscolaires. On peut noter également un lien entre les tempéraments difficiles et les problèmes de comportement présents et futurs. En effet, les enfants de trois ou quatre ans ayant un tempérament difficile sont plus susceptibles de manifester une plus grande agressivité, un comportement délinquant ou d'autres troubles du comportement à l'école, quand ils seront adolescents ou une fois adultes (Chess et Thomas, 1984). Il est important de comprendre, cependant, qu'il s'agit là d'une *probabilité*. La majorité des enfants d'âge préscolaire chez qui on a décelé un tempérament difficile *ne présentent pas* de problèmes de comportement plus tard, bien que cette probabilité soit plus élevée. En fait, on peut dire qu'un tempérament difficile crée une certaine *vulnérabilité* chez l'enfant. Si l'enfant vulnérable a des parents qui le soutiennent, lui témoignent de l'amour et sont capables de composer de manière efficace avec le tempérament difficile de leur enfant, l'enfant ne manifestera pas de problèmes sociaux plus sérieux. Mais si les parents rejettent leur enfant ou ne possèdent pas les habiletés nécessaires en matière d'éducation, ou encore si la famille doit affronter d'autres sources de stress, l'enfant difficile et vulnérable aura plus de chances d'éprouver de sérieuses difficultés à entretenir de bonnes relations avec les autres (J. Bates, 1989).

À l'âge scolaire, les différences sexuelles représentent un facteur distinctif. Dans la section suivante, nous allons nous pencher sur les variations dans l'estime de soi et la popularité, qui comptent parmi les variations individuelles les plus importantes.

ESTIME DE SOI

Les enfants d'âge préscolaire se décrivent eux-mêmes de plusieurs façons, mais les travaux de Susan Harter montrent que ces catégorisations ne forment pas une évaluation *globale* de soi avant l'âge de sept ou huit ans (Harter, 1988, 1990). Les enfants d'âge scolaire sont prêts à expliquer ce qu'ils pensent d'eux-mêmes en tant que personne, à dire s'ils sont heureux ou s'ils aiment la façon dont ils mènent leur vie. L'estime de soi relève d'une telle évaluation globale.

Pour Harter, le niveau d'estime de soi est le produit de deux jugements ou évaluations. Premièrement, chaque enfant

remarque un certain écart entre ce qu'il aimerait être (ou ce qu'il pense *devoir* être) et la façon dont il se perçoit. Quand cet écart est faible, l'estime de soi est généralement élevée. Quand l'écart est important — et que l'enfant se sent incapable d'atteindre ses propres objectifs ou de vivre en accord avec ses propres valeurs —, l'estime de soi se trouve amoindrie.

Tous les enfants n'ont pas les mêmes attentes. Certains attachent beaucoup d'importance aux résultats scolaires, d'autres privilégient les qualités sportives ou les amitiés. Selon Harter, l'élément clé de l'estime de soi est l'importance de l'écart entre ce qui est désiré et ce que l'enfant pense avoir accompli. Ainsi, un enfant qui accorde beaucoup d'importance aux prouesses sportives mais qui n'est pas assez robuste ou qui n'a pas la coordination requise pour exceller dans les sports aura une estime de soi plus faible qu'un autre enfant tout aussi chétif et manquant de coordination, mais pour qui les aptitudes sportives ne sont pas aussi significatives. De la même manière, le fait d'exceller dans un certain domaine, comme le chant, les échecs ou l'aptitude de communication avec sa mère, n'augmentera l'estime de soi d'un enfant qu'à la condition que ce dernier accorde de l'importance à ce talent particulier.

Selon Harter, le second élément impliqué dans l'estime de soi de l'enfant est la qualité du soutien que l'enfant pense recevoir des personnes qui l'entourent, particulièrement de ses parents et de ses pairs. On peut mesurer, chez les enfants qui perçoivent que les autres les aiment généralement tels qu'ils sont, une plus grande estime de soi que chez les enfants qui se sentent globalement moins soutenus.

L'importance de ces deux facteurs apparaît de façon évidente dans les résultats obtenus par Harter dans ses recherches, qui sont illustrés à la figure 7.3. Cette chercheure a demandé à des élèves de troisième, de quatrième, de cinquième et de sixième année quelle importance ils accordaient à leur réussite dans cinq domaines et quels résultats ils pensaient avoir réellement obtenus dans chacun d'eux. L'ensemble des écarts entre ces évaluations constitue l'écart total. Rappelez-vous qu'un écart important indique que l'enfant ne croit pas avoir réussi dans les domaines qui comptent à ses yeux. Le résultat qui concerne le soutien social est déterminé par les réponses des enfants à une série de questions. On leur a demandé s'ils pensaient que les autres (parents et pairs) les aimaient tels qu'ils étaient, les traitaient comme des personnes à part entière ou les considéraient comme importants. Les données de la figure appuient l'hypothèse de Harter. Il ressort de cette étude que l'estime de soi des jeunes enfants et des enfants plus âgés est clairement liée en parts égales aux deux facteurs isolés par Harter. Notez

---

Estime de soi : Jugement global de sa propre valeur. Satisfaction que l'on retire de la façon dont on se perçoit.

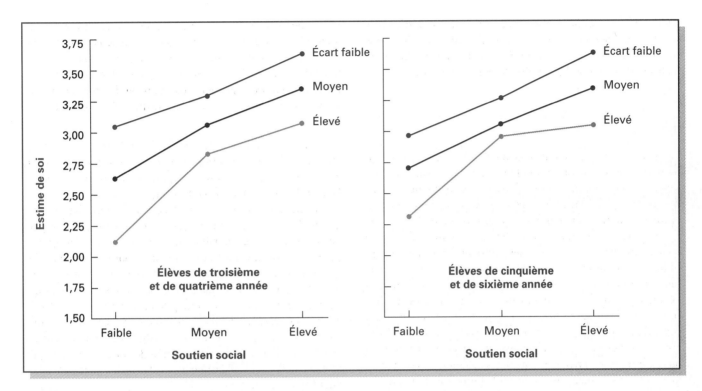

Figure 7.3 Études effectuées par Harter sur l'estime de soi. Selon les études menées par Harter, l'estime de soi des jeunes enfants et des enfants plus âgés subit l'influence des deux facteurs suivants: le soutien que l'enfant pense recevoir de ses parents et de ses pairs, et l'écart entre l'importance que l'enfant confère à différents domaines et sa propre évaluation de son habileté dans chacun de ces domaines. (*Source*: Harter, 1988, figure 9.2, p. 227.)

qu'un écart faible ne constitue pas une garantie absolue contre une faible estime de soi si l'enfant ne dispose pas d'un support social adéquat. De même, une famille et un groupe de pairs chaleureux et tolérants ne peuvent garantir une haute estime de soi à l'enfant si ses réalisations sont en dessous de ses propres attentes.

Les deux facteurs peuvent se combiner de manière particulièrement destructrice si l'enfant perçoit que le soutien de ses parents *dépend* de son succès dans certains domaines: obtenir de bonnes notes, être admis dans l'équipe de football, être populaire auprès des autres enfants. Si l'enfant ne se montre pas à la hauteur de ce qu'on attend de lui, il subira à la fois un accroissement de l'écart entre son idéal et ses réalisations et la perte de l'appui de ses parents.

> Réfléchissez à cette affirmation quelque peu paradoxale: si la définition de Harter de l'estime de soi est juste, alors notre estime de soi est plus vulnérable dans le domaine dans lequel nous pouvons paraître (ou nous nous sentons) le plus compétent. À partir de votre expérience personnelle, cette affirmation vous semble-t-elle vraie?

STABILITÉ DE L'ESTIME DE SOI. Des études transversales comme celles présentées à la figure 7.3 ne nous donnent qu'un instantané de l'estime de soi d'un enfant. Il nous semble également important de connaître le degré de persistance de l'estime de soi. Est-ce que l'enfant de troisième année qui a une faible estime de soi est voué à se sentir inférieur le reste de sa vie?

Nombre d'études longitudinales à court terme portant sur des élèves de l'école élémentaire et des adolescents révèlent que l'estime de soi globale est relativement constante à court terme, mais elle l'est beaucoup moins sur une période de plusieurs années. La corrélation entre deux résultats d'estime de soi obtenus dans l'espace de quelques mois est le plus souvent de 0,60 à peu près. Après plusieurs années, la corrélation n'est généralement plus que de 0,40 environ (Alsaker et Olweus, 1992). Par conséquent, il est vrai qu'un enfant qui possède une haute estime de soi à l'âge de 8 ou 9 ans aura davantage tendance à posséder aussi cette caractéristique à l'âge de 10 ou 11 ans. Mais il est également vrai qu'il existe d'importantes variations entre les périodes de stabilité. L'estime de soi est une donnée particulièrement variable au début de l'adolescence, entre 11 et 12 ans, ce qui appuie le point de vue de Harter. En effet, au cours de cette période, les normes que s'imposent les enfants ont tendance

à changer en même temps que l'enfant passe du primaire au secondaire et de la prépuberté à la puberté (Harter, 1990). Plus tard dans l'adolescence, l'estime de soi devient une donnée plus stable, bien qu'elle ne soit pas totalement constante.

CONSÉQUENCES DES VARIATIONS DANS L'ESTIME DE SOI. L'un des résultats les plus évidents des travaux sur l'estime de soi indique qu'il existe une forte corrélation négative entre l'estime de soi et la dépression à l'âge scolaire et à l'adolescence. Plus le résultat du test d'estime de soi est bas, plus l'enfant se décrit lui-même comme déprimé. Les corrélations dans plusieurs des études effectuées par Harter sont de l'ordre de -0,67 à -0,80, soit des résultats particulièrement élevés pour une étude de ce genre (Harter, 1988; Renouf et Harter, 1990). Il faut cependant garder à l'esprit qu'il ne s'agit que d'indices de corrélation: ils ne prouvent pas l'existence d'une relation de cause à effet entre une faible estime de soi et la dépression. Les résultats les plus convaincants proviennent des études longitudinales menées par Harter dans lesquelles on constate que, lorsque les scores d'estime de soi montent ou baissent, les scores de dépression fluctuent dans le même sens.

ORIGINE DES DIFFÉRENCES DANS L'ESTIME DE SOI. D'où proviennent les différences dans l'estime de soi? De toute évidence, les valeurs des parents et des pairs influent sur l'importance que l'enfant accordera à certaines qualités et habiletés. Les normes de beauté, imposées par les pairs, ainsi que le contexte culturel général sont des facteurs déterminants pour l'estime de soi à tout âge. De même, l'importance que les parents attribuent à la réussite scolaire est un facteur important dans les attentes personnelles de l'enfant dans ce domaine.

La perception qu'a l'enfant de sa compétence ou de son acceptation par les autres est aussi forgée par ses expériences personnelles de réussite et d'échec dans différents domaines comme les travaux scolaires, les relations avec les pairs, les jeux et les sports. La façon dont un enfant est catalogué et jugé par les autres constitue un autre élément de l'équation. Les enfants à qui l'on dit souvent qu'ils sont « beaux », « intelligents » ou « athlétiques » auront généralement une plus haute estime de soi que les enfants à qui l'on répète qu'ils sont « stupides », « maladroits » ou « gaffeurs ». Un enfant qui revient de l'école avec un bulletin de notes contenant des C et des B, à qui ses parents disent: « C'est très bien, mon chéri, nous ne nous attendons pas à ce que tu obtiennes des A dans tout », tire des conclusions sur les attentes de ses parents et sur la façon dont ces derniers jugent ses habiletés.

Encore une fois, on constate le rôle essentiel que jouent le modèle interne créé par l'enfant lui-même et les interactions avec les parents et les pairs, qui sont le creuset dans lequel ce modèle interne se forme. Comme le modèle interne d'attachement, l'estime de soi de l'enfant n'est pas fixée une fois pour toutes. Elle est sensible aux changements dans les jugements des autres aussi bien qu'aux changements dans l'expérience de l'enfant de la réussite ou de l'échec. Cependant, une fois créé, le modèle interne tendra à persister, parce que l'enfant choisira souvent des expériences qui confirment et appuient son concept de soi et parce que l'environnement social, qui comprend l'évaluation de l'enfant par les parents, a tendance à être également constant.

POPULARITÉ ET REJET

De la même manière, le degré de rejet de l'enfant par ses pairs tend à être constant à l'âge scolaire et pendant l'adolescence. Les enfants rejetés le restent le plus souvent. Même lorsqu'ils quittent cette catégorie, il est très rare qu'ils accèdent à un très haut niveau d'acceptation par les autres (Asher, 1990).

Les psychologues qui se sont penchés sur la question des enfants rejetés sont récemment arrivés à la conclusion qu'une importante distinction entre deux groupes d'enfants impopulaires s'impose. Les groupes les plus fréquemment étudiés ont été les enfants ouvertement *rejetés* par les autres. Si vous demandez à des enfants de faire une liste des pairs avec qui ils ne voudraient pas jouer ou si vous observez quels enfants sont laissés pour compte lors des jeux, vous pouvez mesurer ce type de rejet dans ce groupe d'enfants. L'autre groupe est celui des enfants *négligés*. Les enfants appartenant à cette catégorie sont aimés de façon raisonnable mais n'ont pas de relations amicales intimes et sont rarement choisis comme le préféré de leurs pairs. Les enfants négligés ont fait l'objet de moins d'études que les enfants rejetés, mais une conclusion préliminaire suggère que la négligence a des effets moins constants dans le temps que le rejet (Asher, 1990). Néanmoins, les enfants négligés sont plus sujets à la dépression et à la solitude que les enfants qui sont acceptés par leurs pairs (Rubin *et al.*, 1991).

CARACTÉRISTIQUES RATTACHÉES AUX ENFANTS REJETÉS ET AUX ENFANTS POPULAIRES. Certaines caractéristiques déterminant la popularité ou l'impopularité d'un enfant échappent à sa maîtrise. Les enfants qui sont beaux ou qui sont physiquement plus imposants sont généralement populaires — il ne s'agit peut-être que du prolongement de la préférence pour les visages agréables que Langlois a observée chez les nourrissons et dont nous avons parlé au chapitre 4. Cependant, les éléments les plus déterminants

On peut émettre l'hypothèse que les enfants négligés ont été faiblement attachés lorsqu'ils étaient bébés. Pouvez-vous préciser davantage cette hypothèse? Comment pourriez-vous la vérifier?

reposent moins sur l'aspect physique de l'enfant que sur son comportement.

Les enfants populaires se comportent de façon positive, altruiste, non punitive et non agressive à l'endroit des autres enfants. Ils expliquent les choses et prennent en considération ce que désirent leurs compagnons de jeux (Ladd, Price et Hart, 1988 ; Black, 1992 ; Black et Hazen, 1990). Les enfants rejetés sont agressifs, perturbateurs et non coopératifs (Coie, Dodge et Kupersmidt, 1990 ; Parkhurst et Asher, 1992). Telle est la conclusion qui ressort de nombreuses recherches variées, qui comprennent entre autres l'observation directe d'un groupe constitué d'enfants ne se connaissant pas, qui ont passé de nombreux trimestres à jouer ensemble et qui ont choisi leur compagnon de jeux préféré à l'intérieur de ce groupe (Coie et Kupersmidt, 1983 ; Dodge, 1983 ; Shantz, 1986). Dans ces études, les enfants qui sont le plus souvent altruistes et positifs sont ceux qui sont choisis comme leaders ou comme amis. Ceux qui participent le plus souvent aux conflits sont plus souvent rejetés.

Soit à cause, soit en résultat de ce rejet, les enfants rejetés semblent posséder aussi des modèles internes différents de ceux des enfants populaires en ce qui a trait aux relations et à l'agressivité. Kenneth Dodge (Dodge et Frame, 1982 ; Dodge *et al.*, 1990 ; Dodge et Feldman, 1990) a montré que les enfants agressifs et rejetés voient davantage dans l'agressivité un moyen efficace pour résoudre les problèmes. Ils ont aussi davantage tendance à interpréter les comportements des autres comme hostiles que les enfants moins agressifs ou plus populaires. Lors d'un événement ambigu, par exemple recevoir un ballon dans le dos, les enfants rejetés ou agressifs seront portés à croire que le ballon a été lancé sur eux volontairement et ils useront de représailles. Par voie de conséquence, une telle vengeance nourrira l'hostilité des autres à leur égard, si bien que leurs attentes face à l'agressivité des autres s'en trouvent confirmées.

Cette enfant serait probablement classée comme négligée plutôt que comme rejetée. L'avenir paraît plus prometteur pour de tels enfants que pour ceux qui sont rejetés, mais ils sont plus enclins à la dépression pendant l'enfance et l'adolescence, comme cela semble être le cas de cette fillette.

On peut également établir un lien entre l'ensemble de ces recherches et les travaux de Gerald Patterson, dont nous avons décrit le modèle au chapitre 1 (figure 1.3, p. 15). Patterson attribue l'agressivité excessive d'un enfant à la supervision inefficace des parents. Une fois l'agressivité de l'enfant bien établie, l'enfant affiche ce même comportement à l'égard de ses pairs, il est rejeté par ces pairs et il est ensuite de plus en plus attiré vers le seul groupe de pairs qui l'acceptera, habituellement d'autres garçons agressifs ou délinquants.

Heureusement, tous les enfants rejetés ne demeurent pas rejetés ni ne manifestent des problèmes de comportement sérieux ou délinquants. De plus, tous les enfants agressifs ne sont pas rejetés. Des recherches récentes révèlent des facteurs de distinction entre ces différents sous-groupes. Par exemple, on a pu observer des degrés relativement élevés d'altruisme ou des comportements prosociaux chez certains enfants agressifs. Par ailleurs, le pronostic pour cette combinaison de qualités est bien meilleur que dans le cas de l'agressivité non tempérée par l'obligeance (Tremblay, 1991). Les différences dans les types d'agressivité que présente un enfant peuvent aussi s'avérer annonciatrices des conséquences ultérieures. Selon Dodge (1991), les enfants qui affichent ce qu'il appelle une agressivité *proactive*, qui agressent pour obtenir ce qu'ils veulent ou arriver à une fin précise, seraient plus disposés à subir une intervention ou un traitement que les enfants qui présentent de l'agressivité *réactive*, qui agressent pour se venger contre le mal qu'ils perçoivent. Ce dernier groupe semble vouloir délibérément blesser l'autre personne, alors que les enfants agressifs de façon proactive cessent leur comportement aussitôt qu'ils ont atteint leur but. Les distinctions de ce genre peuvent aider non seulement à raffiner les prévisions, mais aussi à concevoir de meilleurs programmes d'intervention pour les enfants rejetés/agressifs.

STRUCTURE FAMILIALE :
LE DIVORCE ET SES VARIANTES

Vous serez sans doute frappés de constater combien de nos jours, en Amérique du Nord, il est rare qu'un individu passe toute son enfance et toute son adolescence auprès de ses deux parents naturels. En extrapolant les résultats obtenus au terme d'une étude longitudinale menée auprès de plus de 5 000 familles suivies depuis 1968, Sandra Hofferth (1985) estime que 30 % à peine des enfants de race blanche nés aux États-Unis en 1980 vivront encore avec leurs deux parents naturels à l'âge de 17 ans. Chez les enfants de race noire, ce chiffre tombe à 6 %. D'autres estimations, fondées sur des comparaisons transversales, sont un peu plus optimistes (Bumpass, 1984 ; Norton et Glick, 1986), mais il semble de toute façon qu'au moins 60 % des enfants d'aujourd'hui passeront au moins quelque temps de leur vie avec un seul de leurs parents, et peut-être 35 % vont passer à tout le moins une partie de leur enfance dans une famille reconstituée.

AU FIL DU DÉVELOPPEMENT

LES CONSÉQUENCES À LONG TERME DE L'AGRESSIVITÉ ET DU REJET DES PAIRS DURANT L'ENFANCE

Nous présentons brièvement ci-dessous les résultats d'un nombre croissant d'études longitudinales constatant un lien entre le rejet des pairs ou un degré élevé d'agressivité (ou les deux) à l'école élémentaire et les perturbations ou les troubles du comportement durant l'adolescence et à l'âge adulte.

• À la suite d'une étude longitudinale qui a duré 22 ans, Leonard Eron a montré l'existence d'un lien entre un degré élevé d'agressivité envers les pairs vers l'âge de 8 ans et différentes formes d'agressivité manifestées vers l'âge de 30 ans, dont « les actes criminels, les infractions au code de la route, des condamnations pour conduite en état d'ébriété, la violence conjugale et la sévérité avec laquelle ces sujets punissent leur propres enfants » (Eron, 1987, p. 439).

• Dans un projet effectué à l'Université Concordia au Québec, Lisa Serbin (Serbin *et al.*, 1991) a étudié plusieurs milliers d'enfants qui, en première et quatrième année du primaire et en première année du secondaire, avaient été qualifiés par leurs pairs de personnes très agressives, renfermées ou les deux. Un important groupe témoin d'enfants non agressifs et non renfermés a également fait l'objet d'une étude. Les filles et les garçons agressifs avaient obtenu de moins bons résultats scolaires plus tard à l'école secondaire. À l'âge adulte, les enfants autrefois agressifs étaient beaucoup plus prédisposés à commettre des actes criminels que les enfants du groupe témoin. Chez les hommes, le rapport était de 4 pour 1 : 45,5 % des hommes agressifs ont comparu devant un tribunal contre seulement 10,8 % des hommes non agressifs. Chez les femmes, le rapport était de 2 pour 1 (3,8 % contre 1,8 %).

• Farrington (1991) a étudié un groupe de 400 garçons issus de la classe ouvrière en Angleterre, à partir de l'âge de 8 ans jusqu'à la trentaine. Les garçons que leurs professeurs jugeaient très agressifs à l'âge de 8, 10 et 12 ans se décrivaient souvent eux-mêmes à l'âge de 32 ans comme batailleurs, ils portaient une arme ou avaient souvent des altercations avec les policiers. Ils étaient aussi deux fois plus prédisposés que les enfants moins agressifs à commettre un crime violent (20,4 % contre 9,8 %), deux fois plus susceptibles d'être au chômage, plus enclins à battre leur conjointe et deux fois plus sujets à être arrêtés pour conduite en état d'ébriété.

• Dans une étude effectuée sur un petit groupe d'enfants de cinquième année du primaire suivi jusqu'à la fin de l'école secondaire, Kupersmidt et Coie (1990) ont trouvé que les résultats négatifs à l'école secondaire — y compris les mauvaises notes, l'absentéisme, le décrochage scolaire ou les comparutions devant le tribunal pour enfants — étaient bien plus courants chez les enfants rejetés que chez les enfants populaires. Cet effet était particulièrement évident chez les sujets très agressifs durant l'enfance et chez ceux qui étaient à la fois agressifs et rejetés.

• Vous vous souvenez sans doute de l'étude connexe dont nous avons parlé au chapitre 1. Caspi et ses collaborateurs (Caspi, Elder et Bem, 1987) ont découvert que les garçons des études longitudinales de Berkeley/Oakland considérés comme impulsifs ou ayant mauvais caractère à l'école élémentaire étaient plus irascibles à l'âge adulte, avaient des taux moins élevés de réussite professionnelle et étaient plus enclins à divorcer. Chez les femmes, les relations étaient moins évidentes, mais les femmes qui étaient grincheuses étant jeunes étaient perçues plus tard comme des mères moins adaptées et plus désagréables par leur mari et leurs enfants. Elles avaient aussi tendance à épouser un conjoint d'un rang social inférieur. Ainsi, les deux groupes ont eu des vies adultes que l'on pourrait raisonnablement qualifier de moins réussies.

On pourrait expliquer de nombreuses façons ce lien entre l'agressivité et l'impopularité durant l'enfance et les troubles du comportement ultérieurs. L'explication la plus simple consiste à dire que les problèmes rencontrés par ces individus avec leurs pairs proviennent de leur degré élevé d'agressivité et que cette agressivité persiste comme mode principal d'interaction chez l'individu. Il est aussi possible que l'incapacité de nouer des liens d'amitié cause des problèmes qui se généralisent plus tard. Ou encore, l'agressivité durant l'enfance et les troubles du comportement ultérieurs pourraient être associés à un modèle interne de relations inadéquat.

Quelle que soit la véritable explication, il faut se souvenir que ce comportement déviant tend à perdurer et peut avoir des effets majeurs sur le mode de vie global d'un individu. Cela ne signifie pas pour autant qu'il est impossible de détourner une personne de cette trajectoire ou que cette personne ne possédera pas suffisamment de résistance pour se remettre de ses premiers comportements déviants. Aucune des études citées plus haut ne présente une continuité parfaite: elles mentionnent toutes des risques ou des probabilités accrus. Cependant, il serait absurde de penser que la vie recommence à l'âge de 20 ans et que nous faisons alors de nouveaux choix et que nous repartons à zéro. Au contraire, nous portons les marques de l'enfance tout au long de notre vie, sous forme de modes de comportement établis et de puissants modèles internes.

Le tableau 7.3 présente un aperçu des types de structure familiale comptant au moins un enfant mineur au Québec en 1992-1993 (Santé Québec, 1995). La plupart des familles passent d'une structure à l'autre, parfois de façon répétée, ce qui ajoute à la complexité de la situation. Les mères divorcées, par exemple, cohabitent parfois successivement avec plusieurs hommes avant de se remarier, ou habitent quelque temps chez leurs propres parents. Mais de toute façon, il est clair que la *majorité* des enfants d'aujourd'hui expérimenteront au moins deux structures familiales différentes, et souvent beaucoup plus, avant d'atteindre l'âge adulte.

Les recherches qui portent sur les effets de ces changements de structure sur les modèles d'interaction familiale et sur les enfants n'ont pas réussi à suivre le rythme des changements. Les familles reconstituées dans toutes leurs variantes, en particulier, ont encore été très peu étudiées malgré qu'on se penche de plus en plus sur la question. En fait, on en sait beaucoup plus sur les effets du divorce.

EFFETS DU DIVORCE. Tout changement de la structure familiale est accompagné par la désagrégation et le stress. Dans le cas d'un divorce ou d'une séparation, quand l'un des adultes quitte le noyau familial, la désagrégation semble particulièrement grave. Dans les quelques années qui suivent immédiatement un divorce, les enfants deviennent plus rebelles, plus négatifs, plus agressifs, déprimés ou colériques. S'ils fréquentent déjà l'école, leurs performances scolaires chutent généralement, au moins pendant un certain temps (Hetherington, 1989, 1991a, 1991b; Hetherington, Cox et Cox, 1978; Amato et Keith, 1991; Allison et Furstenberg, 1989). Les chercheurs ne s'entendent pas quant à la durée de cet effet négatif sur l'enfant. Certains mentionnent des effets résiduels pouvant durer de 5 à 10 années après le divorce (Wallerstein, 1984, 1989). D'autres n'observent pas d'effets aussi durables (Hetherington, 1989), mais tous s'entendent pour dire que, à court terme, les enfants sont bel et bien perturbés.

Ces effets indésirables semblent être considérablement plus importants chez les garçons que chez les filles, bien que les filles soient plus perturbées à l'adolescence que les garçons (Hetherington, 1991a, 1991b; Amato et Keith, 1991). Chez les enfants plus jeunes, les garçons de familles divorcées sont plus susceptibles d'accuser davantage de troubles du comportement comme l'agressivité et la désobéissance, et ils ont plus de problèmes à l'école que les filles.

Tableau 7.3

Familles comptant au moins un enfant mineur selon le type, Québec, 1992-1993

Types de familles	%	Pe
Biparentales intactes	**73,3**	**723 698**
Recomposées	**8,4**	**82 459**
Sans enfant commun	5,9	58 276
avec belle-mère	1,0*	9 960
avec beau-père	4,2	41 387
avec belle-mère et beau-père	0,7*	6 929
Avec enfant commun	2,5	24 183
avec belle-mère	0,4**	3 699
avec beau-père	1,9	18 925
avec belle-mère et beau-père	0,2**	1 559
Monoparentales	**17,8**	**175 858**
Parent féminin	15,4	151 813
Parent masculin	2,4	24 045
Autres	**0,6****	**5 566**
Total	**100,0**	**987 581**

Pe Nombre estimé de personnes, dans la population, correspondant à une proportion ou à un taux donné.
*   Coefficient de variation entre 15 % et 25 % ; interpréter avec prudence.
** Coefficient de variation > 25 % ; estimation imprécise fournie à titre indicatif seulement.
Source: Santé Québec, 1995, p. 21.

Mais contrairement à l'hypothèse issue de la théorie freudienne, rien n'indique que cet effet perturbateur soit plus prononcé chez les enfants traversant la période œdipienne. Les enfants d'âge préscolaire sont en général ceux qui montrent le plus de détresse, par des pleurs prolongés ou des perturbations dans leurs habitudes de sommeil ou d'alimentation. Les adolescents, quant à eux, sont plus susceptibles de faire preuve de colère ou d'agressivité. Mais ni l'intensité de ces problèmes, ni les conséquences à long terme ne semblent plus graves à un âge donné qu'à un autre.

Les parents qui divorcent sont eux aussi grandement perturbés. Ils peuvent manifester de vastes variations d'humeur, éprouver des problèmes au travail ou des troubles de santé (Hetherington, 1989). Leur style d'éducation se modifie également, devenant beaucoup moins démocratique, presque désengagé.

Il est intéressant de remarquer que plusieurs des effets négatifs du divorce, tant sur les adultes que sur les enfants, sont atténués en partie quand la mère dispose de la présence d'un autre adulte dans la maison (sa propre mère, une amie, un nouveau compagnon de vie) (Dornbusch *et al.*, 1985 ; Kellam, Ensminger et Turner, 1977), ce qui tend à suggérer qu'une famille composée de deux adultes serait tout simplement plus stable ou plus facile à gérer. Cependant, et il s'agit

là d'une réserve importante, on croit pour plusieurs raisons que cet effet « tampon » d'un deuxième adulte dans la maison *ne s'étend pas* à la famille reconstituée (mère/beau-père ou père/belle-mère). Par exemple, Dornbusch a découvert que dans les familles reconstituées, le style d'éducation est plus souvent de type autoritaire et moins souvent de type démocratique (Dornbusch *et al.*, 1987), et les enfants ont de moins bons résultats scolaires et de plus hauts taux de délinquance que les enfants de familles intactes. D'autres études portant sur de vastes échantillons de familles reconstituées ne dépeignent pas toujours la situation de cette façon négative (Schaffer, 1990). Il reste que de telles découvertes illustrent encore une fois toute la complexité du système familial et combien nos connaissances sont encore limitées quant aux nombreux effets de soutien ou de perturbation qu'exerce la famille sur le développement des enfants.

Si les enfants qui traversent la période œdipienne ne souffrent pas davantage que les autres des effets négatifs du divorce de leurs parents, que peut-on dire de la théorie freudienne sur cette période ?

EFFETS DE L'ENVIRONNEMENT

Tout comme au cours de la petite enfance, la vie quotidienne de l'enfant d'âge préscolaire et scolaire n'est pas seulement constituée des heures qu'il passe avec ses amis ou à l'école. L'enfant est aussi influencé par la situation financière de sa famille, par son voisinage, par les soins qu'il reçoit après l'école et par les émissions de télévision qu'il regarde. Au sein de la famille, le mode d'interaction parents-enfants subit également l'influence d'un grand nombre de ces facteurs ainsi que du type d'emploi des parents, du soutien affectif que reçoivent les parents de la part de leur propre famille ou de leurs amis, de même que de nombreux autres éléments dont

LE MONDE RÉEL

Pour adoucir les effets d'un divorce

Étant donné le nombre élevé de divorces dans notre société, une imposante proportion des lecteurs divorceront avant que leurs enfants aient quitté la maison. Il n'existe pas de moyen pour éliminer tous les effets perturbateurs qu'un tel événement aura sur vos enfants, mais nous pouvons vous proposer quelques suggestions afin de limiter et de contrecarrer le plus possible ces conséquences négatives. Voici quelques actions spécifiques que vous pouvez entreprendre afin d'atténuer le choc de la séparation :

1. Essayez d'imposer le moins de changements possible à vos enfants. Autant que faire se peut, laissez-les à la même école, dans la même maison, dans la même garderie, etc. (Rutter, 1975).

2. Entretenez votre réseau social d'entraide et utilisez-le abondamment. Demeurez en contact avec vos amis, rapprochez-vous de ceux qui sont dans la même situation que vous, devenez membre d'un groupe de soutien. Mettez en œuvre tous les moyens pour prendre soin de vous-même et répondre à vos besoins (Hetherington et Camera, 1984).

3. Aidez vos enfants à rester en contact avec le parent qui n'a pas la garde. Si c'est vous, restez le plus possible en contact avec eux, appelez-les souvent, voyez-les régulièrement, assistez aux réunions de parents à l'école, etc. Curieusement, cette recommandation ne fait pas consensus : certaines études ont montré que ce contact continu avec le parent qui n'a pas la garde n'avait aucun bienfait réel pour l'enfant (Emery, 1988). La difficulté d'interprétation de ces résultats réside dans la confusion qui règne entre le contact avec le parent qui n'a pas la garde et la qualité de la relation entre les parents qui viennent de divorcer, ce qui nous amène au point suivant.

4. Si vous et votre ex-conjoint continuez d'être en conflit, essayez de toutes vos forces de ne pas vous disputer devant les enfants. Le conflit même entre les parents n'est pas irrémédiablement dommageable, semble-t-il ; c'est le conflit dont sont témoins les enfants qui ajoute à leur niveau de stress et de perturbation (Emery, 1988). Si vos enfants sont rarement témoins de vos conflits, il est probable que le contact continu avec le parent absent leur sera bénéfique.

5. Quoi que vous fassiez, n'utilisez surtout pas les enfants comme intermédiaires et ne parlez pas en mal de votre ex-conjoint devant eux. Les enfants qui se sentent pris entre deux parents sont plus susceptibles de manifester divers types de symptômes indésirables, comme la dépression ou les problèmes de comportement (Buchanan, Maccoby et Dornbusch, 1991).

Ces conseils ne sont pas faciles à suivre lorque l'on doit faire face à ses propres bouleversements émotionnels à la suite d'un divorce. Mais si vous y arrivez, vos enfants souffriront moins.

nous avons discuté dans les chapitres précédents. Nous allons maintenant aborder une composante de la culture au sens large qui joue un rôle particulièrement déterminant au cours de l'âge scolaire : la pauvreté.

PAUVRETÉ

La pauvreté a des effets négatifs sur les enfants à tout âge, comme nous l'avons mentionné précédemment. Les mères pauvres ayant moins facilement accès à des soins prénatals appropriés, leur enfant risque de connaître de mauvais débuts ; on observe un nombre plus élevé de bébés de faible poids à la naissance ; les enfants pauvres risquent de ne pas bénéficier d'une nutrition appropriée durant les premières années de leur vie et peuvent être exposés à un plus grand nombre de dangers, tels que la peinture à base de plomb ou d'autres toxines. Les personnes qui vivent dans un milieu urbain ravagé par la pauvreté doivent aussi faire face à des gangs de rue, à la violence, aux vendeurs de drogues, aux problèmes de surpopulation des logements et aux mauvais traitements.

Ce phénomène de la pauvreté urbaine s'observe de plus en plus dans les villes canadiennes. Selon l'Institut canadien de la santé infantile (1994), le taux de pauvreté infantile au Canada est l'un des plus élevés des pays industrialisés. Plus de 1,2 million de jeunes Canadiens sur 7,5 millions vivent dans la pauvreté. Le taux de mortalité infantile est deux fois plus élevé dans les quartiers défavorisés que dans les quartiers favorisés. Au Québec en 1995, on dénombrait plus de 96 000 familles monoparentales, dont la moitié vivaient de prestations de l'assistance sociale en 1995, comparativement à près de 71 700 en 1990 (ministère québécois de la Sécurité du revenu, 1995). Soixante-cinq pour cent des chefs de famille monoparentale sont des femmes âgées de moins de 35 ans, et leurs enfants représentent les deux tiers des enfants de moins de 18 ans bénéficiant de l'assistance sociale.

Durant les premières années de l'enfance, lorsque les jeunes passent le plus clair de leur temps avec un parent, une gardienne, leurs frères ou sœurs, ils peuvent être protégés contre certains des dangers inhérents aux environnements pauvres. Mais durant les années du primaire, lorsque les enfants empruntent les rues pour se rendre à l'école et en revenir et pour jouer avec leurs pairs, ils subissent bien plus fortement les effets de la pauvreté et de la dégradation urbaine. Et, bien sûr, puisqu'ils n'auront sans doute pas bénéficié de bon nombre des formes de stimulation intellectuelle nécessaires pour réussir à l'école, ils ont des taux élevés de problèmes et d'échecs scolaires. Ainsi, les enfants pauvres élevés en milieu urbain sont de moins en moins nombreux à obtenir un diplôme d'études secondaires (Garbarino *et al.*, 1991). Au Canada, le taux d'absentéisme des enfants issus de milieux défavorisés est deux fois plus élevé que dans les milieux favorisés (Institut canadien de la santé infantile,

1994). Les causes de l'échec scolaire sont complexes, mais il est à peu près certain que le stress chronique que subissent les enfants pauvres constitue un facteur déterminant.

Toutefois, les enfants exposés à un tel stress ne présentent pas tous la même vulnérabilité. Des études effectuées sur des enfants résistants et vulnérables (Masten, Best et Garmezy, 1990 ; Garmezy et Masten, 1991) suggèrent qu'une série de caractéristiques ou de circonstances semblent protéger certains enfants des effets nuisibles du stress et des perturbations :

> *Quotient intellectuel élevé chez l'enfant*
>
> *Soins d'adultes compétents, de style démocratique par exemple*
>
> *Écoles efficaces*
>
> *Attachement initial solide de l'enfant à l'égard du parent*

De façon plus générale, Garmezy et Masten soutiennent que la caractéristique clé de l'enfant résistant est ce qu'ils appellent la *compétence*, qui englobe à la fois les aptitudes cognitives et interpersonnelles. L'enfant qui possède les aptitudes sociales nécessaires pour acquérir au moins une popularité moyenne auprès de ses pairs et pour établir et maintenir des amitiés intimes sera davantage en mesure de ne pas succomber au stress familial. L'enfant qui possède les aptitudes cognitives requises pour comprendre ce qui se passe et qui peut élaborer des stratégies de rechange pour faire face aux problèmes est aussi protégé contre les pires effets du stress.

? Différences individuelles et environnement

Q 19 Existe-t-il un lien entre les tempéraments difficiles et les problèmes de comportement présents et futurs ? Pourquoi ?

Q 20 Selon Harter, le niveau d'estime de soi est le produit de deux jugements. Quels sont-ils ?

Q 21 Qu'entend-on par « combinaison particulièrement destructrice » au sujet de l'estime de soi ?

Q 22 Quelle différence existe-t-il entre les enfants rejetés et les enfants négligés ?

Q 23 Quels sont les effets possibles du divorce chez l'enfant ?

Q 24 Dressez le portrait d'un enfant socialement compétent.

Un grand nombre de preuves qui viennent appuyer ces généralisations proviennent d'études faites sur les enfants élevés dans des milieux pauvres. Par exemple, dans une importante étude longitudinale effectuée à Kauai (îles Hawaii), Emmy Werner (Werner, Bierman et French, 1971; Werner et Smith, 1982) a observé qu'un sous-ensemble des enfants nés et élevés dans la pauvreté sont néanmoins devenus des adultes compétents, aptes et autonomes. Les familles de ces enfants souples étaient clairement plus autoritaires, plus unies, plus affectueuses que les familles pauvres équivalentes dont les enfants avaient connu de moins bons résultats. Ainsi, c'est durant la petite enfance et l'enfance que s'établit le cadre de la résistance ultérieure de l'adulte.

De même, des études réalisées sur les garçons élevés dans des quartiers où le taux de criminalité est très élevé montrent qu'un fort quotient intellectuel et qu'un certain degré de cohésion familiale sont les facteurs clés qui influent sur les chances de réussite des enfants dans leur vie adulte (Long et Vaillant, 1984; McCord, 1982). Les garçons ayant des Q.I. faibles ou ayant été élevés dans des familles pauvres dont les parents étaient alcooliques ou avaient de fortes tendances antisociales étaient beaucoup moins susceptibles de développer les compétences nécessaires pour surmonter les circonstances difficiles auxquelles ils devaient faire face.

Ainsi, ce n'est pas tant le stress que subit la famille qui est le facteur déterminant, mais plutôt la capacité qu'a la famille de faire face aux stress de la vie, de créer un environnement suffisamment positif pour que l'enfant puisse acquérir les compétences intellectuelles et sociales nécessaires. Toutefois, pour ce faire, les parents — en général des mères célibataires soumises à des conditions économiques difficiles et à un stress personnel extrême — devraient créer un environnement suffisamment positif au beau milieu de la pauvreté et de la violence urbaines.

RÉSUMÉ

1. L'enfant d'âge préscolaire développe sa définition de lui-même selon un ensemble de critères objectifs, mais il ne possède pas encore un sens global de l'estime de soi.

2. Entre deux et six ans, la plupart des enfants traversent une suite d'étapes menant à la compréhension de la constance du genre: ils prennent d'abord conscience de leur identité sexuelle et de celle des autres, puis ils comprennent la stabilité du genre et, enfin, ils saisissent la constance du genre vers cinq ou six ans.

3. Au cours des mêmes années, les enfants commencent à apprendre les comportements «appropriés» pour leur propre genre. Vers l'âge de cinq ou six ans, la plupart des enfants ont mis au point des règles relativement rigides régissant ce que garçons et filles sont censés faire et ne pas faire.

4. Ni les explications de Freud ni celles de Kohlberg quant au développement du concept de genre ne sont satisfaisantes. Les explications des théoriciens de l'apprentissage social sont plus convaincantes, parce que les parents renforcent effectivement les comportements qui leur semblent appropriés pour chaque genre. La théorie courante la plus fonctionnelle est la théorie du schème du genre, qui allie certains éléments de la théorie de Piaget et de la théorie de l'apprentissage social.

5. Dès l'âge de trois ou quatre ans, les garçons et les filles se distinguent dans leur façon d'interagir avec leurs pairs.

6. À l'âge scolaire, le concept de soi devient plus abstrait, plus comparatif et plus généralisé.

7. Freud et Erikson ont tous deux décrit deux stades du développement de la personnalité au cours des années préscolaires et scolaires: le stade phallique et la période de latence dans la théorie de Freud, ainsi que le stade de l'initiative ou de la culpabilité et le stade de la compétence ou de l'infériorité dans la théorie d'Erikson.

8. Au cours de ces mêmes années, les relations verticales, comme celles que l'on établit avec les parents et les professeurs, et les relations horizontales, comme celles que l'on établit avec les pairs, sont très importantes. Ce n'est qu'en jouant avec ses pairs qu'un enfant peut se familiariser avec les relations réciproques, aussi bien coopératives que compétitives.

9. L'attachement de l'enfant à ses parents durant l'enfance demeure fort, mais les comportements d'attachement sont moins visibles à mesure que l'enfant grandit, sauf en cas de situations stressantes.

10. Les enfants d'âge préscolaire montrent aussi plus de rébellion ou de refus de l'influence parentale que les enfants plus jeunes. Le refus catégorique, cependant, est en déclin entre l'âge de deux et six ans. Ces changements sont clairement liés aux progrès linguistiques et cognitifs de l'enfant. À l'âge scolaire, les besoins de mesures disciplinaires s'estompent. La question du degré d'autonomie à accorder à l'enfant devient centrale.

11. On observe les amitiés à court terme, fondées principalement sur la proximité, chez les enfants d'âge préscolaire. La plupart de ces amitiés se nouent entre enfants du même sexe. Les enfants d'âge scolaire perçoivent davantage leurs amitiés comme des relations réciproques où la générosité et la confiance sont des éléments importants.

12. Ces changements sont équivalents aux changements cognitifs que l'on observe au cours des mêmes années, notamment l'importance réduite que les enfants accordent aux apparences.

13. Le jeu avec les pairs se met en place avant même l'âge de deux ans et devient de plus en plus central au cours des années préscolaires. À l'âge scolaire, les relations entre les pairs occupent une place de plus en plus importante. La ségrégation sexuelle dans les activités de groupe entre pairs atteint son plus haut niveau durant ces années et se manifeste dans toutes les cultures.

14. Dès l'âge de deux ans, les enfants peuvent faire montre de comportements altruistes envers les autres ; ces comportements s'amplifient à mesure que s'accroît la capacité de l'enfant à se mettre à la place des autres.

15. L'agressivité envers les pairs existe aussi ; elle est plus physique chez les enfants de deux et trois ans et plus verbale chez les enfants de cinq et six ans.

16. Les enfants sont très différents dans leurs comportements sociaux et leur personnalité. Le tempérament joue un certain rôle dans cette différence. Les enfants qui ont un tempérament difficile sont plus susceptibles de faire preuve plus tard de troubles du comportement ou de délinquance.

17. L'estime de soi semble être formée par deux facteurs : l'écart que perçoit un enfant entre ses buts et ses réalisations, et le degré de soutien social qu'il peut recevoir de la part de ses pairs et de ses parents.

18. Les enfants rejetés socialement sont caractérisés par des niveaux élevés d'agressivité ou de brutalité et de faibles niveaux d'assentiment et d'obligeance. Les enfants agressifs ou rejetés sont plus susceptibles de présenter des troubles du comportement durant l'adolescence ainsi que diverses perturbations dans leur vie adulte.

19. Les enfants rejetés sont plus sujets à interpréter le comportement des autres comme menaçant et hostile. Ils ont donc des modèles internes de relations différents.

20. Une grande proportion d'enfants grandissent dans la pauvreté et sont exposés à de graves dangers et à la violence. Le stress associé à cet environnement contribue à la faiblesse des résultats scolaires.

MOTS CLÉS

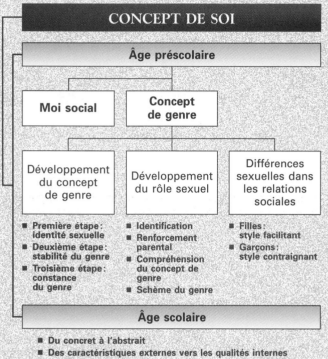

CONCEPT DE SOI

Âge préscolaire

Moi social

Concept de genre

Développement du concept de genre

Développement du rôle sexuel

Différences sexuelles dans les relations sociales

- Première étape: identité sexuelle
- Deuxième étape: stabilité du genre
- Troisième étape: constance du genre

- Identification
- Renforcement parental
- Compréhension du concept de genre
- Schème du genre

- Filles: style facilitant
- Garçons: style contraignant

Âge scolaire

- Du concret à l'abstrait
- Des caractéristiques externes vers les qualités internes
- De l'éphémère à la stabilité
- Constance de la personnalité des autres

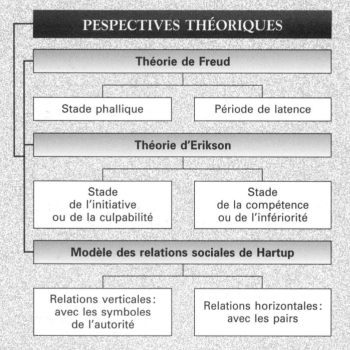

PESPECTIVES THÉORIQUES

Théorie de Freud

Stade phallique

Période de latence

Théorie d'Erikson

Stade de l'initiative ou de la culpabilité

Stade de la compétence ou de l'infériorité

Modèle des relations sociales de Hartup

Relations verticales: avec les symboles de l'autorité

Relations horizontales: avec les pairs

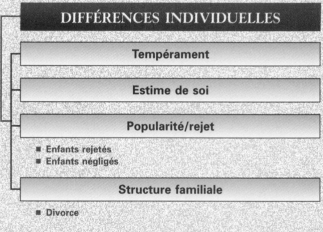

RELATIONS SOCIALES

Relations verticales: avec les parents et les symboles de l'autorité

- Attachement initial
- Généralisation du modèle interne d'attachement
- Obéissance/rébellion

Relations horizontales: avec les pairs

Amitié

Comportement prosocial

Agressivité/dominance

- Caractéristiques physiques/proximité
- Ségrégation sexuelle
- Confiance réciproque

DIFFÉRENCES INDIVIDUELLES

Tempérament

Estime de soi

Popularité/rejet

- Enfants rejetés
- Enfants négligés

Structure familiale

- Divorce

EFFETS DE L'ENVIRONNEMENT

Pauvreté

Interlude 2

RÉSUMÉ DU DÉVELOPPEMENT À L'ÂGE PRÉSCOLAIRE ET SCOLAIRE

CARACTÉRISTIQUES FONDAMENTALES DE L'ÂGE PRÉSCOLAIRE ET SCOLAIRE

Dans cet interlude, nous vous présentons deux tableaux afin de faciliter le résumé de cette période de l'enfance. Le tableau de la page 240 résume les changements qui surviennent dans les habiletés et les comportements chez l'enfant à l'âge préscolaire, c'est-à-dire entre deux et six ans. L'impression dominante de cette période est qu'elle constitue une transition lente, mais extrêmement importante, de la dépendance du bébé à l'indépendance de l'enfant. L'enfant d'âge préscolaire se déplace désormais facilement et communique de plus en plus clairement. Il prend conscience qu'il est une personne distincte dotée de qualités spécifiques. Il développe également les habiletés sociales et cognitives qui lui permettent d'interagir davantage et de manière plus satisfaisante avec ses compagnons de jeu. À la même période, la pensée de l'enfant se décentre, devient moins égocentrique et moins captive de l'apparence extérieure des choses.

Au début, ces nouvelles habiletés et cette nouvelle indépendance ne s'accompagnent pas d'une maîtrise des impulsions. L'enfant de deux ans est très habile à faire des choses; il est aussi très frustré de ne pouvoir tout faire. S'il voit quelque chose, il court après; s'il veut quelque chose, il le lui faut tout de suite! S'il est frustré, il pleurniche, crie ou hurle (quelle chose merveilleuse que le langage!). Une grande partie du conflit qui oppose les parents et l'enfant de cet âge se produit parce que les parents doivent imposer des limites à l'enfant, non seulement pour sa propre survie, mais également pour lui inculquer la maîtrise de ses impulsions (Escalona, 1981).

Les années préscolaires se démarquent également comme la période où sont semés les germes des habiletés sociales et de la personnalité en émergence de l'enfant (et probablement de celles de l'adulte qu'il deviendra). Le processus d'attachement de la petite enfance continue d'être formateur parce qu'il contribue à façonner le modèle interne des relations sociales que crée l'enfant. Mais, entre l'âge de deux et six ans, ce modèle initial est révisé et consolidé. Les modèles interactifs qui en résultent tendent à persister durant l'école primaire et au-delà. L'enfant de trois, quatre ou cinq ans qui a développé la capacité de partager, de bien interpréter les signaux des autres, d'être attentif à autrui tout en maîtrisant son agressivité et son impulsivité sera probablement, vers huit ans, un enfant populaire et socialement compétent. À l'opposé, l'enfant d'âge préscolaire désobéissant et hostile est beaucoup plus susceptible de devenir un écolier impopulaire et agressif (Campbell *et al.*, 1991; Patterson, Capaldi et Bank, 1991).

Le tableau de la page 243 offre un résumé des changements et des continuités du développement à l'âge scolaire. Vous pouvez constater que l'enfant présente de nombreux changements graduels: ses habiletés physiques augmentent; il accorde nettement moins d'importance à l'apparence des choses; il porte une plus grande attention à la compréhension des qualités et des attributs d'autrui; il accorde une plus grande importance au rôle des pairs. La seule période au cours de laquelle il semble y avoir un changement plus rapide est celle qui marque la transition entre l'âge préscolaire et l'âge scolaire. À la fin de l'âge scolaire, la puberté entraîne un autre ensemble de changements rapides.

PROCESSUS FONDAMENTAUX

De toute évidence, de nombreuses forces entrent en jeu dans la création des changements qui ont lieu au cours de l'âge préscolaire, à commencer par deux immenses progrès cognitifs: la capacité de l'enfant de 18 à 24 mois d'utiliser des symboles d'une part, et le développement rapide, entre trois et cinq ans, d'une théorie de la pensée plus complexe.

UTILISATION DES SYMBOLES. Le développement de l'utilisation des symboles se reflète dans plusieurs aspects de la vie de l'enfant. On le constate par exemple dans le développement rapide de son langage, dans son approche des tâches cognitives ainsi que dans le jeu, où l'enfant est désormais capable de «faire semblant» en utilisant un objet donné pour représenter quelque chose d'autre. La capacité d'employer le langage plus adroitement influe à son tour de plusieurs façons capitales sur le comportement social, par exemple en permettant l'alternative de l'agressivité verbale plutôt que physique de même que la négociation avec les parents au lieu des crises de colère ou des comportements provocants.

THÉORIE DE LA PENSÉE. L'émergence d'une théorie de la pensée plus complexe a également des répercussions très importantes, en particulier sur le plan social, où ces nouvelles aptitudes de l'enfant à interpréter et à comprendre le comportement d'autrui constituent le fondement de nouveaux niveaux d'interaction avec les pairs et les parents. Il n'est probablement pas fortuit que l'on observe pour la première fois des amitiés individuelles entre enfants, au moment où l'égocentrisme de ces derniers chute de manière radicale, ce qui correspond à l'émergence de la théorie de la pensée.

Les changements cognitifs jouent aussi un rôle prépondérant qui se reflète dans l'importance grandissante de plusieurs schèmes fondamentaux. Outre le fait de posséder un modèle interne d'attachement de plus en plus global, l'enfant de deux ou trois ans développe parallèlement un schème de soi et un schème du genre, dont chacun contribue à la formation de sa personnalité et de son comportement social.

JEU AVEC LES PAIRS. Bien que ces changements cognitifs revêtent une grande importance, ils ne constituent pas les seules forces causales en présence. Le jeu avec les pairs est tout aussi fondamental, et il est rendu possible par les nouvelles habiletés physiques et cognitives que l'on observe chez l'enfant de deux ans. Quand les enfants s'amusent ensemble, ils élargissent l'expérience de chacun auprès des objets et se proposent mutuellement de nouvelles façons de « faire semblant », ce qui favorise la croissance cognitive. Les conflits et les désaccords représentent également une part cruciale du jeu chez l'enfant, car non seulement influent-ils sur les habiletés sociales émergentes, mais ils favorisent l'émergence de la théorie de la pensée (Bearison, Magzamen et Filardo, 1986). Quand deux enfants sont en désaccord sur la façon d'expliquer quelque chose, ou défendent de manière opiniâtre leur point de vue, cela favorise leur prise de conscience qu'il existe d'autres perspectives que la leur, d'autres façons de penser ou de faire.

Bien entendu, le jeu en compagnie d'autres enfants contribue également au développement du concept de genre. En remarquant que les autres enfants sont soit des filles, soit des garçons, et en observant quels jouets préfèrent les garçons et les filles, l'enfant franchit la première étape du long apprentissage des rôles sexuels.

INTERACTIONS FAMILIALES. C'est aussi dans les interactions sociales, et en particulier celles avec les parents, que les comportements sociaux initiaux de l'enfant sont modifiés ou renforcés. Par conséquent, le comportement parental pour appliquer la discipline a un caractère crucial. Les travaux de Gerald Patterson montrent combien les parents qui sont incapables de maîtriser l'impulsivité et les demandes d'indépendance de leur trottineur ont de fortes chances de renforcer ses comportements désobéissants et perturbateurs, même si leur intention était tout autre (Patterson, Capaldi et Bank, 1991; Patterson et Bank, 1989).

TRANSITION ENTRE L'ÂGE DE CINQ ET SEPT ANS. On a constaté une transition importante autour de cet âge dans de nombreuses cultures. On semble reconnaître, de façon universelle, que l'enfant de six ans est en quelque sorte qualitativement différent de l'enfant de cinq ans; il est plus responsable et plus à même de comprendre des notions complexes. Chez les Kipsigis du Kenya, par exemple, on dit que l'enfant de six ans acquiert pour la première fois le *ng'omnotet*, c'est-à-dire l'*intelligence* (Harkness et Super, 1985). Le fait que l'enfant commence à fréquenter l'école à cet âge reflète une reconnaissance explicite ou implicite de cette transition fondamentale.

Les psychologues qui ont étudié le développement durant cette transition ont noté toute une série de changements.

- Sur le plan cognitif, on observe une transition vers ce que Piaget appelle la période des opérations concrètes. L'enfant comprend maintenant les problèmes de conservation, de classification et d'inclusion de classes. De façon plus générale, il semble accorder moins d'attention aux propriétés externes (apparence) des objets et plus d'attention aux propriétés internes sous-jacentes. C'est ce que l'on peut constater dans la compréhension qu'a l'enfant des objets physiques, mais également dans sa compréhension de lui-même et de ses relations avec les autres. Dans les études portant sur le traitement de l'information, on observe parallèlement une augmentation rapide de l'usage des stratégies d'exécution (métacognition) chez l'enfant.

- Pour ce qui est du concept de soi, on constate d'abord un sens global de l'estime de soi vers l'âge de sept ou huit ans.

- Dans les relations avec les pairs, la ségrégation sexuelle a presque complètement pris forme vers l'âge de six ou sept ans, surtout dans les amitiés individuelles.

L'apparente convergence de tous ces changements est impressionnante et confirme apparemment l'existence d'un stade piagétien. En surface, du moins, il se produit un changement dans la structure fondamentale de la pensée qui se reflète dans tous les aspects du fonctionnement de l'enfant. Mais, bien que ces changements soient importants, il n'est pas évident que dans l'ensemble il s'agisse d'un changement structural majeur, rapide et dominant vers une toute nouvelle façon de penser et d'entretenir des relations. Tous les enfants ne font pas cette transition soudainement

Résumé de la trame du développement à l'âge préscolaire

Aspect du développement	Âge (années)				
	2	**3**	**4**	**5**	**6**
Développement physique	Court facilement; monte les marches une à la fois	Pédale sur un tricycle; utilise des ciseaux; dessine	Monte les escaliers en mettant un pied sur chaque marche; lance un gros ballon avec le pied ou les mains	Saute et sautille; réussit quelques jeux de ballon avec plus d'adresse	Saute à la corde; monte à bicyclette
Développement cognitif	Utilisation des symboles; séquences de jeu en deux et trois étapes	Classification surtout par fonction	Début de la classification systématique par forme, taille ou couleur; logique transductive	Conservation des nombres et des quantités	
		Capacité à adopter la perspective physique des autres; début de la théorie de la pensée	Théorie plus complexe de la pensée; notion de fausse impression		
Développement du langage	Phrases de deux mots	Phrases de trois et de quatre mots; flexions grammaticales	Amélioration constante des inflexions, des temps passés, du genre et du nombre, des phrases passives, etc.		
Développement de la personnalité et du concept de soi	Définition de soi fondée sur la comparaison de la taille, l'âge, le sexe			Définition de soi fondée sur les propriétés physiques ou les habiletés	
	Identité sexuelle		Stabilité du genre		Constance du genre
	Stade de l'autonomie ou de la honte et du doute selon Erikson		Stade de l'initiative ou de la culpabilité selon Erikson		
	Stade anal selon Freud		Stade phallique selon Freud		

Aspect du développement	Âge (années)				
	2	3	4	5	6
Développement des relations sociales	Comportements d'attachement de moins en moins manifestes, présents surtout en situation de stress				
	Dans le jeu avec les pairs, accepte de jouer à tour de rôle	Quelques manifestations d'altruisme ; choix de partenaires du même sexe (début)	Premiers signes d'amitiés individuelles	Négociation plus fréquente avec les parents (remplace le défi)	
	Agressivité principalement physique		Agressivité de plus en plus verbale	Jeu sociodramatique	Jeux de rôles

sur tous les plans de la pensée ou dans leurs relations. Par exemple, bien que la transition vers un concept de soi plus abstrait soit évidente vers l'âge de 6 ou 7 ans, elle se produit graduellement et se poursuit toujours à l'âge de 11 ou 12 ans. De la même façon, un enfant peut arriver à comprendre la conservation de la quantité (volume) vers l'âge de cinq ou six ans, mais il ne comprend généralement pas la conservation du poids avant plusieurs années.

De plus, l'expérience (compétence), ou le manque d'expérience, influe considérablement sur le progrès cognitif de l'enfant. Ainsi, bien que les psychologues s'entendent généralement pour dire qu'un ensemble de changements importants se produisent vers cet âge, la plupart d'entre eux conviennent du fait qu'il n'y a pas de réorganisation rapide ou soudaine du mode de fonctionnement chez l'enfant.

En essayant de rendre compte des transitions dans le développement à l'âge scolaire, nous avons eu tendance dans ce manuel à décrire les changements cognitifs comme fondamentaux, comme la condition nécessaire mais non suffisante pour modifier les relations avec les autres ainsi que la perception de soi durant cette période. L'émergence d'un sens global de l'estime de soi illustre bien cette notion. Pour atteindre l'estime de soi, l'enfant doit dépasser les caractéristiques superficielles et il doit utiliser la logique inductive. L'enfant semble parvenir à une perception globale de l'estime de soi au moyen d'un processus cumulatif et inductif.

De même, la qualité des relations que l'enfant entretient avec ses pairs et ses parents repose, en partie, sur la compréhension cognitive fondamentale de la réciprocité et la prise de conscience du point de vue d'autrui. L'enfant saisit maintenant que les autres tentent de le comprendre tout autant qu'il tente de les

comprendre. L'enfant âgé de huit ou neuf ans peut dire de ses amis qu'ils ont confiance l'un en l'autre, ce qui est impossible pour un enfant de cinq ans.

Les théories sur l'âge scolaire ont privilégié l'aspect cognitif du développement pendant des décennies, principalement à cause de l'influence prépondérante de la théorie de Piaget. Ce penchant a été corrigé en partie au cours des dernières années, au fur et à mesure que la recherche a permis d'approfondir les connaissances sur l'importance fondamentale du groupe de pairs et de l'expérience sociale chez l'enfant. Deux aspects sous-tendent cette révision théorique. Premièrement, il est devenu évident que c'est dans les interactions sociales, surtout dans le jeu avec d'autres enfants, que se met en place une grande part de l'expérience sur laquelle les progrès cognitifs de l'enfant se fondent. Deuxièmement, on s'est rendu compte que les relations sociales constituent un ensemble unique de demandes, à la fois cognitives et interactives.

L'individu en tant qu'objet de la pensée n'est tout simplement pas comme des roches, des gobelets d'eau ou des boules d'argile. Entre autres choses, les gens agissent intentionnellement et peuvent révéler ou dissimuler des informations sur eux-mêmes. De plus, contrairement aux relations avec les objets, les relations humaines ont un caractère mutuel et réciproque. Les autres personnes vous répondent, réagissent à votre chagrin, vous offrent des choses, se fâchent.

L'enfant doit aussi apprendre les normes sociales, ces règles particulières qui s'appliquent aux interactions sociales, telles que les règles de la politesse, les règles prescrivant le moment où l'on peut parler ou ne pas parler, les règles relatives à la hiérarchie, soit le pouvoir ou l'autorité. Ces normes évoluent avec l'âge, de telle sorte que l'enfant doit constamment apprendre un nouvel ensemble de rôles et de règles sur ce qu'il lui est possible ou non de faire. Ces changements de normes se mettent en place partiellement en réaction à la sophistication croissante des facultés cognitives chez l'enfant, mais ils reflètent aussi les changements du rôle de l'enfant dans le système social. Prenons, par exemple, l'ensemble des changements qui surviennent lorsque l'enfant commence à aller à l'école. Les normes associées au rôle de l'« écolier » sont très différentes de celles reliées au rôle du « petit enfant ». La classe d'école est plus encadrée, mieux organisée que la prématernelle ou la garderie, les attentes concernant l'obéissance sont plus élevées, et l'enfant doit apprendre un plus grand nombre d'exercices et de leçons. Ces changements finiront par influer sur le mode de pensée de l'enfant.

On ne connaît pas encore précisément le rôle que jouent les changements physiques dans le développement de l'enfant de cet âge. Il est évident que certains changements physiques se produisent. Les filles, tout particulièrement, passent par les premières étapes de la puberté à l'école primaire. Toutefois, on ignore si le rythme du développement physique au cours de ces années est relié de quelque façon que ce soit au rythme des progrès de l'enfant sur le plan cognitif ou social. Il n'y a quasiment pas de recherche démontrant l'existence d'un lien entre la première rangée du tableau et n'importe quelle autre rangée. On sait seulement que les enfants plus grands, mieux coordonnés et plus précoces sont susceptibles d'avoir une croissance cognitive plus rapide et d'être plus populaires auprès de leurs pairs. Manifestement, il s'agit d'un domaine dans lequel il reste encore beaucoup de recherches à effectuer.

INFLUENCES SUR LES PROCESSUS FONDAMENTAUX

La capacité de la famille à soutenir le développement de l'enfant au cours de la période préscolaire est déterminée autant par les habiletés et les connaissances que les parents apportent dans le processus, que par le niveau de stress extérieur auquel ils doivent faire face et la qualité du soutien sur lequel ils peuvent compter dans leur vie personnelle (Crockenberg et Litman, 1990 ; Morisset *et al.*, 1990). En particulier, les mères qui subissent un stress important sont plus susceptibles de se montrer sévères et négatives envers leurs enfants, ce qui entraîne une augmentation des comportements provocants et désobéissants de ces derniers (Webster-Stratton, 1988 ; Campbell *et al.*, 1991). Une étude longitudinale réalisée par Susan Campbell auprès d'un groupe d'enfants désobéissants (Campbell *et al.*, 1991 ; Campbell *et al.*, 1986 ; Campbell et Ewing, 1990) montre que l'attitude maternelle négative est liée à la persistance des comportements désobéissants à l'école primaire. Chez les enfants de

trois ans qu'on avait qualifiés de « difficiles », ceux qui présentaient une amélioration à l'âge de six ans étaient ceux dont la mère s'était montrée moins négative.

Bien entendu, le stress de la mère n'est pas le seul facteur à l'origine de cette attitude négative envers l'enfant. Les mères déprimées sont elles aussi plus susceptibles de manifester cette tendance (Conrad et Hammen, 1989), de même que les mères issues de familles défavorisées, qui ont connu la même attitude négative et une discipline sévère dans leur enfance. Mais le stress et le manque de soutien social personnel font partie de l'équation. Il en résulte que l'enfant d'âge préscolaire, comme à tout âge, subit l'influence aussi bien de forces sociales extra-familiales que des interactions familiales elles-mêmes.

RÔLE DE LA CULTURE. La plupart des notions abordées dans ce manuel concernant l'enfant d'âge scolaire (et les autres âges également) sont presque toutes basées sur des recherches menées auprès d'enfants de cultures occidentales. Nous avons tenté de peser le pour et le contre dans cette démarche, mais il faut sans cesse se demander si les schèmes observés sont caractéristiques d'une culture particulière ou s'ils reflètent des modèles de développement sous-jacents communs à tous les enfants.

À l'âge scolaire, il existe des différences évidentes dans l'expérience des enfants des cultures occidentales et celles des enfants de villages africains, polynésiens ou d'autres parties du monde où les familles vivent essentiellement de l'agriculture vivrière et où l'école ne constitue pas une force dominante dans la vie des enfants (Weisner, 1984). Dans de telles cultures, l'enfant de six ou sept ans est considéré comme intelligent et responsable, et on lui accorde des rôles d'« adulte ». On lui donne volontiers la responsabilité de ses frères et sœurs plus jeunes. Il apprend aussi, près de l'adulte, les compétences dont il aura besoin comme adulte, telles que dans le transport de l'eau, l'agriculture ou l'élevage des animaux. Dans certaines cultures de l'Afrique de l'Ouest ou de la Polynésie, il est courant que l'enfant de cet âge soit envoyé dans un foyer nourricier, soit avec des membres de sa famille, soit comme apprenti dans un métier particulier.

De tels enfants ont évidemment un ensemble très différent de tâches sociales à apprendre durant l'âge scolaire. Ils n'ont pas besoin d'apprendre comment se lier d'amitié ou comment interagir avec des enfants étrangers. Au contraire, dès un très jeune âge, ils doivent prendre leur place au sein d'un réseau actif de rôles et de relations. Pour l'enfant occidental, les rôles sont moins prescrits, et les choix de vie adulte sont beaucoup plus variés.

Cependant, les différences de vie entre les enfants occidentaux et non occidentaux ne doivent pas cacher les similitudes véritables. Dans toutes les cultures, les enfants de cet âge se lient d'amitié avec d'autres personnes, se livrent à une ségrégation sexuelle dans leurs groupes de jeux, développent la compréhension cognitive de la réciprocité, apprennent les notions de base de ce que Piaget appelle les opérations concrètes et acquièrent certaines des habiletés de base requises durant leur vie adulte. Ces similitudes ne sont pas insignifiantes. Elles soulignent le caractère puissant du modèle de développement commun, même au cœur de variations évidentes dans l'expérience.

Résumé de la trame du développement à l'âge scolaire

Aspect du développement	Âge (années)						
	6	7	8	9	10	11	12
Développement physique	Saute à la corde; saute; apprend à faire de la bicyclette	Fait de la bicyclette à deux roues	Virtuose de la bicyclette	Début de la puberté chez certaines fillettes		Début de la puberté chez certains garçons	
Développement cognitif	Constance du genre; différentes habiletés sur le plan des opérations concrètes, y compris la conservation, l'inclusion de classes, les différentes stratégies de mémorisation et les stratégies d'exécution (métacognition)		Logique inductive; meilleure utilisation des nouvelles habiletés d'exécution des opérations concrètes; conservation du poids			Conservation du volume	
Développement de la personnalité et du concept de soi	Concept de soi de plus en plus abstrait, moins attaché à l'apparence; les descriptions des autres sont de plus en plus basées sur des qualités internes et durables.						
		Sens global de l'estime de soi					
		Amitié basée sur la confiance réciproque					
	Ségrégation sexuelle presque complète dans le jeu et les amitiés						
	Amitié durable, se poursuivant au fil des années						
	Période de latence selon Freud						
	Stade de la compétence ou de l'infériorité selon Erikson						

LECTURES SUGGÉRÉES

EN FRANÇAIS

Association pour la santé publique du Québec (1996), *1998, Profession Sage-femme : petit manuel de base pour préparer la naissance de l'avenir*, Montréal. (Cette publication, très bien documentée, met l'accent sur le rôle essentiel des sages-femmes dans le processus de l'accouchement.)

BEAUCHAMP, D. *et al.* (1995), *Pères présents, enfants gagnants : guide à l'intention des intervenants*, Montréal, Service des publications de l'Hôpital Sainte-Justine en collaboration avec le CLSC La Vallée des Patriotes. (Ce guide, qui traite du rôle du père dans l'éducation des enfants, a été conçu pour faciliter la tâche des intervenants auprès des familles.)

BEAUCHAMP, D. *et al.* (1996), *Pères présents, enfants gagnants : guide à l'intention des pères*, Montréal, Service des publications de l'Hôpital Sainte-Justine en collaboration avec le CLSC La Vallée des Patriotes. (Ce guide, qui traite du rôle du père dans l'éducation des enfants, s'adresse particulièrement aux pères.)

BONAPACE, L. (1995), *Du cœur au ventre : la nouvelle méthode Bonapace de préparation à la naissance*, Rouyn-Noranda, Éditions JBE. (Présentation d'une méthode de préparation à la naissance qui vise à soulager les douleurs de la femme en période de périnatalité et lors de l'accouchement, et met l'accent sur la participation active du père à la naissance.)

BOUCHARD, C. *et al.* (1991), *Un Québec fou de ses enfants : rapport du groupe de travail pour les jeunes*, Québec, Ministère de la Santé et des Services sociaux. (Ce rapport incontournable présente des données sur des milliers d'enfants et mesure l'ampleur des difficultés tant psychologiques que matérielles auxquelles les jeunes au Québec doivent faire face.)

DUQUETTE, M.-P. *et al.* (1992), *Le programme d'aide aux femmes enceintes de milieux défavorisés : Projet-pilote pour les CLSC*, Montréal, Dispensaire Diététique de Montréal. (La méthode Higgins vise à mettre en place un comportement alimentaire sain et à diminuer ainsi l'incidence des naissances de bébés de faible poids en brisant le cercle pauvreté-malnutrition.)

GOSMAN, F. G. (1994), *Les enfants dictateurs : comment ne pas céder à leurs caprices*, Montréal, Le Jour éditeur. (Pour les personnes qui s'intéressent aux styles d'éducation des parents et à leurs conséquences sur l'enfant.)

LAPORTE, D. et G. Duclos (1995), *Du côté des enfants*, 3e éd., Montréal, Service des publications de l'Hôpital Sainte-Justine. (Recueil de textes écrits par des spécialistes, portant sur les relations parents-enfant.)

LAPORTE, D. et L. Sévigny (1993), *Comment développer l'estime de soi de nos enfants : journal de bord à l'intention des parents*, Montréal, Service des publications de l'Hôpital Sainte-Justine. (Ce guide présente des exercices pratiques à faire avec l'enfant, dans le but de favoriser son épanouissement.)

MEIRIEU, P. (1995), *La pédagogie entre le dire et le faire*, Paris, ESF (Éditions sociales françaises) Éditeur. (Auteur d'un best-seller éducatif, *Apprendre... oui, mais comment ?*, ce pédagogue s'intéresse aux outils pédagogiques qui stimulent les capacités cognitives de l'enfant.)

MELANÇON, J. M. et R. D. Lambert (1992), *Le génome humain : une responsabilité scientifique et sociale*, Sainte-Foy, Les Presses de l'Université Laval. (Ce livre traite des implications sociales du programme Génome Humain, entrepris à la fin des années 80 et qui vise à séquencer la totalité du génome humain afin de mieux connaître le patrimoine génétique de l'humanité. Le génome comporte 100 000 gènes, écrits sous forme de trois milliards de « lettres » qu'il faut décoder une à une.)

NOELTING, G. (1982), *Le développement cognitif et le mécanisme de l'équilibration*, Chicoutimi, Gaëtan Morin Éditeur. (Une présentation détaillée de la théorie piagétienne, en particulier du mécanisme de l'équilibration, qui en constitue le nœud, par un des anciens collaborateurs de Piaget.)

PALACIO-QUINTIN, E. *et al.* (1995), « Projet d'intervention auprès des familles négligentes présentant ou non des comportements violents », document de travail produit par le Groupe de recherche en développement de l'enfant et de la famille (GREDEF) de l'Université du Québec à Trois-Rivières. (Une équipe de chercheurs de l'UQTR ont expérimenté, en collaboration avec les Centres jeunesse Mauricie–Bois-Francs, un modèle d'intervention auprès de familles négligentes, qui permet d'éviter le placement des enfants. Les résultats positifs de ce programme permettent d'envisager une application à plus grande échelle.)

PELSSER, R. (1989), *Manuel de psychopathologie de l'enfant et de l'adolescent*, Montréal, Gaëtan Morin Éditeur. (Ce manuel assez complet a une approche de base à la fois développementale et psychanalytique.)

Série Vidéo-Parents, *Préparer l'arrivée de bébé* (1994), *Les six premiers mois de la vie* (1993), *Les premiers pas de bébé* (1995), Montréal, Productions CERES International en collaboration avec le département de pédiatrie de l'Hôpital Sainte-Justine et l'Université de Montréal. (Ces trois vidéocassettes, où l'approche médicale prédomine, mettent l'accent sur la santé de l'enfant.)

SMITH, J. et H. Pullen (1995), *Vaincre les problèmes d'infertilité chez le couple*, Montréal, Éditions Québécor. (Ce livre présente les dernières informations existantes sur la fécondation *in vitro*. Le docteur Pierre Miron, une autorité québécoise dans la procréation médicalement assistée, a rédigé la préface.)

EN ANGLAIS

ADAMS, M. J. (1990), *Beginning to read : Thinking and learning about print*, Cambridge, The MIT Press. (Il s'agit d'un excellent livre sur l'apprentissage de la lecture. Il est vivement recommandé si vous vous destinez à l'enseignement, particulièrement à l'école primaire.)

ASHER, S. R. et J. D. Coie (dir.) (1990), *Peer rejection in childhood*, Cambridge, Cambridge University Press. (Cet ouvrage révisé contient des essais écrits par les principaux chercheurs qui se sont penchés sur le rejet par les pairs durant l'enfance. Il s'agit de textes assez pointus, car ils s'adressent aux spécialistes.)

ASLIN, R. N. (1987), « Visual and auditory development in infancy », *in* J. D. Osofsky (dir.), *Handbook of infant development*, 2ᵉ éd., New York, Wiley-Interscience. (Aslin est l'auteur de plusieurs ouvrages récents sur le développement de la perception pendant l'enfance. Ces ouvrages destinés au grand public sont cependant plus techniques et détaillés que les chapitres de ce manuel.)

The Boston Women's Health Collective (1984), *The new our bodies, ourselves : A book by and for women*, 2ᵉ éd., New York, Simon & Schuster. (Cette mise à jour comprend un excellent chapitre sur l'état de santé durant la grossesse, des descriptions très claires ainsi que des diagrammes montrant les phases du développement prénatal et de la naissance. Vous ne serez peut-être pas d'accord avec toutes les prises de position de ce livre, mais il constitue néanmoins une très bonne source d'informations pour tous les aspects de la grossesse et de l'accouchement.)

BOWLBY, J. (1988), *A secure base*, New York, Basic Books. (Ce passionnant petit livre, que Bowlby nous a légué juste avant sa mort, comprend quelques-uns de ses principaux articles ainsi qu'une mise à jour de sa théorie. Voir en particulier les chapitres 7 et 9.)

CICCHETTI, D. et V. Carlson (1989), *Child maltreatment*, Cambridge, England, Cambridge University Press. (Cet ouvrage constitue une excellente source d'informations récentes, même si sa lecture est quelque peu ardue. Il réunit des articles rédigés par les principaux spécialistes dans le domaine des mauvais traitements infligés aux enfants, ainsi que des articles récapitulant l'étendue des connaissances dans le domaine des causes et des conséquences de ces mauvais traitements.)

COLLINS, W. A. (dir.) (1984), *Development during middle childhood : The years from six to twelve*, Washington, National Academy Press. (Ce livre couvre la période d'âge scolaire et comprend des sections sur la plupart des aspects du fonctionnement de l'enfant.)

The Diagram Group (1977), *Child's body*, New York, Paddington Press. (Ce livre fort instructif, destiné aux parents, regorge d'informations précieuses sur le développement physique, la santé et la nutrition chez l'enfant.)

EISENBERG, N. (1992), *The caring child*, Cambridge, Harvard University Press. (Cet ouvrage fait partie d'une excellente série s'adressant aux lecteurs profanes.)

FIELD, T. (1990), *Infancy*, Cambridge, Harvard University Press. (Ce livre excellent s'inscrit dans une série d'ouvrages portant sur le développement infantile, écrits par des experts, mais destinés au grand public.)

FLAVELL, J. H. (1985), *Cognitive development*, 2ᵉ éd., Englewood Cliffs, Prentice-Hall. (Introduction à la théorie du développement cognitif par l'un de ses théoriciens majeurs. Le chapitre d'introduction et le chapitre sur l'enfance peuvent s'avérer particulièrement utiles si la théorie de Piaget vous paraît ardue.)

GALLAGHER, J. J. et C. T. Ramey (1987), *The malleability of children*, Baltimore, Paul H. Brookes Publishing Co. (Si vous vous intéressez aux conséquences des programmes adaptés sur le Q.I., cet ouvrage est une source de documentation particulièrement intéressante. Il comprend un article par Ramey.)

GRUSEC, J. E. et H. Lytton (1988), *Social development : History, theory, and research*, New York, Springer-Verlag. (Cet ouvrage excellent offre une vision globale de la recherche actuelle dans le développement social de l'enfant.)

HAITH, M. M. (1990), « Progress in the understanding of sensory and perceptual processes in early infancy », *Merrill-Palmer Quarterly*, vol. 36, p. 1 à 26. (Cet article présente l'évolution de la recherche sur le développement de la perception au cours des 25 dernières années, ainsi que les pistes de recherche à explorer.)

HAKUTA, K. (1986), *Mirror of language : The debate on bilingualism*, New York, Basic Books. (Une discussion intéressante et simple sur de nombreuses questions concernant le bilinguisme et l'enseignement bilingue.)

HARTUP, W. W. (1989), « Social relationships and their developmental significance », *American Psychologist*, 44, p. 120 à 126. (Cet article très clair présente quelques-uns des travaux de recherche actuels sur les interactions sociales.)

LICKONA, T. (1983), *Raising good children*, Toronto, Bantam Books. (Il s'agit de l'un des meilleurs livres de recommandations à l'intention des parents. Il offre aussi bien des conseils pratiques qu'un aperçu théorique. L'accent est mis sur plusieurs des questions soulevées ici dans l'encadré portant sur la façon d'élever des enfants altruistes.)

MACCOBY, E. E. (1990), « Gender and relationships : A developmental account », *American Psychologist*, 45, p. 513 à 520. (Dans ce court article, Maccoby recense les nombreux indices qui portent à croire que, dès l'âge préscolaire, les garçons et les filles usent de styles très différents dans leurs interactions.)

MAURER D. et C. Maurer (1988), *The world of the newborn*, New York, Basic Books. (Une excellente description des nourrissons à l'intention du lecteur profane, appuyée sur des recherches scientifiques.)

NIGHTINGALE, E. O. et M. Goodman (1990), *Before birth : Prenatal testing for genetic disease*, Cambridge, Harvard University Press. (Ce manuel très clair comprend un grand nombre d'informations utiles.)

NILSSON, L. (1990), *A child is born*, New York, Delacorte Press. (Ce livre offre des photographies remarquables de toutes les phases de la conception, du développement prénatal et de la naissance.)

RICE, M. L. (1989), «Children's language acquisition», *American Psychologist*, 44, p. 149 à 156. (Une brève présentation de l'état actuel des connaissances sur le développement du langage.)

ROSENBLITH, J. F. et J. E. Sims-Knight (1989), *In the beginning : Development in the first two years of life*, Newbury Park, Sage. (Ce texte de premier ordre couvre le développement prénatal et la petite enfance.)

SCHAFFER, H. R. (1990), *Making decisions about children : Psychological questions and answers*, Oxford, Basil Blackwell. (Ce livre original peut être très utile. Schaffer y aborde une série de questions pratiques sur le développement des jeunes enfants; la plupart se rapportent à des sujets que nous avons abordés dans le chapitre 5, comme de savoir si le contact immédiat est essentiel dans l'établissement du lien parental ou si le fait que la mère travaille à l'extérieur peut avoir des effets néfastes pour l'enfant. Pour chaque thème, l'auteur rappelle quelques études clés et propose ensuite ses propres conclusions.)

SLATER, A. M. et J. G. Bremner (1989), *Infant development*, Hillsdale, Lawrence Erlbaum Associates. (Compilation d'articles rédigés par des scientifiques, mais destinés au grand public.)

VORHEES, C. V. et E. Mollnow (1987), «Behavioral teratogenesis : long-term influences on behavior from early exposure to environmental agents», *in* J. D. Osofsky (dir.), *Handbook of infant development*, 2e éd., New York, Wiley, p. 913 à 971. (Une excellente synthèse de la littérature portant sur les effets des agents tératogènes les plus courants comme l'alcool et le tabac, ainsi que de nombreux autres agents tératogènes tels que le plomb, les anticonvulsifs, les BPC, les hormones, les rayonnements et l'aspirine.)

Troisième partie

La période de l'adolescence et du début de l'âge adulte

Dans cette troisième partie du manuel, nous abordons la période de l'adolescence et du début de l'âge adulte. Vous connaissez maintenant la structure des chapitres. Dans les chapitres 8 et 9, nous nous penchons respectivement sur le développement physique et cognitif ainsi que sur le développement des relations sociales et de la personnalité chez l'adolescent. Nous suivons les mêmes aspects du développement chez le jeune adulte dans les chapitres 10 et 11. Les notions de changement et de continuité dans le développement sont toujours présentes à cette période de la vie.

On peut diviser l'adolescence en deux parties, soit le début de l'adolescence et la fin de l'adolescence, des premiers signes de la puberté à la maturité sexuelle complète. Les changements pubertaires font que l'horloge biologique est particulièrement bruyante au début de l'adolescence et bat au même rythme chez presque tous les adolescents. Cette étape se compose de changements rapides qui déclenchent une transition vers l'âge adulte. La puberté s'accompagne de nouvelles questions sur l'indépendance et l'autonomie, et l'horloge sociale se fait également entendre, notamment au contact avec le groupe de pairs. Par ailleurs, la pensée formelle permet de jeter un nouveau regard sur soi et d'acquérir une meilleure compréhension de soi et de l'environnement.

Au début de l'âge adulte, la puissance relative de ces deux influences (horloge biologique et horloge sociale) s'inverse presque totalement. Après la puberté complète, commence une période de vingt ans ou plus durant laquelle le mécanisme physique fonctionne à son rythme optimal. Pendant ces années, l'horloge sociale définit les heures du développement, façonnant ainsi l'enchaînement des changements de vie que partagent la plupart des jeunes adultes : le passage du célibat à la vie conjugale, du rôle d'enfant à celui de parent, de la dépendance à l'autonomie. Un troisième rôle s'ajoute à celui de conjoint et de parent, celui de travailleur. Chaque individu aborde ces différentes tâches avec ses propres modes de vie et modèles internes. Vous conviendrez avec nous qu'il est très sensé de parler de sentiers communs et de développement normal pendant l'enfance. Mais à l'âge adulte, le parcours du développement devient beaucoup plus individuel et unique. Les chemins empruntés dépendent de nombreux facteurs, notamment les choix individuels. Après notre visite au pays de l'enfance, nous abordons donc une autre étape, celle qui assure le passage de l'adolescence à la vie adulte.

8

L'ADOLESCENCE: DÉVELOPPEMENT PHYSIQUE ET COGNITIF

L a plupart d'entre nous utilisent le mot adolescence *comme s'il désignait un nombre précis d'années, la période débutant avec les premières années de l'école secondaire ou les années de 12 à 20 ans. En fait, la période couverte par l'adolescence est relativement vague. Si nous désirons inclure le processus physique de la puberté dans les années d'adolescence, nous devons considérer que l'adolescence commence avant l'âge de 12 ans, surtout dans le cas des filles, chez qui la puberté débute parfois vers l'âge de 8 ou 9 ans. Par ailleurs, peut-on dire d'un jeune homme de 18 ans marié, père de famille et occupant un emploi,* HELEN BEE *qu'il est un adolescent?*

Il est plus logique de concevoir l'adolescence comme la période qui se situe psychologiquement et culturellement entre l'enfance et l'âge adulte que comme une tranche d'âge précise. Il s'agit de la période de transition durant laquelle l'enfant change physiquement, mentalement et émotionnellement pour devenir un adulte. Le moment de cette transition diffère d'une société à l'autre et d'une personne à l'autre au sein d'une même culture. Toutefois, chaque enfant doit traverser cette période de transition pour atteindre le statut d'adulte. Dans notre culture, l'étape de transition est souvent longue ; elle s'étend de l'âge de 12 à 18 ans environ — et même après pour les personnes qui poursuivent leurs études et retardent ainsi l'obtention de leur statut d'adulte à part entière.

Les changements physiques et émotionnels liés à cette transition sont tellement spectaculaires que l'on associe souvent l'adolescence à une période remplie de tumulte et de stress. Cette description amplifie bien sûr le degré de bouleversement émotionnel que vivent la plupart des adolescents. Cependant, on ne peut pas négliger l'importance du processus, ne serait-ce qu'à cause des changements physiques considérables qui surviennent à la puberté.

CHANGEMENTS PHYSIQUES

Les nombreux changements corporels liés à la puberté sont largement régis par les hormones, qui jouent un rôle central dans la métamorphose physique à l'adolescence.

> Quelles sont, selon vous, les conséquences de la transition relativement longue que représente l'adolescence et celles de l'absence de rituels d'initiation dans les sociétés occidentales modernes? En quoi notre culture serait-elle différente si nous avions des rituels d'initiation communs?

HORMONES

Les hormones sont le produit des sécrétions des différentes glandes endocrines du corps. Elles régissent la croissance pubertaire et les changements physiques de différentes façons. Ces changements sont présentés au tableau 8.1. Parmi les glandes endocrines, la plus importante est l'hypophyse : en effet, elle déclenche la production d'hormones par les autres glandes. Par exemple, la glande thyroïde ne sécrète la thyroxine qu'après en avoir reçu le signal sous la forme d'une hormone sécrétée par l'hypophyse.

Bien sûr, les hormones jouent également un rôle primordial dans la croissance et le développement, et ce dès le plus jeune âge. La thyroxine (produite par la glande thyroïde) est présente dès le quatrième mois de gestation et semble participer à la stimulation du développement normal du cerveau avant la naissance. L'hormone de croissance est sécrétée par l'hypophyse dix semaines après la conception. Elle contribue à stimuler la croissance extrêmement rapide des cellules et des organes corporels. Comme nous l'avons mentionné au chapitre 3, la testostérone est produite avant la naissance dans les testicules du fœtus masculin et elle influe à la fois sur le développement des organes génitaux mâles et sur certains aspects du développement du cerveau.

Après la naissance, le rythme de croissance est régi en grande partie par la thyroxine et par la somatotrophine (l'hormone de croissance de l'hypophyse). La thyroxine est sécrétée en grande quantité pendant les deux premières années de la vie, puis son taux chute et demeure stable jusqu'à l'adolescence (Tanner, 1978).

Glandes endocrines : Ces glandes comprennent les surrénales, la thyroïde, l'hypophyse, les testicules et les ovaires. Elles sécrètent des hormones à l'intérieur de la circulation sanguine, lesquelles régissent la croissance physique et la maturation sexuelle.

Hypophyse : Une des glandes endocrines qui joue un rôle majeur dans la régulation de la maturation physique et sexuelle.

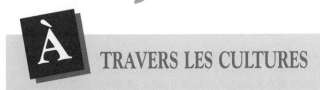

À TRAVERS LES CULTURES

LES RITUELS D'INITIATION DES ADOLESCENTS

Le passage de l'enfance au statut d'adulte est tellement important que de nombreuses sociétés ont promu et marqué ce passage à l'aide de rites et de rituels. Il existe de nombreuses variations dans le contenu de ces rituels, mais certaines pratiques sont particulièrement répandues (Y. Cohen, 1964).

L'une de ces pratiques, plus courantes pour les garçons que pour les filles, consiste à séparer l'enfant de sa famille, ce que les anthropologues appellent l'*isolation*. L'enfant passe la journée avec sa famille, mais dort ailleurs ou vit dans un logement séparé avec d'autres garçons ou des membres de la famille. Cette séparation se produit généralement au tout début de l'adolescence, quelque temps avant le véritable rituel d'initiation. Dans les cultures traditionnelles hopi et navajo, par exemple, les garçons ne dorment généralement plus avec leur famille dès l'âge de huit ou dix ans ; chez les Kurtatchi de la Mélanésie, les garçons doivent se soumettre à une cérémonie d'isolation vers l'âge de neuf ou dix ans, après quoi ils dorment dans une hutte particulière destinée aux garçons et aux hommes célibataires (Cohen, 1964). Cette pratique symbolise évidemment la séparation de l'enfant de sa famille et marque ainsi la venue de l'âge adulte. Toutefois, elle souligne aussi le fait que l'enfant « appartient » non seulement à la famille, mais aussi au groupe familial plus large que représente la société ou la tribu.

La différenciation entre hommes et femmes constitue également l'un des thèmes de ces rituels. Dans de nombreuses cultures, par exemple, les tabous de nudité n'interviennent qu'à l'adolescence. Jusque-là, il n'y a aucun inconvénient à ce que les garçons et les filles se voient nus ; à l'adolescence, cela n'est plus convenable. Dans certaines cultures, les adolescents n'ont pas le droit de parler aux membres de la famille du sexe opposé, et cette règle s'applique parfois jusqu'à ce que le frère ou la sœur se marie (Cohen, 1964). Cette pratique semble avoir au moins deux fonctions. Premièrement, elle renforce le tabou de l'inceste, qui revêt une grande importance pour éviter les unions consanguines. Deuxièmement, elle marque le début de la période de la vie où hommes et femmes affichent des modes de vie très différents. Les garçons et les filles ont depuis longtemps commencé à apprendre les tâches propres à leur sexe, mais ce rôle s'ancre beaucoup plus profondément à l'adolescence.

Ces deux modèles peuvent former la toile de fond du rituel d'initiation en tant que tel, qui est normalement bref et intense. Durant cette période — généralement en groupe et séparément pour les membres de chaque sexe —, les jeunes sont initiés par leurs aînés aux pratiques coutumières de la tribu. Ils apprennent des rituels ou des pratiques religieuses particulières, comme la langue hébraïque (l'hébreu) pour se préparer à la *bar mitsva* dans la tradition juive. Ils apprennent aussi l'histoire et les chansons de leur tribu ou de leur peuple. Souvent, le processus comprend une mise en scène et une certaine pompe.

En général, la mutilation physique ou certaines épreuves font partie de l'initiation. Les garçons sont circoncis ou subissent des incisions de façon à créer certains dessins de cicatrice sur leur corps ; ils sont également envoyés dans la jungle afin de subir une purification spirituelle ou prouver leur virilité en accomplissant un exploit quelconque. Cette pratique est moins courante dans les rituels d'initiation des filles, mais il existe néanmoins des épreuves physiques et des mutilations, telles que l'excision du clitoris, les coups de fouet ou la scarification.

Chez les Hopi, par exemple, garçons et filles sont soumis à des rituels précis au cours desquels on leur apprend les rites religieux du culte katchina et on leur donne des coups de fouet. Après cette cérémonie, ils peuvent participer pleinement aux pratiques religieuses des adultes. Chez les Malekula du Vanuatu (anciennement, les Nouvelles-Hébrides), les garçons sont circoncis et isolés. Les filles subissent une initiation peu avant le mariage, plutôt qu'à la puberté : on leur arrache les deux incisives supérieures et elles doivent rester isolées pendant dix jours.

Dans le contexte nord-américain moderne, tout comme dans la plupart des cultures occidentales, il n'existe pas de rituels d'initiation universels, mais les nombreux changements de statut ainsi que certaines expériences présentent des caractéristiques communes avec les rites de passage traditionnels de l'adolescence. On ne sépare pas délibérément les adolescents de leur famille ou des adultes, mais on les envoie dans un système scolaire, ce qui revient à les séparer de tout le monde, sauf de leurs pairs. Les camps d'initiation pour les jeunes qui entrent à l'armée constituent un parallèle plus évident, car les recrues sont envoyées dans des endroits isolés et subissent différentes épreuves physiques avant d'être admises.

Il n'y a pas si longtemps, les adolescents dans notre culture fréquentaient des écoles séparées pour les filles et pour les garçons. Même au sein des écoles mixtes, les cours d'éducation physique étaient souvent donnés séparément. De la même façon, certains cours stéréotypés étaient offerts aux femmes ou aux hommes seulement, comme les cours d'économie domestique ou de mécanique.

De nombreux autres changements dans le statut légal marquent le passage à l'âge adulte dans les cultures occidentales modernes. Les jeunes peuvent passer le permis de conduire à l'âge de 16 ans et voir des films pour adultes à l'âge de 17 ans. À l'âge de 18 ans, ils acquièrent le droit de vote, ils peuvent se marier et s'engager dans l'armée sans le consentement de leurs parents et ils comparaissent devant le tribunal pour adultes plutôt que devant le tribunal pour enfants en cas d'infraction à la loi.

Au cours du rituel d'initiation, les visages des garçons sont peints de façon à leur donner l'apparence de fantômes ; cette apparence symbolise le fantôme de leur enfance désormais révolue.

Ces différents vestiges d'anciens modèles d'initiation sont bien moins présents dans notre société moderne que dans de nombreuses cultures qui s'y conforment encore à travers le monde. En conséquence, le passage au statut d'adulte est beaucoup moins net pour les jeunes gens qui vivent dans les pays industrialisés. C'est sans doute la raison pour laquelle les adolescents de notre société se singularisent souvent en créant leurs propres traits distinctifs, en portant par exemple des vêtements ou des coiffures inhabituels, voire bizarres.

Tableau 8.1

Principales hormones intervenant dans la croissance et le développement physique

Glande(s)	Hormone(s) sécrétée(s)	Fonction dans la régulation de la croissance
Thyroïde	Thyroxine	Influe sur le développement normal du cerveau et sur le rythme global de la croissance.
Surrénales	Androgènes	Participent à certains changements durant la puberté, surtout dans le développement des caractères sexuels secondaires chez les filles.
Testicules (chez les garçons)	Testostérone	Joue un rôle essentiel dans la formation des organes génitaux mâles avant la naissance ; déclenche aussi la séquence de changements des caractères sexuels primaires et secondaires à la puberté chez les garçons.
Ovaires (chez les filles)	Œstradiol	Influe sur le développement du cycle menstruel et des seins chez les filles, mais touche moins les caractères sexuels secondaires que la testostérone chez les garçons.
Hypophyse	Hormone de croissance ; hormones de libération	Influent sur la vitesse de maturation physique. Transmettent des signaux permettant à d'autres glandes d'amorcer la sécrétion d'hormones.

Les androgènes sécrétés par les testicules et les ovaires ainsi que par les glandes surrénales demeurent à des taux extrêmement bas jusqu'à l'âge de sept ou huit ans, lorsque les glandes surrénales se mettent à sécréter davantage d'androgène; il s'agit du premier signal des changements de la puberté (Shonkoff, 1984). Après cette étape, il se produit une séquence complexe de changements hormonaux, représentée schématiquement à la figure 8.1.

La synchronisation de ces changements varie beaucoup d'un enfant à l'autre, mais la séquence demeure la même. Le processus débute par un signal de l'hypothalamus, la région du cerveau située sous le thalamus qui joue un rôle vital dans la régulation d'une variété de comportements comme manger et boire ou les comportements sexuels. Au début de la puberté, le thalamus transmet un signal à l'hypophyse, qui commence alors à sécréter, en plus grande quantité, les **gonadotrophines** (aussi appelées hormones gonadotropes, deux chez les garçons et trois chez les filles). À leur tour, ces hormones stimulent le développement des glandes situées dans les testicules et les ovaires, qui se mettent alors à synthétiser plus d'hormones, la **testostérone** chez les garçons et une forme d'**œstrogènes**, appelée *œstradiol*, chez les filles. Au cours de la puberté, le taux de testostérone est multiplié par 18 chez les garçons, alors que le taux d'œstradiol est multiplié par 8 chez les filles (Nottelmann *et al.*, 1987).

Au même moment, l'hypophyse sécrète aussi trois autres hormones qui interagissent avec les hormones sexuelles et influent sur la croissance. Vous pouvez cependant observer à la figure 8.1 que l'interaction est légèrement différente chez les garçons et chez les filles. Ainsi, la poussée de croissance et le développement de la pilosité pubienne sont davantage soumis à l'influence de l'androgène surrénal chez les filles que chez les garçons. L'androgène surrénal est chimiquement très semblable à la testostérone, donc il faut une hormone «mâle» pour produire une poussée de croissance chez les filles. Pour les garçons, l'androgène surrénal est moins important, probablement parce qu'ils possèdent déjà des hormones «mâles» dans le sang sous forme de testostérone.

En fait, il n'est pas juste de parler d'hormones «mâles» et «femelles». En effet, les hommes et les femmes possèdent tous deux une certaine quantité de ces hormones (œstrogènes ou œstradiol et testostérone ou androgènes); la différence

---

Gonadotrophines: Hormones sécrétées par l'hypophyse et qui stimulent la croissance des organes sexuels.

Testostérone: Principale hormone mâle secrétée par les testicules.

Œstrogènes: Hormones sexuelles femelles sécrétées par les ovaires.

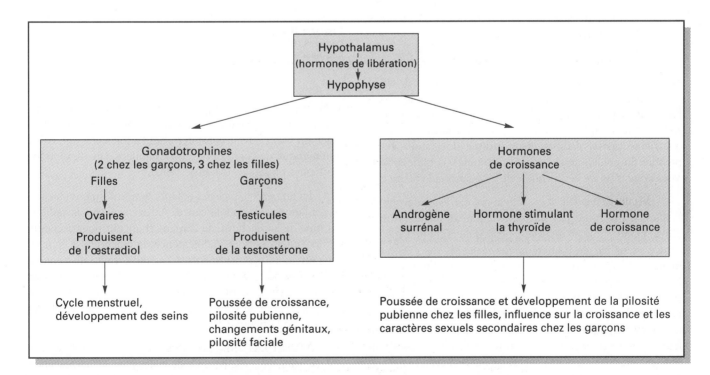

Figure 8.1 Changements hormonaux à la puberté. L'action des différentes hormones au cours de la puberté est excessivement complexe. Cette figure illustre la séquence d'évolution hormonale ainsi que l'écart entre les modèles des garçons et des filles. Si vous voulez en savoir davantage, vous pouvez consulter un article rédigé par Buchanan, Eccles et Becker (1992) qui contient une brève et excellente analyse.

réside essentiellement dans le taux relatif des deux. Chez chaque sexe, ces taux diffèrent aussi d'un individu à l'autre. Certains hommes possèdent donc un peu plus de testostérone ou moins d'œstrogènes, alors que la proportion est plus équilibrée pour d'autres. De même, certaines femmes peuvent avoir des taux relativement élevés de testostérone, alors que d'autres en possèdent des taux relativement faibles.

On ne comprend pas bien encore l'arrêt (ou la diminution) du processus hormonal à la fin de la puberté (Dreyer, 1982). On sait cependant que les taux des hormones de croissance et des gonadotrophines produites dans l'hypophyse chutent et que le rythme des changements corporels ralentit graduellement à l'âge adulte.

Tous ces changements hormonaux se traduisent par deux séries de changements corporels: les changements bien connus des organes sexuels et un ensemble beaucoup plus vaste de changements dans les muscles, le tissu adipeux, les os et les organes corporels.

TAILLE, MORPHOLOGIE, MUSCULATURE ET TISSU ADIPEUX

TAILLE. L'un des changements les plus remarquables à l'adolescence touche la taille. Dans les chapitres précédents, nous avons vu que, durant la petite enfance, le poupon grandit très rapidement, soit de 25 à 30 cm durant la première année. Le trottineur et l'enfant d'âge scolaire grandissent beaucoup moins vite. La troisième phase débute à l'adolescence, alors qu'une poussée de croissance spectaculaire est déclenchée par la forte augmentation des hormones de croissance dans la circulation sanguine. Au cours de cette phase, l'adolescent peut grandir de 8 à 15 cm par an pendant plusieurs années. Après cette poussée de croissance, durant la quatrième phase, l'adolescent continue de grandir et de prendre du poids jusqu'à ce qu'il ait atteint sa taille adulte. Vous pouvez suivre cette courbe de croissance à la figure 8.2.

MORPHOLOGIE. Les différentes parties du corps de l'enfant n'atteignent pas leur taille adulte au même rythme. Ainsi, la morphologie et les proportions du corps de l'adolescent passent par de nombreux changements successifs. Les mains et les pieds arrivent d'abord à maturité. Ensuite vient le tour des bras et des jambes, le tronc étant la partie qui se transforme le plus tardivement. Les pieds des enfants deviennent rapidement trop grands pour leurs souliers, les jambes trop longues pour leur pantalon et les bras trop grands pour leurs manches de chemise. Par contre, un maillot de bain peut être seyant plus longtemps, même quand les autres parties du corps se sont transformées. En raison de cette asymétrie des parties du corps, on pense souvent que les adolescents sont gauches ou manquent de coordination. Pourtant, la recherche ne soutient pas cette croyance populaire. Robert Malina, qui

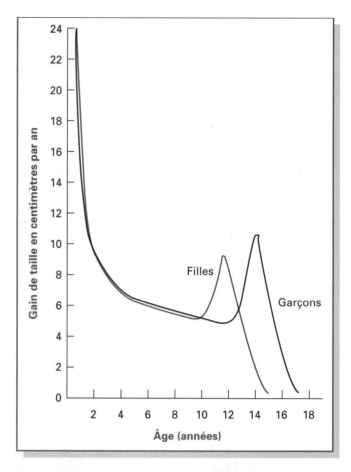

Figure 8.2 Poussée de croissance à l'adolescence. Ces courbes reflètent le gain de taille par an de la naissance à l'adolescence, avec une poussée remarquable à l'adolescence. (*Sources*: Tanner, 1978, p. 14; Malina, 1990).

a effectué des recherches poussées sur le développement physique, n'a pas trouvé un moment précis du processus de croissance où l'on pouvait constater chez l'adolescent une baisse systématique de coordination ou d'habileté dans l'exécution des tâches physiques (Malina, 1990).

La tête et le visage des enfants se transforment au cours de l'enfance et de l'adolescence. À l'âge scolaire, la taille et la forme de la mâchoire de l'enfant changent pour accueillir les nouvelles dents. À l'adolescence, la mâchoire et le front deviennent plus proéminents. Ces transformations rendent souvent les visages adolescents anguleux et osseux (surtout chez les garçons), contrairement à ce que l'on observe avant la puberté, comme vous pouvez le remarquer sur les photographies de la figure 8.3.

MUSCULATURE. Les fibres musculaires, tel le tissu osseux, subissent une poussée de croissance à l'adolescence, et deviennent plus massives et plus denses. En conséquence, la force musculaire des adolescents augmente considérablement en quelques années. On observe un accroissement du tissu musculaire et de la force qui en résulte aussi bien chez les garçons que chez les filles, mais l'augmentation est beaucoup plus marquée chez les garçons. Chez l'homme adulte, la masse musculaire représente à peu près 40 % de la masse corporelle, contre seulement 24 % chez la femme adulte.

Une telle différence entre les sexes semble être largement imputable aux différences hormonales. Or, ce contraste est accentué, du moins dans notre culture, par des disparités dans le degré d'activité physique chez les adolescents. Les garçons font davantage de sport, bougent plus et font plus d'exercice. Par exemple, Tanner et ses collaborateurs ont observé les changements dans le volume musculaire des bras et des mollets à l'adolescence. Ils ont noté des différences plus marquées sur les bras que sur les jambes entre les garçons et les filles (Tanner, Hughes et Whitehouse, 1981). Cette observation paraît évidente si l'on admet que les muscles des bras travaillent surtout dans la pratique du sport ou de tout autre exercice physique, alors que tout le monde sollicite les muscles des jambes pour se mouvoir.

TISSU ADIPEUX. Le tissu adipeux, emmagasiné surtout sous la peau, constitue une autre composante essentielle du corps. Ce tissu adipeux *sous-cutané* apparaît chez le fœtus vers la 34e semaine et atteint un premier point culminant vers le 9e mois qui suit la naissance. Puis, l'épaisseur de cette

couche adipeuse diminue peu à peu jusqu'à l'âge de six à sept ans environ, pour augmenter de nouveau jusqu'à l'adolescence.

Encore une fois, on observe un écart très net entre les deux sexes quant au modèle de développement. À la naissance, les filles ont une masse adipeuse légèrement plus importante que les garçons, et cette différence s'accentue graduellement pendant l'enfance et s'impose de manière frappante à l'adolescence. Une étude récemment réalisée auprès d'un nombre élevé d'adolescents canadiens (Smoll et Schutz, 1990) a montré que 21,8 % de la masse corporelle des filles en première année du secondaire était constituée de tissu adipeux comparativement à 24 % chez les filles en cinquième année du secondaire. La masse adipeuse représentait respectivement 16,1 % et 14 % chez les garçons du même âge. Ainsi, pendant et après la puberté, la masse adipeuse augmente chez les filles et baisse chez les garçons, tandis que la masse musculaire augmente chez les garçons et baisse chez les filles.

Comme pour le tissu musculaire, les différences sexuelles sont en partie attribuables au mode de vie ou au degré d'activité physique. Les filles et les femmes très athlétiques, comme les coureuses de marathon et les danseuses de ballet, possèdent une masse adipeuse qui se rapproche de celle du garçon moyen. Cependant, si on compare la masse adipeuse de filles et de garçons qui ont une condition physique équivalente, on constate que celle des garçons est toujours inférieure.

AUTRES TRANSFORMATIONS DU CORPS. La puberté provoque aussi des changements importants touchant certains organes vitaux. Ainsi, le cœur et les poumons augmentent considérablement de volume et la fréquence cardiaque diminue. Ces deux changements sont plus marqués chez les garçons que chez les filles, ce qui contribue à augmenter leur capacité de réaliser des efforts soutenus. Avant l'âge de 12 ans,

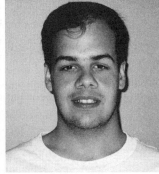

Figure 8.3 Transformation du visage à l'adolescence. Ces photographies du même garçon, prises avant, pendant et après la puberté, témoignent des transformations frappantes de la forme de la mâchoire et du front qui modifient considérablement la physionomie des adolescents. Les mêmes changements transforment le visage des filles mais de façon beaucoup moins marquée.

Comment pourriez-vous vérifier l'hypothèse selon laquelle les différences de masse musculaire entre les jeunes garçons et les jeunes filles seraient avant tout le résultat d'une différence dans le degré d'activité physique ?

Vous êtes membre de la commission scolaire d'une petite localité qui doit décider si les adolescents des deux sexes doivent jouer dans les mêmes équipes de volley-ball, de football et de hockey. En tenant compte des différences sexuelles concernant les caractéristiques physiques à la puberté, que décideriez-vous et pourquoi ?

garçons et filles possèdent une force, une rapidité et une endurance comparables, encore que, même à cet âge, les garçons soient avantagés par leur quantité plus faible de masse adipeuse. Après la puberté, les garçons ont clairement l'avantage dans ces trois caractéristiques physiques (Smoll et Schutz, 1990).

Changements hormonaux et physiques

Q 1 Nommez les principales glandes endocrines et les hormones qu'elles sécrètent, et expliquez leurs rôles respectifs.

Q 2 Décrivez le processus du signal de la puberté et le processus hormonal qui suit.

Q 3 Pourquoi est-il trompeur de parler d'hormones mâles et femelles ?

Q 4 Qu'est-ce que la poussée de croissance ?

Q 5 Expliquez les changements physiques qui surviennent à la puberté en ce qui concerne la taille, la morphologie, la musculature et le tissu adipeux.

MATURATION SEXUELLE

Les changements hormonaux qui se produisent à la puberté déclenchent aussi le développement de la maturation sexuelle complète ; il s'agit des changements des caractères sexuels primaires, tels que les testicules, le scrotum et le pénis chez l'homme et les ovaires, l'utérus et le vagin chez la femme, et des changements des caractères sexuels secondaires, tels que le développement des seins chez les filles ou l'apparition de la pilosité faciale et la mue de la voix chez les garçons.

Chacun de ces changements physiques apparaît dans une séquence prédéterminée. Chaque séquence se divise en cinq stades, comme l'avait suggéré Tanner (1978). Le premier stade décrit le stade prépubère, le deuxième stade représente les premiers signes de changement pubertaire, les troisième et quatrième stades sont des étapes intermédiaires et le cinquième stade voit la mise en place des caractéristiques finales de l'adulte. Le tableau 8.2 donne un aperçu de ces séquences pour chaque sexe.

DÉVELOPPEMENT SEXUEL CHEZ LES FILLES. Des études effectuées en Europe et en Amérique du Nord auprès de préadolescentes et d'adolescentes (Malina, 1990) montrent que, chez les filles, les divers changements séquentiels sont imbriqués dans une structure particulière. Les premières étapes sont marquées par le début de la transformation des seins et la pousse de la pilosité pubienne. Elles sont suivies par le sommet de la poussée de croissance et par le quatrième stade, soit le développement des seins et de la pilosité

Tableau 8.2
Stades du développement pubertaire selon Tanner

Développement des seins	Stade	Développement génital chez l'homme
Aucun changement, mis à part une légère élévation du mamelon.	1	Les testicules, le scrotum et le pénis ont la même forme et les mêmes dimensions qu'au cours de l'enfance.
Stade du bourgeonnement des seins. Les seins et le mamelon sont surélevés. Le diamètre de l'aréole s'agrandit.	2	Le scrotum et les testicules se développent légèrement. La peau du scrotum rougit et change de texture. Toutefois, le pénis ne se développe pas ou très peu.
Les seins et les aréoles grossissent et sont encore plus surélevés que dans le stade 2, bien que les contours ne soient pas nettement démarqués.	3	Le pénis s'allonge légèrement. Les testicules et le scrotum continuent de grossir.
L'aréole et le mamelon forment une élévation en saillie au-dessus du contour du sein.	4	Le pénis devient plus gros et plus large. Le gland se développe. Les testicules et le scrotum grossissent encore, et la peau du scrotum devient plus foncée.
Stade de la maturité. Seul le mamelon est proéminent. L'aréole épouse le contour du sein.	5	Les organes génitaux ont maintenant atteint leur grosseur et leur taille adulte.

Source: Petersen et Taylor, 1980, p. 127.

pubienne. C'est alors seulement qu'apparaissent les premières règles. La **ménarche,** ou apparition des premières règles, survient généralement deux ans après les premiers changements visibles et n'est suivie que par les stades finals de développement des seins et de la pilosité pubienne. Vous pouvez étudier l'ensemble du développement pubertaire dans la partie supérieure de la figure 8.4. Chez les filles vivant dans les pays industrialisés, l'apparition des premières règles survient en moyenne entre l'âge de 12 ans et demi et 13 ans et demi. Ainsi, 95 % des filles ont leurs premières règles entre l'âge de 11 et 15 ans (Malina, 1990).

La ménarche ne traduit pas une pleine maturité sexuelle. La jeune fille peut concevoir peu après l'établissement de la menstruation, mais les premières règles seront irrégulières pendant un certain temps. En fait, aucun ovule n'est produit dans les trois quarts des cycles de la première année et la moitié des cycles de la deuxième et de la troisième année suivant l'apparition des premières règles (Vihko et Apter, 1980).

Cette irrégularité initiale dans l'ovulation et dans le rythme des cycles menstruels entraîne d'importantes conséquences d'ordre pratique sur le comportement des adolescentes sexuellement actives. Elle contribue entre autres à répandre chez les jeunes adolescentes la fausse impression qu'elles ne peuvent devenir enceintes, car elles sont « trop jeunes ». Par ailleurs, l'irrégularité menstruelle compromet la fiabilité de toutes les formes de contraception basées sur le rythme d'ovulation, même chez les jeunes filles qui possèdent suffisamment de connaissances de base sur la reproduction — ce qui n'est pas souvent le cas — pour savoir que la période de plus grande fertilité est celle de l'ovulation.

DÉVELOPPEMENT SEXUEL CHEZ LES GARÇONS. Chez les garçons, comme chez les filles, la poussée de croissance atteint un sommet vers la fin du développement pubertaire. Les données de Malina suggèrent que le garçon atteint généralement l'achèvement du deuxième, du troisième et du quatrième stade du développement génital ainsi que du deuxième et du troisième stade de développement de la pilosité pubienne avant d'arriver au sommet de la poussée de croissance (Malina, 1990). L'apparition de la barbe et la mue de la voix surviennent vers la fin du développement pubertaire, comme on peut le voir dans la partie inférieure de la figure 8.4.

Le moment où les garçons produisent un sperme viable n'est pas clairement défini à l'intérieur du déroulement pubertaire, bien que certaines données récentes situent cet événement entre l'âge de 12 et 14 ans, habituellement *avant* que le garçon ait atteint le sommet de sa poussée de croissance (Brooks-Gunn et Reiter, 1990).

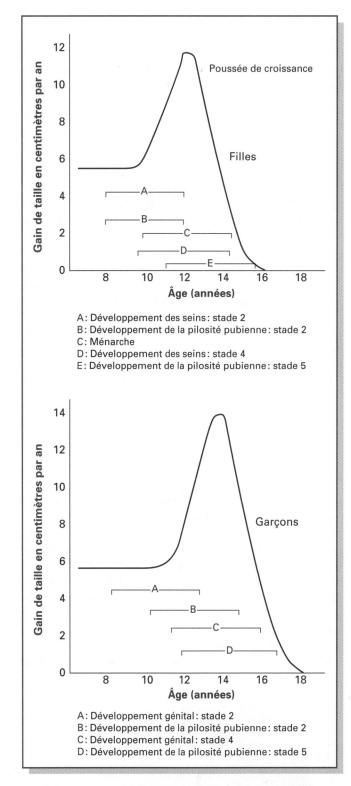

A : Développement des seins : stade 2
B : Développement de la pilosité pubienne : stade 2
C : Ménarche
D : Développement des seins : stade 4
E : Développement de la pilosité pubienne : stade 5

A : Développement génital : stade 2
B : Développement de la pilosité pubienne : stade 2
C : Développement génital : stade 4
D : Développement de la pilosité pubienne : stade 5

Figure 8.4 Séquence du développement pubertaire. Vous pouvez suivre ici la séquence type du développement pubertaire chez les filles (figure du haut) et chez les garçons (figure du bas), avec la croissance à différents âges ainsi que le moment d'apparition des divers changements physiques. Notez l'établissement tardif de la menstruation chez les filles et le fait que les filles ont deux ans d'avance sur les garçons. (*Sources* : Chumlea, 1982 ; Garn, 1980 ; Malina, 1990 ; Tanner, 1978.)

Ménarche : Apparition des premières règles chez les jeunes filles.

Deux faits particulièrement intéressants ressortent des séquences de développement pubertaire. Premièrement, les filles sont visiblement en avance de deux ans sur les garçons dans ce processus de développement. La plupart d'entre vous se souviennent sûrement de cette période, à la fin du primaire ou au début du secondaire, où les filles sont soudainement plus grandes que les garçons et présentent des ébauches de caractères sexuels secondaires, tandis que les garçons sont encore prépubères.

Deuxièmement, alors que la séquence semble très logique à l'intérieur de chaque type de développement physique (comme le développement des seins ou de la pilosité pubienne), il existe de nombreuses variations dans les séquences de chaque type de développement. Nous avons donné ici un aperçu général du développement moyen, mais bien des individus dévient de cette norme. Par exemple, un garçon parvenu au stade 2 du développement génital a peut-être déjà atteint le stade 5 du développement de la pilosité pubienne. De même, une fille peut passer par plusieurs stades de développement de la pilosité pubienne avant que ses seins commencent à changer, ou encore avoir ses règles beaucoup plus tôt que dans la séquence moyenne. Les physiologistes s'expliquent mal ce phénomène, mais il est important d'en tenir compte lorsqu'on se penche sur le cas particulier d'un adolescent.

SANTÉ

Les adolescents souffrent moins de maladies aiguës que les nourrissons et les enfants d'âge préscolaire et scolaire, mais le taux de mortalité et d'accidents augmente sensiblement à cet âge, ce qui est surtout attribuable au fait que les adolescents conduisent. En effet, plus de la moitié des décès chez les adolescents sont imputables à des accidents dont la plupart sont des accidents de la route. Les compétences des jeunes conducteurs sont rarement en cause : en fait, les accidents mortels sont souvent le résultat de comportements à risque comme les excès de vitesse, le talonnage du véhicule de devant ou la conduite en état d'ébriété. En 1994 au

Ce père de famille fait preuve d'une grande confiance en donnant les clés de sa voiture à son fils, compte tenu du taux d'accidents de la route chez les adolescents.

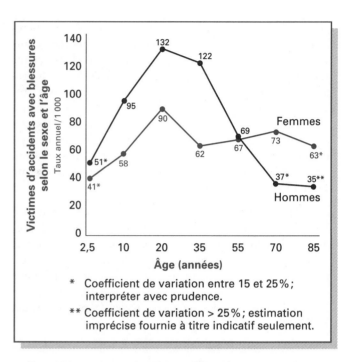

Figure 8.5 **Victimes d'accidents avec blessures selon le sexe et l'âge, population totale, Québec, 1992-1993.** Vous pouvez constater que c'est à l'âge de 20 ans que le taux d'accidents atteint un sommet. (*Source*: Santé Québec, 1995, p. 262.)

Québec, dans le tiers environ des accidents mortels dans lesquels se trouvaient des adolescents âgés de 16 à 19 ans, le taux d'alcoolémie des conducteurs était supérieur à 0,08, soit la limite autorisée (Santé Québec, 1995). La figure 8.5 présente le taux des victimes d'accidents avec blessures au Québec en 1992-1993.

Le suicide constitue l'autre grande menace qui plane au-dessus des adolescents. En 1993 au Québec, le taux de suicide s'élevait à 21,9 pour 100 000 chez les jeunes âgés de 15 à 24 ans en comparaison avec 18,2 pour l'ensemble de la population ; le taux atteignait 38,3 chez les jeunes de sexe masculin (contre 5,5 chez les jeunes de sexe féminin), ce qui traduit une tendance préoccupante (Statistique Canada, 1995). On constate également l'augmentation de l'incidence de deux troubles de l'alimentation : la boulimie et l'anorexie mentale, en particulier chez les adolescentes des pays occidentaux.

BOULIMIE ET ANOREXIE MENTALE. La boulimie se caractérise par «une préoccupation obsessionnelle du poids,

Boulimie : Maladie ou trouble caractérisé par «une préoccupation obsessionnelle du poids, des épisodes récurrents de gavage accompagnés par un sentiment subjectif de perte de maîtrise et le recours abusif au vomissement, à l'exercice physique et/ou aux purgatifs dans le but de contrer les effets de la goinfrerie» (Attie *et al.*, 1990, p. 410).

des épisodes récurrents de gavage accompagnés par un sentiment subjectif de perte de maîtrise et le recours abusif au vomissement, à l'exercice physique et/ou aux purgatifs dans le but de contrer les effets de la goinfrerie » (Attie, Brooks-Gunn et Petersen, 1990, p. 410). L'alternance de périodes de bombance et de frugalité est normale chez les individus de tous les groupes de poids. Ce n'est qu'au moment où l'excès s'accompagne d'un type de purge qu'apparaît le *syndrome boulimique*.

L'incidence de la boulimie a grimpé en flèche au cours des dernières décennies, surtout chez les adolescentes et les jeunes femmes adultes de race blanche. Ces dernières années au Québec, selon une étude citée par Jean Wilkins (1995), la prévalence de la boulimie se situerait entre 0,5 et 2,5 %. Une autre étude effectuée auprès d'un échantillon de 1 144 élèves de niveau collégial suggère que 8 % des jeunes femmes ont souffert de troubles alimentaires d'intensité clinique (Wilkins, 1995). Aux États-Unis, les estimations actuelles varient beaucoup, mais il semble qu'au moins 5 % et peut-être même jusqu'à 18 % des adolescentes sont boulimiques (Millstein et Litt, 1990). Seulement 1 % des jeunes hommes en âge d'aller à l'école secondaire et au cégep présentent ce syndrome (Attie *et al.*, 1990 ; Howat et Saxton, 1988 ; Johnson *et al.*, 1984 ; Pyle *et al.*, 1983).

L'**anorexie mentale** est moins fréquente que la boulimie mais elle peut être mortelle. Ce syndrome se caractérise par « un comportement dirigé vers la perte de poids, une peur intense de prendre du poids, une perception faussée de son propre corps, une aménorrhée (interruption des règles) et un refus obstiné de se maintenir à un poids normal » (Attie *et al.*, 1990, p. 410). Entre 10 et 15 % des jeunes anorexiques se laissent littéralement mourir de faim. L'incidence de l'anorexie est difficile à établir. Au Québec, selon l'étude mentionnée plus haut, la prévalence de l'anorexie mentale serait de 0,6 % environ (Wilkins, 1995). Aux États-Unis, selon les meilleures estimations actuelles, entre 0,5 et 1 % des filles ou des jeunes femmes en seraient affligées (Rolls, Federoff et Guthrie, 1991 ; Millstein et Litt, 1990). L'anorexie touche généralement certains groupes bien particuliers de la population, telles les personnes qui, à cause de leur carrière, doivent conserver une extrême minceur, comme les danseuses de ballet.

Anorexie mentale : Syndrome caractérisé par « la volonté de perdre du poids, une peur intense de prendre du poids, une perception faussée de son propre corps... et un refus obstiné de se maintenir à un poids normal » (Attie *et al.*, 1990, p. 410).

R A P P O R T   D E   R E C H E R C H E

Étude australienne illustrant les différences sexuelles dans la perception de l'image corporelle chez les adolescents

Susan Paxton et ses collaborateurs (Paxton *et al.*, 1991) ont récemment livré une étude effectuée auprès des élèves d'une école secondaire australienne ; cette étude illustre bien le fait que l'obsession du poids n'est pas l'apanage des Nord-Américains et souligne aussi l'effet de cette préoccupation sur la représentation corporelle interne des jeunes filles.

Au total, 562 adolescents, de la première à la quatrième année du secondaire, devaient indiquer leur poids et leur taille, et préciser s'ils trouvaient leur poids trop bas, adéquat ou trop élevé. Ils devaient aussi envisager ce que le fait d'être plus minces changerait à leur vie et décrire les comportements qu'ils adoptaient pour maîtriser leur poids, dont les régimes et l'exercice physique.

Paxton fait état de plusieurs résultats particulièrement intéressants. Premièrement, parmi les adolescents dont le poids était normal, proportionnellement à leur taille, 30,1 % des filles et seulement 6,8 % des garçons se décrivaient comme ayant un surplus de poids. Ainsi, les filles se *percevaient* comme étant trop grosses, même si leur poids était normal. De plus, la majorité des filles pensaient qu'être plus minces les rendraient plus heureuses et quelques-unes pensaient même que cela les rendrait plus intelligentes. Les garçons, au contraire, pensaient qu'être plus minces pourrait avoir des effets négatifs.

Il n'était donc pas étonnant que cette différence dans la perception de la minceur se reflète dans les habitudes alimentaires de cet échantillonnage. Près de 23 % des filles ont déclaré qu'elles suivaient des régimes accélérés au moins de temps à autre et 4 % ont avoué qu'elles suivaient de tels régimes une ou deux fois par semaine. Les pourcentages correspondants chez les garçons étaient respectivement de 9 % et de 1 %. Plus de filles que de garçons ont admis qu'elles prenaient des anorexigènes (médicaments qui diminuent la sensation de faim) et des laxatifs et qu'elles provoquaient elles-mêmes des vomissements, même si le taux était très bas pour les deux sexes. Encore une fois, on observe ici l'effet des modèles internes.

Les causes de ces deux désordres semblent résider, encore une fois, dans l'écart entre la représentation interne (le modèle interne) que se fait la jeune fille du corps qu'elle aimerait avoir et la perception qu'elle a de son propre corps. La fréquence de ces deux syndromes augmente parce que les corps minces, presque prépubères font office de canons esthétiques dans de nombreux pays occidentaux. Les filles apprennent très jeunes, de façon explicite et implicite, combien il importe d'être jolie ou séduisante et que la minceur est l'un des critères les plus importants de la beauté. Des études récentes révèlent que les trois quarts environ des adolescentes ont déjà suivi un régime ou s'y astreignent actuellement, alors qu'une telle pratique est plus rare chez les garçons (Leon *et al.*, 1989).

Les filles qui acceptent et intériorisent totalement ces modèles de beauté risquent davantage de souffrir de boulimie ou d'anorexie mentale. Ainsi, Ruth Striegel-Moore et ses collaborateurs (Striegel-Moore, Silberstein et Rodin, 1986) ont observé que les filles et les femmes boulimiques approuvent plus que les autres des énoncés comme celui-ci : « La beauté augmente les chances de succès professionnel. »

La boulimie et l'anorexie mentale semblent apparaître seulement à l'adolescence, précisément parce qu'une augmentation du tissu adipeux accompagne la puberté chez la jeune femme. Cela est particulièrement évident chez les jeunes filles précoces dont le développement pubertaire commence tôt.

Maturation sexuelle et santé

Q 6   Expliquez les changements qui surviennent dans les caractères sexuels primaires et secondaires à la puberté.

Q 7   L'apparition des premières menstruations signifie-t-elle que la jeune fille a atteint une maturation sexuelle complète ?

Q 8   Existe-t-il une différence entre les filles et les garçons en ce qui concerne le développement pubertaire ?

Q 9   Existe-t-il une séquence dans chaque type de développement pubertaire ?

Q 10   Qu'est-ce que la boulimie ? l'anorexie mentale ? Quelles en seraient les causes ?

Si vous vouliez diminuer l'incidence de la boulimie et de l'anorexie mentale dans notre société, quelles mesures concrètes prendriez-vous ?

Leur organisme produit et conserve une plus grande quantité de tissu adipeux comparativement aux jeunes filles tardives. Ainsi, une jeune fille précoce persuadée que la minceur est l'un des critères principaux de la beauté, et que la beauté est essentielle au bonheur, risque davantage d'être victime de boulimie ou d'anorexie si elle pense que son corps ne reflète pas ce credo de la beauté qu'elle a intériorisé (Attie et Brooks-Gunn, 1989 ; Striegel-Moore *et al.*, 1986 ; Rolls *et al.*, 1991).

Des recherches de ce type soulignent assurément l'importance du processus cognitif dans toutes les facettes du développement de l'enfant, dans la santé, l'estime de soi et les comportements sociaux. Ces processus cognitifs semblent connaître une autre transformation à l'adolescence, un changement que Piaget décrit comme le début de la période des opérations formelles de la pensée.

DÉVELOPPEMENT COGNITIF

PÉRIODE DES OPÉRATIONS FORMELLES SELON PIAGET

Les observations de Piaget l'ont mené à la conclusion que cette nouvelle période dans la cognition émerge rapidement à l'adolescence, soit à peu près entre l'âge de 12 et 16 ans. La **période des opérations formelles** comporte une série d'éléments clés.

DE L'IMMÉDIAT AU POSSIBLE. L'une des premières étapes de ce processus est la capacité de l'enfant d'étendre ses habiletés de raisonnement opératoire concret à des objets qu'il ne peut directement manipuler et à des situations dont il n'a jamais fait l'expérience. Au lieu de penser à des objets tangibles et à des événements réels, comme le jeune enfant de la période des opérations concrètes le fait, il doit commencer à envisager diverses possibilités. Cette habileté est manifestement essentielle si l'adolescent veut penser à l'avenir de façon systématique. L'enfant d'âge préscolaire se « déguise » en portant de vrais vêtements. L'adolescent *pense* aux diverses options et possibilités qui s'offrent à lui : aller ou ne pas aller à l'université, se marier ou ne pas se marier, avoir ou non des enfants. Il peut envisager les conséquences futures d'actes présents, ce qui autorise la planification à long terme (C. Lewis, 1981).

Période des opérations formelles : Dans la théorie de Piaget, il s'agit de la quatrième et dernière période importante du développement cognitif. Elle se met en place à l'adolescence, lorsque l'enfant devient capable de manipuler et d'organiser tant les idées que les objets.

RÉSOLUTION DES PROBLÈMES. Les opérations formelles se caractérisent également par la capacité de recherche systématique et méthodique qui permet de trouver une solution à un problème. Pour étudier ce phénomène, Piaget et son collaborateur Barbel Inhelder (Inhelder et Piaget, 1958) ont présenté à des adolescents des problèmes complexes, issus pour la plupart du domaine des sciences physiques. Dans l'un de ces problèmes, les sujets se sont vu attribuer plusieurs cordes de différentes longueurs et une série d'objets de poids variés pouvant être attachés à une corde pour faire un pendule. On leur avait montré comment mettre en marche le pendule en imprimant une impulsion au poids tout en variant la force initiale de cette impulsion et en retenant le poids à des hauteurs de départ différentes. La tâche du sujet consistait à trouver quel facteur ou quelle combinaison de facteurs déterminait la « période » d'oscillation du pendule, soit la durée d'un mouvement complet : la longueur de la corde, le poids de l'objet, la force de l'impulsion ou la hauteur de départ du poids. (Au cas ou vous auriez oublié vos cours de physique du secondaire : seule la longueur de la corde influe sur la période du pendule.)

Si vous donnez ce problème à résoudre à un enfant parvenu à la période des opérations concrètes, il essayera plusieurs combinaisons de ces facteurs en faisant varier la longueur de la corde, en plaçant des poids différents, en donnant des impulsions variées à diverses hauteurs. Il essaiera par exemple d'utiliser un poids lourd avec une longue corde, puis un poids léger avec une petite corde. Comme la longueur de la corde et le poids auront tous deux été changés en même temps, il lui sera impossible de tirer une quelconque conclusion concernant l'effet spécifique de chacun des facteurs.

Les adolescents parvenus à la période des opérations formelles adoptent généralement une approche plus systématique et tentent de vérifier l'un des facteurs seulement à la fois. Ils placeront un objet lourd au bout de chaque longueur de corde, puis ils renouvelleront l'opération en accrochant un objet léger aux trois longueurs de corde. Bien sûr, tous les adolescents ne sont pas aussi méthodiques dans leur approche (ni tous les adultes d'ailleurs). On constate néanmoins une différence notable dans la stratégie générale utilisée par un enfant de 10 ans et un adolescent de 15 ans, qui marque le passage des opérations concrètes aux opérations formelles.

LOGIQUE. Un autre aspect de cette transformation de la pensée a trait à l'apparition de la logique déductive dans le répertoire des capacités de l'enfant. Nous avons vu au chapitre 6 que l'enfant parvenu à la période des opérations con-

crètes est en mesure d'utiliser un raisonnement inductif, c'est-à-dire qu'il peut aboutir à une conclusion ou une règle en se basant sur des expériences individuelles. La *logique déductive*, qui constitue une forme de raisonnement plus sophistiquée, suppose une relation de type « si... alors », impliquant une hypothèse de départ : « Si tous les êtres sont égaux, alors vous et moi sommes égaux. » Dès l'âge de quatre ou cinq ans, les enfants peuvent saisir une telle relation si l'hypothèse de départ est vraie dans les faits. Par contre, c'est seulement à l'adolescence que les jeunes gens peuvent saisir cette relation logique fondamentale et l'appliquer (Ward et Overton, 1990).

Une grande part de la logique scientifique est de type déductif. On part d'une théorie pour émettre des propositions : « Si cette théorie est vraie, nous devrions observer tel phénomène. » Dans cette démarche, on va bien au-delà de l'observation. On envisage en effet des événements ou des choses que l'on n'a jamais vus et dont on n'a jamais fait l'expérience, mais qui devraient se vérifier ou être observables. Cette transformation de la pensée atteste la continuité du processus de décentration qui commence beaucoup plus tôt dans le développement cognitif. L'enfant de la période préopératoire se libère graduellement de sa perspective égocentrique afin de pouvoir tenir compte de la perspective physique ou émotionnelle des autres. Pendant la période des opérations formelles, l'enfant fait un autre pas en avant en se libérant des contingences de ses expériences particulières.

NOUVELLES PERSPECTIVES SUR LA PÉRIODE DES OPÉRATIONS FORMELLES

La plupart des travaux sur les opérations formelles tentent de répondre à deux questions essentielles : (1) Est-ce qu'il se produit vraiment un changement dans la façon de penser à l'adolescence et, si tel est le cas, quand se produit-il ? (2) Comment se fait-il que l'on n'observe pas ce changement chez tous les adolescents ?

EXISTE-T-IL VRAIMENT UN CHANGEMENT ? Toutes les recherches récentes corroborent la théorie de Piaget concernant l'existence d'un nouveau degré de raisonnement chez les adolescents. Comme le dit Edith Neimark (1982, p. 493) : « De très nombreuses indications issues d'une série de tâches sélectionnées tendent à prouver que les adolescents et les adultes sont capables de prouesses logiques, lesquelles prouesses sont hors d'atteinte pour des enfants plus jeunes dans des conditions normales, et que ces capacités se développent assez rapidement entre l'âge de 11 et 15 ans. »

Une étude transversale de Susan Martorano (1977) fournit une bonne illustration de cette théorie d'un changement. Elle a fait passer un test qui comportait dix tâches différentes faisant appel à une ou plusieurs opérations formelles à un échantillon composé de 20 filles de chacun de quatre

> Pouvez-vous imaginer des problèmes de la vie courante qui demandent ce type de résolution systématique des problèmes ?

niveaux scolaires (dernière année du primaire, deuxième et quatrième années du secondaire et première année du collégial). La figure 8.6 illustre les résultats obtenus. Vous observerez que, en général, les plus âgés réussissent mieux et que l'amélioration la plus considérable survient entre l'âge de 13 et 15 ans.

Vous pouvez constater aussi que les problèmes ne comportent pas tous le même degré de difficulté, comme c'est le cas dans les problèmes classiques des opérations concrètes (voir la figure 6.3, p. 184). Les problèmes des opérations formelles qui obligent l'enfant à prendre simultanément en considération deux ou plusieurs facteurs étaient plus ardus pour les sujets de Martorano que ceux qui demandaient à l'enfant de rechercher toutes les possibilités logiques. Par exemple, dans le problème le plus facile à résoudre, celui des *jetons de couleur*, l'enfant doit définir combien on peut combiner de paires différentes de couleurs avec six jetons de couleurs distinctes. Ce problème demande de la réflexion et une organisation des solutions possibles. Le problème le plus difficile requiert la compréhension de multiples facteurs causaux qui sont en action simultanément. Le problème de la balance, qui est très similaire au problème utilisé par Siegler pour étudier le développement des règles, demande à l'enfant de prédire si deux poids différents, suspendus à des distances variables de chaque côté de la balance, vont s'équilibrer. Pour résoudre ce problème avec les opérations formelles, l'adolescent doit prendre simultanément en considération les facteurs poids et distance. Les observations de Piaget et les résultats obtenus par Martorano montrent que cette capacité survient très tard dans le développement.

ATTEIGNONS-NOUS TOUS LA PÉRIODE DES OPÉRATIONS FORMELLES ? Il semble que non. Les premières données de Piaget suggéraient la possibilité que de nombreux adolescents n'atteignent pas la pensée formelle. Cette possibilité a été corroborée par des travaux plus récents. Keating (1980) estime que 50 à 60 % seulement des 18 à 20 ans dans les pays occidentaux semblent parfois se servir des opérations

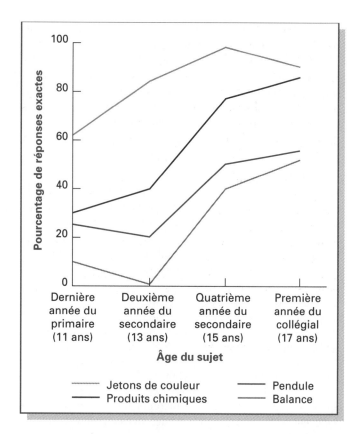

Figure 8.6 Étude de Martorano. Dans cette étude transversale, 20 filles de chaque groupe d'âge ont été évaluées à partir de quatre problèmes formels. Pour trois des quatre problèmes, on peut observer une augmentation rapide de l'habileté entre l'âge de 13 et 15 ans. Les problèmes ne comportent pas tous le même degré de difficulté. (*Source*: Martorano, 1977, p. 670.)

formelles, et qui plus est de façon régulière. Dans l'étude de Martorano, 10 % seulement des sujets de première année du collégial ont utilisé les opérations formelles dans la résolution de tous les problèmes et aucun des élèves plus jeunes n'a fait montre de cette capacité. Dans les pays non occidentaux, le taux est encore plus bas.

Pourquoi ? On peut recourir à plusieurs explications. Premièrement, il est possible que les méthodes de mesure des opérations formelles soient tout simplement trop compliquées ou trop confuses. Quand les directives sont émises clairement, que l'on donne des indices ou que l'on explique préalablement certaines règles aux sujets, ces derniers sont capables d'utiliser certains aspects des opérations formelles (Danner et Day, 1977).

Deuxièmement, la compétence et l'expérience du sujet jouent un rôle primordial. La plupart d'entre nous possèdent certaines habiletés formelles, mais nous ne les appliquons que dans le cadre de tâches ou de sujets qui nous sont familiers. Par exemple, une enseignante en psychologie utilise le raisonnement formel car c'est un domaine qu'elle connaît bien. Mais cette même personne sera beaucoup moins douée pour

Les classes de sciences du secondaire, comme cette classe au Botswana, pourraient être le premier lieu où il est nécessaire pour les adolescents d'utiliser la logique déductive.

appliquer ce type de raisonnement à la réparation de son automobile si elle ne s'intéresse pas à la mécanique. Willis Overton et ses collaborateurs (Overton *et al.*, 1987) ont trouvé dans leurs recherches un nombre considérable d'indications qui confirmeraient cette hypothèse. Ils ont montré que 90 % des adolescents pouvaient résoudre des problèmes de logique très complexes si on leur présentait un contenu familier, alors que la moitié seulement pouvaient résoudre un problème logique identique présenté de façon abstraite.

Troisièmement, la plupart de nos tâches et expériences quotidiennes ne nécessitent pas le recours aux opérations formelles : les opérations concrètes suffisent. Par conséquent, nos facultés cognitives se sclérosent et nous appliquons toujours le même mode de raisonnement aux nouveaux problèmes qui se présentent à nous. Nous pouvons hausser notre réflexion d'un cran dans certaines circonstances, en particulier lorsque quelqu'un nous enjoint de le faire, mais il reste que nous utilisons peu les opérations formelles.

Le fait que l'on observe davantage les opérations formelles chez les jeunes ou les adultes des pays industrialisés peut être interprété de la même manière. À cause de la présence des techniques de pointe et de la complexité de nos vies, il existe, d'une certaine façon, une plus grande exigence pour la pensée formelle. Si l'on pousse ce raisonnement jusqu'au bout, tous les adolescents et adultes ne souffrant pas de déficience intellectuelle seraient dotés d'une capacité de logique formelle, mais seuls ceux dont le style de vie le commande en maîtriseraient réellement l'usage.

> Laquelle de ces explications concernant l'utilisation relativement rare des opérations formelles chez les adolescents et les adultes trouvez-vous la plus convaincante ? Pensez à vos propres expériences. Vous servez-vous de ce mode de raisonnement régulièrement ou seulement dans certaines situations ? Pouvez-vous préciser ces situations ?

Pensez-vous qu'une mécanicienne compétente, comme cette jeune femme sur la photographie, se sert des opérations formelles dans son travail ?

Période des opérations formelles

Q 11 Expliquez les trois caractéristiques de la pensée formelle.

Q 12 Existe-t-il un changement réel dans la structure cognitive à l'adolescence ?

Q 13 Comment peut-on expliquer le fait que tous les individus n'atteignent pas la pensée formelle ?

DÉVELOPPEMENT DU RAISONNEMENT MORAL

Piaget s'intéressait également au raisonnement des enfants sur les questions morales, un sujet qui continue de fasciner les chercheurs. Par quel processus un enfant peut-il trancher entre ce qui est bon et mauvais, bien ou mal, dans son propre comportement et dans celui des autres ? Quand vous êtes membre d'un jury, vous devez émettre de tels jugements, comme vous le faites dans la vie de tous les jours : Devez-vous remettre la monnaie en trop que vous a rendue le caissier du magasin ? Avez-vous le devoir de dénoncer un camarade de classe que vous avez surpris en train de tricher lors d'un examen ? Si quelqu'un ment à une entrevue afin d'obtenir un emploi, est-ce que votre jugement sera influencé par le fait que cette personne a désespérément besoin de cet emploi pour subvenir aux besoins de son enfant handicapé ?

Ces questions ne se posent pas seulement à l'adolescence et dans la vie adulte. Les enfants aussi conçoivent de tels jugements avant l'adolescence. De nombreux changements clés dans le raisonnement moral semblent coïncider avec l'adolescence ou avec l'émergence du raisonnement formel. Nous allons donc aborder maintenant ce champ fascinant de théories et de recherches appliquées.

Théorie de Kohlberg

Bien que Piaget lui-même ait été le premier à proposer une description du développement du raisonnement moral (Piaget, 1932), c'est le nom de Lawrence Kohlberg (1964, 1976, 1980, 1981 ; Colby *et al.*, 1983) qui reste associé à cette théorie. Kohlberg a été l'un des premiers à instaurer la pratique de l'évaluation du raisonnement moral en présentant au sujet une série de dilemmes sous forme d'histoires, dont chacune met en évidence un problème moral particulier, comme la valeur de la vie humaine. Le dilemme de Heinz est l'un des plus connus :

Quelque part en Europe, une femme est atteinte d'une forme rare de cancer et risque de mourir. Il n'existe qu'un seul médicament qui puisse la sauver. Il s'agit d'une forme de radium qu'un pharmacien a découvert et qu'il vend dix fois plus cher que le prix réel de fabrication. Le coût de fabrication du médicament s'élève à 200 $ et il en demande 2 000 $. Heinz, le mari de la femme malade, a bien essayé de réunir cette somme auprès de ses amis, mais il n'a pu obtenir que 1 000 $. Il demande donc au pharmacien de lui laisser le remède à moitié prix ou de lui permettre de payer plus tard, car sa femme est en train de mourir. « Pas question, dit le pharmacien. J'ai découvert ce médicament et j'entends bien qu'il me rapporte. » Alors Heinz, désespéré, entre par effraction dans la pharmacie et vole le médicament dont sa femme a besoin. (Kohlberg et Elfenbein, 1975, p. 621.)

Après avoir entendu cette histoire, une série de questions sont posées à l'enfant ou à l'adolescent : Heinz a-t-il bien fait de voler le médicament ? Qu'en serait-il si Heinz n'aimait pas sa femme ? Cela changerait-il quelque chose ? Et si la personne mourante lui était étrangère, est-ce que Heinz devrait quand même voler le médicament ?

Sur la base des réponses à de tels dilemmes, Kohlberg a conclu qu'il existait trois principaux niveaux de raisonnement moral, comportant chacun deux sous-stades, comme on peut le voir au tableau 8.3.

Au niveau 1, celui de la **morale préconventionnelle,** les jugements de l'enfant (ou de l'adolescent et même de l'adulte) reposent sur des sources d'autorité qui se trouvent dans son environnement immédiat et qui lui sont physiquement supérieures, en général les parents. Au même titre que la description des autres que fait l'enfant à ce stade repose largement sur des caractéristiques externes, les critères qu'il utilise pour distinguer le bien du mal sont aussi plus externes qu'internes. Plus précisément, ce sont les résultats ou les conséquences de ses actions qui en déterminent la valeur morale.

Au stade 1 de ce niveau, l'*orientation vers la punition et l'obéissance*, l'enfant s'en remet aux conséquences physiques d'une action pour juger si ce qu'il fait est bien ou mal. S'il est puni, c'est donc mal, s'il n'est pas puni, c'est donc bien. Il obéit aux adultes parce qu'ils sont plus grands et plus forts que lui.

Au stade 2 de ce niveau, le *relativisme instrumental*, l'enfant se comporte selon le principe que l'on doit faire ce qui rapporte des récompenses et éviter ce qui entraîne des punitions. C'est pour cette raison que l'on parle parfois d'*hédonisme naïf*. Si une action est agréable ou entraîne un résultat plaisant, elle est nécessairement bonne. On observe chez l'enfant un début de préoccupation pour les autres à cette période, mais seulement si cette préoccupation peut être exprimée dans un contexte où il peut en tirer bénéfice. Il peut alors conclure des ententes comme : « Si tu m'aides, je t'aiderai aussi. »

Voici quelques réponses à des variantes du dilemme de Heinz, obtenues auprès d'enfants et d'adolescents de différentes cultures parvenus au stade 2 :

« Il devrait voler la nourriture pour sa femme, parce que si elle meurt il devra payer pour les funérailles et cela coûte beaucoup d'argent. » (Taïwan)

Il devrait voler le médicament « parce qu'il doit empêcher la mort de sa femme pour ne pas passer sa vie dans la solitude. » (Porto Rico)

(Supposez que ce n'est pas sa femme qui meurt de faim, mais son meilleur ami. Devrait-il voler la nourriture pour son ami ?) « Oui, car un jour, quand il aura faim, son ami pourra l'aider. » (Turquie) (Tous ces extraits sont tirés de Snarey, 1985, p. 221.)

Au niveau 2, celui de la **morale conventionnelle,** on observe un déplacement du jugement fondé sur les conséquences extérieures et le bénéfice personnel vers des jugements basés sur les règles ou les normes édictées par le groupe d'appartenance de l'enfant, que ce soit la famille, le groupe de pairs, l'église ou la nation. L'enfant considère que ce que le groupe de référence définit comme bien *est* bien, et il intériorisera profondément ces normes.

Le stade 3 (le premier stade du niveau 2) est celui de la *concordance interpersonnelle* (parfois appelé *stade du bon garçon/bonne fille*). Les enfants parvenus à ce stade pensent que le bon comportement est celui qui plaît aux autres. Ils valorisent la confiance, la loyauté, le respect, la gratitude et les relations mutuelles suivies. Andy, un garçon interrogé au stade 3 par Kohlberg, s'exprimait en ces termes :

J'essaie de faire des choses pour mes parents, car ils ont toujours fait des choses pour moi. J'essaie de faire tout ce que ma mère me dit de faire, j'essaie de lui faire plaisir. Par exemple, elle voudrait que je devienne médecin et moi aussi je le veux et elle m'aide à y arriver. (Kohlberg, 1964, p. 401.)

Ce troisième stade se caractérise aussi par le fait que l'enfant commence à émettre des jugements qui portent autant sur les intentions que sur les actes. Si quelqu'un

---

Morale préconventionnelle : Premier niveau dans le développement du raisonnement moral proposé par Kohlberg. Le jugement moral est surtout fonction des conséquences des actes, et est orienté par les notions d'obéissance et de punition.

Morale conventionnelle : Deuxième niveau du raisonnement moral proposé par Kohlberg. Le jugement est fonction des valeurs et des règles du groupe.

commet un acte répréhensible sans le faire exprès ou en pensant bien faire, sa faute est moins grave que si son intention était délibérée.

Au stade 4 (le second stade de la morale conventionnelle), l'enfant se tourne vers un groupe social élargi pour édifier ses normes. Kohlberg parle de stade de *la conscience du système social* (*la loi et l'ordre*), compte tenu des préoccupations manifestées par l'enfant de faire son devoir, en respectant l'autorité et en observant les règles et les lois. L'enfant attache moins d'importance à l'assentiment des autres (contrairement au stade 3) et met davantage l'accent sur l'adhésion à un système complexe de régulation sociale. Toutefois, le bien-fondé de ce système n'est jamais remis en cause.

Le transition vers le niveau 3, celui des **principes moraux** (on parle aussi de **morale postconventionnelle**), est marquée par de nombreux changements, dont le plus remarquable est

un déplacement de la source d'autorité. Au premier niveau, l'enfant voit l'autorité comme émanant totalement de l'extérieur. Au deuxième niveau, les jugements ou les règles provenant de l'extérieur sont intériorisés, mais ils ne sont pas remis en question ou analysés. Au troisième niveau, un nouveau type d'autorité apparaît, impliquant des choix individuels et des jugements personnels fondés sur des principes librement choisis.

Au stade 5 de ce niveau, que Kohlberg appelle l'orientation vers *le contrat social et les droits individuels*, on observe le début de l'édification de principes moraux librement

---

Morale postconventionnelle (ou principes moraux) : Troisième niveau du raisonnement moral proposé par Kohlberg. Le jugement est fonction de la notion de justice, des droits individuels et des contrats sociaux.

Tableau 8.3
Stades du développement moral selon Kohlberg

NIVEAU 1 : MORALE PRÉCONVENTIONNELLE

Stade 1 : Orientation vers la punition et l'obéissance. L'enfant décide de ce qui est mal sur la base des actions pour lesquelles il est puni. L'obéissance est perçue comme une valeur en soi, mais l'enfant obéit parce que l'adulte possède un pouvoir supérieur.

Stade 2 : Relativisme instrumental. L'enfant se plie aux règles qui sont dans son intérêt immédiat. Ce qui entraîne des conséquences plaisantes est nécessairement bien. Ce qui est bien est aussi ce qui est juste : un échange équitable, un marché, un accord.

NIVEAU 2 : MORALE CONVENTIONNELLE

Stade 3 : Concordance interpersonnelle. La famille ou le petit groupe dont l'enfant fait partie devient important. Les actions morales sont celles qui correspondent aux attentes des autres. Être bon est important en soi, et l'enfant valorise la confiance, la loyauté, le respect, la gratitude et la conservation des relations mutuelles.

Stade 4 : Conscience du système social (la loi et l'ordre). On observe un déplacement des préoccupations centrées sur la famille et les groupes proches de l'enfant vers une société plus élargie. Le bien consiste à accomplir son devoir consenti. Les lois doivent être respectées sauf en cas extrême. Contribuer à aider la société est bien.

NIVEAU 3 : PRINCIPES MORAUX OU MORALE POSTCONVENTIONNELLE

Stade 5 : Contrat social et droits individuels. L'action doit tendre vers « le meilleur pour le plus grand nombre ». L'adolescent ou l'adulte sait qu'il existe différents points de vue et que les valeurs sont relatives. Les lois et les règles doivent être respectées pour préserver l'ordre social, mais elles peuvent être modifiées. Toutefois, certaines valeurs sont absolues, comme l'importance de la vie humaine et la liberté de chacun, et doivent être défendues à tout prix.

Stade 6 : Principes éthiques universels. L'adulte développe des principes éthiques librement choisis pour déterminer ce qui est bien et il s'y conforme. Comme les lois suivent normalement ces principes, elles doivent être respectées. Mais lorsqu'apparaît une contradiction entre la loi et la conscience, c'est la conscience qui prédomine. À ce stade, les principes éthiques auxquels on se conforme font partie d'un système de valeurs et de principes clairs, intégrés, bien pesés et observés de façon conséquente.

Sources: Adapté de Kohlberg, 1976, et Lickona, 1978.

choisis. Règles, lois et règlements ne sont pas perçus comme inutiles : ce sont des moyens permettant d'assurer la justice et l'équité. Mais à ce niveau de raisonnement moral, les gens sont aptes à juger à quel moment les règles, les règlements et les lois doivent être ignorés ou amendés. Un système politique démocratique doit comporter des dispositions qui permettent l'amendement des lois et qui autorisent la protestation.

Dans sa version originale sur le développement moral, Kohlberg fait état d'un sixième stade, l'orientation vers *les principes éthiques universels*. Les sujets qui fonctionnent à ce niveau moral assument la pleine responsabilité de leurs actes, qui reposent sur des principes fondamentaux et universels comme la justice et le respect élémentaire de la personne. Kohlberg s'est par la suite longuement interrogé sur la logique et la nécessité de cette conclusion de la séquence et sur l'existence réelle d'un tel niveau moral (Kohlberg, 1978 ; Kohlberg, Levine et Hewer, 1983 ; Kohlberg, 1984). Il semblerait que de tels principes moraux universels ne guident le raisonnement moral que de quelques individus hors du commun, ceux qui consacrent leur vie entière à des causes humanitaires, comme mère Teresa ou Gandhi.

Au bout du compte, il est important de comprendre que le stade ou le niveau de jugement moral d'une personne ne dépend pas de ses choix moraux particuliers (qu'il s'agisse d'un jeune ou d'un adulte), mais du type de logique inhérente et de la source d'autorité sur lesquels repose la justification de ces choix. Par exemple, les deux possibilités dans

---

Imaginez une société dans laquelle tous les individus raisonneraient selon le stade 3 de Kohlberg. Puis, imaginez une société où tous les individus fonctionneraient selon le stade 5. En quoi ces deux sociétés se distingueraient-elles face à des problèmes moraux ?

Pouvez-vous dire en regardant cette photographie à quel stade ou à quel niveau de raisonnement faisaient appel ces manifestants anti-apartheid pour appuyer leurs revendications ?

---

le dilemme de Heinz (Heinz doit-il voler le médicament ou non ?) se défendre de manière logique à tous les stades. Nous avons déjà donné des exemples pris au stade 2 pour légitimer le vol du médicament, voici une justification du même choix, mais prise au stade 5, tirée d'une étude réalisée en Inde :

> *(Le vol de Heinz est-il justifiable s'il vise à sauver un animal domestique au lieu de sa femme ?)*
>
> « *Si Heinz sauve la vie d'un animal, son acte est louable. Le bon usage d'un médicament consiste à l'administrer à celui qui en a besoin. Il y a quand même une différence, bien sûr : la vie humaine est plus évoluée et elle occupe donc une plus grande importance dans le grand ordre de la nature. Cependant, la vie d'un animal n'est pas dénuée d'importance...* » (Tiré de Snarey, 1985, p. 223, tiré originalement de Vasudev, 1983, p. 7.)

Si vous comparez cette réponse à celles qui sont citées plus haut, vous pouvez constater une nette différence dans la *forme* de raisonnement, même si l'action à justifier reste exactement la même.

Kohlberg soutient que cette séquence du raisonnement moral est universelle et organisée de manière hiérarchique, de la même façon que Piaget pensait que les stades du développement cognitif qu'il avait définis respectaient une telle séquence. Autrement dit, chaque stade possède une cohérence interne et précède un autre dans une progression constante. Les individus ne peuvent pas « revenir en arrière » dans cette séquence, mais seulement évoluer dans le sens d'une progression, si évolution il y a. Kohlberg ne prétend pas que tous les individus évoluent à travers les six stades, ni même que l'adhésion à un stade correspond à un âge précis ; mais il insiste sur le caractère immuable et universel de la séquence. Nous allons maintenant poser un regard critique sur ces propositions.

Évaluation de la théorie de Kohlberg

ÂGE ET RAISONNEMENT MORAL. Les propres résultats de Kohlberg, confirmés par plusieurs autres chercheurs (Rest, 1983 ; Walker, de Vries et Trevethan, 1987 ; Colby *et al.*, 1983), montrent que le raisonnement moral préconventionnel (stades 1 et 2) domine chez les élèves de l'élémentaire et que le stade 2 est encore présent chez de nombreux jeunes adolescents. La morale conventionnelle (stades 3 et 4) s'observe principalement chez les sujets en pleine adolescence et demeure la forme de raisonnement de prédilection chez l'adulte. La morale postconventionnelle (stades 5 et 6) apparaît beaucoup plus rarement, même chez les adultes. Ainsi, on a évalué que 13 % seulement des hommes dans la quarantaine et dans la cinquantaine qui ont participé à une étude longitudinale menée à Berkeley faisaient montre d'un raisonnement moral appartenant au stade 5 (Gibson, 1990).

Vous pouvez observer la tendance selon l'âge à la figure 8.7. Cette figure reflète les résultats que Kohlberg a obtenus dans une étude longitudinale réalisée auprès de 58 garçons, d'abord interrogés à l'âge de 10 ans, puis de façon périodique pendant près de 20 ans (Colby *et al.*, 1983).

SÉQUENCE DES STADES. La séquence proposée par Kohlberg dans laquelle les stades se suivent les uns les autres semble confirmée. Dans de nombreuses études longitudinales à long terme effectuées auprès d'adolescents et de jeunes adultes aux États-Unis, en Israël et en Turquie (Colby *et al.*, 1983; Nisan et Kohlberg, 1982; Snarey, Reimer et Kohlberg, 1985), le changement de la forme de raisonnement suit presque toujours l'ordre proposé. Les sujets ne sautent pas de stades et seulement 5 à 7% des cas indiquent une régression, un taux qui concorde avec nos connaissances de la fiabilité de la mesure utilisée. Des études longitudinales à plus court terme (Walker, 1989) révèlent un modèle de changement similaire. De façon générale, nous appuyons l'affirmation de Rest (1983) selon laquelle les données prouvent de façon « assez convaincante » que le jugement moral évolue dans le temps en suivant la séquence décrite par Kohlberg.

UNIVERSALITÉ. Cette séquence de stades est-elle un phénomène propre à la culture occidentale, ou bien Kohlberg aurait-il levé le voile sur un processus universel? À ce jour, des variantes des dilemmes de Kohlberg ont été utilisées auprès d'enfants de 27 cultures distinctes, occidentales et non occidentales, industrialisées et non industrialisées.

John Snarey, qui a commenté et analysé ces nombreuses études, constate plusieurs faits qui viennent étayer la thèse de Kohlberg: (1) Dans les études portant sur des enfants, on observe constamment un progrès dans le stade de raisonnement utilisé. (2) Les quelques études longitudinales font état de « données se recoupant de façon frappante » (1985, p. 215), où les sujets progressent généralement dans la séquence et régressent rarement. (3) On observe que le niveau le plus élevé n'est pas le même dans toutes les cultures. Dans les sociétés urbaines complexes (aussi bien occidentales que non occidentales), le stade 5 est typiquement le niveau le plus élevé observé, tandis que les cultures que Snarey qualifie de « folkloriques » plafonnent au stade 4. L'ensemble de ces données corrobore l'universalité de la séquence des stades de Kohlberg.

CRITIQUE DE LA THÉORIE DE KOHLBERG. La théorie de Kohlberg sur le raisonnement moral a été l'une des théories les plus stimulantes de la psychologie du développement. Il existe plus de 1 000 études qui ont exploré ou mis à l'épreuve certains aspects de cette théorie, et plusieurs thèses concurrentes ont été avancées. La théorie de Kohlberg a résisté de façon remarquable à un tel flot de recherches et de commentaires. Il semblerait donc qu'il existe effectivement une série de stades dans le développement du raisonnement moral et que ces stades sont universels.

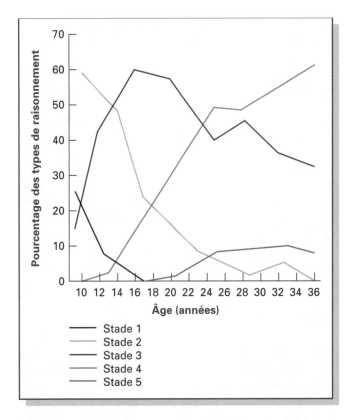

Figure 8.7 Raisonnement moral et âge. Ces données sont tirées d'une étude longitudinale à long terme réalisée par Colby et Kohlberg auprès d'un groupe de garçons périodiquement exposés à des dilemmes moraux de Kohlberg, de l'âge de dix ans jusqu'au début de la vie adulte. À mesure qu'ils grandissaient, le stade ou le niveau de leurs réponses changeait, avec une apparition très nette de la morale conventionnelle à l'âge du secondaire. Le raisonnement moral postconventionnel est rare à n'importe quel âge. (*Source*: Colby *et al.*, 1983, p. 46.)

Malgré tout, cette théorie a fait l'objet de plusieurs critiques. Certains psychologues sont beaucoup moins impressionnés que Snarey par les données sur l'universalité (Shweder, Mahapatra et Miller, 1987). Il est également préoccupant qu'un nombre aussi peu élevé d'adolescents et d'adultes semblent raisonner à un niveau postconventionnel (stades 5 ou 6). L'échelle réelle des variations se situerait ainsi entre le stade 2 et le stade 4, ce qui est nettement moins intéressant ou impressionnant que l'étalement sur la pleine séquence (Shweder *et al.*, 1987).

Mais les critiques de loin les plus virulents ont reproché à Kohlberg de ne pas envisager tous les aspects du « raisonnement moral ». Kohlberg lui-même le reconnaît dans ses écrits ultérieurs (Kohlberg, Levine et Hewer, 1983): son propos porte sur le développement du raisonnement en ce qui concerne les questions de *justice* et d'*équité*. Il serait également intéressant de se pencher sur d'autres problèmes éthiques que la justice, comme l'empathie ou les relations interpersonnelles. Dans ce domaine, Carol Gilligan a fourni la critique la plus connue.

ÉTHIQUE DE LA BIENVEILLANCE SELON GILLIGAN.
Outre le fait que l'échantillon de Kohlberg ait été uniquement composé de garçons, Carol Gilligan (1982a, 1982b, 1987; Gilligan et Wiggins, 1987) reproche essentiellement à Kohlberg de mettre l'accent sur la justice et l'équité en tant que facteurs déterminants du raisonnement moral. Selon Gilligan, il existerait deux « orientations morales » distinctes : la justice et la bienveillance envers les autres, chacune ayant son propre prédicat, soit ne pas traiter les autres de façon inéquitable (justice) et ne pas laisser quelqu'un dans le besoin (bienveillance). Tant les garçons que les filles apprennent ces deux principes moraux. Mais pour Gilligan, les filles auraient une prédisposition à l'empathie et aux relations interpersonnelles, tandis que les garçons tendraient vers un souci de justice et d'équité. En raison de cette distinction, les deux sexes percevraient les dilemmes moraux de façon différente.

Si l'on tient compte des données observées sur la différence sexuelle dans les styles d'interactions et dans les modèles d'amitié (voir le chapitre 7), l'hypothèse de Gilligan est séduisante. Il est possible que les filles recherchent davantage l'intimité dans leurs relations avec les autres, et qu'elles utilisent ainsi des critères différents dans leur évaluation de dilemmes moraux. Néanmoins, dans les faits, la recherche sur les dilemmes moraux n'a pas prouvé que les garçons soient plus guidés par un souci d'équité ni que les filles raisonneraient davantage en fonction de considérations bienveillantes à l'égard d'autrui. Plusieurs études portant sur des adultes traduisent bien une telle tendance (Lyons, 1983), mais les travaux effectués auprès d'enfants ne reflètent généralement pas cette différence (Smetana, Killen et Turiel, 1991; Walker, de Vries et Trevethan, 1987).

Par exemple, Walker (Walker *et al.*, 1987) a compilé les réponses d'enfants à des dilemmes moraux en fonction du concept d'équité de Kohlberg et du critère de bienveillance de Gilligan. Il n'a relevé aucune différence sexuelle dans les réponses aux dilemmes hypothétiques comme celui de Heinz ou aux dilemmes tirés de la vie réelle par les enfants eux-mêmes. C'est seulement chez les adultes que Walker a trouvé une différence allant dans le sens des attentes de Gilligan.

En dépit du manque de preuves à l'appui du modèle de Gilligan, nous ne l'écartons pas catégoriquement parce que les questions ainsi posées semblent aller dans le même sens que certaines recherches récentes sur les différences sexuelles dans

les styles d'interactions. Le fait que l'on ne puisse observer des prédispositions distinctes dans l'orientation vers l'équité et la bienveillance ne signifie pas pour autant qu'il n'existe pas une différence réelle dans la perception des relations et des jugements moraux chez les garçons et les filles.

JUGEMENT MORAL ET COMPORTEMENT. Certains critiques de Kohlberg ont également invoqué le fait que le comportement ne correspond pas toujours à un niveau de raisonnement moral. Or, Kohlberg n'a jamais affirmé qu'il devait exister une correspondance exacte entre les deux. Le fait d'employer un raisonnement du stade 4 (raisonnement conventionnel) ne garantit pas que vous ne tricherez jamais ou que vous serez toujours gentil avec votre mère. La forme de raisonnement qu'un jeune adulte applique aux problèmes moraux devrait malgré tout *influer* sur ses choix moraux dans la vie réelle. En outre, Kohlberg pense que, plus un adolescent a atteint un niveau élevé de raisonnement moral, plus le lien avec son comportement sera étroit. Ainsi, les jeunes gens qui raisonnent au stade 4 ou 5 seraient davantage enclins à se conformer à leurs propres règles de raisonnement que les enfants dont le raisonnement moral se situe à des niveaux inférieurs.

Bien que l'on ait découvert de nombreuses preuves permettant d'affirmer la réalité d'un lien entre le raisonnement moral et le comportement, personne n'a pu établir l'existence d'une correspondance parfaite. Comme le dit Kohlberg : « Une personne peut raisonner selon certains principes et ne pas s'y conformer dans la réalité. » (1975, p. 672.)

Existe-t-il d'autres facteurs, mis à part le niveau de raisonnement moral ? On ne possède pas encore de réponse à cette question, mais certaines influences apparaissent clairement. Premièrement, il y a l'habitude. Chaque jour, nous faisons face à de petits problèmes moraux que nous résolvons de façon machinale. Quelquefois, ces choix automatiques se situent à un niveau de raisonnement inférieur à celui dont on ferait preuve après réflexion. On peut, par exemple, faire don chaque année de la même somme d'argent à un organisme de charité sans se demander si l'on pourrait augmenter cette somme ou si cet organisme en fait un usage approprié.

Deuxièmement, dans une situation donnée, même si vous pensez qu'il est moralement défendable d'entreprendre telle action, vous pouvez néanmoins estimer que cette action n'est pas ultimement *nécessaire*. On peut ainsi faire valoir des arguments valables pour défendre le bien-fondé d'une manifestation, tout en estimant qu'il n'est pas de notre *devoir* ou de notre responsabilité d'y prendre part.

Le troisième élément concerne ce qu'il en coûte à la personne de faire quelque chose d'utile ou de s'abstenir de commettre un acte répréhensible, comme tricher. Si aider quelqu'un d'autre ne requiert pas beaucoup de temps, d'argent ou d'efforts, la majorité des enfants et des adultes se porteront volontaires, quel que soit leur niveau de raisonnement

---

Croyez-vous que le niveau ou le stade de raisonnement moral peut avoir des répercussions sur le comportement politique, comme le fait de voter ou d'adhérer à un parti politique ? Pouvez-vous émettre une hypothèse expliquant un tel lien et imaginer un moyen de vérifier cette hypothèse ?

moral. Mais lorsque certaines contraintes sont en jeu, la corrélation est plus positive entre le niveau de raisonnement et le comportement. On arrive donc à un principe plus général selon lequel le raisonnement moral influe sur le comportement uniquement dans les situations qui intensifient d'une certaine manière les conflits moraux, comme lorsque des coûts sont engagés ou qu'un individu se sent personnellement responsable.

Enfin, certaines règles morales ou certaines motivations contradictoires peuvent s'opposer parfois, telles que l'influence du groupe de pairs et le désir d'être protégé ou d'être récompensé. Au début de l'adolescence, par exemple, quand l'influence du groupe de pairs est particulièrement forte, on peut prévoir une influence considérable du groupe sur le comportement moral. Alors, les enfants de cet âge auront plus tendance à décider en groupe de faire une virée, d'apporter de la bière dans une soirée ou de barbouiller les vitres de la voiture d'un professeur un soir d'Halloween (Berndt, 1979), même si leur sens moral individuel s'oppose à ce genre de comportement.

Ainsi, le *comportement* moral est la somme d'un ensemble complexe d'influences, parmi lesquelles le niveau de raisonnement moral ne compte que pour une partie. Nos connaissances au sujet de ces liens commencent à s'étoffer, mais il nous reste encore beaucoup à apprendre sur l'influence du groupe et des autres facteurs qui nous poussent à agir d'une façon moins réfléchie ou moins équitable qu'en théorie.

Raisonnement moral

Q 14   Expliquez les trois niveaux et les six stades de la théorie de Kohlberg sur le développement du raisonnement moral.

Q 15   Que peut-on dire de cette théorie en ce qui concerne l'âge, la séquence des stades et son universalité ?

Q 16   Quelle critique principale Gilligan formule-t-elle à l'égard de la théorie de Kohlberg ?

Q 17   Est-ce que le jugement moral et le comportement sont liés ? Pourquoi ?

DIFFÉRENCES INDIVIDUELLES

Le modèle de développement décrit dans ce chapitre nous donne des indications sur le modèle général le plus courant, comme nous l'avons souligné à plusieurs reprises. Il ne rend pas compte des variations à l'intérieur de cette moyenne. Pour compléter notre description antérieure des différences individuelles, nous allons aborder ici une variante particulièrement pertinente chez les adolescents : l'âge d'apparition de la puberté.

PUBERTÉ PRÉCOCE OU TARDIVE

Chez les adolescents, des individus du même âge peuvent se situer à des niveaux différents de développement, du stade 1 au stade 5 des paliers de maturation sexuelle. Ces variations peuvent entraîner certaines répercussions, en particulier chez un enfant qui est d'une précocité peu commune ou dont le développement est anormalement tardif. Qu'arrive-t-il aux jeunes filles qui ont leurs premières règles à 10 ans ou aux garçons dont la poussée de croissance ne se produit pas avant l'âge de 16 ans ? Vivront-ils leur puberté de manière différente ?

De nombreuses recherches sur cette question ont conduit à l'édification d'une hypothèse complexe et intéressante qui fait valoir encore une fois l'importance des modèles internes. Au centre de cette hypothèse, se trouve l'idée que chaque enfant possède un modèle interne de ce que doit être l'âge « normal » ou souhaitable de la puberté (Faust, 1983 ; Lerner, 1985, 1987 ; Petersen, 1987). Chaque fille possède un modèle interne du « bon moment » pour le développement des seins ou l'apparition de la menstruation. Chaque garçon possède un modèle interne ou une représentation du moment opportun de la pousse de la barbe et de la mue de la voix. Selon cette hypothèse, c'est l'écart entre les attentes des adolescents et la réalité qui détermine les répercussions psychologiques, comme c'est l'écart entre les objectifs fixés et ce qui est accompli qui détermine l'estime de soi. Les adolescents dont la puberté commence à un moment qui ne répond pas à leurs attentes auront tendance à être moins bien dans leur peau, à être moins satisfaits de leur corps et du processus de la puberté, auront moins d'amis ou feront montre d'autres signes de troubles.

Les jeunes filles au développement pubertaire précoce, comme celle de droite, mentionnent moins d'expériences positives et plus de dépressions au cours de leur adolescence que les jeunes filles qui atteignent leur puberté dans la norme ou tardivement, comme celle de gauche.

À l'heure actuelle, dans notre culture, la plupart des jeunes gens s'attendent à atteindre la puberté entre l'âge de 12 et 14 ans. Avant, on parle de puberté précoce et plus tard, de puberté tardive. Si vous comparez ces attentes à l'âge chronologique moyen de la puberté, vous constaterez que cette norme correspond aux filles qui sont dans la moyenne et aux garçons précoces. Alors, on devrait pouvoir vérifier que ces deux groupes, les filles dont le développement est normal et les garçons précoces, bénéficient d'un meilleur équilibre psychologique. Les garçons précoces pourraient bénéficier d'un avantage supplémentaire. En effet, ils ont souvent une morphologie *mésomorphe* qui correspond au stéréotype de la virilité : des épaules larges et une assez grande masse musculaire. Grâce à ce physique, ils excellent dans le sport et sont donc doublement avantagés.

La figure 8.8 montre ces prédictions précises sous forme de graphique. Les garçons précoces sont les plus avantagés, suivis des garçons et des filles qui ont un développement normal. Les plus désavantagés sont les garçons au développement tardif et les filles précoces, ce que confirment les dernières recherches. Les filles précoces, qui subissent des changements physiques majeurs avant l'âge de 11 ou 12 ans, ont généralement une perception négative de leur image corporelle. Elles se trouvent par exemple trop grosses (Tobin-Richards, Boxer et Petersen, 1983 ; Petersen, 1987 ; Simmons, Blyth et McKinney, 1983). Ces filles sont plus susceptibles de s'attirer des ennuis à l'école et à la maison (Magnusson, Stattin et Allen, 1986) et ont plus tendance à être déprimées (Rierdan et Koff, 1991). Il semble également qu'une puberté très tardive chez la fille entraîne certains effets négatifs, mais ces effets sont beaucoup moins frappants que chez le garçon.

Chez les garçons, la relation est essentiellement linéaire comme on peut le voir à la figure 8.8. En effet, les garçons précoces ont une bonne image de soi, ont de bons résultats scolaires, sont équilibrés et très populaires (Duke *et al.*, 1982).

Dans presque toutes ces études, la précocité ou le retard du développement sont définis en termes de changements physiques réels. Les résultats sont encore plus clairs lorsque les chercheurs interrogent les adolescents sur leur modèle interne de précocité ou de retard. Par exemple, Rierdan, Koff et Stubbs (1989) ont découvert que la négativité associée à la survenue des premières règles chez les filles était reliée à leur sens *subjectif* de la précocité. Celles qui se perçoivent comme précoces vivent une expérience plus négative.

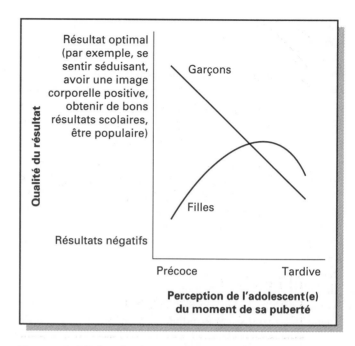

Figure 8.8 Puberté précoce et puberté tardive. Selon ce modèle des effets de la puberté précoce ou tardive, la meilleure situation pour les filles est d'être dans la moyenne, tandis que la meilleure situation pour les garçons est d'être précoce. Pour les deux sexes, toutefois, c'est la perception de la précocité ou du retard et non sa réalité chronologique qui semble critique. (*Source*: Adapté de Tobin-Richards *et al.*, 1983, p. 137.)

Toutefois, cette expérience négative n'est pas fonction de l'âge chronologique d'apparition des premières règles.

Ce lien entre le modèle interne et les résultats est particulièrement manifeste dans une étude effectuée par Jeanne Brooks-Gunn (Brooks-Gunn et Warren, 1985 ; Brooks-Gunn, 1987) sur des danseuses de ballet. Cette chercheure a observé des jeunes filles de 14 à 18 ans, dont certaines étaient danseuses de ballet dans une école nationale. Dans ce groupe, il était préférable d'avoir un corps très mince et quasiment prépubère. On devait donc s'attendre à ce que les danseuses qui avaient accédé très tardivement à la puberté aient une meilleure image d'elles-mêmes que celles dont le développement avait été normal. C'est exactement ce que Brooks-Gunn a découvert. Chez les jeunes filles du même âge qui ne dansaient pas, l'apparition normale des premières règles était associée à une meilleure image corporelle que chez celles qui accusaient un retard. La situation inverse se produisait pour les danseuses.

Ainsi, plus que l'âge absolu auquel a lieu le développement pubertaire, il semblerait que la divergence entre le modèle désiré par l'adolescent et son modèle réel joue un rôle primordial. Puisque la majorité des adolescents possèdent des attentes similaires, on observe des effets communs liés à une puberté précoce ou tardive. Mais pour prédire les effets d'un développement précoce ou tardif chez un adolescent, il nous faut connaître son modèle interne.

Votre puberté était-elle très précoce, précoce, normale ou tardive ? Croyez-vous que votre perception du moment de votre puberté ait pu influer sur l'ensemble de votre expérience de l'adolescence ?

Puberté précoce ou tardive

Q 18 Expliquez le rôle du modèle interne en ce qui concerne les répercussions psychologiques de la puberté précoce ou tardive.

Q 19 Quel est le moment idéal pour l'apparition de la puberté (précoce, dans la moyenne, tardive) si on est une fille ? un garçon ? Expliquez.

EFFETS DE L'ENVIRONNEMENT : L'ÉCOLE SECONDAIRE

Tout comme l'expérience scolaire est formatrice pendant l'enfance, l'école agit comme une force centrale dans la vie des adolescents ; mais l'effet est différent. Durant l'enfance, l'expérience scolaire est centrée sur l'apprentissage d'un ensemble complet d'habiletés fondamentales et de connaissances : apprendre à lire, à compter et à écrire. Bien que les élèves à l'école secondaire acquièrent plus de connaissances et que l'apprentissage favorise le développement de la pensée formelle, la scolarité joue de nombreuses autres fonctions. L'école secondaire n'est pas seulement un lieu d'expérimentation de nouvelles habiletés sociales hétérosexuelles pour l'adolescent, c'est aussi un lieu où la société tente de façonner les attitudes et le comportement des jeunes gens afin de les préparer à la vie adulte. Les écoles secondaires offrent ainsi des cours d'économie domestique et d'instruction civique, et

Ainsi, l'école secondaire ne représente pas seulement une expérience scolaire : c'est un milieu dans lequel les adolescents apprennent divers aspects du rôle adulte, expérimentent de nouvelles relations sociales et se comparent aux autres sur le plan intellectuel et athlétique.

elles favorisent la réflexion sur des questions d'actualité. Les conseillers d'orientation guident également l'adolescent dans le choix de ses études collégiales ou d'une carrière professionnelle. Par ailleurs, les programmes sportifs organisés offrent des chances de succès (ou d'échec) extra-scolaires.

Malgré ces divers rôles éducatifs de l'école secondaire, c'est à la réussite scolaire que la plupart des chercheurs se sont intéressés ; en effet, la société considère la réussite scolaire comme une mesure clé du succès ou de l'échec du parcours de l'adolescence. Nous allons donc nous pencher sur les deux pôles du continuum, soit les adolescents qui mènent leurs études à bien et ceux qui les abandonnent.

CEUX QUI MÈNENT À BIEN LEURS ÉTUDES

Le meilleur indicateur de la performance scolaire d'un élève à l'école secondaire est le Q.I. S'il est vrai que les enfants issus de la classe moyenne sont plus portés à réussir leurs études que ceux qui sont issus d'un milieu défavorisé, l'appartenance à la classe sociale n'est que très faiblement reliée à la réussite scolaire. En effet, pour chaque groupe ethnique et pour chaque classe sociale, les élèves qui ont un Q.I. élevé ont plus de chances d'obtenir de bonnes notes, de mener à bien leurs études secondaires et de poursuivre des études supérieures.

De plus, le Q.I. d'un adolescent et ses résultats scolaires peuvent être jusqu'à un certain point un facteur prédictif de son succès professionnel à l'âge adulte (Barrett et Depinet, 1991). Par exemple, de nombreuses études sur les emplois militaires montrent une corrélation de 0,45 à 0,55 entre les scores obtenus aux tests de Q.I. par les jeunes gens à leur arrivée dans l'armée et leur succès ultérieur dans divers emplois (Hunter et Hunter, 1984).

En dehors de l'armée, on trouve la même relation générale, même si l'instruction représente un facteur clé. Les étudiants qui ont un Q.I. élevé ou de très bons résultats scolaires à l'école secondaire sont portés à faire des études supérieures. Cette constatation s'applique autant aux enfants élevés dans un milieu défavorisé qu'à ceux issus de la classe moyenne (Barrett et Depinet, 1991). En effet, les scores de Q.I. sont de meilleurs indicateurs du niveau de scolarité ultérieur d'une personne que la classe sociale dont elle provient (Brody, 1992). Ces années additionnelles d'instruction ont un effet considérable sur le choix de carrière d'un jeune adulte (Rosenbaum, 1984 ; Featherman, 1980). Il est évident que les variations des aptitudes cognitives de l'adolescent et ses progrès scolaires ont des répercussions à long terme.

Cela ne veut pas dire que la famille ne joue aucun rôle dans la réussite ou l'échec scolaire d'un adolescent, bien au contraire. Vous vous rappelez sans doute une étude effectuée par Dornbusch et ses collaborateurs, dont nous avons parlé au chapitre 5, dans laquelle les chercheurs comparaient la performance scolaire des adolescents issus de familles autoritaires, démocratiques ou permissives (Dornbusch *et al.*, 1987; Lamborn *et al.*, 1991; Steinberg *et al.*, 1991). Ils ont trouvé que les adolescents issus de familles démocratiques étaient ceux qui réussissaient le mieux à l'école, et ce indépendamment de l'appartenance ethnique. Cette découverte révèle que, quelle que soit la situation économique de la famille ou le groupe ethnique d'appartenance, les adolescents ont de meilleurs résultats scolaires si leurs parents établissent des règles claires, encouragent leurs enfants à réussir, sont chaleureux et compréhensifs et ont de grandes capacités de communication.

CEUX QUI ABANDONNENT LEURS ÉTUDES

Le revers de la médaille, c'est le décrochage scolaire. Au Québec, environ 43 % des garçons et 28 % des filles qui entreprennent des études secondaires abandonnent en cours de route (Filion et Mongeon, 1993).

Dans le cas des décrocheurs, la classe sociale constitue un bien meilleur indicateur que le groupe ethnique. Les adolescents qui grandissent dans des familles défavorisées sont davantage portés à abandonner leurs études secondaires que les adolescents issus de familles plus aisées.

Le décrochage scolaire s'explique de plusieurs façons : l'aversion pour l'école, de faibles résultats scolaires, le renvoi de l'établissement ou la nécessité de trouver un emploi pour aider la famille. Les filles abandonnent souvent leurs études pour des raisons telles que le mariage, une grossesse ou le sentiment que l'école n'est pas faite pour elles (Center for Educational Statistics, 1987). Toutefois, cette liste ne tient pas compte du caractère complexe des raisons qui poussent un adolescent à abandonner ses études. Il est trop facile de dire, par exemple, que les filles décrochent parce qu'elles sont enceintes. Certaines tombent enceintes parce qu'elles n'ont aucun intérêt pour l'école et ont le sentiment qu'elles sont déjà prêtes à entrer dans le monde adulte. L'estime de soi joue également un rôle important. Ces dernières années, en raison de la difficile conjoncture économique, de nombreux élèves en sont venus à la conclusion qu'un diplôme d'études secondaires ne leur servirait à rien pour trouver un emploi. Ce raisonnement n'est pas tout à fait faux, étant donné les piètres perspectives d'emploi qui s'offrent aujourd'hui aux nombreux diplômés du secondaire en Amérique du Nord (et dans le monde) (Rosenbaum, 1991).

À long terme, cependant, les adolescents qui s'appuient sur un raisonnement aussi radical pour abandonner leurs études se trompent. Le taux de chômage est plus élevé parmi les décrocheurs que dans n'importe quel autre groupe, et ceux qui dénichent un emploi ont un salaire moins élevé que ceux qui possèdent un diplôme d'études secondaires. Toutefois, la différence entre ces deux groupes n'est pas aussi marquée qu'elle l'était autrefois. Un homme ou une femme doté d'un diplôme d'études secondaires ne peut plus s'attendre à trouver un emploi bien rémunéré dans une usine, comme c'était le cas il y a quelques dizaines d'années. Malgré tout, les études de niveau secondaire offrent encore certains avantages. Les décrocheurs empruntent une trajectoire de vie qui va restreindre de manière considérable leurs chances de réussite.

École secondaire

Q 20   Quels sont les facteurs de la réussite scolaire ?

Q 21   Quelles sont les raisons le plus souvent invoquées pour expliquer l'abandon scolaire ?

RÉSUMÉ

1. L'adolescence est définie non seulement comme une période de changements pubertaires, mais aussi comme une période de transition entre l'enfance et l'adoption complète du rôle adulte. Cette transition est marquée par des rites dans de nombreuses cultures.

2. Les changements physiques de l'adolescence sont provoqués par un ensemble complexe de changements hormonaux, débutant vers l'âge de huit ou neuf ans. De très importantes augmentations des gonadotrophines, dont les œstrogènes et la testostérone, sont au cœur de ce processus.

3. Les effets se traduisent par une croissance rapide de la taille et une augmentation de la masse musculaire et adipeuse. Les garçons deviennent plus musclés et les filles possèdent plus de tissus adipeux.

4. Chez les filles, la maturation sexuelle se traduit par un ensemble de changements commençant dès l'âge de huit ou neuf ans. Les premières règles apparaissent relativement tard dans cette séquence.

5. La maturation sexuelle se produit plus tard chez les garçons. Elle se caractérise par une poussée de croissance apparaissant un an ou plus après le début des changements des organes génitaux.

6. Les adolescents ont un peu moins de maladies aiguës que les enfants, mais sont plus souvent victimes d'accidents mortels. Ils affichent également des taux de suicide élevés et sont à la merci de deux troubles de l'alimentation majeurs, soit la boulimie et l'anorexie mentale.

7. La boulimie et l'anorexie mentale semblent être des désordres réactionnels liés aux critères de minceur véhiculés par la société. Ils sont aussi rattachés à la perception que les adolescentes ont de leur propre corps et du corps idéal.

8. Piaget propose une quatrième période importante du développement cognitif à l'adolescence, soit la période des opérations formelles. Elle se caractérise par la capacité d'appliquer des opérations de la période opératoire concrète non seulement aux objets, mais aussi aux idées et aux hypothèses. La logique déductive et la résolution systématique de problèmes font également partie de la pensée formelle.

9. Des chercheurs ont montré que certains adolescents possèdent sans aucun doute la pensée formelle. Toutefois, celle-ci n'est pas universelle et ceux qui peuvent l'appliquer ne l'utilisent pas tous de façon constante.

10. Une autre facette de la pensée de l'adolescent est le développement de nouveaux stades de raisonnement moral. Kohlberg divise le raisonnement moral en six stades, organisés en trois niveaux.

11. Des données de recherche suggèrent que ces niveaux et ces stades se suivent selon un ordre précis et qu'on les retrouve dans cette même séquence dans toutes les cultures étudiées jusqu'à maintenant.

12. On reproche au modèle de Kohlberg de tenir compte seulement du raisonnement concernant la justice et l'équité. Selon Gilligan, les individus peuvent aussi raisonner en se basant sur la bienveillance et les relations interpersonnelles, et les filles seraient davantage portées à utiliser ce dernier modèle. Mais la recherche n'appuie pas Gilligan sur ce point.

13. Le raisonnement moral n'est pas toujours en concordance avec le comportement moral. Les habitudes, le degré de responsabilité d'un individu et ce qu'il en coûte à la personne de se comporter de façon morale influent également sur son comportement.

14. Les variations de la vitesse du développement pubertaire ont des répercussions psychologiques. En général, certains effets négatifs découlent d'un grand écart entre ce qui, pour l'adolescent, constitue le moment normal de l'apparition de la puberté et ce qu'il perçoit comme le moment réel de sa propre puberté. Dans la culture nord-américaine contemporaine, les filles qui ont un développement pubertaire très précoce ainsi que les garçons qui ont un développement pubertaire très tardif sont plus portés à ressentir de manière négative leurs expériences.

15. L'environnement scolaire joue un rôle particulièrement formateur dans l'expérience de l'adolescent. Ceux qui réussissent à l'école ont un Q.I. élevé et sont issus de familles démocratiques. Ceux qui abandonnent leurs études sont souvent issus de familles défavorisées ou ont de mauvais résultats scolaires.

MOTS CLÉS

Anorexie mentale, p. 257

Boulimie, p. 256

Glandes endocrines, p. 248

Gonadotrophines, p. 251

Hypophyse, p. 248

Ménarche, p. 255

Morale conventionnelle, p. 262

Morale postconventionnelle
(ou principes moraux), p. 263

Morale préconventionnelle, p. 262

Œstrogènes, p. 251

Période des opérations formelles,
p. 258

Testostérone, p. 251

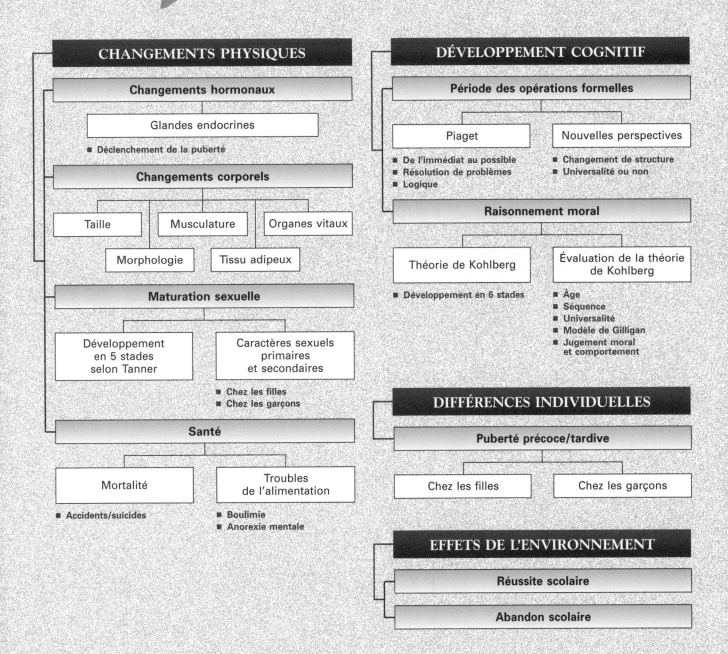

9

L'ADOLESCENCE: DÉVELOPPEMENT DES RELATIONS SOCIALES ET DE LA PERSONNALITÉ

> **M**es souvenirs d'adolescence ne me rappellent pas uniquement les changements physiques de la puberté. Bien sûr, le fait d'avoir grandi de 15 cm l'année de mes 12 ans et de dépasser tout le monde revêtait une grande importance. Je me souviens parfaitement combien j'avais peu conscience de la longueur de mes bras et de mes jambes et que je heurtais constamment les gens en gesticulant. Ma mère désespérait de trouver des vêtements à ma taille. Je sais que cette expérience a eu des effets considérables sur mes relations avec mon entourage et a profondément influé sur mon concept de soi.
>
> Bien que ces changements physiques m'aient marquée, ma mémoire a aussi conservé la trace de préoccupations différentes : gagner de l'indépendance envers ma famille, comprendre qui j'étais, trouver ce que j'allais faire de ma vie. L'indépendance et l'identité constituent le thème central de ce chapitre.
>
> HELEN BEE

COMPRÉHENSION DU CONCEPT DE SOI ET DES RELATIONS SOCIALES

Nous allons dans un premier temps nous pencher sur l'aspect cognitif de ces changements. En quoi la compréhension du concept de soi d'un enfant et ses relations avec autrui se modifient-elles au cours de l'adolescence ?

CONCEPT DE SOI ET ESTIME DE SOI

L'estime de soi change en fonction de l'âge : en général, l'estime de soi diminue légèrement vers le début de l'adolescence, pour augmenter ensuite de façon régulière et substantielle (Harter, 1990 ; Wigfield *et al.*, 1991). Vers la fin de l'adolescence, les jeunes adultes de 19 ou 20 ans ont une estime de soi beaucoup plus positive qu'à l'âge de 8 ou 11 ans.

Cette brève diminution de l'estime de soi au début de l'adolescence semble davantage liée aux changements d'école et aux changements pubertaires simultanés qu'à l'âge chro-

nologique (Harter, 1990). Des chercheurs ont surtout remarqué cette baisse chez les élèves qui arrivent très jeunes à l'école secondaire (Wigfield *et al.*, 1991). Lorsque le processus de transition est plus graduel, on n'observe aucune baisse de l'estime de soi au début de l'adolescence.

Un autre changement révélateur se manifeste sur le plan des qualificatifs qu'utilise un adolescent pour se définir, lesquels deviennent de plus en plus abstraits. Nous avons cité au chapitre 7 quelques-uns des qualificatifs donnés par des enfants d'âge scolaire. Voici la réponse d'une adolescente de 17 ans à la question « Qui suis-je ? », posée par Montemayor et Eisen :

> *Je suis un être humain. Je suis une fille. Je suis une personne. Je ne sais pas qui je suis. Je suis Capricorne. Je suis indécise. Je suis ambitieuse. Je suis très curieuse. Je ne suis pas individualiste. Je suis solitaire. Je suis pour la démocratie. Je suis radicale. Je suis conservatrice. Je suis athée. Je ne suis pas une personne qu'on peut classer. D'ailleurs, je ne veux pas être classée. (1972, p. 318.)*

Il est évident que, pour se définir, cette jeune fille fait moins référence à ses caractéristiques physiques ou à ses aptitudes qu'un jeune enfant. Elle décrit des traits abstraits ou une idéologie.

La figure 9.1, basée sur les réponses des 262 sujets de l'étude de Montemayor et Eisen, illustre bien ces changements. Les réponses des sujets à la question « Qui suis-je ? » ont été classées dans diverses catégories, selon qu'elles faisaient référence aux caractéristiques physiques (« Je suis grand », « J'ai les yeux bleus ») ou aux idéologies (« Je suis pour la démocratie », « Je crois en Dieu », etc.). Comme vous pouvez le constater, l'apparence physique est une dimension très importante au cours de la préadolescence et au début de

À cet âge, la plupart des adolescents ont un concept de soi beaucoup plus positif qu'à l'âge de 10 ou 12 ans.

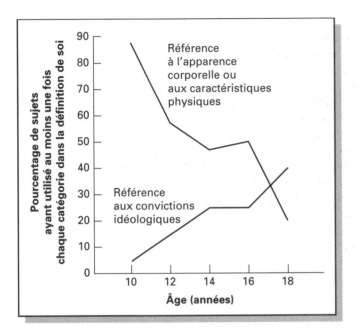

Figure 9.1 Évolution du concept de soi à l'adolescence.
La définition de soi des enfants et des adolescents évolue avec l'âge : les références aux caractéristiques physiques diminuent, alors que les références aux convictions idéologiques augmentent. (*Source* : Montemayor et Eisen, 1977, adapté du tableau 1, p. 316.)

l'adolescence, mais elle le devient moins au terme de l'adolescence, période où l'idéologie et les croyances sont plus marquées. Vers la fin de l'adolescence, la plupart des jeunes se définissent en faisant référence à des traits durables, à leur philosophie personnelle et à des normes morales (Damon et Hart, 1988).

Des études récentes effectuées par Harter montrent également que le concept de soi varie beaucoup au cours de l'adolescence selon le rôle assumé par l'adolescent : comme élève, avec ses amis, avec ses parents et dans les relations amoureuses (Harter et Monsour, 1992). Le concept de soi devient plus souple, car les catégories sont moins rigides. Ainsi, les adolescents font preuve d'une très grande souplesse lorsqu'il s'agit de définir les comportements acceptables pour les personnes du même sexe.

CONCEPT DES RÔLES SEXUELS À L'ADOLESCENCE.
Les enfants de sept et huit ans semblent traiter les catégories du genre comme s'il s'agissait de règles immuables, mais les adolescents s'aperçoivent qu'il existe une vaste gamme de comportements au sein de chaque groupe sexuel (Urberg et Labouvie-Vief, 1976 ; Huston-Stein et Higgens-Trenk, 1978). Ainsi, une minorité significative d'adolescents et de jeunes adultes commencent à se définir en utilisant à la fois des traits masculins et féminins.

Au début des recherches dans ce domaine, les psychologues opposaient nettement masculinité et féminité en les plaçant sur un même continuum. Toutefois, les travaux de Sandra Bem (1974) et de Janet Spence et Robert Helmreich

(1978) ont montré qu'il est possible pour un individu d'exprimer à la fois les aspects féminins et masculins de sa personnalité, par exemple la sensibilité et l'indépendance, la tendresse et l'affirmation de soi.

Selon cette nouvelle approche des rôles sexuels, la masculinité et la féminité sont conçues comme étant deux dimensions distinctes. Une personne peut posséder chacune de ces dimensions à un degré faible ou élevé, ou posséder les deux dimensions à la fois. Les termes utilisés pour décrire les quatre possibilités découlant de ce modèle à deux dimensions sont présentés à la figure 9.2. Les deux modèles traditionnels des rôles sexuels sont les modèles féminin et masculin. Deux nouveaux modèles apparaissent lorsqu'on considère les rôles sexuels selon la nouvelle approche : les sujets **androgynes,** qui se décrivent comme ayant à la fois des traits masculins et féminins marqués, et les sujets **indifférenciés,** qui se décrivent comme dépourvus des deux types de traits.

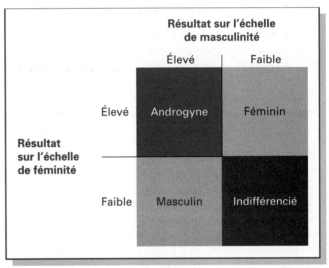

Figure 9.2 Modèles des rôles sexuels. Selon cette façon de conceptualiser la masculinité et la féminité, chaque personne possèderait chacune des dimensions à un degré divers. Lorsque chaque dimension est divisée, on obtient quatre « modèles ».

> Cela change-t-il quelque chose de percevoir la masculinité et la féminité comme deux éléments distincts d'un continuum plutôt que comme deux dimensions distinctes ?

Androgyne : Personne présentant un degré élevé de caractéristiques et masculines et féminines.

Indifférencié : Un des quatres types proposés par Bem et d'autres chercheurs pour décrire les variations dans le concept de soi du genre. Une personne indifférenciée présente un faible degré de caractéristiques masculines et féminines.

De nombreuses études ont trouvé qu'environ 25 à 35 % des élèves américains du secondaire se définissent comme étant androgynes (Spence et Helmreich, 1978 ; Lamke, 1982a). Plus de filles que de garçons se classent dans le groupe androgyne, et plus de filles se retrouvent dans la dimension masculine que de garçons dans la dimension féminine.

Une découverte encore plus étonnante révèle que les modèles masculin et androgyne sont associés à une haute estime de soi, et ce tant chez les adolescents que chez les adolescentes (Lamke, 1982a, 1982b). On peut expliquer ce fait en supposant que les garçons et les filles valorisent les caractéristiques qui définissent les stéréotypes masculins, comme l'indépendance et la compétence. Ainsi, un jeune garçon peut développer une haute estime de soi et avoir du succès auprès de ses pairs en adoptant un rôle sexuel masculin traditionnel. Pour les filles, par contre, l'adoption d'un rôle sexuel féminin traditionnel sans caractéristiques masculines semble entraîner un risque de faible estime de soi, voire de piètres relations avec les pairs (Massad, 1981).

De telles découvertes suggèrent que, si la création de règles rigides ou de modèles de rôles sexuels est un processus normal, et même essentiel, chez les jeunes enfants, un bouleversement de ces règles semble nécessaire à l'adolescence, particulièrement pour les filles chez qui un concept de soi androgyne est associé davantage à des conséquences positives.

RÉSUMÉ DES CHANGEMENTS LIÉS AU DÉVELOPPEMENT DU CONCEPT DE SOI. Nous allons résumer ici l'évolution du concept de soi en reprenant les divers éléments d'information abordés dans les chapitres précédents. Le jeune enfant développe d'abord un sens primitif de sa propre existence. Puis, il prend conscience de sa continuité et du fait qu'il joue un rôle dans le monde. Vers l'âge de 18 ou 24 mois, la plupart des enfants établissent une conscience de soi. Ils comprennent alors qu'ils sont des *objets* distincts dans le monde. À ce stade, les enfants commencent à se définir en faisant référence à des caractéristiques physiques (âge, taille, genre), puis selon leurs activités et habiletés. Pendant la période des opérations concrètes et formelles (de six ans à l'adolescence), le contenu du concept de soi de l'enfant devient progressivement plus abstrait, il se détache des caractéristiques physiques et repose davantage sur la supposition de qualités internes durables. Vers la fin de l'adolescence, le concept de soi subit une réorganisation caractérisée par une nouvelle orientation sur le plan sexuel, professionnel et idéologique.

CONCEPT DES RELATIONS INTERPERSONNELLES

De la même manière, la compréhension que possède l'adolescent des autres et de ses relations devient de plus en plus abstraite, et elle se détache aussi des apparences. Par exemple, les descriptions que font les adolescents des autres personnes comportent davantage de comparaisons d'un trait de caractère avec une autre personne ou d'une personne avec une autre, dénotent une meilleure reconnaissance des différences et des exceptions, et sont plus nuancées que celles d'un enfant (Shantz, 1983). Pour illustrer cette notion, voici la description d'un adolescent de 15 ans :

> *Simon est très modeste. Il est même plus timide que moi en présence d'étrangers ; par contre, il est très volubile avec les gens qu'il connaît et qu'il aime. Il est toujours joyeux et je ne l'ai jamais vu de mauvaise humeur. Il a tendance à rabaisser les exploits des autres, mais il ne se vante jamais. Il n'exprime jamais son opinion. Il s'énerve très rapidement.* (Livesley et Bromley, 1973, p. 221.)

On observe des changements similaires dans la description de l'amitié chez les enfants, laquelle devient plus conditionnelle et plus nuancée. Les recherches de Damon suggèrent que, vers la fin de l'adolescence, les jeunes comprennent que même leurs amis les plus proches ne peuvent répondre à toutes leurs attentes et que cette amitié n'est pas immuable : elle évolue, grandit ou s'éteint, en même temps que les membres de la paire changent. Une grande amitié va s'*adapter* à ces changements. À cet âge, les jeunes parlent de l'amitié dans ces termes : « la confiance est la capacité de laisser aller autant que de se raccrocher » (Selman, 1980, p. 141).

Concept de soi

Q 1   Pourquoi l'estime de soi diminue-t-elle au début de l'adolescence ?

Q 2   En quoi la description de soi se modifie-t-elle entre l'enfance et l'adolescence ?

Q 3   Qu'est-ce que l'androgynie ?

PERSPECTIVES THÉORIQUES

À cette étape du développement, la question du « Qui suis-je ? » devient primordiale pour l'individu en croissance. Le concept de soi est remis en question à cause des transformations sexuelles de la puberté et des nouvelles capacités intellectuelles et physiques qui caractérisent l'adolescence.

SELON FREUD

Le *stade génital*, le quatrième et dernier stade psychosexuel défini par Freud, se met en place à l'adolescence (voir le chapitre 2). Les pulsions sexuelles « endormies » pendant la période de latence se réveillent sous l'effet des changements physiologiques, et ces pulsions sexuelles nouvelles sont dirigées vers des pairs du sexe opposé. Le principal but psychosexuel de ce stade correspond à l'ouverture à la sexualité adulte (Cloutier et Renaud, 1990).

SELON ERIKSON

Dans sa description du dilemme de l'adolescent entre l'*identité* et la *diffusion de rôle*, Erikson souligne que, pour parvenir à la maturité d'identité sexuelle et professionnelle, chaque adolescent doit réexaminer son identité et les rôles qu'il doit assumer. Il doit acquérir une perception de soi intégrée de ce qu'il est et désire être, et du rôle sexuel approprié. Le risque réside dans la confusion qu'entraîne la profusion des rôles qui s'offrent à l'adolescent. Erikson pense que le sentiment d'identité de l'enfant s'effondre au début de l'adolescence en raison de la croissance corporelle rapide et des changements sexuels de la puberté. Selon lui, pendant cette période, la pensée de l'adolescent devient une sorte de *moratoire* entre l'enfance et l'âge adulte. L'ancienne identité ne suffit plus. L'adolescent doit se forger une nouvelle identité qui l'aidera à trouver sa place parmi la multitude de rôles de la vie adulte : rôle professionnel, rôle sexuel, rôle religieux. Les nombreux choix de rôles qui s'offrent à lui sèment inévitablement la confusion. Voici comment Erikson perçoit ce phénomène :

> En général, c'est d'abord l'incapacité de se forger une identité professionnelle qui perturbe l'adolescent. Pour se retrouver, il s'identifie à outrance au héros de la clique ou du groupe, jusqu'à en arriver temporairement à une perte d'identité apparemment complète... Il devient excessivement sectaire, intolérant, cruel : il exclut les personnes qui sont « différentes », que ce soit sur le plan de la couleur de la peau ou de la culture... et souvent, divers aspects insignifiants comme l'habillement et les mimiques (gestes, comportements) deviennent des critères de sélection arbitraires qui font qu'une personne sera ou ne sera pas admise au sein du groupe. Il est important de comprendre... qu'une telle intolérance constitue une défense nécessaire contre un sens de diffusion de l'identité, *ce qui est inévitable à cette période de la vie*. (1980, p. 97 et 98.)

Pour l'adolescent, la clique ou la bande constitue une base de sécurité à partir de laquelle il se dirige vers une solution du processus d'identité. Finalement, chaque adolescent doit acquérir une vision intégrée de lui-même, incluant son propre modèle de croyances, ses aspirations professionnelles et ses relations avec autrui.

MODÈLE DE L'IDENTITÉ À L'ADOLESCENCE DE MARCIA

Presque toutes les recherches actuelles sur la formation de l'identité de l'adolescent sont aujourd'hui basées sur la description des *états d'identité* proposés par James Marcia (Marcia, 1966, 1980). Selon ce chercheur, la quête de l'identité de l'adolescent se divise en deux parties, le *questionnement* et l'*engagement*. Le questionnement est une période de prise de décisions où les anciennes valeurs et les choix antérieurs sont remis en question. Il peut se mettre en place progressivement ou soudainement. Le résultat du processus de questionnement consiste en une forme d'engagement envers un rôle spécifique ou une idéologie particulière. Si vous conjuguez ces deux éléments, comme à la figure 9.3, vous constaterez que l'on définit quatre états d'identité : (1) l'identité en **phase de réalisation** :

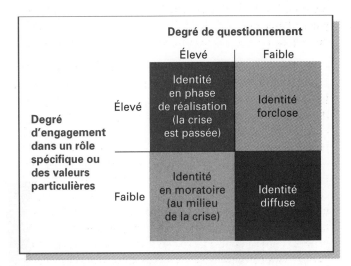

Figure 9.3 États d'identité à l'adolescence selon Marcia. Marcia a défini quatre états d'identité à partir de la théorie d'Erikson. Pour acquérir pleinement son identité, l'adolescent doit traverser une crise de questionnement des objectifs et des valeurs, à l'issue de laquelle il manifeste un engagement dans un rôle spécifique ou un ensemble de valeurs. (*Source* : Marcia, 1980.)

États d'identité : Quatre états décrits par James Marcia qui sont définis selon la position d'un individu par rapport à deux dimensions : la présence ou l'absence d'un questionnement (remise en question), et la présence ou l'absence d'un engagement face à certains rôles ou valeurs.

Identité en phase de réalisation : Un des quatre états d'identité proposés par Marcia. Il est associé à la résolution d'un questionnement qui entraîne un nouvel engagement.

la personne a traversé une crise et a pris des engagements; (2) l'**identité en moratoire**: l'individu se questionne sans prendre d'engagement; (3) l'**identité forclose**: l'adolescent a pris un engagement sans pour autant avoir remis en question ses choix antérieurs; il a simplement adopté les valeurs de ses parents; (4) l'**identité diffuse**: l'adolescent n'a pas traversé de période de crise et n'a pas pris d'engagement; la *diffusion* exprime soit un stade précoce de la formation d'identité (avant une crise), soit un échec dans la prise d'un engagement au terme de la crise.

Il est impossible d'affirmer que tous les adolescents traversent ou non une crise d'identité, parce qu'il n'existe aucune étude longitudinale qui couvre cette période. Toutefois, on dispose de nombreuses études transversales, dont huit que Alan Waterman (1985) a combinées en une seule analyse. La figure 9.4 illustre les résultats observés sur l'*identité vocationnelle*, l'une des nombreuses facettes de l'identité dont Erikson a parlé.

Nous pouvons tirer quelques observations intéressantes de ces résultats. Premièrement, on remarque que, en général, les adolescents n'atteignent pas l'état d'identité en phase de réalisation à l'âge de l'école secondaire, mais à l'âge du cégep. Notez également que l'identité en moratoire est un état d'identité relativement peu courant, sauf durant les années

du cégep. Donc, si la plupart des adolescents traversent une crise d'identité, cette crise se produit relativement tard et ne dure pas très longtemps. Enfin, on note qu'environ un tiers des adolescents de tout âge ont atteint l'état d'identité forclose, ce qui peut indiquer que bon nombre d'entre eux ne traversent aucune crise, mais qu'ils suivent plutôt un modèle

> Selon Marcia, l'état d'identité forclose est moins évolué sur le plan de la maturité. D'après vous, l'adolescent doit-il nécessairement traverser une crise pour acquérir une identité mature? Croyez-vous que cette hypothèse soit juste?

Identité en moratoire: Un des quatre états d'identité proposés par Marcia. Il est associé à une remise en question sans engagement.

Identité forclose: Un des quatre états d'identité proposés par Marcia. Il est associé à un engagement professionnel ou idéologique sans remise en question.

Identité diffuse: Un des quatre états d'identité proposés par Marcia. Il n'est associé à aucune remise en question ni à aucun engagement.

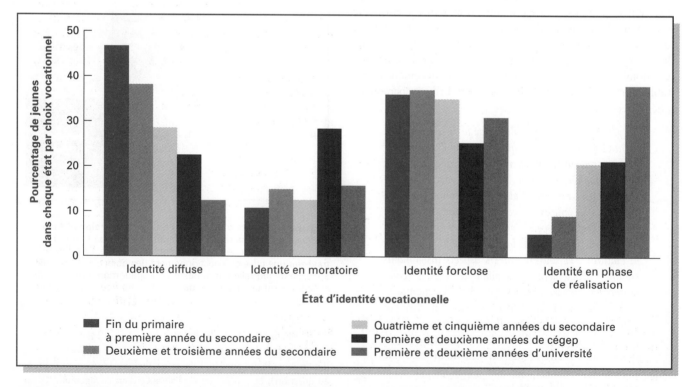

Figure 9.4 Étude de Waterman sur les états d'identité. Waterman a combiné des données provenant de huit études transversales différentes sur les états d'identité. Les états d'identité diffuse et forclose sont les plus courants chez les jeunes adolescents, tandis que l'identité en phase de réalisation se retrouve le plus fréquemment chez les adolescents plus âgés. (*Source*: Waterman, 1985, adapté du tableau 2, p. 18.)

À TRAVERS LES CULTURES

L'IDENTITÉ ETHNIQUE À L'ADOLESCENCE

Le Québec est une société multi-ethnique. Près de 75 % de sa population est d'origine française, 4,5 % britannique, 1 % autochtone et 12 % d'autres origines (Statistique Canada, 1994). Les dix nations amérindiennes appartiennent à deux familles linguistiques et culturelles, soit la famille algonquienne et la famille iroquoienne ; les Inuit sont de race et de culture différentes ; notons que plus de la moitié des autochtones ont moins de 25 ans (Les publications du Québec, 1995).

Pour les adolescents qui font partie d'une minorité ethnique, et plus particulièrement les adolescents de couleur vivant dans une culture blanche dominante, la définition de l'identité se complique encore. En effet, ils doivent aussi acquérir une identité ethnique ou raciale, qui peut comprendre les aspects suivants (Phinney et Rosenthal, 1992) :

- Identification de soi comme membre d'un groupe

- Sentiment d'appartenance et engagement à l'égard d'un groupe

- Attitudes positives (ou négatives) envers le groupe

- Sens des valeurs et des attitudes partagées

- Apprentissage de traditions ethniques particulières ou de pratiques, comme la langue, les coutumes et les comportements

L'identité ethnique diffère de la plupart des aspects de l'identité du moi, telle que l'entendent Erikson et Marcia, car il n'existe aucune alternative. On peut choisir une identité professionnelle, voire une identité du rôle sexuel. Mais les jeunes d'une minorité ethnique ne peuvent pas choisir leur identité particulière, ils ne peuvent décider que de son contenu.

Jean Phinney (1990 ; Phinney et Rosenthal, 1992) suggère qu'à l'adolescence, le développement d'une identité ethnique complète s'effectue en trois stades. Le premier stade constitue une « identité ethnique non réfléchie », équivalente à l'identité forclose de Marcia. Pour certains sous-groupes, comme les Noirs ou les Amérindiens, cette identité non réfléchie comprend souvent des images et des stéréotypes négatifs en cours dans la culture dominante. De nombreux adolescents issus de ces minorités

ethniques ou d'autres groupes minoritaires préfèrent la culture dominante blanche ou souhaiteraient être nés au sein de cette majorité. Sylvester Monroe, un journaliste noir américain qui a grandi dans un quartier défavorisé, décrit ce premier sentiment négatif :

> *Si tu étais Noir, tu ne faisais pas le poids... Pour un enfant noir, un certain manque de confiance se manifestait indirectement. On ne voyait jamais de Noirs à la télévision, on ne voyait jamais de Noirs accomplir des choses... On ne le formulait pas véritablement, mais on se disait : « Cela veut sans doute dire que les Blancs sont mieux que les Noirs. Plus intelligents, plus brillants, mieux sur tous les plans. » (Tiré de Spencer et Dornbusch, 1990.)*

Tous les adolescents issus de minorités ethniques n'ont pas une vision aussi négative de leur propre groupe. Les adolescents peuvent avoir une image ethnique très positive si le contenu de l'identité véhiculé par les parents ou les autres personnes qui les entourent est positif. En effet, cette perception du concept de soi ethnique de l'adolescent ne se forme pas en vase clos, mais bien à partir de sources extérieures, de la même façon que les jugements moraux conventionnels sont basés sur une autorité extérieure.

Le deuxième stade est la « recherche de l'identité ethnique », qui s'apparente à la crise dans l'analyse de Marcia sur l'identité du moi. Cette recherche est déclenchée par certaines expériences qui font ressortir l'appartenance ethnique — peut-être un exemple de préjugés raciaux ostensibles ou même l'expérience de l'école secondaire. À ce stade, l'adolescent commence à comparer son propre groupe ethnique avec les autres, pour en arriver à formuler son *propre* jugement.

Ce stade d'exploration est enfin suivi d'une résolution des conflits et des contradictions — semblable à l'état d'identité en phase de réalisation de Marcia. Ce n'est pas un processus facile. Certains adolescents noirs américains, par exemple, qui souhaitent réussir dans la culture dominante, peuvent faire l'expérience d'ostracisme de la part de leurs amis de même race, qui les accusent de se comporter en Blancs et de trahir leur propre culture.

Certains Hispano-Américains rapportent les mêmes expériences. D'autres trouvent une solution au problème en tenant leur propre groupe ethnique à distance. D'autres encore se créent essentiellement deux identités, comme le décrit ce jeune homme chicano (d'origine mexicaine) interrogé par Phinney:

Lorsqu'on m'invite chez des amis, je dois me comporter autrement que si j'étais chez moi, en raison des différences culturelles. Je dois agir comme eux. Maintenant, je suis habitué à passer d'un comportement à l'autre. Ce n'est pas difficile. (Phinney et Rosenthal, 1992, p. 160.)

Certains résolvent le problème en choisissant les modèles et les valeurs de leur propre groupe ethnique, même si cela peut limiter leur accès à la culture dominante.

Dans des études longitudinales et transversales, Phinney a découvert que les adolescents et les jeunes adultes noirs américains traversent ces étapes ou stades pour adopter une identité ethnique qui leur est propre. De plus, il est évident que parmi les adolescents et les élèves de collège noirs, d'origine asiatique ou autres, ceux qui ont franchi le deuxième ou le troisième stade de ce processus — c'est-à-dire ceux qui recherchent une identité propre ou qui l'ont atteinte — ont une haute estime de soi et de meilleures adaptations psychologiques (Phinney, 1990) que ceux qui en sont encore au stade « non réfléchi ». À l'inverse, chez les étudiants de race blanche, l'identité ethnique n'est en rien reliée à l'estime de soi ou à l'adaptation.

Ce modèle de stades constitue le début d'une description appropriée du processus de la formation de l'identité ethnique. Toutefois, il ne faut pas perdre de vue que les caractéristiques et le contenu de l'identité ethnique différeront considérablement d'un sous-groupe à l'autre. Les groupes qui font l'expérience de préjugés raciaux emprunteront un chemin différent de ceux qui peuvent s'assimiler plus facilement. Ceux dont la culture ethnique présente des valeurs qui se rapprochent de celles de la culture dominante auront moins de difficulté à résoudre les conflits que ceux dont la culture familiale est très différente de la majorité. Quoi qu'il en soit, il est évident que les individus issus de minorités ethniques, et particulièrement des minorités visibles, doivent faire face à un problème d'identité supplémentaire durant l'adolescence.

---

bien défini — modèle que l'on devrait retrouver dans les pays non industrialisés où les enfants sont censés suivre les traces de leurs parents sur le plan professionnel et sexuel.

Perspectives théoriques

Q 4   Définissez le stade génital dans la théorie de Freud.

Q 5   Définissez le stade de l'identité ou de la diffusion de rôle dans la théorie d'Erikson.

Q 6   Quels sont les deux éléments clés dans la formation de l'identité selon Marcia?

Q 7   Citez et expliquez les quatre états d'identité définis par Marcia.

Q 8   Quelles différences peut-on observer entre l'état d'identité des adolescents qui poursuivent des études (collégiales ou universitaires) et celui des adolescents qui sont sur le marché du travail?

L'ensemble de ces découvertes indiquent que la crise d'identité se produirait un peu plus tard que ne le pensait Erikson. Toutefois, cette conclusion dépend d'un autre facteur: il semble que les jeunes qui arrivent sur le marché du travail après l'école secondaire affirment leur identité professionnelle plus tôt que ceux qui poursuivent des études collégiales et universitaires. La poursuite des études retarde l'accès au statut d'adulte. Les années d'études collégiales et universitaires constituent une période active de questionnement, de doute et de réflexion sur les choix possibles. Ceux qui s'engagent directement dans la vie professionnelle ne peuvent s'offrir ce luxe. Dans l'une des rares études réalisées auprès de jeunes travailleurs, Gordon Munro et Gerald Adams (1977) ont découvert que 45 % de ceux qui étaient déjà sur le marché du travail avaient atteint l'état d'« identité en phase de réalisation », un nombre plus élevé que celui des étudiants de niveau collégial et universitaire présenté à la figure 9.4.

RELATIONS SOCIALES

Tous les changements cognitifs dans le concept de soi que se construit l'enfant, ainsi que les changements dans sa personnalité et dans ses relations avec autrui, constituent une importante partie du fondement de ses relations, même si la causalité est indéniablement à double sens : les relations influent tout autant sur la pensée de l'enfant que les changements dans la compréhension de l'enfant influent sur ses relations. À l'adolescence, les relations avec les parents et les pairs sont toujours les plus importantes.

RELATIONS AVEC LES PARENTS

Les adolescents ont deux tâches apparemment opposées dans leurs relations avec leurs parents : acquérir leur autonomie tout en maintenant les liens d'attachement. On observe ces deux processus en cours dans une relation adolescent-parents. L'acquisition de l'autonomie se manifeste par une augmentation des conflits entre les parents et l'adolescent. Le maintien du lien se traduit par la continuité de l'attachement de l'adolescent aux parents.

AUGMENTATION DES CONFLITS. L'augmentation du nombre de conflits a été notée par de nombreux chercheurs (Steinberg, 1988 ; Montemayor, 1982 ; Paikoff et Brooks-Gunn, 1991). Dans la majorité des familles, on assiste à une augmentation des conflits mineurs concernant des problèmes quotidiens, comme les règles à suivre à la maison, l'habillement, les sorties, les résultats scolaires ou les tâches ménagères. Les adolescents et leurs parents s'interrompent mutuellement plus souvent, et font preuve de moins de patience les uns envers les autres.

Cette augmentation des conflits est très courante, mais il ne faut pas penser pour autant qu'elle nuit gravement à la qualité de la relation parents-adolescent. Steinberg estime qu'environ 5 à 10 % des familles américaines étudiées subissent une détérioration catastrophique de la qualité de la relation parents-enfant au cours des premières années de l'adolescence.

Toutefois, si l'augmentation des conflits n'entraîne pas une détérioration de la relation parents-enfant, que signifie-t-elle ? De nombreux théoriciens suggèrent que cette augmentation des tensions entre les parents et leur enfant au cours de l'adolescence, loin d'être un événement négatif, peut être à la fois saine et nécessaire au développement : elle fait partie du processus d'*individuation* et de *séparation* (Steinberg, 1988, 1990 ; Hill, 1988). Chez les primates, on observe le même type d'augmentation des conflits, particulièrement entre les mâles adultes et les mâles adolescents. Les jeunes mâles commencent à manifester des gestes compétitifs et peuvent être chassés de la bande pour une brève période. Chez les humains, certaines données montrent que l'augmentation des conflits familiaux n'est pas liée à l'âge mais plutôt aux changements hormonaux de la puberté, ce qui tend à soutenir l'hypothèse qu'il s'agit d'un processus normal, voire nécessaire.

Par exemple, dans une étude longitudinale à court terme, Steinberg (1988) a suivi un groupe d'adolescents sur une période de un an, en vue d'évaluer leur stade de puberté et la qualité de leur relation avec leurs parents au début et à la fin de l'année. Il a découvert qu'au début des stades pubertaires, les liens familiaux se relâchent, les conflits parents-enfant redoublent et l'enfant acquiert de l'autonomie. D'autres chercheurs (Inoff-Germain *et al.*, 1988) ont approfondi cette recherche en mesurant les taux d'hormones réels et en démontrant la relation entre l'augmentation des taux d'hormones à la puberté et la quantité des conflits avec les parents. Chez les filles, les conflits semblent augmenter avec l'apparition des premières règles (Holmbeck et Hill, 1991).

Les causes de ce modèle sont évidemment très complexes. Les changements hormonaux sont parfois liés à une plus grande assurance, en particulier chez les garçons. Mais la réaction des parents aux changements pubertaires peut également jouer un rôle important. Les changements pubertaires visibles, notamment les premières règles, modifient les attentes des parents envers l'enfant et accroissent leurs inquiétudes. Ils cherchent alors à exercer une plus grande domination sur l'adolescent afin de l'aider à éviter les écueils d'une trop grande indépendance.

En fait, il semble que la période de l'adolescence soit plus stressante pour les *parents* que pour les jeunes (Gecas et Seff, 1990). Près des deux tiers des parents perçoivent l'adolescence comme l'une des étapes les plus difficiles du rôle parental, en raison de la perte de domination sur l'adolescent et des inquiétudes quant à sa sécurité que suscite son indépendance accrue.

Dans le même temps, et peut-être en partie à cause de cette augmentation des conflits, le degré d'autonomie de l'adolescent dans la famille s'élève de façon continue durant cette période. Les parents laissent de plus en plus leurs enfants faire des choix indépendants et participer aux prises de décision familiales. Selon Steinberg, cette distanciation est une composante normale, voire essentielle, du processus de développement chez l'adolescent.

ATTACHEMENT AUX PARENTS. Paradoxalement, ni les augmentations temporaires des conflits familiaux ni la prise de distance par rapport aux parents ne semblent indiquer que l'attachement émotionnel des jeunes à leur famille disparaît ou s'atténue. Les résultats d'une étude effectuée par

Pourquoi l'adolescence représente-t-elle une période si stressante pour les parents ? Combien d'hypothèses pouvez-vous émettre pour expliquer ce phénomène ? Pensez-vous que cela s'applique à toutes les cultures, ou davantage aux pays industrialisés ?

Fumiyo Hunter et James Youniss (1982) appuient clairement ce point.

Hunter et Youniss ont posé huit questions à des élèves et étudiants âgés de 9, 12, 15 et 19 ans sur leurs relations avec leur mère, leur père et leur meilleur ami du même sexe. La figure 9.5 illustre le résultat moyen, sur une échelle à quatre points, des questions concernant l'intimité de la relation («Nous discutons des problèmes» ou «Ma mère sait ce que je ressens», par exemple) et des questions sur ce qui alimente la relation («Mon père me donne ce dont j'ai besoin» ou «Mon meilleur ami m'aide à résoudre mes problèmes», par exemple). Les résultats montrent que l'intimité avec la mère et le père diminue durant l'adolescence, tandis que l'intimité avec les amis augmente. Mais les jeunes de cet âge continuent de percevoir leurs parents comme leur base de sécurité.

Si les adolescents passent moins de temps avec leurs parents que lorsqu'ils étaient plus jeunes, la plupart continuent d'avoir un attachement fort envers leurs parents.

Ce modèle de base est confirmé par d'autres recherches (Furman et Buhrmester, 1992; Lempers et Clark-Lempers, 1990). Par exemple, Greenberg indique que le sentiment de bien-être ou de bonheur d'un adolescent est davantage lié à la qualité de son attachement aux parents qu'à la qualité de son attachement aux pairs (Greenberg, Siegel et Leitch, 1983). Globalement, ces données convergent vers le fait que la relation centrale avec les parents et l'attachement envers eux continuent d'être très marqués à l'adolescence, même lorsque l'adolescent acquiert une plus grande autonomie.

Relations avec les parents

Q 9   Quelles sont les deux tâches principales de l'adolescent en ce qui concerne les relations avec ses parents?

Q 10 L'augmentation de la fréquence des conflits parents-adolescent nuit-elle à la qualité de leur relation? Pourquoi?

Q 11 Certains chercheurs considèrent que l'augmentation des conflits fait partie d'un processus nécessaire. Quel est-il?

Q 12 Quelles observations peut-on faire quant au lien d'attachement aux parents durant l'adolescence?

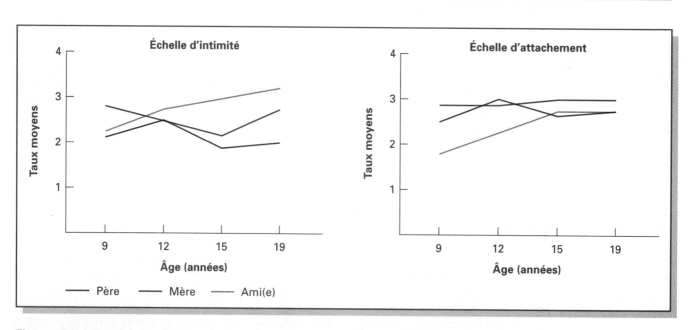

Figure 9.5 Intimité et attachement chez les adolescents. Les résultats obtenus par Hunter et Youniss suggèrent que l'attachement aux parents reste fort même lorsque l'attachement avec les pairs se consolide et devient plus intime. (*Source*: F. T. Hunter et J. Youniss, «Changes in functions of three relations during adolescence», *Developmental Psychology*, 1982, 18, figures 2 et 3, p. 809 et 810.)

RELATIONS AVEC LES PAIRS

Par ailleurs, les relations avec les pairs occupent indéniablement une place prépondérante à l'adolescence. Cette place est plus déterminante qu'elle ne l'était au cours de l'enfance et qu'elle ne le sera à l'âge adulte. Les adolescents passent le plus clair de leurs journées en compagnie d'adolescents de leur âge et consacrent moins de 5 % de leur temps à chacun de leur parent. Ils accordent environ 40 % de leur temps aux loisirs, dont les deux cinquièmes sont passés à fréquenter des amis et à discuter (Csikszentmihalyi et Larson, 1984).

Ces amitiés sont très stables. Elles gagnent également en complexité et deviennent psychologiquement enrichissantes. L'intimité se développe davantage dans les amitiés adolescentes dans la mesure où les amis échangent de plus en plus leurs sentiments profonds et leurs secrets tout en étant plus conscients des sentiments des autres. Ces observations proviennent d'études réalisées en Russie et aux États-Unis (Kon et Losenkov, 1978). La loyauté et la fidélité deviennent aussi des composantes essentielles de l'amitié (Berndt et Perry, 1990).

Cette série de changements ne traduit pas une simple modification de l'emploi du temps des jeunes. En fait, la *fonction* du groupe de pairs et de l'amitié se modifie. À l'école primaire, les groupes de pairs constituent un lieu d'interactions permettant l'apprentissage des relations interpersonnelles et l'adaptation à l'environnement culturel. Mais à l'adolescence, les amis et le groupe jouent un tout autre rôle. L'adolescent amorce le lent et difficile passage du stade de dépendance infantile à la vie d'adulte autonome, et le groupe de pairs devient le *véhicule* de cette transition. Comme Erikson le faisait remarquer, l'esprit de clan et la forte conformité au groupe est une étape normale sinon essentielle de ce processus.

CHANGEMENTS SUR LE PLAN DE LA CONFORMITÉ.
L'adhésion au groupe de pairs semble s'intensifier vers l'âge de 13 ou 14 ans pour s'estomper ensuite progressivement à mesure que l'adolescent se forge une identité plus indépendante du groupe de pairs. Thomas Berndt (1979) a demandé à des jeunes gens ce qu'ils feraient dans une série de situations hypothétiques où leurs pairs désirent accomplir des actes qui s'opposent à leur volonté ou à leur conception du bien. Les situations proposées décrivaient des actions utiles ou « prosociales », neutres et légèrement antisociales. Voici un exemple de mise en situation antisociale.

> *Vous êtes en compagnie de quelques-uns de vos meilleurs amis un soir d'Halloween. Ils s'apprêtent à barbouiller des fenêtres mais vous n'êtes pas sûr de vouloir participer. Vos amis vous y encouragent en disant qu'il est impossible que vous vous fassiez prendre. Que feriez-vous réellement dans cette situation ? (Berndt, 1979, p. 610.)*

Vous pouvez voir à la figure 9.6 que l'influence des pairs dans les situations neutres ou « prosociales » ne varie guère en fonction de l'âge, contrairement à ce qui se produit dans le cas de dilemmes antisociaux. L'influence des pairs atteint un sommet vers l'âge de 14 ans.

De crainte que vous ne pensiez que tous les enfants de 13 à 14 ans ont un comportement déchaîné avec leurs amis, nous devons mettre trois faits importants en lumière. Premièrement, dans l'étude de Berndt, l'échelle de conformité allait jusqu'à dix, ce qui signifie que le degré d'adhésion observé chez ces adolescents est relativement bas. Deuxièmement, il est avéré que l'influence des pairs va plus souvent à *l'encontre* des comportements déviants qu'en leur faveur (Brown, Clasen et Eicher, 1986). Troisièmement, la sensibilité à l'influence négative des pairs est moindre chez les jeunes gens qui sont proches de leurs parents (Steinberg et Silverberg, 1986). Ainsi, même si l'influence des pairs semble particulièrement forte à ce moment de l'adolescence, il existe aussi des facteurs qui atténuent sensiblement cette emprise.

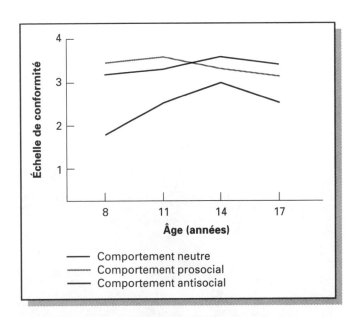

Figure 9.6 Conformité chez les adolescents. Berndt a demandé à des jeunes gens quelles seraient leurs réactions dans des situations hypothétiques où leurs pairs désirent accomplir des actes qui s'opposent à leur volonté ou à leur conception du bien. Les sujets âgés de 13 à 14 ans sont ceux qui se sont révélés les plus sensibles à l'influence de leurs pairs. (*Source* : Berndt, 1979, figure 1, p. 611.)

Pouvez-vous imaginer les qualités propres aux adolescents les plus sensibles et les moins sensibles à l'influence de leurs pairs ? leurs traits de tempérament ? leurs facultés intellectuelles ? leur environnement familial ?

CHANGEMENTS DANS LA STRUCTURE DU GROUPE DE PAIRS. La structure du groupe de pairs change aussi au cours de l'adolescence. Dunphy a effectué une étude sur la formation, la dissolution et l'interaction de groupes d'adolescents dans une école secondaire à Sydney, en Australie, entre 1958 et 1960 (Dunphy, 1963). Il a défini deux types de groupes en utilisant des appellations qui font aujourd'hui école dans les textes sur l'adolescence. Le premier groupe, que Dunphy appelle la **clique,** est constitué de quatre à six adolescents qui paraissent fortement attachés les uns aux autres. La clique suscite une forte adhésion et ses membres sont très intimes. Au début de l'adolescence, la clique est généralement formée d'individus de même sexe, vestige d'un trait caractéristique des préadolescents. Graduellement toutefois, les cliques se fondent en un groupe plus large, composé de plusieurs cliques de garçons et de filles, que l'on appelle une **bande.** Par la suite, la bande se disloque et fait place à de nouvelles cliques, hétérosexuelles cette fois, pour céder finalement le pas à la libre association des couples. D'après l'étude de Dunphy, la constitution de la bande a lieu vers l'âge de 13 à 15 ans, ce qui correspond par ailleurs à l'époque où l'individu offre le plus de vulnérabilité à l'influence du groupe de pairs.

Aujourd'hui, tous les chercheurs ne partagent pas le point de vue de Dunphy selon lequel la bande serait simplement constituée de plusieurs cliques. Bradford Brown (1990), par exemple, utilise le terme *bande* pour faire référence à un groupe défini par une réputation, auquel le jeune est associé par choix ou encore par une désignation de ses pairs. Des groupes comme les « sportifs », les « intellos » ou les « têteux » sont des bandes selon Brown. À l'inverse, les cliques sont toujours des groupes que l'adolescent choisit. Brown s'entend cependant avec Dunphy pour affirmer que, au début de l'adolescence, les cliques sont composées presque entièrement d'individus de même sexe et que, à son terme, elles deviennent mixtes.

Quelle que soit l'appellation utilisée, les théoriciens s'accordent pour reconnaître la fonction prépondérante du groupe de pairs. Il permet à l'adolescent de faire la transition des interactions sociales entre membres du même sexe aux relations sociales hétérosexuelles. L'individu de 13 ou 14 ans peut entreprendre ses premières expériences hétérosexuelles dans le cadre de l'environnement protégé de la bande ou de la clique. Ce n'est que plus tard, lorsqu'il aura acquis une certaine confiance en soi, qu'il s'engagera dans une relation de couple.

RELATIONS HÉTÉROSEXUELLES

De tous les changements observables à l'adolescence, le plus fondamental est le passage de la prédominance des amitiés entre personnes de même sexe à celle des interactions hétérosexuelles. Bien sûr, la culture joue ici un rôle déterminant. Ailleurs dans le monde, il existe des sociétés où les contacts ayant lieu à la puberté ou avant le mariage font l'objet d'une discipline serrée et sont chaperonnés, alors que dans d'autres sociétés, il n'existe aucune restriction à cet égard. La plupart des pays occidentaux se situent entre ces deux pôles, la société nord-américaine penchant nettement vers la pratique d'une moins grande restriction.

Les relations hétérosexuelles au début et au cœur de l'adolescence font clairement partie de la préparation en vue d'assumer pleinement l'identité sexuelle adulte. Les manifestations physiques de la sexualité jouent en partie ce rôle préparatoire, lequel comprend par ailleurs le développement de comportements d'intimité avec le sexe opposé, comme le flirt, la communication et la capacité de comprendre les signaux (comportements sociaux) propres à l'autre sexe.

Dans les pays occidentaux, on fait d'abord cet apprentissage à l'intérieur de groupes élargis et ensuite dans l'intimité du couple. Des études réalisées aux États-Unis révèlent que ces fréquentations débutent typiquement vers l'âge de 15 ou 16 ans, et que la moitié des garçons et des filles sont sexuellement actifs au moment où ils atteignent l'âge de 18 ans (Thornton, 1990).

Ce modèle de l'activité sexuelle est confirmé par d'autres recherches. En général, l'ensemble des données suggère qu'aujourd'hui, aux États-Unis, environ la moitié des garçons et un quart à un tiers des filles âgés de 15 à 17 ans ont perdu leur virginité. Chez les jeunes âgés de 18 à 19 ans, le taux d'activité sexuelle est nettement plus élevé. À cet âge,

Selon vous, quel stade de la séquence de Dunphy portant sur les structures de groupes de pairs ces adolescents vénézuéliens illustrent-ils ?

Clique : Terme utilisé pour décrire un groupe de 6 à 8 adolescents possédant des liens d'attachement très forts, au sein duquel priment la loyauté et la solidarité.

Bande : Groupe d'amis plus nombreux et plus ouvert qu'une clique, comprenant environ 20 membres. Elle est généralement formée de plusieurs cliques qui se sont réunies.

LE MONDE RÉEL

L'orientation sexuelle chez les adolescents

L'étude récente effectuée sur des jumeaux par Bailey et Pillard (1991) est des plus convaincantes. Elle montre que l'orientation sexuelle est beaucoup plus similaire chez les jumeaux identiques que chez les jumeaux fraternels. Dans cet échantillon, quand l'un des jumeaux était homosexuel, la probabilité que l'autre le soit aussi était de 52% chez les jumeaux identiques et de 22% chez les jumeaux fraternels. En comparaison, le taux équivalent de correspondance était seulement de 11% chez les paires de garçons sans aucun lien biologique adoptés par la même famille.

De telles preuves biologiques n'excluent pas l'influence d'autres facteurs sur l'orientation homosexuelle, comme l'environnement par exemple. Aucun comportement n'est entièrement le produit de la nature ou de l'éducation, ainsi que nous l'avons mentionné à plusieurs reprises. De même, l'étude des jumeaux souligne que les jumeaux identiques n'ont pas invariablement la même orientation sexuelle. Il semble donc bien qu'un facteur autre que biologique doit être à l'œuvre.

Quelle qu'en soit la cause, une minorité seulement d'adolescents a une orientation homosexuelle. L'homosexualité suscite de nombreux préjugés et stéréotypes associés à un risque élevé de problèmes à l'adolescence. Ainsi, les quatre cinquièmes des adolescents homosexuels interrogés dans une étude menée à Minneapolis ont vu leur performance scolaire se dégrader et plus d'un quart ont décroché au secondaire (Remafedi, 1987a). Les adolescents homosexuels doivent aussi décider s'il est opportun de révéler aux autres leur orientation sexuelle. Ceux qui le font seraient davantage disposés à se confier à leurs pairs plutôt qu'à leurs parents, en dépit des risques que cela comporte. Dans son étude, Remafedi a constaté que 41% des jeunes homosexuels masculins ont perdu un ami en raison de leur orientation sexuelle (Remafedi, 1987b). D'autres études suggèrent que les deux tiers des jeunes homosexuels n'ont pas révélé leur orientation sexuelle à leurs parents (Rotheram-Borus, Rosario et Koopman, 1991).

De toute évidence, on ne dispose que de peu d'informations sur la jeunesse homosexuelle. Mais il est facile d'imaginer que la période de l'adolescence est particulièrement éprouvante pour les individus de ce groupe. À l'instar des jeunes appartenant à des minorités ethniques, les adolescents homosexuels doivent surmonter un problème supplémentaire dans la définition de leur identité.

---

approximativement 75 % des garçons et 60 % des filles ont déjà eu une expérience sexuelle (Sonenstein, Pleck et Ku, 1989 ; Hofferth, Kahn et Baldwin, 1987). De même, au Québec, selon une enquête menée par Cloutier et ses collaborateurs auprès de 3 000 élèves environ, et dont les résultats sont illustrés à la figure 9.7, la majorité des adolescents ne deviennent actifs sexuellement qu'après l'âge de 16 ans ; à l'âge de 18 ans, 25 % des adolescents sont vierges (Cloutier, 1995).

Les fréquentations et l'activité sexuelle précoces surviennent plus communément dans les classes sociales les plus pauvres de la population, et plus particulièrement chez les adolescents qui ont une puberté précoce. Ainsi, les filles qui ont leurs règles très jeunes commencent plus tôt leur activité sexuelle que les filles du même âge qui n'ont pas encore leurs règles. L'enseignement religieux et l'opinion individuelle de chacun sur l'âge approprié pour avoir une relation sexuelle sont autant d'éléments déterminants, au même titre que la structure familiale. Les filles issues de familles divorcées ou reconstituées, par exemple, montrent un niveau d'expérience sexuelle plus élevé que celles provenant de familles intactes. Par ailleurs, celles qui ont de fortes croyances religieuses rapportent moins d'expériences sexuelles (Bingham, Miller et Adams, 1990 ; Miller et Moore, 1990).

Le taux des hormones joue également un rôle très important, bien que le lien semble plus clair chez les garçons que chez les filles. Chez les garçons, la fréquence des rapports sexuels est proportionnelle au taux de testostérone dans le sang. Chez les filles, l'intérêt pour la sexualité est lié au taux de testostérone, mais pas le comportement sexuel, ce qui

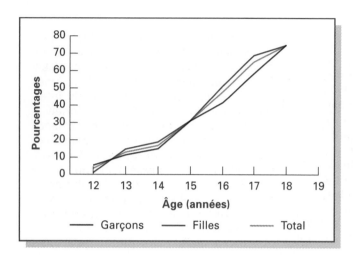

Figure 9.7 Pourcentages de garçons et de filles actifs sexuellement selon l'âge au Québec. (*Source*: Cloutier, *Revue québécoise de psychologie*, vol. 16, n° 13, 1995, figure 1, p. 93.)

semble démontrer que l'influence sociale est un facteur plus déterminant pour les filles que pour les garçons (Brooks-Gunn et Furstenberg, 1989).

CONNAISSANCE DE LA SEXUALITÉ ET CONTRACEPTION. En dépit du niveau accru d'activité sexuelle, l'ignorance des adolescents en matière de physiologie et de reproduction est remarquable. Dans le meilleur des cas, seulement la moitié des adolescents sont capables de décrire le moment de plus grande fertilité dans le cycle menstruel (Morrison, 1985). De plus, de nombreuses jeunes filles pensent qu'elles ne peuvent tomber enceintes parce qu'elles sont « trop jeunes ». Cette ignorance explique peut-être en partie le fait que moins de la moitié des adolescentes utilisent un moyen contraceptif lors de leur première relation sexuelle (Hofferth, 1987a).

Les campagnes d'information sur le sida semblent modifier cette tendance, encore que l'évolution soit très lente. Les données provenant d'une enquête menée à l'échelle nationale auprès d'adolescents en 1988 aux États-Unis montrent par exemple que l'usage du condom chez les garçons vivant en milieu urbain a doublé entre 1979 et 1988 (Sonenstein, Pleck et Ku, 1989; Pleck, Sonenstein et Ku, 1990), en particulier chez ceux qui jugeaient que les risques de contracter le virus du sida étaient élevés. Néanmoins, même en 1988, seulement 57 % des jeunes hommes ont dit avoir utilisé un

condom lors de leur dernière relation sexuelle et seulement 5 à 10 % utilisaient un condom de manière constante (Pleck, Sonenstein et Ku, 1991), un pourcentage qui sera loin de rassurer les spécialistes de l'épidémiologie préoccupés par l'augmentation de l'incidence du virus du sida (ou VIH, virus de l'immunodéficience humaine) chez les adolescents.

GROSSESSE CHEZ LES ADOLESCENTES. Une fois que l'on a pris connaissance de ces statistiques sur l'activité sexuelle et la contraception, on ne doit plus s'étonner du taux élevé de grossesses chez les adolescentes. Entre 1986 et 1993 au Québec, les naissances d'enfants nés de mères âgées de 15 à 19 ans atteignaient environ 3,7 % du total des naissances; en 1994, ce pourcentage est passé à 4,6 % (Bureau de la statistique du Québec, 1995). Les interruptions volontaires de grossesse (ou avortements provoqués) chez les adolescentes du même groupe d'âge sont passées de 4,2 % en 1976 à 20,1 % en 1993 (Régie de l'assurance-maladie du Québec, 1994). Les jeunes filles qui décident de garder leur bébé risquent de connaître un cheminement dans la vie adulte fort différent de celles qui n'ont pas d'enfant (nous approfondissons cette question dans l'encadré intitulé « Au fil du développement »).

Étant donné le risque croissant d'infection par le VIH et la menace du sida qui plane sur les adolescents, et à la lumière des risques à long terme liés à la maternité chez les adolescentes, il faut certainement revoir notre position concernant l'importance et le contenu des cours d'éducation sexuelle à l'école ainsi que le moment opportun pour les offrir. La consigne de l'abstinence peut être valable, mais elle n'est pas suffisante. L'activité sexuelle des adolescents est un fait avéré, et il faut faire face à cette réalité et à ses conséquences.

Vous devez mettre au point un programme d'éducation sexuelle pour les écoles publiques. Quelles seraient vos recommandations ? À quel âge commencerait cet enseignement ? Quel serait son contenu ? Quelles seraient, selon vous, les méthodes d'éducation les plus efficaces et pourquoi ?

Relations avec les pairs et relations hétérosexuelles

Q 13 Comment la fonction du groupe de pairs et de l'amitié se modifie-t-elle à l'adolescence ?

Q 14 Vers quel âge l'adhésion au groupe de pairs s'intensifie-t-elle ? Donnez un exemple de dilemme antisocial.

Q 15 Quels sont les facteurs qui atténuent l'emprise parfois négative du groupe de pairs ?

Q 16 Précisez la séquence identifiée par Dunphy en ce qui concerne la formation, la dissolution et l'interaction de groupes d'adolescents.

Q 17 Pensez-vous que les adolescents en général ont une bonne connaissance de la sexualité et de la contraception ?

AU FIL DU DÉVELOPPEMENT

LES CONSÉQUENCES À LONG TERME DE LA MATERNITÉ CHEZ LES ADOLESCENTES

Depuis quelques années, la presse populaire a publié nombre d'articles rapportant une « épidémie » de grossesses chez les adolescentes et proposant les mesures à adopter en vue d'enrayer ce phénomène. Mais le terme « épidémie » n'est pas très approprié (Vinovskis, 1988). En fait, le taux de natalité est en baisse dans toute la population, y compris chez les adolescentes. De 1973 à 1993 au Canada, la proportion des naissances chez les mères adolescentes est passé de 12 à 6 % (Statistique Canada, 1995). Par contre, le taux de natalité chez les adolescentes *non mariées* augmente de façon constante depuis les années 60 (Furstenberg, 1991). Ainsi, il n'y a pas plus d'adolescentes qui mettent au monde des enfants, mais un nombre plus élevé d'adolescentes choisissent de le faire en dehors des liens du mariage.

Que l'on juge cette tendance inquiétante ou non ne relève pas uniquement de convictions religieuses ou morales. Il faut aussi tenir compte des effets à long terme qu'entraîne cette maternité précoce sur la vie adulte de ces jeunes femmes. L'ensemble des informations dont on dispose à cet égard révèlent des effets négatifs (Hofferth, 1987b ; Furstenberg, Brooks-Gunn et Morgan, 1987 ; Teti, Lamb et Elster, 1987). Dans la majorité de ces études, on a associé la maternité chez les adolescentes aux faits suivants :

- Plus d'enfants, vivant dans un espace restreint
- Total moins élevé d'années de scolarité pendant la vie adulte
- Niveau moins élevé de réussite professionnelle
- Revenu plus bas à l'âge adulte
- Plus grande probabilité de divorce à l'âge adulte

Les données longitudinales provenant d'une étude sur le revenu, le « Panel Study of Income Dynamics » (Moore *et al.*, 1981), permettent de constater que les femmes qui ont eu leur premier enfant avant l'âge de 17 ans ont moins de chances de terminer leurs études secondaires que celles qui ont un enfant plus tard. Or, on sait, études à l'appui, que les personnes qui ne terminent pas leurs études secondaires ont de moins bonnes perspectives économiques et d'emploi à l'âge adulte.

Cependant, la méthodologie sur laquelle reposent ces conclusions comporte un défaut majeur. Les jeunes filles qui mettent au monde un enfant à l'adolescence sont différentes au départ, à plusieurs égards, de celles qui ont des enfants à l'âge adulte. Elles ont tendance à être plus pauvres, à provenir de familles avec un faible niveau de scolarité et à présenter des quotients intellectuels plus faibles. En outre, plusieurs d'entre elles avaient déjà quitté l'école *avant* de devenir enceinte. Il est donc possible que les conditions économiques difficiles à la vie adulte résultent de ces différences initiales et non pas de la maternité à l'adolescence.

On peut partiellement contourner le problème en ayant recours à des programmes de vérification statistique ou en comparant, au sein d'une même classe sociale, les jeunes filles ayant eu des enfants à l'adolescence avec celles qui en ont eu plus tard. Certains chercheurs se sont livrés à cette opération, et ils ont observé que les effets négatifs à long terme diminuent sans toutefois disparaître (Furstenberg, 1991). D'autres chercheurs ont comparé des sœurs, dont l'une avait eu son premier enfant à l'adolescence et l'autre après l'âge de vingt ans. Une telle comparaison sur un échantillonnage restreint (Geronimus, 1991) ne montre aucune différence dans le revenu à l'âge adulte et dans les possibilités d'emploi au début de la vie adulte. Par contre, il y avait plus de chances que les sœurs qui avaient mis un enfant au monde plus tard aient fait des études post-secondaires, et cette différence pourrait avoir des répercussions dans la vie adulte future.

Pour l'instant, la meilleure conclusion que l'on puisse tirer reste que la maternité précoce comporte des inconvénients indéniables, mais que ces inconvénients varient énormément d'une personne à l'autre. Ils dépendent du soutien familial dont dispose la jeune mère, de ses ressources et de ses capacités personnelles. Le moins que l'on puisse dire est que la maternité à l'adolescence change la nature des options dont disposent les jeunes mères au début de la vie adulte.

DIFFÉRENCES INDIVIDUELLES

VARIATIONS DANS LES RELATIONS FAMILIALES

Nous avons parlé au chapitre 5 des différences de style d'interaction familiale et de leurs implications pour les enfants et les adolescents. Pour les adolescents comme pour les enfants plus jeunes, le style d'éducation démocratique donne de meilleurs résultats. Nous avons aussi abordé un aspect de cette interaction au chapitre 7, en faisant valoir que les adolescents dont les parents adoptent un style démocratique obtiennent de meilleurs résultats scolaires que ceux dont les parents usent d'un autre style d'interaction. Il s'avère que les mêmes effets positifs du style d'éducation démocratique se retrouvent également dans d'autres facettes concernant la santé mentale et émotionnelle.

Dans une recherche exhaustive et multi-ethnique effectuée par Dornbusch et ses collaborateurs (Lamborn *et al.*, 1991), portant sur environ 10 000 élèves du secondaire dans le Wisconsin et en Californie, les adolescents ont commenté le climat régnant au sein de leur famille, leurs propres comportements et leurs résultats scolaires. Il apparaît clairement que les élèves qui décrivaient les rapports au sein de leur famille comme démocratiques obtenaient de meilleurs résultats. Les résultats les moins bons étaient obtenus par les enfants issus de familles dirigées par des parents négligents. Les enfants provenant de familles de style autoritaire et permissif se trouvaient entre ces deux groupes. Une étude plus poussée dans chacun de ces groupes révèle que, lorsque les familles confèrent trop d'autonomie trop tôt à leurs enfants, ces derniers obtiennent de moins bons résultats scolaires et font moins d'efforts à l'école. La prise de décisions conjointes, qui est l'une des caractéristiques du style d'éducation démocratique, a été associée à de meilleurs résultats scolaires et à un nombre moins élevé de problèmes personnels chez l'enfant, sans distinction de classe sociale ou d'appartenance à un groupe ethnique particulier (Dornbusch *et al.*, 1990).

STRUCTURE FAMILIALE. La structure familiale constitue toujours un élément important dans la vie de l'adolescent. Cependant, à l'adolescence, on constate une exception à cette règle. Nous avons vu au chapitre 7 que les garçons sont généralement plus sensibles aux effets négatifs du divorce ou du remariage des parents. Par contre, à l'adolescence, les jeunes filles manifestent un plus grand désarroi lorsqu'elles sont élevées par une mère célibataire ou dans des familles où il y a un nouveau conjoint (Vuchinich, Hetherington et Vuchinich, 1991; Hetherington, 1989, 1991b). Les adolescentes — ce n'est apparemment pas le cas des fillettes à la maternelle ou au primaire — ont plus de problèmes de relation que leurs frères à l'égard de leur beau-père et ont tendance à le traiter comme un intrus. Elles se montrent distantes, critiques et maussades, et s'efforcent d'éviter les contacts avec leur beau-père, même si, dans la plupart des cas, ce dernier fait des efforts évidents pour leur prêter attention et ne pas être trop autoritaire. Les adolescentes dans cette situation sont plus souvent déprimées et sombrent plus facilement dans l'usage des stupéfiants que les garçons.

Il n'est pas facile d'expliquer ce modèle. Il se peut que la jeune fille se sente privée de la position particulière ou des responsabilités qu'elle assumait au sein de la famille après le divorce et avant le remariage de sa mère. Il se peut qu'elle soit dérangée par l'engagement sentimental et sexuel de sa mère envers son beau-père. Par contre, un jeune garçon peut davantage tirer bénéfice de la présence d'un beau-père. Il acquiert un modèle masculin et peut aussi se décharger en partie des responsabilités qu'il devait assumer à la suite du divorce. Quelle que soit l'explication, les recherches nous rappellent une fois de plus la complexité de la structure familiale. Il faut renoncer à des concepts de structures simples comme les familles traditionnelles ou les familles comprenant un nouveau conjoint et élaborer des analyses plus détaillées qui prennent en compte non seulement l'âge et le sexe de l'enfant, mais aussi le style d'éducation, l'histoire de la famille et de ses structures, la présence d'autres membres de la famille dans le système, etc.

COMPORTEMENTS DÉVIANTS

Il est très complexe d'analyser et de comprendre l'origine des deux types de comportements déviants les plus courants chez les adolescents : la dépression et la délinquance juvénile. On entend plus souvent parler de la délinquance, mais la dépression est tout aussi importante.

DÉPRESSION. Pendant de nombreuses années, les psychiatres ont pensé que la **dépression** se manifestait uniquement chez les adultes. De nos jours, il est largement prouvé que la dépression est un phénomène très répandu chez les adolescents et qu'elle touche même parfois les enfants plus jeunes. Dans deux études différentes, respectivement menées aux États-Unis et en Angleterre, Thomas Achenbach et Michael Rutter ont découvert que, d'après les dires de leurs parents ou de leurs professeurs, 10 % des préadolescents paraissent malheureux, tristes ou déprimés (Achenbach et Edelbrock, 1981 ; Rutter, Tizard et Whitmore, 1970/1981). Chez les adolescents, ce taux atteint 40 %. Lorsque les adolescents décrivent leur état d'esprit, près d'un cinquième d'entre eux parlent d'humeurs dépressives allant de modérées à marquées (Siegel et Griffin, 1984 ; Gibbs, 1985).

Lorsque ces épisodes se prolongent au-delà de six mois et sont accompagnés de symptômes tels que des troubles du sommeil, des problèmes nutritionnels et des difficultés de concentration, on parle de *dépression clinique* ou d'*états dépressifs*. Des études épidémiologiques récentes révèlent que ces formes graves de dépression sont relativement rares chez les préadolescents mais étonnamment répandues chez les adolescents. Les estimations varient de manière considérable, mais on peut affirmer qu'au moins 2 % si ce n'est 10 % des jeunes sont cliniquement dépressifs (Cantwell, 1990).

Au Québec, un indice de détresse psychologique a été retenu par Santé Québec afin d'évaluer l'état de santé mentale de la population. Ce type d'indice tente d'estimer la proportion de la population présentant des symptômes assez nombreux ou intenses pour se classer dans un groupe susceptible de se trouver à un niveau de détresse psychologique

nécessitant une intervention. La détresse psychologique comprend la dépression, l'anxiété chronique ainsi que des symptômes d'agressivité et de troubles cognitifs ; cet état psychologique constitue l'un des principaux problèmes de santé au Québec, surtout chez les jeunes de 15 à 24 ans. Ainsi, en 1992-1993, l'indice de détresse psychologique dans ce groupe d'âge s'élevait à 35,2 % (29,7 % pour les hommes et 40,8 % pour les femmes). La moyenne pour les différents groupes d'âge était de 26 % comparativement à 19 % en 1987. (Santé Québec, 1995.)

Il est intéressant de noter que, parmi les préadolescents, les garçons sont de manière générale plus malheureux ou plus déprimés que les filles. Par contre, chez les adolescents (et les adultes), les filles sont davantage sujettes aux dépressions et aux états dépressifs chroniques (Baron et Perron, 1986 ; Nolen-Hoeksema, Girgus et Seligman, 1991), l'un des rares types de psychopathologie ou de comportement déviant qui est plus courant chez les femmes.

Bien que tous les préadolescents et adolescents qui se disent déprimés ne présentent pas toujours les autres symptômes d'une dépression clinique comme chez les adultes, ils connaissent néanmoins les mêmes changements hormonaux et endocriniens que les adultes. On sait donc que la dépression infantile est réelle et qu'elle peut être cliniquement très grave ; il ne s'agit pas d'un malaise passager et « normal » (Burke et Puig-Antich, 1990).

Pourquoi existe-t-il une augmentation de l'indice de dépression à l'adolescence ? Et pourquoi certains jeunes sont-ils victimes de ces problèmes et pas d'autres ? On a découvert que les enfants vivant avec des parents déprimés sont beaucoup plus enclins à la dépression que les autres adolescents. Après s'être penchés sur cette découverte, Downey et Coyne en sont arrivés à la conclusion que « la dépression est le *seul* trouble décelable pour lequel les enfants de parents dépressifs montrent une prédisposition » (1990, p. 59). Bien sûr, il est possible qu'un facteur génétique soit en cause, une hypothèse étayée par certaines études portant sur des jumeaux et des enfants adoptés (Burke et Puig-Antich, 1990). On pourrait aussi expliquer ce lien entre la dépression parentale et la dépression des enfants par les changements de l'interaction parents-enfant, attribuables à la dépression des parents.

Nous avons vu au chapitre 5 que les mères déprimées ont plus de chances que les autres mères d'avoir des enfants faiblement attachés. Leur relation avec leur enfant comporte si peu de communication que l'enfant entretient une sorte de résignation impuissante. On a découvert que ce sentiment d'impuissance était en relation étroite avec la dépression chez

Il est probable que la jeune fille de cette famille est plus perturbée que son frère par le remariage de sa mère et la naissance du bébé.

Dépression : Combinaison d'une humeur morose, de troubles du sommeil et de l'alimentation, et de problèmes de concentration. En présence de tous ces symptômes, on parle de dépression clinique.

LE MONDE RÉEL

Le suicide chez les adolescents et la prévention

La dépression peut mener au suicide. Le suicide est très rare chez les pré-adolescents. Même parmi les enfants de 10 à 14 ans, les suicides représentent moins de 1 cas sur 100 000 par an aux États-Unis. Par contre, parmi les jeunes âgés de 15 à 19 ans, le taux de suicide est 9 fois plus élevé et n'a cessé d'augmenter au cours des dernières décennies (Hawton, 1986). Au Québec en 1961, le taux de suicide chez les jeunes âgés de 15 à 19 ans représentait 2,5 % du nombre total des suicides; en 1992, ce taux avait presque triplé, passant à 7 % environ (Statistique Canada, 1994).

L'incidence du suicide est quatre fois plus importante chez les garçons que chez les filles, et presque deux fois plus élevée chez les Blancs que chez les autres races, excepté les Amérindiens qui représentent le groupe le plus enclin au suicide (Blum *et al.*, 1992). On peut dire que le suicide constitue la forme ultime de comportement déviant.

Par contre, d'après les estimations, les *tentatives* de suicide ratées sont de trois à neuf fois plus fréquentes chez les filles que chez les garçons. En effet, les filles ont souvent recours à des méthodes d'empoisonnement, qui sont généralement moins efficaces que les méthodes utilisées par les garçons. Au Québec, 12 % de la population des jeunes âgés de 15 à 24 ans ont admis avoir eu des idées suicidaires au cours de la vie et au cours des 12 derniers mois ayant précédé l'enquête de Santé Québec effectuée en 1992-1993. (La moyenne des différents groupes d'âge est de 8,2 %.) Pour les mêmes périodes, la prévalence des parasuicides, c'est-à-dire l'ensemble des gestes suicidaires qui ne conduisent pas à la mort, s'établit à 6 % chez ce même groupe d'âge comparativement à 3,7 % pour l'ensemble des groupes d'âge. (Santé Québec, 1995.)

Il est apparemment très difficile de découvrir quels sont les facteurs qui conduisent à des suicides réussis, car la principale personne concernée ne peut plus être interrogée. Les chercheurs et les cliniciens sont obligés de s'en tenir aux déclarations des parents ou d'autres personnes sur l'état mental du jeune avant le suicide. Ces déclarations sont partiellement invalides puisque, dans la plupart des cas, les parents ou amis n'avaient absolument pas conscience que le jeune préparait un suicide. Il semble qu'une forme de psychopathologie, pas forcément la dépression, soit en cause. Les troubles du comportement telle l'agressivité sont aussi courants dans les cas de suicides, tout comme les antécédents familiaux de troubles mentaux, d'alcoolisme et de consommation de drogue (Hawton, 1986). Mais ces facteurs pris séparément ne suffisent pas à expliquer le comportement suicidaire. David Shaffer et ses collaborateurs suggèrent, dans une analyse récente des problèmes de prévention du suicide (Shaffer *et al.*, 1988), qu'au moins trois autres éléments pourraient faire partie de l'équation : (1) Un événement stressant déclenchant : les études sur le suicide révèlent que l'événement déclenchant prend souvent la forme d'une crise avec les parents liée à la discipline, d'un rejet ou d'une humiliation, comme une rupture avec un ou une petit(e) ami(e), ou un échec essuyé dans une activité particulièrement prisée. (2) Une altération de l'état mental, comme une attitude de désespoir ou des inhibitions levées en raison des effets de l'alcool ou de la colère (Swedo *et al.*, 1991). Chez les filles, le sentiment de désespoir est très courant : elles ont l'impression que le monde entier est contre elles et *qu'elles ne peuvent rien y faire.* (3) Il peut se présenter une occasion particulière : un fusil armé dans la maison, des comprimés de somnifères dans l'armoire à pharmacie des parents, etc.

Les tentatives de prévention du suicide chez les jeunes ne se sont pas révélées très fructueuses jusqu'à présent. Bien que les adolescents manifestent souvent des comportements déviants quelque temps avant de commettre un suicide ou une tentative de suicide, la plupart d'entre eux ne sont pas orientés vers des soins appropriés ou vers des personnes compétentes. En dépit de la multiplication des structures d'accueil, le taux de suicide n'a pas diminué.

Certains efforts ont été menés dans le sens de l'éducation des gens, comme des séances d'information aux élèves des écoles secondaires sur les facteurs de risque, en espérant qu'ils seront ainsi plus à même de détecter les problèmes touchant un ami. On offre également des formations sur les façons de faire face aux problèmes et sur les stratégies d'adaptation afin que les adolescents puissent trouver des solutions moins extrémistes à leurs problèmes. Malheureusement, les rares études qui ont tenté d'évaluer ces programmes n'ont pas trouvé de changement radical dans l'attitude des élèves (Shaffer *et al.*, 1988).

Il y a peu de chances que ces résultats plutôt décourageants s'améliorent avant qu'on en sache davantage sur les chemins qui conduisent à cette forme particulière de psychopathologie. Pourquoi tel adolescent présente-t-il plus de vulnérabilité qu'un autre au comportement suicidaire ? Quelle est la combinaison d'événements stressants la plus propice au déclenchement d'une tentative de suicide et comment ces circonstances interagissent-elles avec les ressources personnelles de l'adolescent ? Tant que nous ne serons pas capables de répondre à ce genre de questions, nous ne pourrons pas comprendre ni prévenir le suicide chez les jeunes.

les adultes et chez les adolescents (Dodge, 1990). Or, on possède aujourd'hui davantage de preuves directes attestant l'existence de ce lien entre l'attachement et la dépression chez l'adolescent grâce à une étude de Rogers Kobak et de ses collaborateurs (Kobak, Sudler et Gamble, 1991). Dans leur petit échantillon de 48 adolescents, les adolescents faiblement attachés présentaient aussi plus de symptômes dépressifs que les jeunes plus fortement attachés à leurs parents.

Évidemment, tous les enfants de parents dépressifs ne sont pas eux-mêmes dépressifs. Environ 60 % d'entre eux ne présentent absolument aucun signe d'anormalité. Plusieurs facteurs perturbateurs peuvent déterminer si l'enfant issu de ce type de famille va emprunter ou non le chemin de la dépression :

- Si la dépression des parents est de courte durée ou traitée médicalement de sorte que les symptômes en sont atténués, l'enfant a plus de chances d'éviter la dépression (Billings et Moos, 1983).

- Plus la famille est touchée par d'autres formes de stress qui viennent s'ajouter à la dépression de l'un des parents (comme la maladie, les disputes familiales, le stress professionnel, la perte de revenu, la perte d'un emploi ou une séparation des parents) et plus l'enfant risque de présenter des symptômes dépressifs.

- Si la famille reçoit un soutien émotionnel et concret des autres, l'enfant court moins de risques d'être dépressif (Billings et Moos, 1983).

Ainsi, la famille peut épargner à l'enfant les effets de la dépression de l'un de ses parents si elle reçoit un soutien social adapté et ne subit pas d'autres formes de stress.

Bien sûr, le fait d'avoir des parents dépressifs ne constitue pas le seul facteur pouvant entraîner une dépression chez les adolescents. Un stress accru et des bouleversements dans la vie de l'enfant, comme le divorce des parents, la mort d'un parent ou d'une autre personne chère, ou la perte d'emploi du père (Miller, Birnbaum et Durbin, 1990) peuvent également être des facteurs prédisposants.

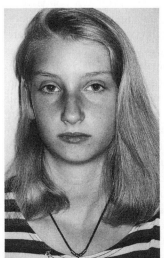

Cette adolescente semble vivre l'expérience courante du cafard, ou humeur dépressive. Près de 10 % des adolescents connaissent des épisodes prolongés de dépression.

Des différences sur le plan du stress vécu par les adolescents permettent aussi d'expliquer les différences sexuelles dans la dépression chez les adolescents. Anne Petersen (Petersen, Sarigiani et Kennedy, 1991) a récemment suggéré que les filles connaissent plus de difficultés et de stress pendant l'adolescence que les garçons. Elle explique en particulier que les filles vivent plus d'expériences stressantes simultanées pendant l'adolescence, comme les changements pubertaires associés au changement d'école. Dans sa propre étude longitudinale, Petersen a découvert que, lorsque de telles formes de stress simultanées sont prises en compte, l'écart sexuel en ce qui concerne la dépression chez les adolescents disparaît. Autrement dit, dans cette étude, la dépression ne s'avérait pas plus courante chez les filles que chez les garçons lorsque les deux groupes subissaient des niveaux équivalents de stress ou d'expériences stressantes simultanées.

L'isolement social par les pairs au début de l'école primaire constitue un autre facteur causal de la dépression (Hymel *et al.*, 1990). Le *rejet* par les pairs est associé à ce que les psychopathologistes appellent les problèmes *extériorisants*, comme la délinquance, les troubles du comportement, etc., alors que les problèmes d'isolement sont liés à des problèmes *intériorisants* tels que la dépression.

Nous avons vu au chapitre 7 qu'une faible estime de soi peut également entrer en jeu. Les études de Harter révèlent qu'un jeune adulte qui pense ne pas être à la hauteur de ses propres attentes est beaucoup plus enclin à présenter des symptômes de dépression qu'un enfant ou un adolescent dont l'estime de soi est plus élevée.

Par ailleurs, on peut rattacher l'augmentation de la dépression au moment de l'adolescence à l'apparition de certains changements cognitifs. On sait par exemple que les adolescents ont tendance à se définir et à définir les autres en termes *comparatifs*, c'est-à-dire à juger en fonction de certaines normes, ou à se percevoir comme « moins que » ou « plus que » d'autres personnes. On sait également que l'apparence devient très importante à l'adolescence et que la grande majorité des adolescents sont convaincus qu'ils ne sont pas à la hauteur des normes culturelles dans ce domaine. L'estime de soi chute ainsi au début de l'adolescence, et la dépression apparaît.

Les travaux de Harter sont certainement très utiles ici, mais ils ne nous apprennent pas pourquoi certains adolescents plutôt que d'autres sont portés à se percevoir comme

---

Pouvez-vous envisager une autre explication pour comprendre les taux plus élevés de dépression chez les filles que chez les garçons ? Quel type d'étude pourriez-vous mettre en place pour vérifier votre hypothèse ?

---

inadaptés ou à réagir à un tel sentiment d'inadaptation par la dépression. Nous ne possédons pas encore toutes les pièces du casse-tête.

DÉLINQUANCE JUVÉNILE. La délinquance appartient à la catégorie générale des *troubles du comportement*. Les enfants étiquetés comme délinquants présentent non seulement des signes de brutalité, de provocation et de désobéissance communs à tous les troubles du comportement, mais ils commettent également des infractions délibérées à la loi.

Certains comportements antisociaux ou délinquants, comme les bagarres, les menaces adressées aux autres, les tricheries, les mensonges ou le vol sont aussi courants entre l'âge de quatre et cinq ans qu'à l'adolescence (Achenbach et Edelbrock, 1981). Chez les adolescents, ces comportements ont cependant tendance à devenir plus sérieux, plus dangereux et plus permanents.

Il est extrêmement difficile d'évaluer combien d'adolescents adoptent ces comportements. Pour mesurer l'amplitude de ce phénomène, on peut étudier le nombre d'arrestations, bien qu'elles ne représentent que la pointe de l'iceberg. Au Canada en 1994, les adolescents âgés de 12 à 17 ans représentaient 8 % de la population, mais 18 % du total des personnes accusées ; par ailleurs, seulement 2 % de la population des adolescents a été condamnée (Statistique Canada, 1995). Les motifs d'arrestation des jeunes sont le plus souvent des infractions relativement mineures telles que le vol à l'étalage, l'introduction par effraction et le vandalisme (ministère de la Sécurité publique, 1995).

Tout comme les troubles du comportement sont plus fréquents chez les garçons à la maternelle et à l'école primaire, les actes de délinquance et les arrestations pour ce motif sont bien plus répandus chez les garçons. Parmi ceux qui sont effectivement arrêtés, la proportion dépasse quatre pour un. La proportion varie dans les déclarations des adolescents eux-mêmes, mais plus les actes sont violents, plus l'écart se creuse.

Tous les délinquants semblent avoir des points communs. Ainsi, à l'instar des enfants impopulaires plus jeunes, les adolescents délinquants présentent des troubles de l'entendement *social*. Ils sont moins habiles pour comprendre les autres et apprendre les règles sociales (Schonfeld *et al.*, 1988). Par ailleurs, les délinquants ont souvent des parents (en particulier des pères) antisociaux ou criminels. Mais à l'intérieur de cet ensemble de similitudes, les psychologues ont distingué deux sous-groupes : (1) *les délinquants socialisés qui sont intégrés dans un sous-groupe*, qui ont de mauvaises fréquentations, restent dehors tard, sont très attachés à leur groupe ou leur bande et peuvent commettre différentes infractions dans le cadre de leurs activités de groupe ; (2) *les délinquants psychopathes non socialisés et non intégrés*, qui sont généralement des solitaires et semblent dépourvus de conscience ou de sentiment de culpabilité. Ces jeunes gens paraissent aimer les conflits et n'avoir confiance en personne.

Les délinquants socialisés et intégrés à un sous-groupe proviennent habituellement de quartiers pauvres et grandissent dans des familles où la discipline n'est pas toujours cohérente et où ils reçoivent peu d'affection — un style parental qui serait classé comme désengagé et négligent dans le système de classification dont nous avons déjà parlé (Achenbach, 1982). Comme nous l'avons mentionné au chapitre 5, tous les enfants issus de familles habitant des quartiers défavorisés ne deviennent pas délinquants. La différence, rappelons-le, semble résider dans un amour maternel très fort. Les jeunes gens aimés et choyés par leur mère sont beaucoup moins susceptibles de devenir délinquants, et ce quel que soit leur niveau de pauvreté (Glueck et Glueck, 1972 ; McCord, McCord et Zola, 1959).

Par contre, on retrouve la délinquance psychopathe chez les adolescents de toutes les classes sociales. De même, elle est aussi répandue dans les familles traditionnelles que dans les familles éclatées (Achenbach, 1982). Elle se caractérise par différents types de délits souvent perpétrés dès le plus jeune âge.

Le modèle théorique de Patterson (voir la figure 1.3, p. 15) ainsi que de nombreuses indications convergent vers un ensemble de facteurs responsables de l'un ou l'autre type de délinquance. L'échec des parents à imposer une discipline ou un renforcement direct des comportement agressifs au sein de la famille tendent à constituer des expériences initiales déterminantes (Patterson, Capaldi et Bank, 1991). Parmi les autres facteurs d'influence, on compte le tempérament de l'enfant, les facteurs de protection comme l'amour maternel et certains facteurs tels un manque d'habiletés sociales ou des problèmes d'acceptation par les pairs (J. Bates *et al.*, 1991). Ces jeunes rejetés/antisociaux ont alors tendance à se rassembler, renforçant ainsi mutuellement leur comportement antisocial. À chaque étape de ce cheminement, certaines bifurcations sont possibles, mais plus l'on s'avance dans cette voie et plus il devient difficile de s'en écarter ; les comportements déviants tendent alors à devenir persistants.

À la fin de l'école secondaire, près des trois quarts de tous les élèves ont déjà pris de l'alcool au moins une fois.

USAGE DE STUPÉFIANTS ET CONSOMMATION D'ALCOOL. L'usage de stupéfiants et la consommation d'alcool constituent une autre facette des comportements problématiques à l'adolescence. En fait, la délinquance, les rapports sexuels précoces et la consommation de drogue et d'alcool semblent se conjuguer et former un amalgame de comportements déviants. Par exemple, dans une étude longitudinale portant sur un échantillon de garçons, élèves d'une école secondaire du Colorado, Donovan et Jessor (1985) ont fait ressortir des corrélations de 0,54 entre les comportements délinquants et la consommation de marijuana, de 0,41 entre les comportements délinquants et l'abus de l'alcool, et de 0,36 entre les actes délinquants et la fréquence des rapports sexuels. Les corrélations allaient dans le même sens chez les filles tout en étant légèrement moins élevées.

La consommation de drogues au Québec en 1992-1993, définie comme étant le fait d'avoir déjà fait usage au moins une fois d'une substance illicite ou d'une drogue médicamenteuse obtenue sans ordonnance, s'établit à 26 % chez les adolescents âgés de 15 à 17 ans et à 29 % chez les jeunes âgés de 18 à 19 ans (la moyenne étant de 12,6 % pour tous les groupes d'âge). Chez les jeunes de 15 à 24 ans, la consommation de marijuana seulement s'élève à 15 % (la moyenne étant de 5,6 % pour tous les groupes d'âge) (Santé Québec, 1995). Il est probable que ces chiffres sont en dessous de la réalité, car beaucoup de répondants ne s'expriment pas honnêtement sur leur usage de drogues illégales.

Quant à l'abus d'alcool, l'un des plus hauts pourcentages de buveurs au Québec, soit les personnes qui ont consommé de l'alcool de façon occasionnelle ou régulière au cours de l'année ayant précédé l'enquête, s'observe parmi les personnes âgées de 15 à 24 ans (83 %) (Santé Québec, 1995).

Déclin ou pas, on ne peut se laisser emporter par l'optimisme en ce qui concerne la drogue ou l'alcool. Leur consommation généralisée constitue encore l'un des problèmes de santé majeurs chez les adolescents. Certains signes semblent en outre indiquer que la consommation d'alcool est de nouveau en hausse chez les adolescents. Ce problème tend à toucher de plus en plus les jeunes enfants. Aux États-Unis, une étude effectuée dans l'Oklahoma a révélé que 4,5 % des élèves du premier cycle du secondaire et 19,2 % des élèves du secondaire consommaient régulièrement de l'alcool (chaque semaine). Parmi les élèves des écoles secondaires, 28 % avaient consommé de l'alcool au moins une ou deux fois (Novacek, Raskin et Hogan, 1991).

Dans cette étude, la raison la plus souvent invoquée par les jeunes pour justifier leur consommation de drogue était le fait qu'ils étaient déprimés (Novaceck *et al.*, 1991), puis venait le désir de s'évader de ses problèmes, de se détendre et de passer un bon moment. Les consommateurs réguliers de drogue ne semblent pas consommer pour améliorer leur sentiment d'appartenance à un groupe ; ils s'efforcent plutôt de supporter le stress quotidien de leur vie et de se sentir bien.

RAPPORT DE RECHERCHE

Les mythes sur l'adolescence

L'adolescence est la période qui fait probablement l'objet du plus grand nombre de clichés et de stéréotypes que toute autre période du développement humain. Stanley Hall, qui a rédigé le premier ouvrage de psychologie scientifique sur l'adolescence au début du siècle, qualifiait l'adolescence de « période de tumulte émotionnel marqué par le stress et par les conflits, où dominent l'instabilité, la fougue et la loi des contradictions » (Claes, 1995, p. 66). Au cours des années, cette image s'est consolidée dans l'esprit du grand public au point de déformer grandement la réalité et les faits issus de la recherche. Deux chercheurs québécois en psychologie du développement, Richard Cloutier (1995) et Michel Claes (1995), se sont attachés à étudier quelques-uns des mythes associés à l'adolescence.

Le premier stéréotype analysé par Richard Cloutier et ses collaborateurs vise la sexualité : « Les jeunes font l'amour dès l'âge de 13-14 ans. » Or, les résultats obtenus auprès de plus de 3 000 élèves du secondaire révèlent qu'une majorité d'individus ne deviennent actifs sexuellement qu'après l'âge de 16 ans, et que plus du quart des répondants sont encore vierges à 18 ans (reportez-vous à la figure 9.7). Le deuxième stéréotype touche à la violence : « Les jeunes vivent dans un monde de violence et sont plus violents que jamais. » Cloutier montre que les données à ce sujet sont difficilement interprétables puisque l'on ne dispose pas d'éléments de comparaison avec les générations précédentes. Cette image de violence est principalement colportée par la presse populaire et les médias ; par ailleurs, la population concernée ne constitue qu'une minorité d'adolescents. Le troisième stéréotype concerne la consommation de drogue (tabac et alcool non compris) : « Les adolescents se droguent, et cela augmente sans cesse. » Les résultats des recherches contredisent cet énoncé. En effet, 80 % des adolescents ne consomment pas de drogues, 14 % en consomment à l'occasion et 3,5 % en consomment régulièrement. Le quatrième stéréotype vise la perception d'eux-mêmes qu'ont les adolescents : « Les adolescents sont mal dans leur peau et n'ont pas de projets d'avenir. » Ce dernier point est plus difficile à évaluer mais les études de Cloutier tendent à démontrer que cette image négative ne reflète pas la réalité. Ainsi, la plupart des jeunes ont une vision positive de leur présent et de leur avenir ; ils envisagent d'avoir des enfants. Par ailleurs, une proportion importante de jeunes ont eu des pensées suicidaires ou ont tenté de se suicider. Au terme de son étude, Cloutier souligne que si l'on observe bien un désarroi chez les adolescents, il est loin d'atteindre les dimensions négatives qu'on lui accorde en général.

Michel Claes (1995) a également étudié quatre mythes sur l'adolescence en s'appuyant sur divers travaux de recherche. Selon le premier stéréotype, « l'adolescence constitue nécessairement une période de perturbation dans le cours du développement ». Une étude effectuée en Angleterre par Michael Rutter (1980) montre que la période de l'adolescence n'offre pas davantage de signes de perturbations psychologiques que d'autres périodes de la vie. Par ailleurs, d'après une étude américaine menée par Daniel et Judith Offer (1975), la majorité des adolescents étudiés ont connu une croissance harmonieuse. Selon le deuxième stéréotype analysé par Claes, « la puberté est un événement qui entraîne une série de perturbations dans la croissance ». Certaines recherches, notamment par Brooks-Gunn (1983, 1984, 1990), montrent que l'apparition des premières menstruations ne constitue pas forcément un événement négatif ; en fait, les adolescentes mentionnent une ambivalence alliant des perceptions négatives (aspects physiques contraignants) et des perceptions positives (entre autres le fait de devenir une femme). Seulement 20 % des filles tiennent des propos exclusivement négatifs. En ce qui concerne les garçons, la majorité des sujets interrogés font d'abord état de sentiments positifs, mais près de la moitié signalent ensuite des sentiments d'inquiétude ou de surprise. D'autres recherches montrent que les changements hormonaux n'entraînent pas nécessairement de variations émotionnelles significatives au cours de la vie quotidienne. Selon le troisième stéréotype, « les relations avec les parents sont nécessairement dominées par les conflits et l'opposition ». En fait, la puberté entraînerait plutôt une stabilité du nombre et de la gravité des conflits, même si les sources de conflits changent durant cette période. Les relations parents-adolescents évoluent de manière significative pendant l'adolescence, mais les liens d'attachement restent forts (Steinberg, 1990 ; Noller, 1994). Enfin, selon le quatrième stéréotype, « il est difficile d'établir un diagnostic [de psychopathologie] à l'adolescence, car on ne peut démêler les éléments de la crise et les symptômes psychopathologiques ». Aujourd'hui cependant, les spécialistes admettent la réalité de la dépression à l'adolescence, et soulignent même que son tableau clinique est identique durant l'enfance, l'adolescence et l'âge adulte. Claes conclut qu'il ne convient pas d'aborder la période de l'adolescence en terme de crise mais en terme de tâches développementales auxquelles l'adolescent doit faire face.

Si l'on compile tous les éléments que nous connaissons sur la vie des enfants rejetés ou de ceux qui deviennent délinquants, on aboutit à la conclusion que la drogue et l'alcool ne résultent probablement pas d'une pression du groupe d'adolescents visant à inciter un comportement à risque. En effet, ces comportements semblent plutôt communs chez les adolescents qui ont déjà d'autres problèmes, dont d'autres comportements dangereux ou en infraction à la loi. En outre, les adolescents qui consomment régulièrement des stupéfiants ou de l'alcool ont la plupart du temps manifesté des problèmes de comportement en étant plus jeunes, ont eu des mauvais résultats à l'école, étaient rejetés par leurs pairs, négligés à la maison, ou une combinaison de ces différents problèmes (Robins et McEvoy, 1990). Par défaut, ces enfants ou ces adolescents sont attirés par des pairs qui ont le même genre de problèmes et partagent les mêmes modèles internes sur le monde qui les entoure.

Cela ne signifie pas que les parents ne doivent pas s'inquiéter si leur enfant a de mauvaises fréquentations. Les groupes de pairs peuvent parfois attirer les adolescents et les pousser à adopter des comportements à risque et peu recommandables. Cependant, l'élément le plus déterminant est peut-être le fait que le jeune est au départ attiré par ce groupe de pairs, et non l'influence exercée par le groupe. La délinquance, la consommation abusive de drogue ou d'alcool, les comportements sexuels à risque sont autant de symptômes qui traduisent des formes de déviance plus profondes, dont la plupart trouvent leurs racines dans l'enfance.

EFFETS DE L'ENVIRONNEMENT

L'environnement dans lequel l'adolescent évolue influe considérablement sur son développement. Dans la plupart des pays occidentaux, les adolescents passent de nombreuses heures par jour devant la télévision, bien que ce nombre d'heures tende à diminuer durant l'adolescence (Comstock, 1991). Ce média véhicule des valeurs culturelles, des coutumes et des attitudes particulières. Le climat économique général a également des effets sur la famille, et donc les adolescents. Des études effectuées sur les communautés rurales

> Quel type d'étude nous permettrait de déterminer si c'est le groupe de pairs qui pousse les jeunes vers la consommation abusive de drogue et d'alcool, ou si les jeunes qui adoptent ces comportements sont, au départ, plus enclins à être attirés par des pairs qui leur ressemblent ? Dans quel sens s'établit la causalité ?

montrent, par exemple, que les élèves du secondaire provenant de familles qui connaissent des difficultés financières ont davantage tendance à être déprimés, à consommer de la drogue ou à sombrer dans la délinquance (Lempers et Clark-Lempers, 1990) que les jeunes qui vivent dans des familles plus aisées.

Par ailleurs, pour la plupart des jeunes Nord-Américains, un nouveau point de contact avec la culture s'ajoute au cours de l'adolescence, c'est-à-dire un emploi.

ENTRÉE SUR LE MARCHÉ DU TRAVAIL

Comme autrefois dans notre société et comme dans de nombreuses cultures contemporaines, les enfants sont encore généralement considérés comme des adultes et possèdent les mêmes responsabilités professionnelles. Ils travaillent dans les mines, les champs, les fermes ou sur les bateaux de pêche. Les lois sur le travail des enfants ont modifié considérablement cette image au cours du siècle dernier dans la plupart des pays industrialisés. Dans ces pays, les adolescents vont aujourd'hui à l'école pendant plusieurs heures par jour et n'ont donc pas le temps de travailler comme des adultes — même si l'année scolaire typique, avec un été de vacances plus long, était conçue au départ pour permettre aux jeunes de travailler sur une ferme ou dans les champs au temps des récoltes.

Aujourd'hui, les adolescents sont de plus en plus nombreux à travailler. Depuis 1950, le taux d'embauche des adolescents a augmenté régulièrement aux États-Unis. Aujourd'hui, la moitié ou les deux tiers des élèves du secondaire ont un emploi à temps partiel durant une partie de l'année scolaire au moins. La grande majorité des élèves ont eu une expérience professionnelle au moins avant la fin du secondaire (Greenberger et Steinberg, 1986 ; Steinberg et Dornbusch, 1991). Au Québec, selon une étude effectuée par Nicole Champagne auprès de 1 300 élèves de niveau secondaire, plus de la moitié des répondants travaillent entre 11 et 20 heures par semaine (voir la figure 9.8). Dans un avis présenté au gouvernement du Québec, le Conseil permanent de la jeunesse note que le travail à temps partiel dépassant 15 heures par semaine a des effets négatifs sur le rendement scolaire des élèves (Conseil permanent de la jeunesse, 1992).

Pour certains jeunes, un emploi représente une nécessité économique. D'autres travaillent pour se permettre de pratiquer leur passe-temps préféré ou pour s'acheter certains produits, comme une chaîne stéréo ou même une voiture, ou encore pour se payer des sorties au restaurant avec des amis. En général, les parents encouragent fortement leurs enfants à travailler parce que, selon eux, le travail « forme le caractère » et montre aux jeunes ce qu'est la « vraie vie » (Greenberger et Steinberg, 1986). Voici le commentaire d'un parent :

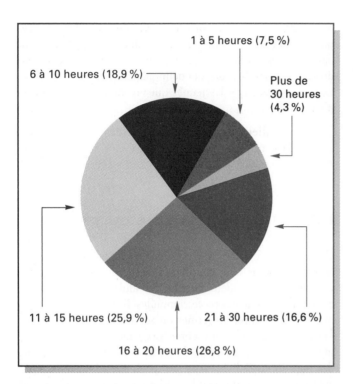

Figure 9.8 Répartition des élèves de 2ᵉ cycle du secondaire travaillant à temps partiel selon le nombre d'heures travaillées par semaine, au Québec. (*Source*: Conseil permanent de la jeunesse, 1992, figure 3, p. 13.)

Soyons réalistes. Dans la vie, un jour, quelqu'un va leur dire quoi faire. Je crois que le travail est le seul endroit où l'on peut apprendre à faire face à cette situation. Les parents peuvent inculquer un peu de discipline, mais les enfants ne l'acceptent pas. Ils ne peuvent l'apprendre à l'école, car il y a encore là un autre tyran, que l'on appelle le professeur. Puis, un jour, ils ont... un patron et ils finissent par apprendre. (*Greenberger et Steinberg, 1986, p. 39.*)

Toutefois, les parents ont-ils raison de croire aux effets bénéfiques du travail ? Le travail apprend-il vraiment aux jeunes le sens des responsabilités ? Les résultats de nombreuses années de recherches laissent planer le doute sur ces hypothèses. Ces études tendent à révéler que plus l'adolescent consacre d'heures à son travail, plus on note de conséquences négatives.

Avez-vous eu une expérience de travail lorsque vous étiez adolescent ? Quelles leçons avez-vous tirées de ce travail ? À la lumière de votre propre expérience et à partir des données de cette étude, voudriez-vous que votre enfant travaille lorsqu'il sera adolescent ?

La meilleure étude dont on dispose actuellement est l'analyse de Steinberg et Dornbusch (1991) réalisée auprès d'un échantillon de jeunes du Wisconsin et de la Californie. Dans cette recherche menée en 1987 et en 1988, ils ont recueilli des données auprès de 5 300 jeunes travailleurs de la 2ᵉ à la 5ᵉ année du secondaire. On a posé à ces sujets de nombreuses questions sur leurs familles, leurs travaux scolaires, leur attitude face à l'école, l'absentéisme, le temps consacré à leurs travaux scolaires chaque jour, les actes de délinquance, la consommation de drogue et leur emploi actuel. Les chercheurs ont donc été en mesure d'observer la relation entre le nombre d'heures de travail rémunérées et les autres variables.

Puisque ce large échantillon comprenait un nombre considérable de Noirs, d'Asiatiques et d'Hispano-Américains, ainsi que des jeunes issus de différentes classes sociales, il était également possible de vérifier si la relation entre l'emploi et le revenu variait en fonction du groupe ethnique ou de la classe sociale. Steinberg et Dornbusch ont découvert que ce n'était pas le cas. Le même modèle s'appliquait à tous les groupes ethniques et à tous les niveaux de classes sociales.

Le modèle est facile à décrire : plus le nombre d'heures de travail par semaine est élevé, moins l'adolescent passe de temps à faire ses travaux scolaires, moins il s'applique en classe, plus il manque de cours, consomme de la drogue et adopte des comportements délinquants, et plus le taux de dépression ou autres symptômes de détresse psychologique est élevé. On n'a observé d'effets positifs dans aucun sous-groupe social ou ethnique. La figure 9.9 illustre la relation entre les heures de travail et la performance scolaire.

Ces découvertes sont inquiétantes. Le travail ne semble guère former le caractère. Et dans le cas des élèves qui travaillent de longues heures à l'extérieur de l'école, les effets sont très négatifs. On peut s'opposer à cette hypothèse, comme le font certains chercheurs (Barton, 1989). Selon eux, le travail en soi n'est pas le facteur déterminant. Ils émettent l'hypothèse que les élèves qui sont déjà désintéressés de l'école ou qui ont de mauvais résultats scolaires choisissent davantage de travailler. Cependant, les résultats de Steinberg et Dornbusch viennent contredire cette interprétation. Ils ont inclus dans leur recherche une variable séparée de l'attitude d'une jeune personne face à l'école et ont trouvé la même relation entre les heures de travail et la performance scolaire chez ceux qui disaient aimer l'école et ceux qui ne l'aimaient pas.

Il est difficile d'échapper à la conclusion que les emplois des jeunes détournent les adolescents des tâches scolaires, particulièrement si l'élève travaille 10 heures ou plus par semaine. En outre, il semble n'exister (si tant est qu'il y en ait) que très peu de compensations : les adolescents qui travaillent ne font pas preuve de plus d'autonomie ou d'estime de soi, contrairement à ce que supposent bon nombre de

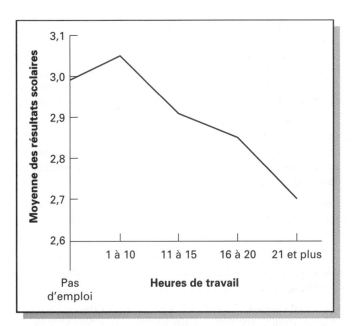

Figure 9.9 Travail et performance scolaire. Cette étude effectuée par Steinberg et Dornbusch sur de jeunes travailleurs illustre le modèle récurrent des découvertes : plus les élèves travaillent, plus les résultats scolaires sont négatifs. (On pourrait croire que quelques heures de travail par semaine favorisent de meilleures notes, mais cette hausse apparente n'est pas statistiquement significative.) (*Source* : Steinberg et Dornbusch, 1991, figure 1, p. 308.)

théoriciens ou de responsables politiques. Ils semblent même tirer de piètres leçons sur le « monde réel », parce qu'ils ont des emplois mal rémunérés, répétitifs, sans intérêt et dans lesquels l'autorité est arbitraire et où les pratiques contraires à l'éthique (comme voler son employeur) sont courantes (Greenberger et Steinberg, 1986).

La plupart des emplois d'adolescents exigent peu de responsabilités et sont mal rémunérés. Au lieu de former le caractère ou de conférer de bonnes habitudes de travail, comme beaucoup de parents le croient, de tels emplois sont associés à de faibles résultats scolaires et à un taux de délinquance et de consommation de drogue plus élevé.

Le seul point positif est que ce premier emploi peut permettre aux jeunes de trouver d'autres emplois mieux rémunérés (Greenberger et Steinberg, 1986). Par exemple, les élèves qui terminent l'école secondaire et qui exerçaient un emploi à temps partiel trouvent plus facilement un emploi à temps plein au terme de leurs études. De plus, ceux qui perçoivent leur emploi comme une expérience qui leur permettra d'acquérir des habiletés utiles dans l'avenir retirent apparemment plus d'avantages et connaissent moins d'effets secondaires négatifs (Mortimer *et al.*, 1992). Mais cet effet négligeable ne compte que pour ceux qui ont travaillé dans un domaine spécialisé, comme les domaines de pointe, les usines ou le domaine de la santé. Les étudiants qui n'ont travaillé que dans des chaînes de restauration rapide, dans la garde d'enfants ou dans la vente au détail ne semblent pas avoir acquis des habiletés particulières pour un emploi futur.

Cela ne veut pas dire que les adolescents ne devraient pas travailler. Certaines situations l'exigent. De plus, certains emplois requérant une formation plus spécialisée peuvent compenser les effets négatifs potentiels. Cependant, de telles découvertes devraient faire réfléchir les parents avant qu'ils n'encouragent leurs enfants à travailler pour former leur caractère.

Différences individuelles et environnement

Q 18   Quels sont les facteurs prédictifs de bons résultats scolaires et de peu de problèmes à l'adolescence ?

Q 19   Pourquoi les adolescentes issues de famille monoparentale (mère au foyer) présentent-elles plus des difficultés à accepter leur beau-père que les adolescents ?

Q 20   Comment les adolescents dont les parents sont dépressifs peuvent-ils éviter la dépression à leur tour ?

Q 21   Quels sont les points communs des délinquants ?

Q 22   Citez les caractéristiques des deux sous-groupes de délinquants qui ont été définis.

Q 23   Les parents ont-ils raison de croire que le travail à l'adolescence forme le caractère et offre une école de vie aux jeunes ? Expliquez.

RÉSUMÉ

1. L'estime de soi baisse vers le début de l'adolescence, puis augmente régulièrement. La perception de soi, quant à elle, devient plus abstraite à l'adolescence, alors que les jeunes mettent l'accent sur leurs qualités intérieures et l'idéologie.

2. Les adolescents se définissent de plus en plus selon des traits et féminins et masculins. Lorsqu'un individu possède à la fois des traits féminins et des traits masculins marqués, on parle de personne androgyne. Les adolescents androgynes ont généralement une haute estime de soi.

3. Le concept des relations interpersonnelles subit également des changements : il devient plus souple et plus nuancé. Les amitiés sont perçues comme de plus en plus souples et changeantes.

4. Freud et Erikson ont tous deux décrit un stade de développement de la personnalité au cours de l'adolescence : le stade génital chez Freud et le stade de l'identité ou de la diffusion de rôle chez Erikson.

5. Selon la théorie d'Erikson, les adolescents doivent traverser une crise d'identité et redéfinir leur moi. Ce modèle s'applique à de nombreux adolescents, mais pas à tous.

6. Selon James Marcia, deux éléments clés entrent en jeu dans la formation de l'identité de l'adolescent : un questionnement et un engagement. En rassemblant ces deux éléments, on obtient quatre états d'identité : l'identité en phase de réalisation, l'identité en moratoire, l'identité forclose et l'identité diffuse.

7. Les interactions parents/adolescents deviennent en général plus conflictuelles au début de l'adolescence, vraisemblablement en raison des changements physiques qui surviennent à la puberté. Toutefois, l'attachement aux parents demeure très fort.

8. Les relations avec les pairs deviennent très importantes, à la fois qualitativement et quantitativement. Les théoriciens mettent l'accent sur le fait que les pairs jouent un rôle important dans le passage de la dépendance de l'enfant à l'autonomie de l'adulte.

9. L'influence des pairs sur l'individu atteint un sommet au début de l'adolescence. À ce moment, les groupes de pairs cessent d'être des cliques unisexuées pour devenir des bandes mixtes.

10. En général, les relations amoureuses débutent un peu plus tard, bien que le moment diffère grandement d'un individu à l'autre. L'activité sexuelle chez les adolescents est devenue courante dans bien des pays industrialisés. À tout âge, les garçons sont sexuellement plus actifs que les filles.

11. La connaissance du mécanisme de reproduction ou de la contraception est relativement faible, et les taux de grossesse à l'adolescence sont élevés. Les adolescentes qui ont un enfant auront des trajectoires de vie bien différentes de celles des jeunes femmes qui ont des enfants plus tard.

12. Le remariage des parents durant l'adolescence semble avoir plus d'effets négatifs sur les filles que sur les garçons.

13. Les taux de dépression augmentent considérablement à l'adolescence et sont plus élevés chez les filles que chez les garçons. Les adolescents déprimés sont plus souvent issus de familles comptant au moins un parent déprimé, mais d'autres facteurs entrent en jeu : notamment une faible acceptation par les pairs à l'école primaire, une faible estime de soi et des niveaux élevés de changements ou de stress à l'adolescence.

14. Les actes de délinquance augmentent également à l'adolescence, particulièrement chez les garçons. On a défini divers types de délinquants qui empruntent différentes voies de développement.

15. La consommation d'alcool et de drogue est liée à la délinquance, mais la majorité des adolescents, y compris ceux qui ne sont pas délinquants, ont déjà consommé de l'alcool.

16. Les emplois à temps partiel chez les adolescents sont devenus très courants. Rien ne semble indiquer que ces emplois « forment le caractère ». Ils sont plutôt associés à de faibles résultats scolaires et à des taux de comportements délinquants plus élevés.

MOTS CLÉS

Androgyne, p. 277
Bande, p. 286
Clique, p. 286
Dépression, p. 291

États d'identité, p. 279
Identité diffuse, p. 280
Identité en moratoire, p. 280

Identité en phase
   de réalisation, p. 279
Identité forclose, p. 280
Indifférencié, p. 277

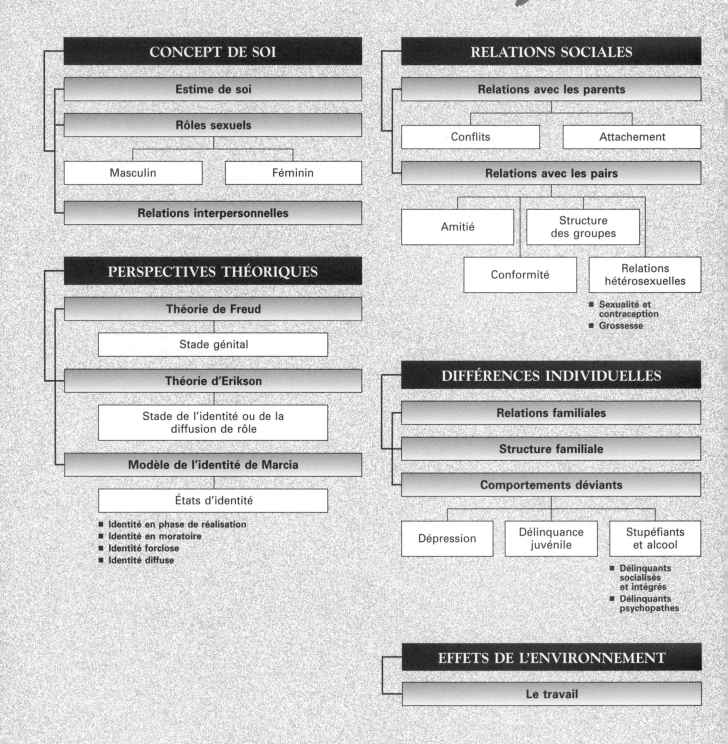

Interlude 3

RÉSUMÉ DU DÉVELOPPEMENT À L'ADOLESCENCE

CARACTÉRISTIQUES FONDAMENTALES DE L'ADOLESCENCE

Après avoir pris connaissance des deux derniers chapitres, vous conviendrez sans doute qu'il est pertinent de diviser la période de 12 à 20 ans en deux tranches, dont l'une débuterait à 11 ou 12 ans et l'autre à 16 ou 17 ans. Certains appellent ces deux sous-périodes *adolescence* et *jeunesse* (Keniston, 1970), alors que d'autres parlent de *début de l'adolescence* et de *fin de l'adolescence*. Quelle que soit la façon dont on désigne ces deux sous-périodes, elles se distinguent sur plusieurs plans.

Le début de l'adolescence est, presque par définition, un moment de transition, où l'on constate des changements importants dans tous les aspects du fonctionnement de l'enfant. La fin de l'adolescence est davantage un moment de consolidation, où les jeunes font preuve d'une nouvelle identité plus cohérente, d'objectifs et d'engagements plus clairs. Norma Haan (1981a) propose une façon pratique d'aborder cette différence, fondée sur les concepts d'assimilation et d'accommodation de Piaget. Selon elle, le début de l'adolescence serait un moment dominé par l'assimilation, tandis que la fin de l'adolescence serait davantage un moment d'accommodation.

L'adolescent de 12 à 13 ans assimile une quantité énorme de nouvelles expériences physiques, sociales et intellectuelles. Pendant ce temps, et avant que ces expériences soient totalement intégrées, l'adolescent se trouve plus ou moins dans un état de perpétuel déséquilibre. Les anciens schèmes et les anciens modèles ne sont plus très opérants et les nouveaux ne sont pas encore instaurés. C'est durant cette période que le groupe de pairs acquiert une importance capitale. Finalement, l'adolescent de 16, 17 ou 18 ans commence à accomplir les accommodations nécessaires, il rassemble les différents fils pour établir une nouvelle identité, de nouveaux modèles de relations sociales, de nouveaux objectifs et de nouveaux rôles.

Les différentes facettes du développement au cours de ces deux sous-périodes sont résumées dans le tableau de la page 304. Nous allons reprendre chacune d'elles plus en détail ci-dessous.

DÉBUT DE L'ADOLESCENCE

Sur plusieurs plans, les premières années de l'adolescence ont beaucoup de choses en commun avec l'âge du trottineur. L'enfant de deux ans se caractérise par son négativisme et sa quête d'indépendance. Dans le même temps, il s'efforce d'apprendre tout un ensemble de nouvelles habiletés. L'adolescent fait preuve d'un comportement très similaire, mais à un niveau beaucoup plus abstrait. Comme dans le cas de l'enfant de deux ans, on observe une augmentation du négativisme et des conflits avec les parents à propos des questions d'indépendance. L'adolescent veut aller et venir à sa guise, écouter sa musique favorite à un volume maximal, porter des vêtements à la mode et avoir une coupe de cheveux «dans le vent».

Comme dans le cas du négativisme chez l'enfant de deux ans, on exagère souvent la proportion des conflits entre le jeune adolescent et ses parents. Il importe de garder à l'esprit qu'il ne s'agit pas ici d'un grand tumulte, mais simplement d'une augmentation temporaire des conflits et des disputes. Il est aussi exagéré de se représenter l'adolescence comme une période de tumulte et de stress que de parler des «terribles deux ans». Toutefois, ces deux périodes de la vie sont caractérisées par un nouveau désir d'indépendance, inévitablement accompagné d'une exacerbation des conflits avec les parents à propos des limites de l'autonomie.

Au moment de cette quête active d'indépendance, le jeune adolescent doit aussi faire face à l'apprentissage d'une nouvelle série d'exigences et d'habiletés: nouvelles habiletés sociales, nouveau degré de complexité cognitive dans les tâches des opérations formelles. L'augmentation très nette du taux de dépression et la baisse de l'estime de soi que l'on constate au début de l'adolescence semblent être liées à ce surcroît de nouvelles exigences et de changements. Certains chercheurs ont constaté que les adolescents qui doivent simultanément affronter un grand nombre de changements au début de la puberté (l'entrée à l'école secondaire, le déménagement dans une nouvelle maison ou dans une autre ville, la séparation ou le divorce des parents), manifestent une plus grande baisse de l'estime de soi et une plus grande augmentation de troubles du comportement, et accusent une

Résumé de la trame du développement à l'adolescence

Aspect du développement	Âge (années)							
	12	**13**	**14**	**15**	**16**	**17**	**18**	**19 et plus**
	Début de l'adolescence					Fin de l'adolescence		
Développement physique	Début des changements pubertaires majeurs chez les garçons		Poussée de crois-sance chez les garçons				Fin de la puberté chez les garçons	
	Poussée de crois-sance chez les filles	Âge moyen de la ménarche			Fin de la puberté chez les filles			
Développement cognitif	Début des opérations formelles: analyse systématique; apparition de la logique déductive				Consolidation des opérations formelles (pour certains)			
	Prédominance du stade 3 de Kohlberg (orientation «bon garçon/bonne fille»)							
				Stade 4 de Kohlberg pour certains (orientation «la loi et l'ordre»)				
			La description de soi et des autres commence à inclure des exceptions, des comparaisons, des conditions particulières; traits de la person-nalité plus profonds					
Développement des relations sociales et de la personnalité	Baisse de l'estime de soi	Début d'une hausse de l'estime de soi et augmentation graduelle jusqu'à la fin de l'adolescence						
	Le taux de dépression augmente brusquement et demeure élevé						Établissement d'une identité claire et distincte pour la moitié des adolescents	
	Stade de l'identité ou de la diffusion de rôle selon Erikson							
	Cliques		Bandes	Pairs				
	Point culminant des conflits parents-enfant au début de la puberté		Point cul-minant de l'influence du groupe de pairs	Début normal des premières fréquen-tations amoureuses				

diminution plus considérable des résultats scolaires (Eccles et Midgley, 1990 ; Simmons, Burgeson et Reef, 1988). Les jeunes adolescents qui doivent composer avec un seul changement à la fois présentent moins de symptômes de stress.

Quand il se trouve face à des situations stressantes, l'enfant de deux ans utilise sa mère (ou toute autre personne qui constitue l'objet central de son attachement) comme une base de sécurité à partir de laquelle il peut explorer le monde, et vers laquelle il revient quand il est effrayé. Le jeune adolescent agit de même avec sa famille : elle représente une base de sécurité à partir de laquelle il peut explorer le reste du monde, y compris le monde des relations avec les pairs. Les parents d'un jeune adolescent ont la difficile tâche de subvenir à son besoin de sécurité en établissant des règles et des limites claires, tout en permettant une certaine indépendance — de la même façon que les parents de l'enfant de deux ans doivent permettre l'exploration tout en s'assurant que l'enfant ne s'expose pas à des dangers. Chez les adolescents comme chez les trottineurs, ceux qui ont le plus de confiance en soi et qui réussissent le mieux sont ceux dont les parents parviennent à maintenir cet équilibre avec succès.

Les théoriciens ont fait un troisième rapprochement entre le jeune adolescent et l'enfant de deux ans en ce qui concerne l'égocentrisme. Selon David Elkind (1967), l'égocentrisme augmente à l'adolescence. Ce nouvel égocentrisme comporte deux facettes : (1) la conviction que « les personnes de notre environnement immédiat se préoccupent autant de nos propres pensées et comportements que nous-mêmes » (Elkind et Bowen, 1979, p. 38), ce que Elkind décrit comme le fait d'avoir un *auditoire imaginaire* ; (2) la présence d'une *fable personnelle*, c'est-à-dire la tendance à percevoir nos propres idées et sentiments comme uniques et particulièrement importants. Cette perception s'accompagne typiquement d'un sentiment d'invulnérabilité — et ce sentiment pourrait être à l'origine de l'attirance des adolescents pour les comportements à risque, comme les relations sexuelles non protégées, la consommation de drogues et d'alcool, la conduite à grande vitesse, etc.

Les recherches d'Elkind (Elkind et Bowen, 1979) montrent que la préoccupation concernant le regard des autres, ce qu'il appelle le comportement face à l'auditoire imaginaire, atteint son paroxysme vers l'âge de 13 ou 14 ans. Les adolescents de cet âge qui vont à une soirée où ils ne connaissent que peu de monde attacheront *beaucoup* d'importance à ce que les autres pensent d'eux. Ils sont également très anxieux lorsque quelqu'un les regarde travailler et se sentent terriblement embarrassés quand ils découvrent une tache sur leurs vêtements ou lorsqu'ils constatent l'apparition d'un nouveau bouton d'acné. Bien sûr, les enfants plus jeunes et les adultes peuvent aussi être ennuyés par

ces petits problèmes, mais ils semblent beaucoup moins dérangés et déstabilisés par ces préoccupations que l'adolescent de 13 ou 14 ans. C'est l'âge où l'adolescent présente une grande vulnérabilité à l'influence des pairs. C'est aussi le moment précis où se forme le groupe de pairs que Dunphy appelle la bande.

L'analogie entre le début de l'adolescence et l'âge de deux ans est pertinente dans la mesure où les individus appartenant à ces deux groupes d'âge doivent affirmer leur propre identité. Le jeune enfant doit s'arracher de la relation symbiotique avec sa mère ou la personne qui s'occupe de lui. Il doit se rendre compte non seulement qu'il est une entité distincte, mais aussi qu'il possède des aptitudes et des qualités. La maturation physique lui permet également de se livrer à de nouvelles explorations. Le jeune adolescent, quant à lui, doit s'arracher de sa famille, se détacher de son identité d'enfant et commencer à affirmer sa nouvelle identité d'adulte. Ce processus s'accompagne aussi d'une maturation physique majeure qui permet de nouveaux types et degrés d'indépendance. Dans les deux cas, ces transformations sont accompagnées d'une certaine forme d'égocentrisme et d'une augmentation des conflits avec la famille ou les personnes responsables de l'adolescent.

FIN DE L'ADOLESCENCE

Si l'on pousse encore plus loin cette analogie, la fin de l'adolescence évoquerait davantage les années préscolaires. Les changements majeurs ont été intégrés et un nouvel équilibre s'instaure. Les bouleversements physiques de la puberté sont presque terminés et le système familial s'est adapté pour permettre plus d'indépendance et de liberté et autoriser l'affirmation de la nouvelle identité. Cependant, cette sous-période n'est pas sans tensions. Pour la plupart des jeunes, l'identité n'est pas clairement définie avant les années collégiales (il est possible qu'elle ne le soit toujours pas à ce moment, alors le processus continue). De plus, l'établissement de relations intimes, sexuelles ou présexuelles, constitue une épreuve clé de l'adolescence. Néanmoins, nous pensons que Haan a raison d'affirmer que ce moment est davantage caractérisé par l'accommodation que par l'assimilation. On sait tout au moins que ce moment est accompagné d'une augmentation de l'estime de soi et d'une diminution des conflits à l'intérieur de la famille.

PROCESSUS PRINCIPAUX ET LEURS INTERRELATIONS

Dans les autres interludes, nous avons suggéré que des changements dans l'un ou l'autre des aspects du développement pourraient être au centre d'une myriade de changements à un âge donné. Dans la petite enfance, des changements physiologiques sous-jacents combinés à la création du premier attachement central jouent apparemment un tel rôle clé dans la causalité. Chez l'enfant d'âge préscolaire, c'est le développement cognitif qui domine, alors que chez l'enfant d'âge scolaire, les changements cognitifs et sociaux semblent être également formateurs. Pendant l'adolescence, on constate des changements importants dans *tous* les domaines. Pour l'instant, on ne possède pas de données qui permettraient de clarifier les liens de causalité dans les transformations à l'intérieur de ces domaines. Néanmoins, on possède *certaines* informations sur ces liens.

RÔLE DE LA PUBERTÉ

Penchons-nous pour commencer sur le phénomène de la puberté lui-même. La puberté ne marque pas uniquement le début de l'adolescence, elle touche aussi visiblement toutes les autres facettes du développement chez le jeune, que ce soit directement ou indirectement.

Les effets directs se manifestent de différentes façons. Avant tout, l'afflux des hormones pubertaires stimule l'intérêt pour la sexualité en même temps qu'il déclenche les transformations qui rendent possible la sexualité adulte et la conception. Ces changements semblent indéniablement reliés au passage graduel des groupes unisexués aux bandes des deux sexes et, enfin, aux relations de couple hétérosexuelles.

HORMONES ET RELATIONS FAMILIALES. Les changements hormonaux participent sans doute directement à l'augmentation des conflits parents-enfant et à l'accroissement des comportements agressifs ou délinquants. Selon Steinberg, l'existence d'un tel lien direct ne fait aucun doute, car c'est le stade pubertaire et non pas l'âge chronologique qui constitue l'élément déterminant dans la prédiction du taux de conflits parents-adolescent. D'autres chercheurs ont découvert que, chez les filles, l'augmentation du taux d'œstradiol au début de la puberté a comme corollaire une augmentation de la violence verbale et une perte de maîtrise des impulsions, tandis que chez les garçons, l'augmentation du taux de testostérone se traduit par un accroissement de l'irritabilité et de l'impatience (Paikoff et Brooks-Gunn, 1990). Cependant, d'autres études n'ont pas vérifié de tels liens (Coe, Hayashi et Levine, 1988), ce qui amène la plupart des théoriciens à conclure que les rapports de causalité entre les hormones pubertaires et les transformations du comportement social chez l'adolescent sont beaucoup plus complexes qu'on ne l'avait cru.

Le fait que les changements physiques liés à la puberté comportent également d'importants effets indirects complique encore les choses. Quand le corps de l'enfant se développe et ressemble de plus en plus à celui d'un adulte, les parents se mettent à traiter l'enfant différemment, ce qui renforce son sentiment d'être un adulte en devenir. Ces deux changements pourraient être liés à l'intensification passagère des conflits entre parents et adolescent, et favoriser le déclenchement de la recherche intérieure qui est typiquement associée à cette période de la vie.

Les transformations pubertaires des adolescents exigent d'autres accommodements qui modifient la dynamique familiale. Il peut être très déroutant de s'occuper d'un jeune adolescent qui réclame à la fois une plus grande autonomie et un encadrement plus strict. De plus, la présence d'un adolescent pubère à la sexualité débordante peut faire ressurgir chez les parents des problèmes non résolus de leur propre adolescence, au moment où ils doivent faire face au déclin des capacités physiques de la quarantaine ou de la cinquantaine. Par ailleurs, les adolescents se couchent parfois plus tard, ce qui restreint de façon considérable l'intimité des parents. Il n'est pas surprenant que chez beaucoup de parents (surtout les pères), le taux de satisfaction dans le mariage soit au plus bas pendant l'adolescence de leurs enfants (Rollins et Galligan, 1978). En tenant compte de tous ces éléments, vous savez maintenant pourquoi il est difficile de déterminer les effets directs et indirects des hormones pubertaires sur le comportement social.

PUBERTÉ ET DÉVELOPPEMENT COGNITIF. Il est tout aussi difficile de faire ressortir les liens possibles entre les changements physiques à la puberté et les changements cognitifs, plus particulièrement le passage aux opérations formelles. Qu'il existe un certain rapport entre les deux types de changement semble plausible. Comme le dit J. M. Tanner:

> Il n'existe aucune raison de supposer que le lien entre la maturation de la structure [du cerveau] et l'apparition de la fonction [cognitive] cesse soudainement à l'âge de 6, 10 ou 13 ans. Au contraire, nous avons toutes les raisons de croire que des aptitudes intellectuelles plus élevées apparaissent seulement quand la maturation de certaines structures est achevée. (1970, p. 123.)

S'il existe un lien, il n'est certainement pas invariable, car l'on sait que les adolescents (ou les adultes) n'accèdent pas tous au raisonnement formel. Par conséquent, le développement du cerveau à la puberté ne peut pas être la seule cause de l'apparition de ces formes plus abstraites de la pensée. Les changements hormonaux et neurologiques à l'adolescence pourraient être *nécessaires* pour cette évolution du processus cognitif, quoique cela n'ait jamais été démontré. Cependant, ils ne peuvent pas être des conditions *suffisantes* pour expliquer de tels changements.

RÔLE DU DÉVELOPPEMENT COGNITIF À L'ADOLESCENCE

Il existe une autre explication également très attrayante pour les théoriciens, selon laquelle les changements cognitifs auraient un rôle central. Aucun théoricien ne prétend que c'est le passage des opérations concrètes aux opérations formelles qui cause les changements pubertaires. Cependant, un grand nombre de chercheurs soutiennent que le développement cognitif est au centre d'autres changements que l'on observe à l'adolescence, comme l'évolution du concept de soi, le processus de la formation de l'identité, le passage à un niveau plus élevé du raisonnement moral et les changements dans les relations avec les pairs.

Il existe ainsi de nombreuses indications selon lesquelles la nature plus abstraite du concept de soi et de la description des autres de l'enfant est étroitement liée à des changements de plus grande envergure dans le fonctionnement cognitif (Harter, 1990). L'émergence des opérations concrètes à sept ou huit ans se reflète dans les caractéristiques dont l'enfant se sert pour se décrire lui-même et décrire les autres. L'émergence des opérations formelles se traduit par des descriptions d'autrui qui font appel de plus en plus à des états intérieurs; ces descriptions des autres sont à la fois souples et fondées sur de subtiles déductions faites à partir de leur comportement.

Kohlberg (1973, 1976) a émis une proposition plus générale sur les liens existant entre les changements cognitifs et d'autres types de changements à l'adolescence. Il a formulé l'hypothèse que l'enfant passerait d'abord à un nouveau stade de la logique et qu'il appliquerait ensuite cette logique aux relations avec les autres aussi bien qu'aux objets, et ensuite seulement l'appliquerait à des problèmes moraux. Kohlberg soutient en particulier que certains signes d'opérations formelles, certaines capacités de prise de perspective sont nécessaires dans les relations avec les autres (mais pas suffisants) pour que l'émergence du raisonnement moral conventionnel soit possible. La maîtrise complète des opérations formelles et une compréhension sociale encore plus abstraite seraient des conditions nécessaires au raisonnement postconventionnel.

Peu de travaux ont porté sur l'éventualité de cette séquence, mais ceux qui ont été effectués confirment l'hypothèse de Kohlberg. Lawrence Walker (1980) a étudié un groupe d'enfants de la quatrième à la septième année en se penchant sur la résolution de problèmes des opérations concrètes et formelles, la compréhension sociale et le niveau de raisonnement moral. Il a remarqué que près de la moitié ou des deux tiers des enfants raisonnaient au même niveau dans les différents domaines, ce qui ressemble fort à un développement par stades. Quand un enfant était en avance dans une progression, la séquence était toujours la suivante: il avait d'abord développé la pensée

logique, ensuite une compréhension sociale plus avancée, puis les jugements moraux correspondants. Ainsi, un jeune garçon encore au stade des opérations concrètes aurait peu de chances de raisonner selon un niveau moral postconventionnel. Mais la concordance n'est pas automatique. Les progrès des capacités cognitives de base permettent des progrès dans le raisonnement social et moral, mais ne les garantissent pas. L'expérience des relations avec les autres et des dilemmes moraux est aussi nécessaire à cette progression.

La morale que l'on peut en tirer (passez-nous le jeu de mots) est la suivante: si un jeune ou un adulte montre des signes d'opérations formelles, cela ne veut pas dire nécessairement qu'il serait capable de faire preuve de sensibilité, d'empathie et d'indulgence envers ses amis et sa famille. C'est un point qu'il faut garder à l'esprit.

Il est également possible que certaines capacités formelles soient nécessaires, mais pas suffisantes pour que se forme une identité clairement définie. L'une des caractéristiques des opérations formelles est la capacité d'entrevoir des possibilités dont vous n'avez jamais fait l'expérience et de jongler de façon abstraite avec les concepts. Ces nouvelles compétences peuvent entraîner un questionnement général sur les anciens comportements, les anciennes valeurs et les anciens modèles, qui sont au centre du processus de formation de l'identité. De nombreuses études montrent que, parmi les élèves du secondaire et les étudiants de collège, ceux qui ont affirmé leur identité ou qui ont acquis l'état d'identité en moratoire, selon les termes de Marcia, utilisent davantage un raisonnement formel que ceux qui n'ont atteint que l'état d'identité diffuse ou forclose (Leadbeater et Dionne, 1981; Rowe et Marcia, 1980). Dans l'étude effectuée par Rowe et Marcia, les seuls individus qui faisaient preuve d'une totale réalisation de leur identité étaient ceux qui possédaient une maîtrise complète des opérations formelles. Par contre, la proposition inverse ne se vérifiait pas: certains sujets qui avaient une totale maîtrise des opérations formelles n'avaient pas pleinement réalisé leur identité. Ainsi, la pensée opératoire formelle *permet* à l'adolescent de remettre en question plusieurs aspects de sa vie, mais ne garantit pas pour autant qu'il le fera.

Au bout du compte, il semble bien que tant les changements physiques de la puberté que les changements cognitifs potentiels des opérations formelles sont des aspects fondamentaux de l'adolescence; cependant, la nature des liens qui les unissent et leurs répercussions sur le comportement social sont encore mal connues. Nous savons combien il est frustrant de souligner sans cesse notre ignorance, mais c'est le constat le plus juste que l'on puisse faire à propos des connaissances actuelles sur la question.

INFLUENCES SUR LES PROCESSUS DE BASE

L'espace et le temps nous faisant défaut, nous ne pouvons nous pencher sur tous les facteurs qui influent sur l'expérience de la puberté chez l'adolescent. Nous en avons déjà mentionné quelques-uns, tels que les différences culturelles, l'existence ou l'absence de rituels d'initiation, le moment du déclenchement du processus pubertaire et le niveau de stress personnel ou familial. L'adolescence, comme toutes les autres périodes du développement, ne part pas de zéro. Le tempérament du jeune, ses habitudes de comportement et ses modèles internes d'interaction, établis dans les premières années de l'enfance, ont évidemment une influence sur l'expérience de l'adolescence. Les exemples ne manquent pas.

- L'étude longitudinale effectuée par Sroufe, que nous avons mentionnée au chapitre 5 (Sroufe, 1989), révèle que les jeunes enfants qui font preuve d'un attachement fort (ou sécurisant) sont plus confiants et plus compétents socialement avec leurs pairs au début de l'adolescence.

- L'augmentation de la délinquance et de l'agressivité chez l'adolescent est rarement soudaine. Ces comportements sont presque toujours annoncés par des problèmes de comportement antérieurs et par une discipline familiale inadéquate, et ce dès la plus tendre enfance (Dishion *et al.*, 1991; Robins et McEvoy, 1990).

- La dépression touche plus fréquemment les adolescents qui amorcent la puberté avec une faible estime de soi (Harter, 1988).

Avshalom Caspi et Terrie Moffitt (1991) font valoir un argument plus général selon lequel toute crise ou transition majeure dans la vie, y compris l'adolescence, exacerbe les modèles antérieurs du comportement et de la personnalité plutôt que d'en engendrer de nouveaux. Cela n'est pas sans rappeler la manifestation de l'attachement chez l'enfant, qui se révèle seulement quand ce dernier éprouve un stress. Dans le même ordre d'idée, Caspi et Moffitt pensent qu'en période de stress, les vieux modèles et les anciens problèmes ressurgissent. Par exemple, ils font remarquer que, en moyenne, les filles qui ont une puberté précoce connaissent plus de problèmes psychologiques que les filles dont le développement est dans la norme. Cependant, une analyse plus pointue révèle que, parmi les filles précoces, seules celles qui éprouvaient des problèmes sociaux avant la puberté ont une expérience plus négative de leur puberté et de l'adolescence. La puberté très précoce n'augmente pas l'incidence de problèmes psychologiques chez les filles au départ plus équilibrées.

Nous croyons qu'il s'agit là d'un élément important pour comprendre les diverses transitions de la vie adulte. Non seulement transportons-nous notre bagage psychologique au fur et à mesure de notre évolution dans les rôles et les exigences de la vie adulte, mais ces modèles existants sont encore plus visibles en situation de stress. Cela ne signifie pas pour autant qu'il est impossible de changer ou d'apprendre des façons de réagir plus adéquates. Cependant, il faut se rappeler qu'au moment de l'adolescence, et plus particulièrement encore à l'âge adulte, nos modèles internes et notre répertoire de comportements d'adaptation sont déjà établis, ce qui donne une orientation particulière au système. En d'autres termes, bien que le changement soit possible, la continuité reste l'option par défaut.

10

L E DÉBUT DE L'ÂGE ADULTE: DÉVELOPPEMENT PHYSIQUE ET COGNITIF

> **C**omme j'ai terminé mon doctorat à l'âge de 24 ans et que j'étais en quelque sorte « en avance », j'ai longtemps gardé l'impression d'être jeune. Je me retrouvais presque toujours la plus jeune — et, bien sûr, généralement la seule femme — dans le milieu professionnel. Lorsque j'ai commencé à enseigner, j'étais souvent plus jeune que la plupart des étudiants de deuxième cycle. Ayant toujours eu le sentiment de faire partie de l'« avant-garde », j'ai ressenti un véritable choc lorsque, à l'approche de la quarantaine, je me suis rendu compte que je me dirigeais allègrement vers ce que je considérais comme le midi de la vie.
>
> HELEN BEE

L'âge adulte couvre la majeure partie de la vie d'un individu, et comprend manifestement plusieurs périodes distinctes. Lorsqu'on étudie l'âge adulte, on doit donc se demander comment circonscrire ces différentes périodes. En effet, nous avons tous notre propre définition du *début de l'âge adulte*, du *milieu de l'âge adulte*, ou de l'*âge adulte avancé*. Ces définitions ont changé au fil du temps et diffèrent d'un sous-groupe à l'autre. Même les théoriciens des sciences sociales ne s'entendent pas sur la façon de subdiviser l'âge adulte. En effet, les changements physiques et cognitifs sont plus graduels et varient davantage d'une personne à l'autre au cours de l'âge adulte que durant l'enfance. La façon dont il faut diviser ces années n'est donc pas évidente. La plupart des psychologues qui s'intéressent au développement humain établissent, par convention, une division vers l'âge de 60 ou 65 ans, soit l'âge auquel la plupart des adultes des pays industrialisés prennent leur retraite. Ils marquent une deuxième division vers l'âge de 40 ou 45 ans, qu'ils justifient de la manière suivante.

- Cette division permet de subdiviser l'âge adulte en trois parties à peu près égales : début de l'âge adulte de 20 à 40 ans, âge adulte moyen de 40 à 65 ans et âge adulte avancé de 65 ans à la mort.

- Elle reflète un ensemble de changements de rôles qui se produisent souvent (mais pas toujours) au début de la quarantaine, lorsque la carrière atteint un plafond et que les enfants commencent à quitter la maison.

> Lorsque vous songez à l'étendue de la vie adulte, comment la divisez-vous ? Quelles sont les étapes charnières, selon vous ? Quand l'âge adulte moyen débute-t-il ? Quand l'âge adulte avancé commence-t-il ? Croyez-vous que vos attentes ou vos valeurs influeront sur l'interprétation que vous donnerez à vos expériences de vie ?

- Elle traduit le fait que les fonctions cognitives et physiques, qui sont optimales au cours de la vingtaine et de la trentaine, commencent à décliner de façon sensible et mesurable durant la quarantaine et la cinquantaine. La pente peut être très douce, mais on la descend inévitablement après l'âge de 40 ans. Ainsi, non seulement la quarantaine entraîne-t-elle une augmentation du taux de maladie et d'invalidité, mais elle donne lieu en outre à une augmentation de la *conscience* du déclin physique.

Pour toutes ces raisons, nous allons définir ici le *début de l'âge adulte* comme la période qui s'étend de 20 à 40 ans. Cependant, vous ne devez pas oublier qu'il s'agit d'une division arbitraire et qu'une grande variabilité régit l'apparition de certains de ces événements déterminants et des changements graduels au cours des années dites de transition.

MATURATION ET VIEILLISSEMENT

L'étude de l'adulte diffère également de l'étude de l'enfant en ce qui concerne le rôle de la maturation et les autres formes de changements communs à tous les individus que nous avons abordés au chapitre 1. Lorsque l'on étudie le développement des enfants, on parle en termes de croissance et d'évolution. Par contre, lorsque l'on étudie les adultes, en particulier quand on s'intéresse à leurs habiletés physiques et cognitives, on commence à s'interroger sur la perte et le déclin de ces habiletés. Peut-on étudier et analyser ce déclin des fonctions physiques et cognitives en utilisant les mêmes modèles théoriques qui ont servi à étudier la croissance et l'évolution chez l'enfant ?

Les réponses à ces questions dépendent de la façon dont on définit le *développement*. Dans le cas du développement de l'enfant, il existe une direction et les changements se déroulent dans un certain ordre. Le bébé s'assoit, se traîne à quatre pattes, puis marche ; l'adolescent traverse les étapes de la puberté ; l'enfant se développe sur le plan cognitif en passant du concret à l'abstrait, de la phase égocentrique à la phase relationnelle. On peut aussi s'entendre sur le fait que la maturation physique forme le substrat de la plupart des changements liés au développement. Par contre, lorsque l'on étudie les changements durant l'âge adulte, la notion de développement devient beaucoup plus ambiguë.

De toute évidence, la plupart des individus (mais pas tous) sont touchés par des changements communs sur le plan des rôles au début de l'âge adulte. Mais existe-t-il une direction, un schème récurrent dans les changements observés chez l'adulte que l'on pourrait raisonnablement percevoir comme un développement ? Les gens deviennent-ils plus intelligents, plus sages, plus stables ou plus lents en vieillissant ? Par ailleurs, quel est le rôle précis de la maturation dans ce processus ?

De prime abord, on note que certains changements physiques communs et inévitables se produisent à l'âge adulte, lesquels semblent tous liés, par nature, à la maturation. On parle en général de *vieillissement* pour décrire ce phénomène. L'apparition de cheveux blancs et de rides au visage témoignent de ces changements. De nombreuses personnes croient que des changements similaires apparaissent dans leur façon de penser après l'âge de 40 ans : la mémorisation des noms devient plus difficile, et l'apprentissage de nouvelles habiletés nécessite plus de temps et d'efforts.

Les physiologistes et les psychologues ne contestent pas ces observations : il existe bien une horloge biologique, et son tic-tac se fait de plus en plus fort à mesure que l'on traverse l'âge adulte. Cependant, des recherches récentes révèlent que certains phénomènes attribués jusqu'ici au vieillissement physique inévitable sont peut-être dus à d'autres causes, comme la maladie et l'invalidité. On se retrouve alors face à un dilemme méthodologique.

Même à 30 ans, les adultes trouvent souvent que le maintien d'une bonne condition physique est plus difficile qu'à 20 ans.

COMMENT ÉTUDIER LE VIEILLISSEMENT PHYSIQUE ?

Supposons que nous nous intéressions aux changements de la fonction cardiaque ou pulmonaire durant l'âge adulte. Qu'advient-il de la pression artérielle, de la capacité respiratoire ou de la capacité cardiaque ? Notre organisme change-t-il inéluctablement lorsque nous vieillissons ?

Les études transversales effectuées sur ces questions semblent donner une réponse affirmative. Ces recherches montrent que, chez les adultes d'âge avancé, le cœur est de moins en moins efficace et que la capacité d'absorption et de transmission de l'oxygène décline de façon régulière. Cependant, de telles comparaisons comportent des difficultés intrinsèques. On sait en effet que les adultes plus âgés ont une plus grande propension à souffrir de *maladies* du cœur. Ainsi, dans les échantillons transversaux aléatoires, chaque groupe d'âge successif comportera une proportion plus élevée de sujets souffrant de cardiopathie que le groupe plus jeune (Christensen *et al.*, 1992). Finalement, lorsqu'on étudie des échantillons transversaux, quelle proportion des changements observés dans la fonction cardiaque peut-on vraiment attribuer au vieillissement, et quelle proportion peut-on attribuer à la présence d'un plus grand nombre de maladies ?

Les recherches longitudinales ne sont guère plus concluantes. En effet, si l'on débutait une étude avec un groupe aléatoire de personnes âgées de 20 ans et que l'on mesurait leur fonction cardiaque et pulmonaire tous les 10 ans pendant 60 ans, il reste que, à chaque point de vérification, un nombre toujours plus grand de sujets souffrirait de cardiopathies.

On sait que les maladies du cœur en elles-mêmes *ne constituent pas* une composante normale du vieillissement, car nous n'en souffrons pas tous. Il convient donc d'observer les changements survenant avec l'âge uniquement chez les adultes qui ne sont pas malades. On peut ainsi espérer découvrir les processus de base qui sous-tendent le vieillissement sans complications de santé. Ce faisant, on a découvert que *certains* changements sont bien reliés à l'âge, mais qu'ils sont beaucoup moins importants que prévus. En effet, chez les personnes en bonne santé, le vieillissement s'avère plus lent et plus tardif que nombre d'entre nous ne l'avaient cru. En outre, certains changements que l'on pensait inhérents au vieillissement n'apparaissent tout simplement pas lorsqu'on étudie des adultes en bonne santé.

Nous n'essayons pas ici de donner une image édulcorée de l'âge adulte avancé. Le sable s'écoule inexorablement dans le sablier et la mort nous attend tous au bout du chemin. Mais il est nécessaire de déterminer exactement quels sont les changements attribuables au vieillissement normal et lesquels, dus à d'autres causes, pourraient être évités. Ces avertissements sont importants même lorsqu'on observe les fonctions physiques et cognitives au début de l'âge adulte, au moment de la performance optimale. Les recherches les plus récentes ne contestent pas un tel avantage chez les jeunes, mais elles laissent à penser que les différences entre les jeunes adultes et les adultes plus âgés pourraient être moins marquées qu'on ne le pense. Nous allons aborder le sujet à la lumière de ces informations.

Maturation et vieillissement

Q 1   Comment justifie-t-on les divisions de l'âge adulte vers 40 ans et vers 60 ans ?

Q 2   Quel dilemme méthodologique accompagne l'étude des changements physiques communs et inévitables qui se produisent à l'âge adulte ?

Q 3   Expliquez pourquoi l'horloge biologique se fait moins bruyante au début de l'âge adulte.

FONCTIONS PHYSIQUES

À la fin de l'adolescence, la croissance physique est terminée et le corps atteint l'apogée de son développement. Les jeunes adultes obtiennent généralement de meilleurs résultats que les adultes d'âge moyen ou avancé dans tous les domaines physiques. Le jeune adulte de 20 ou 30 ans possède une masse musculaire plus importante, sa force musculaire et sa vitesse atteignent un sommet au début de la trentaine et déclinent par la suite, de façon constante. Les os du jeune adulte sont plus calcifiés, et sa masse cérébrale plus volumineuse. Il est aussi doté d'une vision, d'une ouïe et d'un odorat supérieurs, sa capacité oxyphorique est plus grande et son système immunitaire, plus efficace. Il est enfin plus fort, plus rapide et récupère mieux après l'effort. En outre, il s'adapte mieux aux conditions changeantes, comme les variations de température ou d'intensité lumineuse. Nous discuterons plus en détail de ces changements individuels dans les chapitres 12 et 14, lorsque nous aborderons les changements physiques à l'âge adulte moyen et à l'âge adulte avancé.

La plupart des études tant longitudinales que transversales confirment le fait que les adultes atteignent et conservent une fonction physique optimale avant l'âge de 40 ans environ, moment où des changements mesurables commencent à se manifester dans la plupart des aspects de leur performance physique. Cependant, étant donné que plusieurs de ces études n'ont pas vérifié la santé des sujets, il est possible que certaines des différences observées soient en fait plus réduites, ou se produisent à un âge plus avancé. Le modèle est tout de même cohérent. Le processus de changement physiologique sous-jacent débute probablement bien avant l'âge de 40 ans ; dans certains cas, telle la diminution de masse du thymus (glande qui joue un rôle essentiel dans la fonction du système immunitaire), le changement s'amorce peu après l'adolescence. Mais dans la plupart des cas, on ne détecte pas de baisse significative des aptitudes physiques avant l'âge adulte moyen. Voici quelques exemples de changements physiques associés à l'âge.

CŒUR ET POUMONS. La mesure la plus commune de la capacité pulmonaire est l'**absorption maximale d'oxygène** (Vo_2 **max**), soit la capacité de l'organisme à absorber et à transporter l'oxygène vers les différents organes du corps. Lorsque cette mesure est prise au repos, on n'observe que des diminutions minimales associées à l'âge. Par contre, lorsque l'absorption maximale d'oxygène est mesurée durant l'effort, on constate un déclin systématique avec l'âge d'environ 1 % par année. Certains résultats typiques provenant d'études transversales et longitudinales portant sur des femmes sont présentés à la figure 10.1. Des résultats semblables ont été notés chez les hommes (Lakatta, 1990 ; Kozma, Stones et Hannah, 1991).

De même, dans des conditions de repos, l'âge ne fait aucune différence en ce qui concerne le volume de sang éjecté par le cœur (débit cardiaque), alors que, dans des conditions d'exercice physique, on constate un déclin considérable avec l'âge. En effet, les personnes de 65 ans ont un débit cardiaque de 25 à 30 % inférieur à celui des personnes de 25 ans (Lakatta, 1985 ; Rossman, 1980). Le rythme cardiaque présente un modèle similaire : l'âge ne fait aucune différence dans des conditions de repos, mais, avec l'âge, on note une légère accélération du rythme cardiaque durant l'exercice.

La pression artérielle semble faire exception à ce modèle. Vous savez que, lorsque l'on prend votre pression artérielle, on vous donne deux chiffres. Le chiffre le plus élevé représente la pression artérielle systolique, soit la force avec laquelle votre cœur propulse le sang quand il se contracte. Sur cette mesure, on constate des différences selon l'âge, même au repos. La pression systolique est plus basse chez les adultes dans la vingtaine ou dans la trentaine puis s'élève régulièrement avec l'âge, apparemment à la suite de la diminution d'élasticité des vaisseaux sanguins, qui reflète elle-même une diminution beaucoup plus générale de l'élasticité des tissus dans toutes les parties du corps (d'où l'apparition des rides).

Absorption maximale d'oxygène (Vo_2 max) : Quantité d'oxygène que la circulation sanguine peut absorber, qui sera ensuite acheminée vers toutes les parties de l'organisme. Importante mesure de la capacité aérobie, l'absorption maximale d'oxygène diminue avec l'âge, mais peut être améliorée grâce à l'exercice physique.

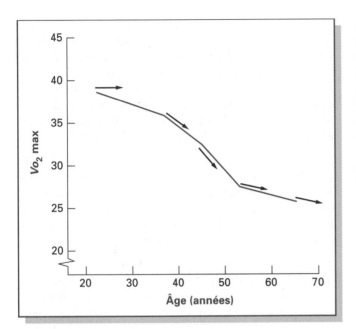

Figure 10.1 *Vo₂* **max et âge.** La ligne continue présente les moyennes d'absorption maximale d'oxygène dans les comparaisons transversales. Les flèches présentent les changements de la même mesure chez les groupes de femmes étudiées dans des recherches longitudinales. Les résultats des deux études concordent de façon remarquable. Notez que la chute la plus importante s'est produite entre l'âge de 40 et 50 ans. (*Source* : Plowman, Drinkwater et Horvath, 1979, figure 1, p. 514.)

Sachant que tous ces aspects de la fonction cardio-vasculaire peuvent être améliorés en faisant de l'exercice, il est possible que le modèle de résultats que nous venons de décrire ne traduise pas le vieillissement en tant que tel, mais plutôt l'effet d'une vie de plus en plus sédentaire chez les adultes âgés — une possibilité que nous aborderons de nouveau dans les chapitres 12 et 14.

FORCE ET VITESSE. Les changements de la condition musculaire et cardiovasculaire résultent globalement en une perte générale de la force musculaire et de la vitesse avec l'âge. La figure 10.2 montre des changements dans la force de préhension chez un groupe d'hommes qui ont participé

Ce garde forestier est sûrement plus en forme actuellement qu'il le sera à tout autre moment de sa vie.

aux études longitudinales de Baltimore sur le vieillissement, étalées sur neuf ans. La force de préhension paraissait clairement atteindre un sommet dans la vingtaine et au début de la trentaine, puis déclinait de façon constante. Rappelez-vous que cette différence peut provenir du fait que les adultes plus jeunes sont physiquement plus actifs et plus enclins à s'engager dans des activités ou des emplois qui exigent de la force. Cependant, certaines études réfutent cette hypothèse en trouvant une perte de la force musculaire dans le temps chez les adultes plus âgés et physiquement actifs (Phillips *et al.*, 1992). Les résultats des études sur les athlètes professionnels sont encore plus convaincants. Ils sont présentés dans l'encadré « Le monde réel », à la page 315. Même chez ces athlètes, le modèle est clair : il se produit une perte de force musculaire et de vitesse avec l'âge.

CAPACITÉ DE REPRODUCTION. Comme nous l'avons mentionné au chapitre 3, les risques d'avortement spontané et autres complications sont plus élevés chez les femmes dans la trentaine que chez les femmes dans la vingtaine. La fertilité, soit la capacité de concevoir, est également à son apogée à la fin de l'adolescence et au début de la vingtaine, puis elle chute de façon régulière (McFalls, 1990). Dans une importante étude effectuée en 1982 aux États-Unis, dans laquelle l'*infertilité* avait été définie comme l'incapacité de concevoir après une ou plusieurs années de relations sexuelles non protégées (McFalls, 1990, p. 511), seulement 7 % des femmes âgées de 20 à 24 ans étaient stériles, contre 15 % des femmes

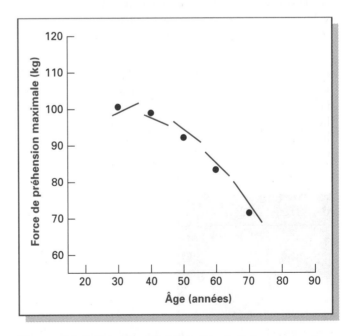

Figure 10.2 Force de préhension. Ces résultats, provenant des études longitudinales de Baltimore sur le vieillissement, réunissent des données transversales (points) et des données longitudinales (lignes) sur la force de préhension chez l'homme. De nouveau, les deux ensembles de données concordent parfaitement. (*Source* : Kallman, Plato et Tobin, 1990, figure 2, p. M84.)

de 30 à 34 ans et 28 % des femmes de 35 à 39 ans (Mosher, 1987 ; Mosher et Pratt, 1987).

Chez les hommes, la fertilité ne suit pas la même tendance. Peu de recherches ont été réalisées sur le sujet, mais apparemment il n'y aurait aucun changement notable dans la capacité de l'homme de féconder au début de l'âge adulte. On observe malgré tout un certain déclin après l'âge de 40 ans, mais (comme nous le verrons en détail au chapitre 12) il n'existe pas d'équivalent de la ménopause chez les hommes, qui peuvent donc être pères jusqu'à un âge avancé.

SYSTÈME IMMUNITAIRE. Le système immunitaire, composante capitale pour combattre les maladies, comprend différents types de cellules créées dans la moelle osseuse (lymphocytes B) et dans le thymus (lymphocytes T). Ensemble, elles protègent l'organisme en fabriquant des anticorps qui réagissent aux agents pathogènes, tels que les virus ou autres infections, et en produisant des cellules spéciales qui rejettent ou détruisent les cellules nuisibles ou mutantes. Ce sont les lymphocytes T qui présentent la plus grande vulnérabilité au virus du sida et dont le nombre et l'efficacité diminuent le plus avec l'âge (Miller, 1990). À mesure que le thymus rétrécit, sa capacité de produire des lymphocytes T viables va en diminuant. Ces lymphocytes deviennent alors de moins en moins efficaces dans la reconnaissance des cellules étrangères, de sorte que certaines cellules pathogènes, comme les cellules cancéreuses, ne sont pas toujours bien combattues. De plus, l'organisme produit moins d'anticorps avec l'âge. Ces changements conjugués font en sorte que les adultes offrent une vulnérabilité accrue à la maladie en vieillissant — un aspect *très* significatif du processus de vieillissement.

Toutefois, comme pour les études sur la fonction cardiaque, il ne faut pas tirer de conclusions hâtives sur le vieillissement normal du système immunitaire. Il existe un faisceau de nouveaux arguments soulignant l'existence de liens étroits entre le stress psychologique ou la dépression et le fonctionnement du système immunitaire (Dorian et Garfinkel, 1987 ; Weisse, 1992). Durant le mois précédant les

examens de fin d'année, les étudiants en médecine présentent de plus faibles concentrations d'une certaine sous-variété de lymphocytes T (cellules tueuses naturelles, ou cellules NK) qu'au cours du mois suivant (Kiecolt-Glaser et Glaser, 1988). Le veuvage et la perte d'un être cher sont associés à un affaiblissement important du système immunitaire dans les semaines qui suivent ces pertes ; par la suite, le rétablissement est lent (Willis *et al.*, 1987 ; Schleifer *et al.*, 1983).

Le stress chronique, telles les exigences continuellement élevées d'un emploi, semble aussi affaiblir la fonction immunitaire. En réaction à un tel stress, on assiste à une sorte de mobilisation initiale, qui entraîne une amélioration temporaire de la fonction du système immunitaire, suivie d'une chute (Dorian et Garfinkel, 1987).

L'ensemble de ces recherches font ressortir la possibilité que les événements de la vie qui exigent un changement ou une adaptation considérables influent sur la résistance du système immunitaire. Après plusieurs années d'un régime hautement stressant, le système immunitaire devient de moins en moins efficace. Il est possible aussi que le système immunitaire subisse des changements avec l'âge, *quel que soit* le niveau de stress. Mais il est également possible que ce que l'on considère comme le vieillissement normal du système immunitaire soit une réaction à l'accumulation de stress. Si tel est le cas, on pourrait s'attendre à ce que les adultes qui ont fait face à des niveaux élevés de stress dans leur vie soient soumis à des risques plus importants de maladie et qu'ils aient une espérance de vie plus courte. Autrement dit, ils « vieilliraient » plus rapidement — et c'est effectivement la conclusion à laquelle ont abouti des recherches sur la maladie et le taux de mortalité, sur lesquelles nous nous penchons maintenant.

SANTÉ PHYSIQUE

Lorsque l'on observe directement les différences d'âge en ce qui concerne la santé physique et le taux de mortalité, les résultats suivent l'évolution prévue. Évidemment, plus vous êtes âgé, plus vous courez de risques de mourir à n'importe quel moment. Chez les jeunes adultes au Québec, environ 1 personne sur 1 000 meurt chaque année ; chez les personnes de 65 à 75 ans, la proportion atteint 23 personnes sur 1 000 (Bureau de la statistique du Québec, 1995). De plus, les décès de jeunes adultes sont plus fréquemment liés à un accident,

Le système immunitaire fonctionne moins bien quand on est stressé, comme en période d'examen.

Si l'augmentation du risque de maladie constitue une composante normale du vieillissement, pourquoi est-il logique d'étudier le vieillissement normal en se penchant uniquement sur des adultes *en bonne santé* ?

LE MONDE RÉEL

Âge et performance sportive optimale

L'une des méthodes les plus simples pour vérifier si l'être humain est bien au sommet de sa forme physique au début de l'âge adulte consiste à observer les performances athlétiques. Les sportifs professionnels dans toutes les disciplines poussent leur organisme à la limite de ses capacités. Si le début de l'âge adulte constitue véritablement le sommet de la condition physique, la plupart des records sportifs mondiaux devraient donc être atteints dans la vingtaine ou au début de la trentaine. Une autre stratégie consiste à observer la performance moyenne des grands athlètes appartenant à chacun des différents groupes d'âge, y compris ceux de plus de 35 ou 40 ans, aujourd'hui appelés les vétérans. Ces deux analyses mènent à la même conclusion : la meilleure performance athlétique est atteinte au début de l'âge adulte, bien qu'il puisse y avoir des variations d'un sport à l'autre.

Les nageurs, par exemple, atteignent le sommet très tôt, soit vers l'âge de 17 ans chez la femme et de 19 ans chez l'homme, alors que les golfeurs l'atteignent plus tard, soit à l'âge de 31 ans environ (Schulz et Curnow, 1988). Les coureurs se situent entre les deux, car ils obtiennent leurs meilleures performances au début ou au milieu de la vingtaine. Plus la distance est longue, plus l'âge auquel ils arrivent à cette performance maximale est avancé, comme vous pouvez le voir à la figure ci-dessous, qui représente l'âge moyen auquel chaque série d'athlètes masculins a obtenu son meilleur temps.

Les comparaisons transversales des meilleures performances obtenues par des concurrents d'âge différent ont mené aux mêmes conclusions. Ainsi, en Allemagne, des championnats nationaux de natation se déroulent chaque année. On attribue des prix aux meilleurs athlètes de chaque tranche d'âge de 5 ans, et ce de l'âge de 25 à 70 ans. Les meilleurs temps sont de plus en plus élevés avec l'âge (Letzelter, Jungermann et Freitag, 1986 ; Ericsson, 1990).

Un tel déclin peut bien sûr être illusoire et résulter de différences de cohortes. En effet, peu d'adultes continuent à faire de la compétition à des niveaux nationaux ou mondiaux dans la quarantaine, la cinquantaine ou plus tard. Donc, les concurrents âgés

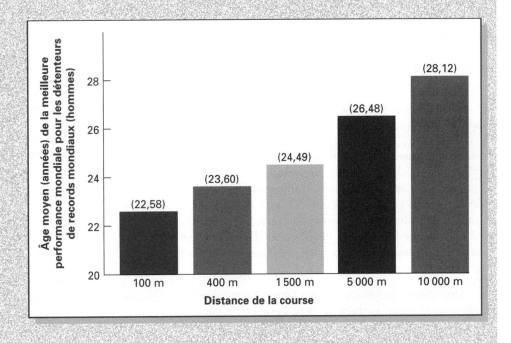

proviennent de groupes beaucoup plus restreints. Mais on peut confirmer ces tendances générales à l'aide de quelques études longitudinales effectuées sur des athlètes qui ont poursuivi la compétition de haut niveau pendant de nombreuses années. Ces études dénotent un déclin plus faible avec l'âge que les comparaisons transversales. Les meilleurs athlètes, en particulier, peuvent encore accomplir des performances presque optimales dans la trentaine. Paavo Nurmi, un coureur de fond finlandais très connu, a couru son meilleur 10 000 mètres à l'âge de 27 ans, mais il obtenait toujours des temps de niveau international à l'âge de 35 ans. On observe néanmoins un déclin (Ericsson, 1990), même pour de tels athlètes de haut niveau. Gordie Howe était encore un très bon joueur de hockey dans la quarantaine, mais il n'était pas aussi bon qu'à l'âge de 25 ans.

Par ailleurs, les athlètes âgés ont souvent une meilleure performance qu'on n'aurait tendance à le penser. Bien que les records mondiaux pour les groupes d'âges supérieurs à 40 ans (catégorie « vétérans ») continuent de baisser, des personnes de 50 ans obtiennent aujourd'hui de meilleures performances dans de nombreux sports que les athlètes olympiques au siècle dernier. À n'importe quel âge, le corps humain réagit davantage à l'entraînement que les chercheurs ne le supposaient il y a 10 ans encore. Il demeure cependant que les gens qui atteignent et maintiennent une bonne condition physique tout au long de l'âge adulte connaissent leur performance optimale au début de l'âge adulte.

à un suicide ou à un homicide qu'à la maladie. La maladie ne devient la cause la plus commune du décès qu'à partir de la fin de la trentaine et du début de la quarantaine, lorsque les maladies du cœur et le cancer deviennent plus courants.

L'évaluation des maladies chroniques ou de l'invalidité (physique ou cognitive) suit le même modèle ; ce fait a été particulièrement mis en évidence dans une étude effectuée par James House et ses collaborateurs (House, Kessler et Herzog, 1990 ; House *et al.*, 1992). En 1986, ces chercheurs ont interrogé un échantillon représentatif de la population américaine comptant 3 617 adultes sur leur état de santé et sur leur capacité à effectuer certaines tâches quotidiennes.

La figure 10.3 présente deux séries de résultats tirés de cette étude, la relation entre la maladie ou l'invalidité et l'âge étant calculée séparément pour quatre groupes issus de classes sociales différentes. La partie (a) indique le nombre de maladies chroniques observées chez l'individu, d'après une liste de 10 affections possibles (arthrite/rhumatisme, maladie pulmonaire, pression artérielle élevée, cardiopathies, diabète, cancer, etc.). La partie (b) présente le degré d'incapacité à accomplir les activités quotidiennes sur une échelle de 1 à 5, où 5 indique que les activités quotidiennes d'une personne ne sont pas du tout limitées par des problèmes de santé, et 1 indique qu'elles sont très limitées.

Deux éléments ressortent de ces figures. Premièrement, la santé se dégrade nettement avec l'âge et l'invalidité augmente — ce qui n'a rien de vraiment surprenant. Deuxièmement, ces effets sont plus importants et plus rapides chez les adultes ayant un statut socioéconomique défavorisé que chez les adultes ayant un statut socioéconomique très favorisé. Au sein du groupe social le plus élevé, comprenant des personnes ayant au moins 16 années de scolarité et un revenu supérieur à 20 000 $US (en dollars de 1986), le changement est particulièrement graduel. Au Canada, également, on observe des différences nettes entre classes sociales. En effet, une enquête réalisée en 1992-1993 souligne la persistance d'écarts importants en matière de santé et de bien-être entre les mieux nantis et les plus démunis (Santé Québec, 1995).

Quelle pourrait être la cause de telles différences entre classes sociales ? House et ses collaborateurs ont étudié différentes possibilités, dont l'hygiène de vie, tels le tabagisme et la consommation d'alcool, ainsi que les événements stressants, tels les problèmes financiers, la perte d'emploi, le divorce, les déménagements, etc. Ils ont découvert, tout comme d'autres chercheurs (James *et al.*, 1992), que les adultes de la classe ouvrière avaient de moins bonnes habitudes de vie et des niveaux de stress plus élevés. Lorsque l'on occulte statistiquement ces différences, les écarts entre classes sociales, apparentes à la figure 10.3, s'atténuent de manière considérable, sans toutefois disparaître complètement (House *et al.*, 1992). En particulier, les adultes ayant un statut socioéconomique très défavorisé continuent d'avoir un net désavantage sur le plan de la santé, même lorsque les habitudes de vie et le stress ne sont pas pris en compte.

Ainsi, ces données confirment ce que l'on savait déjà, soit que le risque de maladie ou d'invalidité augmente avec

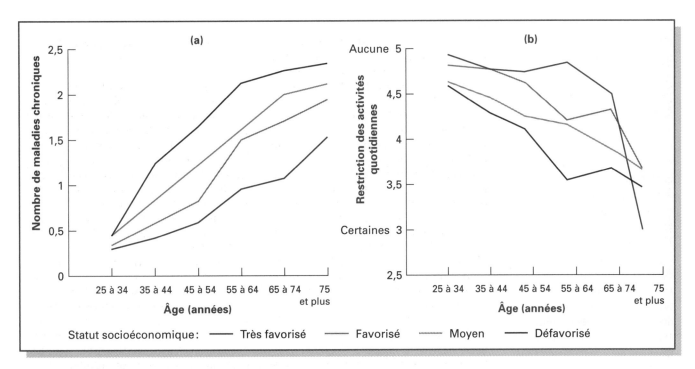

Figure 10.3 État de santé et invalidité selon l'âge. Les maladies chroniques (a) et le degré de restriction des activités quotidiennes (b) changent systématiquement avec le temps durant l'âge adulte, mais le changement est évidemment plus prononcé et plus considérable chez les adultes ayant un statut économique défavorisé ou faisant partie de la classe ouvrière. (*Source*: House *et al.*, 1990, figure 1, p. 396 et figure 3, p. 397.)

l'âge. En outre, elles vérifient l'hypothèse selon laquelle l'accumulation de stress serait un facteur causal, car les adultes subissant moins de stress chronique « vieillissent » plus lentement.

En général, la performance physique et la santé sont meilleurs au début de l'âge adulte. Toutefois, les raisons qui expliquent cet avantage dont bénéficient les jeunes adultes sont plus complexes que l'on ne le croirait de prime abord. Le « vieillissement » est en fait un processus complexe qui est soumis à un ensemble de facteurs, dont le stress et les activités quotidiennes.

Myriam Bédard, comme nous tous, est au sommet de sa condition physique dans la vingtaine.

ALCOOLISME ET TOXICOMANIE. La consommation d'alcool et de drogue constitue une exception à la règle selon laquelle ce sont les jeunes adultes qui jouissent d'une meilleure santé. L'alcoolisme et la toxicomanie sévissent surtout entre l'âge de 18 et 40 ans, après quoi ils déclinent graduellement. Les taux sont plus élevés chez les hommes que chez les femmes, mais le modèle d'âge est très semblable pour les deux sexes (Anthony et Aboraya, 1992). Une étude effectuée aux États-Unis révèle que le taux de consommation d'alcool ou de dépendance à l'alcool atteint environ 6 % chez les jeunes adultes, contre 4 % chez les adultes de 40 à 60 ans et 1,8 % chez les adultes de plus de 65 ans (Regier *et al.*, 1988). Au Québec, selon une enquête récente, les plus hauts pourcentages de buveurs s'observent parmi les personnes âgées de 15 à 24 ans et de 25 à 44 ans (83 % et 88 % respectivement), tant chez les hommes que chez les femmes. Il n'y a pas d'écarts significatifs entre les hommes et les femmes de ces groupes d'âge. En ce qui concerne la toxicomanie, 27 %

Pouvez-vous concevoir d'autres explications permettant de justifier l'avantage, sur le plan de la santé, des classes ayant un statut socioéconomique favorisé et très favorisé ? Pouvez-vous imaginer une façon de vérifier vos hypothèses ?

des jeunes de 15 à 24 ans, 13 % des personnes de 25 à 44 ans et environ 5 % des personnes âgées de 45 ans et plus ont déclaré avoir consommé de la drogue. (Santé Québec, 1995.)

SANTÉ MENTALE

Il existe une autre exception au modèle de santé optimale chez le jeune adulte ; elle concerne les différences d'âge sur le plan des problèmes de santé mentale. Des études effectuées dans de nombreux pays développés montrent que les risques de troubles affectifs de toutes sortes sont *élevés* entre l'âge de 25 et 44 ans et baissent à l'âge adulte moyen (Regier *et al.*, 1988 ; Kessler *et al.*, 1992). Cette constatation tient compte de la dépression, des troubles anxieux, de la toxicomanie et de la schizophrénie. Cependant, on ne s'entend toujours pas sur le modèle de l'âge adulte avancé. Certains chercheurs ont observé une recrudescence des problèmes tels que la dépression chez les personnes âgées de 75 ans et plus (Kessler *et al.*, 1992 ; Lewinsohn *et al.*, 1991), mais cela n'a été confirmé ni dans toutes les études ni pour toutes les formes de troubles.

Au Québec, selon une enquête menée en 1992-1993, le deuxième groupe d'âge qui présente l'indice de détresse psychologique le plus élevé est celui des 25-44 ans, avec un pourcentage de 28 % ; le groupe le plus vulnérable est celui des 15-24 ans (35 %). Parmi tous les groupes d'âge, seules les personnes âgées de 65 ans et plus sont relativement peu touchées (15 %). Ce sont les femmes qui élèvent seules une famille qui souffrent le plus de détresse psychologique : près de la moitié d'entre elles, soit 46 %, manifestent des symptômes de dépression, d'anxiété, d'agressivité ou de troubles cognitifs. (Santé Québec, 1995.)

Mis à part les controverses concernant une éventuelle augmentation des troubles affectifs à l'âge adulte avancé, les recherches révèlent unanimement que le début de l'âge adulte constitue une période de stress et de risques personnels particulièrement élevés. Ainsi, le temps de la vie où nous sommes au sommet de notre forme physique et intellectuelle constitue par ailleurs le moment où nous sommes le plus vulnérables à la dépression ou autres troubles affectifs.

FONCTIONS COGNITIVES

L'observation des fonctions cognitives nous révèle qu'elles suivent la même évolution que la condition physique et la maladie : les facultés intellectuelles culminent au début de l'âge adulte, mais leur déclin est plus lent que ce que la plupart des chercheurs avaient initialement observé. Il existe également une variabilité beaucoup plus importante qu'on ne le pensait entre les individus. Les différences semblent attribuables à différents facteurs environnementaux et au style de vie, ainsi qu'à l'hérédité. Donc, une fois de plus, la compréhension du modèle de base du vieillissement cognitif se révèle complexe et ardue. Nous allons d'abord nous pencher sur certaines découvertes fondamentales.

QUOTIENT INTELLECTUEL

Les premières études, reposant sur des données transversales, ont noté un déclin apparent et régulier du Q.I. durant la vie adulte, avec un point culminant vers l'âge de 30 ans et une baisse progressive par la suite. Les données longitudinales offrent une image beaucoup plus optimiste. La meilleure source de données provient d'une étude longitudinale remarquable, effectuée par Schaie à Seattle (Schaie, 1983b, 1989, 1990 ; Schaie et Hertzog, 1983).

En 1956, Schaie a débuté ses travaux avec plusieurs séries d'échantillons transversaux, séparés par des intervalles de 7 années, et s'échelonnant de 25 à 67 ans. Certains de ces sujets ont alors été testés tous les sept ans, et une toute nouvelle série d'échantillons transversaux était sélectionnée à chaque intervalle de sept ans, dont certains étaient alors suivis de façon longitudinale. Cette méthode a permis à Schaie d'observer les changements de Q.I. au cours d'intervalles de 7, 14, 21 et 28 années pour divers ensembles de sujets, chacun appartenant à une cohorte légèrement

---

Changements physiques et santé

Q 4　Faites un résumé de la condition physique du jeune adulte (cœur et poumons, force et vitesse, capacité de reproduction, système immunitaire).

Q 5　Quel est le rôle des lymphocytes B et des lymphocytes T ? Dans quels organes sont-ils produits ? Quel est leur lien avec le sida ?

Q 6　Le vieillissement est-il la seule cause de l'affaiblissement du système immunitaire ? Expliquez.

Q 7　Quelles sont les causes des différences observées entre les classes sociales quant à l'état de santé général ?

Q 8　Il existe deux domaines où la santé du jeune adulte n'est pas optimale. Citez-les et expliquez pourquoi.

différente. La figure 10.4 illustre une série de comparaisons transversales effectuées en 1977 et les résultats d'études longitudinales de 14 années étalées sur l'ensemble des tranches d'âge. Le test utilisé ici est une mesure de l'intelligence globale, dont le score moyen est établi à 50 points (ce qui équivaut à un Q.I. de 100 dans la plupart des autres tests).

Vous pouvez voir que les comparaisons transversales présentent une baisse constante du Q.I. Mais les données longitudinales suggèrent que les scores obtenus aux tests d'intelligence globale s'élèvent au début de l'âge adulte et demeurent relativement constants jusqu'à l'âge de 60 ans environ, moment où ils commencent à diminuer.

On obtient un tableau légèrement différent si on divise la mesure totale du Q.I. en composantes. L'une de ces composantes est ce que Cattell et Horn ont appelé l'**intelligence cristallisée,** qui comprend les aptitudes verbales et d'autres aptitudes qui dépendent de connaissances et d'études particulières (Cattell, 1963 ; Horn, 1982 ; Horn et Donaldson, 1980). En accord avec les travaux de nombreux chercheurs, les résultats de Schaie suggèrent que, d'après l'évaluation de telles aptitudes, la performance intellectuelle se maintient au cours de l'âge adulte moyen. Ainsi, nous nous souvenons des mots que nous avons appris, nous sommes toujours capables de lire des articles de journaux et de comprendre leur sens, de même que de résoudre des problèmes dans notre domaine de spécialisation. Cependant, lorsque les tests d'évaluation dépendent moins de la scolarité ou de l'expérience que de la vitesse de réaction ou du raisonnement abstrait, que Horn et Cattell ont appelé l'**intelligence fluide,** le déclin se produit plus tôt, plus précisément au milieu de l'âge adulte. Ainsi, si

vous faites subir aux adultes une évaluation des aptitudes arithmétiques, dans laquelle le score est déterminé par le nombre de problèmes qu'ils peuvent résoudre en un temps limité, on observe une diminution significative de la performance à partir de l'âge de 40 ans environ. De même, l'évaluation de la capacité de visualiser les objets en rotation dans l'espace — une aptitude que la plupart d'entre nous n'utilisent pas régulièrement — montre qu'elle commence à diminuer très tôt.

Par ailleurs, comme pour la santé physique, il existe d'importantes différences individuelles. Dans chaque test des études effectuées par Schaie, que ce soit sur l'intelligence cristallisée ou l'intelligence fluide, il y avait toujours quelques sujets qui ne présentaient aucun déclin durant l'âge adulte moyen et avancé. Par contre, d'autres sujets faisaient montre d'un déclin précoce et rapide, même dans le cas de certaines facultés cristallisées comme la mémorisation du vocabulaire (Schaie, 1989, 1990).

MÉMOIRE. Les résultats obtenus dans les études portant sur les capacités de mémorisation durant les années adultes sont très similaires. En moyenne, les jeunes adultes obtiennent de bien meilleurs résultats que les adultes plus âgés. Il existe cependant d'importantes variations individuelles à tous les tests de mémoire. Le déclin moyen est parfois, mais pas toujours, plus lent lorsque l'on utilise des tâches de mémorisation pratiques plutôt que des problèmes de laboratoire artificiels.

Les évaluations de la mémoire à court terme — comme se rappeler quelque chose pendant un court laps de temps seulement, par exemple un numéro de téléphone que l'on vient de chercher dans l'annuaire et que l'on appelle immédiatement — révèlent en général une chute avec l'âge, comme vous l'avez déjà constaté avec les résultats présentés à la figure 1.5 (p. 17). Les différences d'âge sont tout de même plus marquées lorsque l'on observe les évaluations de la mémoire à long terme — des données que vous avez l'intention d'emmagasiner dans votre mémoire pour longtemps ou de façon permanente, comme le numéro de téléphone d'un ami, un poème ou une expression dans une langue étrangère. Le processus de mémorisation à long terme (processus appelé *encodage* par les théoriciens de la mémoire) et le processus de récupération semblent moins fonctionnels chez les adultes âgés par comparaison avec les jeunes adultes (Salthouse, 1991). En vieillissant, notre processus de mémorisation devient plus lent et moins efficace — nous aborderons ce thème plus en détail au chapitre 14.

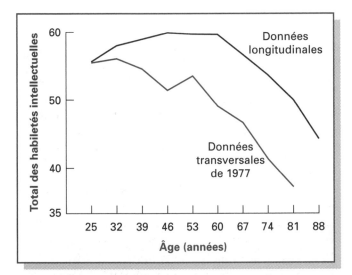

Figure 10.4 Quotient intellectuel et âge. Ces résultats tirés de l'étude longitudinale de Seattle réunissent des données transversales et longitudinales pour l'évaluation des habiletés intellectuelles globales (score moyen = 50). (*Source*: Schaie, 1983b, tableaux 4.5 et 4.9, p. 89 et 100.)

Intelligence cristallisée : Aspect de l'intelligence qui dépend avant tout des études et de l'expérience ; connaissances et jugement acquis grâce à l'expérience.

Intelligence fluide : Aspect de l'intelligence qui dépend davantage des processus biologiques fondamentaux que de l'expérience.

CHANGEMENTS DE LA STRUCTURE COGNITIVE

De nombreux théoriciens postpiagétiens (dont les travaux sont résumés par Richards et Commons, 1990) font entendre un son de cloche plus optimiste. Ils affirment en effet que l'âge adulte entraîne un autre type de changement dans le développement, une réorganisation structurale permettant d'accéder à une forme de pensée transcendant la pensée formelle — nous avons brièvement abordé cette approche au chapitre 2. Gisela Labouvie-Vief (1980, 1990), par exemple, soutient que les opérations formelles ne constituent pas l'étape finale du développement cognitif. En mettant l'emphase sur l'exploration de toutes les possibilités logiques, il se pourrait que la pensée formelle atteigne un plafond au début de l'âge adulte, au moment où l'individu affirme son identité, fait des choix, assimile de nouvelles idées et de nouvelles habiletés. Mais, au-delà de cette étape, Labouvie-Vief pense que les exigences de la vie adulte imposent deux types de changements dans la structure de la pensée.

Il s'opérerait avant tout une transition vers une forme plus *pragmatique* de pensée. Chaque adulte apprend à résoudre des problèmes et fait face à des difficultés liées aux rôles qu'il joue et aux tâches professionnelles qu'il doit effectuer. Selon Labouvie-Vief, cela ne représente pas une *perte* de la fonction cognitive, mais un changement cognitif structural nécessaire, car il est fondamentalement impossible d'aborder chaque problème de tous les jours avec un mode opératoire formel. Autrement dit, dans les termes de Labouvie-Vief, « l'éternelle formulation de « si » et de « alors » ne peut plus être adaptative » (Labouvie-Vief, 1980, p. 153).

Dans ses écrits les plus récents, Labouvie-Vief soutient également que, après le début de la vie adulte, nous ne cherchons plus à comprendre les expériences de la vie au moyen d'un mode analytique, qui est centré sur des faits et qui vise à obtenir des réponses précises, mais au moyen d'un mode qui fait davantage appel à l'imaginaire et la métaphore, avec une ouverture plus grande aux paradoxes et à l'incertitude. Notre certitude s'émousse quant à un grand nombre de choix. Nous comprenons par ailleurs que la certitude n'est pas possible dans de nombreuses situations et pour de nombreux problèmes que nous abordons chaque jour dans notre vie adulte. Vous pourrez utiliser certains aspects des opérations formelles pour choisir entre les différentes options de garderie pour votre enfant, mais la décision finale d'envoyer votre enfant en garderie ne relève pas de la logique formelle. Vos sentiments peuvent être ambivalents, et les choix peu évidents.

Patricia Arlin (1975, 1989, 1990) décrit cette pensée « postformelle » d'une façon quelque peu différente. Selon sa terminologie, la période des opérations formelles est une période de *résolution de problèmes*. Le nouveau stade qui pourrait émerger au début de l'âge adulte est caractérisé par la *découverte de problèmes*. Le nouveau mode est optimal pour faire face aux problèmes pour lesquels il n'existe pas de solution évidente ou pour lesquels, au contraire, il existe plusieurs solutions. Il comprend l'essentiel de ce que l'on appelle communément la créativité. Une personne parvenue à ce stade de pensée est capable de proposer plusieurs solutions à des problèmes mal définis ou peut envisager d'anciens problèmes sous un nouvel angle. Arlin soutient que la découverte de problèmes constitue un stade, qu'il suit les opérations formelles, mais qu'il est acquis par un petit nombre seulement d'adultes, par exemple les personnes qui font carrière en sciences ou en art.

William Perry offre une troisième conception de cette pensée « postformelle » (1970) ; sa théorie fournit une excellente synthèse de la théorie de Kohlberg sur le raisonnement moral, des idées de Piaget sur les opérations formelles et des stades du développement du moi de Loevinger. Perry suggère que, au début de l'âge adulte, de nombreuses personnes traversent une série d'étapes ou de stades dans leur façon de faire face au monde.

- Au départ, les jeunes perçoivent tout en termes extrêmes. L'autorité est extérieure et toute question a une bonne réponse. Cela ressemble beaucoup à la moralité conventionnelle de Kohlberg ou au stade conformiste de Loevinger. La grande majorité des adolescents et de nombreux adultes continuent de voir le monde de cette façon.

- Certains jeunes, surtout les étudiants de niveau collégial et universitaire, qui sont exposés à de nombreux autres points de vue, passent de cette vision catégorique à l'acceptation de l'existence de nombreuses solutions de rechange. À ce stade intermédiaire, ils ont tout de même l'impression qu'il existe une bonne réponse, mais qu'ils ne la connaissent pas encore.

- La prochaine étape est celle de la relativité. L'étudiant ou l'adulte suppose que toutes les connaissances sont relatives, qu'il n'existe pas de vérité absolue. Cette étape s'apparente au stade 5 de la séquence du développement moral de Kohlberg et au niveau de la conscience de soi de Loevinger.

- Enfin, Perry pense que certains jeunes adultes forgent leurs propres points de vue et valeurs, envers lesquels ils s'engagent.

Pensez à quatre problèmes personnels que vous avez eu à résoudre au cours des six derniers mois. Quel type de processus logique ou de pensée avez-vous utilisé pour les résoudre ? Votre mode de pensée a-t-il varié en fonction de la nature du problème ?

La force qui détermine cette série de transitions provient à la fois de l'exposition au point de vue des autres et de l'expérience des dilemmes de la vie courante pour lesquels il n'y a pas de réponse évidente. Selon Labouvie-Vief, ce sont ces événements qui poussent l'adulte vers la pensée pragmatique plutôt que formelle.

Ces nouvelles théories sur la pensée postformelle sont fascinantes, mais elles demeurent à l'état d'hypothèses car on ne dispose que de peu de preuves empiriques pour les étayer. De façon plus générale, on ne sait pas si ces nouveaux types de pensée représentent des formes plus « élevées » de la pensée, construites à partir des stades décrits par Piaget, ou s'il est plus approprié de les décrire simplement comme une forme de pensée « différente » qui peut émerger ou non à l'âge adulte. Selon nous, ce qui ressort essentiellement de ces travaux, c'est le fait que les problèmes normaux éprouvés dans

la vie adulte, avec leurs incohérences et leur complexité, ne peuvent pas toujours être réglés de façon fructueuse grâce à la logique des opérations formelles. Il semble tout à fait plausible que les adultes soient poussés vers des formes de pensée plus pragmatiques et relativistes, et qu'ils n'utilisent la pensée opératoire formelle qu'à l'occasion, ou pas du tout. Labouvie-Vief affirme, quant à elle, que l'on ne doit pas considérer ce changement comme une *perte* ou une détérioration, mais comme une adaptation raisonnable à un ensemble différent de tâches cognitives.

MODÈLE DU VIEILLISSEMENT PHYSIQUE ET COGNITIF

La plupart des éléments d'information que nous vous avons donnés sur les changements physiques et cognitifs survenant à l'âge adulte peuvent être heureusement combinés en un seul modèle, comme l'a fait Nancy Denney (1982, 1984) dont le modèle est présenté à la figure 10.5. Selon cette chercheure, il existe une courbe d'augmentation puis de baisse des habiletés commune à presque toutes les évaluations physiques et cognitives, reflétée par les courbes présentées dans son modèle. Elle suggère par ailleurs qu'il existe de grandes variations du *niveau* absolu de performance, en fonction de la quantité d'exercices pratiqués pour une habileté ou une tâche données par un individu. Le terme *exercice* est employé ici dans un sens très large. Il désigne l'exercice physique mais aussi l'exercice mental ainsi que le degré d'intensité de certaines tâches accomplies dans le passé. De nombreux tests de

Fonctions cognitives

Q 9   Quels sont les résultats des études transversales et longitudinales effectuées sur la stabilité du Q.I. ?

Q 10   Expliquez ce que Cattell et Horn appellent l'intelligence cristallisée et l'intelligence fluide.

Q 11   Comment ces deux types d'intelligence évoluent-ils avec les années ?

Q 12   Quels changements, associés au vieillissement, touchent la mémoire ?

Q 13   Expliquez les trois différentes conceptions de la pensée postformelle.

Quel type de pensée ce jeune couple est-il en train d'utiliser pour équilibrer son budget ? analytique ? pragmatique ? concrète ou formelle ?

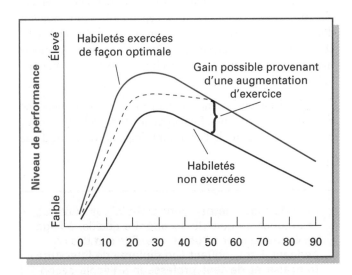

Figure 10.5 Modèle de Denney. Le modèle de Denney suggère à la fois une courbe de déclin de base et un écart relativement considérable entre le niveau véritable de performance des habiletés exercées et non exercées. (*Source* : Denney, 1982, 1984.)

laboratoire effectués sur la mémoire, comme la mémorisation de listes de noms, mesurent des habiletés non exercées. Les tâches de mémorisation quotidiennes, comme le rappel de détails d'articles de journaux que vient de lire une personne, font appel à des habiletés beaucoup plus courantes.

L'écart entre la courbe des habiletés non exercées et la courbe des habiletés exercées de façon optimale représente le degré d'*amélioration* possible pour une aptitude donnée. Toute aptitude qui n'est pas bien développée peut être améliorée, même à un âge avancé, si on commence à l'exercer. Ainsi, il est clairement démontré que l'on peut améliorer la capacité respiratoire (Vo_2 max) à tout âge si l'on entreprend un programme d'exercice physique (Blumenthal *et al.*, 1991). Néanmoins, selon le modèle de Denney, le niveau maximal que vous pourriez atteindre, même en faisant de l'exercice de façon optimale, déclinera avec l'âge, tout comme la performance des meilleurs athlètes décline malgré un programme d'entraînement optimal. Par conséquent, lorsqu'on est jeune, on peut obtenir une performance relativement bonne même si l'on est paresseux physiquement ou si l'on a de mauvaises habitudes d'étude. Par contre, ce n'est plus le cas en vieillissant, car il faut lutter contre la courbe de déclin du vieillissement.

Sur la figure, la ligne en pointillé représente la courbe imaginaire d'une habileté relativement peu exercée, mais utilisée régulièrement. De nombreuses habiletés verbales se classent dans cette catégorie, tout comme les tâches de résolution de problèmes ou les tâches de tous les jours. Puisque ces tâches sont exigées dans de nombreux emplois, elles sont fortement exercées dans la vingtaine et dans la trentaine. De plus, elles sont bien préservées, ce qui crée une courbe à sommet plat semblable à celle que Schaie découvre pour l'apprentissage du vocabulaire et d'autres habiletés exercées ou cristallisées. Selon Denney cependant, à un moment donné, et même si on les a exercées de façon optimale, ces habiletés ne pourront plus être maintenues au même niveau et commenceront à décliner, exactement comme l'affirme Schaie.

Évidemment, ce modèle n'inclut pas tous les faits que nous vous avons donnés. En particulier, le modèle de Denney ne tient pas compte de l'important degré de variation d'une personne à l'autre dans le modèle de maintien ou de déclin qui vient avec l'âge. En fait, il faut supposer qu'il existe certaines différences individuelles dans la forme de la courbe de déclin sous-jacente de base ou qu'il existe un écart plus grand entre les habiletés exercées et non exercées. La courbe de base pourrait aussi être plus plane que ne le propose Denney, et présenter un point de déclin plus tardif.

Ce modèle met par ailleurs l'accent — avec raison, selon nous — sur le fait qu'il *existe* une courbe de déclin sous-jacente. Le début de l'âge adulte constitue la période du meilleur potentiel dans presque tous les domaines physiques et cognitifs. C'est le moment où l'on atteint le plus facilement la meilleure performance. Toutefois, les personnes à l'âge adulte moyen peuvent obtenir des performances équivalentes ou supérieures à celles de la plupart des jeunes adultes dans les domaines dans lesquels elles s'exercent assidûment. Par ailleurs, avec l'âge, le maintien de ce niveau élevé exige de plus en plus d'efforts jusqu'au moment où un plafond est atteint; dès lors, même un effort maximal ne parviendra plus à maintenir la performance au sommet. En outre, selon les données de Schaie, les adultes qui atteignent le niveau le *plus élevé* de performance au milieu de l'âge adulte sont davantage susceptibles de présenter un *plus fort* déclin à l'âge adulte avancé, car ils fonctionnent déjà à leur potentiel maximal et ne peuvent que régresser. Cette constatation appuie les observations selon lesquelles les athlètes professionnels subissent les effets du vieillissement à un âge plus jeune que les sportifs du dimanche, car ils ont déjà atteint l'apogée de leur performance.

Vieillissement physique et cognitif

Q 14   Expliquez le modèle du vieillissement élaboré par Denney.

Q 15   Pourquoi les athlètes professionnels constatent-ils les effets du vieillissement plus tôt que les sportifs du dimanche ?

Supposez qu'une personne qui n'a pas continué ses études au-delà du secondaire décide, à l'âge de 40 ans, d'aller à l'université. Elle suit des cours pendant 4 ans, obtient son diplôme de littérature française et devient professeur à l'école secondaire. Quelle courbe du modèle de Denney cette personne obtiendrait-elle, selon vous, à un test de vocabulaire ?

DIFFÉRENCES INDIVIDUELLES

L'ensemble des habitudes de vie au début et au milieu de l'âge adulte pourrait expliquer en partie les différences individuelles observées dans le vieillissement physique ou cognitif. À 25 ou 30 ans, on est souvent convaincu que l'on peut faire subir à son corps toutes sortes de négligences ou d'abus en s'en tirant à bon compte. Mais tel n'est pas le cas.

HYGIÈNE DE VIE ET EFFETS À LONG TERME

La meilleure illustration des effets à long terme de l'hygiène de vie nous vient d'une importante étude longitudinale épidémiologique effectuée dans le comté d'Alameda (Californie) (Berkman et Breslow, 1983; Kaplan, 1992). L'étude a débuté en 1965, avec les réponses de 6 928 sujets d'un échantillon aléatoire à un questionnaire exhaustif concernant divers aspects de leur vie. Ces sujets ont été contactés de nouveau en 1974 et en 1983, afin qu'ils décrivent leur état de santé. Les chercheurs ont aussi consulté les registres de décès. Ils étaient donc en mesure de préciser le moment des décès de chacun des sujets morts entre 1965 et 1983. Ils ont alors pu établir un rapport entre l'hygiène de vie en 1965 et la mortalité, la maladie ou l'invalidité.

Les chercheurs ont défini sept habitudes qu'ils considèrent comme critiques: exercice physique, tabagisme, consommation d'alcool, sous-alimentation et suralimentation, grignotage, petits déjeuners et sommeil régulier. Le tableau 10.1 dresse la liste des comportements optimaux pour chacune de ces habitudes, tels qu'ils avaient été définis dans cette étude.

Les données portant sur les neuf premières années de l'étude d'Alameda montrent que cinq de ces sept habitudes avaient un effet direct sur le risque de mortalité. Seuls le grignotage et les petits déjeuners n'avaient aucune répercussion sur la mortalité. Lorsque les cinq facteurs prédictifs étaient combinés dans les données de 1974, le modèle de la figure 10.6 apparaissait. À tout âge, les hommes et les femmes qui avaient de mauvaises habitudes de vie présentaient un risque accru de mortalité. Chose peu surprenante, ces habitudes de vie avaient influé également sur la maladie et l'invalidité au cours des 18 années de l'étude. Les personnes qui avaient une mauvaise hygiène de vie en 1965 avaient plus tendance à souffrir d'invalidité et à présenter des symptômes de maladie en 1974 et en 1983 (Guralnik et Kaplan, 1989).

Les jeunes adultes étant moins susceptibles de mourir ou de tomber malades, les effets des habitudes de vie peuvent leur sembler sans grande conséquence. De plus, lorsqu'on est jeune, on se sent invulnérable. Mais ceux d'entre vous qui sont encore de jeunes adultes et qui n'ont pas des habitudes de vie optimales ne doivent pas oublier que dans la vie tout se paye. Il est difficile de se débarrasser d'habitudes de vie bien ancrées, mais les effets de ces mauvaises habitudes semblent de surcroît cumulatifs. Une mauvaise hygiène de vie, particulièrement au début de l'âge adulte, peut entraîner ou accélérer le développement de certaines maladies, comme les maladies du cœur ou le cancer. Il se peut qu'aucun symptôme n'apparaisse entre l'âge de 20 et 40 ans, mais le processus est amorcé.

Par exemple, les effets d'un régime riche en cholestérol — une habitude de vie que les chercheurs sur le comté Alameda n'ont pas incluse dans leur étude parce que son importance était encore méconnue en 1965 — semblent se cumuler dans le temps. Les recherches sur les maladies du

> Combien de petits gâteaux mangez-vous lorsque vous grignotez? Combien d'heures de sommeil dormez-vous par nuit? Faites-vous de l'exercice? Fumez-vous? Il n'est jamais trop tard pour...

Tableau 10.1

Habitudes de vie optimales selon la définition utilisée dans l'étude du comté d'Alameda

Habitude de vie	Niveau optimal
Activité physique	Pratique régulièrement deux ou trois des activités suivantes: natation, marche, athlétisme, jardinage, pêche ou chasse.
Tabac	N'a jamais fumé.
Poids	Ne pèse pas au-delà de 30% ou en deçà de 10% du poids normal proportionnellement à la taille, selon les tableaux des poids et des tailles des compagnies d'assurance-vie.
Alcool	Ne boit pas plus de 16 consommations par mois.
Petit déjeuner	Déjeune presque tous les matins.
Grignotage	Mange entre les repas parfois, rarement ou jamais.
Sommeil	Dort habituellement entre sept et huit heures par nuit.

Source: Berkman et Breslow, 1983.

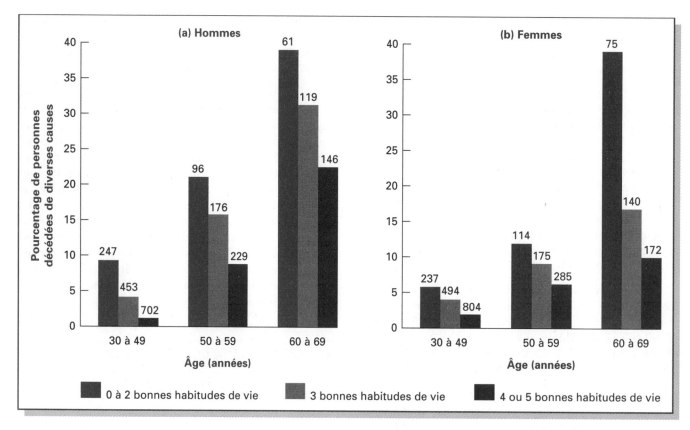

Figure 10.6 Hygiène de vie et mortalité. Les habitudes de vie signalées en 1965 permettaient de prévoir les taux de mortalité pour les neuf années suivantes dans chaque groupe d'âge chez les hommes et les femmes. (*Source*: Berkman et Breslow, 1983, figure 3-9, p. 97.)

cœur permettent également d'évaluer les effets cumulatifs du tabagisme. Heureusement, il est aussi vrai que, lorsque l'on cesse de fumer, le risque revient finalement au même niveau que chez une personne qui n'a jamais fumé. De même, une diminution radicale des graisses dans le régime alimentaire peut renverser le processus d'accumulation du cholestérol dans les vaisseaux sanguins (Ornish, 1990). Il est donc profitable de modifier ses habitudes de vie, même dans la vingtaine ou dans la trentaine.

Hygiène de vie

Q 16 Quelles sont les bonnes habitudes de vie selon l'étude d'Alameda ?

Q 17 Quels sont les effets d'un régime riche en cholestérol, du tabagisme et du stress sur la santé générale de l'individu ?

AUTRES FACTEURS INDIVIDUELS INFLUANT SUR LA SANTÉ ET LA COGNITION

Comme nous l'avons déjà mentionné, le stress est aussi un facteur qui a un effet sur la santé à n'importe quel âge. Le stress réduit nettement l'efficacité du système immunitaire à court terme, et augmente ainsi les risques de maladie. Heureusement, il existe également des facteurs de protection, soit des éléments qui peuvent réduire le risque de maladie et augmenter le sentiment de bonheur ou de bien-être chez une personne. Le soutien social et le sentiment de maîtrise sont à cet effet très importants.

SOUTIEN SOCIAL. De nombreuses recherches montrent que les adultes qui disposent d'un soutien social approprié présentent des risques moins élevés de maladie, de décès et de dépression que les adultes qui ont des réseaux sociaux peu étendus ou qui reçoivent moins de soutien de leurs proches (Cohen, 1991 ; Berkman et Breslow, 1983 ; Berkman, 1985). Cet effet est particulièrement évident lorsqu'une personne subit un stress élevé. Autrement dit, l'effet négatif du stress sur la santé et sur le bonheur est plus faible chez les personnes qui ont un soutien social approprié que chez les personnes dont le soutien social est inadéquat. On décrit en général ces résultats comme l'effet *tampon* du soutien social.

On a défini et mesuré le soutien social de plusieurs façons. Dans les premières études, y compris l'étude d'Alameda, il a été évalué selon des critères objectifs, comme la situation de famille et la fréquence des contacts avec les amis ou les parents. Des études récentes suggèrent que les mesures subjectives peuvent être plus déterminantes. En effet, la *perception* qu'a une personne de l'adéquation entre ses relations sociales et son soutien émotionnel agit davantage sur la santé physique et mentale que la plupart des mesures objectives (Sarason, Sarason et Pierce, 1990). La puissance de l'impression subjective de soutien concorde entièrement avec nos connaissances sur l'importance des modèles internes dans la formation du comportement et des attitudes. Ce n'est pas la quantité objective de contacts avec les autres qui importe, mais bien la façon dont ces contacts sont perçus ou interprétés. En fait, Barbara Sarason et ses collaborateurs (Sarason, Pierce et Sarason, 1990) ont proposé un lien précis entre l'attachement et la perception du soutien social, en suggérant que la tendance à percevoir le soutien comme disponible et suffisant était reliée au type d'attachement d'une personne. Plus les attachements sont forts et sécurisants, plus on a le sentiment de bénéficier d'un soutien social adéquat.

L'importance du lien entre le soutien social et l'état de santé peut de nouveau être illustré par certaines découvertes de l'étude du comté d'Alameda, montrées à la figure 10.7. Dans ce cas, l'indice du réseau social reflète une évaluation objective : nombre de contacts avec des amis et des parents, situation de famille, participation active dans un groupe religieux ou d'autres groupes. Or, même en utilisant cette évaluation peu précise du soutien social, la relation apparaît clairement.

Bien sûr, le soutien social n'est peut-être pas la variable cruciale à l'œuvre ici. Les personnes disposant d'un soutien social faible sont sans doute différentes sur d'autres plans qui influent aussi sur la santé, comme les habitudes de vie ou la classe sociale. Berkman (1985) a vérifié ces possibilités dans les données obtenues dans le comté d'Alameda et a découvert que le rapport entre le soutien social et le risque de mortalité persistait même lorsque l'on prenait en compte la santé physique, la classe sociale, le tabagisme, la consommation d'alcool, le niveau d'activité physique, le poids, la race et la satisfaction personnelle face à la vie.

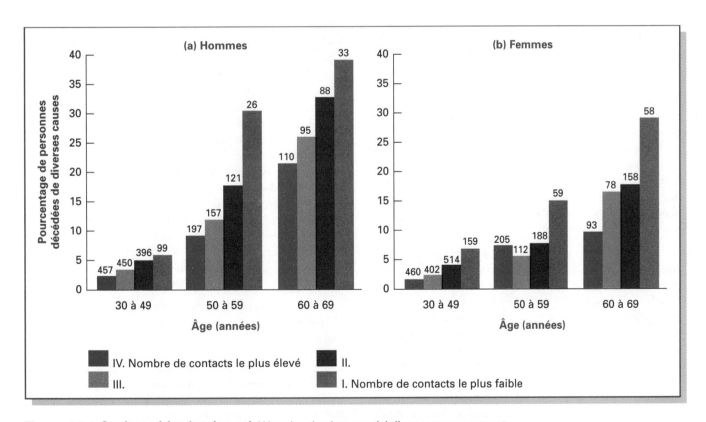

Figure 10.7 Soutien social et état de santé. L'étendue du réseau social d'une personne permet de prévoir ses risques de mortalité au cours de la prochaine décennie. Il s'agit là d'un bon exemple de la puissance des répercussions du soutien social sur la santé. (*Source*: Berkman et Breslow, 1983, figure 4-3, p. 130.)

Les études utilisant des mesures plus subjectives du soutien donnent des résultats semblables : les adultes, jeunes et âgés, qui se sentent suffisamment soutenus par leur famille et leurs amis sont moins susceptibles de tomber malades dans des conditions de stress (Cohen, 1991 ; Cohen et Wills, 1985).

On ne sait pas vraiment si la force de ces relations varie avec l'âge. Ainsi, on trouve des exemples de l'effet tampon du soutien social dans des études portant sur des adultes de chaque groupe d'âge. Cependant, il existe au moins une raison théorique qui permet de supposer que le soutien social est spécialement important chez les jeunes adultes. Selon Erikson et d'autres théoriciens, les premières années de la vie adulte sont essentiellement consacrées à la recherche de relations intimes satisfaisantes avec un conjoint, un partenaire ou des amis. On possède également des preuves montrant que l'*absence* d'une telle intimité est particulièrement mal vécue au cours de ces premières années. C'est chez les jeunes adultes que l'on retrouve le plus de personnes qui se sentent seules (Parlee, 1979), ce qui pourrait en partie expliquer les taux élevés de dépression au sein de ce groupe d'âge. Étant donné l'aspect central de la question au début de l'âge adulte, on peut supposer que les effets du soutien social se répercutent plus fortement sur la santé dans ce groupe d'âge que dans tout autre groupe d'âge. Autant que nous le sachions, aucune étude ne vérifie cette hypothèse, mais il vaudrait la peine de l'explorer.

SENTIMENT DE MAÎTRISE. Le sentiment de maîtriser les événements qui nous arrivent est une autre caractéristique personnelle qui influe sur la santé physique et mentale. Certains théoriciens ont fait ressortir différentes facettes de ce sentiment de maîtrise. Bandura (1977b, 1982c, 1986) en parle en termes d'**efficacité subjective,** soit la confiance d'une personne en ses aptitudes à effectuer une action, à maîtriser son comportement ou son environnement, à atteindre un but donné ou à faire en sorte qu'une chose se produise. Cette confiance en soi constitue un aspect de ce que nous avons appelé le modèle interne de soi, et elle est influencée par les expériences passées dans la maîtrise des tâches ou la capacité à surmonter des obstacles.

Rotter (1966) exprime un autre aspect de ce concept complexe dans sa notion de **contrôle interne/externe** (« locus of control »). Ce chercheur fait la distinction entre les orientations de la maîtrise (contrôle) interne et externe. Un individu ayant une orientation interne est persuadé que ce qui lui arrive est le résultat de ses propres actions. La personne ayant une orientation externe croit qu'elle n'a aucune emprise sur ce qui lui arrive, que ce sont les autres personnes ou le système qui ont la maîtrise. Des études menées en Finlande indiquent que les adultes acquièrent en quelque sorte une orientation plus externe avec l'âge, car, en vieillissant, ils ont l'impression d'exercer moins de maîtrise sur leur santé et sur leurs enfants (Nurmi, Pulliainen et Salmela-Aro, 1992). Mais à tout âge, il existe d'importantes différences individuelles dans la tendance vers une orientation interne ou externe du sentiment de maîtrise.

Martin Seligman (1991) exprime un point de vue semblable dans ses notions d'optimisme et d'impuissance. La personne pessimiste, qui se sent impuissante, comprend qu'elle est malheureuse par sa propre faute et qu'elle ne peut rien faire pour changer sa situation. La personne optimiste est convaincue qu'il existe toujours une solution et qu'elle pourra la trouver en faisant des efforts.

Toutes ces notions semblent s'appuyer sur ce que Rodin (1990) désigne comme le *contrôle perçu.* Ai-je l'impression de pouvoir accomplir une tâche ou de pouvoir résoudre un problème à force de m'y appliquer, ou ai-je l'impression de me faire manipuler par le système et d'être incapable de m'adapter ? Selon tous ces chercheurs, le sentiment de maîtrise, d'efficacité et d'optimisme se forme durant l'enfance et l'adolescence à la suite des premières expériences de succès et d'efficacité ou d'échec et de frustration.

Les recherches sur les liens existant entre le sentiment de maîtrise et la santé suggèrent que les personnes qui ont une attitude d'impuissance ou qui ont une faible impression d'efficacité subjective sont plus susceptibles de devenir dépressives ou malades (Seligman, 1991 ; Syme, 1990). La démonstration la plus frappante de l'existence d'un tel lien provient de l'étude réalisée par Grant pendant 35 ans sur un groupe d'étudiants de Harvard qui ont d'abord été interrogés lors de leur première année d'études, entre 1938 et 1940. Les chercheurs ont pu utiliser le matériel des entrevues effectuées lorsque ces hommes étaient âgés de 25 ans afin d'évaluer leur degré de pessimisme. L'état de santé de ces hommes a alors été estimé par des médecins tous les 5 ans, entre l'âge de 30 et 60 ans. Le pessimisme n'agissait pas sur la santé à l'âge de 30, 35 ou 40 ans. Par contre, lors de toutes les évaluations effectuées entre l'âge de 45 et 60 ans, on a découvert que les hommes qui avaient une attitude plus pessimiste à l'âge de 25 ans possédaient une santé nettement moins bonne, et ce même si la santé mentale et physique à l'âge de 25 ans avait été vérifiée statistiquement (Peterson, Seligman et Vaillant, 1988). Le pessimisme ou le sentiment d'une perte de maîtrise peuvent ainsi refléter une caractéristique essentielle de la personnalité qui influe sur les choix que les adultes font et sur la façon dont ils interprètent leurs expériences.

Le sentiment de maîtrise d'une personne subit aussi clairement l'influence de circonstances précises. L'épidémiologiste Leonard Syme (1990) fait référence à des recherches

---

Efficacité subjective : Notion théorique proposée par Bandura. Confiance d'un individu en sa capacité de provoquer des événements ou de réaliser une tâche.

Contrôle interne/externe : Notion théorique proposée par Rotter visant à déterminer si le sentiment de maîtrise et les causes des expériences d'un individu sont externes ou internes.

effectuées en Suède et aux États-Unis selon lesquelles les taux de cardiopathies sont habituellement plus élevés chez les travailleurs dont l'emploi est très exigeant mais offre peu de liberté et de latitude. Autrement dit, lorsque le stress est élevé mais qu'il n'est pas possible de faire des choix et de maîtriser la situation, les taux de maladie s'élèvent. Généralement, les emplois des travailleurs (et adultes) issus des classes sociales défavorisées sont souvent de ce type, alors que les emplois des classes sociales plus favorisées laissent plus de place à la maîtrise personnelle. Par conséquent, la notion de maîtrise peut sans doute contribuer à expliquer les différences importantes entre les classes sociales en ce qui concerne les taux de maladie — que vous avez observées à la figure 10.3.

Enfin, on a également montré que l'augmentation expérimentale du sentiment de maîtrise d'une personne améliore sa santé — il s'agit d'un des rares cas pour lesquels on possède à la fois des données transversales, longitudinales et expérimentales (Rodin, 1986). Dans les premières études de ce genre, qui sont aussi les plus connues, Judith Rodin et Ellen Langer (1977) ont découvert que le taux de mortalité dans les maisons de retraite était plus bas chez les personnes à qui on avait donné la maîtrise des aspects même très simples de leur vie quotidienne, par exemple choisir entre des œufs brouillés ou une omelette pour le petit déjeuner ou s'inscrire ou non à la présentation d'un film.

Il semble très probable que les enfants qui grandissent dans des familles défavorisées ou dans des conditions qui ne leur permettent que très rarement d'avoir la maîtrise de leur vie soient plus enclins à manifester une faible impression d'efficacité subjective et qu'ils soient peu optimistes. En fait, ces processus psychologiques et les traits de personnalité durables influent sur les rôles et les relations, mais aussi sur la santé physique, et ce dès le début de l'âge adulte.

Facteurs de protection

Q 18 Citez les facteurs de protection qui peuvent réduire les risques de maladie chez l'individu.

Q 19 Comment peut-on définir le soutien social (mesures objectives et subjectives) ?

Q 20 Pourquoi le soutien social semble-t-il particulièrement important au début de l'âge adulte ?

Q 21 Expliquez les concepts d'efficacité subjective et de contrôle interne/externe.

RÉSUMÉ

1. Bien qu'il s'agisse d'une division arbitraire, nous pouvons découper l'âge adulte en trois périodes, sachant que le début de l'âge adulte englobe la période de 20 à 40 ans environ.

2. Il est difficile de déterminer quels sont les effets dus à la simple maturation (ce que nous appelons le vieillissement) et ceux qui sont attribuables à d'autres facteurs lorsque l'on observe les changements de la vie adulte. La maladie et la réduction des activités peuvent aussi jouer un rôle dans les modèles observés.

3. Néanmoins, il est clair que, entre l'âge de 20 et 40 ans, les adultes atteignent le sommet de leurs capacités physiques et cognitives. Durant ces années, une personne possède plus de tissu musculaire, plus de calcium dans les os, plus de masse cérébrale, une meilleure acuité sensorielle, une plus grande capacité aérobie et un système immunitaire plus efficace.

4. Ces différences sont moins évidentes lorsque l'on étudie des personnes en bonne santé de façon longitudinale, mais on constate tout de même un certain déclin.

5. Les études sur la fonction cardiaque et la fonction pulmonaire ne révèlent aucun changement lié à l'âge dans des conditions de repos, mais la performance décline avec l'âge lorsque les tests sont effectués durant ou après l'exercice.

6. De nombreux changements physiques contribuent à une perte de vitesse avec l'âge, qu'il s'agisse de la vitesse de déplacement ou du temps de réaction à certains stimuli. Ce déclin est observé même (ou spécialement) chez les meilleurs athlètes.

7. Les changements qui touchent le système immunitaire et qui augmentent la vulnérabilité de l'adulte plus âgé à la maladie peuvent être particulièrement révélateurs de ce que l'on considère comme le processus de vieillissement.

8. L'augmentation de la maladie et de l'invalidité avec l'âge est plus précoce et plus importante chez les adultes des classes sociales défavorisées que chez les adultes des classes favorisées, même lorsque les habitudes de vie et les niveaux de stress sont pris en compte.

9. Par contre, la santé mentale est *moins bonne* au début de l'âge adulte; les jeunes adultes sont plus susceptibles d'être déprimés, anxieux ou de se sentir seuls que les adultes d'âge moyen.

10. L'évaluation des fonctions cognitives, tout comme des fonctions physiques, révèle un déclin survenant avec l'âge. Cependant, ce déclin est plus tardif pour les habiletés exercées de manière optimale comme l'apprentissage de vocabulaire, les problèmes de mémorisation quotidiens et la résolution de problèmes de tous les jours.

11. Il pourrait aussi se produire un changement de la structure cognitive durant la vie adulte. Cependant, la description des stades qui suivent la période de la pensée opératoire formelle varie d'un théoricien à l'autre.

12. Le fait d'exercer ses habiletés physiques ou cognitives peut améliorer la performance à tout âge, bien que le niveau de la performance maximale baisse avec le temps.

13. Il existe d'importantes différences individuelles dans la rapidité du déclin physique et cognitif. Certaines de ces différences semblent attribuables aux habitudes de vie. Les adultes qui ont une bonne hygiène de vie présentent des risques de mortalité et de maladie moins élevés à tout âge.

14. Le soutien social et le sentiment de maîtrise personnelle influent également sur le taux de maladie et de mortalité, surtout dans les moments de stress.

MOTS CLÉS

Absorption maximale
d'oxygène, p. 312

Contrôle interne/externe, p. 326
Efficacité subjective, p. 326

Intelligence cristallisée, p. 319
Intelligence fluide, p. 319

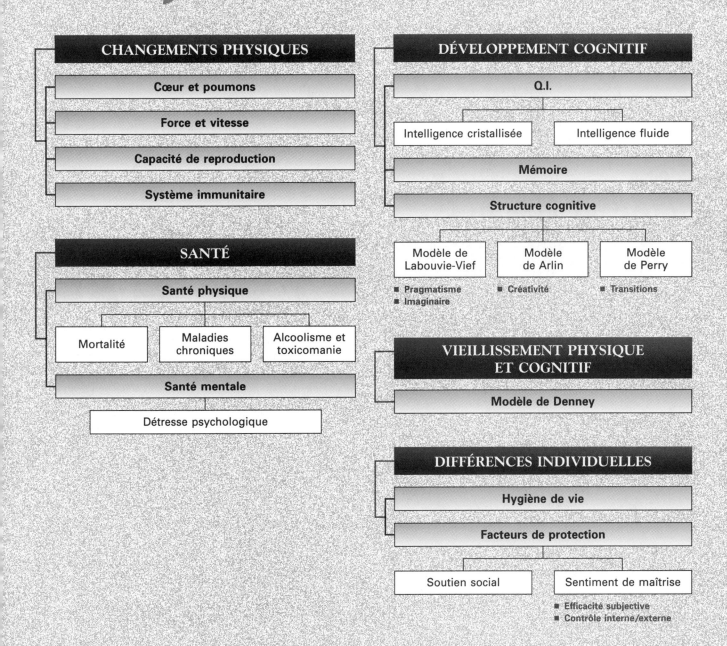

11

LE DÉBUT DE L'ÂGE ADULTE: DÉVELOPPEMENT DES RELATIONS SOCIALES ET DE LA PERSONNALITÉ

u début de l'âge adulte, l'horloge biologique est totalement inaudible, tandis que l'horloge sociale fait un vacarme assourdissant. En effet, c'est à cette période que nous prenons notre place dans la société. Pour la plupart d'entre nous, cela signifie acquérir, apprendre et jouer les trois principaux rôles de la vie adulte, soit celui de travailleur, de conjoint et de parent.   HELEN BEE

Les détails concernant l'apparition et le contenu de ces rôles diffèrent évidemment d'une culture à l'autre et d'une cohorte à l'autre. À la campagne, les gens se lancent beaucoup plus jeunes dans la vie active et le mariage qu'en ville. Dans notre culture, on observe d'importantes variations entre les cohortes pour ce qui est de l'âge moyen du mariage et de la maternité. Par exemple, au Québec, le taux de nuptialité chez les femmes âgées de 15 à 19 ans est passé de 30 % en 1976 à 5 % en 1993 (Bureau de la statistique du Québec, 1995). Mais quelle que soit l'évolution des normes culturelles, il demeure que, au début de l'âge adulte, nous devons élargir notre définition de soi et assumer différents rôles qui supposent des relations interpersonnelles complexes.

DÉPART DE LA MAISON

Le processus d'acquisition des rôles est marqué, voire déclenché, par le départ de la maison. Évidemment, certains jeunes adultes (en particulier les femmes) ne quittent la maison familiale qu'au moment du mariage, ils ne passent donc pas par une période intermédiaire pendant laquelle ils vivent de manière autonome ou semi-autonome. Toutefois, dans les pays industrialisés, les jeunes adultes traversent souvent une phase de transition où ils ne vivent plus avec leur famille tout en n'étant pas encore mariés ni en ménage (Goldscheider et DaVanzo, 1989). Pour un grand nombre de jeunes adultes, cette période de transition survient souvent lors de l'entrée au cégep ou à l'université ; pour d'autres, elle se met en place lorsqu'ils quittent la maison pour vivre de manière autonome, particulièrement dans le cas de ceux qui travaillent à temps plein.

ATTACHEMENT AUX PARENTS

Le départ de la maison signifie bien plus que le simple changement de lieu de résidence. Il suppose un processus d'émancipation psychologique majeur pendant lequel le jeune adulte introduit une certaine distance émotionnelle dans sa relation avec ses parents. En fait, le jeune adulte doit transférer son attachement central de ses parents vers un ou plusieurs pairs (Hazan *et al.*, 1991). Citons Robert Weiss :

> *Pour que les enfants finissent par fonder leur propre foyer, les liens d'attachement qu'ils entretiennent avec leurs parents doivent s'atténuer et finir par disparaître. Sinon, leur vie autonome sera émotionnellement difficile. L'émancipation par rapport aux parents semble revêtir une importance capitale dans le processus d'individuation et de réussite à la fin de l'adolescence et au début de l'âge adulte. (1986, p. 100.)*

De nombreux théoriciens mettent en doute l'affirmation de Weiss selon laquelle l'attachement aux parents prend fin à l'âge adulte (Cicirelli, 1991). La plupart des adultes gardent toute leur vie des contacts réguliers avec leurs parents et sont profondément affligés par leur décès. Il arrive souvent qu'une personne ait recours à la présence réconfortante de ses parents lorsqu'elle subit un stress intense, ce qui signifie qu'une forme d'attachement existe encore. Mais cet attachement diminue nettement au début de l'âge adulte, et c'est grâce à cette évolution qu'une relation avec un partenaire intime pourra devenir l'attachement central de la vie affective ; c'est également grâce à cette diminution de l'attachement que le jeune adulte sera capable de considérer ses parents avec plus d'objectivité, en tant que personnes et non plus seulement en tant que parents. Selon Corinne Nydegger, « la tâche [du jeune adulte]... consiste à se libérer émotionnellement de ses parents, tout en leur restant attaché en tant que fils ou fille » (Nydegger, 1991, p. 102).

Pour la plupart des adultes, cette émancipation survient au début de la vingtaine. Aux questions « Qui est la personne dont vous n'aimeriez pas être séparé ? » ou « Qui est la personne sur laquelle vous pouvez toujours compter ? », les enfants et les adolescents répondent généralement qu'il s'agit

Êtes-vous d'accord avec la position de Weiss ? Comment pourriez-vous déterminer si un adulte est encore attaché à ses parents, selon la définition de l'*attachement* d'Ainsworth (décrite au chapitre 5) ?

de leurs parents, tandis que les adultes nomment le plus souvent leur conjoint et ne mentionnent presque jamais leurs parents (Hazan *et al.*, 1991).

La transition ne se produit pas brusquement. Parmi les divers éléments composant l'attachement, le premier qui semble changer est la recherche de la proximité. Les adolescents préfèrent déjà passer plus de temps auprès de leurs pairs. Cependant, les parents constituent toujours leur base de sécurité ; pour la plupart des jeunes adultes, en revanche, le conjoint ou un pair devient la nouvelle base de sécurité dans l'attachement central (Hazan *et al.*, 1991 ; Hazan et Shaver, 1990).

Loin de nous l'idée de prétendre que les parents ne comptent plus à l'âge adulte. En fait, un grand nombre d'adultes décrivent leurs relations avec leurs parents comme « très proches et intimes » (Rossi, 1989). À l'âge adulte moyen et avancé, les gens s'occupent de leurs parents vieillissants, parfois par obligation, mais généralement par affection véritable. Pour la plupart des adultes, la relation parents-enfant cesse toutefois de constituer l'attachement *central*.

Les jeunes adultes fortement attachés semblent traverser la période de transition plus facilement que ceux qui sont faiblement attachés, du type résistant/ambivalent. Une étude réalisée auprès d'étudiants a montré que les étudiants qui étaient encore préoccupés par leurs relations avec leurs parents et par leur besoin d'émancipation ressentaient plus de stress et présentaient plus de symptômes physiques et psychologiques que ceux qui étaient fortement attachés à leurs parents (Zirkel et Cantor, 1990). Donc, un peu comme l'enfant fortement attaché qui se sent physiquement à l'aise lorsqu'il s'éloigne de ses parents et qu'il explore son environnement, un jeune adulte fortement attaché se défait plus facilement du lien psychologique qui le lie à ses parents.

Le départ de la maison n'est pas toujours un moment facile, mais tous les jeunes adultes doivent en passer par là un jour ou l'autre, que ce soit pour aller au cégep ou à l'université, ou établir leur propre foyer.

PERSPECTIVES THÉORIQUES

Le début de l'âge adulte constitue donc une période cruciale tant sur le plan social que sur le plan affectif. Erikson notamment met l'accent sur l'engagement dans l'intimité à cette période.

SELON ERIKSON

Pour Erikson, l'opposition entre *intimité* et *isolement* constitue la tâche clé du début de l'âge adulte. La personnalité du jeune adulte continue de se définir en s'appuyant sur l'identité établie pendant l'adolescence. Selon Erikson, l'intimité est « la capacité de fusionner son identité avec celle d'une autre personne sans craindre de perdre un peu de soi-même » (Erikson, *in* Evans, 1969). Ainsi, l'intimité n'est possible que si les deux jeunes personnes sont déjà parvenues à définir clairement leur identité. Pour accomplir cette tâche, chacun de nous doit trouver un partenaire, soit une personne avec qui l'on peut créer un attachement intime et fort. Cette relation centrale va constituer la base de sécurité à partir de laquelle l'adulte peut entrer dans le monde du travail. Elle représente également le noyau familial dans lequel la prochaine génération d'enfants grandira. Une personne qui ne parvient pas à établir une relation intime, un attachement central fort, n'aura pas de base de sécurité et se sentira seule ou isolée.

Départ de la maison et perspectives théoriques

Q 1   Quels sont les trois principaux rôles que doit assumer une personne au début de l'âge adulte ?

Q 2   Qu'est-ce que la phase de transition chez le jeune adulte ?

Q 3   Expliquez comment se modifie l'attachement aux parents lors du départ de la maison.

Q 4   Définissez le stade de l'intimité ou de l'isolement dans la théorie d'Erikson.

RECHERCHE D'UN PARTENAIRE

Nous avons vu dans le chapitre précédent que le sentiment de solitude atteint un sommet au début de l'âge adulte, années durant lesquelles de nombreux jeunes adultes se sont partiellement éloignés de leurs parents mais n'ont pas encore noué de liens intimes avec un partenaire.

Nous utilisons délibérément le terme partenaire plutôt que celui de conjoint car nous voulons inclure ici aussi bien les relations homosexuelles et la cohabitation que les relations conjugales à l'intérieur du mariage. Les informations dont on dispose sur les deux premiers types de relations ne sont que partielles, mais les recherches effectuées jusqu'à présent portent à croire que les trois types de relations font appel aux mêmes processus.

PROCESSUS DU CHOIX D'UN PARTENAIRE

Qu'est-ce qui nous attire précisément chez une personne et nous éloigne d'une autre ? Pourquoi certains couples se séparent-ils, tandis que d'autres décident de se marier ? Les réponses à ces questions relèvent davantage du domaine de l'intuition que de la certitude. Les nombreuses recherches qui ont été effectuées ne donnent guère de réponses claires. Les théories les plus en vogue décrivent le choix du partenaire comme une démarche composée de filtres ou d'étapes (Perlman et Fehr, 1987). Selon Bernard Murstein (1970, 1976, 1986), par exemple, une personne qui en rencontre une autre applique trois filtres dans l'ordre suivant :

1. *Caractéristiques externes* : Cette personne possède-t-elle une allure générale et des manières qui correspondent aux miennes ? Appartient-elle à la même classe sociale que moi ?

2. *Attitudes et convictions* : Partageons-nous les mêmes idées sur des sujets fondamentaux comme la sexualité, la religion ou la politique ?

3. *Correspondance des rôles* : Les idées de cette personne sur les relations sont-elles en accord avec les miennes ?

Les psychologues ne sont pas encore parvenus à élaborer une théorie expliquant les élans de romantisme comme celui-ci...

Nous entendons-nous sur les rôles sexuels appropriés ? Sommes-nous compatibles sexuellement ? Par exemple, si l'un des partenaires recherche une grande ouverture personnelle et que l'autre hésite à exprimer ses sentiments, ces deux personnes ne se correspondront pas à cette étape.

Les études disponibles suggèrent que tous ces éléments sont effectivement importants, mais qu'ils n'apparaissent pas forcément dans l'ordre indiqué par Murstein. Ces trois aspects font habituellement partie d'une réaction initiale. Les études effectuées par des sociologues montrent clairement que le facteur le plus important dans l'attirance et le choix d'un partenaire est la similitude. Nous sommes attirés par les personnes qui nous ressemblent, notamment par l'âge, la scolarité, la classe sociale, l'appartenance à un groupe ethnique, la religion, l'attitude, les intérêts ou le tempérament. Les sociologues décrivent ce processus comme la formation d'*unions assorties* ou *homogamie*. Comme le dit le proverbe, « qui se ressemble s'assemble ». Les relations basées sur l'homogamie ont donc plus de chances de durer que les relations dans lesquelles les partenaires sont très différents (Murstein, 1986).

Par ailleurs, on sait qu'un processus d'échange intervient dans le choix d'un partenaire. Chacun de nous possède certaines qualités à offrir à un conjoint potentiel. D'après les théoriciens de l'échange (Edwards, 1969), nous cherchons tous la meilleure affaire et le meilleur échange possibles. Selon ce modèle, lors du choix d'un partenaire, les femmes s'intéresseraient davantage au statut professionnel ou à la situation économique d'un conjoint potentiel, tandis que les hommes accorderaient plus d'importance à l'attirance physique. Les résultats de recherches récentes semblent étayer cette théorie (South, 1991). On a demandé à un échantillon de 2 000 adultes célibataires d'indiquer s'ils accepteraient de se marier avec une personne possédant diverses caractéristiques, par exemple quelqu'un qui n'est pas séduisant, qui est plus jeune ou plus âgé, qui a un niveau de scolarité inférieur ou supérieur ou qui a des revenus inférieurs ou supérieurs.

Dans cette étude, les hommes étaient moins disposés que les femmes à se marier avec une personne qui n'était pas attirante, mais ils étaient prêts à épouser une femme ayant un niveau de scolarité inférieur au leur et des revenus moindres. Les femmes étaient prêtes à épouser un homme plus âgé qu'elles, tandis que les hommes préféraient les femmes plus jeunes ; ces deux modèles corroborent la théorie de l'échange

> Le modèle de Murstein vous paraît-il valable ? Lorsque vous rencontrez une personne pour la première fois, effectuez-vous une sorte d'évaluation ? Quels aspects évaluez-vous particulièrement ?

dans le choix du conjoint. Il semblerait que le but des femmes dans le mariage vise l'obtention d'un statut économique ou social plus élevé. Les hommes par contre s'intéresseraient davantage à l'aspect physique chez une conjointe potentielle, qui leur apporterait une valorisation personnelle ou sociale.

AMORCE D'UNE RELATION

Ces remarques peuvent donner l'impression que le choix d'un partenaire est un processus rationnel et réfléchi. Évidemment, il ne faut pas négliger la puissante influence de l'attirance sexuelle ni celle de la personnalité et des modèles de l'attachement dans le choix d'un partenaire et dans la relation qui se tisse avec cette personne. Depuis quelques années, de nombreuses recherches mettent l'accent sur le rôle des modèles internes d'attachement dans le choix d'un conjoint et dans l'établissement d'une relation (Collins et Read, 1990; Feeney et Noller, 1990; Hazan et Shaver, 1987, 1990; Kobak et Sceery, 1988; Mikulincer et Nachshon, 1991; Simpson, 1990; Simpson, Rholes et Nelligan, 1992). Ces travaux présentent un très grand intérêt, car ils nous aident à faire le lien entre les différentes recherches sur le développement des enfants et celui des adultes. Ils soulignent également l'influence des modèles internes d'attachement sur notre comportement dans diverses situations.

Dans cette perspective, chacun de nous a tendance à recréer son modèle interne d'attachement dans ses relations amoureuses. Cela ne signifie pas que le tout premier attachement de l'enfance n'évolue pas avec le temps. Nous avons souligné au chapitre 5 que des changements dans ce modèle interne peuvent indéniablement se produire. Par exemple, certains adultes ayant des antécédents d'attachement faible ou insécurisant sont capables d'analyser et d'accepter leurs

relations d'enfance et de se créer un nouveau modèle interne. Mais que le modèle interne d'un jeune adulte soit le produit d'une redéfinition ou d'hypothèses précoces inchangées, il influe sur les attentes concernant le partenaire, le type de partenaire choisi, l'attitude adoptée avec le partenaire et la stabilité de la relation.

De nouvelles études indiquent que les adultes fortement attachés ont tendance à faire confiance aux autres, à considérer leur conjoint comme un ami et un amant, à être rarement jaloux et à ne pas douter de la réciprocité des sentiments. Ils soutiennent davantage leur conjoint dans les situations tendues ou stressantes, et recherchent le réconfort de leur conjoint plus facilement. Les adultes faiblement attachés manquent d'assurance dans leurs relations, doutent de la réciprocité des sentiments, sont jaloux et très préoccupés par leurs relations. Les adultes ayant un modèle détaché/fuyant sont plus malheureux dans leurs relations, font moins confiance aux autres, évitent l'intimité, se confient très peu et acceptent plus difficilement l'autre. Dans une situation tendue ou stressante, ils recherchent moins de soutien et offrent moins de réconfort. Puisqu'ils s'attendent à être rejetés, ils évitent de s'engager.

Ces différences sont confirmées par de nombreuses études réalisées auprès d'étudiants de cégep et d'université ainsi que dans quelques recherches sur des adultes plus âgés. Cindy Hazan et Philip Shaver (1987, 1990) ont évalué directement les types de modèles internes d'attachement en demandant à leurs sujets de choisir l'une des trois descriptions données au tableau 11.1. Dans un échantillon composé de plus de 600 adultes d'âges variés, 56 % des personnes interrogées se décrivent comme fortement attachées (option 1), 25 % comme détachées/fuyantes (option 2) et 19 % comme résistantes/ambivalentes (option 3). Ces résultats concordent remarquablement avec ceux de recherches équivalentes

Tableau 11.1

Descriptions de l'attachement utilisées par Hazan et Shaver

Laquelle des affirmations suivantes vous décrit le plus fidèlement ?
1. J'arrive assez facilement à instaurer une intimité avec les gens. J'aime pouvoir compter sur eux et qu'ils puissent compter sur moi. Je n'ai pas souvent peur d'être abandonné et je ne crains pas qu'une personne devienne trop proche de moi.
2. Je suis un peu mal à l'aise dans les rapports d'intimité avec les gens. J'ai de la difficulté à leur faire totalement confiance et je ne me permets pas de compter sur eux. Je n'aime pas que les gens soient trop intimes avec moi. Mes partenaires amoureux aimeraient souvent que je me laisse aller à plus d'intimité que je n'en suis capable.
3. Je trouve que les gens hésitent trop à s'engager dans des rapports intimes. Je pense souvent que mon conjoint ne m'aime pas réellement ou qu'il me quittera. J'aimerais fusionner mon identité complètement avec l'autre et ce désir effraie souvent les gens.

Source: Hazan et Shaver, 1987, tableau 2, p. 515.

menées auprès d'enfants. Ces chercheurs ont également découvert que les trois types d'adultes diffèrent, comme ils s'y attendaient, dans la manière dont ils dépeignent leur relation la plus chère et leurs attentes concernant cette relation. Dans plusieurs études, Hazan et Shaver ont aussi trouvé que le type détaché/fuyant se décrit plus souvent comme solitaire (Hazan et Shaver, 1987, 1990). Des recherches effectuées en Australie à partir du cadre théorique d'Erikson suggèrent que le sentiment de solitude est plus fréquent parmi les jeunes adultes qui n'ont pas encore atteint l'intimité émotionnelle (Boldero et Moore, 1990), ce qui concorde avec les résultats de Hazan et Shaver.

De plus, qui se ressemble s'assemble, dit le proverbe. Lorsqu'on demande aux deux membres d'un couple de décrire leurs modèles internes d'attachement, on découvre que les adultes fortement attachés ont tendance à choisir un partenaire fortement attaché aussi — bien que les personnes faiblement attachées ne se choisissent pas entre elles (Collins et Read, 1990).

Les types de relations les moins heureuses parmi les jeunes couples sont au nombre de deux. Le premier comprend une femme faiblement attachée ; le couple ne fonctionne généralement pas, peut-être parce que ces femmes sont dépendantes et jalouses, caractéristiques qui déplaisent particulièrement aux hommes. Ainsi, la femme faiblement attachée a tendance à créer et à entretenir une relation instable et malheureuse, comme elle l'avait d'ailleurs prévu. Le deuxième type de couple malheureux comprend un homme ayant un attachement faible du type détaché/fuyant (Collins et Read, 1990 ; Simpson, 1990), qui va également instaurer une relation malheureuse, ce qui confirme son opinion initiale qu'une relation conjugale ne lui apportera pas grand-chose. Cependant, la corrélation entre les modèles d'attachement et la qualité d'une relation ou les comportements des conjoints est généralement faible.

Les antécédents d'attachement ne constituent pas le seul ingrédient de la réussite ou de l'échec d'un couple, tout comme l'homogamie ne suffit pas à expliquer l'attirance initiale. L'attirance sexuelle et l'amour sont des processus

extrêmement complexes et largement méconnus. Toutefois, des études entreprises récemment s'orientent dans une nouvelle direction intéressante. Ces études longitudinales permettront peut-être de découvrir le rôle des modèles internes d'attachement dans le processus d'engagement et dans la qualité et la stabilité d'une relation à long terme.

ÉVOLUTION DES RELATIONS

Lorsque deux personnes se marient ou décident d'habiter ensemble, comment évolue la relation au cours des années suivantes ? Existe-t-il des changements prévisibles ou des modèles de développement ?

On ne possède que très peu d'information sur ce sujet. Cette lacune s'explique en partie par le fait que les études transversales, qui permettraient d'obtenir des informations sur les changements conjugaux dans le temps, présentent un problème méthodologique majeur. En effet, si l'on compare des couples mariés depuis 5 ans à des couples mariés depuis 15 ans, le deuxième groupe ne comprend que les couples qui sont encore ensemble. Les couples qui divorcent entre la cinquième et la quinzième année de mariage ne sont pas inclus dans ces études. Les caractéristiques obtenues sont donc propres aux mariages ou aux relations qui durent, non aux relations en général. De plus, on confond en général la durée d'un mariage et l'âge des individus. Une explication s'impose ici. Un couple marié depuis 20 ans se compose habituellement d'adultes dans la quarantaine, et il est impossible de déterminer si les caractéristiques d'une relation de couple sont imputables à l'évolution de la relation elle-même ou au fait d'avoir 40 ans. Pour surmonter ce problème, il faudrait étudier des mariages qui ont commencé à divers âges et suivre ces couples dans le temps. Personne n'a encore effectué une étude comparable. Les meilleures données proviennent d'un groupe de courtes études longitudinales portant seulement sur les premières années de mariage. Cependant, ces modestes études révèlent des changements intéressants dans les interactions entre conjoints pendant les premiers mois.

La meilleure recherche sur le sujet, menée par Ted Huston et ses collaborateurs (Huston, McHale et Crouter, 1986), a porté sur 168 couples, mariés pour la première fois. Tous les conjoints ont été interrogés en détail pendant les trois premiers mois du mariage, puis un an plus tard. Les chercheurs téléphonaient à tous les conjoints à ces mêmes périodes, en leur demandant chaque fois ce qu'ils avaient fait avec leur

Cette photographie ne nous permet pas de dire quel est le modèle interne d'attachement de cette jeune femme, mais nous savons qu'il influera sur ses attentes et sur son comportement avec son conjoint.

> Pensez aux autres combinaisons possibles entre les différents types d'attachement dans un couple. Quelles seraient les forces ou les faiblesses de chaque relation ?

conjoint au cours des 24 heures précédentes. La figure 11.1, qui offre des comparaisons pour 3 des 15 évaluations, montre que le nombre d'interactions positives ou de comportements agréables diminue avec le temps. On observe une diminution comparable dans la fréquence des marques d'affection physique, autres que les relations sexuelles, mais aucun changement dans le nombre de comportements négatifs ou déplaisants pendant ces premiers mois — cependant, d'autres études longitudinales indiquent une augmentation de la tristesse sur des périodes allant jusqu'à trois ans (Kurdek, 1991). L'étude effectuée par Huston met le même modèle en évidence, que le couple ait eu un enfant ou non pendant la première année de mariage, ce qui semble indiquer que ces changements sont associés à la relation et ne relèvent pas de la tension liée à la maternité.

Au cours de la première année, la satisfaction diminue, car les comportements agréables ou plaisants se font plus rares. Puisque les marques d'affection déclinent également, peut-être s'agit-il là d'une baisse typique de l'intimité psychologique dans une relation de couple. Il serait très intéressant de savoir si le même modèle s'observe chez les couples dont les deux partenaires présentent des modèles internes d'attachement fort ou sécurisant.

MARIAGES RÉUSSIS ET MARIAGES RATÉS. L'essentiel de nos connaissances sur les relations au début de l'âge adulte est tiré d'études sur les causes de divorce. Selon les estimations actuelles aux États-Unis, entre la moitié et les deux tiers des premiers mariages se soldent par un divorce (Martin et Bumpass, 1989). Au Québec, selon l'indice synthétique de divortialité de 1992 (lequel estime la proportion des mariages qui se terminent par un divorce d'après les comportements d'une année donnée), 49 % des mariages seraient ainsi dissous (Bureau de la statistique du Québec, 1995). Ce sujet revêt donc une grande importance. Le tableau 11.2 offre un résumé des principales conclusions tirées du vaste ensemble d'études disponibles dans ce domaine. Nous vous conseillons de le lire attentivement.

Deux éléments de cette liste sont particulièrement frappants. D'une part, nombre des influences les plus déterminantes sur le succès d'un mariage étaient présentes avant le mariage. Les deux conjoints apportent dans leur relation certaines habiletés, ressources et traits de caractère qui influent sur le système de la relation en formation. Les couples possédant de bonnes ressources (un plus haut niveau de scolarité, de bonnes habiletés de résolution de problèmes, une bonne santé, notamment un faible taux d'alcoolisme, et une bonne estime de soi), ont plus de chances de surmonter les tempêtes et les tensions du mariage. La personnalité des conjoints semble particulièrement importante. Par exemple, dans une remarquable étude longitudinale portant sur 300 couples, effectuée de 1930 à 1980, Kelly et Conley (1987) ont découvert que le meilleur indicateur de divorce était de fortes tendances à la névrose chez l'un des conjoints. Ce modèle de personnalité est très semblable à celui que Thomas et Chess décrivent comme un tempérament « difficile » (voir le chapitre 5). Chez les couples stables, on observe une corrélation négative entre la tendance à la névrose des conjoints et la satisfaction conjugale.

Cependant, un mariage représente plus que la somme des qualités et des atouts des conjoints. La qualité des interactions qui s'établissent au sein du couple est aussi essentielle à sa réussite. Les adultes qui ont de bonnes habiletés de communication, ou une faible tendance à la névrose, ont plus de chances de bâtir de meilleurs rapports entre eux. Toutefois, c'est le caractère positif ou négatif de l'interaction qui semble le plus important, quelle que soit la façon dont il est atteint. Une étude de John Gottman montre très clairement que la différence primordiale entre un couple heureux et un couple malheureux est la relative gentillesse ou agressivité des conversations quotidiennes. Pour obtenir un système d'interactions positives, Gottman suggère que le rapport gentillesse/agressivité soit au moins de 4 pour 1 (Gottman, 1991). Lorsque ce rapport est inférieur, le système devient « chaotique » et les problèmes ont tendance à s'amplifier au lieu de se résoudre. Tout comme un bébé colérique se console difficilement, un couple dont le système d'interactions est chaotique et bouleversé a de la difficulté à se calmer et à ne pas perdre la maîtrise d'une discussion. Dans ce cas, il est plus sensible au stress, quel qu'il soit.

Mais dans quel sens opère la causalité ? Les couples deviennent-ils malheureux parce qu'ils sont plus négatifs, ou deviennent-ils négatifs parce qu'ils sont déjà malheureux ? Les

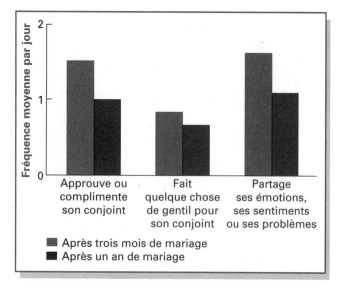

Figure 11.1 Changements dans les interactions entre les conjoints. La plupart des couples sont moins satisfaits de leur mariage après la première année de vie commune. L'explication de ce phénomène apparaît clairement lorsqu'on étudie les relations à l'intérieur du couple, qui perdent en partie leur caractère positif et réconfortant. (*Source*: Huston, McHale et Crouter, 1986, tiré du tableau 7.4, p. 124.)

Tableau 11.2

Caractéristiques des mariages réussis

Caractéristiques personnelles des conjoints dont le mariage est stable	Qualités des interactions des couples ayant réussi leur mariage
Ils se sont mariés après l'âge de 20 ans, mais avant 30 ans.	Ils s'aiment et se considèrent comme des amis.
Ils ont un niveau de scolarité relativement élevé et ils sont issus de familles des classes moyennes.	Ils s'entendent sur leurs rôles sexuels respectifs et aiment la manière dont le conjoint s'acquitte du sien.
Ils sont pratiquants ou proviennent de familles partageant les mêmes croyances religieuses.	Ils comprennent bien les signaux de l'autre. Dans les couples insatisfaits, l'homme semble moins bien comprendre les signaux de sa conjointe.
Ils ont une très bonne estime de soi.	
Ils n'ont pas de fortes tendances à la névrose, ils manifestent donc peu d'agressivité, d'impulsivité et d'anxiété.	Ils manifestent peu de comportements négatifs et beaucoup de comportements positifs ou compréhensifs.
Ils n'ont pas vécu ensemble avant le mariage, sinon durant une courte période de temps.	Ils règlent facilement leurs problèmes ; ils laissent rarement un problème de côté et se critiquent peu.
Leurs parents ne sont habituellement pas divorcés.	

Sources : Booth et Edwards, 1985 ; Bowen et Orthner, 1983 ; Filsinger et Thoma, 1988 ; Gottman et Levenson, 1984 ; Gottmann et Porterfield, 1981 ; Halford, Hahlweg et Dunne, 1990 ; Heaton et Pratt, 1990 ; Kelly et Conley, 1987 ; Kurdek, 1991 ; Lauer et Lauer, 1985 ; Martin et Bumpass, 1989 ; Noller et Fitzpatrick, 1990 ; Schafer et Keith, 1984 ; White, 1990 ; Wilson et Filsinger, 1986.

deux explications sont possibles, mais habituellement les couples deviennent malheureux parce qu'ils sont négatifs. La meilleure preuve de cette affirmation provient d'études portant sur des interventions thérapeutiques auprès de couples malheureux : les couples qui prennent l'habitude d'augmenter leur taux d'interactions positives connaissent habituellement une augmentation de leur satisfaction conjugale (O'Leary et Smith, 1991).

Enfin, même si aucune de ces études sur la satisfaction conjugale n'a utilisé le cadre de référence d'une théorie de l'attachement, il est tout de même étonnant de constater le lien entre les caractéristiques d'un mariage réussi et celles d'un attachement fort. Dans les mariages heureux, on observe le même genre d'attention vigilante qu'entre les enfants fortement attachés et leurs parents. Les conjoints satisfaits changent de rôle, comprennent les signaux de l'autre et répondent positivement à ces signaux. Quel que soit le modèle interne d'attachement qu'un individu apporte dans l'équation, la capacité que possèdent les conjoints à établir et à soutenir un système mutuel et efficace d'interactions positives semble essentielle à la survie du mariage.

Recherche d'un partenaire

Q 5   Expliquez la notion d'homogamie et la théorie de l'échange.

Q 6   Quel est le rôle du modèle interne d'attachement dans le choix d'un partenaire ?

Q 7   Quels types de relations établissent les jeunes adultes qui présentent un modèle d'attachement fort, faible et faible du type détaché/fuyant ?

Q 8   Que révèlent les études sur l'évolution des relations dans le couple durant la première année de vie commune ?

Q 9   Décrivez les qualités des couples qui réussissent leur mariage.

Pensez à votre dernier échec amoureux — une relation qui a tourné court ou un mariage qui s'est soldé par un divorce. Y a-t-il eu un moment où la relation est devenue « chaotique », selon la théorie de Gottman, c'est-à-dire où le rapport entre les comportements positifs et négatifs est devenu tellement faible que vous avez perdu la maîtrise de la situation ? Le changement s'est-il produit graduellement ?

RÉSEAU SOCIAL : RELATIONS AVEC LES AMIS ET LA FAMILLE

L'établissement d'une relation de couple est peut-être l'enjeu principal du stade de l'intimité, mais ce n'est certainement pas le seul indicateur de ce processus de base. Au début de l'âge adulte, chacun de nous établit ce que Toni Antonucci (1990, 1991) appelle une escorte sociale, soit « une couche protectrice... de membres de la famille et d'amis, qui entoure la personne et l'aide à surmonter efficacement les difficultés de la vie » (Antonucci et Akiyama, 1987a, p. 519). Ce réseau comprend des membres de la famille, un conjoint, le cas échéant, et des amis. Pour la plupart d'entre nous, ce réseau demeure assez stable tout au long de l'âge adulte. En effet, même s'il ne comprend pas toujours les mêmes personnes, sa taille et la satisfaction que nous tirons du soutien qu'il nous procure semblent relativement constantes (Antonucci, 1990).

RELATIONS AVEC LES MEMBRES DE LA FAMILLE

Même si l'attachement aux parents s'atténue, la plupart des adultes continuent de voir régulièrement leurs parents et de leur parler au téléphone. La figure 11.2 montre certaines données typiques, structurées en fonction des stades du cycle de la vie familiale. Dans l'échantillon d'environ 200 jeunes adultes illustré dans cette figure, presque tous les individus étaient en contact avec leurs parents au moins une fois par mois et près de la moitié avaient de leurs nouvelles une fois par semaine. Les contacts avec les frères et sœurs s'avéraient moins fréquents.

Le nombre et le type de contact qu'un adulte entretient avec ses parents dépend largement de la proximité. Les adultes qui habitent à moins de deux heures de chez leurs parents ou frères et sœurs les voient beaucoup plus souvent que ceux qui habitent plus loin. Toutefois, l'éloignement n'empêche pas un parent, un frère ou une sœur de faire partie du réseau social d'un adulte. Ces relations peuvent fournir un certain soutien en cas de besoin, même si les rencontres sont rares.

AMITIÉ

Les amis constituent également des membres importants du réseau social. Nous choisissons nos amis de la même manière qu'un conjoint, c'est-à-dire parmi les gens qui nous ressemblent par le niveau de scolarité, la classe sociale, les intérêts, les antécédents familiaux ou le stade du cycle de la vie familiale. Les amitiés mixtes sont plus fréquentes chez les adultes que chez les enfants de 10 ans, mais elles sont toujours moins nombreuses que les amitiés avec des personnes du même sexe. Les amis des jeunes adultes sont presque toujours choisis parmi des personnes du même âge. Au-delà de ce filtre de similitude, l'amitié intime semble reposer principalement sur l'ouverture personnelle et mutuelle.

Certains signes indiquent que le nombre d'amis compris dans le réseau social atteint un sommet au début de l'âge adulte, puis diminue au début de la trentaine (Farrell et

---

Escorte sociale : Terme utilisé par Antonucci pour décrire l'ensemble des individus qui constituent le réseau social intime d'une personne et l'accompagnent à travers les divers stades de l'âge adulte.

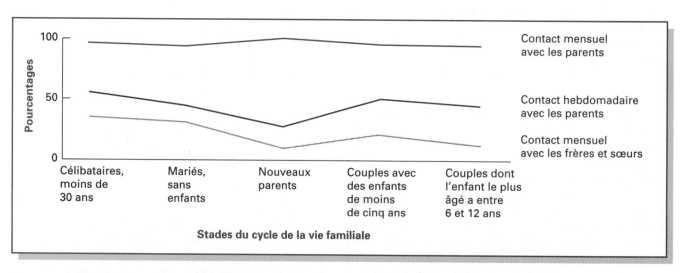

Figure 11.2 Relations avec les membres de la famille. En dépit du processus d'émancipation physique et émotionnelle qui se produit au début de l'âge adulte, la majorité des gens sont en contact avec leurs parents au moins une fois par mois. (*Source* : Leigh, 1982, tiré du tableau 2, p. 202.)

RAPPORT DE RECHERCHE

Couples homosexuels

Contrairement aux mythes culturels qui prévalent actuellement, la majorité des couples homosexuels entretiennent des relations durables. Près de 40 à 60 % des homosexuels masculins vivent une relation à long terme ; chez les lesbiennes, ce taux atteint 75 % (Peplau, 1991).

Letitia Peplau, l'une des chercheures les plus dynamiques dans ce domaine, indique que les homosexuels ont autant de chances que les hétérosexuels d'être satisfaits de leur relation de couple. La nature de la relation de pouvoir est la seule chose qui distingue les partenaires de ces deux types de couples. Les couples homosexuels sont plus égalitaires que les couples hétérosexuels. Un couple homosexuel n'a pas tendance à adopter un rôle masculin et un rôle féminin ; les partenaires se partagent le pouvoir de manière plus équitable. Cela se vérifie particulièrement chez les couples de lesbiennes. Les couples d'homosexuels masculins sont plus sujets aux conflits de pouvoir ; l'homme qui a le revenu le plus élevé possède plus de pouvoir et dirige la relation (Blumstein et Schwartz, 1983). Ce modèle existe également chez les couples hétérosexuels.

Certains facteurs qui déterminent le succès d'un mariage hétérosexuel semblent également jouer un rôle important pour la longévité des couples homosexuels. Tout comme les couples hétérosexuels, les couples homosexuels connaissent une baisse de la satisfaction dans les premiers mois de leur vie de couple (Kurdek et Schmitt, 1986). Et tout comme dans un mariage, les couples homosexuels ont plus de chances de durer si les partenaires viennent du même milieu socioculturel et s'ils s'investissent autant dans la relation (Peplau, 1991). Même si aucune recherche n'appuie ces affirmations, nous supposons que les modèles d'interactions qui caractérisent les mariages hétérosexuels réussis s'appliquent également aux couples homosexuels réussis.

Somme toute, les couples homosexuels ont donc beaucoup plus de points communs avec les couples hétérosexuels que de différences. Le besoin d'un attachement unique, central et marqué par l'investissement au début de l'âge adulte est présent en chacun de nous, que nous soyons homosexuels ou hétérosexuels.

Rosenberg, 1981). Pendant ces années, il est peut-être plus facile de se faire des amis avant d'adopter complètement de nombreux rôles, soit avant le mariage et la maternité, et avant que les impératifs du travail ne rendent les loisirs plus rares. Ainsi, les amitiés formées au début de la vingtaine peuvent durer jusqu'à la trentaine. Par contre, peu d'amitiés intimes naissent pendant la trentaine et certaines sont perdues en raison d'un déménagement ou d'une diminution des contacts. Toutefois, ces données sont très hypothétiques, car on ne dispose d'aucune étude longitudinale portant sur cette période de la vie.

DIFFÉRENCES SEXUELLES DANS LES AMITIÉS AU DÉBUT DE L'ÂGE ADULTE. Par contre, on possède des données plus précises sur les différences associées au sexe dans les modèles d'amitié au début de l'âge adulte. Comme durant l'enfance, il existe au début de l'âge adulte des différences sexuelles frappantes dans le nombre et la qualité des amitiés composant le réseau social. Les femmes ont plus d'amies intimes ; elles s'ouvrent davantage à l'autre et s'offrent mutuellement un soutien émotionnel. Les amitiés entre hommes, comme celles des garçons et des hommes plus âgés, ont un aspect plus compétitif. Les hommes sont plus souvent en désaccord avec leurs amis, ils demandent et offrent moins de soutien émotionnel (Maccoby, 1990 ; Antonucci, 1990).

Les femmes adultes ont des conversations entre amies, tandis que les hommes pratiquent des activités avec leurs amis.

La citation qui suit illustre remarquablement bien le modèle masculin. Le commentaire provient d'un cadre de 38 ans interrogé par Robert Bell (1981) :

> J'ai trois amis intimes que je connais depuis l'enfance ; nous habitons tous la même ville. Il y a certaines choses que je ne leur dis pas. Par exemple, je ne leur parle pas beaucoup de mon travail, car nous avons toujours été en compétition. Je ne leur parle jamais de mes sentiments d'incertitude face à la vie et à certaines choses que je fais. Je ne leur parle pas de mes problèmes avec ma femme, ou de tout ce qui concerne mon mariage et ma vie sexuelle. À part cela, je leur dis tout. [Après une courte pause, il rit et dit :] Ça ne me laisse pas grand-chose à leur dire, n'est-ce pas ! (p. 81 et 82.)

Cela ne signifie pas nécessairement que les amitiés entre hommes présentent des lacunes dans le nombre ou la qualité. Les hommes *ont* des amis intimes et ces amitiés les satisfont. Mais elles sont passablement différentes de celles des femmes. En particulier, les amitiés entre hommes répondent moins au besoin d'*intimité* que les amitiés entre femmes. En fait, les hommes comme les femmes semblent satisfaire leur besoin d'*intimité* dans leurs amitiés avec des femmes (Reis, 1986). Pour la plupart des hommes, ce besoin est satisfait dans le mariage : beaucoup plus d'hommes que de femmes n'ont pas d'autre ami intime que leur conjoint.

Il n'est pas étonnant de constater que les femmes jouent aussi le rôle d'« organisatrice familiale » (Rosenthal, 1985). Ce sont elles qui écrivent les lettres, donnent les coups de téléphone et organisent les rencontres. Plus tard dans la vie adulte, ce sont généralement les femmes qui s'occupent des parents vieillissants, un modèle que nous aborderons en détail au chapitre 14.

Dans l'ensemble, ces faits semblent indiquer que les femmes jouent un rôle plus important dans les relations inter-personnelles que les hommes. Dans presque toutes les cultures, ce sont les femmes qui assument la responsabilité de main-tenir les aspects émotionnels des relations avec le conjoint, les amis, la famille et, évidemment, les enfants.

> Faites une liste de tous vos amis et donnez-leur une note de 1 à 5 portant sur l'intimité, la note de 5 représentant la relation la plus intime et 1, une relation qui n'est pas intime. Avez-vous des amitiés mixtes ? Le cas échéant, vos amitiés avec des femmes sont-elles plus intimes que vos ami-tiés avec des hommes ? Que faites-vous avec vos amis ? Votre expérience correspond-elle aux résul-tats des recherches ?

Les amitiés entre femmes et les amitiés entre hommes se distinguent notablement par le fait que les femmes ont tendance à avoir des conversations entre elles et les hommes à pratiquer ensemble des activités.

Relations sociales

Q 10   Définissez ce que l'on entend par « escorte sociale ».

Q 11   Comment les jeunes adultes choisissent-ils leurs amis ?

Q 12   Qu'est-ce qui différencie l'amitié entre hommes de l'amitié entre femmes ?

RÔLE PARENTAL

Au début de l'âge adulte, le rôle de parent constitue le second rôle majeur qui est acquis. Les neuf dixièmes des adultes deviendront des parents, la plupart pendant la vingtaine ou la trentaine. La majorité des parents tirent de ce rôle une profonde satisfaction, il semble donner plus de sens à leur vie, les valorise et leur permet de se sentir pleinement adulte. Ce rôle offre également l'occasion à l'homme et à la femme de partager une grande joie de la vie (Hoffman et Manis, 1978 ; Umberson et Gove, 1989). Dans une étude impor-tante, 80 % des parents de l'échantillon ont déclaré que leur vie avait changé pour le mieux lorsqu'ils ont eu des enfants (Hoffman et Manis, 1978). Cependant, la naissance du pre-mier enfant marque une série de modifications dans la vie adulte, particulièrement dans les rôles sexuels et les relations conjugales, et ces changements ne se font pas sans difficulté.

CHANGEMENT DES RÔLES SEXUELS. Avant tout, la naissance du premier enfant semble provoquer une intensi-fication des rôles sexuels. C'est ce que l'anthropologue David Gutmann appelle l'**impératif parental** (1975). Parce que les petits des humains sont remarquablement vulnérables et que leur croissance est lente, ils ont longtemps besoin d'un sou-tien physique et émotionnel. Gutmann affirme que, en tant qu'espèce animale, nous sommes programmés pour assumer ces deux responsabilités de la manière suivante : les mères ont la charge du soutien émotionnel et les pères veillent au soutien physique et à la protection. Selon Gutmann, même les couples qui prônent l'égalité des sexes auront tendance à se pencher vers cette division traditionnelle des rôles après la naissance du premier enfant. Gutmann explique de façon imagée que les femmes seront de plus en plus portées vers

---

Impératif parental : Terme utilisé par David Gutmann pour décrire un modèle « inné » de l'intensification de la différen-ciation des rôles sexuels après la naissance du premier enfant.

le « foyer », alors que les hommes se tourneront de plus en plus vers le monde extérieur, un gourdin entre les mains pour défendre les leurs. Cette entrevue d'un homme réalisée par Daniels et Weingarten (1988) illustre bien cette tendance :

L'arrivée du bébé a été une bonne chose pour moi, parce que je me suis brusquement rendu compte que je devais trouver un meilleur emploi. Je savais que j'allais devoir étudier pour obtenir une meilleure situation. Je me suis donc fait muter sur le quart de nuit pour pouvoir aller à l'université le jour. Les journées étaient longues, j'étais stressé et ma famille me manquait beaucoup, mais il fallait que je le fasse. (p. 38.)

Les recherches de Gutmann chez les Navahos, les Mayas et les Druzes confirment généralement ses hypothèses ; certaines études effectuées aux États-Unis vont également dans le même sens. Par exemple, Cowan et Cowan (1988) ont trouvé que, après la naissance du premier enfant, la tendance à se définir comme « travailleuse » ou « étudiante » diminue considérablement chez la femme. Pour les hommes, les rôles de travailleur ou d'étudiant demeurent prioritaires, même après la naissance du premier enfant. De plus, ces chercheurs ont aussi constaté que les femmes assument une plus grande part des tâches ménagères et des soins prodigués à l'enfant que les conjoints ne l'avaient envisagé avant la naissance de l'enfant (Cowan *et al.*, 1991). Certaines études ne soutiennent pas l'hypothèse de Gutmann (Feldman et Aschenbrenner, 1983 ; Cunningham et Antill, 1984), mais elles soulèvent des questions intéressantes, particulièrement à la lumière de l'affirmation faite par de nombreuses femmes que l'égalité complète des rôles est possible dans le mariage.

Les effets de la naissance du premier enfant sur la satisfaction conjugale sont plus clairement établis : elle diminue, au moins au début (Glenn, 1990). La figure 11.3 présente un ensemble de résultats typiques montrant que le degré de satisfaction atteint un sommet avant l'arrivée des enfants, qu'il diminue et demeure relativement faible aussi longtemps que les enfants demeurent à la maison, puis qu'il augmente de nouveau quand les enfants quittent la maison et au moment de la retraite. C'est sur la baisse de la satisfaction conjugale après la naissance du premier enfant que l'on possède le plus d'informations, grâce à plusieurs données longitudinales et transversales.

Comme l'indique la figure 11.1, le nombre d'échanges positifs décline pendant la première année de mariage, que des enfants soient nés ou non de cette union. D'autres travaux montrent que la venue d'un enfant exacerbe les conflits de rôles et les tensions liées aux rôles. On sait qu'un conflit de rôles existe quand une personne tente d'assumer deux fonctions ou plus qui sont incompatibles physiquement et psychologiquement. Les jeunes parents se rendent rapidement compte que les rôles de parents et d'époux sont au moins partiellement incompatibles. Les journées sont trop courtes et les heures passées à prodiguer des soins à l'enfant sont en général soustraites de celles que les conjoints se consacraient l'un à l'autre (Cowan *et al.*, 1991). La plupart des nouveaux parents révèlent qu'ils disposent de beaucoup moins de temps, que ce soit pour le dialogue, les relations sexuelles, les marques élémentaires d'affection ou même l'exécution conjointe des corvées journalières (Belsky, Spanier et Rovine, 1983 ; Belsky, Lang et Rovine, 1985).

Beaucoup de nouveaux parents vivent aussi une tension considérable liée aux rôles : ils ne savent pas comment

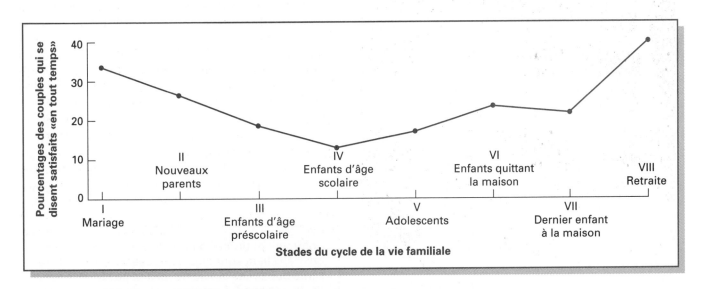

Figure 11.3 Satisfaction conjugale au cours de la vie familiale. Ce modèle d'évolution de la satisfaction conjugale au cours des stades de la vie familiale est l'un des plus documentés en sociologie familiale. (*Source* : Rollins et Feldman, 1970, tableaux 2 et 3, p. 24.)

s'acquitter des tâches associées à leur nouveau rôle. De plus, cette sensation de tension est exacerbée par tout élément qui fait monter d'un cran le stress à l'intérieur de la famille : une situation économique difficile, les pressions de l'emploi ou un bébé au tempérament difficile (Sirignano et Lachman, 1985).

Rôle parental

Q 13   Définissez l'impératif parental selon Gutmann.

Q 14   Comment évolue la satisfaction conjugale au cours du cycle de la vie familiale ?

RÔLE DE TRAVAILLEUR

En outre, un pourcentage très élevé de jeunes adultes assument un troisième rôle relativement nouveau qui accapare beaucoup de temps, celui de travailleur. Les jeunes adultes adoptent ce rôle en partie pour subvenir à leurs besoins économiques. Cependant, ce rôle est également important pour une autre raison. Un travail satisfaisant semble être un facteur important du bonheur ou de la satisfaction dans la vie, autant pour les hommes que pour les femmes (Tait, Padgett et Baldwin, 1989 ; Tamir, 1982). En effet, les femmes qui travaillent sont en général plus satisfaites de leur vie et en meilleure santé que celles qui ne travaillent pas à l'extérieur de la maison (Betz et Fitzgerald, 1987).

Presque tous les hommes assument un rôle de travailleur, comme la majorité des femmes des dernières générations, mais les femmes travaillent pendant un moins grand nombre d'années. Des statistiques récentes indiquent que les femmes nées en 1980 passeront près de 30 ans de leur vie à travailler à l'extérieur de la maison, tandis que la cohorte née en 1940 ne travaillait en moyenne que 12 ans. Par contre, la moyenne chez les hommes atteint près de 40 ans (Spenner, 1988). Par conséquent, il existe encore une différence sexuelle dans l'expérience du rôle de travailleur. On en sait également beaucoup plus sur les expériences de travail des hommes que sur celles des femmes, car c'est l'homme qui a fait l'objet de la plupart des recherches sur la question. C'est pourquoi nous employons ici le terme de travailleur au masculin, et non parce que nous prétendons que seuls les hommes travaillent.

Avant d'aborder les étapes et l'évolution d'une carrière au début de l'âge adulte, il nous faut faire un retour en arrière. Comment le jeune adulte choisit-il un emploi ?

CHOIX D'UN EMPLOI

Comme vous vous en doutez, une foule de facteurs influent sur le choix d'un emploi ou d'une carrière chez le jeune adulte : le sexe, l'appartenance à une minorité ethnique, l'intelligence, les résultats scolaires, la personnalité et le concept de soi, les valeurs, les antécédents familiaux et la scolarité. Nous allons étudier brièvement quatre de ces facteurs : la famille, la scolarité/l'intelligence, le sexe et la personnalité.

INFLUENCE DE LA FAMILLE. En règle générale (il y a cependant beaucoup d'exceptions), le jeune adulte a tendance à choisir un emploi qui se situe au même niveau social que celui de ses parents. Ce phénomène se reflète en partie dans le niveau de scolarité : les familles des classes moyennes sont plus enclines à encourager leurs enfants à poursuivre des études supérieures. Ainsi, le jeune adulte aura plus de chances de se qualifier pour les emplois associés aux classes moyennes, pour lesquels des études collégiales ou universitaires sont souvent exigées (Featherman, 1980).

Les familles exercent également une influence sur le choix d'un emploi par le biais de leur système de valeurs. Par exemple, les parents qui valorisent la réussite scolaire et professionnelle auront beaucoup plus tendance à avoir des enfants qui vont au cégep ou à l'université et choisissent des professions libérales. Cette tendance ne correspond pas uniquement à une différence de classe sociale. Dans la classe ouvrière, les familles qui mettent l'accent sur la réussite de leurs enfants ont plus de chances de les voir occuper des emplois des classes moyennes (Gustafson et Magnusson, 1991).

SCOLARITÉ ET INTELLIGENCE. La scolarité et l'intelligence jouent également un rôle important dans le choix d'un emploi, mais aussi dans le succès à long terme de la carrière. Nous avons déjà abordé quelques-uns de ces liens au chapitre 8, mais il est utile d'y revenir. Plus une personne est intelligente, plus elle a tendance à étudier longtemps ; plus le niveau de scolarité d'une personne est élevé, plus elle a de chances d'entrer sur le marché du travail en haut de l'échelle, et au cours de sa vie de grimper les échelons professionnels (Kamo *et al.*, 1990 ; Farmer *et al.*, 1990 ; Feathermann, 1980).

L'intelligence a un effet direct autant sur le choix de l'emploi que sur la réussite professionnelle. Les étudiants les plus brillants ont tendance à choisir des professions libérales, et le travailleur très intelligent a plus de chances de gravir

> Comment pourriez-vous expliquer que les femmes qui travaillent sont plus heureuses et en meilleure santé que celles qui ne travaillent pas à l'extérieur de la maison ? Comment pourriez-vous vérifier vos hypothèses ?

les échelons même s'il débute en bas de l'échelle (Dreher et Bretz, 1991).

SEXE. Le choix d'un emploi est également fait en fonction du sexe de l'individu. Malgré les acquis du féminisme et le nombre croissant de femmes qui travaillent, la définition des rôles sexuels fait encore en sorte que certains emplois sont définis comme des emplois « de femmes » et d'autres, comme des emplois « d'hommes ». Les emplois d'hommes sont plus variés et plus techniques, et ils sont associés à un statut social et un salaire plus élevés (par exemple, médecin, cadre d'entreprise, menuisier). Les emplois de femmes sont concentrés dans le secteur des services, leur statut est généralement moins prestigieux et le salaire, moins élevé (par exemple, enseignante, infirmière, secrétaire) (Betz et Fitzgerald, 1987). Au Québec en 1996, près de 85 % des femmes sur le marché du travail occupaient des emplois reliés aux industries de services (Statistique Canada, 1996). Le tiers des femmes engagées dans la vie active occupent un emploi de bureau; le quart d'entre elles travaillent dans le domaine de la santé, de l'enseignement ou du service domestique. Ces différences existent encore même dans les domaines où le nombre d'hommes et de femmes est plus équilibré. Par exemple, de plus en plus d'hommes travaillent comme infirmiers, mais ils ont tendance à occuper des emplois spécialisés ou plus haut placés dans la hiérarchie.

Les enfants apprennent très jeunes ces définitions culturelles des emplois « appropriés » pour les hommes et les femmes, tout comme ils apprennent les autres caractéristiques des rôles sexuels. Il n'est donc pas surprenant que la plupart des jeunes hommes et femmes choisissent des emplois qui correspondent à cette définition des rôles sexuels (Schulenberg, Goldstein et Vondracek, 1991). Le choix d'un emploi généralement associé à l'autre sexe s'observe le plus souvent chez les personnes qui se perçoivent comme androgynes ou dont les parents occupent des emplois non conventionnels. Par exemple, les jeunes femmes qui choisissent une carrière traditionnellement masculine ont souvent une mère qui a travaillé longtemps et elles se définissent comme androgynes ou masculines (Betz et Fitzgerald, 1987 ; Fitzpatrick et Silverman, 1989).

PERSONNALITÉ. Un autre facteur important dans le choix de la carrière est la personnalité du jeune adulte. John Holland, dont les travaux ont été marquants dans ce domaine (1973, 1985), propose six modèles de personnalité et six environnements de travail associés, qui sont schématisés au tableau 11.3. Selon l'hypothèse de Holland, chacun de nous

Tableau 11.3

Types de personnalités et d'environnements professionnels selon Holland

Type	Personnalité	Environnement professionnel associé
Artistique	Préfère les activités individuelles et non structurées ; peu sociable.	Activités libres, non systématisées et non définies dans le but de produire un objet d'art ou un spectacle.
Entreprenant	Aime organiser le travail et diriger les autres ; parle souvent beaucoup ; dominateur, persuasif et possède des qualités de chef.	Manipulation des autres, comme dans le domaine de la vente.
Conventionnel	Aime les directives claires, les activités structurées et les rôles subordonnés ; minutie et précision.	Utilisation ordonnée, précise et systématique de données ; par exemple, tenue d'archives, classement, tenue de livres, organisation.
Social	Aime travailler avec les gens et n'apprécie pas beaucoup les activités intellectuelles ou trop organisées ; a besoin d'attention.	Soigner, entraîner, servir ou distraire les autres.
Chercheur	Aime les activités non définies et les tâches exigeant une réflexion abstraite, la planification et l'organisation ; possède généralement peu de compétences sociales.	Recherches créatrices ou observation de phénomènes physiques, biologiques et culturels.
Réaliste	Aime les activités mécaniques et utiliser des outils ; agressif, masculin et physiquement fort ; peu de compétences verbales ou interpersonnelles.	Utilisation systématique ou ordonnée d'outils, de machines ou d'animaux.

Source: Holland, 1973.

a tendance à choisir un domaine de travail qui correspond le mieux à sa personnalité et dans lequel il connaît le plus de succès.

Les recherches effectuées dans différentes cultures appuient en général la proposition de Holland (Kahn *et al.*, 1990 ; Eberhardt et Muchinsky, 1984 ; Meier, 1991). Les pasteurs, par exemple, obtiennent des résultats plus élevés au niveau de l'échelle sociale, les ingénieurs au niveau de l'échelle de la recherche et les vendeurs d'automobiles au niveau de l'échelle de l'esprit d'entreprise (Benninger et Walsh, 1980 ; Walsh, Horton et Gaffey, 1977).

En outre, les personnes dont la personnalité correspond à l'emploi choisi seront généralement plus satisfaites de leur emploi. Pourtant, curieusement, la *réussite* professionnelle n'est que très faiblement reliée à la correspondance travail-personnalité (Assouline et Meir, 1987). De toute évidence, une personne peut très bien réussir dans un emploi qui correspond peu à sa personnalité, mais, à long terme, elle en tirera moins de satisfaction.

PARCOURS PROFESSIONNEL

Une fois que le choix de l'emploi ou de la carrière est arrêté, quels genres d'expériences les jeunes adultes font-ils dans leur vie active ? Leur satisfaction professionnelle augmente-t-elle ou diminue-t-elle au fil du temps ? Une carrière est-elle composée d'étapes distinctes que l'on pourrait définir comme des stades ou des échelons communs ?

SATISFACTION PROFESSIONNELLE. De nombreuses études indiquent que le degré de satisfaction professionnelle

Le degré de satisfaction professionnelle augmente progressivement chez le jeune adulte, autant chez les hommes que chez les femmes.

est à son plus bas au début de la vie adulte et qu'il augmente graduellement jusqu'à la retraite. Ce modèle a été retrouvé dans de nombreuses études effectuées aussi bien auprès de femmes que d'hommes (Glenn et Weaver, 1985).

On sait que cette caractéristique n'est pas simplement un effet de cohorte parce que des résultats semblables ont été obtenus dans des recherches étalées sur de nombreuses années. On sait également qu'il ne s'agit pas d'un effet de culture, car ce modèle a été observé dans plusieurs pays industrialisés. Quelle en est donc l'origine ? Certains travaux (Bedeian, Ferris et Kacmar, 1992) ont permis de conclure que cet effet n'était pas lié à l'âge mais à la durée de l'emploi. Les travailleurs plus âgés occupent habituellement leur emploi depuis longtemps. Ils tirent donc leur satisfaction de diverses sources : un meilleur salaire, une plus grande sécurité d'emploi et un plus grand pouvoir. Certains effets réels pourraient toutefois être liés à l'âge. Les emplois qu'occupent les plus jeunes sont souvent plus salissants, plus exigeants physiquement, moins complexes et moins intéressants (Spenner, 1988). Cette différence découle en partie du manque d'expérience, mais pourrait aussi refléter la plus grande force physique et la plus grande vigueur des jeunes.

Une autre explication possible de l'augmentation de la satisfaction professionnelle avec l'âge est le choix par élimination. Arrivés au milieu de l'âge adulte, de nombreux travailleurs ont essayé plusieurs emplois différents et ils ont renoncé à certains pour en choisir un qui leur convient (White et Spector, 1987).

AVANCEMENT PROFESSIONNEL. Dans n'importe quelle profession, les travailleurs gravissent les échelons de la hiérarchie dans un certain ordre. Dans l'enseignement supérieur, la série de fonctions est la suivante : chercheur adjoint, professeur adjoint, professeur agrégé et professeur titulaire. Dans une usine d'automobiles, la carrière pourrait comprendre les échelons suivants : travailleur sur la chaîne de montage, chef d'équipe, contremaître et chef de service. Dans le monde des entreprises, il existe aussi de nombreux échelons clairement définis.

De quelle manière les jeunes adultes gravissent-ils habituellement ces échelons ? Pour répondre adéquatement à cette question, il faut évidemment s'appuyer sur des études longitudinales. Il n'en existe que quelques-unes, et nous allons faire référence à deux d'entre elles. L'une s'étale sur 20 ans et porte sur les gestionnaires d'AT&T (Bray et Howard, 1983) ; l'autre, effectuée par James Rosenbaum (1984), s'étale sur 15 ans et porte sur une grande entreprise nommée ABCO.

Avant de poursuivre votre lecture, pensez aux différents facteurs qui pourraient faire augmenter le degré de satisfaction professionnelle avec l'âge.

Ces études ont mis en évidence plusieurs caractéristiques générales de la progression de la carrière au début de l'âge adulte. Premièrement, la formation collégiale ou universitaire est un élément déterminant, comme nous l'avons déjà mentionné. À aptitudes intellectuelles égales, les personnes qui ont une formation collégiale ou universitaire réussissent mieux et progressent plus rapidement.

Deuxièmement, une promotion en début de carrière est associée à un avancement plus important à long terme. Dans l'entreprise qui a fait l'objet de l'étude de Rosenbaum, 83 % des employés promus pendant la première année finissaient par accéder à un poste de petit cadre, alors que seulement 33 % des employés promus après trois ans se rendaient aussi loin.

Troisièmement, et ce point est peut-être le plus important, la plupart des promotions surviennent au début de la carrière, après quoi le travailleur atteint un plafond. Les résultats de Rosenberg confirment clairement cette affirmation. Selon la politique de l'entreprise ABCO, tous les travailleurs, détenteurs ou non d'un diplôme universitaire, devaient commencer à un échelon inférieur de gestion. Ils pouvaient ensuite atteindre les échelons de contremaître, puis de petit cadre. La figure 11.4 montre le pourcentage de travailleurs qui ont gravi ces échelons à chaque groupe d'âge. De toute évidence, les deux promotions se produisent tôt et, à l'âge de 40 ans, pratiquement toutes les promotions possibles ont déjà été octroyées. On a observé le même cheminement dans le monde de l'enseignement et celui de la comptabilité (Spenner, 1988), il n'est donc pas propre au monde des affaires.

Cependant, il se peut que de telles caractéristiques ne s'appliquent qu'aux adultes qui débutent leur carrière dans la vingtaine et la poursuivent pendant presque toute leur vie adulte. Quelques résultats de recherche sur les femmes, qui ont des carrières beaucoup moins stables, semblent indiquer que le moment où survient la promotion dans la carrière importe plus que l'âge de l'employée. Il peut s'écouler une période de 10 à 15 ans entre le moment où une personne commence à exercer une profession et celui où elle atteint un plafond. La carrière d'une personne qui débute dans la vingtaine a tendance à culminer au milieu de la trentaine. Mais une personne qui débute à l'âge de 40 ans peut disposer encore de 15 ans pour son avancement.

AUTRE PERSPECTIVE SUR L'AVANCEMENT PROFESSIONNEL. On peut également décrire l'expérience du travail chez le jeune adulte par une série de stades. Premièrement, on trouve le stade d'essai ou d'établissement, qui survient habituellement entre 20 et 30 ans. Ce stade correspond à la première phase de la vie adulte proposée par Levinson (voir la figure 2.2, p. 41). Pendant cette période, le jeune adulte choisit sa carrière et essaie plusieurs voies, ou encore reprend des études pour parfaire sa formation. Une fois qu'il occupe un emploi, le jeune adulte doit apprendre les ficelles du métier pour pouvoir gravir les premiers échelons à mesure qu'il maîtrise les compétences nécessaires.

Vient ensuite le stade de stabilisation, entre 30 et 45 ans environ. Après avoir choisi son travail et appris les ficelles du métier, le travailleur se concentre maintenant sur la réalisation de ses aspirations personnelles ou des objectifs qu'il s'est fixés. Le jeune scientifique aspire à gagner le prix Nobel ; le jeune avocat cherche des associés ; le jeune gestionnaire d'entreprise s'efforce de se hisser au sommet de la hiérarchie ;

Stade d'essai (ou d'établissement) : Conception des stades de la vie professionnelle, au début de l'âge adulte. Ce stade d'essai se met en place au cours de la vingtaine, lorsque l'on essaie divers emplois et que l'on acquiert des compétences pour certains travaux.

Stade de stabilisation : Conception des stades de la vie professionnelle, au début de l'âge adulte. Ce stade s'établit vers la trentaine, après le stade d'essai ; au cours du stade de stabilisation, l'individu atteint généralement un plafond en ce qui concerne la réalisation professionnelle.

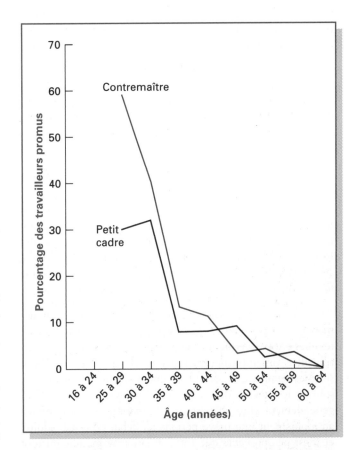

Figure 11.4 Modèle de l'avancement professionnel. L'étude longitudinale de Rosenbaum portant sur les promotions dans une grande entreprise illustre le modèle général qui veut que les promotions se produisent tôt dans la vie adulte et que, au milieu de la trentaine ou au début de la quarantaine, la plupart des travailleurs atteignent un plafond dans leur avancement professionnel. (*Source*: Rosenbaum, 1984, figure 3.1, p. 80.)

le jeune ouvrier peut rechercher la stabilité d'emploi ou vouloir obtenir un poste de contremaître. C'est à ce moment que surviennent les promotions et c'est aussi pendant cette période qu'un plafond est atteint.

MODÈLES DU TRAVAIL CHEZ LA FEMME

Certaines caractéristiques que nous avons vues s'appliquent aussi bien aux femmes qu'aux hommes. La satisfaction professionnelle des femmes augmente avec l'âge (et avec la stabilité de l'emploi), comme chez les hommes. Mais l'expérience de travail des femmes au début de l'âge adulte diffère de celle des hommes de façon frappante : elle est beaucoup moins continue. Cette différence a un effet considérable sur le rôle des femmes dans le monde du travail.

En 1988, aux États-Unis, les deux tiers des femmes de 25 à 64 ans occupaient un emploi au moins à temps partiel. Au Québec en 1995, pour ce même groupe d'âge, 70 % des femmes travaillaient au moins à temps partiel (Statistique Canada, 1996). Le taux d'activité (comprenant les femmes occupant un emploi et celles qui sont à la recherche d'un emploi) de l'ensemble des femmes de 15 ans et plus dépasse 50 % depuis 1985 (Bureau de la statistique du Québec, 1995.)

Quel que soit le groupe ethnique d'appartenance, plus une femme a un niveau de scolarité élevé, plus elle a de chances de travailler. Parmi les femmes qui ont fait au moins 3 années d'études universitaires, 80,8 % sont sur le marché du travail (U.S. Bureau of the Census, 1990).

Néanmoins, la plupart des femmes ne travaillent pas de façon continue au début de l'âge adulte. Des études portant sur différentes cohortes de femmes aux États-Unis montrent que seulement un cinquième à un quart des femmes travaillent de façon continue pendant le début de la vie adulte (Sörensen, 1983 ; U.S. Bureau of the Census, 1984 ; Moen, 1985). La plupart des autres femmes se retirent au moins une fois du marché du travail et souvent à plusieurs reprises.

Le modèle du travail chez la femme change rapidement ; il se peut donc que dans les cohortes actuelles de femmes entre 20 et 30 ans, le pourcentage de celles qui vont travailler sans interruption soit plus élevé. Mais puisque ce sont les femmes qui portent les enfants, leur prodiguent des soins et les élèvent (du moins les premières années), ce sont généralement elles qui restent à la maison avec les enfants au moins pour une brève période au début de la vie adulte, et il est peu probable que cette situation se modifie du tout au tout.

Nous pourrions envisager le modèle féminin du travail d'une autre façon, soit avec un stade supplémentaire que l'on pourrait nommer « l'alternance d'emploi et de non-emploi ». Pour certaines femmes, ce stade vient en premier lieu et fait presque partie du stade d'essai. Pour d'autres, il arrive après le stade d'essai mais avant celui de la stabilisation. Pour comparer l'itinéraire des promotions des hommes et des femmes, il faudrait soustraire cette période de discontinuité de l'emploi du cheminement de la femme, et comparer seulement les années de travail continues. Malheureusement, personne ne s'est livré à une telle recherche, c'est pourquoi on ne peut affirmer avec certitude que l'itinéraire professionnel de la femme suit le même modèle que celui de l'homme. Mais les éléments d'information dont on dispose semblent indiquer que l'aspect discontinu du modèle de travail féminin influe bien sur le succès et la réussite professionnelle des femmes.

Par exemple, les femmes qui travaillent de façon continue ont des salaires plus élevés et atteignent des objectifs de carrière supérieurs à ceux des femmes qui travaillent de façon discontinue (Van Velsor et O'Rand, 1984). De plus, certaines données révèlent que, parmi les femmes qui arrêtent souvent de travailler, celles qui ont eu quelques petits contrats pendant le stade d'alternance emploi/non-emploi réussissent mieux sur le plan économique que celles qui sont restées sans emploi pendant une longue période continue, même lorsque le nombre total de mois ou d'années sur le marché du travail est le même pour les deux groupes (Gwartney-Gibbs, 1988). Ces petits contrats permettent à la femme d'exercer ses aptitudes professionnelles, surtout si elle a le même genre d'emploi chaque fois qu'elle réintègre le marché du travail. Les emplois à temps partiel semblent donner des résultats similaires. Il existe des stratégies qui peuvent aider la femme à maximiser son succès professionnel tout en lui permettant de passer du temps avec sa famille, mais cela demande énormément de réflexion et d'organisation.

COMBINAISON DES RÔLES PROFESSIONNELS ET FAMILIAUX

Comment les individus et les couples font-ils pour concilier leurs rôles de travailleur et de parents, ou de travailleur et d'époux ? Il est intéressant de constater, en témoignage de nos stéréotypes culturels, que nous croyons d'une part qu'il est simple pour un homme de remplir à la fois ses rôles professionnel, parental et conjugal, et d'autre part que cette situation s'avère problématique pour la femme. En effet, et pour des raisons bien évidentes, les femmes *vivent* davantage de conflits que les hommes face à ces trois rôles.

Cette question s'adresse aux jeunes femmes seulement : Comment prévoyez-vous concilier vos obligations professionnelles et familiales ? Allez-vous changer vos plans ou votre manière de penser après avoir lu cette section du chapitre ?

Il en est ainsi parce que si l'on ajoute les heures consacrées aux tâches domestiques et familiales (soins des enfants, ménage, cuisine, emplettes, etc.) aux heures de travail rémunérées, les femmes qui exercent un emploi travaillent plus d'heures par semaine que leur mari ou leur partenaire. Les femmes assument plus de tâches ménagères que les hommes, même lorsque les deux partenaires travaillent à temps plein (Geerken et Gove, 1983; Shelton, 1990; Rexroat et Shehan, 1987). Une enquête récente au Canada indique que les femmes effectuent 65 % des travaux ménagers (repas, ménage, emplettes, etc.). Chaque jour, elles abattent deux heures de travail de plus que leurs conjoints (Statistique Canada, 1995). Vous pouvez observer l'effet très évident de cette situation à la figure 11.5, qui illustre les données obtenues lors d'une étude réalisée en 1976 auprès de plus de 5 000 familles. Parmi les couples sans enfant, on observe une répartition plus égale des tâches ménagères. Mais lorsque les enfants sont jeunes, les femmes travaillent tout simplement plus d'heures que leur partenaire. Ce modèle vient appuyer entre autres la notion

de l'impératif parental de Gutmann. Les rôles sexuels deviennent plus traditionnels après la naissance d'un enfant.

Des études récentes suggèrent que certains sous-groupes tendent vers une plus grande égalité dans la répartition des tâches. Par exemple, les hommes qui prônent l'égalité des sexes assument effectivement plus de tâches ménagères et prennent soin des enfants (Perry-Jenkins et Crouter, 1990). Mais en général, les femmes qui travaillent à temps plein assument toujours plus de tâches ménagères que leurs partenaires qui travaillent. Par exemple, les données d'une étude sur les ménages effectuée en 1987 et 1988 (Coltrane et Ishii-Kuntz, 1992) révèlent que seulement un cinquième des tâches domestiques sont prises en charge par l'homme. Même lorsque la femme d'aujourd'hui consacre moins de temps aux tâches domestiques, c'est elle qui *s'assure* de leur exécution (Maret et Finlay, 1984).

Les femmes connaissent plus de conflits entre leurs rôles familiaux et professionnels en raison de la façon dont les rôles

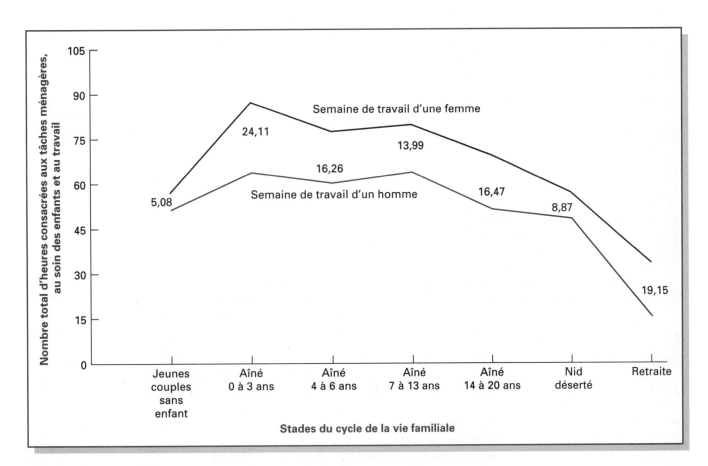

Figure 11.5 Comparaison du temps consacré au travail chez l'homme et la femme. Lorsque les deux partenaires travaillent à temps plein, la femme assume plus de tâches ménagères et prend davantage soin des enfants que son partenaire. Ainsi, le nombre total d'heures de travail par semaine des femmes est beaucoup plus élevé, ce qui contribue considérablement au conflit des rôles professionnels et familiaux chez la femme. Remarquez que l'écart est plus grand tout de suite après la naissance du premier enfant, une période où l'homme est plus porté à s'engager à fond dans sa carrière. (*Source*: Rexroat et Shehan, 1987, figure 1, p. 746.)

LE MONDE RÉEL

Stratégies pour résoudre les conflits de rôles familiaux et professionnels

Êtes-vous submergée par les nombreuses exigences professionnelles et familiales auxquelles vous devez faire face? Y a-t-il des jours où vous perdez courage? Nous ne pouvons vous donner de formule magique pour atténuer de tels conflits, mais il existe certaines stratégies qui peuvent vous être utiles. Ces conseils s'adressent surtout aux femmes, car ce sont elles qui font l'expérience des plus importants conflits de rôles. Toutefois, les hommes peuvent tout autant profiter de ces conseils.

Redéfinir ou restructurer les rôles familiaux. Douglas Hall (1972, 1975) a découvert que les femmes qui trouvent le moyen de redistribuer les principales tâches domestiques entre les autres membres de la famille (mari et enfants), ou qui renoncent à certaines tâches, sont moins stressées et connaissent moins de conflits. Vous pouvez dresser une liste des tâches ménagères que vous et votre partenaire assumez, examiner cette liste ensemble, puis éliminer certaines tâches qui ne sont pas essentielles et redistribuer celles qui restent. Les hommes sont capables de nettoyer la salle de bains. Vous pouvez également être moins pointilleuse sur l'ordre, simplifier les repas et, si votre budget le permet, engager une aide ménagère.

Redéfinir le concept de ce que vous devriez être. Vous pourriez avoir recours à une stratégie encore plus fondamentale, soit essayer de changer votre conception des rôles sexuels. Où est-il écrit que seules les femmes doivent rester à la maison lorsqu'un enfant est malade? Peut-être est-ce gravé dans votre modèle interne ou votre schème du genre. Pour bien des femmes, en effet, il est difficile de délaisser ces tâches, même lorsqu'elles causent de sérieux conflits de rôles, car un tel comportement fait partie intégrante de leur image. Voici le commentaire d'une femme dont le mari participe activement aux soins de leur enfant:

> *J'aime voir combien mon enfant et mon mari sont proches, en particulier parce que je n'ai jamais pu instaurer une telle relation avec mon père. Mais s'il réussit bien au travail et avec le bébé, quelle est ma contribution spécifique?* (Cowan et Cowan, 1987, p. 168.)

Vous devriez tenter de déterminer si la répartition actuelle des tâches domestiques dans votre foyer est fonction de la réticence de votre mari ou de vos enfants face à ces tâches ou de votre propre réticence à modifier votre perception de vous-même et de votre contribution à la famille.

Suivre un cours en gestion du temps. Vous avez certainement reçu de nombreux conseils pour résoudre vos problèmes de tâches domestiques et professionnelles. Cela semble plus facile à dire qu'à faire! Toutefois, il existe de nombreux cours ou ateliers sur la gestion du temps qui sont très utiles. Le fait de suivre ces cours augmentera temporairement vos conflits de rôles, mais ils en valent la peine.

Ce qui ne fonctionne vraiment pas, c'est d'essayer de fournir un effort supplémentaire et de tout faire par vous-même. Les femmes qui persistent à assumer entièrement ces trois rôles sont très stressées et fatiguées. Vous devez modifier vos normes concernant les tâches ménagères ou votre conception du rôle de la femme. De toute façon, la combinaison de tous ces rôles offre de belles occasions de conflits. Au mieux, l'équilibre est fragile. Au pire, c'est l'enfer.

sexuels sont définis dans la plupart des cultures. Le rôle de la femme est orienté autour de la relation, des soins à donner et de l'éducation. La plupart des femmes ont à tel point assimilé ce rôle qu'elles se définissent et se jugent davantage en fonction de leur rôle maternel que de leurs qualités professionnelles. Joseph Pleck soutient que la frontière entre les rôles familiaux et professionnels est « asymétriquement perméable » pour les deux sexes (Pleck, 1977). Ainsi, les rôles familiaux d'une femme empiètent sur sa vie professionnelle. Non seulement prend-elle un congé quand son enfant vient au monde, mais elle reste aussi à la maison lorsqu'il est malade, assiste aux réunions de professeurs et pense aux tâches domestiques durant les heures de travail. Ce sont ces exigences simultanées et conflictuelles qui constituent la véritable définition du conflit de rôles.

En ce qui concerne les hommes, il semble que les rôles familiaux et professionnels sont séquentiels plutôt que simultanés. Pendant la journée, les hommes assument leur rôle professionnel, puis leur rôle d'époux et de père lorsqu'ils rentrent à la maison. Les femmes sont à la fois mères et épouses toute la journée, même lorsqu'elles sont au travail. Si l'homme connaît des conflits de rôles, il est plus probable que c'est son rôle professionnel qui empiète sur son rôle familial et non le contraire (Duxbury et Higgins, 1991).

Les chevauchements des rôles familiaux et professionnels ne représentent pas toujours un problème pour la femme. Par exemple, les femmes qui travaillent à l'extérieur acquièrent plus d'autorité dans leur relation conjugale que celles qui travaillent uniquement à la maison (Blumstein et

Schwartz, 1983 ; Spitze, 1988). Plus les salaires sont égaux entre les partenaires, plus la prise de décision et les tâches domestiques sont réparties de manière égale (Brayfield, 1992). Toutefois, le plus étonnant, à cette époque où les femmes se retrouvent de plus en plus sur le marché du travail, reste que ce sont elles, plus que les hommes, qui luttent pour résoudre le conflit des rôles professionnels et familiaux. Il est également clair que ce conflit est beaucoup plus important au début de l'âge adulte, alors que les enfants sont jeunes et nécessitent des soins constants, qu'à l'âge adulte moyen ou à l'âge adulte avancé. De bien des façons, c'est ce chevauchement très complexe entre les rôles professionnels, parentaux et conjugaux qui constitue la principale caractéristique du début de l'âge adulte.

Rôle de travailleur

Q 15   Comment choisit-on une carrière ? Développez.

Q 16   Quels sont les facteurs qui influent sur l'évolution de la satisfaction professionnelle au cours de l'âge adulte ?

Q 17   Définissez le stade d'essai (ou d'établissement) ainsi que le stade de stabilisation de la vie professionnelle.

Q 18   En quoi le modèle féminin du travail diffère-t-il du modèle masculin ?

Q 19   Expliquez pourquoi les femmes connaissent plus de conflits de rôles que les hommes à l'âge adulte.

Il y a de plus en plus de femmes sur le marché du travail, mais un peu moins du tiers travaille de façon continue au début de l'âge adulte.

CONTINUITÉ ET CHANGEMENTS DE LA PERSONNALITÉ

C'est peut-être à cause des effets réciproques de ces divers rôles majeurs que l'on observe de très intéressants changements communs de la personnalité au début de l'âge adulte. Toutefois, nous ne devenons pas tous identiques. Au contraire, le tempérament de base ou les traits de la personnalité demeurent pratiquement inchangés au cours de cette période. Mais, en plus de cette continuité, on note un ensemble de changements communs. Nous allons nous pencher d'abord sur la continuité de la personnalité.

CONTINUITÉ DE LA PERSONNALITÉ

Dans les chapitres précédents, nous avons parlé des diverses facettes de la personnalité de l'enfant, notamment les dimensions du tempérament comme l'irascibilité, le degré d'activité ou la sociabilité. On retrouve ces mêmes caractéristiques dans des études sur la personnalité de l'adulte, particulièrement dans les travaux de Robert McCrae et Paul Costa (1990; Costa et McCrae, 1980a, 1980b, 1988; Costa *et al.*, 1986).

Ces chercheurs ont défini cinq dimensions de la personnalité, chacune montrant une stabilité importante d'une situation à l'autre et au fil des ans: **tendance à la névrose, extraversion** (par opposition à introversion), **ouverture à l'expérience, amabilité** et **intégrité.** Les chercheurs qui s'intéressent à la personnalité s'entendent pour dire que ces cinq traits principaux, décrits au tableau 11.4, englobent la majeure partie des variations de la personnalité chez les individus.

On peut facilement faire des rapprochements entre ces cinq traits et les dimensions du tempérament de l'enfant: par exemple, « tempérament difficile » et tendance à la névrose; « tempérament facile » et amabilité; le degré d'activité reflète un aspect de l'extraversion, tout comme la sociabilité. S'il existe un ordre universel, on devrait trouver une corrélation entre les caractéristiques du tempérament évaluées au début de l'enfance et les cinq dimensions de la personnalité à l'âge adulte. À ce jour, on ne possède aucune donnée longitudinale qui permettrait de vérifier cette hypothèse. Néanmoins, on dispose de nombreuses données prouvant la continuité de ces cinq traits à l'âge adulte, et quelques-unes d'entre elles figurent dans la colonne de droite du tableau 11.4.

Ces résultats proviennent d'une étude longitudinale menée pendant 6 années auprès d'un groupe de 983 hommes et femmes, âgés de 21 à 76 ans au moment du premier test (Costa et McCrae, 1988). Les chiffres représentent la corrélation entre les scores obtenus au premier et au deuxième tests effectués à six années d'intervalle. Il est évident que les individus continuent de se percevoir ou de se décrire de la même façon pendant cette courte période. Les corrélations étaient essentiellement les mêmes pour les hommes et pour les femmes, ainsi que pour les adultes jeunes et d'âge moyen (25 à 56 ans) et les adultes d'âge avancé (57 à 84 ans). D'autres données indiquent que les corrélations ont tendance à être

---

Tendance à la névrose: Un des cinq principaux traits de la personnalité définis par McCrae et Costa. Les personnes névrotiques sont anxieuses, vulnérables, émotives et font preuve d'une humeur instable.

Extraversion: Un des cinq principaux traits de la personnalité définis par McCrae et Costa. Les sujets extravertis sont affectueux, volubles, actifs, enjoués, passionnés et font preuve d'un esprit grégaire.

Ouverture à l'expérience: Un des cinq principaux traits de la personnalité décrits par McCrae et Costa, caractérisé par l'imagination, la créativité, l'originalité, la curiosité, la tolérance et l'attirance pour la variété.

Amabilité: Un des cinq principaux traits de la personnalité décrits par McCrae et Costa, caractérisé par la bonté, la confiance, la générosité et l'assentiment.

Intégrité: Un des cinq principaux traits de la personnalité décrits par McCrae et Costa, caractérisé par la ponctualité, l'ambition, l'honnêteté et la persévérance.

Tableau 11.4

Les cinq principaux traits de la personnalité définis par McCrae et Costa, et leur continuité au fil des ans

Trait	Qualités de l'individu pour ce trait	Stabilité sur six ans
Tendance à la névrose	Anxieux, humeur instable, geignard, prétentieux, émotif et vulnérable.	0,83
Extraversion	Affectueux, volubile, actif, enjoué, passionné et esprit grégaire.	0,82
Ouverture à l'expérience	Imaginatif, créatif, original, curieux, libéral, prêt à explorer ses sentiments.	0,83
Amabilité	Doux, fiable, généreux, consentant, indulgent, facile à vivre.	0,63
Intégrité	Consciencieux, travailleur, bien organisé, ponctuel, ambitieux, persévérant.	0,79

Source: McCrae et Costa, 1990, données tirées du tableau 1, et de Costa et McCrae, 1988, tableau 4.

plus faibles sur de longues périodes de temps, comme plusieurs dizaines d'années, mais la continuité est remarquablement marquée (Helson et Moane, 1987 ; Haan, Millsap et Hartka, 1986).

Ces données semblent indiquer que nous conservons notre personnalité tout au long de la vie adulte. Nous abordons les nouveaux rôles du début de l'âge adulte d'une manière qui reflète les caractéristiques de base de notre personnalité. En particulier, les individus qui présentent une tendance élevée à la névrose semblent avoir plus de difficulté à faire face aux tâches de la vie courante. Ils sont plus malheureux et moins satisfaits de leur vie (McCrae et Costa, 1990) et sont plus portés à divorcer.

D'autre part, les adultes qui ont une tendance élevée à la névrose maîtrisent moins bien le stress. Lorsqu'ils affrontent un changement important dans leur vie, ils vont plutôt le décrire (et en faire l'expérience) comme une crise et présenter des séquelles persistantes. Par exemple, dans l'une de ses études sur les effets de la crise des années 30, Elder (Liker et Elder, 1983) a découvert que les hommes irascibles (vraisemblablement avec une forte tendance à la névrose) devenaient de plus en plus irritables dans une situation économique très difficile. Les hommes qui avaient une faible tendance à la névrose manifestaient d'abord des réactions négatives puis s'en remettaient très vite. Au chapitre 1, nous avons vu que l'étude longitudinale de Berkeley/Oakland (figure 1.1, p. 7) portait sur des sujets interrogés à plusieurs reprises au cours de l'enfance et à l'âge adulte. À partir du même échantillon, l'étude effectuée par Elder avait identifié des garçons dotés d'un mauvais caractère. Ces jeunes sujets avaient conservé ce trait de caractère jusqu'à l'âge adulte et avaient par conséquent connu moins de succès dans les rôles familiaux et professionnels. Au contraire, les adultes de cette étude qui possédaient un degré élevé d'extraversion étaient satisfaits de leur vie.

CHANGEMENTS DE LA PERSONNALITÉ

Même si les traits de la personnalité demeurent constants, il semble cependant y avoir des changements communs de la personnalité au début de l'âge adulte. Plusieurs études longitudinales importantes, qui utilisent des méthodes plus approfondies pour mesurer la personnalité et qui couvrent un plus grand nombre d'années de la vie adulte, suggèrent un ensemble de changements qui, selon nous, sont assez pertinents sur un plan théorique et intuitif. Chez les jeunes adultes, on observe une augmentation de certaines caractéristiques telles que la confiance, l'estime de soi, l'indépendance et l'orientation vers la réussite.

Le meilleur ensemble de données provient encore de l'échantillon de l'étude longitudinale de Berkeley/Oakland.

Dans cette étude, comme nous venons de le rappeler, plusieurs centaines de sujets avaient été suivis de l'enfance jusqu'à l'âge de 50 ou 60 ans (Haan, 1981b ; Haan, Millsap et Hartka, 1986). Les caractéristiques de la personnalité ont été mesurées à l'aide d'une technique inhabituelle, appelée *technique Q* ou *Q-sort*. La classification Q est un ensemble de mots ou de phrases qui peuvent décrire un individu, comme « satisfait de soi », « brusque avec les autres » ou « bonne affirmation de soi ». Un spécialiste, utilisant toute l'information disponible sur chaque sujet à un âge donné (matériel d'entrevue, données tirées d'observations directes ou de commentaires faits par d'autres psychologues qui ont observé le sujet, résultats de test), classe l'ensemble de mots ou de phrases en neuf catégories distinctes. La catégorie 1 contient les énoncés les *moins* caractéristiques de l'individu, et la catégorie 9, les plus concordants. De plus, le spécialiste doit effectuer une distribution normale (en cloche) entre les neuf catégories. Quelques items seulement doivent se retrouver dans les catégories des extrémités (catégories 1 et 9) et la majorité doit être dans les catégories du milieu. Cette méthode n'est pas typique des études de Berkeley. Entre autres, la classification Q est aujourd'hui largement utilisée comme solution de remplacement à la Situation insolite à titre de méthode d'évaluation de l'attachement chez l'enfant. Ce que vous devez retenir de cette technique, c'est qu'elle reflète le *poids relatif* ou la *visibilité relative* d'une caractéristique à une période de la vie plutôt que le niveau absolu de cette caractéristique.

La figure 11.6 illustre le modèle de changements associés à l'âge dans un groupe d'items de classification Q en fonction des aspects de l'affirmation de soi par opposition à la soumission. La figure 1.1 au chapitre 1, qui évalue la confiance en soi par opposition au sentiment d'être persécuté, montre les changements dans un autre groupe. Si vous vous reportez à cette figure, vous verrez que, chez ces sujets, l'affirmation et la confiance en soi augmentent au début de l'âge adulte, particulièrement entre l'âge de 30 et 40 ans. Durant ces mêmes années, on a également observé une augmentation dans un groupe d'items, qui évalue l'aspect que Haan nomme « l'engagement cognitif », et qui se caractérise par l'ambition et l'importance accordée à l'autonomie et à l'intellect.

D'autres chercheurs soulignent des changements similaires. Dans une étude sur des étudiantes du Mills College,

---

Pouvez-vous imaginer d'autres effets possibles de ces caractéristiques de la personnalité sur l'expérience d'un jeune adulte concernant les rôles que nous avons abordés dans ce chapitre ? Quels traits de la personnalité associeriez-vous à une plus grande stabilité conjugale ? Lesquels pourraient prédire une bonne santé physique ?

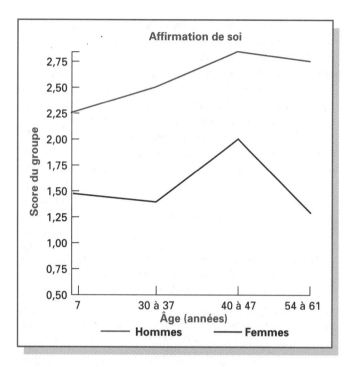

Figure 11.6 Évolution de l'affirmation de soi au cours des ans. Scores des items de classification Q sur l'affirmation de soi obtenus dans les études longitudinales de Berkeley/Oakland. (*Source*: Haan, Millsap et Hartka, 1986, figure 2, p. 228.)

Helson et Moane (1987; Helson, Mitchell et Moane, 1984) ont découvert peu de changements de la personnalité entre 21 et 27 ans, mais entre 27 et 43 ans, ces jeunes femmes devenaient plus dominatrices (notamment plus confiantes) et plus indépendantes. Les directeurs de AT&T étudiés par Bray et Howard (1983) ont également montré une baisse de la dépendance et une augmentation du besoin d'autonomie au cours des 20 années d'étude, couvrant la période de 20 à 40 ans.

Ces découvertes suggèrent que, au début de l'âge adulte, il se produirait un changement important se traduisant par une plus grande autonomie, des efforts soutenus pour la réalisation des objectifs, une meilleure confiance en soi et une plus grande affirmation de soi. Le jeune adulte ne devient pas seulement physiquement indépendant de sa famille, il devient psychologiquement autonome. Ainsi, en même temps qu'il maîtrise les divers rôles du début de l'âge adulte, il gagne en assurance et il devient davantage en mesure de s'affirmer en tant qu'individu.

D'autres théoriciens expliquent les changements sous-jacents au début de l'âge adulte par le passage d'une définition externe à une définition interne de soi (Loevinger, 1976, 1984). Dans la vingtaine, nous luttons tous pour apprendre l'ensemble des rôles définis et exigés par notre culture. Les jeunes adultes se laissent donc définir par des critères externes. Mais ces rôles ne nous correspondent pas toujours et nous finissons par repousser ces définitions trop strictes pour trouver notre propre individualité.

Daniel Levinson (1978) utilise le terme *détribalisation* pour décrire ce changement. Vers la fin de la première période de l'âge adulte, il soutient que l'adulte

> *devient plus critique de la tribu, soit des groupes particuliers, des institutions et des traditions qui ont le plus de sens pour lui, de la matrice sociale à laquelle il se rattache le plus. Il est moins assujetti aux récompenses de la tribu, et il se questionne davantage sur les valeurs de la tribu. (p. 242.)*

Cet ensemble de changements n'entre pas forcément en conflit avec la continuité des principaux traits de la personnalité décrits par McCrae et Costa. Un jeune adulte extraverti à 20 ans sera toujours un individu extraverti à 40 ans, même si, à cet âge, il aura acquis une plus grande indépendance et une plus grande confiance en lui. Selon nous, un ensemble de traits de personnalité associés au changement au cours du *développement* se superpose à un autre ensemble de traits stables. La façon dont chacun de nous fait face aux tâches du début de l'âge adulte sera influencée par notre personnalité ou notre tempérament. Un individu avec une forte tendance à la névrose ne réagira pas de la même façon qu'un individu qui a une approche plus simple de la vie. Toutefois, nous devons tous faire face aux tâches communes du début de l'âge adulte, soit le besoin de devenir autonome et d'apprendre un nouvel ensemble d'habiletés associées aux nouveaux rôles à assumer.

Personnalité

Q 20   Présentez les cinq traits de la personnalité définis par McCrae et Costa.

Q 21   Expliquez les modèles de Loevinger et de Levinson concernant les changements de la personnalité chez le jeune adulte.

DIFFÉRENCES INDIVIDUELLES

Si l'acquisition des trois grands rôles au début de l'âge adulte façonne cette période de la vie, qu'en est-il des personnes qui n'adoptent pas ces trois rôles, comme les adultes qui ne se marient pas (ou qui n'ont pas de partenaire) ou ceux qui n'ont pas d'enfants? D'autre part, le moment d'apparition de ces événements est-il déterminant?

ADULTES CÉLIBATAIRES

Le mariage, ou la cohabitation à long terme, confère certains avantages. Les jeunes adultes qui se marient sont plus heureux, en meilleure santé, vivent plus longtemps et sont moins sujets à présenter des troubles psychologiques que les adultes célibataires (Lee, Seccombe et Shehan, 1991 ; Coombs, 1991 ; Glenn et Weaver, 1988). Les individus les moins heureux sur presque tous les points sont les hommes célibataires, tandis que les plus heureux sont les hommes mariés. Chez les femmes, celles qui se marient ont un léger avantage sur les femmes célibataires. Toutefois, les femmes célibataires sont beaucoup plus heureuses et sont en bien meilleure santé que les hommes célibataires.

Ce phénomène pourrait s'expliquer par un processus d'autosélection. Les gens heureux et en bonne santé ont plus de chances de se marier. Même si cette explication semble logique, les chercheurs ont trouvé peu de preuves pour étayer cette hypothèse (Coombs, 1991). On peut aussi expliquer ce phénomène en se basant sur la notion de soutien social. Selon cet argument, les adultes mariés sont moins sujets aux maladies et à la dépression, car ils bénéficient du soutien que procure l'attachement central à leur partenaire. Les hommes mariés tirent d'autres avantages du mariage parce qu'ils sont moins portés à avoir un confident mis à part leur conjoint et parce que les femmes, plus que les hommes, procurent une chaleur émotionnelle et un soutien à leur partenaire.

Bien sûr, il ne faut pas en conclure que tous les adultes célibataires souffrent de solitude et de mélancolie. Les différences que nous avons décrites font partie de la moyenne, et il existe de nombreuses exceptions. De nombreux adultes sont célibataires par choix. Bon nombre ont trouvé d'autres

Nous ne savons pas pourquoi cet homme est célibataire. En revanche, nous savons que cette situation lui fait courir un risque plus élevé de présenter des troubles de santé physique et mentale. Bien sûr, s'il dispose d'autres sources de soutien émotionnel, il pourra éviter de telles conséquences négatives.

sources de soutien. Ainsi, les femmes qui ne se sont jamais mariées sont plus portées à garder des contacts très étroits avec leurs parents, peut-être en conservant cet attachement central sous une forme moins atténuée (Allen et Pickett, 1987). Elles ont même plus tendance que les femmes mariées à avoir une carrière bien remplie, du succès sur le plan professionnel et un meilleur salaire (Sörensen, 1983). Toutefois, le fait d'être célibataire change sans aucun doute le cycle du début de l'âge adulte de bien des façons et peut entraîner certains risques sur le plan de la santé mentale.

ADULTES SANS ENFANTS

Le fait de ne pas avoir d'enfants modifie aussi le parcours de la vie adulte, à la fois dans les modèles conjugal et professionnel. L'absence d'enfants dans le couple entraîne une baisse moins importante dans la courbe de la satisfaction conjugale comparativement au couple avec enfants. Comme c'est le cas pour tous les adultes mariés, ceux qui n'ont pas d'enfants vont également connaître une baisse de la satisfaction conjugale au cours des premiers mois ou des premières années du mariage (ainsi que vous pouvez le voir à la figure 11.1). Cependant, sur l'ensemble de la vie adulte, la courbe est beaucoup moins prononcée que celle de la figure 11.3 (Houseknecht, 1987 ; Ishii-Kuntz et Seccombe, 1989). Au cours de la vingtaine et de la trentaine, les couples sans enfants signalent une meilleure entente dans leur mariage que les couples avec enfants. Lorsqu'on n'a pas de rôle parental à assumer, on dispose de plus de temps et d'énergie à consacrer au rôle de partenaire.

Toutefois, il est intéressant de souligner que, après le départ des enfants du foyer, l'effet contraire peut se produire. Une étude au moins montre que, chez les couples en période postparentale (pour la plupart dans la cinquantaine et la soixantaine), la satisfaction conjugale est plus *élevée* parmi ceux qui ont des enfants que parmi ceux qui n'en ont pas (Houseknecht et Macke, 1981). On constate une autre différence quant au rôle professionnel, particulièrement chez les femmes. Comme les femmes célibataires, les femmes mariées sans enfants sont plus portées à connaître une carrière professionnelle bien remplie, sans alternance emploi/non-emploi, tout en s'engageant davantage à l'égard de leurs objectifs de carrière (Houseknecht, 1987 ; Hoffman et Manis, 1978).

Est-ce que ces résultats signifient que, pour atteindre une maturité ou une santé mentale optimale à un âge plus avancé, il faut avoir eu à élever un enfant ? Pouvez-vous avancer d'autres explications ?

Dans l'ensemble, le fait de ne pas avoir d'enfants entraîne des effets prévisibles sur la façon dont les jeunes adultes répartissent leur énergie entre les principaux rôles. À un niveau plus profond, toutefois, les adultes qui n'ont pas d'enfants peuvent devoir s'adapter différemment. Il existe une analyse très intéressante, provenant d'une étude longitudinale effectuée pendant 40 ans sur un groupe de garçons citadins, non délinquants, qui ont d'abord servi de groupe témoin pour une étude sur les jeunes délinquants (Snarey *et al.*, 1987). Sur les 343 hommes mariés qui faisaient encore partie de cet échantillon vers la fin de la quarantaine, 29 n'avaient pas d'enfants. Snarey et ses collaborateurs ont découvert que la façon dont ces hommes réagissaient à cette situation était un bon indicateur de leur santé mentale à l'âge de 47 ans. À cet âge, chaque homme était classé selon son degré de *générativité* (pour utiliser les termes d'Erikson). On considérait qu'un homme avait atteint ce stade s'il avait pris en charge la croissance et le bien-être d'autres adultes en assumant le rôle de mentor, d'éducateur ou de formateur. Parmi les hommes qui n'avaient pas d'enfants, ceux qui étaient perçus comme « très génératifs » avaient été plus portés à combler ce manque en trouvant un substitut. Par exemple, ils avaient adopté un enfant, fait partie de l'Association des Grands Frères et des Grandes Sœurs, ou participé à l'éducation d'un enfant, comme une nièce ou un neveu. Les hommes sans enfants classés comme « non génératifs » avaient eu tendance à choisir un animal domestique comme substitut d'un enfant.

Cette étude est unique et la prudence s'impose quant à ses conclusions. Pourtant, elle soulève la possibilité que certains aspects de la croissance psychologique au début de l'âge adulte peuvent dépendre du fait d'avoir la responsabilité de l'éducation et du bien-être d'un enfant ou de certains substituts raisonnables qui font appel aux mêmes qualités d'éducation et de soins.

EFFET DU MOMENT OÙ SURVIENNENT LES ÉVÉNEMENTS

Pour terminer, nous allons aborder brièvement les conséquences qu'entraînent les variations dans le moment précis où surviennent ces événements dans l'expérience d'un adulte. En règle générale, il semble toujours y avoir un prix à payer lorsqu'on est « en dehors des normes » en ce qui concerne l'adoption de n'importe lequel des principaux rôles au début de l'âge adulte. Nous avons déjà parlé des conséquences à long terme d'une naissance à un très jeune âge pour les parents (voir le chapitre 7). Le mariage précoce (avant 20 ans) est également lié à des risques élevés de divorce.

Même la séquence dans laquelle vous ajoutez des rôles clés semble faire une différence. Dans une analyse de données du recensement américain (1973) recueillies auprès de plus de 35 000 hommes, Dennis Hogan (1981) a découvert que l'on observait les plus bas taux de divorce chez les individus qui avaient suivi une séquence normale : finir ses études, trouver un emploi, puis se marier. On observait les taux de divorce les plus élevés chez ceux qui s'étaient d'abord mariés, même si ce mariage était survenu assez tard et même chez les individus ayant un niveau de scolarité élevé.

Bien sûr, les normes diffèrent d'une culture à l'autre et d'une cohorte à l'autre. En Amérique du Nord, l'âge idéal pour se marier est maintenant beaucoup plus reculé qu'il y a dix ans, et rien ne prouve que la séquence idéale définie par Hogan soit la séquence optimale aujourd'hui. Les principaux rôles du début de l'âge adulte ne s'acquièrent pas forcément mieux dans un ordre fixe, mais ils sont plus faciles à apprendre avec succès s'ils surviennent dans l'ordre *habituel* et au moment opportun.

Les hommes (ou les femmes) qui n'ont pas d'enfants peuvent satisfaire leur besoin d'éduquer et de prodiguer des soins aux autres de diverses façons, notamment en participant à des associations comme celle des Grands Frères et des Grandes Sœurs.

Différences individuelles

Q 22   Que peut-on dire de l'état de santé et de la satisfaction face à la vie des célibataires et des personnes mariées ?

Q 23   Comparez la courbe de la satisfaction conjugale chez les couples sans enfants et chez les couples avec enfants. En quoi diffère-t-elle ?

Q 24   Quels sont les effets de l'ordre d'apparition des trois principaux rôles de la vie adulte ?

RÉSUMÉ

1. Les tâches centrales dont les jeunes adultes doivent s'acquitter sont l'acquisition et l'apprentissage de trois nouveaux rôles majeurs : partenaire/époux, parent et travailleur.

2. Le processus commence par le départ du foyer parental, ce qui implique une séparation physique et émotionnelle des parents. Certains théoriciens croient que les jeunes adultes doivent renoncer à leur attachement de base aux parents.

3. Le nouvel attachement central devient l'attachement à un partenaire, qui peut ensuite servir de base de sécurité pour s'aventurer dans le monde du travail.

4. Selon Erikson, l'engagement dans l'intimité constitue la tâche centrale du jeune adulte.

5. Le choix des partenaires est très marqué par la similitude, notamment en ce qui concerne le type d'attachement. À tout le moins, les modèles d'attachement semblent influer sur la forme des relations que nous créons et les idées que nous nous faisons sur les autres.

6. La qualité des relations caractérisées par l'engagement — mariage ou cohabitation à long terme — tend à se détériorer dès la première année, en même temps qu'il se produit une baisse des interactions positives.

7. Les relations durables, par comparaison avec celles qui se soldent par un divorce ou une séparation, sont plus fréquentes chez les personnes qui s'engagent dans une relation munis de ressources adéquates (scolarité, habileté de résolution de problèmes, etc.) et chez les personnes qui acquièrent des stratégies positives de communication.

8. Chaque adulte se constitue également une « escorte sociale », qui comprend la famille, les amis et le partenaire. Les relations avec les membres de la famille tendent à être stables et empreintes de solidarité, même si elles sont moins centrales qu'elles ne l'étaient à un plus jeune âge.

9. Le nombre d'amis est généralement plus élevé au début de l'âge adulte qu'à n'importe quel âge. De plus, les différences sexuelles sont clairement établies sur le plan du nombre des amis et de la qualité de l'amitié : les femmes ont plus d'amis et leurs relations sont plus intimes.

10. Le nouveau rôle de parent entraîne des joies et du stress. La satisfaction conjugale connaît habituellement un déclin après la naissance du premier enfant et continue de décroître pendant tout le début de l'âge adulte ou presque. Au même moment, on observe une accentuation des rôles sexuels traditionnels dans le couple, ce que Gutmann appelle « l'impératif parental ».

11. Le choix de l'orientation professionnelle d'un adulte dépend de sa scolarité, de son intelligence, de ses antécédents familiaux, de ses ressources et de ses valeurs familiales, de sa personnalité et de son sexe. Les jeunes adultes très intelligents ou ceux qui ont un bon niveau de scolarité ont plus de chances de réussir sur le plan professionnel.

12. Les adultes ont également tendance à choisir des professions qui correspondent à leur personnalité et à être plus satisfaits de leur choix.

13. La satisfaction professionnelle augmente progressivement à partir du début de l'âge adulte, en partie parce que, au fil du temps, les emplois sont mieux rémunérés, moins répétitifs, plus créatifs et offrent plus de responsabilités.

14. Dans n'importe quel emploi ou profession, on accède en général très tôt aux promotions dans la vie adulte. La plupart des promotions sont obtenues entre 35 et 40 ans.

15. On peut dire que le rôle professionnel comprend deux stades : un stade d'essai (ou d'établissement) dans lequel on explore d'autres voies, et un stade de stabilisation dans lequel l'orientation professionnelle est établie.

16. Pour les femmes, il existe souvent un stade supplémentaire de travail discontinu où les responsabilités familiales alternent avec les périodes de travail à l'extérieur de la maison. Plus une femme a des antécédents de travail stables, plus elle a de chances de réussir sur le plan professionnel.

17. Lorsque les deux partenaires travaillent, les tâches domestiques ne sont pas divisées de manière équitable : la femme continue de prendre en charge plus de travail et elle connaît plus de conflits de rôles.

18. Certains aspects de la personnalité sont très stables durant l'âge adulte, particulièrement les cinq traits définis par McCrae et Costa : tendance à la névrose, extraversion, ouverture à l'expérience, amabilité et intégrité.

19. Il semble également y avoir des changements de la personnalité communs à tous les individus. Entre 30 et 40 ans, les jeunes adultes deviennent plus indépendants, plus confiants, plus sûrs d'eux, plus orientés vers la réussite, plus individualistes et moins soumis aux règles sociales.

20. Les adultes mariés ou qui vivent en concubinage sont plus heureux et en meilleure santé que les adultes célibataires. Par contre, chez les couples sans enfant, la baisse de la satisfaction conjugale est moins accentuée que chez ceux qui ont des enfants.

21. Le moment et l'ordre d'apparition des rôles principaux du jeune adulte sont aussi très importants. Il y a toujours un prix à payer lorsqu'on est en dehors des normes.

MOTS CLÉS

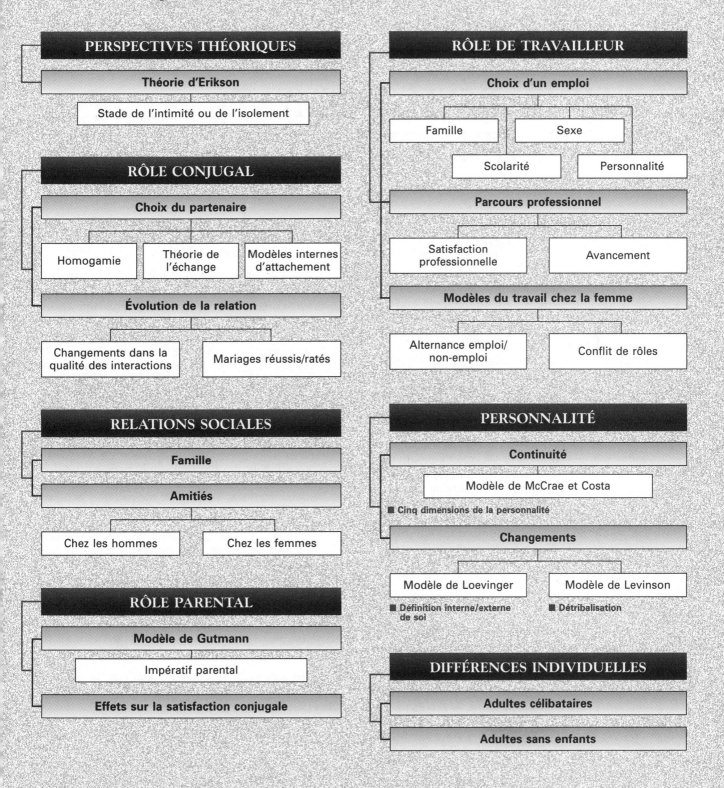

Interlude 4

RÉSUMÉ DU DÉVELOPPEMENT AU DÉBUT DE L'ÂGE ADULTE

CARACTÉRISTIQUES FONDAMENTALES DU DÉBUT DE L'ÂGE ADULTE

Dans notre culture où la jeunesse est placée sur un piédestal, la plupart des gens pensent que le début de l'âge adulte est la meilleure période de la vie et que, à ce moment, tout est plus facile. Physiquement, il n'y a pas l'ombre d'un doute. Les capacités physiques culminent entre l'âge de 20 et 40 ans. Tous les aspects du fonctionnement mental fondés sur la rapidité physiologique et l'efficacité sont à leur apogée, comme l'indique clairement le tableau à la page suivante. Néanmoins, sur le plan social et affectif, cette période est probablement la plus stressante et la plus difficile de l'âge adulte.

C'est à cette période de la vie que l'individu est appelé à maîtriser le plus grand nombre de rôles. En outre, ces années sont le théâtre de plus de changements qu'à toute autre période. Le démographe Ronald Rindfuss (1991) qualifie la période qui s'échelonne de 20 à 30 ans de «démographiquement intense» en raison des divers événements qui la caractérisent: le nombre de mariages, de divorces, de déménagements, de naissances, d'arrêt des études et de périodes de chômage est plus élevé qu'à n'importe quel autre moment.

Les adultes eux-mêmes considèrent que les tâches exécutées pendant cette période font partie des événements les plus marquants de leur existence. Si vous demandez à un adulte plus âgé de se remémorer sa vie d'adulte et d'énumérer les événements les plus importants de sa vie, il se rappellera davantage des événements qui se sont produits au début de sa vie adulte (Martin et Smyer, 1990). On peut également observer des signes de stress chez le jeune adulte qui fait face à cette myriade de nouvelles tâches, et ce stress se traduit par un taux plus élevé de détresse émotionnelle et de sentiment de solitude que chez l'adulte d'âge moyen ou avancé.

Puisque les normes concernant les différents rôles clés de l'adulte sont extérieures à l'individu, c'est à cette période de la vie que nous sommes le plus souvent définis par des critères externes. Non seulement nous évaluons-nous selon ces critères («Suis-je une bonne mère?», «Vais-je obtenir cette promotion?»), mais nous nous définissons nous-mêmes en fonction des rôles que nous assumons.

Selon une terminologie empruntée à la théorie de Jane Loevinger, il s'agirait d'une position de *conformisme* caractérisée non seulement par une source externe d'autorité, mais par une tendance à penser selon le mode «nous/eux», et à percevoir les autres et sa propre affectivité selon des stéréotypes. Des données provenant des études longitudinales décrites au chapitre 11 montrent que cette façon de se percevoir, propre au début de l'âge adulte, permet au jeune adulte d'atteindre vers la fin de la trentaine ou au début de la quarantaine ce que Loevinger appelle *le niveau de conscience de soi* et, finalement, le *stade de conscience* — deux aspects peut-être de ce que Levinson appelle la «détribalisation». Ayant maîtrisé ses rôles clés, le jeune adulte commence à se libérer de leurs contraintes. Il trouve le moyen de s'acquitter de ses obligations tout en exprimant son individualité.

Bien sûr, on ne peut affirmer que les jeunes adultes dans toutes les cultures vont nécessairement devenir plus confiants, qu'ils feront preuve de plus d'affirmation de soi et qu'ils seront plus indépendants à 40 ans. On ne dispose pas de données qui permettraient une telle affirmation. Cependant, il semble que cette tendance soit généralisée et qu'elle constitue même un élément de base du développement à l'âge adulte. Mais pourquoi?

Plusieurs explications se dessinent ici. Par exemple, on s'aperçoit parfois, au début de l'âge adulte, que l'observation des règles établies n'est pas forcément suivie des bénéfices escomptés. On n'obtient pas toujours la promotion pour laquelle on a fourni beaucoup de travail. On ne trouve pas nécessairement l'âme sœur, même si l'on a fait tout ce qu'il fallait pour cela. Élever des enfants n'apporte pas toujours la satisfaction et les joies espérées. Ces désillusions inévitables conduisent de nombreux individus à remettre en question les règles établies et à douter du bien-fondé des rôles prescrits.

Une autre source d'interrogation provient de la compétence acquise par de nombreux adultes dans leur rôle professionnel. Il arrive que l'on choisisse un

Résumé de la trame du développement au début de l'âge adulte

Aspect du développement	Âge (années)				
	20	25	30	35	40
Développement physique	Fonctions optimales dans tous les domaines; santé optimale; période idéale pour la grossesse; performances athlétiques optimales dans la plupart des sports.			Déclin des performances athlétiques pour les athlètes de haut niveau; quelques signes de déclin, bien que moins prononcés, pour l'ensemble de la population (les individus ne fonctionnant pas à un niveau optimal).	
Développement cognitif	Exécution optimale des tâches mentales requérant de la rapidité; capacité de mémorisation maximale dans la plupart des domaines.			Amélioration du quotient intellectuel et meilleure performance aux tests d'intelligence cristallisée portant sur le vocabulaire ou la résolution de problèmes.	
Développement des relations sociales et de la personnalité	Stade de l'intimité ou de l'isolement selon Erikson; dominant dans la vingtaine et encore central dans la trentaine. Période typique de l'acquisition de trois nouveaux rôles majeurs: conjoint, parent et travailleur. Paroxysme du sentiment de conflit de rôles en raison du cumul de ces rôles.				
Travail	Stade d'essai ou d'établissement: recherche de l'emploi approprié. Stade de stabilisation: période de la plupart des promotions; plafond normalement atteint à 40 ans.				
Relation amoureuse	Recherche du partenaire	Mariage	Déclin de la satisfaction conjugale après la naissance du premier enfant et au début de l'âge adulte.		
Personnalité	Période culminante de la définition de soi en fonction des rôles assumés. Continuité, pendant cette période, des cinq principales caractéristiques de la personnalité: tendance à la névrose, extraversion, ouverture à l'expérience, intégrité et amabilité.			Augmentation de la confiance en soi, de l'affirmation de soi, de l'indépendance; «détribalisation»; plus grande individualisation.	
Santé affective	Niveaux les plus élevés de dépression et de sentiment de solitude au début de la vingtaine.				

travail ou un cheminement de carrière afin de répondre à des exigences extérieures. Mais, ce faisant, on découvre parfois ses propres talents et capacités. Une telle prise de conscience augmente la confiance en soi et peut conduire à un concept de soi plus interne qui s'éloigne de la définition externe de soi. Au cours de ce processus, on peut aussi prendre conscience de certaines facettes que les rôles collectifs ne permettent pas d'exprimer, puis chercher des moyens de les mettre en lumière.

Ce processus d'individualisation s'amorce parfois au début de la vie adulte et atteint son apogée vers l'âge de 40 ans. Néanmoins, le début de l'âge adulte est davantage régi par l'horloge sociale et les contraintes sociales, c'est-à-dire les exigences et les restrictions imposées par les principaux rôles sociaux, que n'importe quelle autre période de la vie adulte.

PROCESSUS FONDAMENTAUX

Interrogé sur la clé du bonheur, Freud aurait répondu « l'amour et le travail ». Freud avait vu juste. On sait que les adultes qui sont heureux dans leur travail et dans leur vie de couple sont en général satisfaits de leur vie. Toutefois, il semble maintenant que l'amour soit l'élément le plus important. Par exemple, la satisfaction conjugale et familiale semble être le meilleur indicateur de la satisfaction d'un individu (à n'importe quelle période de la vie adulte) (Campbell, 1981 ; Glenn et Weaver, 1981 ; Sears, 1977). La satisfaction professionnelle, bien que déterminante, ne semble pas aussi fondamentale que la satisfaction conjugale.

Les travaux récents portant sur les modèles internes d'attachement révèlent aussi le caractère primordial des relations amoureuses. Dans un prolongement extrêmement intéressant de la théorie de l'attachement, Hazan et Shaver (1990) ont proposé de concevoir l'amour et le travail chez l'adulte de la même façon que Bowlby et Ainsworth concevaient l'attachement et l'exploration chez le jeune enfant. Bowlby croit que la propension à l'attachement et la tendance à l'exploration sont innées. Des deux cependant, l'attachement revêt une importance cruciale. Le système d'exploration ne fonctionnera à pleine capacité que si le système d'attachement n'est pas affaibli. Lorsqu'un enfant est fortement attaché, la personne à qui il est attaché peut lui servir de base de sécurité pour explorer le monde qui l'entoure. Mais si l'enfant ressent de l'anxiété face à cet attachement, l'anxiété nuira à son exploration.

Selon Hazan et Shaver, le travail est pour l'adulte l'équivalent de l'exploration. Il demeure la principale source du sentiment de compétence, comme c'est le cas pour l'exploration chez l'enfant. De plus, comme chez l'enfant, l'adulte réussit mieux dans son travail lorsqu'il possède une base de sécurité émotionnelle à partir de laquelle il peut s'ouvrir au monde extérieur.

Dans leurs recherches préliminaires, Hazan et Shaver (1990) ont vérifié cette hypothèse. Ils ont interrogé des sujets sur la façon dont ils percevaient la nature de leur attachement (en utilisant les descriptions du tableau 11.1) et sur plusieurs aspects de leur expérience professionnelle. Dans un échantillon de plusieurs centaines d'adultes âgés de 18 à 79 ans, ils ont découvert des différences marquées entre les adultes s'identifiant aux trois types d'attachements.

Les adultes fortement attachés s'inquiètent moins d'un échec professionnel et ont moins tendance à se sentir non appréciés. Ils ne laissent pas les exigences professionnelles empiéter sur leurs relations et leur santé, et ils profitent pleinement de leurs vacances.

Les adultes faiblement attachés, qualifiés d'anxieux en raison du manque de sécurité dans leurs relations, sont constamment préoccupés par des questions d'attachement et consacrent moins d'énergie à leurs tâches professionnelles. Ils s'inquiètent de leur rendement au travail, « préfèrent travailler en groupe mais ne se sentent pas appréciés à leur juste valeur, et craignent d'être rejetés à cause de leur rendement qu'ils jugent insuffisant. Ils possèdent un faible degré de concentration, ont de la difficulté à mener leurs projets à terme et ont tendance à se relâcher lorsqu'ils reçoivent des éloges » (p. 277).

Les sujets ayant un attachement faible de type fuyant aiment travailler seuls et sont prédisposés à devenir des bourreaux de travail. Ils prennent rarement des vacances, et ne les apprécient pas lorsqu'ils en prennent. Le travail leur permet d'éviter la vie sociale et les relations intimes.

Ces analogies entre le modèle d'attachement, les comportements professionnels et les sentiments sont saisissantes. Elles laissent entendre que notre approche du travail est profondément influencée par les forces et les faiblesses de nos modèles internes d'attachement ou de relations. Évidemment, cette étude ne prouve pas que l'amour soit plus important que le travail. Il faut encore effectuer des études longitudinales où l'on évaluera périodiquement la force de l'attachement et l'attitude à l'égard du travail pendant la vie adulte. Ce n'est que de cette façon que l'on pourra déterminer si la nature de l'attachement au début de la vie adulte peut être un indicateur du comportement et du succès professionnels. Mais il nous semble que Hazan et Shaver ont une conception juste des rôles de l'amour et du travail dans la vie adulte. Leur point de vue s'accorde bien avec la théorie d'Erikson, qui met l'accent sur la tâche de l'intimité au début de la vie adulte.

INFLUENCES SUR LES PROCESSUS FONDAMENTAUX

Chacun d'entre nous aborde les tâches de la vie adulte avec certains avantages et désavantages. En tête de liste se trouve la nature de notre attachement infantile, qu'il soit fort ou faible. Par exemple, des recherches révèlent que les adultes qui ont subi la perte d'un parent pendant l'enfance, pour cause de décès ou de divorce, risquent davantage de vivre des difficultés comme la dépression, une séparation ou un divorce et d'avoir des problèmes de santé (Harris, Brown et Bifulco, 1990 ; Amato et Keith, 1991). En outre, il semble que les adultes qui se sont sentis rejetés ou ont vécu une relation ambivalente avec leurs parents (qui sont donc plus portés à avoir un attachement faible ou insécurisant) ont plus de difficulté à établir des relations fortes ou sécurisantes durant la vie adulte. De plus, si Hazan et Shaver ont vu juste, ils pourraient connaître des expériences de travail plus agitées.

ORIGINES SOCIALES DE LA FAMILLE. Il est évident que les antécédents d'attachement ne sont pas les seuls éléments de cette équation. D'autres aspects des antécédents familiaux ont une très grande portée. Par exemple, les enfants issus d'une famille au statut socioéconomique défavorisé ont généralement un faible niveau de scolarité, ce qui influe à long terme sur leur expérience professionnelle d'adultes.

Toutefois, n'oubliez pas que cette affirmation est basée sur la *probabilité*. Un niveau de scolarité moins élevé, et donc un moins grand succès professionnel sont plus probables dans ce groupe, mais ce n'est pas forcément « inévitable ». Les jeunes peuvent échapper aux contraintes et aux carences affectives d'une enfance désordonnée et frappée du sceau de la pauvreté, comme le soulignent clairement les résultats d'une étude longitudinale à long terme décrite au chapitre 11. Dans le cadre d'une enquête sur l'origine et les conséquences de la délinquance, plusieurs centaines de garçons non délinquants provenant de quartiers pauvres et de familles à problèmes ont servi de groupe témoin (Snarey *et al.*, 1987 ; Glueck et Glueck, 1968). Ces adolescents non délinquants ont fait l'objet d'un suivi à l'âge adulte moyen, et on a constaté que la plupart d'entre eux avaient une vie stable et disposaient de revenus décents (Long et Vaillant, 1984). Cependant, plus la famille de l'homme avait été défavorisée (désorganisée, dépendante de l'assistance sociale, négligente ou maltraitant les enfants), plus cet homme courait le risque de demeurer dans une classe sociale défavorisée. Les hommes qui arrivaient à s'extraire de la classe sociale la plus défavorisée venaient de familles également pauvres, mais plus stables et mieux organisées. Ces chercheurs n'ont pas utilisé le système de classification des familles de Baumrind, mais on peut supposer qu'un passé d'interaction familiale démocratique est plus propice à l'ascension sociale. Ainsi, l'appartenance aux classes les plus pauvres de la société n'est pas irrémédiablement transmise à chaque nouvelle génération. Il existe des moyens permettant de contrer cette tendance. Mais il demeure que des antécédents familiaux de désordre et de privation représentent un handicap au début de la vie adulte.

PERSONNALITÉ. La personnalité de l'individu constitue un autre indicateur important dans la maîtrise des diverses tâches au début de la vie adulte. Une forte tendance à la névrose semble être particulièrement préjudiciable. En effet, il se peut que les différences que Hazan et Shaver (et d'autres) ont attribuées à des modèles internes d'attachement soient plutôt des variantes déguisées des types de personnalité de base. La personne faiblement attachée de type anxieux pourrait également présenter une tendance élevée à la névrose. Par contre, un lien similaire entre le tempérament et la force de l'attachement dans l'enfance ne semble pas vérifié. De nombreux enfants au tempérament « difficile » sont fortement attachés, même s'il existe des indications qu'un attachement moins fort est plus probable chez ces enfants. Il faut maintenant, dans les études sur les adultes, évaluer de manière distincte le sentiment de sécurité dans l'attachement et les traits de la personnalité. Est-il possible qu'un adulte névrotique soit fortement attaché ? Ces individus présentent-ils un modèle d'expériences adultes différent de celui d'autres adultes névrotiques ? Nous pensons que ces deux façons de concevoir les différences individuelles chez l'adulte se recoupent en partie, mais pas complètement. Elles sont toutes deux intéressantes. Toutefois, on ne possède pas encore de réponse à cette question empirique.

CHOIX PERSONNELS. La trajectoire de la vie adulte subit aussi l'influence d'une série de choix personnels, y compris ceux qui concernent les habitudes de santé ou le moment choisi pour assumer les différents rôles clés. Les effets des habitudes de santé sont souvent indécelables au début de la vie adulte, comme nous l'avons souligné au chapitre 10. Toutefois, ils se font ressentir chez l'adulte plus âgé et se traduisent par un taux de maladie et d'invalidité plus élevé chez les personnes qui ont de mauvaises habitudes de santé.

Par contre, les effets de la variation dans le moment choisi pour assumer les rôles clés sont observables dès le début de la vie adulte. La séquence et le moment du mariage, du rôle parental et du rôle professionnel créent ce que différents auteurs appellent des « voies », des « trajectoires » et des « points d'ancrage » dans la vie adulte (O'Rand, 1990 ; Hagestad, 1990 ; Elder, 1991). Par exemple, une femme qui travaille avant de se marier ou d'avoir des enfants touche en général un revenu total plus élevé que celle qui se marie et qui a des enfants avant d'entrer dans la vie active. De même, le fait de remettre à la trentaine la naissance des enfants se répercute sur tous les stades subséquents de la vie familiale. Entre autres, cela augmente la probabilité d'avoir le sentiment d'être «coincé» au milieu de l'âge adulte, avec des enfants qui ont toujours besoin de soutien en même temps que l'on doit assumer la responsabilité de parents vieillissants.

Comme nous l'avons déjà mentionné, il y a toujours un prix à payer lorsqu'on est en dehors des normes. Pourquoi? Il est possible que le fait d'être «en dehors des normes» dans la séquence opère en fonction d'un autre modèle interne, ce que Mildred Seltzer et Lillian Troll appellent le *cheminement prévu*. Lorsqu'on le leur demande, la plupart des jeunes adultes n'ont aucune difficulté à mettre par écrit leur projet de vie future. Chacun d'entre nous possède un modèle interne de la séquence normale ou escomptée des principaux événements de notre vie, ou des objectifs que nous pensons pouvoir atteindre à un âge donné. Il s'agit d'une sorte de plan de notre itinéraire futur. «Je vais terminer mes études, je vais me marier, j'aurai trois enfants, puis je travaillerai. Quand j'aurai 50 ans, mes enfants auront quitté la maison et je serai capable de me concentrer sur ma carrière». Ou «Je ne veux pas me marier avant l'âge de 30 ans parce que je désire devenir la plus jeune associée du cabinet juridique».

Ces prévisions prennent leur source à la fois dans des modèles familiaux précis et dans les attentes du rôle social d'une cohorte donnée dans une culture particulière. Lorsqu'on peut les réaliser, ces prévisions permettent d'anticiper des événements stressants et de réduire leur portée négative car on y est préparé. Par exemple, la retraite peut sembler un bouleversement majeur, mais elle engendre rarement des effets négatifs car on l'anticipe et on la planifie.

Toutefois, selon Seltzer et Troll, lorsque la trajectoire de notre vie adulte ne suit pas nos prévisions, nous en payons le prix. Par exemple, les jeunes femmes des années 1960 se mariaient vers 21 ou

22 ans. Celles dont les prévisions ne se sont pas réalisées ont dû complètement changer leur façon de voir les choses, et cela ne s'est pas fait sans difficulté. À l'époque, une femme qui ne se mariait pas au début de la vingtaine sortait des «normes» et brisait certains moules. Cela évoquait un certain échec de la féminité.

On peut aussi observer un effet négatif associé au fait d'être en dehors des normes pour des raisons beaucoup plus simples: dans une culture donnée, le moment où se produisent certains événements comporte objectivement plus de difficultés. Par exemple, les femmes qui sont veuves à 30 ans ont beaucoup plus de difficulté à composer avec le deuil que les femmes qui vivent le veuvage à l'âge de 60 ou 70 ans (Ball, 1976-77). Cela peut être dû au fait que le veuvage à la trentaine est une déviation importante de l'itinéraire de vie prévu. Mais la plus grande difficulté d'adaptation de la jeune veuve peut provenir du fait qu'elle doit subvenir aux besoins de jeunes enfants sans disposer des ressources financières adéquates.

Que l'on pense à ce processus comme à un autre effet des modèles internes ou comme étant fonction de stress plus objectifs associés à un certain déroulement ou à une certaine séquence d'événements, l'élément primordial demeure que les choix que nous faisons et les événements fortuits auxquels nous devons faire face au début de la vie adulte façonnent notre expérience pour de nombreuses années à venir.

La perception que l'on a du début de la vie adulte, soit une période où l'on doit se battre pour survivre ou une période où l'on peut saisir diverses occasions, est le reflet d'une vision de base pessimiste ou optimiste. Toutefois, on peut affirmer de manière objective que, pendant cette période, l'adulte dispose de plus d'énergie, d'une plus grande rapidité et d'une plus grande force qu'à n'importe quelle autre période de la vie — des qualités nécessaires si l'on pense à toutes les tâches complexes que l'on doit accomplir à cette étape précise de la vie.

LECTURES SUGGÉRÉES

EN FRANÇAIS

BIGRAS, M., L. Fortin et Y. Picard (1995), «Habiletés sociales et troubles du comportement chez les élèves en difficultés d'apprentissage scolaire et les décrocheurs au secondaire», *Revue québécoise de psychologie*, vol. 16, n° 3, p. 159 à 171. (Cette étude récente indique notamment que les décrocheurs présentent plus de lacunes que les autres adolescents sur le plan des habiletés sociales.)

BOLDUC, D., H. Steiger et F. Leung (1993), «Prévalence des attitudes et comportements inadaptés face à l'alimentation chez des adolescentes de la région de Montréal», *Santé mentale du Québec*, vol. 18, n° 2, p. 183 à 196. (Cette étude intéressante se penche sur la boulimie et l'anorexie mentale chez des adolescentes.)

CLAES, M. (1995), «Le développement à l'adolescence: fiction, faits et principaux enjeux», *Revue québécoise de psychologie*, vol. 16, n° 3, p. 63 à 68. (L'auteur remet les pendules à l'heure quant à plusieurs préjugés sur la période de l'adolescence.)

CLOUTIER, R. (1982), *Psychologie de l'adolescence*, Chicoutimi, Gaëtan Morin Éditeur. (Cette référence indispensable traite de la plupart des thèmes reliés à l'adolescence.)

CLOUTIER, R. (1995), «L'image des adolescents rongée par les mythes», *Revue québécoise de psychologie*, vol. 16, n° 3, p. 89 à 107. (Cet article présente une réflexion sur quatre préjugés entachant l'image des adolescents.)

COHEN, D., S. Cailloux-Cohen et l'AGIDD-SMQ (1995), *Guide critique des médicaments de l'âme*, Montréal, Éditions de l'Homme. (Ce guide invite à jeter un regard critique sur les médicaments utilisés dans le traitement de la détresse psychologique et des problèmes de santé mentale.)

COLLOQUE de l'Association scientifique pour la modification du comportement (1995), *La violence chez les jeunes: compréhension et intervention*, Montréal, Éditions Sciences et Culture. (À l'intention des personnes désireuses de mieux comprendre le phénomène de la violence chez les jeunes.)

DEBIGARÉ, J. (1995), *L'intimité*, Montréal, Éditions du Méridien. (Ce psychologue s'intéresse aux questions qui touchent l'intimité dans les relations humaines.)

DELAGRAVE, M. (1995), *Les ados: mode d'emploi à l'usage des parents*, Beaupré, Éditions MNH. (L'auteur est travailleur social et offre un petit guide de conseils pour aider les parents aux prises avec la «crise d'adolescence».)

DUCLOS, G., D. Laporte et L. Sévigny (1995), *Comment développer l'estime de soi de nos adolescents: guide pratique à l'intention des parents*, Montréal, Service des publications de l'hôpital Sainte-Justine. (Ce guide présente des exercices pratiques à faire avec les adolescents.)

FENWICK, E. et R. Walker (1995), *Sex'Ado*, Montréal, Éditions Libre Expression. (Ce livre s'adresse aux adolescents. De lecture aisée, bien illustré, il leur offre une réflexion sur la sexualité, en dehors de la morale traditionnelle.)

GAUTHIER, M. (1994), *Une société sans les jeunes?*, Québec, Institut québécois de recherche sur la culture. (L'auteure étudie la situation des jeunes dans la société québécoise, notamment leur insertion professionnelle et sociale, et ce que représenterait leur absence pour l'avenir de la société.)

RIVARD, C. (1991), *Les décrocheurs scolaires, les comprendre, les aider*, Montréal, Éditions Hurtubise HMH. (Ce livre bien documenté offre une vision d'ensemble du phénomène du décrochage scolaire.)

RIVIÈRE, B. (1995), «La dynamique psychosociale du décrochage au collégial», *Revue québécoise de psychologie*, vol. 16, n° 3, p. 177 à 197. (Cette étude révèle la dynamique psychosociale du décrochage au collégial qui se manifeste sous forme de trois séquences temporelles: le prédécrochage, le décrochage et le postdécrochage.)

SAINTONGE, S. et L. Lachance (1995), «Validation d'une adaptation canadienne-française du test de séparation-individuation à l'adolescence», *Revue québécoise de psychologie*, vol. 16, n° 3, p. 199 à 221. (Cet article présente la théorie de séparation-individuation de Mahler et l'adaptation qui en a été effectuée au Québec.)

WILKINS, J. (1995), «Anorexie mentale et boulimie, un modèle d'intervention qui tient compte des enjeux de l'adolescence», *Revue québécoise de psychologie*, vol. 16, n° 3, p. 133 à 158. (Cet article très intéressant propose une approche des troubles de l'alimentation inspirée d'une vision développementale et expérimentée auprès de plus de 500 adolescents.)

WILSON, J. R. et J. A. Wilson (1995), *Comprendre les dépendances*, Montréal, Éditions Sciences et Culture. (Ce livre utile s'adresse aux intervenants, aux groupes d'entraide ainsi qu'aux proches des personnes sous la dépendance de l'alcool, des drogues, du jeu, et qui ont perdu la maîtrise de leur vie.)

EN ANGLAIS

BETZ, N. E. et L. F. Fitzgerald (1987), *The career psychology of women*, Orlando, Academic Press. (Une présentation très détaillée des connaissances actuelles des modèles du travail des femmes aux États-Unis : orientation et évolution professionnelles, et conflits travail/famille.)

FELDMAN, S. S. et G. R. Elliott (dir.) (1990), *At the threshold : The developing adolescent*, Cambridge, Harvard University Press. (Ce recueil d'excellents articles écrits par des spécialistes passe en revue les différents aspects de l'expérience de l'adolescence. Parmi ces articles se trouve un admirable résumé portant sur les changements physiques liés à la puberté, écrit par Jeanne Brooks-Gunn et Edward Reiter.)

GILMOUR, R. et S. Duck (dir.) (1986), *The emerging field of personal relationships*, Hillsdale, Lawrence Erlbaum Associates. (Un recueil particulièrement utile de documents sur les relations au début de l'âge adulte et plus tard. Il comprend notamment une analyse de l'étude longitudinale effectuée par Ted Huston sur les mariages précoces et un article par Reis sur les différences sexuelles dans les relations interpersonnelles.)

GREENBERGER, E. et L. Steinberg (1986), *When teenagers work : The psychological and social costs of adolescent employment*, New York, Basic Books. (Un livre clair et convaincant sur les effets du travail chez les adolescents.)

HAYES, C. D. (dir.) (1987), *Risking the future : Adolescent sexuality, pregnancy, and childbearing*, vol. 1, Washington, National Academy Press. (Ce livre est le rapport final d'un comité de réflexion sur la grossesse chez les adolescentes créé par le Conseil National de la Recherche aux États-Unis. Il contient d'excellentes analyses sur tous les aspects de la sexualité et de la grossesse chez les adolescentes, ainsi qu'une présentation des problèmes à long terme de la sexualité précoce et de la grossesse à l'adolescence. Un deuxième volume comprend plus de détails sur ces travaux de recherche.)

KURTINES, W. M. et J. L. Gewirtz (dir.) (1991), *Handbook of moral behavior and development*, Hillsdale, Lawrence Erlbaum Associates. (Ce manuel en trois volumes a été préparé en commémoration du travail de Lawrence Kohlberg. Le volume 1 traite de la théorie, le volume 2, de la recherche et le volume 3, des applications. Si ce domaine vous intéresse, il n'existe pas de documentation plus à jour et plus exhaustive.)

MCCRAE, R. R. et P. T. Costa fils, (1990), *Personality in adulthood*, New York, The Guilford Press. (Ce petit livre présente les théories de McCrae et de Costa sur les traits de la personnalité, et il offre une analyse des résultats de leur étude longitudinale.)

MALINA, R. M. (1990), « Physical growth and performance during the transitional years (9-16) », *in* R. Montemayor, G. R. Adams et T. P. Gullotta (dir.), *From childhood to adolescence : A transitional period?*, Newbury Park, Sage. (En quelque sorte, Malina a repris les travaux là où Tanner s'est arrêté, en nous fournissant une mise à jour sur la croissance physique normale. Ce document met l'accent sur la puberté, mais il contient des références aux travaux de Malina qui portent sur d'autres tranches d'âge.)

SALTHOUSE, T. A. (1991), *Theoretical perspectives on cognitive aging*, Hillsdale, Lawrence Erlbaum Associates. (Analyse approfondie de toutes les données disponibles sur les changements cognitifs qui ont lieu du début de l'âge adulte à l'âge adulte avancé. Ce livre n'est pas un ouvrage de vulgarisation, mais il constitue une excellente source de références pour presque tous les aspects de ce sujet complexe.)

SCHNEIDER, E. L. et J. W. Rowe (dir.) (1990), *Handbook of the biology of aging*, 3e éd., San Diego, Academic Press. (Un résumé de rapports techniques faisant le point sur les connaissances actuelles à propos des différents aspects du vieillissement biologique, y compris les changements touchant le cerveau, le système circulatoire et le système immunitaire.)

SELIGMAN, M. E. P. (1991), *Learned optimism*, New York, Alfred A. Knopf. (Présentation de la célèbre théorie de Seligman sur l'optimisme et le sentiment d'impuissance acquis, à l'intention du lecteur profane. Cette théorie est très stimulante intellectuellement.)

STEINBERG, L. et A. Levine (1990), *You and your adolescent : A parent's guide for ages 10 to 20*, New York, Harper & Row. (Les auteurs de ce livre exceptionnel font partie des chercheurs les plus innovateurs dans les études sur l'adolescence. Ils s'appuient sur une recherche pointue, mais le livre, destiné aux parents, est très accessible.)

TANNER, J. M. (1978), *Fetus into man : Physical growth from conception to maturity*, Cambridge, Harvard University Press. (Ce petit livre très détaillé et de lecture aisée contient les informations les plus importantes sur la croissance physique.)

Quatrième partie

La période de l'âge adulte moyen et de l'âge adulte avancé

Dans cette quatrième partie du manuel, nous nous penchons sur la période de l'âge adulte moyen et de l'âge adulte avancé. Dans les chapitres 12 et 13, nous étudions respectivement les fonctions physiques et cognitives ainsi que les relations sociales et la personnalité à l'âge adulte moyen. Nous suivons les mêmes aspects du développement chez l'adulte d'âge avancé dans les chapitres 14 et 15.

Dans la partie précédente, nous avons vu que l'horloge biologique était particulièrement bruyante pendant l'adolescence et que les influences de l'horloge biologique et de l'horloge sociale s'inversaient presque complètement au début de l'âge adulte. Au milieu de l'âge adulte, on constate pour la première fois un certain équilibre entre l'horloge biologique et l'horloge sociale. D'une part, les changements physiques associés au vieillissement deviennent plus apparents, d'autre part les rôles sociaux deviennent moins rigoureux ou contraignants. Par ailleurs, si la notion de stade n'est plus aussi appropriée à l'âge adulte moyen, il demeure que tous les adultes connaissent certaines séquences communes de développement ou d'expériences. Il semble qu'il existe un rythme de base créé par l'alternance entre la continuité et le changement. Toutefois, ce sont surtout les changements de rôles qui entraînent des variations de la structure stable de la vie à cette période, de même que les changements de vie imprévus ou survenant en dehors des normes temporelles, telle la perte d'un emploi.

À l'âge adulte avancé, l'horloge biologique reprend une place prépondérante. Cependant, les effets du vieillissement ne se font véritablement sentir qu'à la toute fin de notre existence, si l'on enlève le facteur de la maladie de l'équation. L'espérance de vie a considérablement augmenté au cours des dernières décennies, si bien qu'une bonne partie d'entre nous peut s'attendre à parcourir encore un long trajet. Soulignons encore qu'une infinie variété de modèles de vie s'offrent aux adultes d'âge avancé, et que chaque chemin emprunté offre une opportunité de changement et de croissance personnelle. C'est sur cette note d'optimisme que nous abordons ici la dernière étape de notre voyage à travers les âges de la vie de l'être humain.

12

L'ÂGE ADULTE MOYEN : DÉVELOPPEMENT PHYSIQUE ET COGNITIF

l'occasion d'un voyage en Chine que j'ai fait à l'âge de 46 ans, mes premières bouffées de chaleur sont apparues. Nos hôtes chinois ne cessaient de faire des commentaires sur la rougeur de mon visage. Ils n'avaient pas tort ! De retour chez moi, en analysant les avantages et les inconvénients de l'hormonothérapie substitutive, j'ai décidé de ne pas entreprendre ce traitement. Je considérais que la ménopause était un processus naturel et que, si des millions d'autres femmes avaient survécu aux bouffées de chaleur, j'y survivrais moi aussi. Je ne savais pas à ce moment-là que je faisais partie de la minorité des femmes atteintes de bouffées de chaleur à long terme. Mais après avoir enduré de 10 à 30 bouffées de chaleur chaque jour pendant 4 ans, et après avoir pris connaissance des nouvelles données sur l'effet de prévention de l'hormonothérapie contre les maladies du cœur, j'ai changé d'avis. Par la même occasion, j'ai décidé de subir plus régulièrement des examens médicaux, notamment des mammographies. Le compromis s'est révélé satisfaisant dans mon cas. Vous aussi vous devrez faire un choix en fonction des informations dont vous disposerez quand votre tour sera venu de prendre une décision.

HELEN BEE

Le milieu de la vie adulte constitue une période particulièrement intéressante du point de vue des capacités physiques et cognitives. Dans notre culture, les gens pensent généralement que le grand déclin physique et mental débute au milieu de l'âge adulte. Nous croyons que notre corps commencera à décliner physiquement et que notre mémoire se détériorera de plus en plus dans la quarantaine et dans la cinquantaine (Ryan, 1992). Il est vrai que certains de ces phénomènes se produisent. La mémoire devient moins efficace dans certaines situations, la vision et l'ouïe baissent, nous devenons légèrement plus lents et, en quelque sorte, plus faibles. Toutefois, il est étonnant de constater que la perte est beaucoup moins importante qu'on ne le croit en général, du moins *chez les adultes en bonne santé*. En effet, les personnes en bonne santé maintiennent la plupart de leurs capacités physiques et cognitives ou n'en subissent qu'une perte très graduelle au milieu de leur vie adulte.

FONCTIONS PHYSIQUES

Les adultes qui ont survécu jusqu'à l'âge de 40 ans peuvent s'attendre à vivre encore de nombreuses années. On utilise le terme technique d'**espérance de vie** pour désigner le nombre moyen d'années restant à vivre à une personne d'âge donné.

On établit une distinction entre l'espérance de vie et la **durée de vie.** Ce dernier terme désigne la limite supérieure, le nombre d'années que tout membre d'une espèce donnée peut s'attendre à vivre. La durée de vie des êtres humains — la limite supérieure — semble se situer aux environs de 110 ans. À ce moment précis de l'histoire de l'humanité, l'espérance de vie est très inférieure à la durée de vie. Néanmoins, on a assisté à une augmentation étonnamment rapide de l'espérance de vie dans les pays développés au cours des dernières décennies, ce qui résulte davantage d'un allongement de la durée de vie que du recul de la mortalité infantile. En 1951 au Québec, l'espérance de vie à la naissance était de 64,4 ans chez les hommes et de 68,6 ans chez les femmes; en 1993, elle était de 73,9 ans chez les hommes et de 80,8 chez les femmes (Bureau de la statistique du Québec, 1995). Le gain pour les hommes a été inférieur, mais pour les deux sexes, les gains ont été impressionnants. Certains médecins et physiologistes soutiennent que l'amélioration des soins de santé et des habitudes de vie permettront à la grande majorité des adultes d'atteindre le plein potentiel de leur durée de vie.

> Selon vous, pourquoi croit-on généralement dans notre culture qu'un déclin physique important débute au milieu de la vie adulte? Que faudrait-il faire pour modifier cette idée préconçue?

Espérance de vie : Nombre moyen d'années qu'une personne d'un âge donné (à la naissance ou à 65 ans, par exemple) peut espérer vivre encore.

Durée de vie : Théoriquement, nombre maximal d'années de vie pour une espèce donnée. On présume que même des découvertes importantes dans le domaine des soins de santé ne nous permettront pas de dépasser cette limite.

Ces nouvelles sont encourageantes pour les personnes qui entrent dans l'âge adulte moyen, car la majorité des personnes âgées de 40 ans (dans les pays industrialisés tout au moins) n'ont atteint que le milieu de leur vie. Quels types de changements corporels ces personnes de 40 ans doivent-elles s'attendre à connaître au cours des 25 années à venir ?

CHANGEMENTS PHYSIQUES

Le tableau 12.1 schématise la plupart des données actuellement disponibles sur les changements physiques communs du milieu de l'âge adulte. Pour un grand nombre des fonctions physiques, la dégénérescence ou le déclin mesurable peut débuter dans la quarantaine ou la cinquantaine, mais il est très progressif au cours de la vie adulte et ne s'accélère qu'après l'âge de 65 ou même de 75 ans. Pour d'autres parties de l'organisme, le déclin est déjà bien entamé au milieu de l'âge adulte, et c'est cette série de changements que nous allons traiter ci-dessous.

SYSTÈME REPRODUCTEUR. Si l'on vous demandait de ne nommer qu'un seul changement physique important se produisant au milieu de l'âge adulte, vous mentionneriez sans doute la ménopause — surtout si vous êtes une femme. Le terme plus général de climatère désigne la perte de la capacité de reproduction survenant à l'âge adulte moyen ou avancé, tant chez la femme que chez l'homme.

Chez l'homme, le climatère est très graduel, avec une faible perte de la capacité de reproduction. Cependant, on observe des variations importantes d'un homme à l'autre. Des hommes âgés de 90 ans et plus sont devenus pères. En moyenne, il y a apparemment une diminution de la quantité de sperme viable produite, et ce à partir de l'âge de 40 ans. De plus, les testicules rétrécissent légèrement et le volume de liquide séminal diminue après l'âge de 60 ans environ.

Le facteur responsable semble être le déclin également graduel du taux de testostérone survenant au début de l'âge adulte et se poursuivant à l'âge adulte avancé (Gray *et al.*, 1991). Puisque ce déclin a maintenant été observé dans des études transversales, où l'on compare seulement des adultes de tout âge en bonne santé, de même que dans des comparaisons plus standard, on peut être raisonnablement assuré de la fiabilité de ces découvertes.

La diminution des hormones sexuelles clés est aussi responsable de la série de changements que l'on appelle ménopause chez la femme. Alors qu'approche la ménopause — littéralement la cessation des règles —, les ovaires ralentissent sensiblement leur production des deux hormones principales, soit les œstrogènes et la progestérone. En outre, ils sont de moins en moins sensibles à la stimulation des hormones hypophysaires, qui contribuent à la régularisation des taux d'œstrogènes. La figure 12.1 présente les différences

entre les femmes en préménopause et en postménopause en fait de taux d'œstradiol et d'œstrone, soit deux formes d'œstrogènes. La progestérone diminue encore davantage, passant d'environ 10 000 picogrammes par millilitre avant la ménopause à seulement 200 picogrammes après.

Dans le chapitre 8, nous avons vu que l'augmentation rapide des différentes formes d'œstrogènes, sécrétées par les ovaires, déclenche la menstruation et stimule le développement des seins et des caractères sexuels secondaires durant la puberté. Chez la femme adulte, les taux d'œstrogènes sont élevés durant les 14 premiers jours du cycle menstruel, stimulant ainsi la libération de l'ovule et la préparation de l'utérus pour une implantation éventuelle. La quantité de progestérone, qui est sécrétée par les glandes surrénales, augmente durant la seconde moitié du cycle menstruel et stimule le rejet des substances accumulées dans l'utérus chaque mois lorsqu'il n'y a pas eu fécondation.

Lorsque les taux d'œstrogènes commencent à baisser au cours des années précédant la ménopause, certaines irrégularités apparaissent parfois dans les menstruations. En effet, il

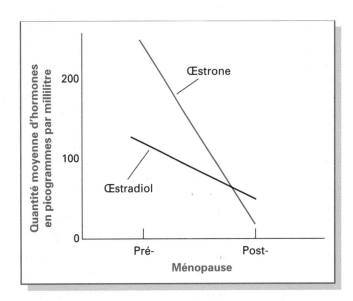

Figure 12.1 Hormones et ménopause. L'un des principaux changements qu'entraîne le climatère chez les femmes est la diminution du taux de deux des formes d'œstrogènes. Cette baisse déclenche la ménopause et aggrave aussi la décalcification et les risques de cardiopathie. (*Source* : Harman et Talbert, 1985, tiré du tableau 3, p. 466.)

Climatère : Terme général désignant la période de la vie (chez l'homme et chez la femme) qui marque la fin de la capacité de reproduction à l'âge adulte. On emploie également le terme *ménopause* chez la femme.

Ménopause : Terme utilisé pour faire référence au moment du climatère chez la femme où les menstruations cessent totalement. En général, ce terme est fréquemment employé comme synonyme de climatère chez la femme.

Tableau 12.1

Résumé des changements de la fonction physique reliés à l'âge

Fonction ou structure corporelle	Âge auquel le changement commence à être visible ou mesurable	Nature du changement
Vision	40 à 50 ans	Le cristallin de l'œil s'épaissit et perd de sa capacité d'accommodation, ce qui entraîne la presbytie et une plus grande sensibilité à la lumière.
Ouïe	Vers 50 ans	Perte de la capacité de discernement des sons très hauts et très bas.
Odorat	Vers 40 ans	Déclin de la capacité de détecter ou de distinguer différentes odeurs.
Goût	Aucun	Aucune perte apparente dans la capacité de distinction des goûts.
Muscles	Environ 50 ans	Perte du tissu musculaire, surtout dans les fibres à «réaction rapide» utilisées pour les élans de force ou de vitesse, entraînant ainsi une diminution de la force physique.
Ossature	Après la ménopause chez la femme, plus tard chez l'homme	Décalcification des os, appelée *ostéoporose*. Aussi, usure et déchirure des articulations, appelée *arthrose*, plus marquée après l'âge de 60 ans.
Cœur et poumons	35 ou 40 ans	Aucune différence liée à l'âge dans les mesures prises au repos; déclin dans la plupart des aspects de ces fonctions lorsqu'elles sont évaluées pendant ou après l'exercice.
Système nerveux	40 à 45 ans	Diminution de la densité des dendrites; perte de la substance grise du cerveau; diminution de la masse cérébrale; ralentissement de la vitesse synaptique.
Système immunitaire	Adolescence	Diminution de la masse du thymus; réduction du nombre des lymphocytes T.
Système reproducteur	Milieu de la trentaine chez la femme	Augmentation des risques liés à la reproduction et diminution de la fertilité.
Élasticité cellulaire	Graduelle	Perte graduelle de la plupart des cellules, y compris celles de la peau, des muscles, des tendons et des vaisseaux sanguins. Détérioration plus importante des cellules exposées à la lumière.
Taille	40 ans	Compression des disques dans la colonne vertébrale, donnant lieu à une perte de taille de 2,5 à 5 cm vers l'âge de 80 ans.
Poids	Modèle non linéaire	Les études effectuées en Amérique du Nord révèlent que le poids maximal est atteint au milieu de l'âge adulte. La graisse est aussi redistribuée au milieu de l'âge adulte: moins de tissus adipeux sur le visage, dans les jambes et dans les avant-bras et davantage dans le haut des bras, dans le ventre et dans les fesses.
Peau	40 ans	Augmentation des rides due à la perte d'élasticité; les glandes qui sécrètent la sueur et le sébum (matière grasse produite par les glandes sébacées) deviennent moins efficaces.
Cheveux	Environ 50 ans	Deviennent plus fins et commencent à grisonner.

Sources: Bartoshuk et Weiffenbach, 1990; Bornstein, 1988; Braveman, 1987; Doty *et al.*, 1984; Duara, London et Rapoport, 1985; Finch, 1986; Fozard, 1990; Hallfrisch *et al.*, 1990; Kallman, Plato et Tobin, 1990; Kozma, Stones et Hannah, 1991; Lakatta, 1985, 1990; Lim *et al.*, 1992; McFalls, 1990; Miller, 1990; Rossman, 1980; Selmanowitz, Rizer et Orentreich, 1977; Shock, 1985; Wilkinson et Allison, 1989.

arrive que le signal donné par les œstrogènes à l'ovaire pour qu'il libère un ovule soit trop faible. Pendant un certain nombre d'années, les taux d'œstrogènes peuvent fluctuer d'un cycle mensuel à l'autre, de sorte que les menstruations deviennent imprévisibles. Finalement, les taux d'œstrogènes se maintiennent à un niveau constamment bas qui ne suffit plus à déclencher la libération d'un ovule. Les menstruations cessent alors, c'est la ménopause. L'âge moyen de la ménopause chez les femmes d'Amérique du Nord, et chez les femmes des autres pays du monde où des études ont été effectuées — y compris l'Europe, l'Afrique du Sud, l'Inde et la Nouvelle-Guinée —, se situe généralement entre 49 et 51 ans, bien que la ménopause semble se produire plus tôt chez les femmes qui souffrent de malnutrition. En outre, près de 8 % des femmes ne souffrant pas de malnutrition connaissent une ménopause précoce, avant l'âge de 40 ans (Weg, 1987a).

La diminution des œstrogènes altère également le tissu des organes génitaux et les autres tissus. Les seins perdent de leur fermeté et on assiste à une diminution des tissus des organes génitaux : l'utérus rétrécit, le vagin devient plus court et son diamètre se réduit. Les parois du vagin s'amenuisent, perdent de leur élasticité et produisent moins de lubrification durant les rapports sexuels (Weg, 1987b).

La femme dont la ménopause approche n'a pas immédiatement conscience de tous ces changements. Néanmoins, le symptôme le plus apparent découle lui aussi des rapides changements hormonaux. Il s'agit des *bouffées de chaleur*, soit une sensation de chaleur qui se répand rapidement, accompagnée de rougeurs sur la poitrine et le visage, et suivie de sueurs abondantes. L'insomnie accompagne souvent la ménopause, car les bouffées de chaleur sont plus courantes la nuit.

Les causes de ce phénomène pourtant très commun ne sont pas encore bien comprises. On croit toutefois qu'elles sont provoquées par l'une des deux hormones hypophysaires — l'hormone lutéinisante, ou LH — dont la tâche consiste à ordonner aux ovaires de sécréter une plus grande quantité d'œstrogènes. Lorsque les ovaires ne réagissent pas, il n'y a plus d'œstrogènes pour équilibrer l'hormone hypophysaire. C'est ce qui produit les bouffées de chaleur. Finalement, l'hypophyse cesse de sécréter des taux élevés de LH et les bouffées de chaleur disparaissent (Kletzky et Borenstein, 1987).

Près de 50 à 75 % des femmes en période préménopausique ou postménopausique sont incommodées par des bouffées de chaleur (qui indiquent le début de la *périménopause*, laquelle se termine un an après l'arrêt définitif des règles). Environ 85 % de ces femmes en sont victimes pendant plus de 1 an, et au moins un tiers en souffrent pendant plus de 5 ans (Kletzky et Borenstein, 1987). Les bouffées de chaleur ne sont certainement pas fatales, mais elles peuvent être socialement gênantes et perturber sérieusement le sommeil.

Le climatère chez la femme soulève une autre question pleine d'intérêt. Depuis longtemps, la ménopause fait l'objet de rumeurs. Elle entraînerait des troubles affectifs considérables aussi bien que des changements physiques évidents. On prétend que les femmes sont émotives, coléreuses, déprimées et même acariâtres durant ces années du milieu de la vie. Il y a cinq ans encore, ces présomptions relevaient du mythe. Aujourd'hui, des informations laissent supposer que certaines femmes présenteraient une augmentation de divers symptômes psychologiques dans les années *précédant* immédiatement la ménopause. Cependant, les recherches sur ce sujet sont peu nombreuses et les résultats ne concordent pas toujours.

On dispose de certaines données intéressantes grâce à une importante étude épidémiologique sur les troubles affectifs effectuée aux États-Unis — étude que nous avons déjà mentionnée (Regier *et al.*, 1988). Lorsque les sujets de cette étude sont regroupés non par décennie mais par année, les résultats révèlent, chez les femmes, mais non chez les hommes, une augmentation plutôt abrupte de la dépression débutant vers l'âge de 35 ans et se terminant vers l'âge de 43 ou 44 ans (Anthony et Aboraya, 1992). Le taux de dépression significatif le plus élevé se situe à environ 4,5 %. De nombreuses études équivalentes mais plus modestes montrent une augmentation de l'irritabilité vers la fin de la trentaine ou au début de la quarantaine (Dennerstein, 1987). La difficulté que posent bon nombre de ces études, y compris l'étude épidémiologique de Regier, est que l'âge, et non le statut ménopausique, constitue généralement la variable indépendante. Par conséquent, on observe ici le signe d'une augmentation des problèmes chez les femmes de 40 ans environ. Mais on ne peut savoir si cette augmentation est liée aux changements hormonaux qui précèdent la ménopause ou à un ensemble de conditions sociales propres à cet âge. En outre, d'autres études n'indiquent aucune augmentation de ces symptômes durant ces mêmes années (Eisdorfer et Raskind, 1975 ; Weg, 1983). Par exemple, Bernice Neugarten (1976) a étudié un échantillon de 100 femmes « normales », âgées de 43 à 53 ans. Elle a évalué une gamme complète de symptômes et de traits psychologiques, y compris l'anxiété, la dépression, la satisfaction générale face à la vie et l'estime de soi. Le statut ménopausique *n'était relié* à aucune de ces variables. Il serait nécessaire d'effectuer d'autres recherches de ce type, portant sur des échantillons de femmes beaucoup plus considérables, afin de trancher la question.

VISION ET OUÏE. Un second changement marque le milieu de l'âge adulte : il s'agit de la perte de l'acuité visuelle. La plupart d'entre nous auront besoin de lunettes pour lire

> Quels effets ces changements physiques liés à la reproduction peuvent-ils avoir sur le comportement sexuel chez des hommes et des femmes du milieu de l'âge adulte ou sur leur attitude face à la sexualité ?

LE MONDE RÉEL

Les avantages et les inconvénients de l'hormonothérapie substitutive

La plupart des symptômes physiques de la ménopause, dont les bouffées de chaleur, l'amincissement de la paroi vaginale et la perte de lubrification vaginale, peuvent être considérablement atténués par l'absorption orale d'œstrogènes et de progestérone. Puisque nos lectrices devront un jour décider si elles doivent suivre une telle thérapie, nous allons vous présenter l'état actuel des connaissances à ce sujet.

L'hormonothérapie substitutive a connu des hauts et des bas au cours des dernières décennies. Dans les années 1950 et 1960, la thérapie à base d'œstrogènes était devenue très courante. Dans certaines études effectuées aux États-Unis, près de la moitié des femmes en postménopause affirmaient suivre une hormonothérapie substitutive, et ce depuis 10 ans ou plus pour nombre d'entre elles (Stadel et Weiss, 1975). Dans les années 1970, toutefois, on a montré que le risque de cancer de l'endomètre (paroi interne de l'utérus) était de 3 à 10 fois plus élevé chez les femmes qui prenaient des œstrogènes de substitution (Nathanson et Lorenz, 1982). En conséquence, lorsque cette information a été révélée au grand public, la popularité de cette thérapie a considérablement chuté.

Entre-temps, on a découvert que la combinaison d'œstrogènes et de progestérone à des doses peu élevées avait les mêmes avantages que les œstrogènes et éliminait les risques accrus de cancer de l'endomètre. On a également fait valoir deux autres avantages de la thérapie à base d'œstrogènes. D'abord, elle retarde nettement la décalcification osseuse qui caractérise l'ostéoporose. Ensuite, il semble que les œstrogènes réduisent également les risques de maladies du cœur, en grande partie en augmentant les taux de lipoprotéines de haute densité et en diminuant les taux de lipoprotéines de faible densité (Ross *et al.*, 1987).

On a commencé à soupçonner l'existence d'un lien entre les œstrogènes et les maladies du cœur en constatant que les taux de crise cardiaque sont très faibles chez les femmes en période préménopausique, mais qu'ils augmentent considérablement après la ménopause. Cette hypothèse a été renforcée par de nombreuses études épidémiologiques selon lesquelles les femmes qui prennent des œstrogènes de substitution présentent environ *moitié* moins de risques de mourir d'une maladie du cœur que les femmes qui ne reçoivent pas d'œstrogènes en période postménopausique (Ross *et al.*, 1987 ; Barrett-Connor et Bush, 1991). Cependant, presque toutes ces recherches portaient sur des femmes prenant seulement des œstrogènes. La combinaison d'œstrogènes et de progestérone semble être légèrement moins bénéfique, même si les recherches sur cette question sont limitées. Cela paraît presque trop beau pour être vrai, n'est-ce pas ? Pourquoi toutes les femmes en postménopause ne suivraient-elles pas une hormonothérapie substitutive ? Il existe certains arguments à l'encontre de cette thérapie. Premièrement, beaucoup de femmes considèrent que le processus de vieillissement, y compris les changements qui surviennent à la ménopause, sont des processus physiques naturels sur lesquels elles ne veulent pas intervenir. Deuxièmement, on ne connaît pas encore toutes les réponses aux questions sur les effets secondaires d'une hormonothérapie prolongée, notamment en ce qui concerne l'existence d'une corrélation entre la prise d'hormones et le cancer du sein. Voici ce que nous indiquent les évaluations sur les données existantes :

> L'usage à long terme de l'hormonothérapie substitutive à base d'œstrogènes en doses modérément élevées entraîne une augmentation sensible des risques de cancer du sein. Les faibles doses prises à court terme ne suscitent aucune augmentation apparente des risques. Quant

aux effets des faibles doses prises pendant de longues périodes, ils n'ont pas été suffisamment étudiés, mais ils semblent ne pas être trop considérables. (Henderson, Ross et Pike, 1987, p. 270.)

Remarquez que le dosage et la durée de l'hormonothérapie semblent déterminants. Puisque la plupart des hormonothérapies sont à base de très faibles doses, il est possible qu'elles n'augmentent pas les risques. Mais nous ne pourrons en avoir la certitude que grâce à des données supplémentaires, notamment quant aux effets des combinaisons d'œstrogènes et de progestérone. En attendant, de nombreux médecins déconseillent l'hormonothérapie de substitution aux femmes qui ont été atteintes d'un cancer du sein ou à celles qui présentent des prédispositions élevées, par exemple les femmes dont la mère ou la sœur a déjà eu un cancer du sein.

ou de lunettes bifocales à l'âge de 45 ou 50 ans. Deux changements s'opèrent, appelés collectivement **presbytie**. Premièrement, le cristallin de l'œil s'épaissit. Suivant un processus qui débute dès l'enfance, mais n'entraîne des effets visibles qu'au milieu de la vie adulte, des couches de tissus pigmentés recouvrent une à une le cristallin. Comme la lumière qui pénètre dans l'œil doit traverser ce tissu jaunâtre et épais, la quantité de lumière qui atteint la rétine diminue, ce qui réduit la sensibilité visuelle, surtout aux couleurs à ondes courtes comme le bleu, le turquoise et le violet (Bornstein, 1988).

En raison de cet épaississement, les muscles entourant l'œil ont de plus en plus de mal à adapter la forme du cristallin pour faire la mise au point. Dans l'œil jeune, la forme du cristallin s'ajuste en fonction de la distance. Ainsi, quel que soit l'éloignement des objets, les rayons de lumière traversent l'œil pour converger vers la rétine à l'arrière de l'œil et produire une image claire. Mais au fur et à mesure que l'épaisseur augmente, l'élasticité du cristallin diminue et ces ajustements deviennent impossibles. De nombreuses images sont alors brouillées (Briggs, 1990). En particulier, la capacité de mise au point sur des objets proches se détériore rapidement dans la quarantaine ou dans la cinquantaine. Par conséquent, les adultes d'âge moyen tiennent souvent leur livre et d'autres objets de plus en plus loin, car c'est la seule façon pour eux d'obtenir une image claire. Finalement, il arrive un moment où il n'est plus possible de déchiffrer les caractères à la distance où l'on parvient à faire la mise au point et le port de lunettes ou de lunettes bifocales s'impose alors, ce qui exige une adaptation à la fois physique et psychologique.

Ces changements sont apparemment universels et inévitables, et ils sont inhérents au vieillissement. Ils semblent aussi survenir de la même façon, que vous commenciez à porter immédiatement des lunettes ou que vous en retardiez le port le plus longtemps possible. Ces changements influent également sur la capacité de s'adapter rapidement à des variations d'intensité lumineuse, comme le passage en pleins phares lorsque l'on conduit la nuit ou par temps de pluie. La conduite et d'autres activités de ce type peuvent donc devenir plus stressantes.

Le processus équivalent pour l'ouïe, appelé **presbyacousie,** n'a des effets sur l'acuité auditive que plus tard. La perte touche principalement la capacité de percevoir les sons à très haute ou très basse fréquence, ce qui semble provenir du vieillissement. Les nerfs auditifs et les structures internes de l'oreille dégénèrent de façon progressive. Cette diminution est généralement peu apparente avant l'âge d'environ 50 ans, et seul un pourcentage infime d'adultes d'âge moyen ont besoin de prothèses auditives, alors que la majorité des gens doivent porter des lunettes (Fozard, 1990). Toutefois,

Vers l'âge de 45 ou 50 ans, presque tout le monde a besoin de porter des lunettes, surtout pour lire.

Presbytie : Perte normale de l'acuité visuelle avec l'âge, caractérisée par l'incapacité de distinguer avec netteté les objets proches. Elle se traduit par un épaississement de couches de tissu sur le cristallin et une perte d'élasticité.

Presbyacousie : Perte normale de l'ouïe avec l'âge, en particulier des sons aigus, liée au vieillissement physiologique du système auditif.

RAPPORT DE RECHERCHE

Pourquoi les femmes vivent-elles plus longtemps que les hommes?

La longévité des femmes n'a pas toujours été supérieure à celle des hommes à travers les siècles. De même, de nos jours, les femmes n'ont pas l'avantage sur les hommes dans toutes les cultures. Lorsque les taux de mortalité durant la maternité ou l'accouchement sont très élevés, l'espérance de vie des femmes est généralement égale ou inférieure à celle des hommes. Mais lorsque l'on parvient à réduire le taux de mortalité durant la maternité, les femmes commencent à montrer des avantages très importants sur le plan de la longévité (Verbrugge et Wingard, 1987). Pour élucider ce phénomène, on a avancé des explications sur le plan biologique et social.

L'argument biologique le plus convaincant consiste à dire que les femmes seraient physiquement moins vulnérables à certaines ou à toutes les maladies. Nous avons mentionné, dans les chapitres 3 et 4, que les garçons sont plus vulnérables que les filles à une grande quantité de problèmes avant la naissance et durant la première année de vie. Il se peut que les différences de longévité à l'âge adulte moyen et à l'âge adulte avancé reflètent simplement ce même écart dans la vulnérabilité fondamentale. Les hommes sont plus enclins à hériter des maladies récessives liées aux chromosomes sexuels et plus vulnérables au syndrome de fragilité du chromosome X, et leurs taux peu élevés d'œstrogènes les rendent peut-être plus vulnérables aux maladies du cœur. La différence concernant les risques de cardiopathie est particulièrement frappante. Entre l'âge de 45 et 54 ans, 237 hommes sur 100 000 meurent d'une cardiopathie, contre seulement 74 femmes (Verbrugge, 1989). Après la ménopause, lorsque les taux d'œstrogènes déclinent chez les femmes, cet écart dans les risques de maladies du cœur diminue, bien qu'il ne disparaisse pas complètement, même à l'âge adulte avancé. Les œstrogènes pourraient avoir comme effet particulier d'améliorer la densité du «bon» cholestérol, soit les lipoprotéines de haute densité, et de réduire le taux de «mauvais» cholestérol, soit les lipoprotéines de basse densité (Hazzard, 1985). Toutefois, il ne s'agit que d'une hypothèse.

Les facteurs sociaux sont plus nombreux (Verbrugge, 1984, 1985, 1989) et, sans doute, tout aussi importants. En premier lieu, le travail des femmes les expose à des risques environnementaux moins élevés. Cette situation risque de changer pour les prochaines cohortes, à mesure que l'on observe une plus grande égalité dans l'emploi. Mais au sein des cohortes d'âge moyen ou avancé, il est clair que les hommes étaient plus exposés que les femmes à des risques comme l'asbestose, la fumée et les produits chimiques de différents types. En outre, les emplois physiquement dangereux, comme ceux de policier, pompier ou bûcheron, sont souvent occupés par des hommes.

Par ailleurs, les femmes ont recours aux soins médicaux plus régulièrement. Elles passent des examens médicaux plus souvent, même lorsqu'elles se sentent bien, et consultent un médecin plus tôt que les hommes quand elles sont malades, ce qui améliore leurs chances de guérison (Verbrugge et Wingard, 1987). Elles ont généralement une meilleure hygiène de vie ainsi que de meilleures habitudes de santé, et ce dès le début de l'âge adulte. Elles prennent davantage de vitamines, elles fument moins et consomment moins d'alcool. Dans l'étude du comté d'Alameda (voir le chapitre 10), Berkman et Breslow (1983) ont découvert que les femmes étaient plus susceptibles que les hommes d'être obèses, mais moins enclines à fumer ou à boire de manière excessive. Les différences sexuelles en matière de tabagisme sont moins marquées maintenant qu'elles ne l'étaient il y a quelques générations. On peut donc s'attendre à voir s'estomper les différences en ce qui concerne les décès des suites du tabagisme, comme le cancer du poumon ou la cardiopathie.

Lorsque l'on compare la longévité des hommes à celle des femmes, après avoir vérifié tous ces facteurs sociaux, l'écart des différences sexuelles diminue, mais ne disparaît pas totalement. Surtout, les différences sexuelles en ce qui concerne les risques de mortalité liés à la cardiopathie demeurent importantes, même si l'on retire de l'équation les habitudes de vie et la profession (Verbrugge et Wingard, 1987). Ainsi, les explications sociales ne sont pas suffisantes, ou alors on ne connaît pas encore tous les facteurs sociaux qui peuvent entrer en compte. Les réseaux sociaux plus intimes des femmes, par exemple, peuvent avoir un effet tampon partiel sur les conséquences du stress. Malheureusement, on ne possède pas encore les réponses à toutes ces questions fascinantes.

l'ampleur de la perte auditive est bien plus importante chez les adultes qui travaillent ou vivent dans des environnements très bruyants (Baltes, Reese et Nesselroade, 1977) ou qui écoutent régulièrement de la musique à un volume très élevé. Les musiciens de rock, semble-t-il, souffrent de presbyacousie très jeunes.

Os. Les os commencent aussi à se transformer considérablement au milieu de la vie adulte. Entre l'âge de 40 et 70 ans, les femmes perdent environ 20 %, et les hommes 10 %, de leur masse osseuse. Ce changement, appelé ostéoporose, provient d'une décalcification qui fragilise les os et les rend poreux. Chez les femmes, la décalcification est très peu marquée avant la ménopause, mais elle s'accélère après. Des études effectuées sur des Italiennes, par exemple, montrent que la décalcification de la colonne vertébrale évolue au rythme de 4 % par an au cours des trois premières années qui suivent la ménopause, puis au rythme de 2 % par an. La perte de calcium est plus lente pour les autres os (Ortolani *et al.*, 1991). L'ensemble de ces pertes a pour effet d'augmenter considérablement le risque de fractures (Lindsay, 1985). Chez les femmes et les hommes plus âgés, les fractures peuvent constituer une cause importante d'invalidité ou de réduction de l'activité. Il ne s'agit donc pas d'un changement anodin.

Chez les femmes, la décalcification est manifestement reliée aux taux d'œstrogènes. On sait que les taux d'œstrogènes baissent fortement après la ménopause, et que c'est le moment où survient la ménopause, et non l'âge, qui déclenche une augmentation de la vitesse de décalcification. On sait aussi que la substitution des œstrogènes perdus par des œstrogènes de synthèse ramène le taux de perte osseuse à des concentrations préménopausiques (Duursma *et al.*, 1991). L'existence d'un tel lien ne fait donc aucun doute.

Alors qu'une perte osseuse constitue une composante normale du processus de vieillissement, l'ampleur de cette perte varie d'une personne à l'autre. Nous avons dressé la liste des facteurs de risque connus dans le tableau 12.2.

Tous les exercices faisant intervenir les articulations portantes aident à prévenir l'ostéoporose, mais la marche semble être particulièrement bénéfique.

> Si vous étiez responsable d'un programme de santé publique, comment vous y prendriez-vous pour convaincre les jeunes adultes qu'ils ne devraient pas écouter la musique à des volumes trop élevés sur des baladeurs à cause des risques de perte auditive précoce et grave ? Selon vous, quels arguments seraient efficaces ?

Ostéoporose : Diminution de la masse osseuse avec l'âge, caractérisée par la fragilisation des os et l'augmentation de la porosité du tissu osseux.

Tableau 12.2
Facteurs de risque associés à l'ostéoporose

Race. Les Noirs sont exposés à des risques plus élevés que les Blancs, pour des raisons inconnues.

Sexe. Les femmes sont exposées à des risques beaucoup plus élevés que les hommes.

Poids. Les personnes légères, proportionnellement à leur taille, présentent des risques plus élevés. On pense en effet que le fait de porter quelques kilos supplémentaires permet en soi de faire plus d'exercices faisant intervenir les articulations portantes, et donc de réduire les risques d'ostéoporose.

Survenue du climatère. Les femmes qui ont une ménopause précoce, et celles qui ont subi une ovariectomie, sont particulièrement exposées, sans doute parce que leur taux d'œstrogènes commence à diminuer à un âge plus jeune.

Antécédents familiaux. Les femmes qui ont des antécédents familiaux d'ostéoporose courent des risques plus élevés.

Régime alimentaire. Les personnes qui ont des régimes à faible teneur en calcium et à haute teneur en caféine, ou en alcool, constituent un groupe à risque. Toutefois, il n'a pas été prouvé qu'une augmentation considérable de l'absorption de calcium chez les femmes en postménopause réduise ces risques.

Exercice. Les personnes qui ont un mode de vie sédentaire sont exposées à des risques plus élevés. L'immobilité prolongée, l'alitement par exemple, aggrave aussi le taux de décalcification. L'augmentation de l'exercice ralentit la décalcification.

Sources : Goldberg et Hagberg, 1990 ; Gordon et Vaughan, 1986 ; Lindsay, 1985 ; Smith, 1982.

Mis à part le recours aux hormones artificielles, la mesure la plus efficace que vous pourriez prendre pour prévenir l'ostéoporose, c'est de faire de l'exercice, en particulier des activités faisant intervenir les articulations portantes, comme la marche. Ainsi, dans une étude récente, les femmes en postménopause ayant entrepris un programme de marche, de course à pied ou autre, pendant une heure, trois fois par semaine, ont présenté une *augmentation* de la minéralisation osseuse de 5,2 % à l'intérieur d'une période de 9 mois, contre une perte de 1,4 % dans le groupe témoin ne faisant pas d'exercice (Dalsky *et al.*, 1988). Mais cet avantage se dissipe lorsque l'exercice n'est pas poursuivi.

Changements physiques

Q 1   Différenciez l'espérance de vie de la durée de vie.

Q 2   Décrivez les changements physiques qui touchent le système reproducteur chez l'homme et chez la femme.

Q 3   Quels sont les effets secondaires associés à la ménopause ?

Q 4   Quels changements physiques touchent la vision ?

Q 5   Qu'est-ce que la presbyacousie ?

Q 6   Décrivez l'ostéoporose. Comment peut-on prévenir cette maladie ?

SANTÉ : MALADIE ET MORTALITÉ

Une autre façon d'envisager les changements physiques du milieu de la vie consiste à étudier la santé. Quels types de maladie et de troubles de santé observe-t-on à l'âge adulte moyen ? Quelles sont les principales causes de décès ?

MALADIE ET INVALIDITÉ. Le nombre d'adultes en parfaite santé décline au milieu de la vie. On a diagnostiqué une maladie ou une invalidité quelconque chez la moitié des adultes de 40 à 65 ans. Certains étaient atteints d'un trouble important (non décelé) comme les premiers stades d'une maladie du cœur. Les jeunes adultes sont plus sujets à des affections aiguës, dont les rhumes, les grippes, les infections et les troubles digestifs. Mais les adultes d'âge moyen souffrent davantage de maladies ou d'invalidités plus chroniques.

On observe un phénomène similaire lorsqu'on étudie les effets de la maladie et de l'invalidité sur le comportement. Lorsqu'on a interrogé des adultes au Québec en 1991 au sujet de leur capacité d'effectuer différentes activités quotidiennes, comme une difficulté à soulever des objets lourds, on a découvert que 8 % des personnes de 15 à 34 ans souffraient au moins d'une incapacité partielle, contre 14 % chez les personnes de 35 à 54 ans, 27 % chez les personnes de 55 à 64 ans et 46 % chez les personnes de 65 ans et plus (Statistique Canada, 1995). Par contre, très peu de gens sont invalides au point d'être incapables de prendre soin d'eux-mêmes physiquement (Verbrugge, 1984).

DÉCÈS. La mortalité totale au Québec en 1993, toutes causes confondues, a triplé entre le début de l'âge adulte et l'âge adulte moyen. Le groupe des personnes âgées de 25 à 44 ans représentait 5,9 % du total des décès (tous groupes confondus) comparativement à 18,2 % pour le groupe des 45 à 64 ans. Par ailleurs, si on divise l'âge adulte moyen en deux sous-groupes, on constate que le taux de décès double entre le groupe des 45 à 54 ans (6 % du total des décès) et le groupe des 55 à 64 ans (12,2 % du total des décès). (Bureau de la statistique du Québec, 1995.)

Au milieu de l'âge adulte, la maladie devient pour la première fois la plus importante cause de décès, devant les causes violentes (accident ou homicide). Le tableau 12.3 expose les trois principales causes de décès chez les hommes et les femmes à l'âge adulte au Québec en 1993. Par ailleurs, pour tous les groupes d'âge (sauf après 85 ans), les femmes ont un taux de mortalité beaucoup plus bas que les hommes — un autre reflet des différences sexuelles fondamentales dans l'espérance de vie, dont nous avons déjà parlé. Cependant, on note un paradoxe fascinant : les femmes vivent plus longtemps, mais elles sont atteintes d'un plus grand nombre de maladies et de troubles de santé et d'invalidité que les hommes. Les femmes ont plus tendance à se décrire en mauvaise santé, elles ont plus de maladies chroniques comme l'arthrite, et elles subissent de plus grandes restrictions dans leurs activités quotidiennes.

Cette différence est déjà nette au début de l'âge adulte, et elle s'accroît en vieillissant. Vers l'âge adulte avancé, les femmes ont une plus grande prédisposition aux maladies chroniques (Verbrugge et Wingard, 1987). Au début de l'âge adulte, la différence concernant les risques de maladie peut être largement attribuée à des troubles de santé liés à la grossesse. Plus tard, elle ne peut s'expliquer de la même manière.

Comment est-il possible que les hommes meurent plus jeunes, mais qu'ils soient en meilleure santé lorsqu'ils sont vivants ? Lois Verbrugge, le chercheur le plus influent sur ces questions (Verbrugge, 1984, 1989 ; Verbrugge et Wingard, 1987), croit que l'on peut résoudre ce paradoxe en analysant les maladies particulières dont souffrent les hommes et les femmes, et les maladies dont ils meurent respectivement.

Tableau 12.3

Principales causes de mortalité chez les hommes et les femmes d'âge adulte, Québec, 1993

Causes de décès	25 à 44 ans		45 à 64 ans		65 ans et plus		Total	
	Hommes	Femmes	Hommes	Femmes	Hommes	Femmes	Hommes	Femmes
Cancer	13,3 %	39,5 %	39,3 %	53,7 %	30,8 %	24,3 %	30,3 %	28,7 %
Cardiopathie	14,2 %	10,8 %	33,4 %	22,4 %	39,7 %	44,7 %	34,9 %	39,4 %
Traumatismes et empoisonnements	47 %	28,1 %	9,4 %	5,8 %	2,3 %	2,3 %	7,3 %	3,8 %

Source : Bureau de la statistique du Québec, 1995.

Les femmes meurent des mêmes maladies que les hommes, mais elles les contractent plus tard en général (sauf dans les cas du cancer), et survivent plus longtemps après en avoir été atteintes, sans doute parce qu'elles suivent un traitement plus rapidement. Parallèlement, les femmes sont beaucoup plus enclines à contracter des maladies chroniques *non fatales*, principalement l'arthrite, une maladie qui peut être liée à l'importante décalcification postménopausique. Par conséquent, les femmes sont susceptibles de vivre plusieurs années supplémentaires en souffrant d'une invalidité (Kaplan, Anderson et Wingard, 1991).

Nous allons maintenant approfondir chacune des deux principales causes de mortalité au milieu de l'âge adulte : les maladies du cœur et le cancer.

CARDIOPATHIE. Si le taux de **cardiopathie** a chuté rapidement au cours des dernières années, ce type de maladie constitue encore la principale cause de décès en Amérique du Nord et dans les pays développés, tous âges confondus (White *et al.*, 1986). La cardiopathie couvre une variété de problèmes physiques, mais le changement clé se situe dans les artères. Chez les personnes souffrant de cardiopathie, les artères sont bloquées par des tissus fibreux et calcifiés : on nomme ce processus l'*artériosclérose*. Les principales artères peuvent finir par se bloquer complètement, produisant ainsi ce que l'on appelle couramment une *crise cardiaque* si l'occlusion survient dans les artères coronaires, ou un *accident vasculaire cérébral* lorsque l'occlusion se produit dans le cerveau. L'artériosclérose *n'est pas* inhérente au vieillissement. Il s'agit d'une maladie, dont la fréquence s'accroît avec l'âge, mais qui n'est pas inévitable.

Certaines personnes sont plus exposées que d'autres à la cardiopathie. Les meilleurs renseignements dont on dispose proviennent de nombreuses études épidémiologiques à long terme, comme l'étude de Framingham qui s'est attachée au suivi, dans le temps, de la santé et des habitudes de vie d'un grand nombre d'individus. Dans l'étude de Framingham, 5 209 adultes ont d'abord été étudiés en 1948, alors qu'ils étaient âgés de 30 à 59 ans. Leur santé (et la mortalité) a depuis été évaluée à plusieurs reprises (Dawber, Kannel et Lyell, 1963 ; Kannel et Gordon, 1980 ; Anderson, Castelli et Levy, 1987). Ainsi, il a été possible de déterminer les caractéristiques qui ont entraîné une cardiopathie par la suite. La colonne gauche du tableau 12.4 dresse la liste des facteurs de risque bien établis qui ressortent de l'étude de Framingham et d'études équivalentes, ainsi que d'autres facteurs qui sont moins bien établis.

Puisque des listes comme celles-ci ont été publiées dans de nombreuses revues et journaux qui s'adressent au grand public, ces renseignements ne sont sans doute pas nouveaux pour vous. Ce qu'il est important de comprendre, par contre, c'est que ces risques sont cumulatifs, tout comme les habitudes de vie étudiées dans le comté d'Alameda semblaient l'être : plus vous avez de comportements ou de caractéristiques à risques, plus vous êtes susceptible de souffrir d'une maladie du cœur. De plus, l'effet n'est pas simplement cumulatif. Par exemple, les forts taux de cholestérol sont trois fois plus graves chez les fumeurs que chez les non-fumeurs (Tunstall-Pedoe et Smith, 1990).

CANCER. Lorsqu'on analyse la deuxième cause principale de décès chez les adultes d'âge moyen (et plus âgés), soit le cancer, on observe un parallèle, mais aussi certaines différences, avec la cardiopathie. Le tableau 12.3 compare les taux de mortalité dus au cancer et à la cardiopathie durant l'âge adulte. La mortalité due au cancer augmente au milieu de l'âge adulte mais baisse à l'âge adulte avancé, alors que la

---

Quels arguments pourrait-on présenter pour prouver que les femmes sont plus résistantes que les hommes ? Et pour prouver le contraire ?

Cardiopathie : Terme générique utilisé par les médecins pour désigner toute affection du cœur et du système circulatoire, comprenant plus précisément un rétrécissement des artères accompagné de plaques (artériosclérose).

Tableau 12.4

Facteurs de risque associés aux maladies du cœur et au cancer

Risque	Maladie du cœur	Cancer
Tabagisme	Risque important ; plus vous fumez, plus les risques sont élevés. Cesser de fumer réduit ce risque.	Augmente considérablement les risques de cancer du poumon et de cancer du pancréas.
Pression artérielle	Pression systolique supérieure à 140, reliée à des risques plus élevés ; plus la pression artérielle est élevée, plus les risques sont grands.	Aucun risque connu.
Poids (obésité)	Augmentation des risques avec tout poids supérieur à 30 % du poids normal proportionnellement à la taille.	Risques accrus de cancer du sein reliés à l'obésité.
Cholestérol	Risque très net pour un cholestérol supérieur à 200 ; la concentration élevée de lipoprotéines de faible densité semble constituer un facteur important.	Aucun risque connu.
Faible activité physique	Les adultes inactifs présentent environ deux fois plus de risques.	L'inactivité est associée à des risques accrus de cancer du colon[a].
Régime alimentaire	Les régimes à haute teneur en lipides (gras saturé) augmentent les risques.	Les régimes à haute teneur en lipides augmentent les risques ; les régimes à haute teneur en fibres diminuent les risques[a].
Hérédité	Les membres de la famille au premier degré sont de 7 à 10 fois plus exposés à la cardiopathie.	Certaines implications, mais les mécanismes ne sont pas parfaitement clairs[a].

[a]Ces éléments sont moins bien établis.
Sources : Benfante et Reed, 1990 ; Berlin et Colditz, 1990 ; Chamberlain et Galton, 1990 ; Fozard, Metter et Brant, 1990 ; Kannel et Gordon, 1980 ; Kritchevsky, 1990 ; McGandy, 1988 ; Shipley, Pocock et Marmot, 1991.

mortalité causée par la cardiopathie s'accroît de manière considérable à l'âge adulte avancé.

Ces deux types de maladies sont semblables dans le sens qu'elles n'atteignent personne de façon complètement aléatoire. En effet, comme vous pouvez le voir au tableau 12.4, certains facteurs de risque interviennent dans les deux maladies. Parmi les facteurs de risque du cancer que nous avons énumérés dans la colonne de gauche du tableau, le régime alimentaire est incontestablement le plus controversé, surtout en ce qui concerne le rôle des graisses alimentaires. Alors que certains experts estiment que près de 35 % des décès causés par le cancer sont attribuables au régime alimentaire (Bal et Foerster, 1991), d'autres pensent qu'il ne s'agit encore que d'une spéculation (Carroll, 1991).

Au risque de nous répéter, permettez-nous de mentionner de nouveau que les facteurs de risque cités au tableau 12.4

Santé : maladie et mortalité

Q 7   Quelles sont les principales causes de décès chez les hommes et chez les femmes de 40 à 64 ans ?

Q 8   Expliquez pourquoi les hommes meurent plus jeunes que les femmes, bien qu'ils soient en meilleure santé tout au long de la vie.

Q 9   Définissez les termes suivants : artériosclérose, accident vasculaire cérébral, crise cardiaque.

Q 10   Quels sont les principaux facteurs de risque liés aux maladies du cœur et au cancer ?

RAPPORT DE RECHERCHE

Comportement de type A et cardiopathie

Si vous lisez régulièrement dans la presse les articles sur les maladies du cœur, vous savez que nous avons omis, dans le tableau 12.4, l'un des facteurs de risque les plus controversés, habituellement appelé comportement de type A ou **personnalité de type A**. Cette omission est délibérée, car les risques véritablement reliés à ce comportement font l'objet d'une polémique.

La personnalité de type A a été décrite pour la première fois par deux cardiologues, Meyer Friedman et Ray Rosenman (1974; Rosenman et Friedman, 1983). Ils ont été frappés par la constance avec laquelle, apparemment, les patients qui souffraient de maladies du cœur présentaient certaines caractéristiques, dont un esprit de compétition, l'impression que le temps presse, l'hostilité et l'agressivité. Ces sujets, dits de type A, se comparaient constamment aux autres, voulant toujours être les meilleurs. Ils avaient un horaire chargé, chronométraient leurs activités quotidiennes et tentaient généralement d'accomplir certaines tâches un peu plus rapidement tous les jours. Ils avaient des conflits fréquents avec leurs collègues et leur famille. Les personnes de type B, par ailleurs, étaient considérées comme moins pressées, plus détendues, moins hostiles, et avaient moins un esprit de compétition.

Les premières recherches menées par Friedman et Rosenman suggèrent que le comportement de type A est lié à des taux élevés de cholestérol, et donc à des risques plus grands de cardiopathie, même chez les personnes qui ne souffrent pas de maladies du cœur déclarées. Toutefois, des recherches plus poussées ont donné depuis des résultats contradictoires qui sont venus modifier l'hypothèse de départ (Booth-Kewley et H. Friedman, 1987; Matthews, 1988; Miller *et al.*, 1991).

En premier lieu, toutes les facettes de la personnalité de type A, telles qu'elles étaient décrites initialement, ne semblent pas jouer un rôle équivalent dans la cardiopathie. On a pu établir que l'influence la plus constante était celle de l'hostilité, alors que celle de l'esprit de compétition était très faible. L'impression que le temps presse n'est pas reliée systématiquement à la cardiopathie.

De plus, chez les personnes qui présentent déjà des risques de cardiopathie — à cause du tabagisme, d'une pression artérielle élevée, etc. —, une grande hostilité n'est pas un facteur prédictif de maladies du cœur. Par exemple, si deux adultes ont une pression artérielle élevée et un taux important de cholestérol, ils risquent tous les deux de souffrir d'une maladie du cœur, même si l'un fait preuve d'une grande hostilité et l'autre non. C'est seulement pour les personnes qui n'affichent pas d'autres facteurs de risque que les traits de personnalité de type A ajoutent des informations utiles à cette prévision. L'effet est relativement minime, mais sur de grands échantillons d'adultes à faible risque, les personnes hostiles et à l'esprit de compétition sont légèrement plus exposées aux cardiopathies que les personnes plutôt détendues.

La plupart des chercheurs qui ont analysé ces données s'accordent maintenant sur le fait qu'il existe une *certaine* corrélation entre la personnalité et la cardiopathie. Par contre, on n'a pas établi quels sont les aspects de la personnalité qui représentent les plus forts facteurs de risque. Des recherches récentes suggèrent que la tendance à la névrose ou à la dépression peut constituer un facteur de risque plus pertinent que l'hostilité (Booth-Kewley et Friedman, 1987; Cramer, 1991). Restez donc à l'écoute : le dossier n'est pas encore clos.

---

sont, du moins partiellement, dépendants de votre mode de vie. Il est préférable d'avoir une hygiène de vie saine dès le début de l'âge adulte, mais les recherches soulignent aussi que l'amélioration des habitudes de vie au milieu de l'âge adulte permet de réduire les risques de cancer ou de maladies du cœur.

SANTÉ MENTALE

Comme nous l'avons mentionné au chapitre 10, la plupart des troubles affectifs sont bien plus communs au début qu'au

milieu de la vie adulte. Le tableau 12.5 donne un aperçu du niveau de détresse psychologique dans différents groupes d'âge au Québec en 1992-1993. On peut constater d'une part que dans tous les groupes d'âge, les femmes présentent un indice plus élevé que les hommes, et d'autre part que le niveau de détresse psychologique diminue au fil des ans, aussi bien chez

---

Comportement de type A : Comportement d'un individu qui a une personnalité de type A.

Personnalité de type A : Combinaison d'un esprit de compétition, d'hostilité et d'agressivité et du sentiment que le temps presse, qui peuvent être associés à des risques élevés de cardiopathie.

Tableau 12.5

Indice de détresse psychologique selon le sexe et l'âge, Québec, 1992-1993

Âge (années)	Hommes (%)	Femmes (%)	Sexes réunis (%)
15 à 24	29,7	40,8	35,2
25 à 44	22,8	32,2	27,5
45 à 64	20,8	26,4	23,7
65 et plus	9,3	20,0	15,4
Moyenne pondérée (%)	**22,1**	**30,4**	**26,3**

Source: Santé Québec, 1995, adapté du tableau 12.1, p. 220.

les femmes que chez les hommes (Santé Québec, 1995). Nous allons nous appuyer sur un exemple concret, tiré de l'étude épidémiologique la plus récente effectuée par Regier (Regier *et al.*, 1988). Regier et ses collaborateurs ont interrogé 18 571 adultes, vivant dans 5 régions différentes des États-Unis, sur leurs symptômes psychologiques au cours du mois précédent. Les chercheurs ont repéré les sujets dont les réponses correspondaient aux critères de diagnostic standard de diverses formes de troubles, dont la toxicomanie, la dépression, l'anxiété, etc. Dans cette enquête, 3 % des personnes âgées de 25 à 44 ans souffraient d'un épisode de dépression important, contre 2 % chez les personnes de 45 à 64 ans. Le taux n'était plus que de 0,7 % chez les 65 ans et plus. Le modèle était essentiellement le même chez les femmes et chez les hommes, bien que les taux soient plus élevés chez les femmes de tous âges.

Ces découvertes soulèvent la question de l'existence très controversée de la crise du milieu de la vie.

Le seul sous-groupe d'adultes qui présentent des signes de crise du milieu de la vie est celui d'hommes blancs issus des classes moyennes et dotés d'un haut niveau de scolarité. Toutefois, même pour les hommes de ce groupe, la crise du milieu de la vie n'est aucunement universelle. Il se peut qu'elle reflète l'expérience particulière de certaines cohortes étudiées jusqu'à présent par les chercheurs.

CRISE DU MILIEU DE LA VIE : RÉALITÉ OU FICTION ? La notion de crise du milieu de la vie n'a pas été inventée de toutes pièces par des écrivains populaires. On la retrouve dans de nombreuses théories très sérieuses sur le développement de l'adulte, dont celles de Jung et de Levinson. Levinson soutient que chaque personne doit faire face à une grande variété de tâches au milieu de la vie adulte, qui la mèneront inévitablement à une crise : la prise de conscience de sa propre mortalité, de nouvelles limites physiques et de risques de santé, et des changements importants dans la plupart des rôles qu'elle assume. Selon Levinson, une personne risque fort d'être incapable de faire face à ces nouvelles réalités, ce qui déclenche une crise.

Lorsque les chercheurs analysent les données disponibles, ils parviennent souvent à des conclusions diamétralement opposées. David Chiriboga conclut : « L'évidence qui se dégage des nombreuses recherches sur ce sujet indique que seuls 2 à 5 % des adultes d'âge moyen vivent des problèmes sérieux au milieu de la vie » (1989, p. 117). D'après les mêmes données, Lois Tamir conclut que le milieu de la vie est une période de transition psychologique marquée par « des doutes personnels ou un profond désarroi » (1989, p. 161).

Notre perception se rapproche davantage de celle de Chiriboga que de celle de Tamir. Comme nous l'avons déjà mentionné dans notre discussion sur les conséquences émotionnelles de la ménopause, il existe une augmentation de la dépression chez la femme au milieu de la vie adulte. Mais remarquez que, même lorsque ce sommet est atteint, vers l'âge de 44 ans, la dépression ne touche que 4,5 % des femmes environ — ce qui ne permet guère de parler de crise universelle. Les résultats de différentes études effectuées par Paul Costa et Robert McCrae (1980a ; McCrae et Costa, 1984), des chercheurs qui s'intéressent à la personnalité, vont dans le même sens. Ils ont conçu une échelle de mesure de la crise du milieu de la vie, comprenant des éléments comme les troubles affectifs, l'insatisfaction professionnelle ou maritale et le sentiment d'échec. Ils ont comparé les réponses de plus de 500 hommes dans une étude transversale portant sur des sujets âgés de 35 à 70 ans. Ils n'ont pas trouvé un âge précis auquel les scores étaient considérablement élevés. D'autres chercheurs qui ont conçu des échelles de crise du milieu de la vie en sont arrivés à la même conclusion (Farrell et Rosenberg, 1981), tout comme ceux qui ont étudié les réactions au stress (Pearlin, 1975).

> Si vous vouliez mettre au point la meilleure étude possible sur la crise du milieu de la vie, comment vous y prendriez-vous ? Quel type d'échantillon, de méthode de recherche et de mesures d'évaluation utiliseriez-vous ?

Bien sûr, il est également possible qu'une telle crise survienne effectivement au milieu de la vie, mais qu'elle apparaisse à un âge différent pour chaque personne. Autrement dit, il n'existerait pas d'âge *précis* auquel se produirait une recrudescence des problèmes, ce qui pourrait expliquer les résultats obtenus par Costa et McCrae. Mais on ne peut expliquer les résultats d'études comme celle menée par Regier, car elles combinent des périodes de 10 à 20 ans dans leurs groupes d'âge. Si une crise était plus courante au milieu qu'au début de l'âge adulte, on devrait observer des signes d'augmentation de dépression ou d'anxiété lors des comparaisons effectuées entre les adultes d'âge moyen et les jeunes adultes. Or, tel n'est pas le cas (Hunter et Sundel, 1989).

Des études longitudinales semblent contredire également l'hypothèse de la crise du milieu de la vie. Norma Haan, par exemple, n'a trouvé aucune indication prouvant qu'une quelconque crise était courante au milieu de la vie chez les sujets inclus dans l'étude longitudinale de Berkeley/Oakland (Haan, 1981b).

Les preuves ne sont convaincantes que pour un seul sous-groupe : les hommes blancs de la classe moyenne, en particulier ceux qui occupent des professions libérales. Dans un échantillon de 1 000 hommes âgés de 25 à 69 ans, Lois Tamir (1982) a découvert que les hommes âgés de 45 à 49 ans qui avaient fait des études universitaires rapportaient un nombre plus élevé de problèmes liés à la consommation d'alcool et de médicaments délivrés sur ordonnance (comme les somnifères ou les tranquillisants). Peu nombreux étaient ceux qui parlaient de « joie de vivre » par comparaison avec ceux qui faisaient part d'une « immobilisation psychologique ».

On ne peut pas déterminer, à partir de cette seule étude, si ce modèle n'est pas simplement propre à une cohorte particulière. Par ailleurs, même si ces résultats se vérifiaient chez plusieurs cohortes, cela ne confirmerait aucunement la nécessité ou même l'existence d'une crise du milieu de la vie. Certains stress et certaines tâches sont probablement propres à cette période de la vie, mais peu de signes laissent supposer qu'ils submergent les ressources d'adaptation d'un adulte à cet âge plutôt qu'à un autre.

Santé mentale

Q 11 Quel est l'état de santé mentale de l'adulte d'âge moyen comparativement au jeune adulte et à l'adulte d'âge avancé ?

Q 12 La crise du milieu de la vie est-elle un phénomène universel ? Expliquez.

FONCTIONS COGNITIVES

Dans le chapitre 10, nous avons décrit la forme de base des changements cognitifs au milieu de la vie, en les comparant aux changements qui se déroulent au début de la vie adulte. Si vous vous reportez à la figure 10.4 (p. 319) et au modèle de Denney (figure 10.5, p. 321), vous vous souviendrez que, au milieu de l'âge adulte, la plupart d'entre nous conservent, voire améliorent de nombreuses habiletés souvent exercées ou reposant sur un apprentissage particulier. Notre vocabulaire s'enrichit et nos habiletés de résolution de problèmes sont généralement conservées. Pour les tâches qui exigent de la vitesse, les habiletés peu pratiquées ou non exercées (comme les examens de mathématiques chronométrés ou les tests portant sur des représentations spatiales tridimensionnelles), on observe un déclin durant le milieu de l'âge adulte. Toutefois, même dans ces domaines, la valeur absolue de la perte reste minime chez la plupart des adultes de cette tranche d'âge. Werner Schaie, dont l'étude longitudinale effectuée à Seattle offre les observations les plus complètes sur ce point de vue, explique :

> Je suis arrivé à la conclusion générale que l'on ne peut déceler de changements fiables et reproductibles dans les habiletés psychométriques avant l'âge de 60 ans. Par contre, des diminutions significatives peuvent être observées dans toutes les habiletés vers l'âge de 74 ans. (1983b, p. 127.)

MÉMOIRE

Une telle affirmation pourrait s'appliquer aux changements qui touchent la mémoire au milieu de la vie adulte. On constate certaines pertes, mais lorsque le sujet se trouve devant du matériel familier, le déclin est relativement graduel durant l'âge adulte moyen, puis devient plus apparent vers l'âge de 55 ou 60 ans. Le déclin est plus précoce et plus important lorsque le matériel est moins familier, lorsqu'il faut garder du matériel en mémoire pendant un certain temps, ou en présence de facteurs de distraction. Une étude récente menée par Robin West et Thomas Crook (1990) illustre bien cette constatation.

L'exercice de mémorisation utilisé par West et Crook constitue une variante d'une activité familière et quotidienne : retenir des numéros de téléphone. Les sujets sont assis devant un ordinateur, sur lequel une série de numéros de téléphone de 7 ou 10 chiffres apparaissent, un à la fois. Le sujet lit à voix haute chaque numéro au fur et à mesure qu'il apparaît à l'écran. Le numéro s'efface alors, et le sujet doit le composer sur un téléphone à clavier relié à l'ordinateur. Dans certains tests, la ligne étant occupée lors du premier essai, les sujets doivent recomposer le numéro. La figure 12.2 présente

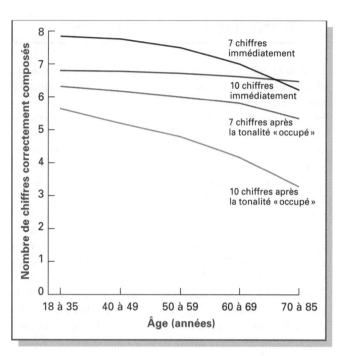

Figure 12.2 Mémoire des chiffres en fonction de l'âge. Dans les résultats de l'étude effectuée par West et Crook sur la mémorisation des numéros de téléphone, remarquez que l'on n'observe aucune perte de mémoire au milieu de l'âge adulte dans les conditions les plus normales : la composition immédiate d'un numéro à sept chiffres. Mais si le nombre de chiffres augmente, ou s'il faut se souvenir d'un numéro un peu plus longtemps, le déclin de la mémoire débute autour de l'âge de 50 ou de 60 ans. (*Source* : West et Crook, 1990, tiré du tableau 3, p. 524.)

la relation entre l'âge et la mémorisation exacte des numéros de téléphone dans ces quatre conditions.

Remarquez qu'il n'y a essentiellement aucun déclin lié à l'âge dans le rappel immédiat d'un numéro de téléphone normal à sept chiffres. C'est ce que vous faites lorsque vous cherchez un numéro dans l'annuaire, que vous vous le répétez à vous-même en le lisant et que vous le composez immédiatement. Cependant, lorsqu'il s'agit d'un numéro à 10 chiffres, comme pour les appels interurbains, on observe un déclin avec l'âge, et ce à partir d'environ 60 ans. En outre,

Il n'est pas plus difficile de se souvenir de ce qu'on a lu dans un journal au milieu de la vie qu'au début de l'âge adulte, mais les adultes d'âge moyen se concentrent moins sur les détails et davantage sur les thèmes de fond.

lorsqu'il y a un délai, même bref, le déclin commence plus tôt. West et Crook pensent que le signal sonore d'occupation agit autant comme distraction que comme délai, et que la distraction devient plus gênante pour les adultes plus âgés.

L'exercice du numéro de téléphone est un exemple de l'évaluation de la mémoire *immédiate* ou *à court terme*, qui conserve certains éléments en mémoire pendant environ 30 secondes. La mémoire *secondaire* ou *à long terme* désigne la mémorisation à long terme, grâce à laquelle les éléments sont retenus pendant une période allant de plusieurs minutes à plusieurs années. Les mêmes types de changements touchant la mémoire à long terme surviennent-ils avec le vieillissement ? Dans l'ensemble, oui. Le processus nécessaire pour emmagasiner l'information à long terme dans la mémoire (*encodage*) et le processus de rappel (*récupération*) perdent tous deux en efficacité et en vitesse avec l'âge. Cependant, la baisse la plus importante se produit après 60 ans, plutôt qu'au milieu de la vie, ce qui correspond aux découvertes de Schaie sur l'évaluation des habiletés intellectuelles globales. On observe ce modèle lorsqu'on demande à des sujets d'associer des noms à des visages familiers (tâche de rappel) ou d'apprendre des listes de mots et de les réciter quelques jours plus tard (tâche d'encodage) (Salthouse, 1991).

Les travaux disponibles sur l'évolution de la mémoire avec l'âge offrent aussi quelques éléments d'information qui soutiennent l'opinion de Labouvie-Vief, selon laquelle les changements cognitifs au cours de la vie adulte ne proviendraient pas seulement d'une diminution des capacités mais aussi d'un changement dans la structure. Comme nous l'avons vu au chapitre 10, Labouvie-Vief (1985) estime que, à l'âge adulte, nous avons tendance à nous éloigner de l'approche logique ou formelle qui domine à l'adolescence et à l'âge collégial ou universitaire pour adopter une approche plus pragmatique, visant à résoudre les problèmes de tous les jours. Sur le plan de la mémorisation, cela peut se traduire par une baisse de la capacité de retenir les détails superficiels, mais en contrepartie, l'individu acquiert une mémoire compensatoire pour les thèmes ou les significations. Une étude effectuée par Cynthia Adams (1991) confirme ces constatations.

Adams a demandé à des adultes d'âges divers de lire une histoire et de la retranscrire immédiatement après. Les jeunes adultes rapportaient des événements ou des actions précises de l'histoire, alors que les adultes d'âge moyen se rappelaient davantage des motivations psychologiques des personnages et proposaient différentes interprétations de l'histoire. Cela pourrait signifier que le processus d'encodage change au cours du vieillissement. Nous ne cherchons plus à encoder des détails, nous emmagasinons des informations plus générales ou plus synthétiques.

Toutefois, même si l'on suppose que le type d'informations encodées change entre le début et le milieu de l'âge adulte, on ne sait pas exactement comment expliquer un tel changement. On pourrait parler d'une « perte associée à la croissance », comme Labouvie-Vief le suggère. Ou encore, il pourrait s'agir d'un « déclin avec compensation ». Autrement dit, nous nous concentrerions davantage sur l'essence même du matériel à retenir plutôt que sur les détails, car cela s'est révélé plus rentable pour nous, ou parce que la perte graduelle d'efficacité et de vitesse du processus de mémorisation nous amène à modifier notre approche.

Si les notions que nous avons abordées concernant le milieu de la vie adulte semblent un peu trop agrémentées de « peut-être », « en quelque sorte » ou « sans doute », ce n'est pas par hasard. Il existe *énormément* de documentation sur les changements dans les habiletés de mémorisation apparaissant avec l'âge. Cependant, ces études présentent deux lacunes importantes qui nous empêchent de tirer des conclusions définitives. Premièrement, une très grande proportion des recherches comparent seulement les jeunes adultes aux adultes âgés et n'évaluent pas le milieu de la vie adulte. Deuxièmement, la grande majorité des études sont transversales plutôt que longitudinales. Nos connaissances sur les changements de mémoire individuels ou sur la variabilité du processus durant ces années sont donc limitées. Si nous pouvons extrapoler à partir des études de Schaie sur le Q.I. et sur des tâches cognitives précises, il semble raisonnable de s'attendre à constater des variations importantes d'un adulte à l'autre. Certains d'entre nous connaîtront des pertes de mémoire considérables au milieu de leur vie, alors que d'autres n'en auront aucune.

Mémoire

Q 13 Expliquez les termes suivants : mémoire à court terme, mémoire à long terme, encodage, récupération.

Q 14 Expliquez ce que l'on entend par la notion de « déclin avec compensation ».

Q 15 Quels sont les problèmes méthodologiques auxquels se heurtent les recherches portant sur les changements dans les habiletés de mémorisation à l'âge adulte ?

UTILISATION DES HABILETÉS INTELLECTUELLES : PRODUCTIVITÉ ET CRÉATIVITÉ

Une autre question sur la fonction cognitive au milieu de l'âge adulte — qui peut être plus directement reliée à notre vie professionnelle — porte sur la créativité et la productivité. Les dirigeants d'âge moyen sont-ils plus doués pour la résolution des problèmes professionnels ? Les scientifiques d'âge moyen sont-ils aussi créatifs que leurs collègues plus jeunes ?

Les premières recherches menées par Lehman (1953), qui ont souvent été citées, ont conclu que la créativité, tout comme la fonction physique, était optimale au début de l'âge adulte. Lehman est arrivé à cette conclusion en examinant une série de découvertes scientifiques importantes faites au cours des 100 dernières années, puis en déterminant l'âge qu'avait chaque scientifique au moment de sa découverte. La plupart d'entre eux étaient très jeunes, surtout dans le domaine des sciences et des mathématiques. L'exemple classique est celui d'Einstein, qui n'avait que 26 ans lorsqu'il a élaboré la théorie de la relativité.

Ces observations sont intéressantes, mais la méthode de Lehman nous semble inappropriée pour étudier la question. L'autre solution consisterait à étudier des scientifiques ou d'autres décideurs au cours de leur carrière et à noter si le commun des mortels (qui n'a rien à voir avec Einstein) est plus productif et plus créatif au début ou au milieu de l'âge adulte. Dean Simonton (1991) a effectué des recherches dans ce sens en observant la créativité et la production tout au long de la vie chez des milliers de scientifiques notoires du 19e et du début du 20e siècle. Il a ainsi pu déterminer l'âge auquel ces personnes (presque tous des hommes) avaient publié leur premier ouvrage important, leur meilleur ouvrage et leur dernier ouvrage. Dans toutes les disciplines scientifiques représentées dans cet échantillon inhabituel, 40 ans constituait l'âge moyen auquel ces personnes avaient fourni leurs meilleurs travaux. Mais la courbe était plutôt plane au sommet. La plupart de ces personnes publiaient encore des recherches importantes, voire remarquables, durant la quarantaine et la cinquantaine. En fait, Simonton estime que les meilleurs travaux ont été réalisés à l'âge de 40 ans, non pas parce que le cerveau travaille mieux à cet âge, mais parce que la productivité est à son sommet. Il paraît donc logique que les meilleurs travaux voient le jour au cours de la plus grande période d'activité.

La productivité et la créativité des scientifiques modernes suivent une évolution semblable. Les mathématiciens, les psychologues, les physiciens et autres scientifiques contemporains ont naturellement atteint leur productivité maximale — le plus grand nombre d'articles publiés en une année — lorsqu'ils étaient âgés de 40 ans environ. Par ailleurs, lorsqu'on analyse la qualité de la recherche, en comptant, par exemple, le nombre de fois que chaque recherche est citée par des collègues, on découvre que la qualité demeure élevée jusqu'à l'âge de 50 à 60 ans (Horner, Rushton et Vernon, 1986 ; Simonton, 1988).

Chez les musiciens et autres artistes, la créativité maximale peut s'exprimer plus tard ou être conservée beaucoup plus longtemps. Simonton (1989) a demandé à des juges d'évaluer les qualités esthétiques des compositions musicales écrites par 172 compositeurs dont l'œuvre était souvent jouée. Les œuvres que les juges considéraient comme des chefs d'œuvre étaient souvent des œuvres réalisées tardivement par leur compositeur (le « chant du cygne »).

Il est aussi possible d'aborder la question de l'âge et de la créativité ou de l'efficacité professionnelle de façon expérimentale. C'est ce qu'ont fait Siegfried Streufert et ses collaborateurs (Streufert *et al.*, 1990) dans une étude particulièrement intéressante. Ils ont créé des équipes de décideurs composées de quatre cadres moyens issus du public et du privé. Dans 15 des équipes, les participants étaient tous âgés de 28 à 35 ans. Les membres de 15 autres équipes étaient tous d'âge moyen (45 à 55 ans) et les 15 équipes restantes comptaient des adultes d'âge avancé (65 à 75 ans). On a donné à chaque équipe une tâche fictive très complexe : on leur a demandé d'établir un plan de gestion pour un pays imaginaire en voie de développement appelé le Shamba. On leur a distribué au préalable une série d'informations sur le Shamba et ils pouvaient obtenir plus de renseignements durant le travail d'équipe à l'aide d'un ordinateur, lequel était programmé de façon à rendre l'expérience des différents groupes aussi semblable que possible, même si les participants ne le savaient pas. Tous les groupes ont fait face à une crise au Shamba à peu près au même moment et l'ordinateur a plus tard suggéré une solution particulière pour résoudre la crise, quelles qu'aient été les solutions proposées par le groupe.

Streufert a enregistré toutes les questions et les suggestions ainsi que les plans échafaudés par chaque groupe. À partir de ces données, il a créé une série d'évaluations du niveau d'activité, de la vitesse, de la diversité et de la valeur stratégique de la performance de chaque groupe. On a observé des différences notables entre les groupes jeunes et les groupes d'âge moyen seulement en ce qui concerne 3 des 16 critères d'évaluation. Les groupes plus jeunes ont fait davantage de choses (prenaient plus de décisions et posaient plus d'actions concrètes) ; ils ont demandé plus d'informations (souvent plus que nécessaire) ; ils ont suggéré une plus grande variété d'actions à entreprendre. Mais sur le plan de la stratégie, de la planification, de la gestion des priorités et de l'utilisation des informations obtenues, il n'y avait aucune différence entre les jeunes adultes et les adultes d'âge moyen. Les groupes les plus âgés avaient une performance inférieure sur presque tous les plans. Leurs interactions étaient orientées vers l'exécution des tâches mais de façon diffuse. Quant aux équipes d'âge moyen, elles demandaient seulement la quantité nécessaire d'informations — pas trop pour ne pas surcharger le système, mais suffisamment pour prendre des décisions judicieuses — et utilisaient l'information de façon efficace.

Bien qu'il ne s'agisse là que d'une étude unique, transversale plutôt que longitudinale, elle permet d'arriver à peu près aux mêmes conclusions que la documentation sur le vieillissement et la productivité scientifique. Les adultes d'âge moyen semblent conserver leur aptitude à exécuter un travail très productif de haut niveau ainsi que leur aptitude de résolution de problèmes.

> Puisque la créativité, la productivité et la capacité de faire face à des problèmes complexes déclinent après le milieu de l'âge adulte, nos dirigeants politiques devraient-ils tous avoir moins de 65 ans ? Pourquoi ?

La docteure Rosalyn Yalow, qui a reçu le prix Nobel de médecine en 1977, a continué d'être très productive et d'effectuer un travail de très grande qualité tout au long du milieu de l'âge adulte — un cas courant chez les scientifiques.

Productivité et créativité

Q 16   À quelle période de l'âge adulte atteint-on le niveau optimal de productivité et de créativité selon Lehman ? selon Simonton ? selon Streufert ?

Q 17   Décrivez les différentes approches méthodologiques utilisées dans l'étude de la productivité et de la créativité à l'âge adulte.

DIFFÉRENCES INDIVIDUELLES

Nous avons déjà observé de nombreux cas de différences individuelles dans ce chapitre, surtout dans la section concernant les facteurs de risque et les habitudes de vie liées aux maladies du cœur et au cancer. D'autres informations suggèrent que bon nombre des caractéristiques reliées à ces deux maladies sont aussi associées aux changements ou au maintien de la santé globale et des habiletés intellectuelles au milieu de l'âge adulte.

Prenons par exemple l'analyse des données effectuée par Schaie dans l'étude longitudinale de Seattle (Schaie, 1983b). Il a découvert que les sujets atteints d'une forme de maladie cardiovasculaire — soit une cardiopathie ou une pression artérielle élevée — présentaient un déclin plus précoce et plus important aux tests de performance intellectuelle que les sujets en bonne santé. D'autres chercheurs ont découvert l'existence de liens semblables. Même les adultes dont la pression artérielle est maîtrisée grâce à des traitements semblent présenter des déclins plus précoces (Schultz *et al.*, 1986 ; Sands et Meredith, 1992). Schaie nous conseille de ne pas trop généraliser ces découvertes. L'effet observé est infime et peut agir indirectement plutôt que directement. En effet, les adultes atteints de maladie cardiovasculaire risquent de devenir moins actifs physiquement et un ralentissement de l'activité peut, à son tour, influer sur le déclin intellectuel.

EXERCICE ET SANTÉ. L'exercice pourrait constituer l'un des facteurs critiques dans la détermination de la santé physique globale et de la performance intellectuelle d'une personne durant ces années. Le modèle du vieillissement de Denney, que nous avons présenté au chapitre 10, tend vers cette conclusion. Nous allons illustrer ce point de vue au moyen de deux exemples.

Michael Pollock (Pollock *et al.*, 1987) a évalué la fonction physique d'un groupe inhabituel de 22 hommes, qui étaient tous d'excellents coureurs ou marcheurs de compétition lorsqu'ils ont été évalués pour la première fois. À ce moment-là, ils étaient tous d'âge moyen ou d'âge avancé, et couraient 35 à 50 kilomètres par semaine dans le cadre de leur entraînement. Dix ans plus tard, ces hommes couraient encore tous régulièrement, mais certains d'entre eux seulement continuaient la compétition. Le groupe de compétition courait de plus longues distances par semaine, 57 km contre 35 km pour le groupe moins compétitif. La figure 12.3 présente l'évolution des résultats d'absorption maximale d'oxygène des deux groupes sur une période de 10 ans.

Vous pouvez constater que l'exercice intensif était associé au maintien ou à une perte minime en fait d'absorption maximale d'oxygène. En particulier, les coureurs dans la quarantaine ou la cinquantaine au début de l'expérience qui avaient poursuivi un entraînement de haut niveau conservaient une absorption maximale d'oxygène, alors que leurs

pairs du même âge qui avaient réduit légèrement leur entraînement présentaient une baisse. Chez les personnes âgées de 60 ans au début de l'étude, l'intensité de l'exercice a évidemment eu beaucoup moins d'effet et les deux groupes ont décliné. À tout âge, le groupe de compétition avait aussi un pouls plus lent et une pression systolique plus basse.

Il s'agit ici d'un échantillon *très restreint* et très sélectif. Il faudrait bien sûr plusieurs recherches de ce type pour confirmer ces conclusions. Cependant, les résultats concordent avec le modèle de Denney et l'hypothèse selon laquelle une activité physique vigoureuse peut contribuer au maintien d'une excellente santé au cours des années du milieu de l'âge adulte.

L'exercice physique semble également jouer un rôle dans le maintien des habiletés intellectuelles durant les mêmes années, sans doute parce qu'il permet de conserver une bonne condition cardiovasculaire (Clarkson-Smith et Hartley, 1989, 1990a). Chez les adultes d'âge moyen et avancé en bonne santé, les personnes physiquement actives, qui font du jardinage, de gros travaux ménagers ou des exercices aérobiques (comme la marche, la course ou la natation) obtiennent de meilleurs scores aux tests de raisonnement, de temps de réaction et de mémoire à court terme.

Votre sens critique a dû vous alerter : des études semblables comportent une grande faiblesse. En effet, elles

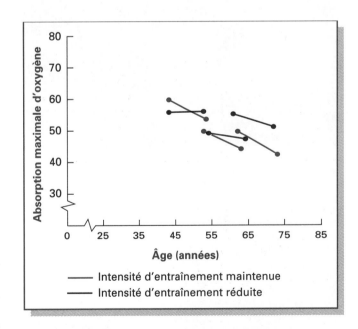

Figure 12.3 *Vo₂* max et entraînement physique. Chaque ligne de la figure représente la capacité aérobie d'un petit groupe d'hommes qui étaient coureurs de compétition au début de l'étude, pendant une période de 10 ans. La moitié d'entre eux ont continué à faire de la compétition ; l'autre moitié a arrêté la compétition mais sans cesser de courir. Les sujets qui ont continué à s'entraîner de façon intensive ont conservé une meilleure capacité aérobie. (*Source* : Pollock *et al.*, 1987, tiré de la figure 2, p. 729.)

Avant de poursuivre votre lecture, dites quel est le point faible de cette stratégie de recherche.

comparent des personnes qui *choisissent* d'être actives à des personnes qui choisissent de ne pas l'être. Il est probable que les personnes qui font de l'exercice diffèrent de celles qui n'en font pas sur d'autres plans. Pourtant, dans la plupart de ces études, les chercheurs se sont efforcés de faire deux groupes autant que possible équilibrés en ce qui concerne les variables qui, selon eux, pourraient faire une différence, notamment la santé physique et le niveau de scolarité. Le test serait plus fiable si l'on assignait certaines personnes aléatoirement et d'autres volontairement aux groupes d'exercice. On pourrait ensuite déterminer si l'on constate des changements dans leur fonction cognitive.

En fait, il existe quelques autres études de ce genre, qui ont donné des résultats plutôt hétérogènes. Toutes les études ont conclu que l'exercice augmente les capacités physiques, comme l'absorption maximale d'oxygène, même chez les adultes très âgés. Certaines études montrent aussi que l'exercice améliore la pensée (Elsayed, Ismail et Young, 1980), alors que d'autres ne présentent pas de résultats significatifs à ce chapitre (Madden *et al.*, 1989; Emery et Gatz, 1990). Dans la plupart des cas, le programme expérimental d'exercice dure seulement quelques mois, ce qui peut ne pas être suffisant pour voir un effet sur la fonction cognitive. Ainsi, d'après les éléments d'information dont on dispose, il semblerait que l'exercice influe à long terme sur la performance intellectuelle, mais de façon mineure. Toutefois, puisque l'on sait que l'exercice offre une protection contre les maladies du cœur et certains types de cancer, votre propre raisonnement devrait vous inciter à l'intégrer à votre mode de vie. Alors mettez-vous à la marche !

Malgré notre enthousiasme à l'égard des actions préventives comme l'exercice, nous voulons insister de nouveau sur l'importance considérable, pour la santé et les facultés intellectuelles des adultes d'âge moyen, des variables démographiques omniprésentes ainsi que de la classe sociale et de la race. Si vous consultez de nouveau la figure 10.3 (p. 317), vous verrez que les classes sociales constituent un facteur prédictif de la santé plus significatif au milieu de l'âge adulte qu'à tout autre moment de la vie. Presque tous les jeunes adultes sont en bonne santé, alors que les adultes plus âgés ont généralement des problèmes chroniques ou éprouvent des limitations dans leurs activités quotidiennes. C'est au milieu de la vie adulte que le statut professionnel et le niveau de scolarité influent sur ce modèle.

Si nous nous fions aux résultats des recherches, ces danseurs amateurs d'âge adulte moyen conserveront sans doute mieux leurs habiletés intellectuelles au cours de la décennie suivante que leurs pairs sédentaires. Cette différence provient-elle du fait que les personnes qui choisissent d'être actives diffèrent par d'autres caractéristiques qui les amènent à avoir une meilleure performance intellectuelle, ou est-ce l'exercice en soi qui est la cause ?

Différences individuelles

Q 18   Quel rôle joue l'activité physique dans le maintien de la santé physique et des habiletés intellectuelles ?

Q 19   Quelles faiblesses méthodologiques présentent les études sur l'exercice physique et le maintien des habiletés intellectuelles ?

Q 20   Citez les facteurs principaux qui influent également sur les changements des capacités physiques et cognitives à l'âge adulte moyen.

RÉSUMÉ

1. La plupart des adultes croient qu'un déclin physique et mental important débute au milieu de l'âge adulte. En fait, ces changements sont relativement minimes et graduels.

2. À l'âge de 40 ans, on a encore une espérance de vie de 35 à 40 années, et ce chiffre ne cesse d'augmenter. La durée de vie humaine, par contre, demeurera sans doute limitée à environ 110 ans.

3. De nombreuses capacités physiques n'accusent que de faibles changements dans la quarantaine, dans la cinquantaine et dans la soixantaine ; quelques-unes présentent des changements importants.

4. La superposition de couches sur le cristallin de l'œil, associée à une perte d'élasticité, entraîne une nette diminution de l'acuité visuelle dans la quarantaine ou dans la cinquantaine. La perte auditive est plus graduelle.

5. La masse osseuse décline considérablement au milieu de la vie adulte, surtout chez la femme, un peu avant la ménopause. Une décalcification plus rapide se produit chez les femmes qui ont une ménopause précoce, qui sont trop maigres, qui font peu d'exercice et qui ont un régime alimentaire à faible teneur en calcium.

6. La perte de la capacité de reproduction, appelée climatère, se produit très graduellement chez l'homme, mais rapidement chez la femme. Peu à peu, les hommes produisent moins de sperme viable et de liquide séminal.

7. La ménopause survient généralement entre l'âge de 45 et 55 ans à la suite d'une série de changements hormonaux, y compris le déclin rapide des taux d'œstrogènes et de progestérone. Les bouffées de chaleur constituent l'un des principaux symptômes de la ménopause.

8. Le taux de maladie et de mortalité augmente de façon remarquable au milieu de la vie adulte. Les jeunes adultes ont des maladies plus aiguës, mais les adultes d'âge moyen ont des maladies plus chroniques. Les femmes sont plus atteintes de maladies que les hommes, même si elles meurent plus tard.

9. Les deux principales causes de décès au milieu de l'âge adulte sont le cancer et les maladies du cœur. Les taux de mortalité pour chacune de ces maladies sont plus élevés chez l'homme.

10. La cardiopathie ne fait pas partie de la séquence normale du vieillissement ; il s'agit d'une maladie pour laquelle il existe des facteurs de risque connus, dont le tabagisme, une pression artérielle élevée, une cholestérolémie élevée, l'obésité et les régimes à haute teneur en lipides.

11. On connaît également certains facteurs de risque du cancer, dont le tabagisme, les régimes à haute teneur en lipides, l'obésité et l'inactivité. L'influence d'un régime à haute teneur en lipides est controversée, mais la plupart des recherches tendent à la confirmer.

12. Les adultes d'âge moyen présentent moins de troubles affectifs que les jeunes adultes. Peu de preuves viennent confirmer la réalité d'une «crise du milieu de la vie».

13. Les habiletés intellectuelles sont généralement bien conservées au milieu de la vie, sauf les habiletés non exercées ou qui exigent de la vitesse. Le Q.I. s'améliore généralement, tout comme la richesse du vocabulaire.

14. On observe une perte de mémoire, mais elle demeure faible jusqu'à la fin de l'âge adulte moyen, du moins dans la plupart des évaluations.

15. La productivité et la créativité semblent également demeurer relativement élevées au milieu de la vie adulte, du moins chez les sujets qui occupent des emplois exigeants ; ce sont eux qui ont fait l'objet de la plupart des recherches.

16. L'importance de l'exercice demeure un thème primordial dans les recherches sur les capacités physiques et cognitives au milieu de l'âge adulte. Les adultes

qui font régulièrement beaucoup d'exercice semblent mieux conserver leurs habiletés que les personnes sédentaires.

17. Pour toutes les évaluations des capacités physiques et cognitives, les adultes appartenant à une classe socioéconomique défavorisée présentent un maintien plus faible ou un déclin plus important.

MOTS CLÉS

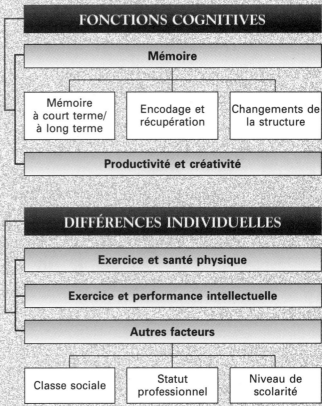

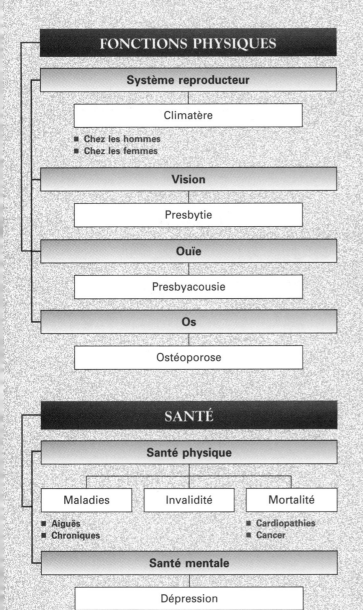

13

L'ÂGE ADULTE MOYEN: DÉVELOPPEMENT DES RELATIONS SOCIALES ET DE LA PERSONNALITÉ

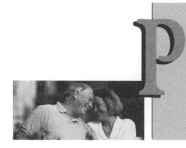

our beaucoup de gens, les années de l'âge adulte moyen sont moins stressantes et plus agréables que les vingt premières années. Je suis directement concernée; en effet, à 52 ans, je me trouve au beau milieu de l'âge adulte. Les données recueillies par les chercheurs et ma propre expérience appuient ce point de vue: ces années sont bien, à plusieurs égards, la Helen Bee *période optimale de l'âge adulte.*

Lorsque l'on étudie les relations sociales et la personnalité au milieu de l'âge adulte, le point le plus frappant est la constatation que les rôles sociaux deviennent nettement moins contraignants. Pour reprendre une métaphore que nous avons privilégiée tout au long de ce manuel, l'horloge sociale se fait plus discrète. Bien sûr, la majorité des rôles qui dominaient au début de l'âge adulte sont toujours présents. La plupart des adultes d'âge moyen sont des époux, des parents et des travailleurs. Cependant, vers l'âge de 40 ou 50 ans, ces rôles changent de façon marquée. Les enfants quittent le foyer, ce qui réduit considérablement les exigences du rôle parental. Les promotions professionnelles atteignent généralement un plafond, ce qui diminue la nécessité d'apprendre de nouvelles habiletés. Et, puisque les rôles professionnels et parentaux sont moins exigeants, il reste plus de temps à consacrer à la vie conjugale ou à la relation avec le partenaire.

Par ailleurs, on observe aussi une plus grande variabilité des expériences individuelles que dans les années précédentes. Au chapitre 12, nous avons vu qu'il existe de plus grandes différences sur le plan de la santé au cours de cette période. On note également de grandes différences dans ce qu'il est convenu d'appeler la croissance psychologique. Au milieu de leur vie, certains adultes sont déjà entrés dans le processus que Levinson désigne par le terme détribalisation, d'autres non. Certains ont déjà atteint ce que Erikson nomme la générativité, d'autres non. Ces différences relèvent donc de l'aptitude de l'adulte à faire face aux nouveaux stress et aux contraintes propres à cette période.

Pour illustrer ces points, nous allons revenir sur les relations et les rôles que nous avons décrits au chapitre 11.

quitter le foyer, ce qui permet aux conjoints de passer plus de temps ensemble. Pour certains couples, la ménopause élimine les risques de grossesse, et ce changement augmente la liberté sexuelle et la satisfaction.

Le même type de modèle se répète si l'on considère non pas la satisfaction conjugale, mais l'augmentation des problèmes conjugaux. Joseph Veroff et ses collaborateurs (Veroff, Douvan et Kulka, 1981) ont vérifié cette question à partir d'une étude transversale portant sur deux échantillons, l'un étudié en 1957 et l'autre en 1976, afin d'obtenir une étude séquentielle. La partie gauche de la figure 13.1 montre que, pour chaque étude, les adultes plus âgés présentaient moins de problèmes conjugaux (il est intéressant de constater que tous les groupes d'âge ont signalé plus de problèmes en 1976 qu'en 1957).

Il se peut fort bien que ces résultats indiquent que les mariages les plus tourmentés se soldent par un divorce: puisque ces mariages ratés sont éliminés de la catégorie des mariages, il n'est pas surprenant que les couples plus âgés fassent état de moins de problèmes. Il se peut également que la satisfaction conjugale augmente avec l'âge, car on observe que la quantité de problèmes a considérablement diminué dans les mariages intacts.

Par contre, il semblerait que les mariages au milieu de l'âge adulte comprennent moins d'interactions positives et qu'il se produise une diminution des marques d'affection, des confidences ou des encouragements. C'est en effet ce qu'il ressort d'un autre ensemble de données provenant de l'étude effectuée par Veroff et ses collaborateurs. En 1976, ces chercheurs ont ajouté une question sur la fréquence des marques

RELATIONS CONJUGALES

De nombreuses études indiquent que la satisfaction conjugale augmente généralement au milieu de la vie adulte, et qu'elle atteint des niveaux plus élevés qu'à n'importe quel moment depuis le début du mariage. La courbe présentée à la figure 11.3 (p. 343) illustre bien ce changement. L'explication la plus plausible serait simplement que le cumul des rôles diminue au moment où les enfants commencent à

Pouvez-vous concevoir un type de recherche qui permettrait de contourner le problème de la confusion entre l'âge et la longévité du mariage dans les études sur l'évolution de la satisfaction conjugale au cours des années ? Comment est-il possible de savoir si l'augmentation de la satisfaction conjugale à l'âge moyen est reliée à l'âge plutôt qu'à la longévité du mariage ?

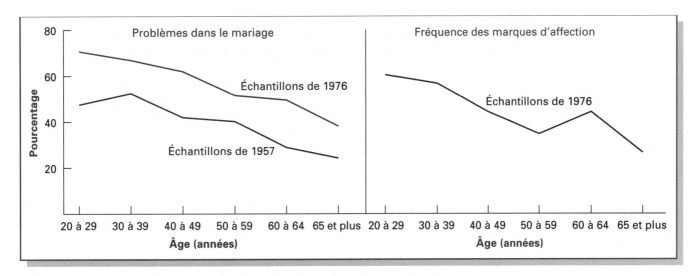

Figure 13.1 Problèmes conjugaux et fréquence des marques d'affection dans le couple selon l'âge.
D'après ces comparaisons transversales, il semble que tant les problèmes que les marques d'affection
dans le couple déclinent au fil des ans. Selon certains, le mariage perd de sa vitalité avec le temps,
selon d'autres, la relation conjugale devient plus amicale. On sait cependant que les couples
se déclarent plus satisfaits de leur vie de couple à l'âge adulte moyen. (*Source*: Veroff, Douvan
et Kulka, 1981, tableau 4.20, p. 183 et tableau 4.21, p. 185.)

d'affection entre les partenaires. Les données apparaissant
dans la partie droite de la figure 13.1 indiquent que le pourcentage d'individus qui affirmaient échanger de nombreuses
marques d'affection a baissé avec l'âge.

On observe un modèle très similaire dans une autre
étude transversale effectuée par Clifford Swensen et ses collaborateurs (Swensen, Eskew et Kohlhepp, 1981), l'une des
recherches les plus intéressantes dans ce domaine. Swensen
a interrogé 776 adultes représentant toutes les étapes du cycle
de la vie familiale, des nouveaux mariés aux couples à la
retraite. Il a utilisé deux échelles pour décrire le mariage
de chaque personne. Une « échelle d'amour » évaluait les
marques d'affection, les confidences, le soutien moral et les
encouragements, le soutien matériel et le degré de tolérance
à l'égard des défauts du conjoint. Par ailleurs, une échelle de
« problèmes conjugaux » déterminait l'intensité des problèmes
dans six domaines distincts : éducation des enfants et tâches
domestiques, soins personnels et apparence (« Est-ce que
votre partenaire est moins ordonné que vous », par exemple),
gestion de l'argent, résolution de problèmes et prise de décisions, relations avec les proches et la belle-famille, et marques
d'affection. La figure 13.2 illustre ces résultats.

Dans ces mariages, les scores obtenus à l'échelle
d'amour baissent régulièrement avec l'âge, tandis que les
scores obtenus à l'échelle des problèmes conjugaux atteignent
un sommet chez les couples qui ont de jeunes enfants à la
maison. Si l'on considère que la satisfaction conjugale est globalement égale à la différence entre l'amour et les problèmes
conjugaux, vous pouvez constater que la période où le couple
a des enfants en bas âge à la maison est celle qui comprend

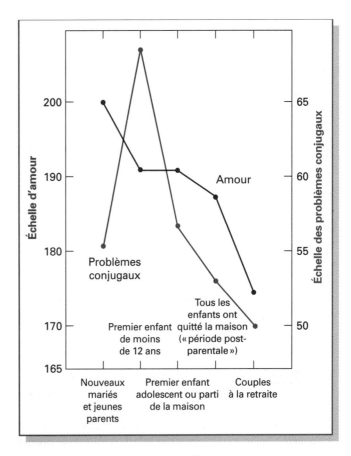

**Figure 13.2 Amour et problèmes conjugaux chez les couples
avec des enfants.** Ces données suggèrent encore plus clairement
que l'augmentation de la satisfaction conjugale observée chez
des couples d'âge moyen est due à la diminution des problèmes
conjugaux plutôt qu'à l'augmentation des marques d'affection.
(*Source*: Swensen, Eskew et Kohlhepp, 1981, figure 1, p. 848.)

RAPPORT DE RECHERCHE

Un autre regard sur les relations conjugales au cours de l'âge adulte

Une autre façon de découvrir les modèles de base du développement dans les relations conjugales consiste à comparer les descriptions données par des couples au début de l'âge adulte, des couples à l'âge adulte moyen et des couples à l'âge adulte avancé, qui ont tous une relation amoureuse satisfaisante. Autrement dit, le degré de satisfaction étant constant, l'on se demande si les *éléments* qui composent cette satisfaction changent.

Reedy, Birren et Schaie (1981) ont utilisé cette stratégie dans une étude portant sur 102 couples mariés et satisfaits, répartis également entre de jeunes couples (âge moyen : 28,2), des couples à l'âge adulte moyen (âge moyen : 45,4) et des couples à l'âge adulte avancé (âge moyen : 64,7). On a demandé aux partenaires dans chaque couple de remplir un questionnaire de classification Q à l'aide d'un ensemble de 108 énoncés qui décrivaient leur relation. Vous vous rappelez sans doute que, dans une classification Q, les descriptions doivent être réparties selon une distribution normale. Ainsi, chaque sujet détermine les affirmations qui lui correspondent le mieux et celles qui ne s'appliquent pas. Les propositions restantes sont classées entre ces deux extrêmes.

Voici les six principales facettes d'une relation qui se reflétaient dans les 108 propositions :

Communication : « Il (elle) se confie facilement à moi. »

Intimité sexuelle : « Nous tentons de nous satisfaire sexuellement. »

Respect : « Nous avons des buts communs. »

Comportement d'aide et de jeux : « Nous passons beaucoup de temps ensemble. »

Sécurité émotionnelle : « Je lui fais vraiment confiance. »

Loyauté : « Notre avenir sera merveilleux tant que nous resterons ensemble. »

Reedy et ses collaborateurs ont découvert que la sécurité émotionnelle et le respect sont les deux principaux éléments de l'amour à tout âge, mais ils ont néanmoins noté une différence subtile dans l'importance relative accordée aux diverses facettes, comme vous pouvez le voir sur la figure ci-contre. Les couples plus âgés accordent plus d'importance à la sécurité émotionnelle et à la loyauté qu'à la communication et à l'intimité sexuelle.

Les différences illustrées dans la figure peuvent sembler minimes, mais chacune d'elles est statistiquement significative du point de vue de l'âge. L'ampleur de la différence est en partie dictée par la classification Q elle-même, car chaque personne doit utiliser la même distribution de points. Ainsi, la somme des scores pour les six facettes doit être la même pour chaque groupe d'âge. Ce que l'on cherche donc, et ce que Reedy a découvert, ce sont les légères variations concernant l'importance relative accordée aux différents aspects d'une relation amoureuse.

Puisqu'il s'agit de comparaisons transversales, il se peut qu'elles reflètent simplement les différences de cohortes quant aux valeurs ou aux attitudes face au mariage. Toutefois, les résultats indiquent clairement que la passion et l'intimité sexuelle s'affaiblissent avec l'âge, tandis que la tendresse, les sentiments d'affection et la loyauté s'intensifient.

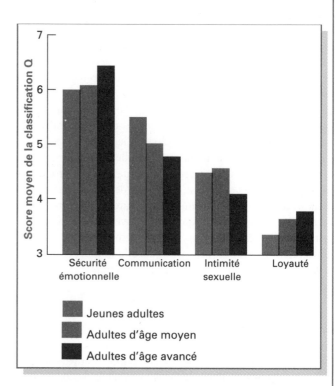

(*Source* : Reedy, Birren et Schaie, 1981, tableau 1, p. 58.)

le moins de satisfaction. Les couples de ce groupe mentionnent de nombreux problèmes conjugaux et une raréfaction des marques d'amour. Les couples d'âge moyen, au contraire, semblent avoir atteint un équilibre sur le plan de la satisfaction. Ce phénomène s'explique peut-être non pas par une augmentation des marques d'affection, mais plutôt par une diminution des problèmes conjugaux.

Selon certains observateurs, les mariages sont *sans vitalité* à l'âge adulte moyen. Par contre, d'autres chercheurs considèrent que ces relations sont empreintes de *complicité*. Il ne s'agit pas de mariages malheureux, ils manquent tout simplement d'intimité. Puisque les partenaires de cet âge se tournent l'un vers l'autre en période de stress et ressentent du chagrin lorsque leur conjoint meurt, l'attachement de base ne semble pas affaibli ni avoir disparu. Mais les comportements d'attachement déclaré en l'absence de stress deviennent moins fréquents, de la même façon que les jeunes enfants conservent un attachement fort mais le manifestent de moins en moins au fil des ans.

Rappelez-vous qu'il ne s'agit que de conjectures et que ces découvertes s'appuient sur des données transversales. Les quelques études longitudinales dont on dispose portent sur de petits groupes de sujets et présentent l'habituel problème de la confusion entre l'âge et la longévité du mariage. Une étude effectuée sur un groupe de 17 couples suivis pendant 40 ans a mis en lumière l'existence d'une période d'« amour sans vitalité » vers le début de l'âge moyen, suivie d'un tournant menant à une relation plus profonde ou plus intime vers la fin de l'âge moyen. Toutefois, ce modèle curviligne ne s'applique qu'à 7 des 17 couples. Cinq d'entre eux ont eu un mariage où l'amour et l'affection étaient considérablement élevés pendant 40 ans, 3 étaient neutres à toutes les périodes, et 2 étaient surtout négatifs. Il n'est guère possible de savoir si ces 17 couples sont représentatifs des mariages durables, mais ces résultats indiquent au moins qu'il existe de nombreuses trajectoires au cours d'une relation conjugale. En règle générale, la satisfaction conjugale augmente et diminue

suivant certains modèles donnés. Mais cette observation ne s'applique pas à tous les mariages. Rien ne permet d'affirmer que l'augmentation de la satisfaction conjugale au milieu de la vie ou le manque de vitalité de la relation soient nécessaires au développement même de la relation. Il n'en reste pas moins que, en tant que groupe, les adultes d'âge moyen s'estiment plus satisfaits de leur mariage que les jeunes adultes.

PARENTS ET ENFANTS

Lorsque nous avons parlé des relations entre les jeunes adultes et leur famille, nous avons envisagé la situation presque exclusivement du point de vue de la jeune génération. Par contre, lorsque l'on observe les relations familiales au milieu de l'âge adulte, il faut se tourner dans les deux directions de la chaîne généalogique. Autrement dit, il faut étudier les relations avec les enfants devenus adultes ou presque, et les relations avec les parents vieillissants.

L'augmentation de l'espérance de vie dans les pays industrialisés accroît considérablement le nombre d'années pendant lesquelles les différentes générations se côtoient. Par exemple, Watkins, Menken et Bongaarts (1987) ont estimé que, en 1800, une femme pouvait s'attendre à ce que ses deux parents soient décédés avant qu'elle ait atteint l'âge de 37 ans. En 1980, une femme de 57 ans avait de grandes chances que l'un de ses parents soit encore vivant. Aujourd'hui, près de la moitié des femmes de 60 ans ont encore leur mère, et ce modèle va se renforcer en même temps que l'espérance de vie va augmenter.

Chaque position sur la chaîne des générations de la famille comporte certaines prescriptions des rôles (Hagestad, 1986, 1990), et ces rôles sont censés nous incomber dans un ordre bien précis. Au milieu de l'âge adulte, du moins dans les cohortes actuelles, le rôle de la famille consiste non seulement à offrir une assistance considérable dans les deux directions de la chaîne généalogique, mais il s'accompagne également de nombreuses responsabilités visant à maintenir les liens affectifs. C'est ce que l'on appelle la génération médiane.

Relations conjugales

Q 1   Quelle évolution observe-t-on en ce qui concerne la satisfaction conjugale, notamment sur le plan des interactions positives et négatives, chez les couples à l'âge adulte moyen ?

Q 2   Pourquoi la confusion entre l'âge des partenaires et la longévité du mariage pose-t-elle un problème sur le plan méthodologique ?

Pour mieux comprendre les répercussions de l'augmentation de l'espérance de vie, vous pourriez mener une enquête dans votre famille. Déterminez l'âge de vos deux parents lorsque leur dernier parent est décédé. Puis calculez l'âge de vos grands-parents lorsqu'ils sont devenus eux-mêmes les aînés de la lignée. Pouvez-vous reculer d'une autre génération dans votre arbre généalogique ?

Cette position médiane est particulièrement bien illustrée dans les résultats d'une étude effectuée par Reuben Hill (Hill, 1965). Ce chercheur a interrogé trois générations de 100 familles, chacune composée de grands-parents âgés de plus de 60 ans, d'un couple de parents âgés de 40 à 60 ans, et d'un enfant marié, âgé de 20 à 40 ans. Il a interrogé chaque membre de la famille sur le type d'aide qu'il dispensait et sur celui qu'il recevait des autres membres de la famille. La figure 13.3 montre que dans chaque domaine, sauf en cas de maladie, la génération médiane donnait plus d'aide qu'elle n'en recevait.

Vous pouvez aussi constater, à partir de la figure, que les adultes d'âge moyen n'offraient pas la même forme d'aide à leurs enfants qu'à leurs parents âgés. Ils aidaient leurs enfants sur le plan financier et les épaulaient dans les soins prodigués à leur progéniture. Quant à leurs propres parents, ils les assistaient dans les tâches domestiques et les soins médicaux, et leur offraient un soutien émotionnel.

On observe le même genre de variations dans les types d'interactions entre parents et enfants dans une étude plus récente réalisée par Gunhild Hagestad (1984), qui portait sur trois générations d'une famille. Cette sociologue s'est intéressée aux tentatives visant à influer sur les membres des autres générations de la famille plutôt qu'aux modèles d'aide. Dans son échantillon de 148 familles, les adultes d'âge moyen cherchaient davantage à influencer leurs enfants que leurs parents, mais les tentatives dans les deux sens se présentaient de façon assez fréquente. Leur influence auprès des parents vieillissants s'exerçait plutôt par des conseils pratiques ayant trait au lieu de résidence et à la façon d'entretenir la maison et de gérer leur argent. Toutefois, ils ne réussissaient pas à les faire changer d'avis sur des questions d'ordre social ni à faire des commentaires sur la dynamique familiale.

Quant à leurs grands enfants, ils s'efforçaient surtout de les aider à acquérir les rôles clés de l'âge adulte. Les discussions portaient davantage sur l'éducation, le travail, l'argent et le style de vie personnel.

Les tentatives d'influence ne proviennent pas exclusivement de la génération médiane. Les jeunes adultes et les grands-parents interrogés dans cette étude essayaient également d'influencer la génération des parents d'âge moyen, avec un succès relatif. Il est très amusant de lire dans le compte rendu de Hagestad que, quel que soit leur âge, les parents continuent de vouloir influencer leurs enfants, et que ces derniers, quel que soit également leur âge, continuent de résister à cette influence et aux conseils. Cependant, les conseils que les enfants donnent à leurs parents connaissent plus de succès. Ainsi, alors que seulement le tiers des tentatives des parents pour influencer leurs enfants aboutissent, environ 70 % des tentatives des enfants pour influencer leurs parents sont fructueuses.

Hagestad a d'autre part découvert que chaque famille semble posséder un thème particulier ou un ensemble de thèmes récurrents dans leurs descriptions des interactions d'une génération à l'autre. Certaines familles parlent beaucoup d'argent. D'autres ne mentionnent jamais le sujet. Certaines mettent l'accent sur la dynamique familiale ou les problèmes de santé. Ces thèmes sont particulièrement évidents si l'on observe exclusivement les lignées d'hommes ou de femmes. Dans plus de la moitié des familles étudiées par

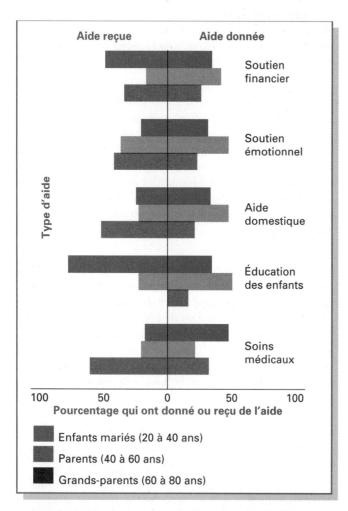

Figure 13.3 Aide reçue et donnée chez trois générations d'une même famille. Les données de l'étude effectuée par Hill sur les trois générations d'une même famille illustrent clairement le phénomène de la génération médiane. Cette génération offre plus d'aide dans quatre des cinq catégories, et elle reçoit moins d'aide que ses parents plus âgés. (*Source*: Hill, 1965, tiré du tableau 3, p. 125.)

Quels sont les sujets de conversation qui cimentent les liens dans votre famille ? Les hommes abordent-ils des sujets différents de ceux des femmes ?

Hagestad, les trois générations de femmes parlaient régulièrement des relations interpersonnelles, particulièrement de la dynamique familiale, tandis que ces thèmes n'apparaissaient jamais dans les lignées mâles. Les grands-pères, les pères et les petits-fils étaient davantage portés à parler de travail, d'éducation ou d'argent. D'autres études sur les familles comportant plusieurs générations, menées aux États-Unis et en Allemagne, confirment ces modèles. Lorsque les femmes d'une famille ont des conflits, ceux-ci concernent souvent la façon dont les personnes devraient interagir entre elles. Lorsque les pères, les fils et les petits-fils ont des conflits, ceux-ci sont souvent d'ordre extra-familial, comme la politique ou les questions sociales (Lehr, 1982 ; Hagestad, 1985).

La recherche effectuée par Hagestad est particulièrement intéressante car elle offre un aperçu du mode de fonctionnement complexe des relations familiales entre les générations. Il est possible de mieux comprendre encore les relations familiales chez les adultes d'âge moyen en observant séparément les relations particulières qu'ils entretiennent avec leurs enfants et avec leurs parents. Des recherches sur le syndrome du nid déserté, sur la condition de grand-parent et sur les soins prodigués aux parents vieillissants fournissent une image plus nette de cette génération médiane.

DÉPART DES ENFANTS

Le moment où survient ce stade dans le cycle de la vie familiale est fonction de l'âge des parents lors de la venue au monde du dernier enfant. Les Nord-Américaines nées entre

Les familles comptant trois générations d'adultes, comme ce grand-père, ce fils et ce petit-fils, constituent maintenant la règle, et non plus l'exception. Ces trois hommes privilégient probablement certains sujets de conversation, et partagent certaines activités.

1940 et 1949 — qui sont donc maintenant dans la quarantaine ou la cinquantaine — avaient généralement leur dernier enfant à l'âge de 26 ans. Si l'on suppose que cet enfant quitte le foyer vers 24 ou 25 ans, les femmes de cette cohorte auront environ 50 ans au moment de ce départ. Puisque les hommes se marient plus tard, ils auront entre 53 et 55 ans lorsque le dernier enfant quittera la maison. Évidemment, les gens qui retardent la naissance des enfants repoussent le *syndrome du nid déserté* à un âge plus avancé.

Les travaux de Hagestad soulignent le fait que le rôle parental ne se termine pas avec le départ de la maison des enfants. Les enfants comptent encore sur le soutien et les conseils de leurs parents. Mais, en période postparentale, le contenu du rôle parental change du tout au tout. Sur une base quotidienne, on n'a plus à nourrir et à nettoyer derrière ses enfants. On a ainsi plus de temps à consacrer au rôle de conjoint, et ce changement contribue indéniablement à l'augmentation de la satisfaction conjugale à ce stade de la vie familiale. Il est intéressant de constater que ce que l'on appelle l'impératif parental semble également s'affaiblir. Si vous vous reportez au chapitre 11 et étudiez la figure 11.5 (p. 349), vous pouvez noter que, au stade postparental, maris et femmes se répartissent les tâches domestiques de manière beaucoup plus équitable qu'aux stades antérieurs.

Or, le syndrome du nid déserté n'est-il pas censé correspondre une période de stress accru, et non le contraire, en particulier chez les femmes ? La croyance populaire veut que la plupart des femmes soient dépressives ou contrariées à cette période de la vie en raison de la perte de la centralité de leur rôle de mère. Il est possible qu'un tel modèle existe dans certaines cultures, mais tel n'est pas le cas en Amérique du Nord pour la grande majorité des femmes d'âge moyen.

Le taux de suicide augmente chez les femmes d'âge moyen, mais cette augmentation débute entre 31 et 40 ans, alors que les enfants sont encore à la maison, puis il baisse chez les femmes de plus de 50 ans, au moment du syndrome du nid déserté. De la même façon, la petite déviation sur la courbe de la dépression chez les femmes d'âge moyen survient vers la fin de la trentaine et au début de la quarantaine, avant que les enfants aient quitté la maison. Le taux d'alcoolisme baisse également chez les femmes lorsqu'elles atteignent la quarantaine et la cinquantaine (U.S. Bureau of the Census, 1984). Au Québec en 1993, le taux de suicide chez les femmes augmentait très légèrement entre le début de l'âge adulte et le milieu de l'âge adulte (passant de 10,1 à 10,3 pour 100 000), puis diminuait fortement à l'âge adulte avancé (6,4) (Bureau de la statistique du Québec, 1995). La détresse psychologique de même que la consommation d'alcool diminuait à l'âge adulte moyen (Santé Québec, 1995). En fait, lorsqu'on interroge les femmes sur les transitions positives et négatives dans leur vie, celles qui citent le départ du dernier enfant de la maison ont tendance à qualifier cet événement de positif (Harris, Ellicott et Holmes, 1986).

Les quelques femmes qui éprouvent une certaine détresse dans ce rôle de transition sont celles qui ont largement investi leur identité dans le rôle de mère. Les femmes de cet âge qui font partie de la population active sont davantage amenées à considérer le départ des enfants comme positif. En règle générale, plus une personne a de rôles différents à assumer, plus elle sera susceptible de connaître des conflits de rôles ou des tensions de rôles. Au début de l'âge adulte, lorsqu'on assume le nouveau rôle de parent, on observe une importante augmentation de telles pressions. Puisque le rôle de parent perd nettement de sa complexité au cours de la période postparentale, la pression diminue.

RÔLE DE GRAND-PARENT

La majorité d'entre nous assument un nouveau rôle familial à l'âge adulte moyen, celui de grand-parent. Aux États-Unis, près des trois quarts des adultes sont grands-parents avant 65 ans, et la plupart vivent maintenant assez longtemps pour voir leurs petits-enfants grandir (Hagestad, 1988; Cherlin et Furstenberg, 1986). Les familles comptant quatre et cinq générations sont de plus en plus courantes, même à notre époque de maternité tardive chez les jeunes générations.

Aux États-Unis, une femme est généralement grand-mère entre l'âge de 42 et 45 ans (Sprey et Matthews, 1982). Il se peut que cette moyenne change dans les futures cohortes à mesure que l'âge moyen de la maternité recule, mais il s'agit tout de même d'une expérience normative de l'âge moyen.

La plupart des grands-parents voient régulièrement leurs petits-enfants ou leur parlent au téléphone. Certains leur écrivent, leur téléphonent ou leur rendent visite tous les quinze jours au moins. Le plus souvent, les générations actuelles de grands-parents décrivent leurs relations avec leurs petits-enfants comme chaleureuses et affectueuses par comparaison avec les relations beaucoup plus strictes ou autoritaires qu'ils avaient eux-mêmes avec leurs grands-parents.

Bien sûr, les grands-parents ne sont pas tous identiques. Certains chercheurs ont défini différents types de relations grands-parents/petits-enfants. Andrew Cherlin et Frank Furstenberg (1986) en proposent trois:

1. *Distant*: En général, ces grands-parents voient peu leurs petits-enfants et n'exercent guère d'influence directe sur leur vie. La raison la plus courante de cette attitude est l'éloignement physique, mais il y a de nombreux grands-parents qui vivent à proximité et qui sont tout de même distants sur le plan affectif. Cherlin et Furstenberg ont interrogé une grand-mère sur la perception de son rôle. Elle a répondu, d'une voix distante et formelle:

   Je suis bien heureuse de vivre assez longtemps pour voir grandir mes petits-enfants. Et je suis heureuse que mes enfants perpétuent les principes, les buts et les idéaux que je leur ai transmis. J'espère que mes petits-enfants vont les transmettre à leur tour à leurs enfants. Pour réussir sa vie, il faut avoir une bonne éducation et parfaire cette éducation longtemps après avoir quitté l'école. (p. 54.)

2. *Relation de camaraderie*: Par contraste, voici les propos d'une autre femme dans la même étude:

   Lorsqu'on a des petits-enfants, on a plus d'amour à donner, car ce sont les parents qui s'occupent de la discipline. Les grands-parents n'ont que de l'amour à donner et ont tendance à gâter leurs petits-enfants. (p. 55.)

   Ces grands-parents établissent des relations chaleureuses et amicales avec leurs petits-enfants, ce que Cherlin et Furstenberg appellent une relation de *camaraderie*. Ils se disent également heureux de ne plus avoir de responsabilités quotidiennes. Ils peuvent aimer leurs petits-enfants, puis les renvoyer à la maison.

3. *Relation engagée*: Le troisième type comprend les grands-parents qui participent de manière active à l'éducation de leurs petits-enfants. Certains vivent même parfois avec un ou plusieurs de leurs enfants et petits-enfants. D'autres participent pleinement à l'éducation de leurs petits-enfants. Néanmoins, il existe également des relations engagées où les grands-parents n'ont aucune responsabilité quant à l'éducation de leurs petits-enfants, mais les voient fréquemment et établissent une relation très étroite avec eux.

Parmi les grands-parents plus jeunes, il semble y avoir un quatrième type que certains appellent les «joueurs» (Neugarten et Weinstein, 1964; McCready, 1985). Ces grands-parents mettent l'accent sur les activités ludiques,

Lorsque les enfants quittent la maison, de nombreux couples ont alors plus de temps à se consacrer, et retirent plus de plaisir et de satisfaction de leur relation.

comme les loisirs et les jeux, et amènent leurs petits-enfants faire des activités de plein-air ou jouent avec eux.

Dans l'étude effectuée par Cherlin et Furstenberg auprès d'un échantillon de plus de 500 grands-parents, 55 % d'entre eux étaient classés comme ayant une relation de camaraderie, 29 % comme étant distants et 16 % comme ayant une relation engagée. Les chercheurs ont aussi constaté que le modèle différait selon l'âge et le sexe. Les grands-mères étaient davantage portées à établir des relations chaleureuses et empreintes de camaraderie, comme le font les grands-parents plus jeunes des deux sexes (Cherlin et Furstenberg, 1986 ; Bengtson, 1985). Les grands-parents de plus de 65 ans avaient tendance à se montrer plutôt distants, parfois parce que leur état de santé ne leur permettait pas de tolérer la présence régulière de très jeunes enfants.

La situation conjugale des parents influe également sur les relations entre grands-parents et petits-enfants. Les grands-parents dont la fille est divorcée ou veuve sont portés à s'engager largement dans la vie de leurs petits-enfants (Aldous, 1985).

De toute évidence, le rôle de grand-parent représente généralement une source de joies et de satisfaction pour les adultes d'âge moyen et avancé. Cependant, il faut noter que la satisfaction générale d'un adulte dépend peu de la qualité des rapports qu'il entretient avec ses petits-enfants. Les grands-parents qui voient leurs petits-enfants souvent ne se disent pas plus heureux que ceux qui les voient moins (Palmore, 1981). Cela ne signifie pas pour autant que les grands-parents soient insatisfaits de leur rôle, mais plutôt que, pour la plupart des individus d'âge moyen, le rôle de grand-parent n'est pas essentiel à leur perception de soi ni à leur bien-être global. Par contre, les rôles de conjoint ou de parent, soit les nouveaux rôles acquis au début de l'âge adulte, ont une incidence particulièrement déterminante sur le bonheur et sur la satisfaction générale.

Le petit Justin a l'air de bien s'amuser avec sa grand-mère, avec qui il semble entretenir ce que Cherlin et Furstenberg appellent une « relation de camaraderie ».

PRISE EN CHARGE D'UN PARENT VIEILLISSANT

Au milieu de l'âge adulte, on doit parfois s'occuper d'un parent âgé, et ce rôle a des répercussions considérables sur la satisfaction générale. Il est extrêmement difficile d'évaluer le pourcentage d'individus d'âge moyen qui assument ce rôle. Presque toutes les données que l'on possède proviennent d'études portant sur des adultes âgés, que l'on interrogeait sur la nature et la quantité des soins qu'ils recevaient de leurs enfants. Ces données n'apportent pas de réponse à la question portant sur l'expérience caractéristique du milieu de l'âge adulte. Il faut plutôt demander quel est le pourcentage d'individus d'âge moyen qui s'occupent de leurs parents âgés. Par exemple, on sait que 18 % des personnes âgées qui ont des enfants adultes vivent chez un de leurs enfants (Hoyert, 1991 ; Crimmins et Ingegneri, 1990). Or, comme la plupart des personnes âgées ont plus d'un enfant, il n'est pas vrai que 18 % des adultes d'âge moyen partagent leur vie avec l'un de leurs parents, ni que toutes les personnes âgées qui habitent avec leurs enfants sont invalides ou nécessitent des soins réguliers. Cette stratégie ne nous révèle donc pas combien d'adultes d'âge moyen dispensent des soins à leurs parents âgés, que ce soit régulièrement ou occasionnellement.

Un petit nombre d'études offrent une information plus pertinente : on a demandé à des adultes d'âge moyen et avancé constituant un échantillon représentatif de la population quel était le genre d'aide qu'ils recevaient et offraient (Rosenthal, Matthews et Marshall, 1989 ; Spitze et Logan, 1990). Dans l'une de ces études, Spitze et Logan ont interrogé 1 200 adultes d'âge moyen vivant dans le nord de l'État de New York. La figure 13.4 montre que, dans cet échantillon, moins de 20 % des adultes de 40 à 65 ans consacraient plus de trois heures par semaine à aider un parent vieillissant. Dans un quart des cas environ, soit près de 5 %, le parent vivait avec un enfant d'âge adulte moyen.

Il faut manipuler ces chiffres avec soin, car ils pourraient nous induire en erreur pour deux raisons. Premièrement, ils n'indiquent pas quel pourcentage d'adultes d'âge moyen assumeront un jour le rôle de principal dispensateur de soins pour leurs parents. Deuxièmement, il est fort probable que de plus en plus d'adultes seront amenés à jouer ce rôle dans les prochaines décennies, car l'espérance de vie continue d'augmenter et les personnes âgées vivront plus longtemps tout en souffrant d'invalidités. Par contre, même

> Pensez à une étude qui vérifierait l'hypothèse selon laquelle l'état de santé pourrait expliquer les différences observées dans les types de relations grands-parents/petits-enfants.

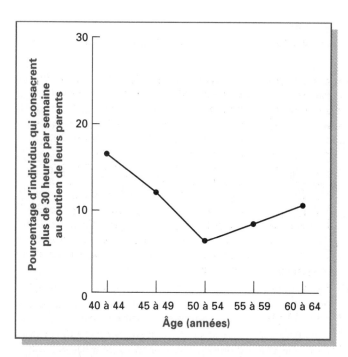

Figure 13.4 Prise en charge d'un parent vieillissant.
Relativement peu d'adultes d'âge moyen prennent totalement
en charge un de leurs parents, ou les deux. Toutefois, ces
données transversales ne révèlent pas le pourcentage d'adultes
qui assumeront cette fonction à un moment donné de leur vie.
(*Source* : Spitze et Logan, 1990, tiré du tableau 2, p. 189.)

en tenant compte de ces nuances, il semble que seule une
minorité d'adultes aura à assumer ce rôle.

Tous les adultes d'âge moyen ne sont pas pareillement
susceptibles de se retrouver dans cette minorité. Ceux qui ont
le plus de chances de s'occuper de leurs parents vieillissants
sont les enfants uniques, les célibataires, les personnes qui
travaillent à temps partiel et les filles — une tendance caractéristique que nous abordons plus en détail dans l'encadré
« Le monde réel ».

Au Québec en 1992-1993, la proportion des aidants
familiaux (c'est-à-dire les membres de la famille qui offrent
une aide à leurs parents souffrant d'incapacités) variait davantage selon l'âge que selon le sexe. En effet, presque autant
d'hommes (46 %) que de femmes (54 %) apportaient une aide
à leurs parents. La plupart faisaient partie du groupe des
45-64 ans (44 %) et étaient le plus souvent mariés (57 %),
mais un quart d'entre eux étaient célibataires (24 %) (Santé
Québec, 1995).

EFFETS DE LA PRISE EN CHARGE. Au cours des dix
dernières années, des douzaines d'études ont tenté d'évaluer
les répercussions de la prise en charge quotidienne d'un
parent (ou conjoint) invalide, très faible ou atteint de
démence. Dans la grande majorité des études, le bénéficiaire
était atteint de la maladie d'Alzheimer ou d'une autre forme

de démence. Ces individus perdent progressivement la
capacité de s'acquitter des tâches quotidiennes normales. Ils
sont parfois incapables de se nourrir et de se vêtir seuls et,
dans certains cas, ils ne reconnaissent pas les personnes qui
s'occupent d'eux.

Les contraintes peuvent être très éprouvantes pour la
personne qui prend soin de son parent. En effet, il faut parfois porter ou soulever le malade, et accomplir en outre des
tâches domestiques. Dans certains cas, le patient requiert une
surveillance constante. Une telle prise en charge, notamment
si le dispensateur de soin essaie en même temps de répondre
aux exigences de son travail et de sa famille, devient souvent
une source d'épuisement et un gouffre financier.

Il n'est donc pas surprenant d'apprendre que le fait
d'assumer un rôle aussi exigeant comporte un lourd tribut.
Un examen récent de toutes les études existantes (Schulz,
Visintainer et Williamson, 1990) montre que les conjoints
et les enfants qui dispensent des soins apparaissent plus déprimés lorsqu'on les compare à un groupe d'adultes du même
âge et de la même classe sociale. Il semblerait également que
les personnes qui s'occupent d'un parent malade sont plus
portées à être malades que les autres, car leur système immunitaire s'affaiblirait (Kiecolt-Glaser *et al.*, 1987 ; Dura et
Kiecolt-Glaser, 1991).

Il importe de rester circonspect à l'égard de ces données. En effet, les sujets recrutés pour plusieurs de ces études
faisaient partie de groupes familiaux de soutien aux personnes atteintes de la maladie d'Alzheimer. Il est possible que
de tels groupes attirent tout particulièrement les individus qui
éprouvent beaucoup de difficulté à s'occuper de leur parent.
Par ailleurs, la plupart des dispensateurs de soins traversent
des périodes au cours desquelles leur moral est très bas et ils
se sentent désespérés à cause du fardeau qu'ils portent, mais
peu d'entre eux présentent les symptômes cliniques de la
dépression. En outre, ces études n'apportent pratiquement
aucun éclaircissement sur la manière dont cette responsabilité est perçue par les fils et les filles (ou le conjoint) qui
s'occupent d'une personne non démente mais souffrant d'une
invalidité quelconque. Enfin, le sentiment de ployer sous le
fardeau peut être atténué par des sources extérieures de soutien, comme des amis à qui l'on se confie, des membres de
la famille qui partagent certaines tâches et un conjoint com-
préhensif (Schulz et Williamson, 1991 ; Brody *et al.*, 1992).

Si vous compariez un groupe d'hommes d'âge
moyen qui s'occupent régulièrement de leurs
parents âgés à un groupe d'hommes qui n'assurent
pas cette responsabilité, quelles seraient, d'après
vous, les différences que vous observeriez entre
ces deux groupes ? Sur le plan de l'âge ? de
l'emploi ? de la personnalité ?

LE MONDE RÉEL

Qui prend en charge un parent âgé en perte d'autonomie?

Lorsqu'une personne âgée a besoin d'une aide assidue, qui la dispense et pourquoi? La réponse est la suivante: les filles et les belles-filles. Les filles sont de deux à quatre fois plus susceptibles de donner de l'aide sur une base quotidienne que les fils (Dwyer et Coward, 1991). La raison en est que la famille négocie la répartition des tâches liées aux soins selon un certain nombre de critères, telles les diverses contraintes et les ressources existantes. Parmi les frères et sœurs, la personne qui a vraisemblablement le parent à sa charge est celle qui n'a plus d'enfants à la maison, qui est célibataire ou qui vit à proximité du parent vieillissant (Stoller, Forster et Duniho, 1992). L'enfant le plus fortement attaché à ses parents est également celui qui sera le plus porté à fournir de l'aide, bien que cet effet de l'attachement ne soit pas aussi marqué que la proximité ou la disponibilité (Whitbeck, Simons et Conger, 1991).

Dans notre société, la plupart de ces facteurs concourent à faire de la fille ou de la belle-fille la candidate la plus susceptible de s'occuper des personnes âgées. Dans la cohorte actuelle des adultes d'âge moyen, il y a un plus grand nombre de femmes qui ne travaillent pas et ne sont pas mariées, car les femmes veuves ou divorcées ont moins tendance à se remarier que les hommes veufs ou divorcés. En outre, au sein de la dynamique familiale, c'est généralement entre la fille et sa mère que s'établit l'attachement le plus fort. Et comme c'est souvent l'état de santé de la mère âgée qui exige des soins, sa fille est toute désignée pour prendre soin d'elle.

D'autre part, le fait de vivre déjà à proximité du parent vieillissant, ce qui semble ne pas faire partie de l'équation, n'est pas non plus le fait du hasard. Les filles, peut-être à cause d'un plus grand lien affectif ou d'une plus grande socialisation dans le rôle du maintien des liens familiaux, ont davantage tendance à vivre près de leurs parents et ceux-ci, quand ils prennent de l'âge, sont davantage susceptibles de déménager près de leur fille que près de leur fils.

Malgré tout, il arrive que les fils s'occupent d'une personne âgée. Certaines données indiquent que les hommes âgés qui vivent seuls sont plus enclins à se tourner vers leur fils que vers leur fille (Stoller, 1990). En outre, si ce fils est célibataire, il aura plus tendance que sa sœur mariée à s'occuper de son père (Stoller *et al.*, 1992).

En dépit de ces quelques exceptions, il demeure incontestable que ce sont souvent les femmes qui prennent en charge un parent vieillissant, car elles assument déjà une responsabilité similaire à l'intérieur du mariage et auprès des enfants. Mais il se peut fort bien que cette situation change au cours des décennies à venir, puisque les femmes feront partie en plus grand nombre de la population active. Cependant, étant donné que la distribution des tâches ménagères n'a pas tellement évolué en dépit des changements radicaux des modèles du travail chez la femme, le mode de la prise en charge d'un parent vieillissant ne semble pas près de changer rapidement.

Il ne s'agit nullement ici de minimiser l'énormité de la tâche à laquelle doit faire face un adulte d'âge moyen (ou un conjoint âgé) qui a la charge d'une personne âgée démente ou très faible physiquement. Cette situation entraîne des coûts d'ordres divers qui sont parfois considérables. Il demeure cependant qu'une telle prise en charge n'est pas une expérience très courante pour les cohortes actuelles des adultes d'âge moyen, tout au moins dans les pays industrialisés.

En ce qui concerne la majorité des adultes d'âge moyen, le modèle est beaucoup moins tranché et beaucoup plus positif. Nous aidons davantage nos parents que lorsque nous étions plus jeunes. Nous continuons de les voir à l'occasion des dates importantes, nous éprouvons de l'affection pour eux et nous avons conscience de notre responsabilité filiale. Nos parents jouent aussi un rôle important sur le plan symbolique car, tant qu'ils vivront, ils occuperont la place de l'aîné dans la lignée. Lorsqu'ils meurent, chaque génération avance d'un cran dans la séquence généalogique, et les personnes de la génération médiane doivent se faire à l'idée qu'elles seront les prochaines à partir.

Parents et enfants

Q 3 Expliquez ce que l'on entend par « génération médiane ».

Q 4 Quelles observations peut-on faire en ce qui concerne les tentatives d'influences entre générations ?

Q 5 Selon l'étude de Hagestad, quels sont les thèmes de discussion privilégiés et les sources majeures de conflits dans les lignées d'hommes ? les lignées de femmes ?

Q 6 Quelles sont les femmes qui courent le plus grand risque d'être affectées par le départ des enfants de la maison ?

Q 7 Définissez les différents types de relations grands-parents/petits-enfants.

Q 8 Quels sont les effets de la prise en charge d'un parent vieillissant pour un adulte d'âge moyen ?

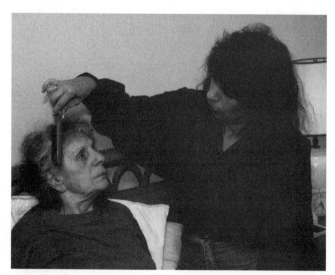

Les filles, beaucoup plus que les fils, ont tendance à prendre en charge un parent invalide ou dément, comme cette femme le fait pour sa mère atteinte de la maladie d'Alzheimer.

AMITIÉ

On ne dispose que de peu d'informations sur l'amitié au milieu de l'âge adulte. Toutefois, ces quelques données suggèrent que l'amitié est moins centrale dans la vie des adultes d'âge moyen qu'elle ne l'est au début ou à la fin de l'âge adulte. Le nombre d'amis est élevé au début de la vingtaine puis diminue et demeure stable au milieu de l'âge adulte. Plus tard, vers environ 65 ans, le nombre de personnes qui font partie du réseau d'amis augmente de nouveau (Dickens et Perlman, 1981 ; Antonucci et Akiyama, 1987a ; Farrell et Rosenberg, 1981). La fréquence des rencontres avec les amis suit la même tendance. Dans une étude transversale effectuée à Détroit (Stueve et Gerson, 1977), 73 % des jeunes adultes célibataires affirmaient voir leurs amis au moins une fois par semaine. Chez les adultes au stade postparental, seulement 39 % disaient voir leurs amis aussi souvent.

Ce modèle s'explique en partie par le fait que les adultes dans la trentaine, la quarantaine ou la cinquantaine sont encore absorbés par d'autres rôles. Mais il se peut également que, à l'âge moyen, on ait tendance à se contenter des amitiés acquises et que l'on prenne moins l'initiative d'en nouer de nouvelles. En général, il semble que l'on voit *moins* souvent les amis de longue date ; or les individus d'âge moyen connaissent leurs amis depuis plus longtemps que les jeunes adultes. Par ailleurs, ces amitiés de longue date sont plus intimes. On peut donc dire que, à l'âge adulte moyen, le cercle d'amis est réduit, mais que ces amitiés sont plus solides et qu'il n'est pas besoin de fréquents contacts pour maintenir l'intimité. Les amitiés profondes survivent à un léger éloignement, tout en gardant leur importance.

DIFFÉRENCES INDIVIDUELLES DANS LE MODÈLE D'AMITIÉ. Les différences sexuelles dans le modèle d'amitié dont nous avons parlé précédemment sont toujours présentes au milieu de l'âge adulte. Les femmes ont un plus grand nombre d'amis intimes, tandis que les hommes possèdent un réseau d'amis plus élargi mais moins intime. Ils pratiquent des activités avec ces amis, mais leur confient moins leurs problèmes ou leurs sentiments.

Au-delà de ces caractéristiques, il semble que l'aptitude à nouer et à entretenir des amitiés constitue un trait stable de la personnalité (Costa, Zonderman et McCrae, 1985).

Afin d'expliquer la diminution du nombre d'amis, on pourrait aussi soutenir que l'amitié est tout simplement moins importante au milieu de la vie adulte. Quelle hypothèse vous semble la plus plausible, et pourquoi ? À quel genre de données devrait-on avoir recours pour trancher la question ?

Costa et McCrae ont évalué cette dimension au moyen d'une série de questions portant sur le nombre et la qualité des amitiés ainsi que sur l'intimité et l'absence de solitude. Dans des études longitudinales effectuées auprès d'hommes adultes, ils ont constaté une assez grande stabilité des amitiés sur une période allant jusqu'à près de 12 ans, et ce qu'il y ait eu déménagement ou non.

On ne dispose pas de données longitudinales équivalentes sur l'amitié chez les femmes adultes, mais il serait très étonnant d'observer une différence substantielle dans le modèle. Costa et McCrae ont sans doute raison d'affirmer que chacun d'entre nous possède des aptitudes de base ou une inclination à cultiver des amitiés enrichissantes, et que nous transportons ce bagage avec nous, quel que soit notre cheminement dans notre vie adulte. Par ailleurs, il serait intéressant de savoir si cette aptitude ou ce trait de la personnalité est tributaire du modèle interne d'attachement de l'adulte.

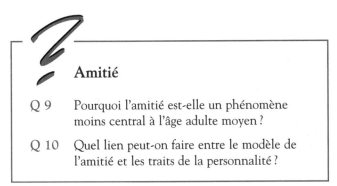

Amitié

Q 9   Pourquoi l'amitié est-elle un phénomène moins central à l'âge adulte moyen ?

Q 10   Quel lien peut-on faire entre le modèle de l'amitié et les traits de la personnalité ?

TRAVAIL

Au travail comme dans la vie de famille, les rôles sont en général bien maîtrisés au milieu de l'âge adulte. En même temps, la plupart des adultes n'obtiennent plus d'avancement au cours de cette période ; ils ont atteint un plafond. On pourrait s'attendre à ce que cette caractéristique entraîne une diminution de la satisfaction professionnelle, mais tel n'est pas le cas. Au contraire, la satisfaction professionnelle et financière sont à leur sommet, ainsi que le sentiment d'influence au travail. Lois Tamir, qui a effectué une étude transversale sur le comportement des hommes au travail, avance deux explications de ce paradoxe apparent. D'une part, la majorité des hommes d'âge moyen connaissent le succès sur le plan professionnel, ils ont une bonne situation et ils en sont plutôt satisfaits. D'autre part, ils se font à l'idée qu'il est peu probable qu'ils gravissent encore des échelons, alors ils se convainquent qu'ils ont atteint une situation satisfaisante, ou encore, ils révisent leurs attentes ou leurs valeurs professionnelles.

L'étude transversale menée par Tamir auprès d'un échantillon d'hommes représentatifs appuie davantage la seconde hypothèse, comme l'illustre le tableau 13.1. Chez les hommes jeunes participant à cette étude (de 25 à 39 ans), le degré de satisfaction professionnelle était lié à divers éléments de satisfaction personnelle, ce qui n'était pas le cas chez les sujets d'âge moyen. À l'âge adulte moyen, les hommes commencent à ne plus percevoir leur emploi comme la principale source de satisfaction et d'accomplissement, ce qui constitue en soi une forme de désengagement même s'ils sont plus satisfaits de leur travail que lorsqu'ils étaient jeunes.

Il n'est pas évident que l'on retrouve ces mêmes caractéristiques chez les femmes d'âge moyen qui travaillent. Pour les femmes qui commencent à travailler de façon régulière seulement dans la trentaine ou la quarantaine, il se pourrait que le milieu de l'âge adulte soit une période d'avancement rapide plutôt qu'un moment de conservation des acquis. Par conséquent, la satisfaction professionnelle aurait peut-être chez elles le même effet sur la satisfaction générale que chez les hommes au début de l'âge adulte.

Tableau 13.1

Satisfaction professionnelle et satisfaction générale chez des hommes de différents groupes d'âge

Corrélation entre satisfaction professionnelle et :	Hommes jeunes (25 à 39 ans)	Hommes d'âge moyen (40 à 49 ans)
Satisfaction générale	0,31[a]	0,04
Enthousiasme	0,43[a]	0,09
Estime de soi	0,26[a]	0,02

[a] Cette corrélation est significative à partir de la valeur 0,001, ce qui signifie que, s'il n'y avait en fait aucun lien entre les deux variables, une telle corrélation ne pourrait se produire aléatoirement qu'une seule fois pour chacun des 1 000 échantillons de cette taille.
Source : Tamir, 1982, tableaux 4.14, 4.15 et 4.16, p. 91 et 92.

Pourtant, il est rare que les femmes prennent un emploi à temps plein lorsque les enfants ont quitté la maison, du moins dans les cohortes actuelles. Phyllis Moen (1991) a analysé des données longitudinales, recueillies sur une période de 10 ans, à partir d'une étude sur le revenu (« Michigan Panel Study of Income Dynamics »). Elle a trouvé que la plupart des femmes d'âge moyen avaient commencé à travailler alors que leurs enfants étaient encore à la maison. Peu de femmes avaient commencé à travailler pour la première fois au moment où le dernier enfant quittait la maison. Les principaux facteurs qui poussent les femmes à travailler à temps plein au milieu de l'âge adulte sont le divorce ou la mort du conjoint.

Ces informations suggèrent que les femmes d'âge moyen connaissent une plus grande variabilité de leur expérience du travail que les hommes du même âge. Il n'existe pratiquement pas de données sur les effets psychologiques du travail chez les femmes appartenant à ce groupe d'âge. On sait qu'elles ressentent une plus grande satisfaction à l'égard de leur emploi que les femmes plus jeunes, mais on ignore si elles ont le sentiment de détenir une certaine autorité ou un certain pouvoir au travail. On sait en revanche que les femmes d'âge moyen qui travaillent se montrent plus satisfaites de leur vie que celles qui ne travaillent pas (Betz et Fitzgerald, 1987). Par contre, on ignore s'il existe la même corrélation entre la satisfaction professionnelle et la satisfaction générale que celle que Tamir a observée chez les hommes. Nous pensons que le modèle pourrait être le même chez les femmes qui travaillent sans interruption, mais cela n'est sans doute pas vrai pour les femmes dont le cheminement professionnel est plus variable, ou celles qui trouvent leur rythme de travail vers 40 ou 50 ans seulement.

Au Québec en 1992-1993, une enquête a évalué le sentiment d'autonomie décisionnelle au travail chez les hommes et chez les femmes. Le premier aspect visait l'autorité décisionnelle, soit la possibilité de choisir la façon de faire son travail et de participer aux décisions. Le deuxième aspect portait sur la capacité d'utiliser ses compétences et d'en acquérir de nouvelles. Plus de femmes (57 %) que d'hommes (46 %) ont fait état d'un faible niveau d'autonomie au travail. Par ailleurs, ces pourcentages chez les deux sexes réunis diminuaient avec l'âge (71 % chez les 15-24 ans, 51 % chez les 25-44 ans, et 42 % chez les 45 ans et plus) (Santé Québec, 1995).

PRÉPARATION À LA RETRAITE

Beaucoup d'adultes d'âge moyen commencent à se préparer de diverses façons en vue de la retraite, souvent 15 ans avant la date prévue. Cette préparation se traduit généralement par une réduction graduelle de la charge de travail. Par exemple, la figure 13.5 illustre le pourcentage d'hommes et de femmes, issus d'un échantillon aléatoire comprenant 1 339 adultes, qui

travaillaient 45 heures ou plus par semaine, ou qui avaient pris leur retraite pour des raisons autres que des motifs de santé (Herzog, House et Morgan, 1991). Vous pouvez constater que, à partir de l'âge de 55 ans, plus de gens prennent leur retraite et que ceux qui occupent toujours un emploi réduisent leur temps de travail.

À mesure qu'ils se rapprochent du moment normal de la retraite, les adultes d'âge moyen multiplient les préparatifs formels et officieux en vue de cette transition (Evans, Ekerdt et Bossé, 1985 ; Newman, Sherman et Higgins, 1982). Ils parlent avec leur conjoint, leurs amis ou leurs collègues de travail des meilleures options de retraite et lisent des articles sur la question dans les journaux. Certains participent à des séminaires sur la planification financière, s'informent auprès de sources compétentes pour savoir quels seront leurs revenus au moment de la retraite, se penchent de plus près sur la planification de leur retraite ou consultent un spécialiste.

On note une telle préparation surtout chez les travailleurs qui souhaitent prendre leur retraite le plus tôt possible, qui

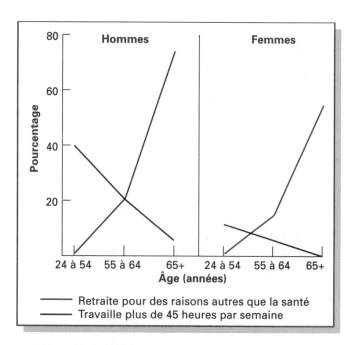

Figure 13.5 Retraite et temps consacré au travail chez différents groupes d'âge. La plupart d'entre nous pensent que 65 ans est l'âge de la retraite mais, en fait, de nombreux adultes commencent à prendre de la distance à l'égard de leur emploi bien avant d'atteindre cet âge. (*Source*: Herzog, House et Morgan, 1991, tableau 1, p. 205.)

> Selon notre interprétation, la figure 13.5 illustre une baisse de l'engagement professionnel dès le milieu de l'âge adulte. Y a-t-il d'autres façons d'expliquer ou d'interpréter ces données ?

sont insatisfaits de leur emploi ou qui comptent des retraités parmi leurs amis (Evans, Ekerdt et Bossé, 1985). Quelques études montrent que les hommes sont plus enclins à préparer leur retraite que les femmes (Kroeger, 1982), mais il n'est pas certain que cela se vérifierait encore aujourd'hui auprès d'échantillons plus récents. Ceux qui appréhendent la retraite font moins de projets mais, même dans ce groupe, le degré de planification augmente à mesure que le moment approche.

Si l'on combine toutes ces informations sur les cheminements professionnels au milieu de l'âge adulte, on observe une réduction progressive du caractère central du travail dans la vie adulte. Cette constatation semble se vérifier tant sur le plan matériel que sur le plan psychologique. Les heures consacrées au travail tendent à diminuer et l'on commence à penser de plus en plus à la retraite. De façon générale, il est possible que la satisfaction professionnelle ait une portée moins grande sur le sentiment de bonheur et de bien-être que dans les premières dizaines d'années de l'âge adulte. Comme les rôles familiaux, le rôle professionnel perd de son importance au milieu de l'âge adulte.

Travail

Q 11 Comment peut-on expliquer le fait que la satisfaction au travail est à son sommet à l'âge adulte moyen ?

Q 12 Quels facteurs influent sur la satisfaction professionnelle chez les femmes à l'âge adulte moyen ?

CHANGEMENTS DE LA PERSONNALITÉ

Les recherches sur la personnalité à l'âge adulte moyen font état d'une baisse similaire de l'intensité. La plupart des chercheurs s'accordent à dire que, entre 40 et 65 ans, on s'éloigne progressivement de la recherche de la perfection, de l'indépendance, de l'affirmation de soi et de l'individualisme qui culminent au milieu de la vie. Toutefois, les théoriciens de la personnalité ne s'entendent pas quant à la direction que suit ce changement.

PERSPECTIVES THÉORIQUES

SELON ERIKSON. Nous avons vu au chapitre 2 que Erikson définit deux stades psychosociaux au milieu de l'âge adulte : la *générativité* ou *la stagnation* et l'*intégrité* ou le *désespoir*.

La générativité, qui est le stade dominant entre l'âge de 30 et 50 ans environ, se traduit par la tâche centrale d'élever des enfants, de passer le flambeau en quelque sorte. Cette caractéristique ne s'exprime pas uniquement en mettant des enfants au monde et en les élevant, mais de façon plus symbolique au moyen de l'enseignement, du rôle de mentor ou de l'initiative prise dans des organismes civiques, religieux ou caritatifs. La générativité comprend la tendance à l'empathie ainsi que le constat de son autorité propre et de son pouvoir d'influence sur les autres.

La réalisation de l'intégrité personnelle, qui s'amorce dans la cinquantaine ou la soixantaine, n'est pas sans rappeler la notion d'intériorité de Neugarten que nous aborderons plus loin. Pour accomplir cette tâche avec succès, l'individu doit accepter la façon dont il a mené sa vie et les choix qu'il a faits, et se résigner au caractère « inaltérable du passé » (Erikson *et al.*, 1986, p. 56). Si la conception d'Erikson est juste, on devrait constater un déplacement de l'intérêt porté à la réussite personnelle vers un intérêt pour la réflexion à la fin de l'âge adulte moyen.

Il existe certaines indications qui vérifient ce genre de changements, mais elles sont beaucoup moins évidentes que dans le cas des changements au début de l'âge adulte. L'une de ces indications provient des études longitudinales de Berkeley/Oakland. Si vous vous reportez à la figure 11.6 (p. 354) et à la figure correspondante du chapitre 1 (figure 1.1, p. 7), vous verrez que la confiance en soi ne cesse d'augmenter au cours de la cinquantaine, tandis que l'affirmation de soi culmine dans la quarantaine, pour diminuer ensuite. Dans cette même étude, on note que la capacité d'ouverture chez les femmes atteint un sommet dans la quarantaine et décline ensuite. Cette évolution est similaire à l'évolution de ce que les chercheurs de Berkeley ont appelé l'« engagement cognitif », lequel se caractérise par l'ambition et l'importance accordée à l'autonomie et à l'intellect. Dans cet échantillon, les chercheurs ont observé une multitude de changements vers l'âge de 50 ans, puis ils ont constaté un déclin dans l'affirmation

Erikson pensait que mettre des enfants au monde et les élever n'était qu'une façon parmi d'autres d'acquérir la générativité, ou de la manifester. La générativité comprend aussi la prise de conscience de son propre pouvoir et de sa valeur qui peuvent s'exprimer à travers le rôle de mentor ou de dirigeant, ou à travers une activité créative.

de soi, l'ambition et la capacité d'ouverture d'esprit. On ne sait pas si ces changements se poursuivent au cours des années ultérieures, car l'échantillon n'a pas été étudié au-delà du milieu de la cinquantaine.

INTÉRIORITÉ. Bernice Neugarten (1977) suggère qu'il y a un changement vers ce qu'elle appelle l'*intériorité*. Elle pense qu'au moment de la vieillesse l'adulte se préoccupe moins du monde extérieur et centre son attention sur des processus internes, les souvenirs ou la compréhension de sa propre vie. Carol Ryff (Ryff et Baltes, 1976; Ryff, 1982) a décrit un processus similaire en utilisant une autre terminologie. Elle soutient que, au cours de la vie adulte, il se produit un déplacement des *valeurs instrumentales* vers des *valeurs terminales*. Les *valeurs instrumentales* se rapportent aux comportements souhaitables — *être* une personne ambitieuse, douée de certaines facultés ou courageuse. Les valeurs terminales concernent les résultats de ces comportements souhaités — *posséder* quelque chose, comme le bonheur ou un sentiment d'accomplissement.

Les propres recherches de Ryff confirment cette thèse. Au cours de plusieurs études, elle a constaté que les femmes dans la quarantaine et la cinquantaine avaient plus tendance à choisir des valeurs instrumentales, alors que les sexagénaires et les septuagénaires choisissaient des valeurs terminales. Par contre, elle n'a observé aucune différence de ce type chez les hommes.

FLEXIBILITÉ ET TÉNACITÉ. Les recherches menées en Allemagne par Jochen Brandstädter et Bernard Baltes-Götz (1990) proposent une autre série de résultats qui donnent une interprétation différente des changements de la personnalité inhérents à cette période de la vie. Ils ont étudié un groupe de 1 228 couples mariés, âgés de 34 à 63 ans. L'évaluation portait notamment sur *la poursuite acharnée d'un objectif* et *la flexibilité d'adaptation*. Un individu très tenace dans la poursuite de ses objectifs approuverait les affirmations suivantes (p. 216):

Plus l'objectif est difficile à atteindre, plus il me semble attrayant.

Même si toutes mes tentatives ne donnent aucun résultat, je cherche encore un moyen de maîtriser la situation.

Une personne qui obtient des résultats élevés dans l'évaluation de la flexibilité d'adaptation approuverait les énoncés suivants (p. 215, 216):

En général, je ne reste pas contrarié très longtemps quand une occasion m'échappe.

Je m'adapte plutôt facilement au changement.

Habituellement, je reconnais assez facilement mes propres limites.

La figure 13.6 illustre des différences dans les données transversales obtenues pour chacune des qualités de cet échantillon allemand. La poursuite acharnée des objectifs diminue au milieu de l'âge adulte, alors que la flexibilité d'adaptation augmente. De façon similaire, des études transversales américaines montrent une légère augmentation de l'introversion au cours de la vie adulte (Costa *et al.*, 1986; Leon *et al.*, 1979).

MATURITÉ DES MÉCANISMES DE DÉFENSE. On peut aussi s'intéresser aux mécanismes de défense afin d'observer les changements de la personnalité à l'âge adulte moyen. Au chapitre 2, nous avons mentionné la théorie de George Vaillant selon laquelle le développement consiste à s'éloigner progressivement des mécanismes de défense qui déforment le plus la réalité. Pour mettre à l'épreuve cette notion, Vaillant a divisé ces mécanismes en trois types: (1) immature, comme la projection et la négation (ou le déni de la réalité); (2) névrotique, comme la répression, l'intellectualisation et le déplacement; (3) mature, comme la suppression, l'humour et l'altruisme. Il a ensuite analysé les types de mécanismes de défense utilisés, à des âges différents, par 100 anciens étudiants de Harvard observés dans l'étude de Grant. En général, les résultats confirmaient ses hypothèses: en vieillissant, ces sujets utilisaient davantage de mécanismes de défense de type mature. Au milieu de l'âge adulte, les mécanismes de défense de type mature comprenaient environ 40 % de la somme totale des mécanismes. Les études effectuées par Haan sur les sujets de l'étude de Berkeley/Oakland et l'étude longitudinale menée par Helson et Moanes sur les étudiantes du Mills College arrivent à des conclusions similaires (Haan, 1976; Helson et Moane, 1987).

Toutes ces études révèlent un changement progressif dans la maturité des mécanismes de défense, à partir du début de l'âge adulte. Ce processus n'est donc pas particulier au milieu de l'âge adulte. Par contre, à l'âge adulte moyen, la plupart des individus ont plus de facilité à composer avec l'anxiété et le stress sans avoir recours aux mécanismes de défense les plus déformants.

CROISEMENTS DES RÔLES SEXUELS. L'anthropologue David Gutmann nous propose une tout autre vision du changement de la personnalité à l'âge adulte moyen. Nous avons déjà abordé son concept d'impératif parental. Les études qu'il a réalisées auprès de nombreuses cultures l'ont amené à conclure que les rôles sexuels changent de nouveau à la fin du milieu de l'âge adulte. Gutmann soutient que, à ce moment, les rôles des hommes et des femmes s'entrecroisent: les hommes commencent à manifester plus de qualités typiquement «féminines», et les femmes, plus de qualités «masculines». Les femmes s'affirment davantage et les hommes deviennent plus passifs. Voici les propos de Gutmann:

Paradoxalement, ce renversement des rôles est plus manifeste dans les cultures qui préconisent le

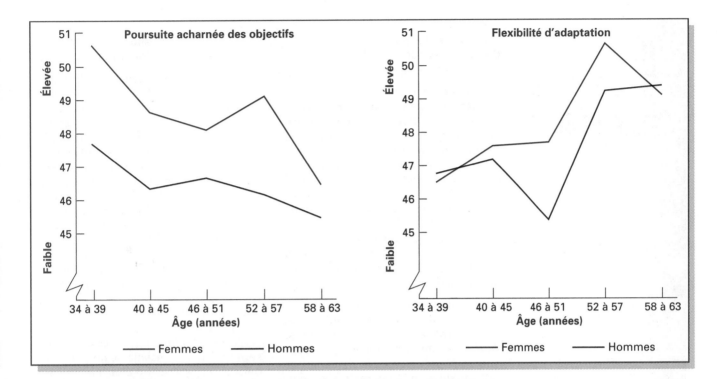

Figure 13.6 Poursuite acharnée des objectifs et flexibilité d'adaptation chez différents groupes d'âge. Ces données transversales provenant d'une importante étude effectuée en Allemagne reflètent un aspect de l'«adoucissement» de la personnalité qui pourrait survenir au milieu de l'âge adulte. (*Source* : Brandstädter et Baltes-Götz, 1990, figure 7.6, p. 216 et figure 7.7, p. 217.)

machisme, comme les régions rurales du Mexique et le sud-ouest des États-Unis. Ainsi, lorsqu'une femme indienne prend de l'âge, elle peut participer aux danses rituelles, desquelles sont exclues les femmes plus jeunes. De même, les hommes plus vieux peuvent se mêler aux femmes sans ressentir de honte et de désapprobation. (1987, p. 95.)

Il existe de nombreux autres exemples. On dit que les vieilles femmes iroquoises ont un «cœur d'homme» et qu'elles peuvent, pour la première fois de leur vie, occuper des fonctions religieuses et politiques. Gutmann précise que les Japonaises de plus de 60 ans acquièrent un nouvel éventail de libertés, qui comprend la permission implicite de faire des plaisanteries grivoises en compagnie mixte. Les femmes âgées des villages libanais deviennent elles aussi agressives et grossières, et elles exercent une certaine autorité sur les hommes.

Ces différents points de vue sur le changement de la personnalité au milieu de l'âge adulte ne dressent pas un portrait unique et cohérent, même s'ils indiquent tous une certaine forme de changement de la personnalité au terme de cette période. L'adulte dans la soixantaine semble posséder une personnalité moins intense, il se préoccupe moins d'atteindre certains objectifs précis, il paraît un peu plus introverti et plus apte à s'adapter aux circonstances de la vie.

Il est aussi davantage en mesure d'exprimer tous les aspects de sa personnalité.

Néanmoins, toutes les données dont on dispose sont loin de concorder avec cette description pourtant très générale. Par exemple, Schaie et Willis (1991) ont constaté que les adultes dans la soixantaine sont moins flexibles dans leur attitude et dans leur façon de penser. Carol Ryff n'a trouvé aucun signe indiquant une plus grande intériorité quand elle a voulu évaluer le concept de Neugarten. Par ailleurs, il faut se rappeler les nombreuses données qui soulignent la continuité des traits de la personnalité au cours de l'âge adulte moyen, dont les cinq traits de la personnalité définis par McCrae et Costa.

Il existe plusieurs raisons pour lesquelles il est si difficile de composer avec ces données. Premièrement, peu de recherches se sont penchées sur les changements de la personnalité à l'âge adulte moyen. Ainsi, les études longitudinales portent souvent sur de jeunes adultes ou sur des sujets de 60 ans et plus. La période du milieu de l'âge adulte est donc rarement couverte.

De plus, il semble que les différences individuelles soient plus marquées à l'âge moyen (et encore davantage à l'âge avancé) qu'au début de l'âge adulte (Nelson et Dannefer, 1992). Peut-être est-ce à cause de la portée de certains rôles cruciaux que les jeunes adultes ont tendance à suivre la même

LE MONDE RÉEL

Nous utilisons tous des mécanismes de défense dans notre vie quotidienne

En entendant parler de *mécanismes de défense*, beaucoup d'entre vous pensent sans doute à quelque comportement anormal ou déviant. Vous devez comprendre pourtant que Freud les considère non seulement comme inconscients, mais aussi comme absolument normaux. Leur but premier est de nous aider à nous protéger contre l'anxiété. Puisque nous éprouvons tous de l'anxiété à un moment ou à un autre, nous avons tous recours à des mécanismes de défense.

Supposons que vous proposiez un article à une revue et qu'il vous soit renvoyé avec une lettre de refus. Vous ressentez de l'anxiété. Il se peut que vous soyez capable de canaliser cette anxiété de façon réaliste en relisant objectivement votre article, afin de voir de quelle façon vous pourriez l'améliorer. Mais vous ne parviendrez probablement pas à maîtriser toute l'anxiété de cette façon. Vous aurez donc (inconsciemment) recours à un mécanisme de défense.

Tous les mécanismes de défense déforment la réalité, mais de façon plus ou moins prononcée. Le cas le plus extrême est celui du *déni* ou *négation*. Vous pouvez nier le fait que vous avez proposé cet article ou qu'il a été refusé. Un autre moyen de défense tout aussi déformant est le *déplacement*. Si vous êtes affecté par ce refus mais que vous ne pouvez pas diriger votre désarroi contre la bonne cible — l'éditeur de la revue, que vous ne pouvez vous permettre de critiquer —, vous pouvez déplacer votre émotion sur quelqu'un d'autre. Vous pouvez devenir gratuitement désagréable envers votre mari ou repousser le chat qui vient sur vos genoux en quête d'attention.

Il existe des mécanismes moins déformants comme la *projection*, qui consiste à rejeter vos sentiments sur quelqu'un d'autre. «Ces gens sont stupides d'avoir refusé mon article! Ils ne savent pas ce qu'ils font!» De cette façon, vous attribuez aux autres des caractéristiques dont vous avez peur d'être affublé vous-même, dans cet exemple la stupidité. Vous pouvez également *refouler* vos sentiments en prétendant que vous vous moquez bien du fait que la revue vous a renvoyé votre article. Ou bien, vous pouvez avoir recours à l'*intellectualisation*, c'est-à-dire que vous étudiez froidement et sans émotion toutes les raisons pour lesquelles l'article a été refusé. L'intellectualisation semble être un mécanisme rationnel et objectif, comme s'il n'était pas question de défense. Mais l'émotion est totalement occultée.

L'un des mécanismes de défense les moins déformants est la *répression*: vous vous autorisez à prendre conscience de votre désarroi, mais vous le repoussez à plus tard en vous disant «J'y penserai demain». Vous repoussez donc vos sentiments dans l'inconscient, mais pas aussi loin que lorsque vous les refoulez. Vous pouvez également *anticiper* un refus, en vous imaginant la situation afin de savoir comment vous réagiriez ou en prévoyant déjà à quel autre éditeur envoyer l'article refusé par le premier.

Pouvez-vous trouver des exemples équivalents dans votre vie? Quelque chose de désagréable vous est-il arrivé dernièrement? Comment avez-vous réagi? Gardez à l'esprit que ces mécanismes de défense sont tout à fait normaux.

---

cadence. Au milieu de l'âge adulte, chacun trouve son propre rythme. Les trajectoires divergent. La plupart des adultes de cet âge sont en bonne santé, mais ils ne le sont pas tous. Certains ont atteint leurs objectifs professionnels, d'autres non. Certains se hissent au stade de la générativité et se dirigent vers la tâche de l'intégrité. Certains ont renoncé aux mécanismes de défense immatures, d'autres non. Certains passent d'une position conformiste à une position individualiste. Certains vont accéder plus tard au stade d'*autonomie* où l'individu s'éloigne de la préoccupation de soi et se rapproche davantage de préoccupations humanitaires. Toutes ces variables contribuent au peu de probabilité qu'il existe un modèle commun de changements de la personnalité. Il pourrait exister une voie sous-jacente commune se traduisant par une réduction de l'acharnement à la réussite, une baisse de l'intensité, une plus grande introversion et des mécanismes de défense plus matures. Cependant, même si cette voie est commune à tous les individus — et ce point de vue ne fait pas l'unanimité chez les observateurs et les théoriciens —, ils ne parcourent pas tous la même distance. Il est donc très difficile de déterminer la direction du changement. Il nous faut maintenant des études qui examinent la continuité et les changements de la personnalité à l'âge adulte moyen en tenant compte de la grande variabilité et des différents stades de croissance ou du développement.

Changements de la personnalité

Q 13 Définissez le stade de la générativité ou de la stagnation et le stade de l'intégrité personnelle ou du désespoir dans la théorie d'Erikson.

Q 14 Expliquez le modèle de l'intériorité de Neugarten ainsi que le modèle de la flexibilité et de la ténacité de Brandstädter et Baltes-Götz.

Q 15 Quels changements observe-t-on dans l'utilisation des mécanismes de défense à l'âge adulte moyen ?

Q 16 Expliquez ce que l'on entend par « croisement des rôles sexuels ».

DIFFÉRENCES INDIVIDUELLES

L'observation des différences individuelles dans les expériences de vie de l'adulte peut donner un aperçu de la variabilité des modèles du développement à l'âge adulte moyen. La voie qu'emprunte un adulte ou la distance parcourue sur celle-ci subit l'influence d'une foule de facteurs, dont les antécédents familiaux et la personnalité — nous traitons ces sujets dans l'encadré « Au fil du développement » — ainsi que les tensions et les crises auxquelles chacun doit faire face.

Nous devons tous faire face au stress : un collègue énervant, un long trajet pour se rendre au travail, des préjugés raciaux, ethniques ou sexuels dont nous faisons l'objet, ou encore un beau-frère insupportable. Parvenus au milieu de la vie adulte, beaucoup d'entre nous auront traversé des

épreuves particulières, comme le divorce, des problèmes de santé, un veuvage précoce, une perte d'emploi ou un déménagement. Quels sont les effets de tels bouleversements sur le modèle du développement à l'âge adulte ?

Nous avons déjà mentionné un de ces effets : un stress très intense, causé par des disputes incessantes ou des crises particulières, peut affaiblir le système immunitaire et altérer la santé. Mais de nombreuses crises majeures ont également des répercussions sur d'autres aspects de la vie adulte. Nous allons aborder deux crises particulièrement communes, le divorce et la perte d'emploi.

DIVORCE

Près de 40 à 50 % des cohortes actuelles de jeunes adultes américains vont finir par divorcer (Glick et Lin, 1986). Au Québec en 1992, l'indice de divortialité indiquait que 49 % des mariages se termineraient par un divorce. Le nombre de divorces atteint un sommet chez le groupe des 30-39 ans et diminue par la suite (Bureau de la statistique du Québec, 1995). Au chapitre 7, nous avons fait mention des principaux effets du divorce sur les enfants. Les adultes ne sont certainement pas moins perturbés, et le divorce peut entraîner des répercussions considérables sur le modèle et la séquence des rôles adultes.

EFFETS PSYCHOLOGIQUES. Sur le plan psychologique, le divorce constitue un facteur de stress considérable. Il est associé à une augmentation des maladies physiques et des troubles affectifs. Les adultes séparés ou divorcés depuis peu sont plus souvent victimes d'accidents de la route, sont plus sujets au suicide, perdent davantage de journées de travail pour cause de maladies et sont plus enclins à la dépression (Bloom, White et Asher, 1979 ; Menaghan et Lieberman, 1986 ; Stack, 1989). Ils ont également un profond sentiment d'échec, présentent une baisse de l'estime de soi et se sentent seuls (Chase-Lansdale et Hetherington, 1990). Ces effets négatifs sont à leur paroxysme au cours des premiers mois qui suivent la séparation ou le divorce. Chez les enfants, ils se font sentir davantage dans les 12 à 24 mois suivant l'événement.

Les effets à long terme varient davantage. Certains adultes sortent plus forts de l'expérience et font montre d'un

---

On pourrait également expliquer la mauvaise santé physique et mentale des personnes qui viennent de divorcer en soutenant que celles qui sont déjà déprimées ou en moins bonne santé ont plus tendance à divorcer. Quel genre de données vous permettraient d'écarter cette hypothèse ?

AU FIL DU DÉVELOPPEMENT

ADAPTATIONS PSYCHOLOGIQUES À L'ÂGE ADULTE MOYEN

Sommes-nous en mesure de prévoir le genre de vie d'un individu à l'âge adulte moyen à partir des évaluations antérieures de la personnalité et des antécédents familiaux, c'est-à-dire en se basant sur ce que nous connaissons de son enfance, de son adolescence et du début de sa vie adulte? Pour répondre à cette question, il nous faudrait de toute évidence disposer de données longitudinales à long terme, et nous en possédons peu. Néanmoins, il existe quelques informations extrêmement intéressantes, provenant de l'étude de Berkeley/Oakland et de l'étude effectuée par Grant sur des sujets masculins de l'université Harvard.

Dans chacune de ces études, on a évalué la santé psychologique au milieu de l'âge adulte en la comparant à une sorte d'idéal. Dans l'étude de Berkeley/Oakland, on a mis en œuvre une classification Q qui définissait l'individu pourvu d'un équilibre idéal à cette période comme chaleureux, altruiste, sérieux, responsable, perspicace, productif, sincère et calme. La classification Q descriptive de chaque sujet était alors comparée à cet idéal.

Dans le cas de l'étude réalisée par Grant, George Vaillant (1975; Vaillant et Vaillant, 1990) a défini certains comportements ou réalisations qu'il considérait comme des signes d'adaptation psychologique. Ces comportements comprenaient la satisfaction professionnelle, un mariage stable, un avancement régulier dans la carrière, une bonne santé, des vacances régulières et une faible consommation d'alcool ou de drogues. Chaque sujet de l'étude était évalué selon ces normes.

Dans l'étude de Berkeley/Oakland, les sujets qui se rapprochaient le plus de cet équilibre psychologique idéal à 40 ou 50 ans avaient eu des parents ouverts d'esprit et intellectuellement compétents, qui avaient une relation conjugale stable et usaient de moyens raisonnables et conséquents pour discipliner leurs enfants. (Selon la terminologie de Baumrind, on pourrait qualifier ces familles de démocratiques.) Leurs mères étaient chaleureuses, agréables, calmes et confiantes. À l'adolescence, ces adultes mieux adaptés étaient plus compétents dans les relations avec leurs pairs ainsi qu'avec les adultes (Livson et Peskin, 1981; Peskin et Livson, 1981; Hightower, 1990).

De façon similaire, les hommes de l'étude effectuée par Grant qui étaient le mieux adaptés au milieu de l'âge adulte étaient issus de familles chaleureuses et avaient entretenu de bonnes relations avec leur père et leur mère pendant l'enfance. Dans l'ensemble, ces données semblent indiquer que ceux qui bénéficient d'un bon départ dans la vie auront davantage tendance à poursuivre dans la bonne voie. Ce bon départ semble comprendre des parents attentionnés et de bonnes habiletés sociales. Cependant, aucun des liens qui relient l'enfance et l'âge adulte ne sont à toute épreuve. En effet, nombre d'adultes ont bénéficié d'un bon départ et ne sont pas pour autant des modèles d'équilibre. D'autres individus ont vécu une enfance instable ou difficile et sont malgré tout équilibrés au milieu de l'âge adulte.

On peut expliquer ces discontinuités grâce à une autre analyse des données de l'étude de Berkeley/Oakland, effectuée par Florine Livson (1976, 1981). Cette chercheure a commencé par isoler un groupe d'adultes qui avaient tous obtenu des scores très élevés en ce qui concerne l'équilibre psychologique à l'âge de 50 ans. Puisque tous ces sujets avaient été évalués sur la même échelle à 40 ans, Livson a distingué deux sous-groupes: ceux qui étaient psychologiquement équilibrés ou qui avaient accédé à la maturité, celle-ci ayant été évaluée à l'âge de 40 et de 50 ans («ceux qui sont stables»), et ceux qui étaient moins adaptés ou qui fonctionnaient à un niveau non optimal à 40 ans, mais atteignaient un équilibre à 50 ans («ceux qui progressent»). Elle s'est ensuite demandé si ces deux groupes possédaient des antécédents différents.

Elle a découvert que les hommes et les femmes du sous-groupe qualifié de stable au milieu de l'âge adulte étaient ceux dont le tempérament ou la personnalité à l'adolescence et au début de l'âge adulte se conformait aux rôles sexuels prédominants et aux normes sociales de leur époque. Les femmes stables étaient extraverties à l'adolescence, elles se préparaient avec bonheur aux rôles d'épouse et de mère et avaient peu d'ambition personnelle, ce qui correspondait aux attentes de leur cohorte. Les hommes stables visaient la réussite et étaient plutôt conformistes. Ils étaient passés à l'âge adulte en assumant les différents rôles consécutifs, en se pliant aisément aux attentes concernant la réussite et le soutien de la famille.

Au contraire, ceux qui semblaient moins équilibrés à 40 ans, mais qui avaient une bonne santé psychologique à 50 ans, avaient été des adolescents et de jeunes adultes se conformant difficilement aux rôles qu'on leur assignait. Les hommes avaient été des adolescents non conventionnels, qui avaient souvent des préoccupations artistiques et qui exprimaient davantage leurs émotions. Ils avaient tenté de se conformer à la norme culturelle, mais étaient plutôt insatisfaits à l'âge de 40 ans. À ce stade, ils avaient en quelque sorte quitté leur trajectoire pour faire davantage de place à leur sens de l'humour et à leur créativité. De façon similaire, les femmes du sous-groupe qui avaient progressé étaient des intellectuelles à l'adolescence (ce qui était moins acceptable pour les jeunes filles de cette génération), mais s'étaient mariées au moment prescrit. À 40 ans, elles étaient irritables, susceptibles et insatisfaites. Quand leurs enfants avaient quitté la maison, elles avaient repris des études ou occupé des emplois qu'elles aimaient. Vers 50 ans, elles avaient trouvé des moyens de s'exprimer pleinement.

Cette analyse laisse entendre que la *correspondance* entre la demande ou les attentes d'une époque donnée et le tempérament d'un individu et ses intérêts particuliers façonne considérablement la personnalité ou l'équilibre psychologique d'une personne. Ceux qui s'ajustent facilement à la norme vivront mieux les premières dizaines d'années de l'âge adulte. Ceux qui s'intègrent moins facilement à ce moule, soit à cause d'un manque d'habiletés ou à cause d'un tempérament moins conformiste, auront à lutter davantage. Certains échoueront dans cette lutte et se tourneront vers la consommation d'alcool ou de drogues, ils deviendront déprimés ou vivront une succession d'échecs dans leurs relations. D'autres, notamment «ceux qui progressent» pour utiliser les termes de Livson, surmonteront malgré tout ces difficultés par la croissance personnelle et finiront par trouver des moyens d'exprimer leurs qualités. Cela se produit généralement à l'âge adulte moyen, alors que la «détribalisation» devient plus acceptable et que les rôles sont moins pris au pied de la lettre. Certains considèrent que la période du milieu de l'âge adulte permet à l'individu de s'exprimer davantage, ce qui semble être moins évident au début de l'âge adulte.

meilleur fonctionnement psychologique 5 ou 10 ans plus tard. D'autres, par contre, s'en sortent mal psychologiquement, même 10 ans après l'événement (Wallerstein, 1986). Des données indiquent que ceux qui se remarient sont plus heureux que ceux qui restent célibataires, ce qui corrobore la thèse générale voulant que le mariage (ou une union stable) procure un bon équilibre psychologique et une bonne

santé. Les personnes dont le second mariage se solde par un divorce peuvent connaître des conséquences négatives considérables (Spanier et Furstenberg, 1987). Pour l'instant, tout ce que l'on peut dire, c'est que les adultes réagissent de manière très différente au divorce. De même, les connaissances sur les facteurs qui pourraient annoncer une réaction négative ou positive à long terme sont limitées. On sait toutefois que les adultes qui reçoivent un soutien social approprié sont moins perturbés à court terme (Chase-Lansdale et Hetherington, 1990).

CONSÉQUENCES ÉCONOMIQUES. Les effets psychologiques du divorce sont souvent exacerbés par de sérieuses répercussions économiques, surtout chez les femmes. Puisque la plupart des hommes ont travaillé sans interruption, ils quittent le mariage avec un salaire potentiel beaucoup plus grand que celui des femmes. Non seulement les femmes ne possèdent généralement pas un revenu élevé, mais elles ont également la garde des enfants et doivent assumer toutes les dépenses liées à leur éducation. Au Québec, la Loi sur le patrimoine familial a été promulguée afin de pallier ce déséquilibre. Plusieurs études longitudinales, tant aux États-Unis et au Canada que dans des pays d'Europe comme l'Allemagne, montrent que les hommes divorcés améliorent leur situation économique alors que les femmes accusent fortement l'effet contraire. On estime que cette perte de revenus est de l'ordre de 71 à 20 % après le divorce, mais toutes les études soulignent les effets négatifs à court terme, qui prennent la forme d'une baisse moyenne de 40 à 50 % du revenu familial total ou du revenu par tête (Holden et Smock, 1991; Morgan, 1991; Burkhauser *et al.*, 1991). Cet effet économique négatif met longtemps à disparaître, quand il disparaît. Le moyen le plus sûr de redresser la situation économique est le remariage, qui ramène les femmes à un niveau équivalent ou supérieur à leur train de vie avant le divorce. Pour les femmes qui ne se remarient pas, les répercussions économiques sont encore plus grandes. Les données de la figure 13.7 sont très caractéristiques. Elles proviennent d'une étude de panel de plus de 5 000 femmes, âgées de 30 à 44 ans au début de l'étude, qui ont été interrogées régulièrement pendant 15 ans (Morgan, 1991). Vous pouvez voir que, chez les veuves, les femmes séparées et les divorcées, on observe une baisse rapide du revenu et que ce faible niveau persiste parfois jusqu'à sept ou huit ans après cette transition dans la situation de famille.

On retrouve davantage cette répercussion économique négative du divorce chez les femmes de la classe ouvrière ou chez celles qui ont un faible niveau de scolarité. Les femmes dont le revenu est supérieur à la moyenne sont plus susceptibles de se ressaisir, même si elles ne se remarient pas (Holden et Smock, 1991).

Au Québec en 1992-1993, les familles monoparentales étaient proportionnellement plus nombreuses à se considérer comme pauvres et très pauvres (42 %), en comparaison avec les personnes vivant seules (30 %) ou les couples avec ou sans enfants (21 %). Seulement 13 % des personnes vivant dans une famille monoparentale s'estimaient à l'aise financièrement. Il faut interpréter ces données avec prudence, car les familles monoparentales ne sont pas toutes issues d'un divorce ou d'une séparation. Par ailleurs, étant donné que ce sont des femmes qui se trouvent en grande majorité à la tête des familles monoparentales, la pauvreté prend nettement une connotation féminine (Santé Québec, 1995).

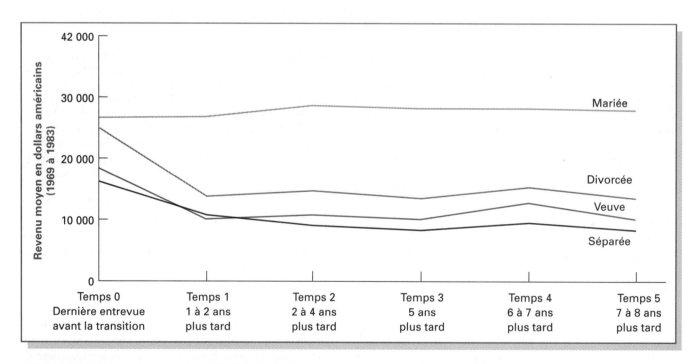

Figure 13.7 Revenu économique et situation de famille chez les femmes. Les femmes qui ne sont plus mariées en raison d'un divorce, d'un veuvage ou d'une séparation connaissent une chute considérable de leur revenu. À moins qu'elles ne se remarient, elles ont peu de chances de retrouver le même niveau économique que durant leur mariage. (*Source*: Morgan, 1991, figure 4.1, p. 75.)

Nous n'avons nullement l'intention de minimiser les effets stressants causés par des conditions économiques défavorables chez les femmes divorcées. Néanmoins, il est intéressant d'observer que, malgré l'absence relative de difficultés économiques pour les hommes, ceux-ci semblent présenter plus de symptômes psychologiques que les femmes divorcées. Cette différence pourrait s'expliquer par le fait que les femmes bénéficient d'un réseau de soutien social plus étendu et plus intime, qui leur est d'un grand secours à la suite du divorce.

FACTEUR DE L'ÂGE DANS LE DIVORCE. Puisque la moitié des divorces surviennent au cours des sept premières années du mariage, la majorité des divorces se produisent au début et non au milieu de l'âge adulte (Uhlenberg, Cooney et Boyd, 1990). Seulement un quart des divorces ont lieu chez des couples de plus de 40 ans. Toutefois, le divorce chez les adultes d'âge moyen et avancé semble entraîner plus de troubles affectifs que chez les jeunes adultes (Bloom, White et Asher, 1979). On observe précisément la situation contraire en cas de veuvage, lequel est psychologiquement beaucoup plus difficile à supporter s'il se produit au début de l'âge adulte. Ces deux modèles confirment qu'il est plus difficile d'être en dehors des normes temporelles pour n'importe quel changement ou transition au cours de la vie. Le divorce est évidemment pénible à n'importe quelle période de l'âge adulte mais, chez les jeunes adultes des cohortes actuelles, il devient très courant et tend donc à être dans les normes.

Il se peut également que les répercussions économiques du divorce, du moins pour les femmes, soient plus graves au milieu de l'âge adulte, bien que l'on ne dispose d'aucunes données pour vérifier cette hypothèse. De nombreuses femmes d'âge moyen issues des cohortes actuelles n'ont que peu d'expérience de travail à l'extérieur de la maison, voire pas du tout. Après un divorce, ces femmes, souvent appelées les « ménagères destituées », ont peu de chances de trouver un emploi. Elles ont aussi moins de chances de se remarier que les jeunes femmes divorcées (Chase-Lansdale et Hetherington, 1990).

TRAJECTOIRES DE VIE. Pour bien des adultes, le divorce modifie également la séquence et l'apparition des rôles familiaux. Même si certaines femmes divorcées ont d'autres enfants d'un second mariage, le nombre moyen d'années consacrées à l'éducation des enfants pour ces femmes est à peine plus élevé que celui des femmes qui restent mariées (Norton, 1983). Dans certains cas, toutefois, ce nombre total d'années peut être considérablement plus élevé pour les personnes divorcées, en particulier pour les hommes qui épousent une femme plus jeune qui a de jeunes enfants. L'une des conséquences de ce phénomène est la réduction du nombre d'années dont dispose un homme (ou une femme) entre le départ du dernier enfant et le moment où ses parents vieillissants peuvent avoir besoin d'une aide financière ou physique.

Le divorce apporte également un ensemble de nouveaux rôles. En effet, le parent qui a la garde des enfants doit prendre en charge les rôles précédemment remplis par l'ex-conjoint. Une femme divorcée est aussi davantage portée à assumer un rôle professionnel plus élargi. En outre, l'homme ou la femme, qu'ils aient la garde des enfants ou non, doivent faire face à toutes sortes de tâches que l'ex-conjoint assumait dans la relation — réparer une fuite sur le toit, faire les courses, apporter les vêtements à la teinturerie, etc.

Le remariage, que l'on observe chez 80 % des adultes divorcés, entraîne souvent le rôle remarquablement complexe de beau-parent. Lorsque plusieurs groupes d'enfants sont concernés, certains stades s'ajoutent au cycle du rôle familial standard. Par exemple, une femme qui a des enfants à l'école primaire peut se trouver soudainement mère d'adolescents, ce qui demande de nouvelles aptitudes. Chacun de ces changements semble être accompagné d'une nouvelle période d'adaptation et de bouleversements importants. Si l'on se rapporte à la théorie de Levinson, cela signifie que les adultes divorcés/remariés ont moins d'occasions de créer des structures de vie stables et connaissent davantage de périodes de transition ou de crise. Le *rythme* de la vie adulte est ainsi modifié pour le meilleur ou pour le pire.

CHÔMAGE

Les effets du chômage involontaire sont sensiblement les mêmes que ceux du divorce. Les adultes qui ont été licenciés ou qui sont en grève présentent des degrés élevés d'anxiété et de dépression, et courent plus de risques de tomber malade dans les mois qui suivent la perte d'emploi (Kessler, Turner et House, 1988 ; Liem et Liem, 1988 ; Price, 1992). Ces effets ne s'observent pas uniquement chez les travailleurs d'Amérique du Nord. On a découvert des résultats semblables dans des études menées en Grande-Bretagne, au Danemark et dans d'autres pays occidentaux industrialisés (Warr, Jackson et Banks, 1988 ; Iversen et Sabroe, 1988). La figure 13.8 illustre les résultats d'une étude qui a comparé 146 hommes et femmes sans emploi et 184 hommes et femmes qui avaient un emploi au milieu des années 1980, dans le Michigan (Kessler, Turner et House, 1988).

Tout comme le remariage réduit plusieurs facteurs de stress associés au divorce, le retour à la vie active semble rétablir assez rapidement une bonne santé, la stabilité émotionnelle et un sentiment de bien-être.

La chaîne causale qui relie le chômage et la détresse émotionnelle ou physique est à la fois directe et indirecte. La pression financière qu'entraîne la perte d'un emploi constitue elle-même un facteur qui contribue grandement au degré élevé d'anxiété et de dépression. Lorsque la perte d'emploi n'occasionne pas de pressions financières considérables, comme lorsque l'autre conjoint a un emploi bien rémunéré ou que la famille possède d'autres sources de revenus, l'effet

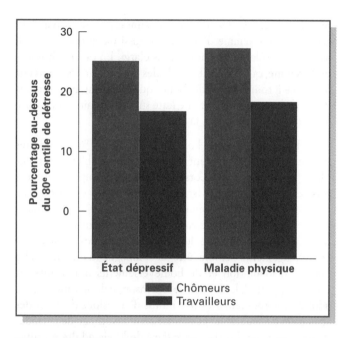

Figure 13.8 Dépression et maladie physique associées à la perte d'emploi. Les adultes qui perdent leur emploi présentent à tous les niveaux une plus grande détresse psychologique, dont l'état dépressif et la maladie physique, comme l'indique cette étude effectuée dans le Michigan. (*Source*: Kessler, Turner et House, 1988, tiré du tableau 2, p. 74.)

négatif de la perte d'emploi est réduit de moitié (Kessler, Turner et House, 1988). Cependant, il existe aussi des effets indirects liés aux changements dans les relations familiales et à la perte de l'estime de soi. Il est particulièrement frappant de constater que les relations conjugales se détériorent

Ces hommes, qui viennent d'apprendre qu'ils risquent de perdre leur emploi, ont probablement présenté plusieurs symptômes de stress au cours des mois suivants.

rapidement après que l'un des conjoints a perdu son emploi. Le nombre d'interactions hostiles ou négatives augmente, tandis que le nombre d'interactions chaleureuses et réconfortantes diminue. Dès lors, le rapport crucial entre interactions positives et négatives ne fait qu'empirer. La relation a donc tendance à se solder par un divorce ou une séparation (Conger *et al.*, 1990; Elder et Caspi, 1988).

Vous vous demandez peut-être s'il ne s'agit pas là d'un processus de sélection naturelle. Nous avons vu au chapitre 1 dans les recherches effectuées par Caspi et Elder (Caspi, Elder et Bem, 1987, 1988; Caspi et Elder, 1988) que les enfants qui étaient maussades étaient portés à changer souvent d'emploi à l'âge adulte. Ils se faisaient également congédier plus fréquemment et étaient surreprésentés dans les rangs des chômeurs. Toutefois, le même modèle de détresse et de discorde se retrouve dans des situations où tous les employés d'une usine ont été licenciés, quels que soient les critères de sélection de la personnalité du travailleur (Iversen et Sabroe, 1988). Des études longitudinales montrent également que, même pour les personnes psychologiquement très stables et en bonne santé avant de se retrouver au chômage, le fait d'être congédié augmente considérablement les problèmes (Warr *et al.*, 1988).

DIFFÉRENCES D'ÂGE. Les effets négatifs du chômage s'observent aussi bien chez les jeunes adultes que chez les adultes d'âge moyen. Par contre, la population des 30 à 60 ans semble particulièrement touchée: elle montre l'augmentation la plus marquée de maladies physiques et la plus grande détérioration sur le plan de la santé mentale (Warr *et al.*, 1988). Les personnes qui font partie du groupe d'âge moyen présentent également une longue période de dégradation de leur statut, par comparaison avec les groupes plus jeunes qui présentent une baisse, mais qui se stabilisent rapidement. Ce modèle concorde avec les stades de la vie professionnelle des hommes que nous avons abordés au chapitre 11. Durant le stade d'essai, les jeunes adultes de 18 à 29 ans peuvent interpréter ces périodes de chômage comme faisant partie intégrante du processus d'essai et d'erreur inhérent à la recherche de l'emploi approprié. Mais durant le stade de stabilisation, les travailleurs perçoivent la perte d'un emploi de manière très différente, soit comme un signe d'échec personnel ou comme une perte de sécurité irréparable. Les jeunes travailleurs étant plus souvent célibataires, ils ont moins de responsabilités financières et peuvent retourner vivre chez leurs parents durant cette période de chômage. Le stress est donc moins marqué pour eux.

RÔLE DU SOUTIEN SOCIAL. Comme tous les agents stressants, les effets du chômage peuvent être partiellement atténués grâce à un soutien social approprié. Par exemple, dans une étude longitudinale à court terme sur des hommes licenciés pour cause de fermeture d'entreprise, Kasl et Cobb (1982) ont découvert que ceux qui jouissaient d'un soutien social approprié, grâce à leur femme et à leurs amis, présentaient moins de troubles physiques et affectifs comparativement avec ceux qui percevaient ce soutien social comme inapproprié. L'ironie du sort, c'est que l'un des effets inhérents au chômage est l'affaiblissement de la relation conjugale, laquelle représente la principale source de soutien social pour bien des hommes.

EFFETS DU FACTEUR TEMPOREL

Le modèle des répercussions du divorce et du chômage concorde avec le principe général voulant qu'il y a toujours un prix à payer lorsqu'on est en dehors des normes temporelles. Le divorce est plus stressant pour les cohortes plus âgées car son taux est moins élevé dans leur cas. La perte d'emploi est moins stressante lorsqu'elle se produit dans la vingtaine, où il s'agit d'un événement relativement courant, que lorsqu'elle survient à un âge plus avancé, où elle est perçue comme étant en dehors des normes temporelles. Ainsi au Québec en 1995, le taux de chômage s'établissait à 16,8 % dans la population des 15-24 ans, à 10,7 % chez les 25-44 ans et à 9,6 % chez les 45-64 ans (Statistique Canada, 1995).

D'autres exemples illustrent ce principe. Si votre enfant ne quitte pas le foyer familial avant l'âge de 25 ans, vous avez plus de chances de subir une pression supplémentaire, voire de ressentir un sentiment d'échec (Hagestad, 1986). Les gens qui deviennent grands-parents très tôt ou très tard semblent être moins à l'aise dans leur rôle (Troll, 1985; Burton et Bengtson, 1985). Ceux dont les parents meurent tôt se voient involontairement propulser dans le rôle de soutien de famille avant de s'être préparés à l'assumer. Un homme de 40 ans, qui a récemment perdu ses deux parents, explique: « Je suis trop jeune pour être le prochain sur la liste ! » (Hagestad, 1986).

Tous ces exemples concernent les personnes qui ne suivent pas une « trajectoire de vie normale ». Nous ne sommes peut-être pas toujours conscients de cet ensemble d'attentes, de ce modèle interne de l'âge adulte « normal » ou « souhaité », mais nous semblons être touchés de manière à la fois négative et considérable par toute violation du modèle anticipé. En règle générale, chaque fois qu'un événement important survient dans votre vie à une période non conforme aux normes de votre génération, vous risquez de présenter un état dépressif (Hurwicz *et al.*, 1992).

LES CRISES SONT-ELLES TOUTES NÉGATIVES ?

En chinois, les caractères qui forment le mot *crise* signifient « danger » et « opportunité » (Levinson, 1990). Effectivement, il faudrait se demander si les crises n'ont pas aussi un aspect positif. De fait, de nombreuses théories du développement de

l'adulte reposent sur la notion fondamentale que le stress ou les crises peuvent être bénéfiques plutôt que destructeurs. La théorie d'Erikson va dans ce sens, tout comme celle de Carl Gustav Jung. Morton Lieberman et Harvey Peskin (1992) proposent quelques exemples:

> *La nostalgie de la jeunesse au milieu de l'âge adulte permet parfois de mobiliser des ressources d'attention inexploitées...; la prise de conscience de la mort, à la suite d'un décès, peut permettre à un adulte d'âge moyen d'acquérir une attitude plus sereine face à sa propre mort, de moins s'acharner à la recherche de la perfection, d'exprimer de manière nouvelle sa créativité...; la mort d'un parent cher peut aider le survivant à devenir davantage lui-même. (p. 132.)*

On ne sait pas si le stress ou la crise est *nécessaire* à la croissance personnelle, même si un tel lien semble fort possible. De la même façon que la douleur nous signale un problème physique, la tristesse ou l'angoisse peut être nécessaire pour attirer notre attention, pour nous indiquer que nous devons changer. Les mariages peuvent devenir plus solides et plus intimes si le couple a traversé des périodes difficiles et a appris à mieux communiquer; un veuvage précoce peut obliger une jeune femme à acquérir certaines aptitudes, ce qu'elle n'aurait peut-être pas fait en d'autres circonstances.

Il est évident que la douleur ou la souffrance psychologique ne mènent pas invariablement (ni même souvent) à la croissance personnelle. La plupart du temps, le stress est relié à un désespoir accru. David Chiriboga a en effet trouvé des preuves confirmant ces deux types d'effets du stress dans plusieurs études longitudinales. L'échantillon étudié comprenait initialement un groupe d'élèves en dernière année d'école secondaire, un groupe de nouveaux mariés, un groupe d'adultes dans la cinquantaine et un groupe approchant l'âge de la retraite. Tous ces groupes ont été interrogés une première fois, puis 3, 5, 7 et 11 ans plus tard (Chiriboga, 1984; Chiriboga et Cutler, 1980; Chiriboga et Dean, 1978).

Dans les quatre groupes d'âge, Chiriboga a observé les effets négatifs courants du stress: ceux qui ont vécu beaucoup de changements dans leur vie, particulièrement des changements à la suite de pertes dans les relations personnelles intimes, ont présenté des taux élevés de dépression, une moins bonne santé et une faible satisfaction générale. Il a

Vous rappelez-vous certaines situations ou crises dans votre propre vie qui vous ont révélé des choses constructives et qui vous ont permis d'évoluer ? Pensez-vous à un exemple inverse où une crise ou un changement important dans votre vie vous aurait laissé un sentiment de détresse sans aucune évolution positive ?

également découvert que certaines formes de stress n'entraînaient pas autant de problèmes ultérieurs. Par exemple, les jeunes hommes qui avaient eu énormément de soucis professionnels présentaient plus tard de *faibles* degrés de dépression. Chez les hommes plus âgés, ceux qui avaient traversé un ensemble d'expériences que Chiriboga qualifie de « discordantes », soit quelques changements mineurs dans les croyances politiques ou religieuses, ou des anticipations de stress imminent, présentaient *moins* de troubles affectifs à un âge plus avancé. Dans la même veine, dans son analyse des résultats de l'étude de Berkeley/Oakland, Norma Haan (1982) a noté que les personnes souvent malades à l'âge adulte étaient décrites comme faisant preuve de plus d'empathie et d'une plus grande tolérance face à l'ambiguïté vers la fin de l'âge adulte moyen.

Nous ne cherchons pas à atténuer l'importance des facteurs de stress reliés aux crises ou aux changements importants de la vie. Nous pensons que la douleur, les crises ou le stress sont parfois nécessaires — même s'ils ne suffisent pas — à une certaine croissance psychologique, tout comme il est nécessaire que le grain de sable se trouve à l'intérieur de la coquille pour que l'huître fabrique une perle. En conclusion, cette hypothèse nous paraît réconfortante, car elle permet d'espérer qu'il y a toujours quelque chose à gagner d'une expérience douloureuse. La vie serait bien déprimante sans la possibilité d'une telle évolution.

Différences individuelles

Q 17   Quels sont les effets psychologiques du divorce ? les conséquences économiques ?

Q 18   Pourquoi l'expérience du divorce semble-t-elle plus difficile à l'âge adulte moyen qu'au début de l'âge adulte ?

Q 19   Quels types de changements le divorce apporte-t-il dans la trajectoire de vie ?

Q 20   Quelles sont les conséquences du chômage à l'âge adulte moyen ?

Q 21   Quel est le rôle du soutien social lors de l'expérience du chômage ?

Q 22   Les crises sont-elles toutes négatives ? Expliquez.

RÉSUMÉ

1. De nombreux indices donnent à penser que la période de l'âge adulte moyen est moins stressante et plus agréable que celle du début de l'âge adulte.

2. La satisfaction conjugale est généralement plus élevée au milieu de l'âge adulte qu'auparavant, grâce, avant tout, à une diminution des problèmes ou des conflits.

3. Les adultes d'âge moyen ont des interactions familiales importantes avec leurs parents et leurs enfants, soit dans les deux sens de la chaîne généalogique ; ils constituent ainsi une génération médiane. Les adultes d'âge moyen sont ceux qui offrent le plus d'aide dans les deux directions, et ils tentent d'influencer à la fois la génération qui les précède et celle qui les suit.

4. Chaque famille semble posséder un ensemble particulier de sujets de discussion ou d'activités qui cimentent les liens entre les générations.

5. Il n'existe guère d'indications tendant à prouver l'existence du syndrome du nid déserté, autrement dit, que les parents au milieu de l'âge adulte ont des réactions négatives lorsque le dernier enfant quitte la maison. Au contraire, l'atténuation des exigences relatives aux rôles peut contribuer à l'accroissement de la satisfaction générale.

6. La majorité des adultes deviennent grands-parents à l'âge adulte moyen. Ils établissent généralement des relations chaleureuses et affectueuses avec leurs petits-enfants, bien que certains aient parfois une relation distante. Une minorité de grands-parents prennent une part active dans l'éducation de leurs petits-enfants.

7. Une minorité seulement d'adultes d'âge moyen semblent prendre en charge leurs parents âgés. Ces personnes disent avoir l'impression de porter un fardeau et sont plus dépressives, particulièrement si le parent souffre d'une forme de démence.

8. Deux fois plus de femmes que d'hommes prennent en charge un parent vieillissant.

9. Les amitiés se raréfient au milieu de l'âge adulte, même si rien n'indique qu'elles deviennent moins intimes ou moins importantes. L'aptitude à nouer des amitiés et à les entretenir semble être stable tout au long de la vie adulte.

10. La majorité des adultes d'âge moyen travaillent au moins à temps partiel, mais la centralité du rôle professionnel semble en quelque sorte s'estomper. Ainsi, la satisfaction professionnelle est moins reliée à la satisfaction générale qu'à un plus jeune âge.

11. Le nombre d'heures de travail diminue généralement à l'approche de l'âge de la retraite.

12. Selon Erikson, la générativité constitue la tâche centrale de l'âge adulte moyen. Certains adultes de cet âge atteignent également l'intégrité personnelle.

13. Les changements de la personnalité sont beaucoup moins communs au milieu de l'âge adulte qu'au début de l'âge adulte. Il existe certains signes « d'adoucissement », soit une baisse d'intensité et d'efforts, mais on observe une plus grande variabilité des traits de la personnalité à l'âge adulte moyen qu'à un plus jeune âge.

14. Les différentes expériences individuelles en ce qui concerne les changements de la vie et les crises peuvent entraîner des variations des modèles de personnalité. Le divorce, par exemple, augmente la détresse émotionnelle et influe sur la santé physique. Il peut aussi altérer de façon permanente la trajectoire des rôles et la situation financière d'un adulte, particulièrement chez les femmes divorcées.

15. La perte d'emploi augmente aussi les risques de troubles affectifs et de maladie physique, lesquels sont directement reliés à la sécurité financière, et indirectement reliés à la détérioration des relations conjugales et à la perte de l'estime de soi.

16. Les répercussions négatives du divorce et du chômage semblent plus importantes chez les adultes au milieu de l'âge adulte. Les conséquences négatives de ces deux types de crise sont atténuées lorsque l'adulte reçoit un soutien social approprié.

17. Tout changement de rôle ou toute crise survenant en dehors des normes temporelles d'une cohorte ou d'une culture est associé à un degré élevé de stress. Citons notamment le fait d'être grand-parent très jeune, la mort précoce d'un parent ou le départ retardé des enfants de la maison.

18. Certains théoriciens soutiennent que les crises peuvent aussi bien occasionner une croissance psychologique qu'une détresse. En effet, les crises ou les changements importants qui surviennent dans la vie sont parfois nécessaires à la croissance psychologique. Toutefois, cette question reste très controversée.

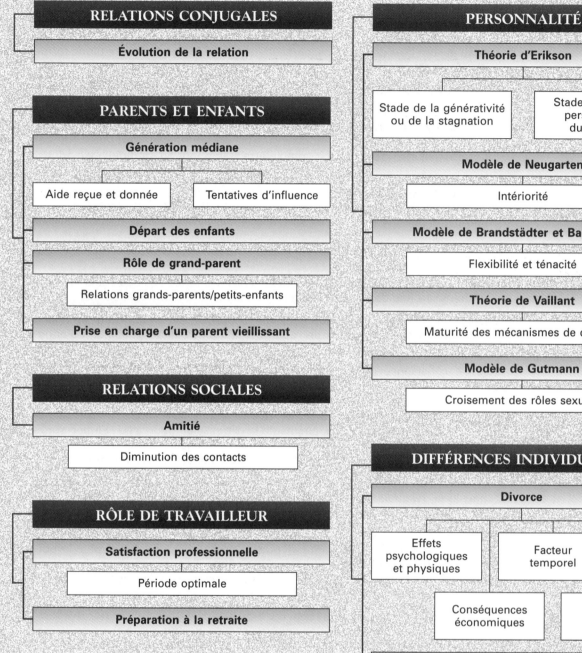

RELATIONS CONJUGALES

Évolution de la relation

PARENTS ET ENFANTS

Génération médiane

Aide reçue et donnée   Tentatives d'influence

Départ des enfants

Rôle de grand-parent

Relations grands-parents/petits-enfants

Prise en charge d'un parent vieillissant

RELATIONS SOCIALES

Amitié

Diminution des contacts

RÔLE DE TRAVAILLEUR

Satisfaction professionnelle

Période optimale

Préparation à la retraite

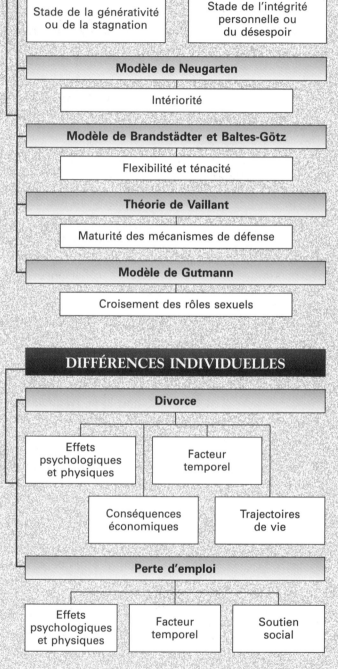

PERSONNALITÉ

Théorie d'Erikson

Stade de la générativité ou de la stagnation   Stade de l'intégrité personnelle ou du désespoir

Modèle de Neugarten

Intériorité

Modèle de Brandstädter et Baltes-Götz

Flexibilité et ténacité

Théorie de Vaillant

Maturité des mécanismes de défense

Modèle de Gutmann

Croisement des rôles sexuels

DIFFÉRENCES INDIVIDUELLES

Divorce

Effets psychologiques et physiques   Facteur temporel

Conséquences économiques   Trajectoires de vie

Perte d'emploi

Effets psychologiques et physiques   Facteur temporel   Soutien social

Interlude 5

RÉSUMÉ DU DÉVELOPPEMENT À L'ÂGE ADULTE MOYEN

CARACTÉRISTIQUES FONDAMENTALES DE L'ÂGE ADULTE MOYEN

Nous vous proposons une synthèse des changements qui surviennent à l'âge adulte moyen dans le tableau de la page suivante. Cependant, cette récapitulation ne rend pas vraiment compte des aspects les plus intéressants de cette période, en particulier les aspects les plus paradoxaux.

Le paradoxe le plus frappant concerne la juxtaposition de niveaux élevés de satisfaction conjugale et professionnelle et d'une prise de conscience du déclin physique. Un second paradoxe réside dans le fait que les contraintes des rôles familiaux et professionnels se relâchent considérablement au cours de ces années, et que, en même temps, l'individu acquiert plusieurs rôles nouveaux sur lesquels il a peu d'emprise. Nous abordons le stade postparental lorsque le dernier enfant quitte la maison, puis nous devenons grands-parents lorsque nos enfants ont des enfants à leur tour. Nous prenons aussi nos parents en charge lorsqu'ils sont malades ou incapables de prendre soin d'eux-mêmes. Bien que nous ayons parfois notre mot à dire en ce qui concerne le départ de la maison des enfants, nous n'avons guère d'emprise sur la naissance de nos petits-enfants ni sur l'état de santé de nos parents.

La diminution des exigences des rôles centraux de parent et de travailleur s'inscrit dans un autre paradoxe, car ce changement entraîne un sens accru de la possibilité d'un choix. Plus d'options s'offrent à nous quant à la manière d'assumer ces rôles individuels, et moins de règles claires régissent notre comportement. Par ailleurs, les adultes d'âge moyen semblent aussi avoir le sentiment que la maîtrise personnelle leur échappe. Au cours de leur étude réalisée en Allemagne, Brandstädter et Baltes-Götz (1990) ont réuni des données longitudinales et transversales montrant que, entre l'âge de 40 et 60 ans, les adultes ont de plus en plus l'impression que leur capacité d'atteindre leurs objectifs subit l'influence de facteurs indépendants de leur volonté. Cependant, dans le même groupe, on constate également que ces adultes ont davantage l'impression que la réalisation des objectifs dépend de leurs propres actions. Il y aurait

donc à la fois une conscience accrue de la liberté de choix et une plus grande lucidité concernant le fait que plusieurs forces non maîtrisables sont en jeu, dont un déclin potentiel de la santé ou de l'état de santé d'un parent.

Il semble inconcevable que ces prises de conscience puissent se produire simultanément mais, si vous pensez à des exemples précis, cela vous paraîtra parfaitement cohérent. En atteignant la quarantaine et la cinquantaine, un adulte peut prendre conscience du fait que le maintien de relations amicales satisfaisantes requiert des efforts de sa part, mais il s'aperçoit également qu'il n'a aucune emprise sur la mort de ses amis. Il prend aussi conscience que sa forme physique au quotidien dépend de son mode de vie, soit de son activité physique et de son régime alimentaire, et pourtant il doit faire face à son impuissance face à la maladie.

PROCESSUS FONDAMENTAUX

Derrière ces paradoxes, on retrouve un glissement de l'importance de l'horloge biologique et de l'horloge sociale. Au début de l'âge adulte, l'horloge sociale fait un vacarme absolument assourdissant, alors que l'horloge biologique est tout juste audible. À l'âge adulte moyen, on atteint un certain équilibre : l'affaiblissement de l'horloge sociale favorise la prise de conscience de la liberté de choix et de la maîtrise personnelle, alors que le réveil de l'horloge biologique attise un sentiment de perte de maîtrise.

HORLOGE BIOLOGIQUE

C'est sans aucun doute à l'âge adulte moyen que les premiers signes du vieillissement commencent à apparaître pour la plupart d'entre nous. Il faut porter des lunettes pour la première fois ; on se découvre des cheveux blancs ; la peau se ride de façon plus manifeste ; il devient plus difficile de monter les escaliers quatre à quatre et de reprendre une activité physique pour se remettre en forme. Nous avons noté au

Résumé de la trame du développement à l'âge adulte moyen

Aspect du développement	Âge (années)				
	40	45	50	55	60
Développement physique	De nombreux changements physiques surviennent entre la quarantaine et la cinquantaine, dont la baisse de la vision, le déclin de la capacité respiratoire, l'altération de l'épiderme, le ralentissement du système nerveux et, par conséquent, de la vitesse de réaction.		Ménopause chez la femme. Accélération de la perte de tissu osseux. Augmentation de la perte de tissu musculaire.		Accélération de la perte auditive.
Développement cognitif	Amélioration du Q.I. jusqu'à l'âge de 50 ou 55 ans, puis baisse très graduelle. Perte précoce des capacités non exercées, telles que la visualisation spatiale. Peu de changements altérant la mémoire avant la fin de cette période, bien que l'on observe une perte de la vitesse de rappel.				
Développement de la personnalité	Stade de la générativité ou de la stagnation selon Erikson.		Stade de l'intégrité personnelle ou du désespoir selon Erikson.		
		Signes d'« adoucissement » après la crise d'individualité, d'affirmation de soi et de confiance en soi à 40 ou 45 ans.			
Relations sociales		Nid déserté : le dernier enfant quitte le foyer.			
		Acquisition du rôle de grand-parent pour la plupart des adultes.			
			Peut assumer le rôle de prise en charge des parents vieillissants.		
		Les rôles professionnels deviennent moins prévalants ; réduction progressive des heures de travail ; préparation à la retraite.			
		Augmentation de la satisfaction conjugale.			

chapitre 12 que la plupart de ces changements sont relativement graduels et qu'il existe de grandes différences individuelles quant au moment de leur apparition. Mais il est impossible de traverser le milieu de l'âge adulte sans se rendre compte d'une *certaine* détérioration physique.

David Karp (1988) a étudié la prise de conscience de ces changements dans une série d'entrevues particulièrement éloquentes avec des hommes et des femmes dans la cinquantaine. Cet échantillon n'a rien d'aléatoire : les 72 sujets étaient de race blanche et occupaient tous de bons emplois. Par conséquent, on ne sait guère si des personnes appartenant à la classe ouvrière ou des personnes issues de minorités ethniques décriraient des expériences similaires. Cependant, cette étude nous donne un aperçu particulièrement saisissant de ce que ressent l'adulte d'âge moyen, pour qui, selon Karp, « l'expérience du vieillissement semble être l'une des plus grandes surprises de la vie » (p. 729).

La surprise vient à la fois du corps et de la culture. Les messages du corps comprennent de nombreuses manifestations de déclin. L'un des hommes interrogés par Karp s'exprimait ainsi :

J'ai les os qui craquent. Je ronfle la nuit. J'apprécie toujours la beauté féminine, mais, vous savez, la testostérone n'est plus vraiment là. Je l'ai aussi remarqué avec mes enfants au cours des dernières années. Lorsque je joue au base-ball avec mon fils, je n'arrive plus aussi bien à attraper les balles basses. Nous allons sur le terrain et je dis à mon fils: «John, envoie-moi donc des chandelles au lieu de ces balles basses.» Je ne me recule pas trop sinon je n'arrive pas à lancer la balle assez loin. J'ai bien remarqué ces changements. (p. 730.)

Les messages culturels sont plus subtils, mais ils sont tout aussi révélateurs. Les jeunes adultes commencent à vous traiter comme une «personne âgée», ce qui peut signifier qu'ils vous traitent avec plus ou moins de respect, selon les circonstances. De plus, on peut vous offrir l'accès à différents programmes pour «le troisième âge».

Certains indicateurs de génération viennent de l'invalidité croissante des autres membres de la famille, voire des décès. L'un des sujets interrogés par Karp disait d'ailleurs: «En voyant mon père physiquement diminué, je prends conscience du fait que cela va aussi finir par m'arriver un jour.» (p. 731)

Les enfants constituent d'autres indicateurs de génération, ainsi que les jeunes gens rencontrés dans la vie professionnelle. À cet âge, on trouve que les jeunes gens ont l'air bien plus jeunes qu'avant. Cependant, le paradoxe subsiste, car presque tous les sujets interrogés par Karp affirment qu'ils se *sentent* toujours jeunes. La vision que nous avons de nous-mêmes à 40, 50 ou 60 ans ne comprend toujours pas les cheveux blancs, les rides et la lenteur du corps. Nous vivons donc plusieurs chocs, lorsque les indicateurs de culture et de génération viennent secouer notre conscience encore une fois et nous rappeler que nous sommes bien en train de vieillir.

HORLOGE SOCIALE

En même temps, les adultes d'âge moyen ont souvent l'impression d'être en pleine possession de leurs moyens, d'avoir appris les ficelles de la vie et d'être capables d'agir sur les choses. L'un des sujets étudiés par Karp s'exprime ainsi: «Je ne me vois pas comme un simple débutant... mais plutôt comme quelqu'un qui a fait son chemin dans la vie.» (p. 729) D'autres parlent d'une plus grande appréciation de la valeur des expériences accumulées, voire de sagesse. Nombreux sont ceux qui affirment avoir une vision plus globale de leur vie, une perspective plus large — peut-être le début de ce que Erikson appelle l'intégrité personnelle.

Ce sentiment de savoir, de sagesse et d'élargissement de la perspective semble être le fruit de l'apprentissage des rôles dominants du début de l'âge adulte, puis de l'affirmation de son individualité grâce au processus que Levinson nomme *détribalisation*. Les gens acquièrent aussi un sens accru de la maîtrise et de la liberté de choix, car certains des rôles qui étaient dominants au début de l'âge adulte deviennent beaucoup moins exigeants. En particulier, le rôle parental, qui demande un temps et une énergie considérables pendant près de 20 ans, devient plus occasionnel et moins exigeant. Par conséquent, les adultes d'âge moyen disposent de plus de temps et d'énergie à consacrer à leurs autres rôles, y compris celui de conjoint ou de partenaire. La réduction du travail dans la proportion des rôles au cours des mêmes années permet aussi de s'investir plus dans les autres rôles, dont les activités sociales au sein de la communauté ou les relations amicales. La majorité des adultes d'âge moyen profitent de ces changements et connaissent une augmentation de la satisfaction conjugale et professionnelle.

INFLUENCES SUR LES PROCESSUS FONDAMENTAUX

La façon dont une personne vivra l'âge adulte moyen dépend d'une multitude de facteurs, dont trois semblent particulièrement déterminants: la santé, le moment où se produisent les événements familiaux et professionnels, et l'apparition de crises et de changements non anticipés.

SANTÉ. La santé est probablement le facteur le plus déterminant pour l'expérience du milieu de la vie. La plupart des adultes sont encore relativement en bonne santé à cette période. Mais, pour les gens qui souffrent de problèmes de santé durant la cinquantaine ou la soixantaine, la perception du vieillissement physique est bien plus marquée et l'impression d'avoir la maîtrise et la possibilité de choisir est beaucoup moins évidente. Ainsi, chez les hommes de l'université Harvard de l'étude de Grant, les deux événements susceptibles de poser des problèmes d'adaptation psychologique étaient soit une détérioration grave de la santé, soit l'alcoolisme (Vaillant, 1990).

De la même façon, les personnes qui prennent leur retraite à 50 ou 60 ans y sont souvent contraintes pour des raisons de santé. Ces personnes peuvent se retrouver dans une situation financière délicate, avec des pensions insuffisantes, par exemple. Leur sentiment de maîtrise et de choix est certainement beaucoup moins poussé que celui des gens qui peuvent choisir le moment de leur retraite. Il n'est donc pas surprenant que les gens obligés de prendre une retraite anticipée pour raisons de santé l'apprécient moins que les autres et soient généralement plus déprimés (Palmore *et al.*, 1985).

ÉVOLUTION DES RÔLES FAMILIAUX ET PROFESSIONNELS.

L'expérience de l'âge adulte subit aussi grandement l'influence du moment exact où surviennent divers événements familiaux et professionnels, en particulier la naissance d'un enfant. On observe des différences de cohortes ou des différences individuelles majeures. Ainsi, les femmes nées en Amérique du Nord dans les années 1920 donnaient naissance à leur dernier enfant à l'âge moyen de 31 ans. Pour ces femmes, la période postparentale commençait approximativement à l'âge de 55 ans. Ces femmes avaient une espérance de vie de 73 ans, et ne pouvaient s'attendre à vivre que 18 années après que leur dernier enfant eut quitté la maison. Par comparaison, la femme née dans les années 1950 arrive aujourd'hui au milieu de l'âge adulte, et a eu son dernier enfant vers l'âge de 25 ans ; elle peut s'attendre à vivre jusqu'à l'âge de 80 ans, ce qui représente une augmentation nette de 13 années postparentales, dont la moitié à l'âge adulte moyen.

La même logique s'applique manifestement aux individus. Les gens qui ont des enfants assez tard réduisent le nombre d'années postparentales et retardent ainsi le moment dans leur vie où l'horloge sociale est moins bruyante. Ces différences sont importantes et contribuent grandement à l'importante variabilité observée de l'expérience des adultes d'âge moyen.

La même logique s'applique aux expériences professionnelles telles que les promotions, bien que l'on possède moins d'indications directes. Quelqu'un qui continue à gravir les échelons dans la quarantaine ou la cinquantaine est plus susceptible d'accorder encore une place centrale au travail dans sa vie qu'une personne dont la carrière stagne à partir de l'âge de 35 ans. Par exemple, l'étude effectuée par Bray et Howard sur les dirigeants d'AT&T montre que ces hommes qui sont montés très haut dans la hiérarchie de l'entreprise éprouvaient une grande satisfaction professionnelle dans la quarantaine ou la cinquantaine. Il est par contre intéressant de constater qu'ils n'étaient pas plus satisfaits de leur vie en général et qu'ils n'étaient pas mieux adaptés.

Ce genre de découvertes soulignent une fois de plus la grande variabilité des expériences vécues par les adultes d'âge moyen. Apparemment, il existe plusieurs voies conduisant à la satisfaction générale. Pour certains, la satisfaction continue de s'exprimer dans le travail, mais la plupart des gens semblent puiser cette satisfaction dans leurs relations conjugales, familiales ou amicales.

CRISES.

Comme le début de l'âge adulte, l'âge adulte moyen est façonné par divers changements non anticipés et par les crises auxquelles chaque adulte doit faire face. Les années de 40 à 65 ans se passent différemment pour une femme divorcée sans grande expérience professionnelle et pour une femme mariée qui mène une brillante carrière. De la même façon, les cartes ne sont pas les mêmes pour un homme qui est licencié à l'âge de 50 ans et ne trouve plus d'emploi et pour un homme qui bénéficie de la sécurité de l'emploi. Bien qu'elles soient substantielles, les différences économiques ne sont pas les seules à causer de telles variations. En effet, les individus qui ont vécu de nombreuses crises ou de nombreuses pertes sont plus susceptibles de connaître des problèmes de santé et de ne pas avoir l'impression de maîtriser leurs choix et les occasions qui se présentent à eux. Et bien sûr, les problèmes de santé jumelés à un sentiment d'impuissance entraînent de nombreuses répercussions sur bien d'autres domaines de la vie.

Cependant, il semblerait que, davantage que les crises elles-mêmes, la façon dont l'adulte s'adapte à de telles crises façonne l'expérience de l'âge adulte moyen. Dans les travaux de Vaillant sur les hommes de Harvard qui ont participé à l'étude de Grant, par exemple, l'un des meilleurs indicateurs de bonne santé et d'adaptation émotionnelle à l'âge de 65 ans était l'absence d'usage de thymoanaleptiques (comme les tranquillisants), ou de consommation d'alcool à l'âge de 45 ans (Vaillant et Vaillant, 1990). La maturité des mécanismes de défense utilisés à l'âge de 45 ans constitue également un bon indicateur. Les personnes qui paraissaient les plus inaptes à 65 ans étaient souvent celles qui avaient eu une réaction de négation ou de répression face aux crises, alors que celles qui étaient mieux adaptées à 65 ans avaient utilisé moins de mécanismes de défense qui déforment la réalité. Les individus de 45 ans qui s'étaient tournés vers les thymoanaleptiques ou l'alcool et qui utilisaient des mécanismes moins matures de défense n'avaient pas affronté plus de crises que les hommes plus mûrs. Cependant, ils avaient réagi différemment à ces crises, à ces épreuves.

Qu'est-ce qui détermine la façon dont un individu gère une crise ou une épreuve de la vie ? La première réponse qui vient à l'esprit, c'est la personnalité. McCrae et Costa ont observé que les adultes qui présentent une tendance élevée à la névrose vont adopter en général une attitude défaitiste face aux crises. Nous avons déjà étudié les travaux effectués par Caspi à partir de l'étude de Berkeley/Oakland, selon lesquels les traits de personnalité à l'enfance et à l'adolescence (comme la timidité ou le mauvais caractère) laissent présager un certain nombre d'aspects de la vie adulte. Dans l'encadré « Au fil du développement » du chapitre 13, nous avons mentionné que Vaillant et les chercheurs de Berkeley avaient découvert que les adultes qui avaient l'air en meilleure santé et plus mûrs psychologiquement à 40 ou 50 ans provenaient de familles plus chaleureuses et avaient une bonne estime de soi à l'adolescence ou au début de l'âge adulte.

Toutefois, il ne faut pas confondre personnalité et destinée. Toutes les corrélations existantes apparaissent mineures par comparaison. Il y a de nombreux adultes qui, en dépit de circonstances difficiles, réussissent à affronter les crises du milieu de l'âge adulte avec panache et en retirent une certaine croissance psychologique. Par contre, il y a aussi beaucoup de gens qui semblent avoir tout pour eux et qui ne réussissent pas à faire face aux crises normales (ou extraordinaires) et commencent à se laisser engloutir dans un cercle vicieux, qui comprend souvent l'alcool, les drogues et les médicaments, ou la dépression. Pour l'instant, on ne sait malheureusement que très peu de chose sur les causes de ces variations. C'est à notre avis une question cruciale si nous désirons mieux comprendre cette période de l'âge adulte ainsi que l'ensemble de la vie adulte.

14

L'ÂGE ADULTE AVANCÉ : DÉVELOPPEMENT PHYSIQUE ET COGNITIF

DIFFÉRENCES INDIVIDUELLES

on père, aujourd'hui âgé de 78 ans, a l'habitude de transporter un gros carnet de notes où il consigne des listes de choses à faire, d'articles à acheter, ainsi que l'heure de ses rendez-vous. Il parle de son carnet comme de son «cerveau», ce qui me fait toujours rire. Lorsqu'il égare son carnet, il demande : «Avez-vous vu mon cerveau ?» Grâce à cette méthode efficace, il n'oublie jamais un rendez-vous, il a toujours les numéros de téléphone les plus courants à portée de la main et il parvient à gérer efficacement son quotidien. Bien sûr, il s'impatiente lorsque sa mémoire lui joue des tours et il se déplace lentement, mais il est somme toute parvenu à compenser la plupart de ses limites physiques, de sorte qu'il est toujours actif HELEN BEE *et s'acquitte de la majorité des choses qui lui tiennent à cœur.*

Outre l'arrivée massive des femmes dans la population active, le vieillissement rapide de la population au cours de ces dernières décennies constitue l'un des changements démographiques les plus frappants. Étant donné que l'espérance de vie a considérablement augmenté et que le taux de natalité a diminué dans de nombreux pays, la population totale des personnes âgées de plus de 65 ans s'est accrue et continue d'augmenter rapidement. La figure 14.1 présente le modèle d'augmentation dans divers pays, tel qu'il est prévu jusqu'en l'an 2025. Cette croissance est plus prononcée dans les pays industrialisés, mais elle touche néanmoins toutes les régions du monde (Myers, 1990). L'un des principaux responsables de ce phénomène est le baby-boom. Les personnes de cette cohorte, nées après la Seconde Guerre mondiale, entrent maintenant dans le milieu de l'âge adulte et viendront gonfler les rangs des personnes âgées après 2010. En 2040, lorsque la plupart de ces personnes seront décédées, le taux d'accroissement de la population âgée connaîtra une forte diminution.

Ce changement démographique va s'accompagner de divers effets sur le plan culturel, certains évidents, d'autres plus subtils. Les régimes de retraite, notamment la sécurité sociale, seront considérablement grevés ; les coûts des soins médicaux augmenteront de manière radicale ; les centres hospitaliers, les maisons de retraite et les autres systèmes de soins subiront des pressions accrues. On observera également des changements dans le style et la forme de la publicité, télévisée et autre, qui s'adressera de plus en plus aux personnes âgées. Il se produira aussi un déplacement du pouvoir politique. Sur le plan familial, la réduction des naissances et l'allongement de l'espérance de vie des personnes âgées risquent d'obliger un nombre croissant d'adultes d'âge moyen à prendre en charge un parent âgé à la santé fragile. Chaque tranche de la société devra s'adapter d'une certaine manière à ce changement remarquable dans la répartition de l'âge de la population. La figure 14.2 présente le modèle d'augmentation de la population des adultes d'âge avancé au Québec jusqu'en 2041.

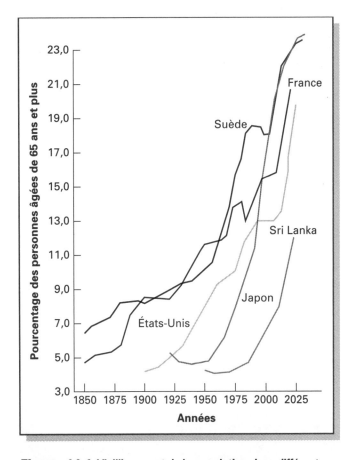

Figure 14.1 Vieillissement de la population dans différents pays. L'augmentation rapide du pourcentage des personnes âgées de 65 ans et plus dans la population n'est pas un phénomène que l'on observe uniquement en Amérique du Nord. (*Source* : Myers, 1990, figure 2-2, p. 27.)

Pensez aux autres conséquences possibles que l'augmentation du nombre des personnes âgées pourrait entraîner dans notre société.

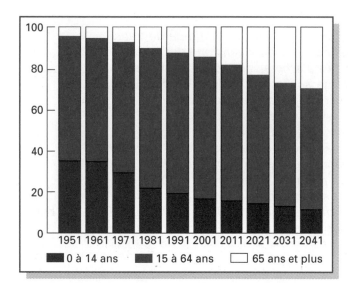

Figure 14.2 Composition de la population par grand groupe d'âge, Québec, 1951-2041. On peut voir que la population des personnes âgées de 65 ans et plus va augmenter de manière considérable au Québec. (*Source*: Bureau de la statistique du Québec, 1996, graphique 1, p. 13.).

SOUS-GROUPES DES ADULTES D'ÂGE AVANCÉ

Cependant, on ne peut rassembler les adultes d'âge avancé dans un seul groupe. Bernice Neugarten (1974, 1975) a proposé un système de classement généralement accepté par les gérontologues. Elle fait la distinction entre les personnes du **troisième âge** et les personnes du **quatrième âge.** Selon Neugarten, les personnes âgées de 55 à 75 ans font partie du troisième âge, tandis que les personnes âgées de plus de 75 ans font partie du quatrième âge. Dans l'usage courant par contre, on considère que les adultes âgés de 50 à 60 ans sont encore au milieu de l'âge adulte, et le terme *troisième âge* ne décrit que les personnes âgées de 65 à 75 ans. Mais cette distinction a son importance. Par ailleurs, les personnes du quatrième âge constituent actuellement la portion de la population

Le vieillissement de la population est un phénomène que l'on observe dans la plupart des pays du monde.

en Amérique du Nord qui augmente le plus; il faut donc en apprendre davantage sur ce sous-groupe (Longino, 1988).

Plusieurs caractéristiques distinguent ces deux groupes, notamment le risque d'invalidité ou de maladie graves. En outre, de nombreuses évaluations des fonctions mentales et physiques indiquent un déclin plus rapide des capacités physiques et mentales vers 75 ans, en particulier du Q.I., de l'ouïe et de la capacité respiratoire.

Nous allons user de cette distinction avec précaution. En effet, les psychologues et les gérontologues ont constaté dans les dernières décennies à quel point le vieillissement est un processus individuel. Certaines personnes sont atteintes d'une incapacité dès l'âge de 65 ans, d'autres sont pleines d'énergie et de vie à plus de 85 ans. En fait, il faudrait peut-être établir une distinction entre les personnes âgées en bonne santé et celles qui ne le sont pas. Néanmoins, les personnes de plus de 75 ans ont une santé plus précaire que les personnes de 65 à 75 ans. La distinction entre personnes du troisième âge et personnes du quatrième âge peut nous aider à nous rappeler que le vieillissement n'est pas un processus qui s'accélère tout à coup vers l'âge de 65 ans. De plus, les besoins et les capacités, tant sur le plan social que physique, des personnes âgées varient énormément.

Changements démographiques

Q 1   Quels changements démographiques va-t-on observer dans la société québécoise dans les 40 prochaines années?

Q 2   Quelles sont les caractéristiques des deux sous-groupes de l'âge adulte avancé?

CHANGEMENTS PHYSIQUES

ESPÉRANCE DE VIE

Procédons dans l'ordre et demandons-nous avant tout combien d'années une personne de 65 ans peut espérer vivre.

Troisième âge: Terme utilisé par de nombreux gérontologues pour décrire les personnes âgées de 65 à 75 ans environ.

Quatrième âge: Terme utilisé par de nombreux gérontologues pour désigner les personnes âgées de plus de 75 ans.

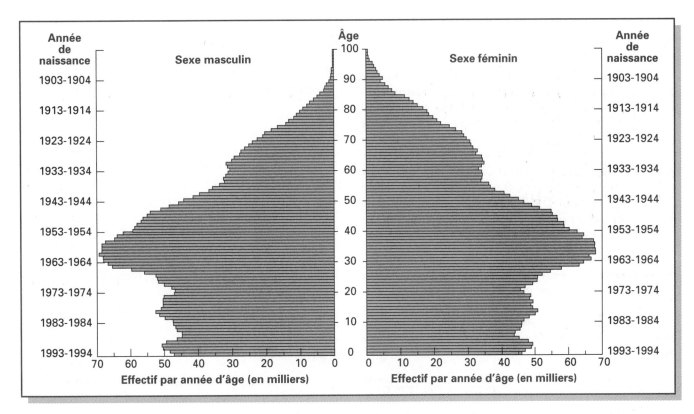

Figure 14.3 Pyramide des âges, Québec, 1994. On peut observer ici la proportion des personnes âgées de 65 ans et plus dans la population québécoise. On voit également l'ampleur de la cohorte du baby-boom après la Seconde Guerre mondiale, qui va augmenter de manière considérable le nombre des personnes âgées dans les prochaines décennies. (*Source*: Bureau de la statistique du Québec, 1995, figure 2.1, p. 21.)

Nous avons déjà vu quelques données de base sur l'espérance de vie au chapitre 12. Au Québec en 1992, l'espérance de vie pour une femme de 65 ans s'établissait à 20,1 années, alors que celle d'un homme du même âge se situait à 15,5 années (Santé Québec, 1995). La figure 14.3 illustre la proportion des personnes âgées de 65 ans et plus dans la population du Québec en 1994 (Bureau de la statistique du Québec, 1995). Le tableau 14.1 indique l'espérance de vie d'une personne qui a déjà atteint l'âge de 65 ans. Le tableau montre également l'*espérance de vie active*, soit le nombre d'années moyen qu'une personne peut espérer vivre sans subir une incapacité qui l'empêcherait de faire face à ses besoins quotidiens.

On peut tirer certaines conclusions claires de ces données. Premièrement, comme nous l'avons déjà mentionné, les femmes vivent plus longtemps que les hommes. Cette différence s'amenuise légèrement avec l'âge. Deuxièmement, ces chiffres illustrent un aspect que nous avons abordé au chapitre 12, c'est-à-dire que, si les femmes vivent plus longtemps que les hommes, elles souffrent aussi plus souvent d'une incapacité quelconque. Une femme de 65 ans peut s'attendre à passer deux fois plus de temps atteinte d'une invalidité qu'un homme. Cependant, les femmes ne souffriront d'aucune incapacité les trois quarts du temps qu'il leur reste à vivre, la situation n'est donc pas aussi sombre qu'il y paraît.

Tableau 14.1
Espérance de vie chez les personnes de plus de 65 ans, Québec, 1992

Espérance de vie	Hommes (années)	Femmes (années)	Moyenne pondérée (années)
Sans perte d'autonomie fonctionnelle	11,5	13,2	12,4
Avec perte d'autonomie fonctionnelle	4,0	6,9	5,6
Total	15,5	20,1	18,0

Source: Santé Québec, 1995, adapté du tableau 14.13, p. 298.

CHANGEMENTS DES FONCTIONS PHYSIQUES

Nous avons déjà décrit aux chapitres 10 et 12 le modèle global des changements et du déclin des divers systèmes corporels à l'âge adulte ; il n'est donc pas nécessaire de le reprendre ici. Pour presque tous les systèmes, la perte fonctionnelle s'amorce vers l'âge de 40 ans et se poursuit graduellement jusqu'à la fin de la vie. Ce modèle est très semblable au tracé général de la courbe que Denney a proposée dans son modèle global des changements cognitifs et physiques à l'âge adulte (voir la figure 10.5, p. 321). Il se produit une accélération du déclin après l'âge de 75 ou 80 ans, mais cela ne semble pas s'appliquer à tous les systèmes corporels.

Certains des changements graduels entraînent des modifications ou une perte fonctionnelle considérables à l'âge adulte moyen, notamment une altération de la vision et de la masse osseuse chez les femmes. D'autres changements ne provoquent aucune modification fonctionnelle majeure avant 65 ans. Nous allons aborder ces derniers changements plus en détail.

CHANGEMENTS CÉRÉBRAUX. Si vous vous reportez au tableau 12.1 (p. 372), vous constaterez que quatre principaux changements surviennent dans le système nerveux à l'âge adulte : la réduction de la masse cérébrale, la perte de substance grise, la diminution de la densité des dendrites et le ralentissement de la vitesse synaptique.

La réduction de la densité dendritique est le changement le plus important qui se produit dans le cerveau. Nous avons vu au chapitre 4 que, au cours de la première année de vie, il se produit un émondage des dendrites qui élimine les voies neuronales redondantes ou inutilisées. Au milieu et à la fin de l'âge adulte, la perte de dendrites ne semble pas relever du même type d'émondage. Il s'agit plutôt d'une diminution des connexions dendritiques utiles. La figure 14.4 illustre ce changement.

La diminution dendritique ne paraît pas également répartie dans le cerveau. Dans certaines régions du cerveau, on constate une augmentation constante de la densité dendritique à l'âge avancé, comme pour compenser la disparition des neurones voisins (Scheibel, 1992). Cependant, la structure synaptique du cerveau devient sans aucun doute moins dense et moins efficace globalement. La réduction de la masse cérébrale totale et la perte de substance grise semblent résulter de la réduction de la densité dendritique, et non constituer un phénomène indépendant (Lim *et al.*, 1992).

La perte dendritique provoque également un ralentissement graduel de la vitesse synaptique, lequel entraîne à son tour une augmentation du temps de réaction dans de nombreuses tâches quotidiennes. Il existe suffisamment de redondance dans les voies neuronales pour qu'il y ait un moyen de se rendre du neurone A au neurone B, ou du neurone A à

une cellule musculaire. Toutefois, en raison de la diminution des dendrites, le chemin le plus court peut être perdu, et le temps de réaction augmente en conséquence. David Morgan (1992) nomme ce processus perte de la « plasticité des synapses ».

Enfin, le système nerveux subit une diminution du nombre des neurones eux-mêmes. Il n'y a pas consensus entre les physiologistes sur ce phénomène. On a cru pendant longtemps qu'un adulte perdait 100 000 neurones par jour. Cette hypothèse, qui s'appuyait largement sur les travaux de Brody (1955), a récemment été remise en question, car de nouvelles études indiquent qu'il n'y aurait pas de perte. Toutefois, même s'il se produit réellement une perte quotidienne de 100 000 neurones, le nombre de neurones est tellement élevé que la proportion perdue au cours d'une vie resterait très faible. Selon les estimations actuelles, notre cerveau est composé de mille milliards de neurones (Morgan, 1992). Une perte quotidienne de 100 000 neurones, quand bien même elle se poursuivrait de la naissance jusqu'à l'âge de 100 ans, ne représenterait environ que 4 milliards de neurones. Par conséquent, près de 96 % des neurones seraient encore intacts.

C'est justement parce que nous possédons un très grand nombre de neurones et de dendrites que notre système nerveux est si redondant. Lorsque la perte dendritique est entamée, ses effets initiaux sur le comportement sont relativement faibles. Ce n'est que vers la fin de l'âge adulte avancé qu'ils s'accumulent au point que certaines activités quotidiennes deviennent particulièrement difficiles à accomplir. Albert Scheibel a décrit ce phénomène de la manière suivante :

> *La plasticité que les neurones semblent conserver jusqu'à un âge avancé ainsi que la redondance des voies neuronales fournissent habituellement une marge suffisamment raisonnable, et ce malgré les changements structuraux associés à l'âge. À long terme, c'est la perte des connexions entre les neurones, individuellement et collectivement, qui finit par compromettre le fonctionnement cérébral et par produire des symptômes. (1992, p. 168.)*

CHANGEMENTS SENSORIELS : L'OUÏE. Nous avons déjà abordé les changements de la vision qui se produisent dans la quarantaine et la cinquantaine (presbytie). Ainsi, pratiquement tous les adultes ont besoin de verres correcteurs à l'âge adulte moyen. La perte normale de l'ouïe (presbyacousie) apparaît à peu près au même âge, mais elle ne provoque pas d'incapacité fonctionnelle avant un certain nombre d'années. Les statistiques américaines indiquent que 13 à 14 % des adultes d'âge moyen sont atteints d'un affaiblissement de l'ouïe, et que ce taux est multiplié par deux chez les personnes âgées de plus de 65 ans (U.S. Bureau of the Census, 1990). Le tableau 14.2 distingue les personnes du troisième âge et les personnes du quatrième âge, et indique une augmentation régulière des problèmes auditifs. Ce

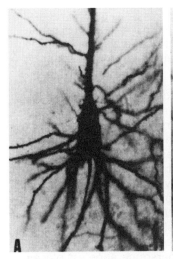

Figure 14.4 Perte dendritique à l'âge adulte avancé. Les changements de la densité dendritique avec l'âge apparaissent clairement sur ces photographies représentant un neurone d'un adulte normal d'âge mûr (A) et un neurone d'une personne de 80 ans (B). (*Source*: Scheibel, 1992, figure 5, p. 160.)

tableau montre également que, contrairement à ce que l'on constate dans le cas d'autres altérations survenant à l'âge avancé, les hommes présentent plus de troubles auditifs que les femmes. On attribue généralement cette différence sexuelle à une exposition différente au bruit. En effet, parmi les cohortes actuelles d'adultes (dans les pays industrialisés tout au moins), les hommes sont plus nombreux à avoir travaillé dans des environnements où le niveau de bruit était très élevé.

Les déficiences auditives chez les adultes d'âge avancé comprennent divers problèmes:

- *Les fréquences élevées (presbyacousie).* La presbyacousie indique une perte de la capacité d'entendre les fréquences élevées à une intensité normale. Pour la gamme de fréquences de la voix humaine (entre 500

et 2 000 hertz), la perte après l'âge de 60 ans est telle qu'un son donné doit être de 1 à 2 décibels plus fort chaque année pour qu'une personne puisse l'entendre. Des études transversales et longitudinales appuient cette affirmation (Fozard, 1990).

- *La capacité de discrimination du langage.* Même lorsque l'intensité sonore est suffisante, les adultes âgés ont de la difficulté à différencier les mots qu'ils viennent d'entendre. Cette déficience auditive semble indépendante de la presbyacousie (Schieber, 1992).

- *L'audition dans un milieu bruyant.* Lorsqu'il y a du bruit, la perte de la capacité de discrimination du langage est encore plus importante. Par conséquent, les personnes âgées suivent moins bien les conversations dans une réunion de famille ou dans un groupe nombreux de personnes lorsqu'il y a un important bruit de fond ou d'autres conversations.

- *L'acouphène.* L'incidence de ce tintement persistant d'oreille augmente avec l'âge, même s'il semble indépendant des autres changements que nous venons de mentionner. Environ 10% des adultes de plus de 65 ans souffrent de ce trouble (U.S. Bureau of the Census, 1990). Certains chercheurs pensent que l'acouphène est attribuable à l'exposition au bruit intense.

Une déficience auditive, même légère, pose des problèmes de communication dans certaines situations. Les personnes qui en sont victimes semblent être désorientées ou avoir une

> De quelle manière une déficience auditive peut-elle influer sur la vie d'un adulte d'âge avancé? Outre le port d'un appareil auditif, comment une personne peut-elle s'adapter afin de réduire l'effet d'une telle déficience?

Tableau 14.2

Pourcentage d'adultes d'âge avancé atteints d'une déficience auditive

Âge (années)	Sont atteints d'une déficience auditive (%)			Portent un appareil auditif		
	Moyenne pondérée	Hommes	Femmes	Moyenne pondérée	Hommes	Femmes
65 à 74	23,2	30,3	17,7	5,7	7,0	4,7
75 à 84	34,3	43,2	29,5	10,7	13,6	8,9
85 et plus	51,4	[a]	[a]	19,0	[a]	[a]

[a] On ne possède pas de données par sexe pour ce groupe d'âge.
Source: U.S. Bureau of the Census, 1990, tableau 192, p. 119.

LE MONDE RÉEL

Placement des personnes âgées dans un établissement spécialisé

Le tableau 14.1 montre que l'adulte âgé souffre en général d'une invalidité quelconque pendant au moins plusieurs années. Cette incapacité mène-t-elle souvent au placement dans une résidence pour personnes âgées? Selon les statistiques que l'on consulte, on peut apporter une réponse soit optimiste, soit pessimiste, à cette question.

L'une des statistiques les plus optimistes indique que, au Québec, seulement 2 % des personnes du troisième âge (de 65 à 74 ans) sont hébergées dans les établissements du réseau de la santé et des services sociaux; ce pourcentage s'élève fortement chez les personnes du quatrième âge, puisque 41 % des personnes de 85 ans et plus vivent en résidence. On constate qu'un nombre plus élevé de femmes que d'hommes se trouve dans cette situation, surtout à partir de 85 ans (34 % chez les hommes et 45 % chez les femmes). (ministère de la Santé et des Services sociaux, 1991.)

Une autre statistique optimiste, obtenue aux États-Unis à partir d'une étude portant sur un important échantillon représentatif des adultes admissibles à l'assistance médicale aux personnes âgées (Manton et Stallard, 1991), indique qu'un homme âgé de 65 ans passe environ 6 mois dans un établissement hospitalier avant sa mort. Une femme du même âge y passe entre un et trois ans. Mais aucune de ces méthodes statistiques ne répond à la question la plus importante: Quelle est la probabilité, pour une personne de 65 ans, de se retrouver un jour dans une résidence pour personnes âgées ou un autre établissement spécialisé? Aux États-Unis, cette probabilité se chiffre à 0,40 (Kane et Kane, 1990), une donnée qui semble plutôt pessimiste. Si l'on réunit ces données, on peut conclure qu'un grand nombre de personnes âgées, mais pas la totalité, sont admises dans un établissement hospitalier. D'autre part, leur séjour est généralement de courte durée; seulement le quart des personnes âgées de plus de 65 ans passeront une année entière dans une résidence.

En étudiant l'expérience effective des personnes demeurant en résidence, on découvre des tableaux assez optimistes et d'autres plus sombres. Il est vrai que le placement dans un établissement spécialisé est souvent suivi par la mort dans un laps de temps assez court. Il est toutefois *inexact* d'affirmer que le placement en résidence *raccourcit* la vie d'une personne. C'est seulement lorsqu'une personne âgée est placée contre son gré dans un établissement (ou ailleurs) que le déménagement lui-même constitue un facteur causal du déclin rapide et de la mort.

Dans les mois et les années qui suivent le déménagement, on remarque que les taux de décès sont plus élevés chez les personnes âgées placées en établissement contre leur gré que chez les personnes du même âge qui restent chez elles (Lawton, 1985, 1990), même si cet effet n'est pas inévitable. Lorsque l'établissement a

Le type d'expérience — positive ou négative — qu'une personne âgée connaît en résidence dépend largement de la part qu'elle a prise dans la décision d'aller y vivre.

un climat très chaleureux et fait une large place à l'individuation et à la liberté de choix ainsi qu'à une certaine maîtrise, un déménagement, même non désiré, n'accélère pas nécessairement le processus de déclin physique et mental.

En conclusion, nous devrions tous prendre des dispositions pour nos vieux jours, de sorte que, dans l'éventualité — fort probable — d'un placement en résidence, nous soyons en mesure de faire valoir notre point de vue sur le sujet.

mauvaise mémoire, en particulier si elles ne font pas part de cette déficience et demandent qu'on répète certains commentaires ou directives. Néanmoins, une personne âgée atteinte de surdité partielle n'est pas nécessairement isolée ni malheureuse. Les déficiences auditives légères et modérées, même non corrigées, n'influent en rien sur la santé sociale, affective ou psychologique des personnes âgées. Seule une déficience auditive grave entraîne une augmentation des problèmes sociaux ou psychologiques, dont la dépression (Corso, 1987; Schieber, 1992).

La presbyacousie et les autres changements altérant l'audition dépendent apparemment de la dégénérescence graduelle de presque toutes les composantes du système auditif. Les personnes âgées sécrètent plus de cérumen, ce qui bloque souvent le conduit auditif; les osselets de l'oreille moyenne se calcifient et deviennent moins élastiques; la membrane cochléaire de l'oreille interne perd en souplesse et en sensibilité; il se produit alors une dégénérescence des voies neuronales reliées au cerveau (Schieber, 1992). La détérioration normale semble être la cause de ces problèmes.

CHANGEMENTS SENSORIELS: LE GOÛT ET L'ODO-RAT. De même qu'au sujet de la perte des neurones, il n'y a pas consensus quant à la perte des papilles gustatives à l'âge adulte avancé. Selon des recherches antérieures, il semblait y avoir une diminution importante du nombre des papilles, mais cette observation n'est pas confirmée par des recherches récentes (Schieber, 1992). Les chercheurs s'entendent néan-

moins sur un point, c'est-à-dire que la limite minimale gustative, soit la quantité d'une substance nécessaire pour identifier un goût, augmente avec l'âge pour les goûts salés et amers, mais non pour les goûts sucrés et acides. Ces changements ne sont pas très importants et varient considérablement d'une personne à l'autre (Schieber, 1992).

Les changements olfactifs sont plus flagrants. Les données les plus intéressantes proviennent d'une étude transversale effectuée par Richard Doty et ses collaborateurs (Doty *et al.*, 1984), qui portait sur environ 2 000 enfants et adultes et visait à mesurer leur capacité de reconnaître 40 odeurs différentes, de la pizza à l'essence. On peut voir à la figure 14.5 que les jeunes adultes et les adultes d'âge moyen obtiennent des résultats équivalents dans ce test, mais qu'il se produit un déclin rapide après l'âge de 60 ans.

La perte du goût et de l'odorat peut gâcher de nombreux plaisirs de la vie, mais elle peut également avoir des conséquences directes sur la santé. L'odorat améliore le goût des aliments, si bien que, à mesure qu'il baisse (et le goût

Plus d'un tiers des adultes d'âge avancé sont victimes d'une déficience auditive. Les répercussions de cette déficience sur les habitudes de vie sont fonction de sa gravité et de la manière dont la personne peut la compenser. Cet homme semble avoir résolu le problème en portant une prothèse auditive.

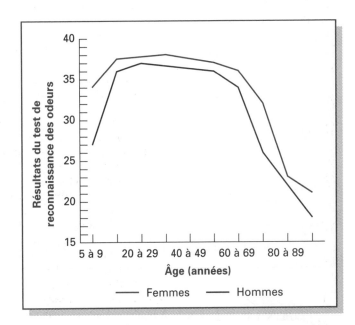

Figure 14.5 Reconnaissance des odeurs en fonction de l'âge. Les données obtenues par Doty indiquent une baisse très rapide, qui commence vers l'âge de 65 ans, de la capacité de reconnaître les odeurs. (*Source*: Doty *et al.*, 1984.)

aussi), les personnes âgées ont moins envie de se préparer des repas savoureux. L'incapacité de reconnaître le goût salé cause parfois des problèmes graves, car on a alors tendance à ajouter trop de sel aux aliments. Un apport élevé en sel peut, à son tour, provoquer l'hypertension.

CHANGEMENTS DES HABITUDES DE SOMMEIL. Les habitudes de sommeil changent apparemment à l'âge avancé, ce qui modifie de manière considérable la routine quotidienne. Les adultes âgés de plus de 65 ans se réveillent plus souvent pendant la nuit et présentent une diminution des périodes de sommeil paradoxal, soit l'état de sommeil le moins profond pendant lequel on rêve. Les adultes d'âge avancé se réveillent et se couchent habituellement plus tôt. Ils sont plus couche-tôt que couche-tard (Richardson, 1990 ; Hoch *et al.*, 1992 ; Monk *et al.*, 1991). En outre, étant donné que leurs nuits de sommeil sont discontinues, les adultes d'âge avancé font davantage de siestes pendant la journée pour rattraper le sommeil dont ils ont besoin.

On observe ces changements chez la plupart des personnes âgées, même chez celles qui sont en bonne santé. En effet, les troubles de santé ne sont pas les seuls responsables des perturbations qui touchent les habitudes de sommeil. Il s'agit plutôt d'un ensemble de changements physiques qui sont communs à la plupart des individus.

Changements physiques

Q 3 Expliquez les quatre principaux changements qui touchent le système nerveux à l'âge adulte avancé.

Q 4 Qu'est-ce qui différencie la réduction de la densité dendritique au début de la vie et à l'âge adulte avancé ?

Q 5 Citez quelques-uns des problèmes que présentent les adultes souffrant de déficience auditive.

Q 6 Quelles sont les conséquences sur la santé de la perte du goût et de l'odorat ?

Q 7 Décrivez les changements dans les habitudes de sommeil à l'âge adulte avancé.

SANTÉ ET INCAPACITÉ

Les changements physiques que nous avons abordés plus haut et aux chapitres 10 et 12, ainsi que les mauvaises habitudes

de vie qui finissent par se retourner contre l'individu, contribuent largement à l'augmentation des troubles de santé et des incapacités après l'âge de 65 ans. Une étude longitudinale à très long terme effectuée par Vaillant illustre l'ampleur des changements. Elle révèle que 80 % des hommes de Harvard dans l'étude de Grant avaient une excellente santé à l'âge de 40 ans, contre seulement 22 % à l'âge de 63 ans (Vaillant, 1990). Lorsqu'on demande à un grand nombre d'adultes d'évaluer leur état de santé, les résultats sont similaires. Au Québec en 1992-1993, 47,4 % des personnes âgées de 45 à 64 ans ont indiqué qu'elles avaient une excellente santé, contre 32,7 % chez les personnes de 65 ans et plus (Santé Québec, 1995).

Une mauvaise santé se manifeste de différentes façons. Chez certaines personnes (surtout chez les hommes), elle se traduit par l'apparition et l'évolution rapide d'une maladie mortelle, notamment un cancer ou une crise cardiaque. La mort par pneumonie, un phénomène de plus en plus courant à l'âge avancé, survient généralement d'une manière aussi rapide. La plupart de ces individus présentent peu de symptômes et ne connaissent qu'une courte période d'incapacité, voire aucune, avant le début de la maladie. D'autres (plus souvent les femmes) présentent certains symptômes de la maladie pendant une plus longue période, et ces symptômes entraînent parfois diverses incapacités physiques, mineures ou majeures. Étant donné que nous avons déjà abordé le sujet du cancer et de la cardiopathie au chapitre 12, nous allons maintenant nous pencher sur un deuxième modèle, soit les incapacités physiques telles que l'arthrite et les démences, en particulier la maladie d'Alzheimer, qui comporte souvent une longue période d'incapacité mentale.

INCAPACITÉS PHYSIQUES

Afin d'évaluer la santé ou l'incapacité d'une personne âgée, on lui demande en général si elle peut effectuer certaines activités quotidiennes. La figure 14.6 montre le pourcentage des personnes âgées de 65 ans et plus au Québec qui ne vivent pas dans une maison de retraite ni un autre établissement et qui se sont déclarées incapables d'accomplir certaines activités. L'incapacité la plus courante est liée à la mobilité, c'est-à-dire le fait de marcher, de porter un objet sur une courte distance ou de demeurer debout pendant de longs moments. La seconde incapacité majeure touche l'agilité, c'est-à-dire le fait de se pencher, de s'habiller,

Quelles sont les conséquences pour la société du fait que les femmes vivent plus longtemps avec une incapacité que les hommes ?

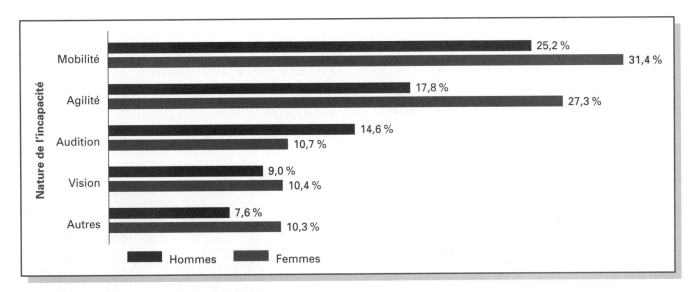

Figure 14.6 Personnes âgées de 65 ans et plus au Québec souffrant d'une incapacité. On peut voir ici la proportion des personnes âgées de 65 ans et plus qui souffrent d'une incapacité et qui ne vivent pas dans une maison de retraite, selon le sexe et la nature de l'incapacité. La catégorie « autres » regroupe les limitations relatives à des difficultés d'apprentissage, à la déficience intellectuelle ou à un problème de santé mentale. (*Source* : Statistique Canada, 1995.)

de se mettre au lit, de saisir ou de tenir un objet et de prendre sa nourriture ou de la couper (Statistique Canada, 1995).

La fréquence de telles incapacités augmente évidemment avec l'âge. Mais toutes les personnes du quatrième âge ne souffrent pas d'une incapacité fonctionnelle, loin de là. Par exemple, sur un échantillon récemment étudié de 1 791 adultes âgés de plus de 80 ans et habitant la même communauté, 67 % des individus arrivaient à soulever un poids de 5 kg, 57 % parvenaient à monter dix marches d'escalier, 49 % pouvaient parcourir sans difficulté un demi-kilomètre et 47 %

La présence de la canne indique que ce vieil homme souffre d'une incapacité. Toutefois, il semble encore capable d'accomplir ses activités quotidiennes.

arrivaient à se pencher, à s'accroupir et à s'agenouiller. Le tiers des sujets pouvaient accomplir toutes ces activités (Harris *et al.*, 1989). Il n'y a donc pas lieu de croire que, lorsqu'une personne âgée est atteinte d'une incapacité, elle ne peut plus s'en remettre. Malgré tout, si l'on suit un groupe de personnes âgées pendant quelques années, celles qui sont atteintes au départ d'une incapacité fonctionnelle présentent un taux de mortalité plus élevé et un taux d'incapacité supérieur au cours des années suivantes (Harris *et al.*, 1989). Toutefois, le fonctionnement physique de certaines personnes âgées de plus de 80 ans s'améliore d'une évaluation à l'autre.

Les problèmes physiques ou les maladies qui conduisent le plus souvent à l'incapacité physique sont l'arthrite et les troubles cardiovasculaires, notamment le cœur pulmonaire chronique et l'hypertension.

Ces maladies n'entraînent pas toujours une invalidité, mais les personnes qui en souffrent courent un risque deux à trois fois plus élevé d'être atteintes d'une invalidité (Verbrugge, Lepkowski et Konkol, 1991). Étant donné que les femmes courent plus de risques d'être atteintes d'arthrite et, jusqu'à un certain point, d'hypertension, elles sont souvent incapables d'effectuer les différents mouvements ou tâches de la vie quotidienne nécessaires à leur autonomie (Verbrugge, 1984, 1985, 1989 ; Brock, Guralnik et Brody, 1990). Lorsque l'on analyse toutes ces informations et que l'on tient compte du fait que plus de femmes sont veuves et n'ont pas de partenaire pour les aider à accomplir les tâches de la vie quotidienne, on n'est pas surpris de constater que plus de femmes que d'hommes vivent chez leurs enfants ou dans une résidence pour personnes âgées.

INCAPACITÉS MENTALES : MALADIE D'ALZHEIMER ET AUTRES DÉMENCES

Les principaux symptômes pathogènes observés chez les sujets de plus de 65 ans incluent la **démence**. Ce terme désigne la détérioration globale des facultés intellectuelles, notamment la perte de la mémoire, du jugement, des aptitudes sociales et de la maîtrise des émotions. La démence n'est pas à proprement parler une maladie ; il s'agit plutôt d'un symptôme. Elle peut être causée par une grande variété de maladies, comme la maladie d'Alzheimer, la maladie de Parkinson, la dépression, les accès ischémiques transitoires cérébraux (*démence vasculaire*), les coups répétés à la tête (chez les boxeurs par exemple), un traumatisme crânien, certains types de tumeurs, l'alcoolisme à un stade avancé, une carence en vitamine B_{12}, les stades avancés du sida et certains types d'infections (Horvath et Davis, 1990 ; Anthony et Aboraya, 1992). Les deux types les plus communs de démence sont la **maladie d'Alzheimer,** qui compte pour plus de la moitié des cas, et la démence vasculaire.

Si nous énumérons ainsi les causes possibles de la démence, c'est pour souligner que les personnes âgées qui présentent une diminution progressive de la mémoire et de la capacité de résoudre les problèmes ne sont pas nécessairement atteintes de la maladie d'Alzheimer.

INCIDENCE DE LA DÉMENCE CHEZ LES PERSONNES ÂGÉES. Les chercheurs ne s'entendent pas sur la fréquence de la démence chez les personnes âgées. L'évaluation la plus commune, fondée sur 50 études épidémiologiques effectuées dans divers pays industrialisés (États-Unis, Suède, France, Grande-Bretagne, Italie et Japon) révèle que près de 5 % des sujets de plus de 65 ans présentent des symptômes importants de démence (Anthony et Aboraya, 1992). Ces études montrent également un net accroissement du risque avec l'âge. La démence est relativement peu fréquente chez les personnes du troisième âge, dont elle ne touche que 1 à 3 %. Puis, ce taux augmente soudainement et la démence atteint 5 à 8 % des personnes de 75 à 84 ans, et peut-être jusqu'à 15 % des sujets âgés de plus de 85 ans.

CARACTÉRISTIQUES DE LA MALADIE D'ALZHEIMER. La maladie d'Alzheimer est un type de démence causé par une série de bouleversements typiques de la structure du cerveau, notamment un enchevêtrement des prolongements dendritiques des neurones, illustré à la figure 14.7. *Tous* les adultes vieillissants montrent des signes d'enchevêtrements neurofibrillaires. Toutefois, ceux-ci sont considérablement plus nombreux chez les sujets présentant

des signes de démence ; en conséquence, la communication est interrompue entre de nombreuses voies neuronales, ce qui rend l'utilisation de la mémoire et les autres activités quotidiennes de plus en plus laborieuses.

En général, les premiers stades de la maladie d'Alzheimer évoluent très lentement. La maladie se manifeste d'abord de manière très subtile par de petites difficultés

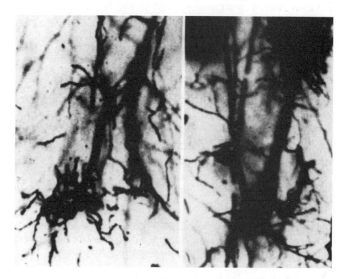

Figure 14.7 Enchevêtrement neurofibrillaire chez une personne atteinte de la maladie d'Alzheimer. Comparez ces neurones d'un patient mort de la maladie d'Alzheimer au neurone du vieillissement normal présenté à la figure 14.4, p. 433. (*Source*: Scheibel, 1992, figure 6, p. 162.)

Quelles pourraient être les conséquences, pour la *société,* si le taux réel de démence chez les personnes âgées de plus de 75 ans était de 8 % ou de 20 % ?

Démence : Toute détérioration globale des fonctions intellectuelles, dont la mémoire, le jugement, les aptitudes sociales et la maîtrise des émotions. La démence est plus un symptôme qu'une maladie ; elle est causée par une grande variété de maladies, y compris la maladie d'Alzheimer et les accès ischémiques transitoires cérébraux.

Maladie d'Alzheimer : Forme la plus commune de démence, causée par des changements cérébraux spécifiques, notamment une augmentation accélérée de l'enchevêtrement neurofibrillaire qui entraîne une perte progressive et irréversible de la mémoire et d'autres fonctions cognitives.

de mémorisation, des répétitions durant une conversation et des signes de désorientation dans un environnement inconnu. Par la suite, la mémoire pour les faits récents commence à faire défaut. La mémoire pour les faits anciens ou la routine quotidienne est souvent conservée même à un stade avancé de la maladie, probablement parce que l'accès à ce type de mémoire s'effectue par l'intermédiaire de plusieurs voies neuronales différentes. Cependant, une personne atteinte de la maladie d'Alzheimer finit par ne plus reconnaître les membres de sa famille, par oublier le nom d'objets familiers et même la façon dont on s'y prend pour effectuer des activités quotidiennes telles que se brosser les dents ou se vêtir. Certains patients ont des accès de colère, d'autres perdent leur autonomie et s'accrochent à leur famille ou à leurs amis (Raskind et Peskind, 1992).

Les chercheurs sont encore incapables de déterminer l'étiologie (les causes) de cette maladie. Comme dans le cas du cancer, pour lequel on ne sait pas pourquoi les cellules cancéreuses que nous possédons tous en petit nombre dans notre organisme se mettent soudainement à se multiplier, on ne connaît pas la raison pour laquelle l'augmentation normalement très lente des enchevêtrements neurofibrillaires et les autres changements cérébraux sont accélérés chez les patients atteints de la maladie d'Alzheimer. Néanmoins, on dispose de quelques données sur les facteurs de risque de la maladie, que nous présentons dans le rapport de recherche de la page suivante.

SANTÉ MENTALE

Nous avons pris soin de traiter la maladie d'Alzheimer et les autres démences comme des problèmes ne se rapportant pas à la santé mentale des adultes à la fin de la vie. La grande majorité des cas de démence sont dus à des maladies physiques. Il ne s'agit donc pas vraiment de troubles psychologiques ni de troubles affectifs. La dépression, qui est un trouble psychologique, se traduit parfois par des symptômes de démence, mais la plupart des individus déprimés ne manifestent pas les signes d'une démence prononcée.

La fréquence des différentes formes de troubles à l'âge adulte avancé est matière à controverse. Pour certains troubles, comme la schizophrénie, l'alcoolisme ou la toxicomanie, les données sont claires : les adultes âgés ont un taux moins élevé de problèmes que les représentants des autres groupes d'âge. Par contre, la dépression demeure une question incertaine.

Les premières études sur les différences d'âge en matière de dépression donnaient à penser que les adultes âgés couraient plus de risques de présenter de tels troubles que tout autre groupe d'âge, d'où le stéréotype culturel du vieillard déprimé. Cette vision a progressivement perdu du terrain

devant les résultats d'études épidémiologiques plus récentes suggérant tout à fait l'opposé — l'âge adulte avancé constituerait une période de *faible* incidence de dépression et de troubles affectifs (Regier *et al.*, 1988). À présent, cette conclusion plus optimiste est à son tour remise en question, car une quantité croissante d'observations indiquent que la dépression demeure rare jusqu'à l'âge de 70 ou 75 ans, après quoi sa fréquence s'élève de façon significative (Kessler *et al.*, 1992 ; Lewinsohn *et al.*, 1991). Dans le même temps, l'incidence d'épisodes de dépression grave semble décliner graduellement durant l'âge adulte avancé (Anthony et Aboraya, 1992). Ainsi, les adultes de plus de 70 ans connaissent peu de longues périodes de dépression profonde, mais sont en quelque sorte plus enclins à broyer du noir. Au Québec en 1992-1993, c'était dans le groupe des personnes âgées ayant passé 65 ans que l'on trouvait l'indice de détresse psychologique le plus faible (Santé Québec, 1995).

Il est difficile d'en arriver à une conclusion claire dans ce domaine, car les évaluations typiques de la dépression font porter les questions entre autres sur les symptômes physiques, dont les troubles du sommeil, la perte d'appétit, le manque d'énergie et les troubles de l'humeur. Puisque les adultes âgés sont plus enclins à présenter de tels symptômes physiques, qu'ils soient déprimés ou non, ils obtiennent des scores plus élevés lors d'une autoévaluation de la dépression. De plus, les premiers stades de la démence se traduisent souvent par des symptômes de dépression. Lorsque l'on retire ces éléments déconcertants de l'équation, le taux d'augmentation de la dépression après 70 ou 75 ans est beaucoup plus faible, mais il ne disparaît pas (Blazer *et al.*, 1991).

Les causes de la dépression chez l'adulte âgé sont prévisibles : un soutien social inapproprié, un revenu insuffisant, des troubles affectifs comme le deuil et des problèmes de santé chroniques. Dans l'étude de Dan Blazer portant sur 4 000 adultes de plus de 65 ans, 13,4 % des personnes qui avaient un revenu inférieur à 4 000 $ présentaient des scores élevés sur une échelle de dépression, contre 5,5 % pour les personnes qui avaient un revenu supérieur à 12 000 $ (Blazer *et al.*, 1991). Selon Blazer et ses collaborateurs, l'âge ne constitue pas en soi la variable responsable de la dépression. Les facteurs de risque de la dépression sont essentiellement les mêmes à tout âge, notamment la mauvaise santé et le manque de soutien social. Dans la mesure où ces facteurs de risque sont plus souvent présents chez les personnes du quatrième âge, le taux de dépression augmente. Lorsque les facteurs de risque sont éliminés ou maintenus à un niveau constant, le taux de dépression est en fait plus bas chez les personnes âgées que dans les autres groupes d'âge.

Ces résultats de recherche contradictoires peuvent prêter à confusion. Il faut retenir un point particulièrement important des recherches sur la santé mentale à l'âge adulte avancé : la dépression ne constitue pas un aspect inévitable de la vieillesse. La dépression n'est pas plus inhérente au

RAPPORT DE RECHERCHE

Facteurs de risque dans l'apparition de la maladie d'Alzheimer

L'étude des facteurs de risque d'une maladie est le premier pas vers sa compréhension. Ainsi, le fait de savoir qu'un taux élevé de cholestérol constitue un facteur de risque dans l'apparition d'une cardiopathie a dirigé les chercheurs vers l'étude de la biochimie du cholestérol; depuis que l'on sait qu'un régime à forte teneur en lipides augmente les risques de cancer, de nouvelles directions de recherche se sont fait jour. De la même façon, les premières recherches portant sur les facteurs de risque de la maladie d'Alzheimer ont contribué à formuler le programme de recherche des spécialistes qui essaient d'en déterminer l'origine.

Actuellement, on ne dispose pas d'études épidémiologiques longitudinales à grande échelle sur la maladie d'Alzheimer. Il nous faut donc fonder notre compréhension des facteurs de risque sur une autre stratégie, celle des études *cas/témoins*. Dans ces études, les sujets atteints d'un trouble quelconque (cas) sont comparés à un ensemble correspondant de sujets non atteints (témoins). Dans le cas de la maladie d'Alzheimer, des chercheurs européens ont récemment augmenté l'efficacité des études cas/témoins en rassemblant des données tirées de 11 études de ce type (Van Duijn, Stijnen et Hofman, 1991; Kokmen, 1991). Les risques déterminés dans ces 11 études étaient les suivants :

- *Antécédents familiaux de démence, de syndrome de Down ou de maladie de Parkinson.* Le principal facteur de risque est d'avoir dans la famille au moins un parent au premier degré (grand-parent, parent, frère ou sœur) qui présente des signes de démence. Chez les personnes atteintes de la maladie d'Alzheimer, les sujets ont trois fois et demi plus de membres de la famille immédiate qui montrent des signes de démence que dans le groupe témoin. La maladie de Parkinson, qui se traduit aussi par la démence, est également deux fois plus fréquente chez les membres de la famille au premier degré des personnes atteintes de la maladie d'Alzheimer (Van Duijn *et al.*, 1991). Le résultat le plus étonnant est la découverte d'un lien avec le syndrome de Down. Les chercheurs ont trouvé que l'enchevêtrement neurofibrillaire ainsi que d'autres changements neurologiques associés à la maladie d'Alzheimer apparaissaient aussi chez les adultes atteints du syndrome de Down, mais à un plus jeune âge, soit vers 30 ou 40 ans. Ce lien suppose que, quelle que soit

la composante génétique qui existe dans la maladie d'Alzheimer, elle pourrait se situer sur le chromosome 21, car c'est à cet endroit que l'on retrouve le chromosome surnuméraire dans le syndrome de Down. Cette hypothèse est confirmée par les premières études génétiques effectuées (Raskind et Pesking, 1992). Notez que ces résultats ne signifient pas que la maladie est héréditaire. La présence d'antécédents familiaux est plus fréquente chez les individus qui sont atteints de la maladie très jeunes. Cependant, dans la majorité des cas, et en particulier lorsque la maladie apparaît tardivement, il n'existe pas d'antécédents familiaux. On peut établir ici un parallèle avec le cancer du sein où, dans la majorité des cas, il n'existe pas d'antécédents familiaux, bien que ceux-ci augmentent le risque.

- *Traumatismes crâniens.* Dans les études cas/témoins, il y avait 1,8 fois plus de cas de traumatismes crâniens ayant causé une perte de conscience dans le groupe de sujets atteints de la maladie d'Alzheimer que dans le groupe témoin (Mortimer *et al.*, 1991).

- *Âge de la mère à la naissance.* Dans le groupe de sujets atteints de la maladie d'Alzheimer, 1,7 fois plus de patients que les sujets du groupe témoin, avaient eu une mère âgée de 40 ans ou plus au moment de leur naissance (Rocca *et al.*, 1991). Cette découverte rapproche encore la maladie d'Alzheimer du syndrome de Down, dont la fréquence est élevée chez les enfants nés de mères âgées. De plus, les chercheurs européens ont observé une fréquence légèrement plus élevée de la maladie chez les sujets dont la mère était très jeune (15 à 19 ans), bien que ce résultat n'ait pas été obtenu dans toutes les études.

Ces trois facteurs de risque sont les plus évidents. D'autres corrélations sont possibles dans les cas d'antécédents d'hypothyroïdisme et d'épilepsie. Il existe une relation négative entre la maladie d'Alzheimer et les migraines. En effet, les personnes atteintes de la maladie d'Alzheimer souffrent un peu *moins* souvent de céphalées ou de migraines. Il semble également que les personnes atteintes de la maladie d'Alzheimer ont souvent des antécédents de dépression, quoique cette observation ne concerne que les sujets chez qui la maladie n'apparaît qu'assez tardivement.

III

On n'a trouvé *aucune* corrélation entre la maladie d'Alzheimer et le tabagisme, la consommation d'alcool ou l'exposition à des produits dangereux, tels les solvants et le plomb. De nombreuses hypothèses ont été émises sur le rôle possible de l'exposition à l'aluminium, car une concentration d'aluminium plus élevée que la normale a été retrouvée dans les cellules de patients atteints de la maladie.

Toutefois, il n'existe pas d'études cas/témoins valables pour confirmer ou infirmer cette hypothèse.

Mais dans un avenir proche, espérons-le, stimulée par ce genre de découvertes, la recherche va sans doute permettre de raffiner les techniques menant au diagnostic et à la mise au point des traitements.

vieillissement normal que la cardiopathie. Même lorsque les personnes âgées doivent faire face à la pauvreté, au deuil ou à des problèmes financiers, la majorité d'entre elles ne deviennent pas déprimées ou anxieuses.

EFFETS DES CHANGEMENTS PHYSIQUES ET DE LA MALADIE SUR LE COMPORTEMENT

Les changements physiques qui deviennent plus visibles à l'âge adulte avancé intéressent sans aucun doute les médecins et les physiologistes mais, pour la plupart d'entre nous, ils ne prennent de l'importance que lorsqu'ils touchent notre vie quotidienne. Nous avons déjà abordé plusieurs de leurs effets dans ce manuel, notamment la difficulté accrue à accomplir certaines activités de la vie quotidienne qui accompagne souvent l'invalidité, ou les problèmes de compréhension des conversations dans un environnement bruyant ou bondé. Mais il n'est pas inutile de nous pencher sur les types de changements comportementaux qui atteignent certaines personnes à l'âge adulte avancé.

RALENTISSEMENT GÉNÉRAL

Le principal effet du vieillissement se traduit par une impression générale de ralentissement. La diminution de la densité dendritique des neurones sous-tend cette impression, mais l'arthrite qui touche les articulations, la perte de l'élasticité des muscles et de nombreux autres changements y contribuent également. Les personnes âgées mettent plus de temps à écrire (Schaie et Willis, 1991), à attacher leurs chaussures, à s'adapter aux changements de température ou d'intensité lumineuse. Même les tâches qui font appel au vocabulaire, et qui ne connaissent guère de déclin au fil des ans, sont effectuées plus lentement (Lima, Hale et Myerson, 1991; Madden, 1992).

Les activités motrices complexes, comme la conduite automobile, constituent l'un des domaines les plus touchés

par ces changements dans le fonctionnement de tous les jours. Si les jeunes adultes ont plus d'accidents de la route que tout autre groupe d'âge, surtout parce qu'ils conduisent trop vite, ce sont les adultes âgés qui ont le plus d'accidents *par kilomètre parcouru* (Evans, 1988; Owsley *et al.*, 1991). Lorsque l'on questionne des adultes de tout âge sur leurs expériences de conduite, les adultes âgés répondent plus souvent qu'ils ont de la difficulté à lire les panneaux de signalisation, à réagir aux mouvements rapides des autres véhicules ou à avoir les bons réflexes lorsqu'un véhicule apparaît de façon imprévue à proximité. Ils disent aussi éprouver de la difficulté à évaluer leur propre vitesse et trouvent que le tableau de bord est insuffisamment éclairé (Kline *et al.*, 1992). Certaines de ces difficultés découlent des changements oculaires qui surviennent avec le vieillissement. Toutefois, de nombreux changements semblent être reliés au ralentissement général du temps de réaction. Il devient de plus en plus difficile pour les conducteurs âgés de réagir de façon adéquate à des conditions qui changent rapidement.

ACTIVITÉ SEXUELLE

Le comportement sexuel subit également l'influence de l'ensemble des changements physiques du vieillissement. Comme dans tous les autres cas, il n'y a pas de changement abrupt dans l'activité sexuelle à l'âge de 65 ans. La figure 14.8 donne un aperçu du changement graduel qui se produit, grâce aux résultats d'études transversales et longitudinales. Les données transversales proviennent d'un échantillon représentatif de 807 adultes interrogés à la fin des années 1980 (Marsiglio et Donnelly, 1991). Les données sont tirées des études longitudinales de Duke (Palmore, 1981), dans lesquelles plusieurs centaines d'adultes ont été interrogés à deux reprises, à six ans d'intervalle. La figure ne présente que les sujets mariés des deux études, donc les personnes qui avaient un partenaire sexuel régulier. Remarquez les similitudes entre

> Croyez-vous que l'on devrait imposer une limite d'âge aux conducteurs? Pourquoi?

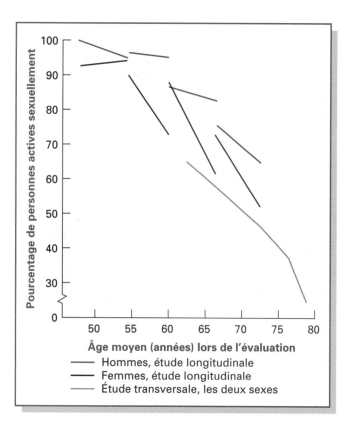

Figure 14.8 Activité sexuelle et vieillissement. Sur cette figure, les segments bleus et rouges reflètent les données longitudinales. Chacune de ces courbes décrit un groupe d'adultes interrogé deux fois, à six ans d'intervalle. Les données transversales, illustrées par la courbe rosée, représentent les réponses données par 800 adultes d'âge différent, questionnés une seule fois. Selon les deux ensembles de données, le nombre d'adultes ayant un partenaire sexuel habituel qui mentionnent avoir eu des rapports dans le mois précédent diminue de façon régulière à la fin de la vie adulte. Cependant, il ne tombe pas à zéro, même chez les personnes du quatrième âge. (*Sources*: Palmore, 1981, figure 6-3, p. 87; Marsiglio et Donnelly, 1991, données tirées du tableau 2, p. S341.)

les résultats de ces deux études, en dépit du fait que les données ont été recueillies à 20 ans d'intervalle et que l'un des échantillons est aléatoire et l'autre non.

Les données indiquent que, vers 70 ans, seulement la moitié des adultes mariés demeurent sexuellement actifs. Parmi les adultes qui restent actifs, la fréquence des rapports sexuels (ou de la masturbation) décline également, mais moins rapidement. Les personnes de plus de 75 ans qui sont toujours actives sexuellement indiquent avoir des rapports sexuels près de 3 fois par mois, ce qui représente environ la moitié de la fréquence signalée par les personnes dans la cinquantaine.

Ce déclin de l'activité sexuelle a sans aucun doute de nombreuses causes, que l'on ne comprend pas encore pour la plupart. En vieillissant, hommes et femmes disent qu'ils connaissent un nombre croissant de troubles de l'excitation sexuelle, mais on ne possède que des données très approximatives et variables sur la fréquence de ce problème. On estime que 18 à 40 % des hommes de 60 à 65 ans souffrent d'impuissance. Chez les personnes de plus de 80 ans, au moins 60 % des hommes et des femmes déclarent avoir un problème d'excitation sexuelle (Rossman, 1980; Keil *et al.*, 1992). Les changements associés à la ménopause contribuent aussi au déclin de l'activité sexuelle, car la diminution de la lubrification vaginale et l'amincissement des parois du vagin rendent les rapports sexuels douloureux pour certaines femmes quoique, paradoxalement, une activité sexuelle régulière semble réduire ces effets.

L'état de santé général constitue un autre facteur important. Ainsi, les antihypertenseurs produisent parfois des effets secondaires qui entraînent l'impuissance; une douleur chronique influe sur le désir sexuel. Il peut également y avoir une baisse de l'intérêt pour le partenaire sexuel. En outre, l'effet

Cette femme est peut-être une conductrice émérite, mais en raison de plusieurs changements physiques liés au vieillissement, elle s'adapte sûrement moins rapidement que par le passé aux conditions changeantes de la conduite.

? Santé et incapacité

Q 8　Décrivez les types de limitations physiques entraînés par l'invalidité.

Q 9　Quelles sont les causes possibles de la démence ?

Q 10　Quelles sont les caractéristiques de la maladie d'Alzheimer ?

Q 11　Pourquoi est-il difficile d'évaluer l'incidence de la dépression à l'âge adulte avancé ?

Q 12　Quel est le principal effet du vieillissement sur le plan physique ? Expliquez.

des stéréotypes sociaux qui dépeignent la vieillesse comme une période essentiellement asexuée de la vie peut influer sur le désir.

Toutefois, selon nous, ce qui frappe, ce n'est pas tant le déclin de l'activité sexuelle que le fait que de nombreux adultes âgés continuent d'éprouver du plaisir dans l'activité sexuelle en dépit des changements physiques.

THÉORIES DU VIEILLISSEMENT

Nous nous sommes penchés sur les changements et le déclin physiques, soit ce que l'on appelle généralement le « vieillissement ». Mais quelle est la cause de ces changements ? Pourquoi le vieillissement se produit-il ? Il n'y a pas consensus sur cette question. Pour l'instant, nous devons nous contenter de tentatives d'explication regroupées en deux types de théories : le vieillissement programmé biologiquement et les facteurs environnementaux.

VIEILLISSEMENT PROGRAMMÉ BIOLOGIQUEMENT

Selon de nombreux biologistes, le vieillissement se produit dans les cellules, à la suite d'une série de détériorations dans l'efficacité de la fonction cellulaire. Par exemple, les ruptures des chaînes d'ADN représentent un événement courant au niveau cellulaire. Le plus souvent, la rupture se répare, et la cellule continue donc de fonctionner de manière efficace. Mais avec le temps, les petites fractions d'ADN qui ne se réparent pas s'accumulent. L'accumulation dans les organes de cellules qui comportent des tissus endommagés constitue le phénomène du vieillissement (Tice et Setlow, 1985). Il est également possible que la capacité de réparation de l'ADN endommagé décline avec l'âge (Hartnell, Morley et Mooradian, 1989).

Les autres changements qui ont lieu au niveau cellulaire comprennent la perte de l'élasticité, la réduction de la capacité de production de lymphocytes T complètement matures (ou viables) dans le système immunitaire et des changements dans les protéines des cellules, qui réduisent leur efficacité. Les recherches qui sous-tendent ces observations générales ont fait avancer la compréhension du phénomène physique du vieillissement, mais elles n'apportent pas de réponse à la question théorique sous-jacente. On ne comprend toujours pas pourquoi ces changements surviennent avec l'âge.

LIMITES GÉNÉTIQUES. Des chercheurs ont élaboré une théorie pour aborder cette question fondamentale : ils ont observé que chaque espèce semble avoir une durée de vie maximale caractéristique. Pour les humains, elle se situe entre 110 et 120 ans. Pour les tortues, elle est beaucoup plus longue et, pour les poulets, beaucoup plus courte. Cette constatation a conduit des biologistes comme Hayflick (1977, 1987) à penser qu'un processus biologique limite la durée de vie. Hayflick appuie cet argument sur l'observation — reproduite depuis dans de nombreux laboratoires dans le monde — selon laquelle les cellules de l'embryon placées dans une solution nutritive ne se divisent qu'un nombre fixe de fois, après quoi la colonie de cellules dégénère. Les cellules de l'embryon humain subissent près de 50 divisions ; celles de la tortue des Galápagos subissent environ 100 divisions, alors que les cellules d'un poulet ne se divisent que 25 fois environ. De plus, les cellules de sujets humains adultes ne subissent que 20 divisions environ, comme si elles avaient déjà utilisé une part de leur capacité génétique. Selon ces observations, on peut supposer que chaque espèce comporte une limite « Hayflick » et que, après l'avoir atteinte, les cellules sont incapables de se reproduire avec exactitude (Norwood, Smith et Stein, 1990). Il se peut également que chaque espèce ait des limites précises pour les autres fonctions cellulaires telles que la capacité de réparer l'ADN, qui contribuent toutes au processus que l'on appelle le vieillissement.

FACTEURS ENVIRONNEMENTAUX

Les cellules peuvent aussi perdre une partie de leur efficacité fonctionnelle si elles ont été endommagées par des facteurs extérieurs. Les biologistes qui appuient cette explication pensent que l'organisme n'est pas programmé pour s'autodétruire. Selon eux, il est constamment exposé à des événements aléatoires qui endommagent les cellules. Ainsi, nous sommes tous exposés à des taux de radiation de base qui contribuent à la destruction cellulaire, surtout au niveau de l'ADN. De telles théories empiriques du vieillissement ont connu une grande vogue. Toutefois, des recherches expérimentales récentes, dans lesquelles des animaux ont été délibérément exposés à des taux variables de radiation, n'étayent guère ces théories (Cristofalo, 1988 ; Tice et Setlow, 1985). Les animaux exposés à des taux élevés de radiation ne présentent pas de signes de vieillissement cellulaire rapide ; par contre, ils sont plus vulnérables à diverses maladies.

Ces deux approches théoriques globales ont en commun l'hypothèse suivante : le vieillissement survient au niveau cellulaire et résulte de l'accumulation graduelle de petites imperfections dans le fonctionnement cellulaire. Ces

Cela change-t-il quelque chose, sur le plan pratique, de savoir laquelle de ces deux théories est juste ?

imperfections pourraient découler soit d'éléments extérieurs, soit du fonctionnement d'une quelconque horloge génétique interne, soit de l'usure quotidienne des parties du corps — comme les changements dans les cellules de l'oreille interne qui réagissent aux variations du bruit environnant. Tous ces facteurs sont responsables du vieillissement. Vincent Cristofalo propose une synthèse compatible mais légèrement différente :

> *On pourrait envisager le scénario du vieillissement de l'organisme de la façon suivante : chaque type de cellule et de tissu possède sa propre trajectoire de vieillissement. Dans cette hypothèse, la mort survient lorsque l'homéostasie de l'une des composantes de l'organisme qui vieillit le plus rapidement chute au-dessous du point nécessaire pour maintenir l'organisme en vie. (1988, p. 126.)*

Vieillissement

Q 13   Quelles sont les deux théories qui visent à expliquer le vieillissement ?

Q 14   Qu'est-ce que la limite « Hayflick » ?

CHANGEMENTS COGNITIFS

Si l'âge adulte moyen est la période durant laquelle les adultes conservent la plupart de leurs capacités cognitives, l'âge adulte avancé peut être défini comme la période durant laquelle ces capacités commencent à décliner. Chez les adultes du troisième âge (65 à 75 ans), ces changements demeurent relativement faibles et certaines capacités, comme la richesse du vocabulaire, déclinent peu ou ne déclinent pas du tout. Par contre, les personnes du quatrième âge présentent un déclin moyen de presque toutes les habiletés intellectuelles. On observe un déclin particulièrement marqué lorsque l'on évalue la vitesse ou les habiletés non exercées (Cunningham et Haman, 1992). Souvenez-vous du commentaire de Schaie que nous avons cité au chapitre 12 : « Des diminutions significatives peuvent être observées dans toutes les habiletés vers l'âge de 74 ans. » (Schaie, 1983b, p. 127)

MÉMOIRE

Certains changements touchant la mémoire surviennent à l'âge avancé, bien qu'ils varient selon la familiarité du sujet

avec le matériel et la durée de mémorisation. Si votre mémoire à long terme fonctionne bien, vous vous souviendrez de l'étude effectuée par West et Crook, décrite au chapitre 12, dans laquelle on a demandé à des adultes de retenir un numéro de téléphone affiché brièvement à l'écran d'un ordinateur et de le composer de mémoire. Cette faculté de mémorisation à court terme est assez stable, même chez les personnes du quatrième âge. Par contre, la mémoire à long terme semble subir les effets du vieillissement, principalement dans les tâches d'encodage et de rappel. L'encodage, soit le stockage de l'information, englobe par exemple la mémorisation d'un numéro de téléphone, d'une chanson, d'un poème ou encore d'une liste d'emplettes. Le rappel, ou récupération, consiste à se souvenir du nom d'une personne, d'un article sur une liste de commissions, de la journée où l'on doit rencontrer une amie pour déjeuner, du nom de la rue sur laquelle le cabinet du médecin est situé, etc.

ENCODAGE. Il est intéressant d'observer que l'adulte d'âge avancé éprouve à peu près le même type de difficulté qu'un enfant d'âge préscolaire à effectuer une tâche d'encodage. En effet, ils ont du mal à utiliser des stratégies efficaces pour se souvenir de nouvelles informations. Si on leur donne une liste d'articles à mémoriser, les personnes âgées ont plus rarement recours à des stratégies efficaces comme le classement en catégories logiques (processus que les spécialistes de la mémoire appellent le regroupement) ou même la répétition de base, bien qu'elles se servent de telles stratégies — encore une fois comme les jeunes enfants — lorsqu'on le leur rappelle (Sugar et McDowd, 1992). Donc, cette différence provient en partie de la désuétude et non de l'incapacité. En fait, étant donné que les personnes âgées ont davantage recours à des aides extérieures, comme les listes, il se peut qu'elles manquent tout simplement de pratique dans l'utilisation de différents types de stratégies de mémorisation. Toutefois, cette constatation ne permet pas de tout expliquer car, même au moyen de telles stratégies, les jeunes adultes obtiennent des résultats supérieurs à ceux des adultes âgés dans les tâches de mémorisation.

RAPPEL. Lorsque les personnes âgées doivent faire appel à leur mémoire, elles sont généralement désavantagées, bien que cela dépende des tâches. Lorsqu'il s'agit d'une tâche de *reconnaissance*, les adultes âgés réussissent aussi bien que les jeunes adultes. Si la tâche consiste à se rappeler les choses déjà vues ou à associer un nom à un visage, les adultes âgés réalisent une performance assez bonne. Ils éprouvent toutefois plus de difficulté lorsqu'ils doivent spontanément se *rappeler* un élément d'information. En vieillissant, les adultes âgés ont de plus en plus souvent la désagréable impression d'avoir la réponse sur le bout de la langue, car ils savent qu'ils connaissent l'information recherchée, comme le nom d'une personne, mais ils ne peuvent s'en souvenir (Maylor, 1990, 1991). Donc, la mémoire à long terme devient moins accessible au fur et à mesure que l'on vieillit.

MATÉRIEL FAMILIER ET MATÉRIEL NOUVEAU. La plupart des connaissances que l'on possède sur les différences de mémoire entre jeunes adultes et adultes âgés proviennent d'exercices artificiels effectués en laboratoire, telle la mémorisation de listes de mots. Les personnes âgées réussiraient sans doute aussi bien que les jeunes à mémoriser des éléments si ceux-ci leur étaient familiers ou s'ils avaient plus de sens pour eux.

Comme nous l'avons vu au chapitre 12, on observe peu de changements sur le plan des tâches de mémorisation comportant du matériel significatif au milieu de l'âge adulte. Chez les adultes âgés, le modèle est beaucoup plus complexe. En général, les personnes âgées réussissent moins bien dans les exercices de mémorisation de matériel significatif, tout comme dans les tests en laboratoire, mais il y a quelques exceptions à cette règle.

Bon nombre d'études révèlent que, dans certaines conditions, les adultes âgés parviennent aussi bien que les jeunes adultes à se souvenir de certains passages qu'ils ont lus. Les résultats ont encore plus de chances d'être semblables si le passage contient de l'information familière pour les deux groupes d'âge (Hultsch et Dixon, 1990), bien qu'il semble y avoir un délai plus long dans le rappel à l'âge adulte avancé qu'au début de l'âge adulte. D'autres recherches suggèrent que les adultes âgés réussissent aussi bien les tâches de mémorisation *prospectives* que les jeunes adultes. Pour effectuer ces tâches, une personne doit se souvenir qu'elle a quelque chose à faire dans le futur, comme un appel téléphonique ou le paiement d'une facture à une date donnée (Poon et Schaffer, 1982). Ils parviennent aussi à se rappeler d'informations marquantes, comme le fait d'avoir voté à une élection quatre ans auparavant ou l'heure d'ouverture de la cafétéria où ils mangent une fois par semaine (Sinnott, 1986; Herzog et Rogers, 1989).

Cette cuisinière n'a guère de difficulté à se souvenir des recettes de tartes qu'elle a préparées toute sa vie. Cependant, elle aura sans doute besoin de plus de temps pour mémoriser une nouvelle recette que lorsqu'elle avait 25 ans.

Cependant, les adultes âgés ne réussissent pas aussi bien dans toutes les tâches de mémorisation habituelles ou significatives. Ainsi, ils ont plus de difficulté à se souvenir s'ils ont effectué ou non une activité donnée, s'ils ont éteint la cuisinière avant de quitter la maison, ou bien à se rappeler l'endroit où se trouve un immeuble particulier dans une ville familière (Kausler et Lichty, 1989; Evans *et al.*, 1984).

MISE EN GARDE. Permettez-nous d'insister encore une fois: presque toutes ces recherches sont transversales et nous savons que, grâce aux études menées dans d'autres domaines de la fonction cognitive, les comparaisons transversales indiquent souvent un déclin plus important avec l'âge que les données longitudinales. Dans le cas des études sur la mémoire, cette différence est accentuée par la stratégie typique qui consiste à comparer des étudiants à des adultes âgés moins instruits. Dans les rares cas où des comparaisons ont été effectuées entre de jeunes adultes et des adultes âgés qui ne sont pas allés à l'université, la différence entre les résultats a semblé nettement inférieure. Par exemple, dans les études sur l'utilisation des stratégies de mémorisation, les chercheurs ont découvert que les jeunes adultes et les adultes âgés qui n'étaient pas allés à l'université utilisaient moins de stratégies de mémorisation efficaces que les étudiants (Sugar et McDowd, 1992).

Malgré ces mises en garde, nous croyons qu'il existe une baisse inéluctable de l'efficacité de la mémoire à l'âge adulte avancé, bien qu'elle ne touche pas uniformément tous les types de tâches impliquant la mémorisation (West, Crook et Barron, 1992). Il est plus difficile de se souvenir de nouvelles informations et de les récupérer par la suite. Cette difficulté reflète peut-être le ralentissement de la vitesse de traitement de base qui accompagne le vieillissement (Salthouse et Babcock, 1991). Il se peut aussi qu'il se produise une diminution de la capacité de traitement (Babcock et Salthouse, 1990). Quelle que soit l'explication, on note une baisse certaine de la performance.

RÉSOLUTION DE PROBLÈMES

On pourrait presque résumer de la même façon les changements sur le plan des tâches de résolution de problèmes à l'âge adulte avancé. On a mis au point diverses tâches exécutées en laboratoire afin d'étudier cette habileté. Une des tâches habituelles consiste à demander à un sujet de découvrir quelle combinaison de touches lui permettra d'allumer une lumière. Les jeunes adultes réussissent ces exercices beaucoup mieux que les personnes âgées, car ils utilisent des stratégies optimales et arrivent à une solution plus rapidement. Cette différence associée à l'âge apparaît même si on encourage les sujets à prendre des notes et à tenir compte des combinaisons qu'ils ont déjà essayées. Dans de telles conditions, les adultes âgés prennent moins de notes et leurs notes semblent moins efficaces (Kluwe, 1986). Ce résultat est particulièrement intéressant car il suggère que les processus compensatoires utilisés par les personnes âgées, comme la prise de notes, ne sont pas vraiment efficaces.

Vous pourriez très bien soutenir, à l'instar de nombreux chercheurs, que ces tâches sont très artificielles. Quels résultats les adultes âgés obtiennent-ils dans la résolution de problèmes pratiques courants ou familiers ? Nancy Denney a abordé cette question en demandant à un groupe de personnes âgées de l'aider à déterminer un ensemble de problèmes de la vie réelle qu'elles seraient susceptibles de rencontrer. Voici l'un des problèmes suggérés par les personnes âgées :

Supposons qu'un médecin dise à un homme de 67 ans de réduire l'intensité de ses activités parce qu'il souffre d'une maladie du cœur. La pelouse de cet homme a poussé et il faut la tondre. Cependant, il ne peut pas s'offrir les services d'un jardinier. Que doit-il faire ? (Denney et Pearce, 1989, p. 439.)

Denney a ensuite posé dix problèmes de ce style à des groupes d'adultes âgés de 20 à 79 ans et a compté le nombre de solutions raisonnables et efficaces proposées par chaque sujet. Pour cette tâche, intentionnellement conçue de façon à favoriser les sujets âgés, les adultes de 30 à 50 ans ont obtenu les meilleurs résultats, alors que ceux de 50 ans et plus ont moins bien réussi (Denney et Pearce, 1989 ; Denney, Tozier et Schlotthauer, 1992). Les études longitudinales sur la résolution de problèmes, tout comme les études longitudinales sur l'évolution du Q.I., suggèrent que le déclin survient bien après l'âge de 50 ans, mais qu'il s'amorce tout de même. Par exemple, dans l'étude longitudinale de Baltimore sur le vieillissement,

Ces citoyens du troisième âge, qui font pression sur leurs législateurs, mettent en pratique une forme de résolution de problèmes. Toutefois, les recherches indiquent que les personnes âgées trouvent généralement moins de solutions et imaginent des solutions moins variées à leurs problèmes quotidiens.

qui a évalué les sujets d'après des tests de résolution de problèmes à deux occasions, et ce six années d'intervalle, on a observé un déclin seulement après l'âge de 70 ans (Arenberg, 1974 ; Arenberg et Robertson-Tchabo, 1977).

Rainer Kluwe, après avoir passé en revue toutes les études sur les changements dus à l'âge sur le plan des habiletés de résolution de problèmes, conclut que chez les adultes âgés « la recherche de solutions à des problèmes bien définis n'est pas bien organisée, elle est inefficace, redondante et finalement peu valable » (1986, p. 519). Une partie de ces résultats peut exprimer des différences entre les cohortes mais pas tous. En effet, un déclin véritable se produit, tout comme dans le cas de la mémoire.

DEUX VISIONS PLUS OPTIMISTES

Une évaluation aussi pessimiste, bien que réaliste, des données de recherche peut être contrebalancée par deux autres séries d'informations, l'une suggérant que l'entraînement peut avoir un effet important et l'autre mettant l'accent sur l'effet compensatoire de la sagesse.

EFFETS DE L'ENTRAÎNEMENT. De nombreuses recherches récentes donnent à penser que, lorsque les personnes âgées reçoivent un entraînement adéquat, elles améliorent de façon significative leur performance dans une variété de tâches cognitives, dont les tests de mémorisation (Kliegl, Smith et Baltes, 1989 ; Verhaeghen, Marcoen et Goossens, 1992) et les tests de type Q.I. (Gratzinger *et al.*, 1990 ; Kliegl, Smith et Baltes, 1989 ; Dittmann-Kohli *et al.*, 1991). Dans une étude longitudinale portant sur certains sujets parmi les plus âgés de l'étude longitudinale de Seattle, on a trouvé que, chez les adultes âgés de plus de 70 ans, les effets de cet entraînement persistent parfois très longtemps, jusqu'à six années (Willis et Nesselroade, 1990).

Toutefois, il ne faut pas s'imaginer que les gains obtenus grâce à l'entraînement rendent les adultes âgés aussi efficaces que les jeunes adultes. Lorsque l'on soumet des adultes âgés et de jeunes adultes au même entraînement, la différence due à l'âge s'accentue davantage. L'étude menée par Reinhold Kliegl et ses collaborateurs en Allemagne arrive aux mêmes résultats (Kliegl, Smith et Baltes, 1990 ; Baltes et Kliegl, 1992).

Kliegl a évalué 18 jeunes étudiants et 19 adultes âgés, les deux groupes ayant obtenu des résultats similaires aux tests d'intelligence. Les adultes âgés, tous en bonne santé, avaient entre 65 et 80 ans ; l'âge moyen était de 71,7 ans. Les sujets

> Combien de solutions pouvez-vous trouver au problème soumis plus haut ?

devaient passer un test traditionnel consistant à mémoriser une liste de 30 mots. Dans ce type de test, chaque mot est présenté au sujet pendant un temps donné, soit de 20 secondes à 1 seconde par mot. Une fois la liste entière soumise, les sujets devaient retranscrire le plus de mots possible.

Après avoir subi un test préliminaire, chaque sujet de l'étude effectuée par Kliegl a reçu une formation approfondie sur une stratégie mnémonique appelée Méthode de Loci. Selon cette méthode, vous mémorisez d'abord une séquence d'images, comme les immeubles que vous voyez sur le chemin de votre travail ou un ensemble de rues les unes à la suite des autres. Vous créez des images précises pour chaque élément de cette série, puis vous associez chaque élément de la liste de mots à l'une des images de la séquence. Dans l'étude

menée par Kliegl, les sujets avaient d'abord vu les photographies de 30 bâtiments familiers de Berlin et ils devaient les mémoriser dans l'ordre, en associant une image mentale précise à chacune. C'est seulement lorsque chaque sujet pouvait répéter cette séquence en 90 secondes qu'il commençait à l'utiliser comme aide-mémoire pour la liste de mots. Durant les séances d'entraînement, chaque sujet tentait de mettre la méthode en pratique. Le temps de présentation des mots de la liste diminuait progressivement à mesure que le sujet s'améliorait. Entre la présentation des listes, l'animateur demandait au sujet quelles images il avait utilisées et lui proposait des améliorations possibles. Ces séances de formation contenaient des tests permettant de vérifier les progrès réalisés par les sujets. La figure 14.9 présente les résultats de ces tests.

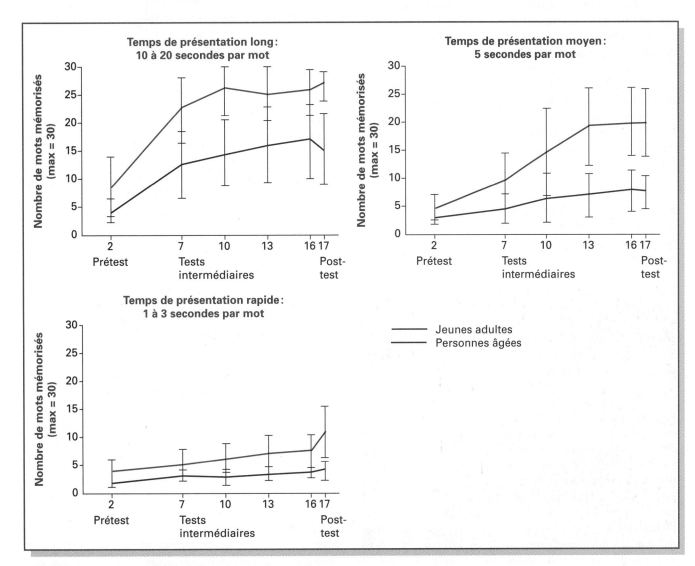

Figure 14.9 Étude effectuée par Kliegl sur la mémoire. Ces résultats fascinants de l'étude effectuée par Kliegl montrent que les personnes âgées présentent une amélioration de l'efficacité de leur mémoire après un entraînement, mais qu'elles n'atteignent pas le même degré de performance que les jeunes adultes; il semblerait donc que la capacité de réserve soit plus restreinte à l'âge adulte avancé qu'au début de l'âge adulte. (*Source*: Kliegl *et al.*, 1990, figure 2, p. 899.)

Les informations recueillies offrent plusieurs pistes de réflexion. Notez que les personnes âgées ont obtenu une nette amélioration avec le temps pour les présentations de longue et de moyenne durée, mais n'ont affiché aucune amélioration dans les conditions les plus difficiles, soit les présentations les plus courtes. Ces résultats suggèrent qu'il existe des limites de traitement de l'information que les adultes âgés ne peuvent dépasser, même avec un entraînement adéquat. De plus, notez que, dans chaque cas, les jeunes adultes ont tiré davantage profit de l'entraînement que les personnes âgées.

Si nous comparons ces découvertes avec le modèle global de Denney (voir la figure 10.5, p. 321), nous pourrions conclure que Denney a sous-estimé le degré auquel les courbes d'habiletés exercées et non exercées convergent à l'âge adulte avancé. La différence entre ces deux courbes, que de nombreux auteurs désignent comme la « capacité de réserve » (Baltes et Baltes, 1990a), semble nettement plus réduite à l'âge adulte avancé qu'au début de l'âge adulte. Toutefois, à chaque âge, une certaine capacité de réserve peut être mobilisée. Cette observation se vérifie pour les évaluations des capacités physiques, comme l'absorption maximale d'oxygène, qui s'améliore avec l'exercice même chez les personnes très âgées, et pour les évaluations des capacités cognitives, qui augmentent avec la pratique à tous les âges.

Il est intéressant de constater que, selon une étude récente du même groupe de recherche, les adultes âgés qui se trouvent aux premiers stades de la démence n'ont que peu, ou pas, de capacité de réserve. Dans cette étude, les sujets n'ont présenté aucune amélioration appréciable de l'efficacité malgré un entraînement rigoureux (M. Baltes, Kühl et Sowarka, 1992). Il est possible que, au cours des stades précoces de certaines maladies qui entraînent la démence, les adultes s'efforcent d'abord d'utiliser toute leur capacité de réserve et que les pertes de mémoire et les autres pertes cognitives qui caractérisent la démence précoce ne commencent à se manifester qu'ensuite.

SAGESSE. Les théoriciens qui étudient la cognition à l'âge adulte avancé ont récemment commencé à examiner de manière plus systématique la notion de sagesse. Les vieillards détiennent-ils un avantage sur les jeunes grâce aux connaissances et aux habiletés qu'ils ont accumulées ? Les chercheurs ne s'entendent pas sur la définition de la sagesse, mais la plupart des auteurs mettent l'accent sur le fait qu'elle représente plus qu'une simple accumulation de faits. Elle reflète la compréhension de « vérités universelles » ou de lois et de modèles de base. Il s'agit d'une connaissance qui est combinée à des systèmes de valeurs et de significations. Cette connaissance repose sur la compréhension que les faits en soi ne sont pas toujours des certitudes, que la vie est imprévisible et incertaine (Baltes et Smith, 1990 ; Csikszentmihalyi et Rathunde, 1990 ; Sternberg, 1990a). Ainsi, une personne sage aura une compré-

hension exceptionnelle des problèmes de la vie, un jugement remarquablement juste ou des conseils judicieux à offrir.

Les personnes âgées sont-elles plus sages ? Presque tous les théoriciens qui ont écrit sur le sujet le supposent, ou présument que, si la sagesse existe, elle est plus susceptible d'apparaître à l'âge adulte moyen et à l'âge adulte avancé. Toutefois, aucune preuve empirique ne vient étayer cette hypothèse. Baltes et Smith (1990 ; Staudinger, Smith et Baltes, 1992) ont rassemblé quelques données selon lesquelles les personnes âgées ont d'aussi bons *résultats* que les adultes plus jeunes dans certaines évaluations de la sagesse, comme l'aptitude à comprendre les leçons que l'on peut retirer de la vie d'une personne. Par ailleurs, Lucinda Orwoll (Orwoll et Perlmutter, 1990) a découvert que les adultes âgés que l'on dit plus sages que leurs pairs sont en effet différents. Ils obtiennent plus souvent des scores élevés dans ce que Erikson appelle l'intégrité personnelle et ils ont une vision plus globale des choses — ils considèrent l'humanité dans son ensemble.

Toutefois, ces quelques indications ne nous disent pas si la sagesse constitue un avantage du vieillissement pour la plupart des adultes, ni même si l'on compte plus d'individus sages chez les personnes âgées que dans les groupes plus jeunes. Cependant, ce champ de recherche illustre un nouvel intérêt des psychologues à l'égard de certains aspects de la fonction cognitive qui ne peuvent être actuellement mesurés par les tests standard de Q.I. ou de mémoire, et dans lesquels il est possible que les adultes âgés présentent un avantage.

Changements cognitifs

Q 15 Quels changements observe-t-on en ce qui concerne la mémoire et la résolution de problèmes à l'âge adulte avancé ?

Q 16 Qu'est-ce que la « capacité de réserve » ? Comment évolue-t-elle à l'âge adulte avancé ?

Q 17 Expliquez ce que l'on entend par sagesse.

Faites une liste des personnes que vous trouvez pleines de sagesse. Quel âge ont-elles ? Faut-il être âgé pour être doué de sagesse ? Sinon, comment pensez-vous que l'on acquiert la sagesse ?

DIFFÉRENCES INDIVIDUELLES

Énormes est le seul mot qui puisse qualifier les variations individuelles dans les modèles de changements physiques et cognitifs à l'âge adulte avancé. Certains adultes souffrent déjà d'une incapacité et de pertes cognitives importantes dans la cinquantaine et la soixantaine ; d'autres semblent conserver pleinement leurs capacités cognitives et l'essentiel de leur vigueur physique jusqu'à l'âge de 70, 80 et même 90 ans. Étudiez par exemple les données présentées à la figure 14.10 : il s'agit des scores obtenus par quatre sujets lors d'évaluations de la connaissance du vocabulaire (une tâche cristallisée). Dans cette étude longitudinale de Seattle effectuée par Schaie, les sujets ont été évalués 5 fois sur une période de 28 années. Le degré de variabilité est frappant et remet en question la pertinence du débat concernant les modèles de vieillissement « normal » et commun dans la fonction cognitive.

Considérez également les découvertes de l'étude longitudinale menée pendant 7 années par Sherry Willis sur 102 personnes âgées, évaluées une première fois alors qu'elles avaient entre 62 et 86 ans. Au cours des 7 années suivantes, lorsque la plupart des sujets sont passés du troisième au quatrième âge, 62 % d'entre eux présentaient une stabilité ou une amélioration de leurs compétences dans les activités intellectuelles quotidiennes (Willis *et al.*, 1992).

On a tenté d'expliquer ces variations à l'aide de deux approches. Selon la première, qui porte la triste appellation d'hypothèse de la **chute terminale**, le fonctionnement de tous les adultes demeure excellent jusqu'aux quelques années précédant la mort. À ce moment-là, les fonctions physiques et cognitives chutent de façon abrupte. La deuxième approche fait appel à la recherche des caractéristiques individuelles, comme l'hérédité familiale et le mode de vie, qui permettraient de prédire les différences dans le modèle de vieillissement.

Cette grand-mère de Katmandou a-t-elle un plus grand degré de sagesse que dans sa jeunesse ? De quelle manière cette sagesse peut-elle être manifeste dans son comportement ?

CHUTE TERMINALE

Kleemeier (1962) a été le premier à proposer la notion de chute terminale pour décrire les modèles de changement dans la fonction cognitive à l'âge adulte avancé. Selon lui, les habiletés intellectuelles sont encore virtuellement intactes cinq à sept ans avant la mort, mais à partir de ce moment on observe une chute rapide. Lorsque l'on compare des groupes de personnes au moyen d'une méthode transversale, ou lorsqu'on les suit dans une étude longitudinale, chaque groupe d'âge successif comprend plus de personnes en chute terminale, ce qui tend à faire baisser la moyenne du groupe. Toutefois, si Kleemeier a raison, le modèle moyen n'apporte aucune indication sur le modèle individuel. La seule façon de vérifier l'hypothèse de Kleemeier est de retourner en arrière, à partir de la date de la mort d'un sujet sur lequel on possède des données à différentes étapes de sa vie. C'est d'ailleurs ce qui a été fait grâce à des données provenant de différentes études longitudinales.

Au cours de leur analyse des données tirées des études longitudinales de Duke, Palmore et Cleveland (1976) ont observé les résultats des tests que 178 hommes avaient passés avant de mourir. Ils n'ont trouvé aucune indication de chute terminale dans les nombreuses évaluations des capacités physiques, qui présentaient toutes un déclin graduel. Par contre,

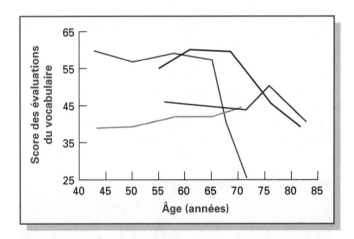

Figure 14.10 Test de vocabulaire chez quatre personnes âgées. Chacune des courbes de cette figure représente les scores obtenus par une personne à un test de vocabulaire sur une période de 28 ans. On y remarque indiscutablement une grande variabilité. Il est très intéressant de noter qu'aucune des courbes de ces sujets ne correspond au modèle moyen de changement pour cette évaluation. (*Source*: Schaie, 1989b, figures 5.13 et 5.14, p. 82 et 83.)

Chute terminale : Terme utilisé pour décrire une hypothèse selon laquelle les fonctions cognitives et physiques restent stables durant l'âge adulte avancé, jusqu'aux cinq dernières années environ précédant la mort, après quoi on observe un déclin rapide.

ils ont observé le phénomène de chute terminale sur le plan du Q.I. global, qui tendait à demeurer stable jusqu'à quelques années avant la mort de chaque homme. Des études équivalentes provenant d'autres échantillons longitudinaux (Johansson et Berg, 1989 ; Siegler, McCarty et Logue, 1982 ; White et Cunningham, 1988) suggèrent que le modèle de chute terminale est plus frappant dans les évaluations d'habiletés bien exercées (cristallisées). Le déclin des habiletés non exercées (fluides) est généralement plus graduel, tout comme le modèle des changements physiques.

Toutefois, la chute terminale n'explique pas tout. Pour la plupart des changements physiques, et certains changements cognitifs, le déclin est graduel chez chaque personne. Cependant, ce déclin s'amorce beaucoup plus tôt chez certaines personnes que chez d'autres. Les explications avancées font intervenir l'hérédité et les variations du mode de vie.

HÉRÉDITÉ

Il est clair que nous héritons d'une tendance générale à avoir une « vie longue et prospère » selon les termes de M. Spock dans « Star Trek ». Les jumeaux identiques ont une durée de vie plus similaire que les jumeaux fraternels, et les adultes dont les parents et grands-parents ont vécu jusqu'à un âge avancé ont plus de chances de vivre longtemps (Plomin et McClearn, 1990). Le nombre de maladies dont une personne est atteinte avant la mort semble aussi relié aux modèles génétiques. Selon une étude suédoise sur les jumeaux, par exemple, les jumeaux identiques ont des taux de maladie plus semblables que les jumeaux fraternels (Pedersen et Harris, 1990). De même, Vaillant, qui a analysé l'échantillon des étudiants de Harvard dans l'étude de Grant, a découvert une corrélation faible, mais significative, entre la longévité des parents et des grands-parents de chaque homme et sa propre santé à l'âge de 65 ans. Seulement un quart des hommes dont

Cette dame a la chance de jouir d'un niveau élevé de fonctionnement tout au long de l'âge adulte avancé.

les grands-parents les plus âgés avaient vécu au-delà de 90 ans étaient atteints d'une maladie chronique quelconque à l'âge de 65 ans, tandis que presque 70 % de ceux dont les grands-parents les plus âgés étaient morts avant l'âge de 78 ans souffraient d'une maladie chronique (Vaillant, 1991).

On ne sait pas exactement ce que nous héritons de nos parents. Il est possible que les individus aient des « limites Hayflick » légèrement différentes, ou qu'il existe des variations dans le taux de base de la maturation physique. La dernière possibilité repose sur la découverte que les femmes qui ont une ménopause naturelle avant 50 ans vivent moins longtemps que celles dont la ménopause survient après l'âge de 50 ans. Les femmes dont les antécédents sont similaires et qui ont une ménopause précoce à cause d'une ovariectomie ne subissent pas de conséquences sur le plan de la longévité (Snowdon *et al.*, 1989).

Quelle que soit l'explication, il faut garder à l'esprit que les effets de l'hérédité sur la longévité et sur la santé à l'âge adulte avancé ne semblent pas majeurs. Si vos grands-parents sont tous décédés vers l'âge de 60 ou 70 ans, cela ne signifie pas nécessairement que vous mourrez jeune ou que vous souffrirez d'une maladie chronique. Sachez cependant qu'il existe une corrélation.

MODE DE VIE ET SANTÉ

Les facteurs clés liés au vieillissement à l'âge adulte avancé sont la santé et les composantes du mode de vie, que nous avons abordées dans les chapitres précédents, notamment les habitudes de vie, l'exercice physique et intellectuel et l'adéquation du soutien social.

SANTÉ. La santé est le principal facteur qui détermine l'état physique et cognitif d'un adulte après l'âge de 65 ans. Les personnes qui souffrent déjà de maladies chroniques à l'âge de 65 ans présentent un déclin beaucoup plus rapide que celles qui entament l'âge adulte avancé en bonne santé. Évidemment, il s'agit en partie d'une manifestation de la maladie. Les maladies cardiovasculaires donnent lieu, entre autres, à une diminution de l'irrigation sanguine de nombreux organes, dont le cerveau, ce qui a des effets prévisibles sur les aptitudes d'apprentissage ou de mémorisation d'un adulte (Schaie, 1983b). Et, bien sûr, les personnes qui présentent les symptômes des stades précoces de la maladie d'Alzheimer ou d'une autre maladie qui cause la démence connaîtront un déclin beaucoup plus rapide de leurs capacités cognitives que les individus en bonne santé.

La mauvaise santé a aussi un effet indirect à cause de l'influence qu'elle exerce sur les habitudes de vie, surtout sur l'exercice physique. Les personnes atteintes d'une maladie qui les empêche de faire régulièrement de l'exercice subissent plus souvent une diminution précoce ou rapide de nombreuses capacités physiques ou cognitives.

LE MONDE RÉEL

Conseils pratiques pour le maintien des fonctions cognitive et physique à l'âge adulte avancé

Nous allons reprendre ci-dessous certains éléments clés que nous avons abordés dans les divers chapitres sur la vie adulte.

Adoptez de bonnes habitudes de vie très tôt. N'attendez pas d'être vieux pour changer vos habitudes de vie. Adoptez de bonnes résolutions dès aujourd'hui, quel que soit votre âge. Arrêtez de fumer (ou ne commencez pas) ; suivez un régime à faible teneur en gras, surtout en cholestérol ; maintenez votre poids à plus ou moins 30 % du poids idéal calculé par rapport à votre taille et à votre carrure (remarquez que la marge est grande ; nous ne prônons pas le corps parfait, il s'agit de se méfier de l'obésité) ; dormez suffisamment.

Faites de l'exercice régulièrement. Cet élément pourrait figurer dans la liste des habitudes de vie, mais il est tellement important qu'il faut l'aborder séparément. Commencez dès maintenant, quel que soit votre âge. Il n'est pas nécessaire de devenir un marathonien ou un champion de natation. Il vous suffit de faire 30 minutes d'exercices aérobiques au moins 3 fois par semaine. La marche régulière constitue la façon la plus simple d'y parvenir, surtout si vous prenez l'habitude de marcher plutôt que de prendre la voiture pour vous rendre à vos rendez-vous ou faire les courses dans votre quartier.

Exercez votre esprit régulièrement. Ne vous arrêtez pas à votre niveau de connaissances actuel. Continuez à apprendre de nouvelles choses. Apprenez une nouvelle langue ; mémorisez des poèmes ; initiez-vous à un jeu stimulant intellectuellement comme les échecs ou le bridge, et jouez régulièrement ; lisez le journal tous les jours ; faites des mots croisés. Stimulez votre esprit, et faites-le de différentes façons.

Restez en contact avec votre famille et vos amis. Si vous ne maintenez pas votre réseau social, il ne sera plus là lorsque vous en aurez besoin, que ce soit à un âge avancé ou plus tôt. Le maintien du réseau social exige que vous preniez le temps de rencontrer des amis ou des parents et que vous veilliez à répondre à leurs besoins.

Trouvez des façons de réduire ou de maîtriser votre stress. Il existe de nombreux livres sur la gestion du stress. Si vous êtes stressé de façon chronique, vous devriez sans doute en lire quelques-uns. Nous vous conseillons de prendre le temps de pratiquer la relaxation tous les jours, même si ce n'est que pour cinq minutes. Vous pouvez le faire en priant ou en méditant, ou simplement en restant assis dans le silence et en respirant profondément.

Prenez des vacances. Les longues pauses semblent aussi être importantes. Vaillant inclut généralement des questions sur les vacances dans son évaluation de la fonction psychosociale optimale, car il pense que cette évaluation est reliée à une variété d'aspects concernant la santé.

HABITUDES DE VIE. Les habitudes de vie ont également des effets directs, même chez les personnes qui ne souffrent pas d'incapacité. Les habitudes de vie qui étaient d'importants facteurs prédictifs de la longévité et de la santé au début de l'âge adulte le sont toujours chez les personnes âgées. Par exemple, grâce à un suivi pendant 17 années de certains sujets de l'étude épidémiologique du comté d'Alameda, ceux qui avaient plus de 60 ans au début de l'étude, on a découvert que le tabagisme, le manque d'activité physique et un poids corporel trop élevé ou trop bas étaient reliés à des risques accrus de mortalité au cours des 17 années suivantes (Kaplan, 1992). De nombreuses autres études épidémiologiques importantes confirment de tels liens (Paffenbarger *et al.*, 1987).

Même chez les adultes âgés qui vivent dans la pauvreté et dont le risque de mauvaise santé est élevé, on constate une corrélation entre les habitudes de vie et la maladie. James Lubben (Lubben, Weiler et Chi, 1989) a étudié l'incidence de l'hospitalisation sur un groupe de vieillards de Californie, tous bénéficiaires de l'assistance médicale aux personnes indigentes et ayant un revenu inférieur ou égal à 440 $ par mois, en 1982. Le recours aux soins hospitaliers dans l'année suivante était considérablement plus élevé chez les personnes qui fumaient et qui pratiquaient une activité physique moins d'une fois par semaine. Dans ces cas, le régime alimentaire ou le poids n'étaient pas reliés à l'hospitalisation.

Bien sûr, il n'est pas toujours possible de déterminer la causalité dans des études de ce genre. Les personnes âgées qui se sentent malades ou invalides sont moins susceptibles de faire de l'exercice et sont plus souvent hospitalisées. Toutefois, puisqu'il s'agit de données longitudinales prospectives, on peut évaluer l'état de santé individuel au début de l'étude. On observe alors la même corrélation.

EXERCICE PHYSIQUE. La variable la plus cruciale est probablement l'exercice physique, lequel est clairement lié non seulement à une plus grande longévité, mais aussi à un meilleur maintien des différentes fonctions physiques. Par exemple, Roberta Rikli et Sharman Busch (1986) ont étudié un groupe de femmes de 65 ans qui avaient été physiquement actives au cours des 10 dernières années au moins, et les ont comparées à un groupe de femmes sédentaires du même âge. Les femmes actives avaient de meilleurs temps de réaction, une plus grande souplesse et un meilleur équilibre que les femmes inactives. Les femmes actives de cette étude ont obtenu des scores comparables à ceux des jeunes femmes inactives. Puisque que l'on obtient des résultats semblables dans les études où des adultes âgés ont été répartis de façon aléatoire dans des groupes d'exercice et de non-exercice (Blumenthal *et al.*, 1991), on sait que de telles différences ne sont pas le résultat d'une autosélection.

L'exercice physique semble aussi permettre de maintenir la fonction cognitive des personnes âgées à un niveau plus élevé, bien que tous les chercheurs ne partagent pas cette opinion, comme nous l'avons mentionné au chapitre 12. Robert Rogers et ses collaborateurs ont obtenu des résultats significatifs lors d'une étude portant sur un groupe de 85 hommes âgés de 65 à 69 ans (Rogers, Meyer et Mortel, 1990). Tous les sujets étaient instruits et en bonne santé au début de l'étude et aucun ne présentait de symptôme de maladie du cœur ou de démence. Dans les quatre années suivantes, un tiers des hommes ont choisi de continuer à travailler, surtout à des postes élevés. Un autre tiers des hommes ont décidé de prendre leur retraite mais sont demeurés physiquement actifs, alors que le dernier tiers a pris sa retraite et est devenu physiquement (et intellectuellement) inactif. Les sujets inactifs présentaient un déclin progressif de l'irrigation sanguine du cerveau et obtenaient des résultats nettement inférieurs, dans de nombreux tests cognitifs, à ceux des personnes actives à la retraite ou des hommes qui travaillaient toujours. Ces résultats sont présentés à la figure 4.11.

D'ailleurs, l'exercice physique semble revêtir encore plus d'importance à l'âge adulte avancé qu'à un âge plus jeune. Lorsque vous êtes jeune, vous pouvez vous permettre d'être sédentaire. Votre corps fonctionnera de façon efficace

Il existe de nombreuses façons de préserver une bonne condition physique à l'âge adulte avancé. En Chine, les vieillards pratiquent souvent le tai chi à l'aube. En Amérique du Nord, on suit des cours de gymnastique.

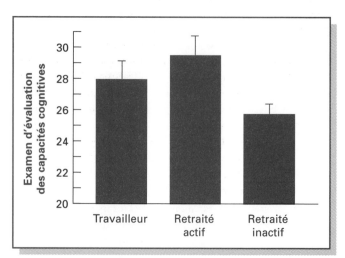

Figure 14.11 Activité physique et vieillissement. Dans cette étude longitudinale effectuée auprès d'hommes en bonne santé, ceux qui sont devenus inactifs après leur retraite obtenaient des résultats nettement inférieurs aux tests des capacités cognitives quatre ans plus tard. (*Source*: Rogers, Meyer et Mortel, 1990, figure 2, p. 126.)

même si vous le négligez (Poehlman, Melby et Badylak, 1991). Mais avec l'âge, le degré optimal de fonctionnement repose largement sur le maintien d'un niveau au moins modéré d'activité physique. Certains auteurs soutiennent que l'on peut réduire de moitié le déclin de différentes capacités physiques (et peut-être cognitives) à l'âge adulte avancé en améliorant le mode de vie, surtout au moyen de l'exercice. Pourtant, seulement 5 à 10 % des personnes âgées de plus de 65 ans sont physiquement actives (O'Brien et Vertinsky, 1991). Les raisons invoquées pour ne pas faire d'exercice sont nombreuses, notamment la mauvaise santé, les douleurs arthritiques, le temps consacré à un conjoint malade, les idées préconçues sur le comportement que devraient adopter les personnes âgées, la gêne de montrer son corps vieillissant aux autres, le manque d'installations ou de ressources, l'inexistence de moyens de transport permettant de se rendre aux centres de conditionnement physique, les peurs de divers types et la paresse pure et simple.

EXERCICE INTELLECTUEL. Les effets de l'exercice intellectuel sur les capacités cognitives des personnes âgées ont été plus difficiles à déterminer, mais certaines indications suggèrent que l'exercice intellectuel peut être aussi important que l'exercice physique. Par exemple, les sujets âgés des études longitudinales de Duke, qui ont indiqué avoir participé à de nombreuses activités intellectuelles au début de l'étude (lecture, jeux ou loisirs), ont *augmenté* leurs habiletés verbales au cours des six années suivantes, alors que les individus qui étaient moins actifs ont présenté un déclin (Busse et Wang, 1971). Dans une autre étude, des chercheurs ont découvert que les adultes âgés qui jouaient au bridge régulièrement obtenaient des scores plus élevés aux tests de mémorisation et de raisonnement que les autres. Les groupes étaient composés de sujets ayant le même niveau de scolarité, le même état de santé, le même niveau d'exercice physique et le même degré de satisfaction générale. Ils avaient également obtenu des résultats similaires dans les autres évaluations des capacités physiques et cognitives, dont la relation est moins évidente avec le bridge, comme le temps de réaction ou la richesse du vocabulaire (Clarkson-Smith et Hartley, 1990b). On n'a observé une différence que sur le plan des capacités cognitives qui pouvaient être améliorées en jouant au bridge régulièrement. Ainsi, les effets de l'exercice intellectuel peuvent être très spécifiques. Le fait de mémoriser des informations aide à préserver la mémoire ; les tâches qui exigent un raisonnement

aident à maintenir cette habileté ; la lecture aide à conserver le vocabulaire, et ainsi de suite. Malheureusement, il ne semble y avoir aucun équivalent cognitif de la danse aérobique, aucune activité intellectuelle à laquelle vous pouvez participer pendant 30 minutes trois fois par semaine pour conserver une bonne santé mentale.

SOUTIEN SOCIAL. Enfin, la présence d'un soutien social adéquat influe sur les fonctions physiques et cognitives à l'âge adulte avancé, tout comme aux autres âges de la vie. Deux études que nous avons mentionnées nous en donnent des exemples : l'étude du comté d'Alameda et celle effectuée par Lubben sur les personnes âgées à faible revenu en Californie. Les vieillards qui étaient socialement isolés au début de l'étude couraient davantage de risques d'être atteints de maladie ou de mourir dans les années suivantes que ceux qui bénéficiaient d'un réseau social plus adéquat, quel que soit leur état de santé ou leurs habitudes de vie.

Nous tenons encore une fois à insister sur l'ampleur des différences observées dans les capacités physiques et cognitives chez les personnes de plus de 65 ans. Même chez les individus de plus de 75 ans, soit les personnes du quatrième âge, les différences sont énormes. Dans toutes les études longitudinales sur les personnes âgées, on a découvert que quelques sujets ne présentaient aucun déclin des capacités cognitives. Tout cela nous amène à la possibilité troublante que le déclin peut être certes associé au vieillissement mais qu'il n'en est pas un facteur *inéluctable*. Si tel est le cas, on peut alors espérer que, en comprenant les causes influant sur le maintien des aptitudes au cours des dernières années de la vie, on sera un jour en mesure d'augmenter considérablement le nombre d'adultes qui conservent toutes leurs fonctions intellectuelles (et physiques) jusqu'à l'approche de la mort. Cet espoir nous encourage à poursuivre les recherches dans ce domaine.

Différences individuelles

Q 18   Expliquez l'hypothèse de la chute terminale.

Q 19   Quels sont les facteurs associés à une plus grande longévité ?

RÉSUMÉ

1. Le pourcentage de la population âgée de 65 ans et plus s'est accru rapidement au cours des dernières décennies, et continuera d'augmenter au cours du prochain siècle.

2. On peut répartir les personnes de plus de 65 ans dans les groupes du troisième âge (65 à 75 ans) et du quatrième âge (75 ans et plus).

3. Au Québec, une femme de 65 ans peut s'attendre à vivre encore 20 ans environ, alors qu'un homme du même âge peut espérer vivre encore 15,5 ans. Pendant ces années, les femmes seront davantage atteintes d'incapacités ou de maladies que les hommes.

4. Les changements cérébraux associés au vieillissement comprennent principalement une perte de la densité dendritique des neurones, laquelle entraîne un ralentissement du temps de réaction dans presque toutes les tâches.

5. La perte de l'ouïe est plus courante et plus considérable après l'âge de 65 ans ; elle comprend une diminution de la perception des fréquences élevées, une perte de l'aptitude à discerner les mots et une plus grande difficulté à entendre les sons dans un environnement bruyant.

6. La perte gustative est moins marquée que la perte olfactive. Cette dernière décline considérablement à l'âge adulte avancé.

7. Les personnes âgées présentent également des changements dans les habitudes de sommeil. Elles profitent de moins d'heures de sommeil paradoxal, se réveillent plus tôt le matin et plus souvent pendant la nuit.

8. Le taux d'incapacité physique augmente également. Cependant, à tous les âges, certains adultes ne subissent aucune restriction de leurs activités. L'arthrite, l'hypertension et les maladies du cœur sont susceptibles d'entraîner une invalidité.

9. La démence est rare avant l'âge adulte avancé et devient nettement plus courante au cours du vieillissement : elle touche au moins 15 % des personnes âgées de plus de 85 ans. La maladie d'Alzheimer en est la cause la plus fréquente.

10. Les facteurs de risque de la maladie d'Alzheimer comprennent tout antécédent familial de démence, de syndrome de Down ou de maladie de Parkinson, une mère âgée de plus de 40 ans et un coup reçu à la tête.

11. La plupart des troubles affectifs sont moins fréquents à l'âge adulte avancé. La dépression constitue peut-être la seule exception, car sa fréquence augmente après l'âge de 70 ou 75 ans, bien que cela ne s'applique pas aux personnes en bonne santé qui bénéficient d'un soutien social adéquat.

12. Parmi les changements physiques associés au vieillissement qui influent sur le comportement quotidien, le ralentissement général de toutes les réactions est le plus remarquable.

13. Nombreuses sont les personnes âgées qui continuent d'être actives sexuellement, bien que cette activité diminue avec l'âge.

14. Il n'y a pas consensus sur le processus de vieillissement. Les tentatives d'explication actuelles mettent l'accent sur le vieillissement programmé biologiquement et/ou les facteurs environnementaux.

15. Dans presque toutes les évaluations de la fonction cognitive, les diminutions deviennent perceptibles après l'âge de 70 ans environ. La perte est plus précoce pour les tâches exigeant de la vitesse ou les tâches inhabituelles.

16. Cette perte se reflète dans la plupart des tests de mémoire, bien que les personnes âgées réussissent aussi bien que les jeunes adultes dans les tâches de mémorisation à court terme et dans certains types de problèmes de mémorisation qui leur sont familiers.

17. La résolution de problèmes présente un modèle semblable, quoique, même avec du matériel familier, les personnes âgées semblent être moins habiles dans la découverte de diverses solutions.

18. Toutefois, même à l'âge adulte avancé, les individus possèdent une capacité de réserve, soit la capacité d'améliorer la performance de n'importe quelle tâche cognitive grâce à un entraînement. Cependant, les adultes plus jeunes ont une *plus grande* capacité de réserve.

19. Certains auteurs avancent que les adultes âgés possèdent un plus grand degré de sagesse, mais la recherche sur la question n'en est qu'à ses débuts.

20. Il existe de grandes différences individuelles en ce qui concerne l'apparition et l'évolution des changements physiques et cognitifs décrits.

21. Certaines aptitudes se maintiennent à un niveau optimal jusqu'à quelques années avant la mort (hypothèse de la chute terminale). Pour d'autres, le déclin est plus graduel.

MOTS CLÉS

Chute terminale, p. 449   Maladie d'Alzheimer, p. 438   Troisième âge, p. 430
Démence, p. 438   Quatrième âge, p. 430

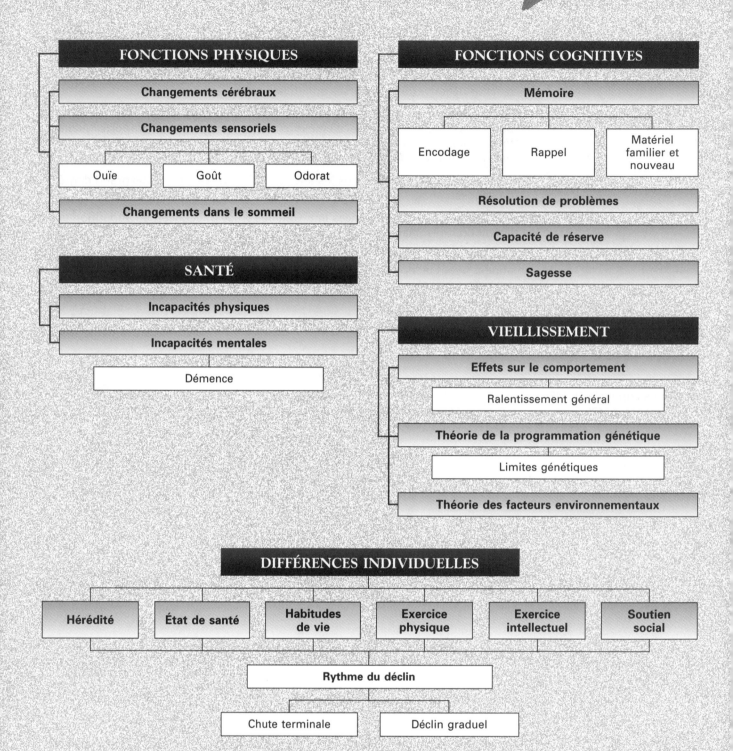

15

L'ÂGE ADULTE AVANCÉ : DÉVELOPPEMENT DES RELATIONS SOCIALES ET DE LA PERSONNALITÉ

Nous voilà finalement arrivés à la dernière des « sept étapes » de la vie humaine. Shakespeare, à qui l'on attribue la notion des sept âges de l'homme, avait une vision fort sombre de l'étape finale du développement humain. Dans Comme il vous plaira, *il décrit cette étape comme « une deuxième enfance et un véritable état d'oubli, sans dents, sans yeux, sans goût, sans rien ». De nos jours, cette description semblerait évidemment anachronique dans de nombreux pays. La plupart des théoriciens du développement humain concèdent néanmoins à Shakespeare que l'âge avancé constitue la septième* HELEN BEE *étape de la vie.*

CHANGEMENTS DES RÔLES

Les changements physiques et cognitifs se produisant à l'âge adulte avancé sont parfois tellement frappants qu'ils font nécessairement l'objet de toutes les discussions portant sur les dernières années de la vie. Évidemment, l'horloge biologique est nettement plus bruyante pendant ces années. Toutefois, les changements de rôles et de relations sont probablement tout aussi étonnants. Si le début de l'âge adulte constitue la période où l'on acquiert des rôles complexes qui exigent beaucoup de temps, et si l'âge adulte moyen est le moment où l'on redéfinit et réorganise ces rôles, l'âge adulte avancé est la période où l'on doit renoncer à plusieurs de ces rôles.

Le rôle professionnel arrive à son terme au moment de la retraite ; les rôles de fils ou de fille s'achèvent avec la mort des parents ; le veuvage signale la fin du rôle de conjoint. Pendant ces années, de nombreux petits rôles qu'une personne a assumés au sein d'organisations religieuses ou communautaires sont également cédés aux plus jeunes.

En outre, comme le sociologue Irving Rosow (1985) l'a indiqué, les rôles que l'on continue à assumer à l'âge avancé sont beaucoup moins importants et comportent moins de responsabilités ou d'attentes. Les personnes âgées jouent toujours leur rôle de parent, mais ce dernier est nettement plus simple et moins exigeant. Lorsqu'elles atteignent 65 ans, leur dernier enfant est parti de la maison depuis longtemps et il est autonome, à moins qu'elles n'aient eu leurs enfants très tard ou que ces derniers aient rencontré des difficultés inhabituelles au cours de leur vie. De même, une personne âgée peut occuper un poste prestigieux, mais qui comporte peu de responsabilités. Par exemple, un professeur d'université à la retraite peut être nommé *professeur émérite*, un poste qui confère de nombreux avantages et pratiquement aucune obligation. Dans d'autres organismes, une personne peut obtenir le titre de président honoraire.

Sur le plan pratique, pour de nombreux adultes, la perte du contenu du rôle signifie que la routine quotidienne n'est plus structurée par des rôles précis. Ce phénomène est-il positif ou négatif ? Certains sociologues, comme Rosow, considèrent que la perte de la définition du rôle comporte un risque marqué d'isolement ou de désaffection, tandis que d'autres ont trouvé des avantages évidents à ce changement à l'âge adulte avancé.

L'un de ces avantages est une plus grande « liberté accordée à l'originalité » (Bond et Coleman, 1990, p. 78). Puisqu'ils n'ont pas à s'adapter aux limites parfois étroites des attentes associées aux rôles, les adultes âgés se sentent beaucoup plus libres d'exprimer leur individualité dans leur habillement, leur manière de parler ou leurs préférences personnelles. Nous pensons que ce changement commence avant l'âge de 65 ans. L'affirmation graduelle de l'individualité semble également une caractéristique de l'âge moyen. Toutefois, à l'âge avancé, il se produit une acceptation généralisée de l'originalité.

Pour découvrir laquelle de ces deux descriptions de l'âge adulte avancé est la plus valable, il faut étudier de plus près les changements touchant les rôles et les relations dans ce groupe d'âge. On doit commencer par observer les changements démographiques qui modifient la composition des familles et les modèles d'aide. À l'âge moyen, la plupart des adultes vivent encore avec leur conjoint ou partenaire. À l'âge avancé, cette situation est de moins en moins fréquente.

Pensez à d'autres exemples de rôles « sans contenu » que peuvent assumer des personnes âgées. Connaissez-vous des contre-exemples, soit des rôles joués par des personnes âgées, qui ne sont pas « sans contenu » et qui comportent des règles et des attentes précises ?

CHANGEMENTS DÉMOGRAPHIQUES : LE LOGEMENT

Le tableau 15.1 montre la situation de famille des personnes du troisième et du quatrième âge. À des fins de comparaison, nous avons également inclus la situation de famille des adultes d'âge moyen.

On peut tirer certaines conclusions évidentes de ce tableau. Premièrement, le pourcentage d'adultes vivant en couple baisse nettement à mesure que ceux-ci vieillissent. Deuxièmement, il est encore plus évident que ce changement est beaucoup plus marqué et rapide chez les femmes que chez les hommes. Étant donné que les hommes se marient en général avec des femmes plus jeunes qu'eux et que les femmes vivent plus longtemps que les hommes, les hommes ont habituellement une conjointe ou une partenaire intime jusqu'à leur mort. Pour leur part, les femmes se retrouvent plus souvent sans conjoint, et ce pendant de nombreuses années. Cette différence revêt un caractère particulièrement important dans l'expérience de l'âge avancé chez l'homme et chez la femme.

La plupart des personnes âgées célibataires vivent seules par choix (Pampel, 1983). Un certain nombre de données soulignent que, dans les pays offrant un soutien financier approprié, les personnes âgées célibataires préfèrent vivre seules qu'avec un parent, même si leur santé est mauvaise. On a obtenu des données étonnantes d'une étude effectuée par Jacqueline Worobey et Ronald Angel (1990) sur 2 498 célibataires, hommes et femmes, de plus de 70 ans. Tous les sujets ont été contactés deux fois, la première en 1984 et la deuxième en 1986. Ainsi, Worobey et Angel ont pu noter les changements de domicile chez les personnes dont la santé était restée stable, s'était améliorée ou s'était détériorée. Parmi les personnes qui habitaient seules au début de l'étude et dont la santé s'était détériorée pendant les deux années suivantes, 81 % des hommes et 76 % des femmes vivaient encore seuls deux ans plus tard.

Toutefois, ce résultat ne signifie pas que la santé ne joue aucun rôle dans le choix du domicile. Elle en joue certainement un. En effet, les personnes âgées qui souffrent d'un trouble

Tableau 15.1

Répartition de la population âgée de 50 ans et plus selon le groupe d'âge, le sexe et la situation de famille, Québec, 1991

Sexe et situation de famille	Âge (années)						
	50 à 54	55 à 59	60 à 64	65 à 69	70 à 74	75 à 79	80 et plus
Homme	(%)	(%)	(%)	(%)	(%)	(%)	(%)
Membre d'un couple*	80	80	80	78	76	71	56
Personne seule	20	20	21	21	24	29	43
Célibataire	9	8	9	8	8	8	9
Séparé	3	3	3	2	2	2	2
Veuf	1	2	4	7	11	17	31
Divorcé	7	6	5	4	3	2	1
Total	100	100	100	100	100	100	100
Femme	(%)	(%)	(%)	(%)	(%)	(%)	(%)
Membre d'un couple*	72	69	63	54	42	30	14
Personne seule	27	31	37	46	58	69	86
Célibataire	8	9	9	10	12	14	16
Séparée	3	3	3	2	2	1	1
Veuve	6	11	19	30	42	53	68
Divorcée	10	8	6	4	2	1	1
Total	100	100	100	100	100	100	100

* Sont comprises dans cette catégorie les personnes mariées, ainsi que les personnes qui vivent en union de fait.
Note : En raison des arrondis, la somme des pourcentages (%) ne correspond pas, dans tous les cas, à 100 %.
Source : Ministère de la Santé et des Services sociaux du Québec, 1995, tiré du tableau 4a, p. 11.

majeur de santé ont plus de chances de vivre avec un de leurs enfants ou un parent que ceux qui sont en bonne santé (Stinner, Byun et Paita, 1990 ; Choi, 1991). Par contre, la plupart des personnes âgées atteintes d'une invalidité légère à modérée ou qui présentent un trouble de santé ne vivent pas avec un membre de leur famille. La plupart de ces personnes préfèrent vivre seules, et ce aussi longtemps qu'elles le peuvent, du moins dans les cohortes actuelles en Amérique du Nord. Dans d'autres cultures, le modèle est souvent bien différent. Au Japon, par exemple, seulement 7 % des adultes de plus de 60 ans vivent seuls, et seulement 29 % habitent avec leur conjoint. Toutefois, plus de la moitié vivent avec un de leurs enfants (Tsuya et Martin, 1992).

Mis à part la santé, les facteurs qui influent le plus sur la probabilité qu'un Nord-Américain âgé n'ayant plus de relation de couple vive avec un de ses enfants ou un membre de sa famille sont les suivants :

- *Revenu.* Les personnes qui ont un faible revenu sont davantage susceptibles de vivre avec un membre de leur famille que les personnes aisées, même si cet écart est mince (Choi, 1991). De nombreuses personnes âgées qui ont un revenu très faible ou qui vivent sous le seuil de pauvreté habitent seules.

- *Groupe ethnique.* Les personnes âgées de race blanche vivent plus souvent seules que les personnes appartenant à une minorité ethnique. Il s'agit d'un autre exemple des importantes différences ethniques dans le mode de vie familial. Dans une étude récente, Choi (1991) a trouvé que 73 % des femmes de race blanche de plus de 65 ans qui étaient veuves vivaient seules par comparaison avec 56 % des veuves dans d'autres groupes ethniques. On observe un écart semblable chez les hommes (Stinner *et al.*, 1990).

Chez les couples mariés, l'affection et le bonheur d'être ensemble ne disparaissent absolument pas à l'âge avancé.

- *Nombre d'enfants.* Plus une personne a eu d'enfants, plus il y a de chances qu'elle vive avec l'un d'eux lorsqu'elle sera âgée. Les personnes âgées habitent plus souvent chez une de leurs filles que chez un de leurs fils. Ainsi, celles qui ont eu un grand nombre de filles ont plus de chances de vivre avec l'une d'elles que celles qui en ont eu peu, mais le fait d'avoir eu de nombreux garçons n'augmente pas cette probabilité (Soldo, Wolf et Agree, 1990).

Quelles conclusions peut-on tirer de toutes ces statistiques ? Tout d'abord, elles indiquent évidemment qu'il existe d'importantes différences entre les hommes et les femmes dans l'expérience de l'âge adulte avancé. Elles suggèrent également qu'il faut dépasser le modèle du couple pour comprendre le modèle d'interactions sociales chez la personne âgée. Puisqu'un grand nombre de personnes âgées sont célibataires, les relations avec les enfants, les membres de la famille et les amis peuvent devenir très importantes. Nous allons donc aborder ces trois types de relations : relations conjugales, relations familiales et relations amicales.

Changements des rôles et changements démographiques

Q 1   Expliquez ce que l'on entend par perte du contenu de rôle à l'âge adulte avancé.

Q 2   Quels sont les facteurs qui influent sur la décision de vivre seul à l'âge adulte avancé ?

RELATIONS INTERPERSONNELLES

RELATIONS CONJUGALES

Selon le peu d'information dont on dispose, il semblerait que les relations conjugales à l'âge adulte avancé ne diffèrent pas tellement des relations conjugales à l'âge adulte moyen. Les comparaisons transversales indiquent que la satisfaction conjugale est plus élevée à la fin de la vie adulte que lorsque les enfants sont encore à la maison ou qu'ils se préparent à partir. Toutefois, la satisfaction à l'âge adulte avancé peut avoir une origine assez différente de celle qui est ressentie pendant les premières années de mariage. À l'âge adulte avancé, les relations sont moins basées sur la passion et l'ouverture réciproque, mais davantage sur la loyauté, la familiarité et l'investissement personnel (Bengtson, Rosenthal et Burton, 1990).

Malgré ces différences potentielles, on peut dégager certains thèmes communs parmi les relations réussies à tout âge. Dans ces relations, les conjoints semblent être de très bons amis, ils s'entendent sur leurs objectifs de vie et font preuve d'humour et de bonne humeur l'un envers l'autre (Lauer et Lauer, 1986).

Nous ne voulons pas donner l'impression que la plupart des mariages à l'âge adulte avancé sont comme des coquilles vides, sans vie et sans énergie, dans lesquels il ne reste que la loyauté et l'habitude. Cette description peut correspondre à certains mariages, mais pas à tous. Nous avons vu au chapitre 14 (figure 14.8, p. 442) que la moitié au moins, voire la majorité des couples d'âge avancé étaient encore actifs sexuellement. Les couples âgés passent également plus de temps ensemble qu'avec leur famille ou leurs amis, même s'ils consacrent la majeure partie de ce temps à des activités passives ou à des travaux ménagers, comme regarder la télévision, faire le ménage et faire des courses. Par ailleurs, les personnes âgées qui passent davantage de temps avec leur conjoint se disent plus heureuses (Larson, Mannell et Zuzanek, 1986).

Les liens profonds qui continuent d'exister entre les époux à l'âge avancé sont marqués par la quantité étonnante de soins et d'aide qu'ils se donnent lorsque l'un d'eux souffre d'une invalidité ou de démence. Chez les personnes âgées atteintes d'une invalidité, la principale source d'aide est de loin le conjoint, non pas les enfants ou les amis. De nombreux époux prodiguent des soins à leur conjoint gravement malade ou atteint de démence pendant de longues périodes

Plus d'hommes âgés que de femmes âgées sont mariés, non seulement parce que les femmes vivent plus longtemps, mais aussi parce que les hommes sont plus susceptibles de se remarier s'ils sont veufs, comme cet homme sur la photographie. Les hommes se remarient habituellement avec une femme plus jeune qu'eux, ce qui augmente le risque qu'elle devienne veuve à son tour.

de temps. De plus, de nombreux couples âgés dont les deux membres souffrent d'une invalidité grave continuent néanmoins à prendre soin l'un de l'autre « jusqu'à ce que la mort les sépare ».

Les mariages entre adultes âgés sont parfois moins romantiques et moins intenses sur le plan affectif que les mariages du début de l'âge adulte. Toutefois, ils sont habituellement satisfaisants et présentent un degré d'engagement élevé.

Comme nous l'avons vu au tableau 15.1, c'est la *perte* de la relation conjugale, lors du décès du partenaire, qui modifie ce modèle pour de nombreux adultes âgés. Le taux de remariage étant plus élevé chez les hommes que chez les femmes, la différence sexuelle dans la situation de famille des personnes âgées s'accroît. Ce modèle se retrouve autant chez les personnes veuves que divorcées dans tous les groupes d'âge. Un cinquième des hommes seuls de plus de 65 ans se remarient, contre seulement 2 % chez les femmes. Les hommes âgés seuls ont davantage tendance à fréquenter une femme et à cohabiter avec cette dernière (Bulcroft et Bulcroft, 1991).

Nous aborderons plus loin dans ce chapitre les questions du deuil et de la perte associés au veuvage. Pour le moment, nous voulons souligner de nouveau l'effet du mariage (ou de la relation principale) sur les autres aspects du fonctionnement physique et psychologique. Les adultes âgés qui sont mariés, comme les personnes mariées de tout âge, jouissent d'avantages précis : ils tirent plus de satisfaction de la vie, ils sont en meilleure santé et sont moins souvent placés dans un établissement spécialisé. Ces avantages sont souvent plus importants pour les hommes âgés que pour les femmes âgées, comme chez les adultes plus jeunes. Cet écart pourrait indiquer que le mariage apporte plus de bénéfices aux hommes qu'aux femmes. On pourrait également conclure que les hommes comptent davantage sur leur relation conjugale pour obtenir un soutien social ; ils sont donc plus touchés par la perte de leur conjointe. Quelle que soit l'explication, il est clair que la situation de famille des femmes âgées est reliée moins étroitement à la santé et à la satisfaction générale, mais qu'il est fortement associé à leur sécurité financière. Comme nous le verrons un peu plus loin, les veuves et les femmes âgées célibataires vivent plus souvent dans la pauvreté que les autres personnes âgées, et la pauvreté a des effets évidents sur le sentiment de bien-être et la santé.

Combien d'explications pouvez-vous avancer pour justifier le fait que les hommes âgés seuls ont plus de chances de se remarier que les femmes âgées ?

Au risque de nous répéter, nous voulons insister encore une fois sur la profonde différence qui existe entre l'expérience normale d'un homme âgé et celle d'une femme âgée. Les femmes *s'attendent* à être veuve un jour, mais pas les hommes. Les femmes savent qu'elles risquent de vivre seules un certain temps, les hommes n'y pensent pas. En fait, il est possible que cette différence sexuelle dans les attentes joue un rôle dans la différence observée dans la situation de famille des hommes et des femmes âgés. On sait que les changements inattendus dans le mode de vie sont plus difficiles à surmonter que les changements prévus. Ainsi, il se peut que les femmes se préparent à la solitude, tandis que les hommes ne le font pas. Mis à part cette différence, les interactions à l'âge adulte avancé sont radicalement différentes chez les hommes et chez les femmes.

RELATIONS AVEC LES ENFANTS ET LES AUTRES MEMBRES DE LA FAMILLE

Les descriptions de la presse à grand tirage sur l'âge adulte avancé suggèrent que la famille, en particulier les enfants et les petits-enfants, forme le centre de la vie sociale des personnes âgées, surtout de celles qui sont veuves. Certaines données appuient ce point de vue, mais, curieusement, d'autres l'infirment.

Il est vrai que la majorité des personnes âgées, dont au moins un enfant est encore vivant, voient régulièrement leurs enfants et leurs petits-enfants. Par exemple, sur un vaste échantillon composé de plus de 11 000 adultes âgés de 65 ans et plus, 63 % ont répondu qu'ils voyaient au moins un de leurs enfants une fois par semaine ou plus, 16 % voyaient un enfant trois fois par mois et seulement un cinquième de ces personnes ne voyaient leurs enfants que une fois par mois ou moins (Crimmins et Ingegneri, 1990). Ces contacts réguliers sont facilités par le fait que, même en Amérique du Nord où les distances sont grandes et les déménagements fréquents, les trois quarts des personnes âgées vivent à moins d'une heure de chez au moins un de leurs enfants. Des chercheurs ont obtenu des données semblables dans d'autres pays industrialisés, notamment en Angleterre (Jerrome, 1990).

MODÈLES D'AIDE. Évidemment, une partie de ces contacts réguliers prennent la forme d'un échange d'aide donnée, un modèle observé au chapitre 13. La grande part de l'aide requise par les personnes âgées, qui ne peut être fournie par le conjoint, est prodiguée par un autre membre de la famille, notamment les enfants (Antonucci et Akiyama, 1987b ; Antonucci, 1990). On a obtenu un ensemble de données représentatives d'une étude récente sur les familles et les ménages portant sur un vaste échantillon de plus de 1 500 adultes âgés de 65 ans et plus ayant au moins un enfant. Dans ce groupe, 52 % des sujets bénéficiaient d'une aide

ménagère et 21 % recevaient un soutien financier d'au moins un de leurs enfants (Hoyert, 1991).

Évidemment, les facteurs associés au fait qu'une personne âgée vit avec un de ses enfants permettent également de prédire la quantité d'aide qu'elle recevra de ceux-ci si elle ne vit pas avec eux : les personnes appartenant aux minorités ethniques ont plus de chances de recevoir de l'aide de leurs enfants que les Blancs, et les personnes à faible revenu reçoivent davantage d'aide, comme celles qui ont plusieurs enfants. Ce sont les femmes âgées seules qui reçoivent le plus d'aide de leurs enfants.

NATURE DES INTERACTIONS. Toutefois, les relations entre les parents âgés et leurs enfants ne se limitent pas à un simple échange de services. Une part importante des interactions est autant de nature sociale que fonctionnelle. De plus, la majorité des personnes âgées décrivent en termes positifs leurs relations avec leurs enfants devenus adultes. La plupart d'entre eux ne voient pas seulement leurs enfants par obligation ou devoir, mais aussi parce qu'ils trouvent ces contacts agréables. Un important pourcentage de ces personnes affirment que l'un au moins de leurs enfants est leur confident (Connidis et Davies, 1992). Il existe bien sûr des exceptions, telles les relations parents-enfant qui sont distantes, froides ou chargées de conflits et de problèmes. Mais, en général, les personnes âgées disent que leurs relations avec leurs enfants sont intimes et harmonieuses (Cicirelli, 1983).

ENFANTS ET SATISFACTION GÉNÉRALE. La situation devient complexe lorsque l'on étudie la corrélation entre les contacts d'une personne âgée avec ses enfants et son degré général de satisfaction. Étant donné que les relations avec les enfants semblent constituer l'aspect central de la vie quotidienne de la plupart des adultes âgés, il semblerait parfaitement raisonnable de supposer que ceux qui ont des contacts fréquents avec leurs enfants se diront davantage satisfaits dans la vie et plus heureux. Toutefois, ce n'est pas ce que les chercheurs ont trouvé, du moins dans les études effectuées en Amérique du Nord. Les adultes âgés qui voient souvent leurs enfants ou qui affirment avoir avec eux des interactions positives, ne se décrivent pas comme des personnes plus heureuses ou en meilleure santé que ceux qui ont des contacts moins fréquents ou moins positifs avec leurs enfants (Lee et Ellithorpe, 1982 ; Seccombe, 1987 ; Markides et Krause, 1985). En outre, les contacts avec les enfants ne sont pas reliés à

Pensez à la plus vieille génération de votre famille. Comment décririez-vous le rôle familial joué par vos parents âgés (ou grands-parents) ? Quelles sont les attentes de la famille ? Pouvez-vous déterminer des sources possibles de tension dans l'exercice de ce rôle ?

l'estime de soi ou au sentiment de solitude des personnes âgées (Lee et Shehan, 1989 ; Lee et Ishii-Kuntz, 1987).

On pourrait expliquer ce paradoxe apparent par le fait que la combinaison des données sur les personnes âgées mariées et sur celles qui sont seules provoque une certaine confusion. Les personnes âgées mariées reçoivent de l'aide de leur partenaire et n'ont donc pas besoin du soutien émotionnel de leurs enfants pour être satisfaits. Si cette affirmation est vraie, on pourrait s'attendre à découvrir que les contacts avec les enfants sont essentiels au bonheur ou au sentiment de bien-être des personnes âgées seules. Or, ce n'est toujours pas ce que les études révèlent. Il n'y a pas plus de rapport entre les contacts avec les enfants et le bien-être chez les personnes veuves que chez celles dont le conjoint est vivant.

On pourrait également expliquer cette question par le fait que les relations avec les enfants sont encore empreintes des exigences du rôle parental, même à l'âge adulte avancé. Ces relations sont peut-être amicales, mais elles ne sont pas choisies de la même manière que les relations avec les amis. Avec un ami, on se sent libre d'être soi-même, on se sent accepté tel que l'on est. Avec les enfants, on se sent parfois obligé de se montrer à la hauteur de leurs exigences et de leurs attentes.

FRÈRES ET SŒURS. Nous n'avons pas décrit en détail les relations entre frères et sœurs à l'âge adulte, car elles n'occupent généralement pas une place privilégiée dans le réseau social des adultes. La plupart des adultes ont au moins un frère ou une sœur et ils affirment qu'ils ont des relations relativement intimes avec cette personne. Cependant, peu d'adultes placent leur frère ou sœur au centre de leur réseau social (Cicirelli, 1982 ; Goetting, 1986). La plupart des frères et sœurs adultes s'écrivent ou se parlent à l'occasion et se rencontrent lors de réunions familiales, mais ils ne sont ordinairement pas très proches. Lorsqu'ils ont une décision importante à prendre, peu d'adultes consultent leurs frères et

sœurs. Par ailleurs, à tout âge, les frères et sœurs s'entraident rarement sur le plan financier ou autre.

AMITIÉ ET RÉSEAU SOCIAL

À l'âge avancé, les relations avec les amis sont moins ambivalentes que les relations familiales, même si elles peuvent être tout aussi complexes sur d'autres plans. Quoique l'on ne possède pas de preuve convaincante (ni de données longitudinales valables), il semble que le nombre d'amis diminue après l'âge de 65 ans. À cet âge, la plupart des amis intimes sont des amis de longue date (Litwak, 1989 ; Blieszner, 1989) ; à mesure qu'ils meurent, le réseau diminue. Par ailleurs, les personnes veuves cessent souvent de voir leurs amis encore mariés.

À l'âge adulte avancé, les amis ne répondent pas aux mêmes types de besoins que les membres de la famille. Par exemple, les relations amicales sont souvent plus réciproques et équitables, elles ont donc plus de valeur et sont moins stressantes (Roberto et Scott, 1986). Les amis nous tiennent compagnie, nous font rire et participent à nos activités. Dans une étude canadienne récente, les amis occupaient la deuxième place, après le conjoint, en tant que source de camaraderie chez les personnes de plus de 65 ans (Connidis et Davies, 1992). Puisque les amis sont généralement issus de la même cohorte, ils ont en commun une histoire, une culture, de vieilles chansons favorites, des plaisanteries et des expériences sociales. Les amis offrent également une aide précieuse dans la réalisation des tâches quotidiennes, comme les courses et les travaux ménagers (Adams, 1986), même s'ils fournissent habituellement moins d'aide de ce genre que les membres de la famille.

DIFFÉRENCES SEXUELLES SUR LE PLAN DE L'AMITIÉ ET DU RÉSEAU SOCIAL. Tout comme à un âge moins avancé, les femmes et les hommes semblent avoir un réseau social différent. Les amitiés entre hommes âgés sont moins ouvertes et intimes, même s'ils ont autant, sinon plus, d'amis que les femmes (Wright, 1989). Toni Antonucci a effectué une étude sur les réseaux sociaux des adultes de plus de 50 ans, qui illustre particulièrement bien cette différence (Antonucci et Akiyama, 1987b). Afin de pouvoir comparer les deux groupes, elle n'a inclus que les hommes et les femmes mariés ayant au moins un enfant vivant. Antonucci n'a

Cette dame de 95 ans est très heureuse de fêter son anniversaire avec sa famille. Toutefois, les recherches révèlent que ces contacts familiaux ne sont pas un élément essentiel au bon moral d'une personne âgée.

Pourquoi les adultes d'âge avancé ont-ils pour la plupart des amis de longue date ? Existe-t-il des barrières sociales empêchant la création de nouvelles amitiés à cet âge ? S'agit-il de barrières psychologiques ?

RAPPORT DE RECHERCHE

Relations des personnes célibataires ou qui n'ont pas d'enfant à la fin de leur vie

Les études effectuées sur les personnes célibataires ou sur celles qui se sont mariées mais qui n'ont pas eu d'enfant n'apportent pas d'éclaircissement sur les données contradictoires concernant l'importance, ou le peu d'importance, des relations avec les enfants à l'âge adulte avancé. Des fragments d'information suggèrent différentes possibilités.

Dans la plupart des pays industrialisés, les veufs sans enfant sont plus susceptibles de se suicider, de souffrir d'alcoolisme ou de mourir accidentellement, et les veuves sans enfant sont plus souvent placées dans un établissement spécialisé (Aldous et Klein, 1991). Les personnes âgées veuves et sans enfant courent plus de risques de vivre seules et d'établir peu de contacts sociaux. Dans une étude réalisée en 1974, un quart des personnes âgées de plus de 65 ans qui n'avaient pas d'enfant et qui vivaient seules ont indiqué n'avoir eu aucun contact social dans les deux jours précédents, contre seulement 10 % chez les personnes vivant seules mais qui avaient au moins un enfant (Bachrach, 1980). Ces statistiques dressent un tableau plutôt sombre des dernières années de vie des adultes sans enfant.

Par ailleurs, de nombreuses études montrent que les personnes âgées sans enfant ne sont pas moins satisfaites de leur vie que celles qui ont des enfants (Glenn et McLanahan, 1981). Les personnes qui sont encore mariées tirent satisfaction de leur relation conjugale. Une étude révèle même que la satisfaction conjugale est plus élevée chez les personnes âgées qui n'ont pas d'enfant que chez celles qui en ont eu au moins un (Lee, 1988). En outre,

les personnes qui ne se sont jamais mariées, surtout les femmes, possèdent souvent un vaste réseau social, composé de membres de leur famille, d'amis et des enfants de leur famille ou de leurs amis. Robert Rubinstein a interrogé une femme âgée qui ne s'était jamais mariée (Rubinstein *et al.*, 1991). Elle a décrit son réseau social de la manière suivante:

> *Ma famille n'a pratiquement aucune importance pour moi. En fait, elle en a très peu. Mes amis ont toujours été ma famille. Je fais partie de la famille de certains de mes amis. On se téléphone. Ils se soucient de moi. (p. S275.)*

Certaines femmes interrogées dans cette étude ont exprimé leur inquiétude quant à leur capacité de prendre soin d'elles-mêmes à un âge avancé, sans l'aide d'un enfant ou d'un petit-fils ou d'une petite-fille. Toutefois, ces femmes avaient trouvé des moyens originaux de répondre à leurs besoins de compagnie et de soutien social, au-delà ou à la place des liens familiaux traditionnels.

Ces résultats apparemment contradictoires illustrent bien pourquoi il est si difficile de tirer des conclusions générales sur la vieillesse. Il existe de nombreux chemins différents, chacun comportant des adaptations positives possibles. Les hommes célibataires sans enfant représentent le sous-groupe le plus vulnérable, précisément parce qu'ils arrivent moins facilement à établir des relations de rechange (Brubaker, 1990). Toutefois, le fait d'être célibataire ou sans enfant ne mène pas inévitablement à l'insatisfaction à l'âge avancé.

À la fin de l'âge adulte, les amis semblent jouer un rôle particulier, peut-être parce qu'ils ont le même passé et les mêmes souvenirs, comme les vieilles chansons.

trouvé aucune différence dans le nombre d'amis qu'avaient les hommes et les femmes, mais elle a découvert d'autres différences qu'elle résume ainsi:

> *D'une certaine manière, les différences entre les hommes et les femmes sont assez simples: les hommes comptent sur leur femme, tandis que les femmes s'appuient sur leurs enfants et leurs amis, en plus de leur conjoint. (1987b, p. 748.)*

Il serait très utile d'avoir un ensemble de données semblables sur les hommes et les femmes plus âgés qui sont seuls et ont des enfants. Un homme veuf compte-t-il davantage sur ses enfants, ou sur une sœur? Élargit-il son cercle d'amis? Les études sur l'effet du veuvage chez les hommes suggèrent qu'ils ne font rien de tout cela. Les veufs semblent plus susceptibles de souffrir de divers troubles de santé et de troubles affectifs que les veuves, ce qui indique que leur réseau de soutien social est insuffisant pour atténuer ce stress important. Toutefois, il serait intéressant d'obtenir des informations directes sur le rôle des amis chez les hommes âgés seuls.

APERÇU DES RELATIONS INTERPERSONNELLES

Lorsque l'on analyse les modèles de relations à l'âge adulte avancé, deux éléments attirent l'attention. Premièrement, les relations établies au cours des périodes précédentes de la vie se poursuivent. Les femmes continuent d'élargir leur réseau d'amies intimes et de jouer leur rôle d'« organisatrice familiale » ; les hommes comptent encore sur leur femme en tant que confidente. Cette continuité existe également sur le plan individuel : les personnes qui ont de nombreux amis et un réseau social étendu au début et au milieu de l'âge adulte ont plus de chances de maintenir ces réseaux à l'âge adulte avancé (McCrae et Costa, 1990), tandis que celles qui sont plutôt solitaires et introverties ne changent pas leur modèle de relations.

Deuxièmement, il est étonnant d'observer cette continuité malgré le vieillissement considérable du réseau social personnel des personnes âgées. La majorité des femmes âgées sont veuves ; les amis, les frères et les sœurs des personnes âgées meurent les uns après les autres. Cependant, la plupart des personnes âgées s'adaptent d'une manière remarquablement efficace à ces changements et conservent des contacts sociaux tout au long de leur vie. Elles rendent visite à leurs parents et amis, vont à l'église ou participent à d'autres activités. Le facteur qui limite le plus souvent les activités sociales à l'âge adulte avancé est une invalidité

physique, plutôt que la mort du conjoint ou des amis. La persistance des contacts sociaux à l'âge adulte avancé illustre non seulement l'importance continue de ces interactions pour le sentiment d'appartenance et de bien-être d'un adulte, mais aussi la forte capacité d'adaptation qui se maintient jusqu'à la fin de la vie.

TRAVAIL : PROCESSUS DE LA RETRAITE

Une grande capacité d'adaptation similaire marque la transition de la période de travail à la période de la retraite. Bien que cette transition suppose la perte d'un rôle majeur, presque toutes les croyances populaires sur les effets négatifs associés à la perte du rôle de travailleur sont erronées, du moins en ce qui concerne les cohortes actuelles dans les pays industrialisés. Les connaissances sur ce processus de la retraite ont été approfondies grâce à une série d'études longitudinales portant sur un groupe d'hommes et de femmes, de la préretraite à la retraite. Dans une analyse particulièrement utile, Erdman Palmore et ses collaborateurs (Palmore *et al.*, 1985) ont combiné les résultats de 7 de ces études, obtenant ainsi un échantillon de plus de 7 000 adultes qui ont été interrogés au moins à deux reprises et même, dans la plupart des cas, à de nombreuses reprises. Nous allons nous baser essentiellement sur leurs découvertes puisqu'il s'agit du plus vaste ensemble de données longitudinales que l'on puisse consulter.

MOMENT DE LA RETRAITE

La croyance populaire voulant que l'âge normal de la retraite soit de 65 ans est fausse. Dans la plupart des pays industrialisés, les gens prennent leur retraite de plus en plus tôt depuis quelques décennies. Dans une comparaison récente entre divers pays, Alex Inkeles et Chikako Usui (1989) ont découvert que dans 13 des 34 pays capitalistes et communistes qu'ils ont étudiés, l'âge officiel de la retraite est de 60 ans. Dans 17 autres pays, l'âge officiel d'admissibilité aux pensions de retraite est de 65 ans, mais dans presque tous les cas, les travailleurs qui décident de prendre leur retraite plus tôt

---

Relations interpersonnelles

Q 3   Quels sont les effets de la vie de couple sur le fonctionnement physique et psychologique à l'âge adulte avancé ?

Q 4   Existe-t-il un lien entre la satisfaction générale et la quantité de contacts avec les enfants chez les adultes d'âge avancé ? Expliquez.

Q 5   L'amitié joue-t-elle un rôle aussi important à l'âge adulte avancé qu'au début de l'âge adulte ? Pourquoi ?

Avant de lire la section sur la retraite, pensez à vos propres réactions face à ce changement dans la vie. Selon vous, s'agit-il d'une période positive et agréable ou l'envisagez-vous plutôt avec anxiété et appréhension ? Sur quels facteurs vous appuyez-vous ?

reçoivent un soutien financier. Par exemple, au Canada, une personne bénéficie de tous les avantages sociaux dès l'âge de 65 ans, mais elle peut commencer à profiter de certains avantages dès l'âge de 62 ans. D'autres régimes de retraite offrent maintenant des avantages anticipés. En raison de ces avantages, l'âge moyen de la retraite a diminué assez rapidement.

RAISONS POUR PRENDRE LA RETRAITE

Les résultats de l'analyse combinée effectuée par Palmore ainsi que d'autres données ont fait apparaître une série de facteurs qui influent sur la décision d'une personne de prendre sa retraite.

SANTÉ. L'état de santé est l'un des plus puissants facteurs prédictifs de la retraite *anticipée*. Chez les travailleurs âgés de 60 à 67 ans, une mauvaise santé accroît la probabilité de la retraite de 14 à 18 %, et diminue l'âge moyen du départ à la retraite de 1 à 3 années (Sammartino, 1987). Toutefois, parmi les personnes qui ont pris leur retraite à l'âge « normal » de 65 ans, l'état de santé est un facteur moins prépondérant, probablement parce que la plupart de celles qui prennent leur retraite tard sont en bonne santé. Plusieurs autres facteurs sous-tendent la décision de prendre sa retraite.

ÂGE. L'âge constitue un élément important de l'équation car, dans bien des professions, il y a soit des règlements de retraite obligatoire, soit des attentes précises de la part des employeurs ou des membres de la famille. Les modèles internes jouent également un rôle essentiel. Si une personne souhaite prendre sa retraite à l'âge de 62 ou 65 ans, il y a de fortes chances pour qu'elle la prenne à cet âge, quel que soit son état de santé.

Il y a des gens qui ne prendront jamais leur retraite. L'éditeur Pierre Tisseyre, âgé de 85 ans lorsque cette photographie a été prise, a continué d'exercer sa profession jusqu'à sa mort, un an plus tard.

COMPOSITION DE LA FAMILLE. Quel que soit son âge, une personne qui a encore des enfants mineurs à sa charge prend sa retraite plus tard qu'un adulte en période postparentale. Ainsi, les hommes et les femmes qui ont des enfants très tard, ceux qui prennent en charge une deuxième famille plus jeune après un second mariage, ou ceux qui élèvent leurs petits-enfants sont plus susceptibles de continuer à travailler jusqu'à ce que les enfants quittent le foyer.

RÉGIMES DE RETRAITE. Qu'il s'agisse d'une retraite anticipée ou normale, il est très important que le retraité bénéficie d'un soutien financier approprié. Les personnes qui ont prévu une rente de retraite en plus des prestations de la sécurité sociale prennent leur retraite plus tôt que celles qui ne jouissent pas d'un tel soutien financier.

La retraite anticipée et la santé exercent souvent des pressions opposées, car beaucoup de travailleurs non spécialisés ne reçoivent qu'une faible pension de retraite et sont en mauvaise santé. En général, les personnes issues des classes ouvrières prennent leur retraite *plus tôt* que les personnes issues des classes favorisée ou très favorisée, en raison de problèmes de santé et de pressions normatives. Toutefois, il existe un important sous-groupe d'adultes issus d'un milieu défavorisé ou de la classe ouvrière, dont beaucoup d'adultes des minorités ethniques, qui continuent de travailler après l'âge normal de la retraite afin d'accroître leur revenu.

À l'autre extrémité de l'échelle sociale, la santé et la pension agissent en sens opposés. Les personnes de ce groupe jouissent habituellement d'une meilleure santé et reçoivent des pensions élevées. De plus, elles occupent généralement des emplois plus intéressants. La combinaison de ces trois facteurs retarde le moment de la retraite pour cette classe sociale favorisée.

CARACTÉRISTIQUES DU TRAVAIL. On peut donc déduire de ces observations que les personnes qui aiment leur travail et qui sont très engagées dans leur profession, notamment de nombreux travailleurs indépendants, prennent leur retraite plus tard (et souvent beaucoup plus tard) que celles dont le travail est moins valorisant. Les individus qui ont un travail stimulant et intéressant sont plus susceptibles de retarder le moment de leur retraite jusqu'à ce qu'ils y soient forcés, en raison d'un problème de santé ou d'une motivation financière. Pour ces personnes, l'accessibilité des régimes de retraite normaux n'est pas prépondérante (Hayward et Hardy, 1985).

LES FEMMES PAR RAPPORT AUX HOMMES. Aucun de ces facteurs, à l'exception de l'âge, n'est un bon indicateur de la retraite pour les femmes, contrairement à ce que l'on observe chez les hommes (Palmore *et al.*, 1985). Si les femmes prennent leur retraite presque au même âge que les hommes, ni les avantages financiers ni la santé ni les caractéristiques professionnelles ne permettent de prédire si une femme va prendre une retraite anticipée ou si elle va retarder ce moment. On ne possède pas encore d'explication de cette différence sur le plan de la prévisibilité. Il se peut que la retraite du conjoint influe davantage sur le moment de la retraite chez les femmes que l'inverse. Il se peut aussi que, comme les femmes de 50 à 60 ans des cohortes actuelles sont assez nouvellement arrivées sur le marché du travail, elles soient moins lassées par leur travail que les hommes. Pour obtenir des éléments de réponse, il faut attendre de voir si les cohortes de femmes ayant une plus longue expérience de travail se comporteront différemment.

EFFETS DE LA RETRAITE

Il y a de cela quelques années, un exemple particulièrement frappant sur les croyances populaires concernant la retraite a attiré notre attention. Un article sur la retraite circulait parmi les professeurs d'une grande université, et affirmait notamment qu'« il n'est pas possible de décrire le sentiment d'abandon ressenti par de nombreuses personnes qui occupent un poste de direction lorsqu'elles prennent leur retraite ». Selon cet article, les professeurs qui prennent leur retraite rechercheraient désespérément un nouveau sens à leur vie, puis finiraient par sombrer dans la dépression et par tomber malades.

Il est vrai que certains adultes acceptent mal la retraite et que cette difficulté d'adaptation s'observe davantage (mais pas inévitablement) chez les adultes qui sont très engagés dans leur travail. Mais, en règle générale, ces tristes constatations sur les effets négatifs de la retraite ne sont pas fondées.

CONSÉQUENCES SUR LE REVENU. Vous ne serez pas surpris d'apprendre que, en moyenne, le revenu diminue à la retraite. Des données provenant de l'analyse combinée effectuée par Palmore indiquent que cette baisse est de l'ordre de 25 %. Toutefois, ce pourcentage illustre assez mal le statut financier réel des retraités. Dans la plupart des pays indus-

trialisés, beaucoup de retraités possèdent une maison et n'ont plus d'hypothèque à payer. Leurs enfants ont quitté la maison. Ils ont droit à l'assistance médicale ainsi qu'à plusieurs avantages pour personnes âgées. Lorsque l'on tient compte de tous ces facteurs, on s'aperçoit que, *en moyenne*, les retraités en Amérique du Nord, en Australie et dans la plupart des pays européens ont des revenus atteignant de 85 à 100 % de leur ancien salaire (Smeeding, 1990). (La Grande-Bretagne constitue une exception ; en effet, 60 % des personnes âgées ont des revenus qui ne dépassent pas, ou à peine, ceux du seuil de pauvreté. [Walker, 1990].) Pour certains, particulièrement ceux qui font partie des classes défavorisées, le revenu augmente parfois après la retraite.

Le tableau 15.2 présente les résultats d'une enquête menée au Québec en 1992-1993 auprès de personnes de différents groupes d'âge sur leur perception de leur situation financière. On constate que les personnes âgées de 65 ans et plus considèrent que leur situation financière est relativement bonne, comparativement aux autres groupes d'âge (Santé Québec, 1995).

Il y a vingt ans, nous n'aurions pas pu présenter un aperçu aussi optimiste des conditions financières à la retraite. Dans la plupart des pays industrialisés, les régimes de la sécurité sociale ont été considérablement améliorés, notamment par les majorations au coût de la vie, ce qui signifie que, dans les dernières décennies, la situation financière des personnes âgées s'est améliorée plus que pour tout autre groupe d'âge.

Cependant, un grand nombre de personnes âgées ont des revenus à peine supérieurs au seuil de pauvreté, dont un

---

Comparez votre revenu actuel à celui que vous devriez recevoir lorsque vous aurez 65 ans ou plus. Lesquelles de vos dépenses seront réduites ? Lesquelles pourraient augmenter à l'âge adulte avancé ?

Tableau 15.2

Perception par chaque individu de sa situation financière chez différents groupes d'âge, Québec, 1992-1993

Âge (années)	Perception de sa situation financière (%)			
	À l'aise	Suffisant	Pauvre	Très pauvre
15 à 24	25,6	49,2	20,9	4,4
25 à 44	15,4	59,6	21,7	3,3
45 à 64	15,8	58,5	21,7	4,1
65 et plus	18,9	59,7	20,2	1,2*

* Coefficient de variation entre 15 et 25 % ; interpréter avec prudence.
Source : Santé Québec, 1995, tiré du tableau 5.1, p. 129.

pourcentage élevé de femmes. Beaucoup de femmes âgées pauvres ne sont pas vraiment «à la retraite». Elles n'ont jamais travaillé. La plupart d'entre elles dépendent exclusivement des allocations de la sécurité sociale ou d'une autre forme d'assistance publique. Cette différence entre les sexes dans les taux de pauvreté chez les personnes âgées devrait s'amoindrir dans les cohortes ultérieures, car beaucoup plus de femmes auront été sur le marché du travail et recevront ainsi leurs propres pensions. Mais, pour le moment, on observe une féminisation frappante de la pauvreté chez les personnes âgées.

Toutefois, il ne faut pas oublier les aspects positifs que nous avons mentionnés au début de cette section: (1) en général, le revenu ne baisse pas après la retraite; et (2) les personnes âgées ont une meilleure situation financière aujourd'hui que jamais auparavant.

CONSÉQUENCES SUR LA SANTÉ. Les études longitudinales que l'on peut consulter indiquent clairement que la retraite n'a tout simplement pas d'effet sur l'amélioration ou l'aggravation de l'état de santé. Lorsqu'une personne retraitée est malade, elle l'était presque toujours avant de prendre sa retraite, et c'est souvent ce qui a causé son départ à la retraite. Par ailleurs, parmi les personnes en bonne santé, la retraite n'a aucun effet sur l'état de santé au cours des années suivantes (Palmore *et al.*, 1985). Ces résultats suggèrent que, pour la grande majorité des adultes, la retraite ne représente pas un changement de vie très stressant. Cette conclusion est appuyée par des études portant sur l'effet de la retraite sur les attitudes et la santé mentale.

EFFETS SUR LES ATTITUDES ET LA SANTÉ MENTALE. D'après les recherches effectuées, la retraite n'a pratiquement pas de répercussions sur la satisfaction générale ou sur le bien-être de l'individu. Des études longitudinales comprenant de telles mesures révèlent de légères différences dans les scores avant et après la retraite, mais il n'y a guère d'augmentation de la dépression parmi les personnes qui ont récemment pris leur retraite (Palmore *et al.*, 1985). Pour la plupart, la retraite n'est aucunement perçue comme un facteur stressant.

Selon d'autres indications, les individus qui réagissent le moins bien à la retraite sont ceux qui ont le moins de maîtrise sur ce processus. Les personnes qui ont été forcées de prendre leur retraite, que ce soit à cause d'un problème de santé, des régimes de retraite obligatoire, de l'abolition de leur poste ou pour d'autres raisons, et celles qui travaillent encore alors qu'elles préféreraient prendre leur retraite présentent souvent une diminution de la satisfaction générale et des degrés élevés de stress (Herzog, House et Morgan, 1991). La retraite est perçue comme plus stressante par les individus qui sont dans une mauvaise situation économique ou qui doivent faire face simultanément à la retraite et à d'autres changements de vie majeurs, comme le veuvage

(Stull et Hatch, 1984). Toutefois, cette perte de rôle ne s'accompagne pas de stress chez les personnes qui prennent leur retraite au moment prévu.

Retraite

Q 6   Quels sont les facteurs qui incitent une personne à prendre sa retraite?

Q 7   Quels sont les effets de la retraite sur le revenu, la santé et la satisfaction générale? Expliquez.

Q 8   Quels sont les facteurs associés à une réaction négative face à la retraite?

CHANGEMENTS DE LA PERSONNALITÉ: PERSPECTIVES THÉORIQUES

Si l'on peut décrire les changements de la personnalité au début de l'âge adulte comme une «individuation», et ceux de l'âge adulte moyen comme un «adoucissement», comment qualifier ceux qui se produisent à l'âge adulte avancé? L'adoucissement se poursuit-il? Y a-t-il d'autres changements? Plusieurs chercheurs ont formulé des hypothèses sur des formes très précises de changements, mais les théories suscitent la controverse et il n'existe que de rares données.

POINT DE VUE D'ERIKSON SUR L'INTÉGRITÉ

Selon Erikson, c'est dès le milieu de l'âge adulte que l'on doit faire face à la tâche d'intégrité personnelle, mais c'est surtout à l'âge adulte avancé que cette tâche devient essentielle. Pour atteindre l'intégrité, l'adulte d'âge avancé doit accepter ce qu'il est et ce qu'il a été, la façon dont il a mené sa vie, les choix qu'il a faits et les occasions saisies et perdues. Il doit aussi accepter la mort et son caractère inéluctable.

Selon une idée préconçue sur la retraite, il serait difficile pour les femmes de s'adapter à la présence permanente de leur mari qui se trouvait rarement à la maison auparavant. Quel type d'étude vous permettrait de vérifier cette hypothèse?

Aucune donnée longitudinale ou transversale n'indique si les adultes âgés sont plus portés que les jeunes adultes ou les adultes d'âge moyen à atteindre une telle acceptation de soi. Par contre, quelques données suggèrent que les personnes qui y sont parvenues ont moins peur de la mort et parlent de leur vie passée avec sérénité.

Dans l'une de ces études, Maxine Walaskay (Walaskay, Whitbourne et Nehrke, 1983-1984) a utilisé une méthode semblable à la description des états d'identité par Marcia pour classer les adultes âgés dans l'un des quatre états suivants :

Atteinte de l'intégrité. La personne est consciente de son vieillissement, elle est capable d'accepter sa vie telle qu'elle l'a vécue, et elle peut s'adapter aux changements.

Désespoir. La personne en arrive à une évaluation négative de sa vie, ne l'accepte pas et trouve que la vie est trop courte pour réparer les erreurs du passé.

Identité forclose. La personne est satisfaite de sa vie présente, mais résiste à toute exploration de soi et refuse de faire le bilan de sa vie.

Dissonance. La personne tente de résoudre le dilemme de l'intégrité et se sent indécise ou ambivalente.

Lorsque Walaskay a procédé au classement d'un groupe de 40 adultes âgés en se basant sur ses entrevues, et qu'elle a évalué leur peur de la mort et leur satisfaction générale, elle a découvert que ceux qui avaient atteint l'intégrité ou l'identité forclose étaient plus satisfaits de leur vie et moins anxieux face à la mort.

Une telle étude n'apporte que quelques indications. Puisque les états d'intégrité et d'identité forclose sont peu différents sur le plan de la satisfaction ou de la peur, on ne peut pas en conclure que l'acceptation de sa vie soit un élément nécessaire au contentement actuel de soi ou même à l'adap-

tation à l'âge avancé. Il serait utile de consulter plus de données de ce genre, mais nous ne sommes pas convaincue que la tâche principale de l'âge avancé soit celle avancée par Erikson (intégrité personnelle ou désespoir).

RÉMINISCENCE ET RÉTROSPECTION

Selon certains chercheurs qui se sont inspirés de la théorie d'Erikson, la notion de réminiscence fait partie intégrante de l'âge avancé. Pour qu'une personne arrive à un point de vue positif sur sa vie, il est peut-être essentiel qu'elle évalue son passé. Robert Butler décrit ce processus comme étant une **rétrospection** (Butler, 1963).

Malheureusement, après deux décennies de recherche sur les hypothèses de Butler (Haight, 1988), on ne connaît toujours que très peu de chose sur ce processus. Tout comme les travaux de Walaskay, selon lesquels les adultes ayant atteint l'état d'identité forclose ou l'intégrité étaient plus satisfaits de leur vie, la recherche sur la réminiscence suggère que les adultes d'âge avancé bien adaptés ou satisfaits de leur vie peuvent présenter un degré aussi bien faible qu'élevé de réminiscence (Coleman, 1986). Rien n'indique que des degrés élevés de réminiscence soient nécessaires pour atteindre une telle satisfaction. D'autre part, on ignore si la réminiscence augmente à l'âge avancé et, si tel est le cas, à quel point elle augmente.

THÉORIE DU DÉSENGAGEMENT

Les gérontologues se sont beaucoup intéressés à la **théorie du désengagement** élaborée par Cumming et Henry (1961) pour décrire le modèle psychologique central à l'âge adulte avancé qu'ils avaient observé. Selon la reformulation de Cumming (1975), cette théorie du désengagement comporte trois aspects :

Rétrécissement de l'espace de vie. Au fur et à mesure du vieillissement, la personne âgée a de moins en moins de relations avec autrui, et elle remplit de moins en moins de rôles.

Augmentation de l'individualité. Dans les rôles et les relations qui subsistent, la personne âgée subit de moins en moins l'influence de règles et d'attentes précises.

Si cet homme présente une trajectoire de vie dans les normes, il n'a pas encore atteint l'âge de 65 ans ; il a prévu le moment de sa retraite, et ne connaîtra donc que peu de stress au cours de cette transition dans sa vie.

Rétrospection : Processus qui, selon Butler, constitue un élément essentiel à l'acceptation du vieillissement ; réminiscence grâce à laquelle l'individu évalue l'ensemble de sa vie.

Théorie du désengagement : Théorie élaborée par Cumming et Henry, selon laquelle le détachement progressif, ou désengagement, de la vie sociale à l'âge adulte avancé constitue une réaction normale face à la perte des rôles et de leur contenu.

Acceptation de ces changements. La personne âgée en bonne santé se détache elle-même de ses rôles et relations, elle se tourne de plus en plus vers sa vie intérieure et s'éloigne ainsi des autres.

Les deux premiers aspects de la théorie du désengagement semblent faire l'unanimité. Toutefois, le troisième aspect est très controversé. Cumming et Henry soutiennent que, pour l'adulte d'âge avancé, la réaction normale et *saine* au rétrécissement des rôles et des relations consiste à prendre du recul, à cesser de chercher de nouveaux rôles, à passer plus de temps seul et à se tourner vers sa vie intérieure.

Les résultats de recherche sur cet aspect sont contradictoires. D'une part, il semble que Cumming et Henry se trompent en affirmant que l'isolement, ou le retrait, est le choix le plus sain. En effet, toutes les données suggèrent que les individus qui se détachent le *moins* sont plus heureux, ont un meilleur moral et vivent plus longtemps que les autres (Bryant et Rakowski, 1992 ; Palmore, 1981 ; Holahan, 1988). Cet effet n'est pas considérable, mais il est constant.

D'autre part, certains arguments corroborent la théorie du désengagement : les adultes d'âge avancé semblent mieux supporter la solitude que les personnes moins âgées. Nous avons mentionné au chapitre 11 que les adultes d'âge avancé se disent moins seuls que les jeunes adultes. Par ailleurs, toutes les études approfondies sur le mode de vie des adultes d'âge avancé relèvent des cas d'individus socialement isolés qui mènent une vie satisfaisante et ont des passe-temps qui les absorbent complètement (Maas et Kuypers, 1974 ; Rubinstein, 1986).

Il est donc possible de choisir un mode de vie détaché à l'âge adulte avancé et de s'en trouver satisfait. Toutefois, il n'est pas vrai qu'un tel désengagement soit nécessaire à la bonne santé mentale de la personne âgée. Cette affirmation est fausse pour la plupart des adultes. De plus, un certain degré d'engagement social est à la fois un signe, et probablement

une cause, d'un meilleur moral et d'un faible degré de dépression ou d'autres troubles psychologiques. Les rôles et les relations interpersonnelles régissent souvent moins nos vies à l'âge avancé qu'à un âge plus jeune, mais ils semblent constituer un élément essentiel à l'équilibre affectif, du moins pour la plupart d'entre nous.

Chacune de ces approches a influé sur le débat. Cependant, aucune n'a permis de décrire de façon satisfaisante la personnalité à l'âge adulte avancé. Comme dans le cas de l'état de la santé physique et mentale au cours de ces années, on note une grande diversité dans la façon de s'adapter ou de réagir à l'âge avancé. Il peut y avoir, à un niveau plus profond, une forme de recherche de l'intégrité et un certain désengagement. Mais si tel est le cas, on n'a pas encore trouvé la meilleure façon d'observer ce processus dans les recherches théoriques ou empiriques.

Personnalité

Q 9   Définissez le stade de l'intégrité personnelle ou du désespoir dans la théorie d'Erikson.

Q 10   Définissez le concept de la rétrospection dans le modèle de Butler.

Q 11   Expliquez la théorie du désengagement élaborée par Cumming et Henry. Quel en est l'aspect le plus controversé ?

DIFFÉRENCES INDIVIDUELLES SUR LE PLAN DE LA SATISFACTION GÉNÉRALE

Depuis quelques années, le concept du *vieillissement réussi* a été l'un des principaux thèmes de la recherche en gérontologie (Baltes et Baltes, 1990b). On définit ce concept au moyen des notions de longue vie, de bonne santé physique et mentale, de conservation des habiletés intellectuelles, de compétence sociale, du sentiment de maîtrise personnelle et de satisfaction générale. Les chercheurs et les théoriciens se sont penchés sur les caractéristiques permettant de prédire de bons résultats chez un individu. Nous avons déjà mentionné les facteurs prédictifs de la longévité et de la santé physique et mentale au chapitre 14. Bon nombre de ces facteurs réapparaissent lorsqu'on étudie la satisfaction générale, comme on peut le voir au tableau 15.3.

Certains adultes d'âge avancé mènent une vie solitaire et en sont satisfaits.

Tableau 15.3

Indicateurs de la satisfaction générale à l'âge adulte avancé

FACTEURS DÉMOGRAPHIQUES	
Revenu/classe sociale	Les personnes qui ont un revenu élevé sont plus satisfaites de leur vie, quels que soient les autres facteurs, comme la santé.
Études	Les personnes ayant un niveau de scolarité élevé sont légèrement plus satisfaites, mais la différence est minime.
Sexe	Il n'y a pratiquement pas de différence, malgré la fréquence plus élevée des douleurs et de la souffrance chez les femmes âgées et le plus grand nombre de veuves.
Situation de famille	Les personnes mariées déclarent avoir une plus grande satisfaction générale.
QUALITÉS PERSONNELLES	
Personnalité	Les personnes extraverties et celles qui présentent une faible tendance à la névrose ont une plus grande satisfaction générale.
Sentiment de maîtrise	Plus le sentiment de maîtrise est grand, plus la satisfaction générale est élevée. Cela est particulièrement important chez les personnes âgées, car le degré objectif de maîtrise peut diminuer.
Interactions sociales	Les personnes qui ont plus de contacts sociaux, particulièrement des relations intimes et de soutien, ont une plus grande satisfaction générale.
Santé	Les personnes qui ont une meilleure perception de leur santé sont plus satisfaites. Toutefois, la perception subjective de la santé n'est pas toujours en parfait accord avec la perception du médecin.
Religion	Les personnes croyantes se disent également plus satisfaites.
Changements de vie négatifs	Plus une personne âgée a vécu de changements de vie négatifs récents, plus elle risque de présenter un degré de satisfaction faible.

Sources: Antonucci, 1991; Diener, 1984; George, 1990; Gibson, 1986; Koenig, Kvale et Ferrell, 1988; Markides et Mindel, 1987; Murrell et Norris, 1991; Willits et Crider, 1988.

Si l'on cherche des modèles dans cette liste, on découvre que le soutien social constitue l'élément déterminant de plusieurs des modèles décrits. Par exemple, le manque d'accessibilité à un réseau de soutien social est l'une des raisons pour lesquelles les adultes issus des classes défavorisées ont une faible satisfaction générale. Si vous comparez des sous-groupes d'adultes des classes moyennes ou défavorisées qui bénéficient d'un soutien social, vous ne noterez aucune différence sur le plan de la satisfaction (Murrell et Norris, 1991).

On observe également l'effet du soutien social dans les liens entre l'extraversion et la satisfaction générale: les adultes extravertis ont tendance à établir des réseaux sociaux plus vastes et plus intimes (Krause, Liang et Keith, 1990). Le soutien social joue un rôle semblable dans la corrélation entre les changements de vie et la satisfaction. Les personnes qui disposent d'un réseau adéquat sont au moins partiellement protégées des pires conséquences des événements stressants de la vie.

Au Québec en 1992-1993, 81,1 % des personnes âgées de 65 ans et plus ont déclaré qu'elles bénéficiaient d'un soutien social élevé, comparativement à une moyenne de 79,8 % pour tous les groupes d'âge. Par contre, 20,2 % des personnes âgées de 65 ans et plus considéraient que leur soutien social était faible, comparativement à une moyenne de 20,2 % pour tous les groupes d'âge. (Santé Québec, 1995.)

La seconde tendance des données du tableau 15.3 est le sentiment de maîtrise (Rodin, 1986), une caractéristique individuelle que nous avons traitée au chapitre 11. Par exemple, les soucis financiers des personnes âgées semblent être liés à la satisfaction générale ou à la dépression surtout en raison de la perte du sentiment de maîtrise sur leur vie — un lien mis en évidence dans des études effectuées tant au Japon qu'aux États-Unis (Krause, Jay et Liang, 1991). Même les événements de la vie qui semblent objectivement très stressants peuvent n'avoir qu'un faible effet négatif sur l'individu si ce dernier a le sentiment qu'il a le choix. Une retraite *forcée* ou une *institutionnalisation involontaire* a des effets négatifs, tandis qu'une retraite planifiée et choisie ou un déménagement souhaité dans un foyer d'accueil n'en a pas.

Pour conclure, nous voulons insister encore une fois sur le fait que la *perception* qu'un individu a de sa situation constitue un élément décisif dans presque tous les cas : un soutien social adéquat, un revenu suffisant et la perception de son état de santé sont tous de meilleurs indicateurs de la satisfaction générale ou du moral que toute autre mesure objective. On peut donc supposer que la réaction d'adaptation d'une personne aux nombreuses pertes et déclins associés à l'âge avancé consiste à avoir des exigences et des attentes moins élevées et ainsi à se contenter de moins. Lorsqu'un adulte âgé se déclare en bonne santé, il ne veut pas dire la même chose que lorsqu'il avait 25 ans. L'écart entre ce qu'une personne souhaite avoir et ce qu'elle possède semble constituer un élément essentiel à l'équilibre affectif, ou au sentiment de satisfaction générale. Puisque ces attentes font partie des modèles internes, on constate encore une fois combien il est important de connaître ces modèles si l'on veut comprendre le développement d'un individu, de sa naissance à sa mort.

Satisfaction générale

Q 12   Parmi les indicateurs de la satisfaction générale, quels facteurs semblent jouer un rôle prépondérant ?

Q 13   Les modèles internes jouent-ils un rôle dans la satisfaction générale face à la vie ?

LA MORT ET LE DEUIL : SIGNIFICATION DE LA MORT TOUT AU LONG DU CYCLE DE VIE

Le « dernier voyage », la « fin de l'aventure » : c'est souvent à l'aide de ce genre d'expression que l'on décrit la mort. Nous avons débuté notre propre exploration du développement humain par l'étude de la conception. Nous la terminerons par l'étude de la mort, pour boucler la boucle en quelque sorte.

On meurt à n'importe quel âge mais, pour la plupart des gens qui vivent dans les sociétés industrialisées, la mort survient à l'âge adulte avancé. Les trois quarts des enfants nés aujourd'hui peuvent espérer vivre au-delà de l'âge de

65 ans (Marshall et Levy, 1990). Il s'ensuit qu'une bonne partie des informations que nous allons mentionner ici concernent les adultes âgés, qui sont l'objet de ce chapitre. Mais dans un premier temps, nous allons nous pencher sur la façon dont évoluent la compréhension et les réactions de l'individu face à la mort, et ce, par conséquent, dès l'enfance.

En tant qu'adulte, vous comprenez que la mort est irréversible, qu'elle touche tout le monde et qu'elle signifie la cessation des fonctions vitales de l'organisme. Mais à quel âge commence-t-on à comprendre ces aspects de la mort ?

INTERPRÉTATION DE LA MORT PAR LES ENFANTS

Les résultats d'un grand nombre d'études révèlent que les enfants d'âge préscolaire ne comprennent généralement aucun de ces aspects de la mort. Ils croient que la mort est réversible grâce à la prière ou à la magie, ou simplement parce qu'ils le souhaitent ; ils s'imaginent que les personnes mortes arrivent encore à respirer, et pensent que certaines personnes échappent à la mort, notamment les personnes intelligentes ou chanceuses et les membres de leur propre famille (Speece et Brent, 1984 ; Lansdown et Benjamin, 1985). À l'âge scolaire, soit au moment de la mise en place des opérations concrètes selon Piaget, la plupart des enfants semblent comprendre le caractère irréversible et universel de la mort.

Les chercheurs ont essayé d'établir le lien entre la compréhension chez l'enfant de ces aspects de la mort et l'émergence des différentes facettes des opérations concrètes. Certains chercheurs ont découvert que les enfants qui comprennent la notion de conservation sont aussi plus susceptibles de saisir le caractère irréversible ou universel de la mort. Toutefois, les chercheurs ne s'entendent pas tous sur l'existence de ce lien (Speece et Brent, 1984). Au contraire, comme cela se vérifie pour de nombreuses autres notions, l'expérience propre à chaque enfant semble avoir une importance considérable. Les enfants de quatre ou cinq ans qui ont fait l'expérience de la mort d'un membre de leur famille sont plus susceptibles de comprendre l'irréversibilité de la mort et la perte de fonction qui lui est associée que les autres enfants (Stambrook et Parker, 1987).

SIGNIFICATION DE LA MORT POUR L'ADULTE

Chez les adultes, la notion de mort va bien au-delà de la simple compréhension de son caractère inévitable et universel. De façon générale, la mort a une signification sociale importante. Ainsi, le décès d'une personne change le rôle et les relations interpersonnelles de tous les membres de sa famille. Lorsqu'une personne âgée meurt, toutes les personnes de sa lignée avancent d'un cran dans la généalogie. Si une personne d'âge moyen meurt, le système généalogique s'en trouve ébranlé, parce qu'il n'y a plus personne dans la génération médiane pour assumer la prise en charge des soins aux personnes plus âgées. Si un jeune adulte ou un enfant meurt, les parents perdent une partie de leur responsabilité de parents. En dehors de la famille, la mort d'un individu influe également sur d'autres rôles, en laissant par exemple plus de responsabilités aux jeunes adultes. La retraite a les mêmes répercussions, car la personne âgée cède sa place aux plus jeunes. Cependant, la mort entraîne de nombreux changements permanents dans les systèmes sociaux.

Kalish (1985) dresse la liste de quatre autres significations de la mort chez l'adulte.

LA MORT COMME REPÈRE TEMPOREL. Sur le plan personnel, la perspective que l'on va mourir peut modeler notre concept du temps. Selon Bernice Neugarten, au milieu de l'âge adulte, la plupart des gens modifient leur façon d'envisager le temps. Ils le divisent entre « le temps écoulé depuis la naissance » et « le temps qu'il reste jusqu'à la mort » (1968, 1970), comme l'exprime un sujet d'âge moyen :

> *Avant d'avoir 35 ans, l'avenir semblait infini. J'avais l'impression d'avoir le temps de réfléchir à ce que je voulais faire et de mener à bien tous mes projets… À présent, je ne cesse de me demander si j'aurai suffisamment de temps pour en réaliser quelques-uns. (Neugarten, 1970, p. 78.)*

Notons que cette conscience de la finitude — pour utiliser l'expression de Victor Marshall (1975) — ne fait pas partie de la vision de la mort chez tous les adultes d'âge moyen ou d'âge avancé.

LA MORT COMME PUNITION. Les enfants ont généralement tendance à percevoir la mort comme une punition

pour des actes répréhensibles — un raisonnement moral ultime de stade 1. Mais cette vision et l'inverse (si l'on est bon, on est récompensé par une longue vie) sont toujours présents chez les adultes. Par exemple, Kalish et Reynolds (1976) ont découvert que 36 % des adultes dans leur étude étaient d'accord avec l'affirmation suivante : « la plupart des gens qui vivent jusqu'à 90 ans ou au-delà ont dû être des personnes moralement bonnes ». Ce point de vue est renforcé par l'enseignement religieux qui met l'accent sur la relation entre le péché et la mort.

LA MORT COMME TRANSITION. Bon nombre d'adultes considèrent la mort comme une transition vers une autre forme de vie, de la vie physique vers une sorte d'immortalité. Aux États-Unis, environ 70 % des gens croient en la vie après la mort (Klenow et Bolin, 1989-1990). Cette croyance est plus courante chez les femmes que chez les hommes et plus répandue chez les catholiques et les protestants que chez les juifs, mais il n'y a aucune différence d'âge. Les personnes dans la vingtaine sont tout aussi enclines à avoir de telles croyances que les personnes de plus de 60 ans.

LA MORT COMME PERTE. La signification la plus partagée de la mort, pour la plupart des adultes, est celle de la perte. Il ne s'agit pas ici du fait de comprendre que la mort signifie un arrêt des fonctions vitales. Il s'agit de la conscience que la mort entraîne une perte de nos relations interpersonnelles, du goût et de l'odorat, du plaisir.

Les pertes dont les gens se préoccupent le plus semblent varier avec l'âge. Les jeunes adultes sont plus soucieux du fait de perdre l'occasion de vivre de nouvelles expériences et de perdre leurs relations familiales ; les personnes âgées s'inquiètent davantage de ne pas pouvoir terminer leur introspection.

PEUR DE LA MORT

Si l'on perçoit la mort comme une punition ou une perte, elle aura sans doute un caractère redoutable. Les chercheurs se sont penchés particulièrement sur la peur face à la mort, et les résultats des recherches indiquent que les adultes d'âge moyen ont plus peur de la mort que les personnes âgées. Les jeunes adultes se situent généralement entre les deux (Riley et Foner, 1968 ; Gesser, Wong et Reker, 1987-88). Dans une

La mort amène avec elle le chagrin ainsi qu'un bouleversement des rôles au sein de la famille. Ce jeune homme devra sans doute assumer précocement certaines responsabilités familiales.

Lorsque vous pensez à votre âge, pensez-vous au temps écoulé depuis votre naissance, au temps qu'il vous reste jusqu'à la mort ou aux deux ? Si vous songez au temps qu'il vous reste jusqu'à la mort, vous souvenez-vous à quel moment vous avez fait la transition, et pourquoi ?

étude effectuée par Vern Bengtson et ses collaborateurs (Bengtson, Cuellar et Ragan, 1977), la différence entre les adultes d'âge moyen et d'âge avancé apparaît très clairement. Ces chercheurs ont interrogé un échantillon d'adultes de 45 à 74 ans, représentatif de la population de Los Angeles. Les résultats montrent que le paroxysme de la peur de la mort est atteint au milieu de l'âge adulte, ce qui concorde entièrement avec les modèles de nombreux théoriciens, dont Levinson, selon lesquels l'acceptation du caractère inéluctable de sa propre mort constitue l'une des principales tâches psychologiques de l'âge adulte moyen. De plus, bien qu'il s'agisse d'une étude transversale, des modèles semblables ressortaient des comparaisons transversales effectuées dans les années 1960 et 1980, ce qui rend la conclusion d'autant plus crédible. La prise de conscience de la nature inexorable de la mort est sans doute déclenchée par les signes du vieillissement physique qui commencent à apparaître au milieu de l'âge adulte, ainsi que par la mort de parents âgés. Ces événements conjugués détruisent les défenses contre la conscience de la mort, et l'on prend conscience de sa peur.

Les personnes âgées ne se désintéressent pas de la mort. Au contraire, elles pensent à la mort et en parlent davantage que tout autre groupe. La mort préoccupe beaucoup les personnes âgées. Toutefois, elle cause apparemment moins d'angoisse qu'au milieu de l'âge adulte, sans doute parce que la plupart des individus ont pris conscience de son caractère inéluctable et l'ont accepté. Les personnes âgées redoutent généralement davantage la période d'incertitude qui *précède* la mort que la mort en soi. Elles s'inquiètent à propos de l'endroit où elles vivront, des personnes qui prendront soin d'elles, ou de leur capacité à s'adapter à la perte de maîtrise et d'indépendance qui pourrait accompagner les derniers mois ou les dernières années de leur vie (Marshall et Levy, 1990).

AUTRES FACTEURS PRÉDICTIFS DE LA PEUR DE LA MORT. La tendance à la névrose et la religiosité constituent deux autres caractéristiques liées à la peur de la mort. Généralement, les recherches indiquent que les personnes très croyantes ou qui vont à l'église régulièrement ont moins peur de la mort que les non-croyants. Par contre, quelques études révèlent que les personnes profondément athées ont aussi peu de craintes face à la mort (Kalish, 1985). Les personnes les plus angoissées sont sans doute celles qui sont dans l'incertitude quant à leurs traditions religieuses ou philosophiques ou qui ne s'engagent dans aucune d'elles. Les personnes qui ont l'impression d'avoir un but dans la vie ou qui donnent un sens à leur vie éprouvent moins de peur (Durlak, 1972).

Les personnes qui reçoivent des scores élevés aux tests de tendance à la névrose sont également plus angoissées face à la mort (Frazier et Foss-Goodman, 1988-89), comme celles qui ont l'impression de ne pas avoir atteint leurs objectifs ou qui ne sont pas satisfaites d'elles-mêmes (Neimeyer et Chapman, 1980-1981 ; Pollack, 1979-1980). Pour reprendre la terminologie d'Erikson, les personnes qui ont atteint la générativité

ainsi que l'intégrité personnelle auront moins peur de la mort que celles qui n'ont pas réussi à accomplir les différentes tâches psychologiques de la vie adulte. Dans cette perspective, la vie serait en quelque sorte une préparation à la mort.

Signification de la mort

Q 14   Comment évolue la signification de la mort entre l'enfance et l'âge adulte avancé ?

Q 15   Décrivez les différentes significations que les adultes accordent à la mort.

Q 16   Les adultes d'âge avancé ont-ils peur de la mort ? En parlent-ils ?

PRÉPARATION À LA MORT

La préparation à la mort se fait également sur de nombreux autres plans. Sur le plan pratique, une personne peut prendre une assurance-vie ou préparer son testament. De telles dispositions deviennent plus courantes au fur et à mesure que l'on vieillit et que l'on s'habitue à l'idée d'une mort prochaine.

Sur un plan plus personnel, les adultes peuvent se préparer à la mort au moyen d'un processus de réminiscence ou, selon Butler, d'une rétrospection. Nous avons déjà mentionné que l'on ne sait pas vraiment si les personnes âgées connaissent systématiquement ou nécessairement un tel processus de rétrospection. Chez certains, la rétrospection peut constituer une façon d'« écrire le dernier chapitre de leur vie » ou de justifier en quelque sorte leur vie (Marshall et Levy, 1990). Il n'existe aucune recherche indiquant la fréquence de cette rétrospection, mais il peut s'agir d'une part importante de la préparation à la mort pour certaines personnes âgées.

Sur un plan encore plus personnel, on peut dire que divers changements inconscients qui surviennent dans les années précédant la mort servent de préparation à celle-ci.

> Est-il possible que les personnes âgées aient aussi peur de la mort que les adultes d'âge moyen, mais qu'elles aient des moyens différents d'y faire face ? Songez à une façon dont vous pourriez étudier cette possibilité ?

Nous avons abordé les changements physiques et mentaux liés à la notion de « chute terminale » au chapitre précédent. Les recherches effectuées par Morton Lieberman laissent à penser qu'il pourrait aussi exister des changements psychologiques « terminaux » (Lieberman, 1965 ; Lieberman et Coplan, 1970).

Lieberman a mené une étude longitudinale sur un groupe de personnes âgées, en interrogeant et en évaluant chaque sujet régulièrement sur une période de trois ans. À la fin de l'étude, Lieberman a gardé le contact avec les sujets et noté la date de leur décès. Ainsi, il a pu identifier un groupe de 40 sujets qui étaient tous morts très peu de temps après la fin des entrevues (en l'espace d'un an). Il les a comparés avec un autre groupe de 40 sujets qui avaient survécu au moins trois ans après la fin des évaluations. Les deux groupes étaient pairés en fonction de l'âge, du sexe et de la situation de famille au début de l'étude. En comparant les scores obtenus aux tests psychologiques par ces deux groupes au cours des trois années d'évaluation, il a pu repérer certains changements qui pourraient survenir peu de temps avant la mort.

Lieberman a découvert que les personnes dont la mort approchait présentaient une chute terminale aux tests de mémoire et d'apprentissage, et devenaient aussi moins émotives, moins introspectives, moins agressives ou péremptoires, plus conventionnelles, dociles, dépendantes et chaleureuses. Toutes ces caractéristiques ont pris de l'ampleur avec le temps, et l'on n'a pas retrouvé ce modèle chez les personnes du même âge qui étaient plus éloignées de la mort. Or, les adultes initialement conventionnels, dociles, dépendants et non introspectifs ne mouraient pas plus tôt : ces caractéristiques s'accentuaient chez les personnes sentant leur fin prochaine.

Les adultes se préparent à la mort de diverses façons ; ils prennent une assurance-vie ou rédigent leur testament, comme le fait cette femme d'âge moyen.

Ces résultats ne concernent qu'une seule étude. Il ne faut donc pas en tirer de conclusions hâtives. Toutefois, les résultats suscitent la curiosité et certaines directions de recherche. Ils brossent le tableau d'une préparation psychologique à la mort — consciente ou non — dans laquelle l'individu cesse de lutter contre les moulins à vent, devient moins actif physiquement et psychologiquement. Les personnes à l'approche de la mort ne se lient pas moins intimement avec les autres, mais semblent faire preuve d'un certain désengagement.

ÉTAPES DU PROCESSUS DE LA MORT SELON KÜBLER-ROSS

Elizabeth Kübler-Ross (1969) a tiré des conclusions très similaires à partir de ses études sur les adultes et les enfants en phase terminale d'une maladie. Dans ses premiers travaux, elle affirme que les personnes qui savent qu'elles vont mourir traversent une série d'étapes, pour arriver finalement au stade qu'elle appelle l'*acceptation*. Ce modèle des étapes de la mort a soulevé de nombreuses critiques ; Kübler-Ross elle-même, dans ses derniers travaux, ne soutient plus que le processus de la mort comporte des étapes claires ou ordonnées (Kübler-Ross, 1974). Elle parle dorénavant de tâches affectives plutôt que d'étapes. Cependant, puisque ses premières idées ont été très influentes et que sa terminologie demeure répandue, vous devez posséder quelques connaissances de base sur ces notions.

En se basant sur l'observation de centaines de patients mourants, Kübler-Ross a défini les cinq étapes suivantes : refus, rage et colère, marchandage, dépression et acceptation.

REFUS. Lorsqu'ils apprennent qu'ils vont mourir, la plupart des gens pensent : « Oh non, pas moi ! », « Il doit y avoir une erreur », « Je vais demander un autre avis » ou « Je ne me sens pas malade ». Il s'agit de différentes formes de la négation, un mécanisme de défense psychologique qui peut être très utile dans les premières heures ou les premiers jours qui suivent un tel verdict, puisqu'il aide la personne à faire face au choc de l'annonce de sa mort. Kübler-Ross croyait que ces formes extrêmes de négation s'estompaient quelques jours plus tard pour faire place à la colère.

D'après les découvertes de Lieberman, serait-il possible que la théorie élaborée par Cumming et Henry, selon laquelle le désengagement serait un processus naturel vers la fin de la vie, soit parfaitement fondée, mais qu'elle ait été introduite trop tôt et trop rapidement pour ce qui concerne les années de l'âge adulte avancé ?

RAGE ET COLÈRE. La rage est souvent exprimée par des pensées comme «Ce n'est pas juste!», mais elle peut aussi être dirigée contre Dieu, le médecin qui aurait dû agir plus tôt, les infirmières ou les membres de la famille. La rage semble constituer une réaction face au diagnostic de maladie incurable, mais aussi face au sentiment d'impuissance et de perte de maîtrise que de nombreux patients ressentent dans un milieu hospitalier impersonnel.

MARCHANDAGE. La troisième étape constitue un autre mécanisme de défense par lequel le patient essaie de négocier avec les médecins, les infirmières, la famille ou Dieu. «Si je fais tout ce que vous me dites de faire, alors je vivrai jusqu'au printemps.» Kübler-Ross a décrit un exemple particulièrement frappant de cette situation: une patiente en phase terminale de cancer voulait vivre assez longtemps pour aller au mariage de son fils aîné. Le personnel hospitalier, pour l'aider à atteindre cet objectif, lui apprit une technique d'auto-suggestion afin de mieux maîtriser la douleur, et elle put assister au mariage. Kübler-Ross décrit la suite: «Je n'oublierai jamais le moment où elle est revenue à l'hôpital. Elle avait l'air fatiguée et épuisée et, avant que je puisse la saluer, elle m'a dit: «N'oubliez pas que j'ai un autre fils!» (1969, p. 83).

DÉPRESSION. Le marchandage peut représenter une défense efficace pendant un certain temps, mais — comme le pensait Kübler-Ross — ce mécanisme de défense finit par s'effacer devant tous les signes de dépérissement physique. À ce moment, c'est la quatrième étape: le patient devient déprimé. Beaucoup d'agonisants sombrent dans le désespoir, et cet état dure parfois longtemps. Selon Kübler-Ross, cette dépression ou ce désespoir constitue une préparation nécessaire à l'étape de l'acceptation. Pour atteindre l'acceptation, la personne mourante doit faire le deuil de tout ce qu'elle perdra avec la mort.

ACCEPTATION. Après avoir vécu cette peine, la personne est prête à mourir. Stewart Alsop (1973) livre un témoignage particulièrement éloquent de l'acceptation. Cet écrivain, qui souffrait d'une leucémie, a tenu un journal durant les dernières années de sa vie. Dans les toutes dernières pages de son journal, il écrit: «Un homme agonisant doit mourir, tout comme l'homme fatigué doit dormir, et il vient un temps où il est vain et inutile de résister.» (Alsop, 1973, p. 299.)

CRITIQUES ET AUTRES POINTS DE VUE

Il n'y a aucun doute quant à l'immense influence que la description du processus d'agonie a eue sur les médecins, les infirmières, les travailleurs sociaux et les autres personnes qui travaillent avec les personnes agonisantes et leur famille. En plus de nous avoir donné un langage commun, Kübler-Ross a mis au cœur du débat le besoin de compassion chez le personnel soignant et le besoin de dignité chez la personne mourante. Les écrits de Kübler-Ross ont manifestement mené à la mise en place de nouvelles structures pour les agonisants, tels les soins palliatifs.

Toutefois, la proposition originale de Kübler-Ross selon laquelle le processus de la mort ferait nécessairement appel à ces cinq étapes, dans un ordre déterminé, a été très critiquée et largement rejetée. Voici un résumé de ces critiques.

PROBLÈMES MÉTHODOLOGIQUES. La première critique adressée à Kübler-Ross porte sur la méthodologie employée. En effet, ses descriptions des étapes de la mort reposaient sur l'observation d'environ 200 patients. Kübler-Ross n'a fourni aucune information systématique sur la fréquence à laquelle elle voyait ses patients, ni sur la durée de ces rencontres. Elle n'a même pas donné leur âge, bien que la plupart d'entre eux aient été apparemment des adultes d'âge moyen ou de jeunes adultes, pour qui le diagnostic de maladie en phase terminale était manifestement hors des normes temporelles. La majorité d'entre eux étaient atteints d'un cancer. Il n'est pas du tout évident que des personnes très âgées ou souffrant de maladies du cœur ou de pneumonie, par exemple, auraient les mêmes réactions. Ainsi, même si certains adultes connaissent plusieurs étapes avant la mort, il se pourrait que cette situation ne s'applique qu'à un sous-groupe particulier.

CARACTÉRISTIQUE CULTURELLE. La deuxième critique vise la question de savoir si de telles réactions face à la

La rage ressentie à la suite d'un diagnostic de maladie incurable peut être dirigée contre Dieu, le médecin, les infirmières ou les membres de la famille.

Si vous cherchiez à découvrir s'il existe vraiment des étapes communes dans la réaction des individus face à la mort, quel type d'étude devriez-vous mener? Comment pourriez-vous étudier les étapes de la mort chez les personnes qui meurent d'une cause autre qu'une maladie incurable?

mort sont propres à une culture ou constituent une réaction humaine universelle. La plupart des sociologues s'entendent maintenant pour dire que les réactions face à la mort sont conditionnées par la culture. Chez certains Amérindiens, la tradition veut qu'on affronte la mort et qu'on l'accepte de tout son être et avec sang-froid. Puisque la mort fait partie du cycle naturel de l'existence, on ne doit pas la redouter ou lutter contre elle. Certaines tribus indiennes, par exemple, composent une chanson mortuaire pour décrire la vie du défunt et pour clore le cycle de vie (DeSpelder et Strickland, 1983).

Dans la culture mexicaine, on perçoit la mort comme le miroir de la vie. Ainsi, votre mort, votre façon de mourir, en dit long sur le genre de personne que vous avez été. Et, contrairement à la culture nord-américaine dominante, dans laquelle on redoute la mort et on réprime les pensées s'y rapportant, on discute fréquemment de la mort, et on la célèbre même lors d'une fête nationale (DeSpelder et Strickland, 1983). Inévitablement, de telles variations culturelles influent sur la réaction individuelle face à une mort imminente.

EXISTE-T-IL DES ÉTAPES? La critique la plus virulente à propos des étapes de la mort dans le modèle de Kübler-Ross porte sur l'existence même d'étapes, y compris dans la culture nord-américaine et chez les patients qu'elle a décrits. Les cliniciens et les chercheurs qui ont observé des patients agonisants de manière plus systématique que Kübler-Ross n'ont pas toujours retrouvé les cinq émotions décrites ni l'ordre précisé. Parmi les cinq étapes, seule la dépression semblait être commune aux personnes mourantes dans la culture occidentale. Peu de signes montrent que la majorité des personnes agonisantes traversent les étapes d'acceptation ou de désengagement décrites par Alsop (Baugher *et al.*, 1989-1990). Au contraire, certaines personnes demeurent actives jusqu'à la fin. Edwin Shneidman (1980, 1983) exprime cette position de la manière suivante:

> *Je n'aime pas l'idée que les êtres humains, lorsqu'ils meurent, traversent une série d'étapes du processus de la mort. Au contraire, en travaillant avec des personnes mourantes, j'observe une vaste panoplie de sentiments et d'émotions, différents besoins et une grande diversité de défenses et de stratégies psychologiques — certains de ces comportements ne concernent que quelques personnes, d'autres sont très fréquents — exprimés de façon étonnamment variée. (1980, p. 110.)*

S'il n'existe pas d'étapes, comment doit-on conceptualiser le processus de la mort? Shneidman propose de penser à des «thèmes» qui reviennent à de multiples reprises au cours du processus de la mort, dont la terreur, l'incertitude passive, les fantasmes de sauvetage, l'incrédulité, les sentiments d'injustice, la lutte contre la douleur, etc. Charles Corr (1991-1992) a récemment suggéré une approche basée sur les

tâches. Selon lui, la préparation à la mort relève du même type d'approche que tout autre problème ou dilemme: on doit veiller à effectuer certaines tâches. Il cite les quatre tâches suivantes:

1. Satisfaire les besoins corporels et minimiser le stress physique.

2. Maximiser la sécurité psychologique, l'autonomie et la qualité de la vie.

3. Soutenir et améliorer les attachements interpersonnels qui ont une signification pour la personne agonisante.

4. Identifier, développer et renforcer les sources d'énergie spirituelle, et stimuler ainsi l'espoir.

Corr ne nie pas l'importance des différents thèmes affectifs décrits par Shneidman. En fait, il soutient que, pour les professionnels de la santé qui travaillent avec des personnes mourantes, il est utile de penser aux tâches que doit effectuer le patient, car celui-ci peut avoir besoin d'aide pour les réaliser.

Quel que soit le modèle auquel on se réfère, il est clair qu'il n'existe aucune étape fixe, aucun modèle commun qui caractérise la plupart des réactions à l'approche de la mort. Il existe bien des thèmes communs, mais ils s'associent en des modèles bien différents pour chacun de nous lorsque nous faisons face à cette dernière tâche.

ADAPTATION INDIVIDUELLE À LA MORT

De telles différences individuelles à l'approche de la mort ont fait l'objet de nombreuses recherches au cours des dernières décennies. Les personnes qui travaillent avec des patients atteints du cancer sont frappées par la grande variété des réactions des patients à l'annonce du diagnostic, mais aussi par les liens potentiels entre la réaction des patients et la durée de leur survie.

L'étude la plus influente dans ce domaine a été menée par Steven Greer et ses collaborateurs (Greer, Morris et Pettingale, 1979; Pettingale *et al.*, 1985). Ils ont suivi un groupe de 57 femmes chez qui on avait diagnostiqué un cancer du sein aux tout premiers stades. Trois mois après le diagnostic, chaque femme a été interrogée longuement, et sa réaction au diagnostic et au traitement était classée dans l'une des quatre catégories suivantes:

1. *Négation*: Rejet des preuves sur le diagnostic. La patiente prétend que l'opération était seulement de nature préventive.

2. *Esprit combatif*: Attitude optimiste. La patiente recherche plus d'informations sur la maladie et elle a l'intention de lutter contre la maladie en utilisant tous les moyens possibles.

3. *Acceptation stoïque* : Acceptation du diagnostic sans chercher d'autres informations. La patiente ne tient pas compte du diagnostic et mène une vie aussi normale que possible.

4. *Impuissance/désespoir* : La patiente est accablée par le diagnostic. Elle se perçoit comme une personne mourante ou très malade, et n'a plus d'espoir.

Greer a ensuite vérifié le taux de survie dans les quatre groupes, 5 à 10 ans après l'annonce du diagnostic. Le tableau 15.4 présente les résultats étalés sur 10 ans, qui sont très frappants. Chez les femmes dont la réaction initiale avait été la négation ou l'esprit combatif, 50 % étaient toujours en vie 10 ans plus tard, alors que seulement 22 % des femmes dont la réaction initiale avait été une acceptation stoïque ou l'impuissance et le désespoir étaient toujours en vie. Puisqu'il n'y avait aucune différence initiale dans la maladie ou le traitement des quatre groupes, il semble bien que la réaction psychologique en soi peut agir sur l'évolution de la maladie.

Des résultats semblables ont été obtenus lors d'études effectuées sur des patients souffrant d'un mélanome (forme de cancer de la peau particulièrement mortelle), ou d'autres types de cancer (Temoshok, 1987). En général, les personnes qui font part de plus de fatigue, de moins d'hostilité, de plus d'impuissance, et qui n'expriment pas leurs sentiments négatifs, meurent plus *rapidement* (O'Leary, 1990). Les personnes qui luttent, se battent avec acharnement, qui expriment ouvertement leur rage et leur hostilité, et qui trouvent aussi des sources de joie dans leur vie, vivent plus longtemps. D'une certaine façon, les données suggèrent que les « bons patients » — les personnes qui sont obéissantes et qui ne posent pas trop de questions, qui ne se mettent pas en colère contre les médecins ou qui ne rendent pas la vie impossible aux proches — sont en fait susceptibles de mourir plus tôt. Les patients difficiles, qui posent des questions et défient les personnes qui les entourent, vivent plus longtemps.

De plus, certaines études relient maintenant ces différences psychologiques au fonctionnement du système immunitaire. On a remarqué que les patients qui rapportent moins de détresse et qui semblent mieux s'adapter à leur maladie présentaient des taux moins élevés d'un sous-groupe particulier de cellules immunitaires, les cellules tueuses naturelles ou cellules NK, qui jouent un rôle essentiel dans la défense contre les cellules cancéreuses (O'Leary, 1990).

En dépit de la concordance de ces résultats, il faut porter attention à deux points importants avant d'en venir à la conclusion qu'un esprit combatif constitue la réponse optimale à toute maladie. Ainsi, certaines études n'ont établi aucun lien entre la dépression/l'acceptation stoïque/ l'impuissance et une mort plus rapide des suites du cancer (Cassileth, Walsh et Lusk, 1988 ; Richardson *et al.*, 1990).

Par ailleurs, il n'est pas évident que la même réaction psychologique soit nécessairement optimale pour chaque forme de maladie. Les premières études effectuées sur des patients atteints du sida, par exemple, sont plutôt contradictoires. Certaines montrent que les personnes qui font preuve de peu de tension et d'anxiété possèdent un degré de fonctionnement immunitaire élevé ; d'autres indiquent que le temps de survie est lié à l'ouverture personnelle et à la réaction affective du patient — des résultats qui se rapprochent de ceux des études menées sur les patients atteints du cancer (O'Leary, 1990). Il reste encore beaucoup de questions à résoudre en ce qui concerne l'influence de la réaction psychologique sur les maladies du cœur. Il est ironique que plusieurs des qualités apparaissant comme optimales chez les patients atteints du cancer puissent être considérées comme le reflet de la personnalité de type A. En effet, puisque la personnalité de type A constitue un facteur de risque pour les maladies du cœur, un esprit combatif ne paraît guère souhaitable dans le cas d'une maladie du cœur grave. Par contre, ces recherches indiquent qu'il existe bien des liens entre les

Tableau 15.4

Réactions psychologiques face à la mort et taux de survie après l'annonce du diagnostic initial chez des femmes atteintes du cancer

Réaction psychologique 3 mois après l'opération	Résultats 10 ans plus tard			
	Nombre de personnes vivantes sans rechute	Nombre de personnes vivantes avec métastases	Nombre de décès	Total
Négation	5	0	5	10
Esprit combatif	6	1	3	10
Acceptation stoïque	7	1	24	32
Impuissance/désespoir	1	0	4	5

Source : Pettingale *et al.*, 1985, tableau p. 750.

défenses psychologiques ou la façon dont nous faisons face à la mort et les capacités physiques, même au cours des tout derniers stades de la vie.

RÔLE DU SOUTIEN SOCIAL. Le soutien social constitue un autre élément important dans la réaction d'une personne à l'approche de la mort. Les personnes qui ont des relations interpersonnelles positives et des relations de soutien expriment une intensité de douleur moins élevée et une dépression moins forte durant les derniers mois de la maladie (Carey, 1974; Hinton, 1975). Elles vivent aussi plus longtemps. Par exemple, les patients victimes d'une crise cardiaque qui vivent seuls sont plus susceptibles de subir une deuxième crise cardiaque que les personnes qui vivent avec quelqu'un (Case *et al.*, 1992). De même, les personnes atteintes d'artériosclérose grave vivent plus longtemps si elles ont un confident (Williams *et al.*, 1992).

Ce qui est particulièrement impressionnant, c'est que l'existence d'un lien entre le soutien social et la durée de survie a également été prouvé dans des études *expérimentales*. Ces études portaient sur des patients dont les diagnostics étaient équivalents, qui recevaient des soins médicaux comparables et avaient été aléatoirement assignés soit à un groupe expérimental dans lequel les sujets participaient à des sessions de groupes de soutien régulièrement, soit à un groupe témoin dans lequel les sujets ne disposaient d'aucun réseau de soutien. Dans une étude semblable réalisée auprès d'un groupe de 86 femmes atteintes d'un cancer métastatique du sein (un cancer qui s'était répandu au-delà du site initial), David Spiegel (Spiegel *et al.*, 1989) a découvert que la durée moyenne de survie était de 36,6 mois pour les personnes du groupe expérimental, contre 18,9 mois dans le groupe témoin. Ainsi, tout comme le soutien social protège les enfants et les adultes contre les effets négatifs de différentes formes de stress mineur, il semble avoir un rôle semblable chez les personnes faisant face à la mort.

OÙ LA MORT SURVIENT : HÔPITAUX ET ÉTABLISSEMENTS SPÉCIALISÉS

Aux États-Unis et au Canada, ainsi que dans les autres pays industrialisés, la grande majorité des adultes meurent dans des hôpitaux plutôt qu'à leur domicile ou dans des centres d'accueil. Naturellement, le modèle varie beaucoup d'une personne à l'autre. Certaines personnes atteintes de maladies dégénératives connues, comme le cancer, font des séjours répétés à l'hôpital au cours de leurs derniers mois ou de leurs dernières années de vie. Par ailleurs, à l'autre extrémité du continuum, certaines personnes sont hospitalisées car elles souffrent d'une maladie aiguë, comme une crise cardiaque ou une pneumonie, et elles meurent peu de temps après sans jamais avoir été hospitalisées auparavant. Entre les deux, se

trouvent les personnes qui ont connu différents types de soins dans les dernières semaines ou les derniers mois de leur vie, y compris l'hospitalisation, les soins infirmiers à domicile et les centres d'accueil. En dépit de cette diversité, la majorité des décès, surtout chez les personnes âgées, sont précédés de quelques semaines d'hospitalisation (Shapiro, 1983).

Au cours des deux dernières décennies, toutefois, est apparue une nouvelle forme de soins pour les maladies incurables, les **soins palliatifs.** La mise en place d'unités de soins palliatifs a été fortement encouragée par les écrits de Kübler-Ross. En effet, Kübler-Ross a mis l'accent sur l'importance d'une « belle mort » ou d'une « mort digne », dans des conditions où le patient et sa famille ont plus de maîtrise sur le processus de la mort. De nombreux professionnels de la santé, surtout en Angleterre, au Canada et aux États-Unis, commencèrent à suggérer qu'une personne agonisante aurait une mort digne si elle pouvait rester chez elle ou dans un environnement familier, où le contact avec la famille et les amis ferait partie de son quotidien.

Issus de telles suggestions, les soins palliatifs ont d'abord été mis en œuvre en Angleterre (Saunders, 1977), et ils ont ensuite été adoptés dans d'autres pays. Il existe maintenant de nombreux programmes de soins palliatifs au Canada et aux États-Unis qui partagent les mêmes principes de base (Bass, 1985). (1) La mort est une étape normale de la vie, il ne faut pas chercher à l'éviter mais y faire face et l'accepter. (2) Il faut encourager le patient et sa famille à se préparer à la mort en analysant leurs sentiments à tous, en planifiant la fin de la vie du patient et en parlant ouvertement de la mort. (3) La famille doit participer autant que possible aux soins du patient, non seulement parce qu'elle lui apporte ainsi le soutien dont il a besoin, mais aussi parce que cela permet à chaque membre de la famille de faire le point sur sa relation avec la personne mourante. (4) La maîtrise des soins doit être placée entre les mains du patient et de sa famille. Ils décident

---

Certains chercheurs ont trouvé que le soutien social prolonge la vie des personnes atteintes d'une maladie incurable. Mais comment peut-on expliquer pourquoi ou par quel mécanisme ce phénomène se produit ? Quelles hypothèses pourriez-vous formuler pour expliquer le rôle particulier du soutien social ?

Soins palliatifs : Ensemble relativement récent de types de soins destinés aux patients en phase terminale, qui sont la plupart du temps pris en charge par les membres de la famille. La maîtrise et l'administration des soins relèvent de la responsabilité du patient et de la famille. Ces soins peuvent être prodigués à domicile, dans un centre spécialisé ou en milieu hospitalier.

LE MONDE RÉEL

Les adieux

Une étude récente menée par Allan Kellehear et Terry Lewin en Australie (1988-89) donne une idée de la variété des adieux des agonisants. Ces chercheurs ont interrogé 90 patients en phase terminale de cancer, qui s'attendaient tous à mourir dans l'année qui suivait. La plupart d'entre eux avaient eu connaissance du diagnostic du cancer au moins un an avant l'entrevue, mais n'avaient appris que récemment qu'il leur restait peu de temps à vivre. Dans le cadre de l'entrevue, on a demandé à chaque patient s'il avait déjà fait ses adieux à certaines personnes ou s'il avait prévu de le faire. À qui voulait-il faire ses adieux, et de quelle manière?

Près d'un cinquième de ces personnes n'avaient prévu aucun adieu. Trois cinquièmes des sujets croyaient qu'il était très important de dire adieu, mais voulaient remettre cette épreuve au dernier moment afin de ne pas inquiéter trop tôt la famille et les amis. Ils espéraient avoir alors le temps d'échanger quelques mots avec leur conjoint, leurs enfants et leurs amis proches.

Le cinquième restant avait commencé à faire ses adieux beaucoup plus tôt en ayant recours à différents moyens. Certains avaient prévu des visites spéciales chez des membres de la famille ou des amis afin de discuter une dernière fois. D'autres avaient écrit des lettres à la famille ou aux amis, exprimant leurs sentiments et faisant part de leurs adieux. Certains patients avaient fait des cadeaux. Une femme avait fait parvenir des photographies et des trésors personnels à toutes ses sœurs; une autre avait fabriqué des poupées pour ses amis, la famille et le personnel hospitalier. Dans un geste d'adieu particulièrement touchant, une femme, qui avait deux filles adultes mais aucun petit-enfant, avait tricoté une layette pour chacune de ses filles, à l'intention des petits-enfants qu'elle ne verrait jamais.

Selon Kellehear et Lewin, tous ces adieux constituent une forme de cadeau. Ils annoncent aux autres personnes qu'elles sont dignes d'un dernier adieu. Les adieux permettent aussi à la personne agonisante de se détacher plus facilement lorsque la mort approche et d'avertir les autres que la mort la guette. Ils peuvent donc aider ceux qui restent à entamer un deuil par anticipation, et à mieux se préparer ainsi à la perte.

---

du type de traitement médical qu'ils demanderont ou accepteront; ils décident si le patient restera chez lui ou sera hospitalisé. (5) Les soins médicaux doivent d'abord être palliatifs plutôt que curatifs. Il faut mettre l'accent sur la maîtrise de la douleur et la maximisation du bien-être, et non sur les interventions radicales ou les mesures qui permettent de prolonger la vie.

Trois types de programmes respectant ces directives générales ont été mis au point. Dans le premier et le plus commun, les soins à domicile, un membre de la famille — généralement le conjoint — prend en charge les soins constants à prodiguer à la personne mourante avec le soutien et l'assistance d'infirmières spécialisées (ou autre personnel) qui viennent voir le patient régulièrement, lui donnent des médicaments et aident la famille à faire face psychologiquement à la mort imminente. Dans le deuxième type de programme, un centre de soins spécialisés accueille un petit nombre de patients en phase terminale et leur procure un environnement aussi chaleureux que possible. Le troisième type de programme consiste en des unités de soins palliatifs offerts en milieu hospitalier, qui fournissent des services tout en respectant les principes de base des soins palliatifs: ils encouragent la participation quotidienne des membres de la famille aux soins du patient, mais dans un cadre hospitalier. Il est intéressant de noter que ces trois options ont une grande similitude avec les options offertes à la femme qui accouche: accouchement à domicile, centres de naissance et chambres de naissance au sein des hôpitaux. Les soins hospitaliers traditionnels constituent le quatrième choix offert pour la naissance comme pour la mort.

RECHERCHES SUR LES SOINS PALLIATIFS. Le choix de soins hospitaliers traditionnels par opposition aux soins palliatifs s'effectue généralement en fonction d'une philosophie personnelle plutôt que de raisons médicales. Mais on peut se demander s'il existe des différences entre les deux types de soins sur le plan de l'expérience du patient ou de la famille. Deux importantes études récentes suggèrent que les différences sont minimes, mais elles penchent légèrement en faveur des soins palliatifs. La première étude a établi que la principale différence concernait le fait que les membres de la famille étaient très satisfaits des soins palliatifs prodigués en milieu hospitalier, alors que les soins palliatifs à domicile leur laissaient une impression de plus grand fardeau (Greer *et al.*, 1986; Morris *et al.*, 1986).

Dans une deuxième étude, plus modeste, Robert Kane et ses collaborateurs (Kane *et al.*, 1984; Kane *et al.*, 1985) n'ont trouvé aucune différence entre ces deux types de soins sur le plan de la douleur ou de la durée de survie. Toutefois,

ils ont constaté que les patients du groupe de soins palliatifs étaient généralement plus satisfaits de la qualité des soins reçus et du degré de maîtrise sur leurs propres soins. De plus, les membres de la famille du groupe de soins palliatifs étaient aussi plus satisfaits de leur propre participation aux soins du patient et étaient moins anxieux que les membres des familles des groupes soignés à l'hôpital.

Selon nous, l'aspect le plus positif des soins palliatifs est qu'ils offrent un choix à la personne agonisante, tout comme les centres de naissance ont permis d'augmenter les options offertes aux futurs parents. Puisqu'un sentiment de maîtrise sur les soins semble constituer un facteur primordial dans la satisfaction d'une personne par rapport à sa vie, la maîtrise sur les conditions de sa propre mort est probablement primordiale pour faire face aux dernières transitions de la vie.

Préparation à la mort

Q 17   Décrivez les étapes du processus de la mort selon Kübler-Ross. Quelles ont été les critiques à l'égard de ce modèle ?

Q 18   Expliquez le modèle de Corr en ce qui concerne la préparation à la mort.

Q 19   Quel rapport Greer a-t-il établi entre le taux de survie et le type de réaction chez des patientes atteintes d'un cancer du sein ?

Q 20   Quel est le rôle du soutien social dans la réaction face à la mort ?

Q 21   Expliquez les principes de base des soins palliatifs. Quels types de programmes de soins proposent-ils ?

APRÈS LA MORT: RITES ET DEUIL

Souvenez-vous des funérailles auxquelles vous avez dû assister lorsque vous étiez plus jeune. Ces circonstances vous semblaient-elles complètement dénuées de sens — comme un ensemble de rituels dictés par la culture mais sans aucune fonction véritable ? À quoi cela sert-il de se rencontrer ainsi pour enterrer un cadavre ? En vieillissant, votre perception des choses s'est peut-être modifiée. Vous avez peut-être songé que, si ces rituels existent dans toutes les cultures, c'est précisément parce qu'ils remplissent plusieurs fonctions essentielles. Comme le disent Marshall et Levy:

> *Les rituels… permettent aux différentes cultures de chercher à maîtriser l'aspect perturbateur de la mort et de la rendre porteuse de sens… Les funérailles constituent un moyen officiel d'achever le travail biographique, de gérer le deuil et d'établir de nouvelles relations sociales après la mort. (1990, p. 246 et 253.)*

Quels que soient l'endroit et la façon dont meurt une personne, elle laisse sans doute derrière elle des membres de la famille et des amis ainsi que d'autres personnes qui doivent

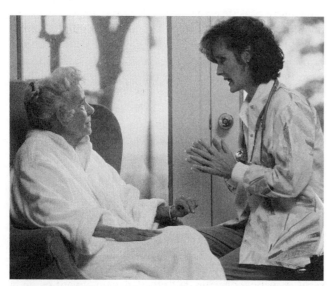

Cette femme atteinte du cancer a choisi de rester chez elle durant les derniers mois de sa vie. Les infirmières lui rendent régulièrement visite pour lui prodiguer des soins.

D'après les informations que vous venez de lire et d'après votre propre vision de la vie et de la mort, croyez-vous que vous choisiriez les soins palliatifs à l'approche de votre mort ou que vous les proposeriez à votre conjoint ou à un parent en phase terminale d'une maladie ? pour quelles raisons ?

faire face à cette mort d'une manière ou d'une autre. Dans presque toutes les cultures, on réagit en accomplissant un rituel funéraire.

FUNÉRAILLES ET AUTRES CÉRÉMONIES

Les funérailles aident les membres de la famille à gérer le deuil en prescrivant un ensemble précis de rôles à jouer. Chaque culture définit ces rôles différemment. Dans certaines cultures, les membres de la famille doivent porter du noir et dans d'autres, du blanc. Ici, on s'attend à ce que les membres de la famille supportent la perte de façon stoïque, là, qu'ils se lamentent et qu'ils pleurent sans retenue. Quels qu'en soient les détails, il existe des règles qui dictent la façon dont les premiers jours ou les premières semaines suivant la mort doivent se passer. Ces règles précisent ce qu'il est convenable de porter, à qui il faut parler, quels projets il faut faire (et ne pas faire), etc. Selon les circonstances, vous participez à une veillée funèbre, vous priez votre dieu ou planifiez les funérailles ou une messe de requiem.

Les amis et les connaissances ont également des règles de conduite à observer, du moins pendant les premiers jours. On apporte de la nourriture, on écrit une lettre de condoléances, on offre son aide, on se présente à la veillée funèbre ou aux funérailles.

C'est à l'occasion des funérailles que les familles se réunissent au grand complet — à l'exception des mariages. Ainsi, les rites funèbres contribuent à renforcer les liens familiaux, à clarifier les nouvelles influences ou autorités au sein d'une famille, à passer le flambeau en quelque sorte à la génération suivante. De la même façon, les rites funèbres permettent aux survivants de comprendre le sens de la mort, en mettant l'accent en partie sur le sens de la vie de la personne décédée. Ce n'est pas un hasard si la plupart des rites funèbres comprennent des témoignages, des biographies et des discours. En racontant l'histoire d'une personne, en décrivant la valeur et le sens de sa vie, on accepte plus facilement sa mort. D'une certaine manière, les funérailles constituent souvent une rétrospection de la vie qui remplit pour les vivants les mêmes fonctions que pour les personnes âgées dont la mort approche, comme l'expliquait Butler.

Enfin, les rites funèbres peuvent donner un sens transcendant à la mort, en la plaçant dans un contexte religieux ou philosophique. Ainsi, ils peuvent apporter un réconfort à la famille du disparu en offrant des réponses à l'inévitable question : « Pourquoi ? »

AU-DELÀ DES RITES IMMÉDIATS : LE DEUIL

Le rituel des funérailles, quel qu'il soit, peut fournir une structure et apporter un réconfort au cours des journées suivant immédiatement la mort. Mais que se produit-il lorsque cette structure disparaît ? Comment fait-on face individuellement au sentiment de perte ? Pour répondre à cette question, il faut se tourner vers l'épidémiologie du deuil et étudier les différentes réactions individuelles face à la perte d'une personne chère.

ÉPIDÉMIOLOGIE DU DEUIL : LE VEUVAGE. En règle générale, la mort la plus difficile à surmonter est celle du conjoint. Le veuvage constitue l'événement le plus stressant de toute la liste des changements négatifs de la vie. Les études épidémiologiques appuient cette généralisation. L'incidence de dépression augmente considérablement au cours de l'année qui suit le deuil, et le taux de mortalité et de maladie s'accroît légèrement chez le veuf ou la veuve (Stroebe et Stroebe, 1986 ; Reich, Zautra et Guarnaccia, 1989). Ce phénomène est confirmé dans les études épidémiologiques ainsi que dans certaines études détaillées portant sur des échantillons plus restreints. Il existe quelques études longitudinales dans lesquelles il est possible d'examiner les taux de dépression ou de maladie avant le veuvage. Par exemple, Fran Norris et Stanley Murrell (1990) ont interrogé 5 fois en deux ans et demi un échantillon de 3 000 adultes de plus de 55 ans. Parmi ces adultes, 48 avaient eu à faire face à la mort du conjoint

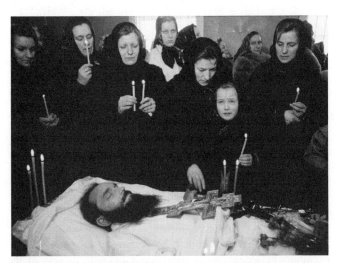

Chaque culture possède ses propres rites funèbres. En Croatie, comme le montre cette photographie, la coutume veut que l'on porte du noir.

> Songez aux funérailles ou aux rites funèbres auxquels vous avez assisté. Avez-vous l'impression qu'ils ont servi les buts que nous venons de décrire ? Certaines funérailles semblent-elles plus efficaces que d'autres pour répondre à ces besoins ?

durant cet intervalle, ce qui a permis à Norris et Murrell d'observer l'état de dépression et de santé avant et immédiatement après le deuil, et de comparer ces modèles avec les autres sujets.

Norris et Murrell n'ont remarqué aucune différence entre les personnes veuves et les autres lors des évaluations physiques, mais ils ont noté d'importantes différences lors des évaluations de la dépression, comme vous pouvez le voir à la figure 15.1. Les veufs et les veuves étaient souvent plus déprimés avant même la mort de leur conjoint, probablement parce que certains savaient déjà que leur conjoint était malade. Toutefois, la dépression s'est accrue nettement dans les six mois de deuil qui ont suivi la mort du conjoint, et a baissé de nouveau.

D'autres recherches confirment que les six premiers mois de deuil sont les plus difficiles. Après deux ans de veuvage, la plupart des études ne présentent aucune différence entre les personnes veuves et celles qui ne le sont pas en ce qui concerne les évaluations globales de la santé physique et mentale (McCrae et Costa, 1988).

Ces effets varient en fonction de l'âge et du sexe. Nous avons souligné dans l'interlude résumant la vie des jeunes adultes que les veuves plus jeunes, et celles dont le conjoint était mort soudainement ou après une très courte maladie, avaient plus de problèmes que celles dont le veuvage se situait à l'intérieur des normes temporelles ou qui avaient eu le temps de se préparer au décès (Ball, 1976-1977). Nous avons aussi mentionné à plusieurs reprises que le veuvage constitue une expérience plus négative pour les hommes que

pour les femmes. Le risque de mortalité à la suite de causes naturelles ou d'un suicide est considérablement plus élevé chez les hommes que chez les femmes dans les mois suivant immédiatement le décès (Stroebe et Stroebe, 1986), même si l'on tient compte des taux de mortalité plus élevés chez les hommes. On interprète généralement cette différence comme un autre signe de l'importance du soutien social. Puisqu'un homme n'a généralement que sa femme comme confidente, lorsqu'elle meurt, il ne peut pas bénéficier du soutien social d'autres sources.

ÉTAPES DU DEUIL. De telles données indiquent que le veuvage ou la mort d'un parent ou d'un enfant sont des événements très stressants. Toutefois, elles ne nous apprennent rien quant à l'expérience du deuil sur le plan individuel. Sachant l'intérêt des psychologues pour les théories privilégiant des stades, vous ne serez pas surpris d'apprendre que, selon un bon nombre d'auteurs, le deuil se déroule en différentes étapes. Ces étapes sont très semblables aux étapes de la mort formulées par Kübler-Ross, et elles ont aussi fait l'objet de vives critiques. Il est cependant intéressant de les connaître car — à l'instar des étapes de la mort — elles ont eu une grande influence sur les thérapeutes, les travailleurs sociaux et les autres personnes qui travaillent avec les personnes en deuil.

John Bowlby, dont nous avons présenté les travaux sur l'attachement, a défini quatre étapes du deuil (1980). Plus récemment (1989), Catherine Sanders en a décrit cinq, mais les étapes dans les deux modèles se ressemblent beaucoup. Nous avons combiné ces théories en un seul résumé au tableau 15.5.

Les propos suivants de personnes en deuil vous donneront certainement une vision plus complète de cette expérience. Dans la première période de choc ou de torpeur, les gens s'expriment ainsi:

> *Je suis dans le flou total. Je n'arrive pas à me concentrer longtemps.*

> *J'ai peur de perdre la tête. Je n'arrive plus à penser clairement.*

> *C'était vraiment étrange. Je me maquillais, je me coiffais, et pendant tout ce temps, c'était comme si je me tenais près de la porte et que je me regardais faire ces gestes. (Sanders, 1989, p. 47, 48 et 56.)*

Durant l'étape de la conscience de la perte d'une personne chère ou de la nostalgie, lorsque la colère constitue un élément commun, les gens pensent des choses comme : « Son patron aurait dû savoir qu'il ne fallait pas le faire travailler trop fort. » Bowlby suggère aussi que cette période s'apparente à ce que l'on observe chez les jeunes enfants qui ont été temporairement séparés de la personne à laquelle ils étaient le plus attachés. Ils cherchent littéralement cette personne, d'une pièce à l'autre. Chez les personnes qui font face à un

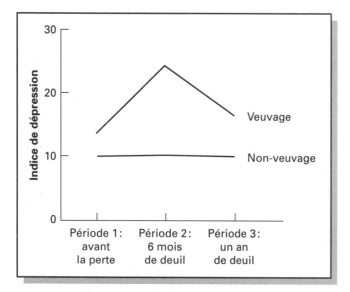

Figure 15.1 Taux de dépression chez les personnes veuves. La dépression atteint un sommet dans les mois suivant le veuvage, mais elle demeure considérablement élevée un an après la mort du conjoint. (*Source*: Norris et Murrell, 1990, tiré du tableau 1, p. 432.)

Tableau 15.5

Étapes du deuil proposées par Bowlby et par Sanders

Étape	Terminologie de Bowlby	Terminologie de Sanders	Description générale
1	Torpeur	Choc	Caractéristique des premières journées, parfois plus longtemps ; incrédulité, confusion, agitation, impression d'irréalité, sentiment d'impuissance.
2	Nostalgie	Conscience de la perte	La personne en deuil tente de retrouver la personne perdue ; peut effectuer une recherche intense ou errer comme si elle était à sa recherche ; peut affirmer avoir vu la personne morte. Elle est très anxieuse ou se sent coupable, a peur, est frustrée. Peut souffrir d'insomnies et pleurer souvent.
3	Désorganisation et désespoir	Conservation/ recul	Il s'agit de la période de dépression proprement dite : on met fin à la recherche et on accepte la perte, mais cette acceptation entraîne la dépression ou une impression d'impuissance. Cette période est souvent accompagnée d'une grande fatigue et d'un désir constant de dormir.
4	Réorganisation	Guérison et nouveau départ	Selon Sanders, il existe deux périodes, alors que Bowlby n'en voit qu'une seule. Les deux chercheurs considèrent qu'il s'agit de l'étape durant laquelle on recouvre la maîtrise. On observe un certain oubli, un sentiment d'espoir, une augmentation de l'énergie, une meilleure santé, un meilleur sommeil, une diminution de la dépression.

Sources : Bowlby, 1980 ; Sanders, 1989.

veuvage, la même recherche a lieu — parfois physiquement, parfois mentalement.

Durant l'étape de désorganisation et de désespoir, l'agitation de la période précédente disparaît pour faire place à une grande léthargie. Une femme de 45 ans dont l'enfant venait de mourir décrivait ainsi ses sentiments :

Je n'arrive pas à comprendre ce que je ressens. Jusqu'à maintenant, je me sentais agitée. Je ne pouvais dormir. Je marchais de long en large et je divaguais. À présent, c'est exactement le contraire. Je dors beaucoup. Je me sens toujours fatiguée et épuisée. Je n'ai même pas envie de voir les amis qui m'ont aidée. Je m'assois et je regarde dans le vide, je suis trop épuisée pour bouger... Au moment où je croyais que j'allais me sentir mieux, c'est encore pire. (Sanders, 1989, p. 73.)

Selon Bowlby et Sanders, ces réactions sont susceptibles de se produire lorsqu'on perd n'importe quelle personne à qui l'on est attaché, que ce soit un conjoint, un parent ou un enfant (Douglas, 1990-1991). La mort d'un ami, d'un petit-enfant ou d'une personne qui fait partie de notre entourage mais qui n'est pas un confident intime risque de déclencher la même gamme d'émotions.

Ces descriptions du processus de deuil sont très évocatrices. Cependant, comme à propos des étapes de la mort, il faut se poser deux questions importantes : (1) Ces étapes se déroulent-elles selon une séquence fixe ? et (2) Tout le monde ressent-il toutes ces émotions, quelle que soit leur séquence ? La réponse à ces questions est apparemment négative.

AUTRES POINTS DE VUE SUR LE PROCESSUS DE DEUIL. Il existe à présent un ensemble important de points de vue « révisionnistes » qui brossent un tableau différent de celui de Bowlby ou de Sanders. Tout d'abord, plusieurs

Les études effectuées par Helena Lopata (1981, 1986) sur les veuves suggèrent qu'une certaine « sanctification » du défunt est presque universelle, sans doute parce que, en se souvenant de son époux comme d'une sainte personne, la veuve se dit qu'elle méritait son amour.

chercheurs et théoriciens considèrent que le deuil ne se déroule pas selon des étapes fixes, que tout le monde ne suit pas le même parcours (Wortman et Silver, 1990). On retrouve des éléments communs, comme la colère, la culpabilité, la dépression ou l'agitation, mais ces sentiments n'apparaissent pas selon une séquence fixe.

Le point de vue de Selby Jacobs et de ses collaborateurs (Jacobs *et al.*, 1987-1988) constitue un compromis intéressant selon lequel chacune des émotions clés du processus de deuil peut avoir une trajectoire probable dans l'intensité, comme le modèle présenté à la figure 15.2. La notion de base est toujours que plusieurs émotions sont ressenties en même temps, mais que l'une ou l'autre peut prédominer dans une séquence approximative. Ainsi, l'incrédulité pourrait être l'émotion prédominante immédiatement après la mort, et la dépression pourrait atteindre un sommet quelques mois plus tard, ce qui donnera l'impression que le processus s'effectue en étapes. Cependant, ces deux émotions sont toutes deux présentes en même temps, tout au long du deuil.

Jacobs ne prétend pas que toutes les personnes en deuil suivent nécessairement un chemin semblable. Certaines personnes évoluent plus rapidement et d'autres, plus lentement au travers de ces différentes émotions. Par ailleurs, d'autres théoriciens et chercheurs « révisionnistes » affirment que, pour certains adultes, le deuil ne comporte pas ces éléments. Camille Wortman et Roxane Silver (Wortman et Silver, 1987, 1989, 1990 ; Silver et Wortman, 1980) ont recueilli une quantité impressionnante de données qui appuient cette prise de position.

Wortman et Silver remettent en cause deux points de vue sur la perception traditionnelle du deuil : la détresse est une réaction inévitable et le fait de *ne pas exprimer* de détresse signifie que l'individu n'a pas « correctement » fait son deuil. Selon la théorie psychanalytique, représentée dans l'approche de Bowlby et qui a été dominante pendant de nombreuses décennies, le fait de ne pas exprimer de détresse indique une répression importante ou une négation de sentiments pénibles. Et cette négation aurait des conséquences négatives. Bowlby affirme que les personnes qui expriment leur douleur, qui se « permettent » de vivre le deuil, se comportent de façon saine.

Si cette hypothèse est exacte, alors les personnes veuves ou les autres personnes en deuil qui présentent le plus de détresse immédiatement après la mort s'adapteront mieux à long terme, tandis que les personnes qui présentent moins de détresse immédiate connaîtront des troubles plus tard. Toutefois, les recherches n'appuient pas cette affirmation. Au contraire, les personnes qui manifestent des niveaux très élevés de détresse après la perte d'un être cher sont généralement encore déprimées plusieurs années plus tard, alors que les personnes qui manifestent moins de détresse immédiate ne font montre d'aucun signe significatif de problèmes ultérieurs.

Après avoir passé en revue cet ensemble de recherches, Wortman et Silver (1990) ont conclu qu'il existe au moins quatre types distincts de deuil, comme vous pouvez le voir à la figure 15.3. De plus, elles ont découvert que le modèle qu'elles appellent l'absence de deuil est remarquablement courant. Dans leur étude, 26 % des sujets en deuil n'ont connu aucune détresse, ni immédiate ni tardive. Dans d'autres études, le pourcentage d'individus présentant une telle réaction à la perte s'élève à 77 %. Dans l'étude de Wortman et Silver, et dans toutes les recherches de ce type, le modèle le moins commun est le deuil tardif. Seuls 1 à 5 % des adultes font preuve d'une telle réaction à la mort d'une personne chère. Ainsi, peu de recherches soutiennent ces quelques aspects du point de vue traditionnel : les niveaux élevés de détresse ne constituent pas un aspect inévitable ou nécessaire du processus de deuil. De nombreux adultes semblent faire face à la mort d'un conjoint, d'un enfant ou d'un parent sans subir de bouleversement important. Il n'en demeure pas moins que, en moyenne, les personnes en deuil sont plus

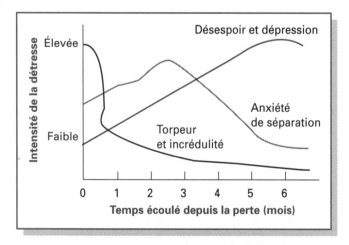

Figure 15.2 Le deuil selon le modèle de Jacobs. Jacobs propose une alternative aux théories présentant des étapes fixes du deuil. À n'importe quel moment donné, de nombreuses émotions peuvent se manifester, mais chacune peut avoir une intensité particulière. (*Source* : Jacobs *et al.*, 1987-1988, figure 1, p. 43.)

Si vous deviez effectuer une étude sur les différences entre les personnes qui présentent peu ou pas de détresse après la mort d'un être cher et les personnes qui manifestent une détresse chronique, quelles caractéristiques voudriez-vous analyser ? les traits de personnalité ? le modèle d'attachement ? les caractéristiques du travail ? les antécédents de dépression ? quelles autres caractéristiques ?

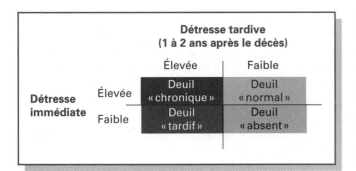

Figure 15.3 Types de deuil selon Wortman et Silver. Si l'on répartit les veuves selon le degré de détresse immédiate et le degré de détresse à long terme qu'elles présentent ou mentionnent, on observe les quatre types de deuil décrits par Wortman et Silver. Selon la théorie psychanalytique, le type «normal», avec une détresse immédiate élevée qui est suivie d'une guérison, serait la seule réaction saine. Cependant, les recherches ne corroborent pas cette théorie. (*Source* : Wortman et Silver, 1990.)

déprimées, moins satisfaites de leur vie et courent plus de risques de souffrir d'une maladie.

Pour le moment, on sait peu de chose sur les différences entre les personnes qui présentent ces divers types de réaction face à la perte. On pense qu'une perte soudaine — imprévue et ne correspondant pas aux normes temporelles — est plus susceptible de déclencher une détresse chronique. Il est aussi intéressant de songer aux études selon lesquelles les personnes qui avaient un attachement ambivalent envers le défunt sont plus susceptibles de connaître des difficultés à long terme (Parkes et Weiss, 1983 ; Wortman et Silver, 1990). Les personnes qui ont des attachements plus forts ressentent assurément la perte, mais peuvent se remettre plus rapidement.

Les autres facteurs qui peuvent exacerber le problème de la perte sont les bouleversements ou le stress de la vie et le manque de soutien social — deux thèmes récurrents dans la recherche sur les effets du stress. Certaines personnes en deuil semblent puiser beaucoup de force dans leurs croyances philosophiques ou religieuses, en pensant par exemple que tout a été décidé par Dieu. Cependant, celles qui croient que le dur labeur et la vertu seront récompensés ont beaucoup plus de difficulté à faire face à la mort. Ainsi, les croyances religieuses peuvent avoir beaucoup de signification pour certaines personnes et peuvent soit réduire soit augmenter la gravité d'une réaction de deuil.

Les recherches de Wortman et Silver sont importantes pour diverses raisons. Elles nous amènent à remettre en question certaines croyances et à étudier de nouveau les preuves empiriques — ce qui est toujours utile. Elles éveillent également l'intérêt pour la grande variété des réactions face au deuil et la *normalité* de la réaction sans détresse. Tout le monde n'éprouve pas nécessairement une série d'émotions

négatives. Par ailleurs, tout le monde ne se remet pas de la mort d'une personne chère. Certaines personnes souffrent d'une détresse importante plusieurs années après le décès. Évidemment, il nous reste à mieux comprendre l'origine de ces différences. Mais la connaissance de ces variations permet de se montrer plus sensible à la réaction des amis ou des membres de la famille qui font face à la perte d'une personne chère. Les personnes qui présentent peu de détresse ne répriment pas forcément leurs émotions. Elles y font peut-être face d'une autre manière. Elles n'apprécient peut-être pas qu'on leur conseille de se laisser aller ou de prendre le temps de vivre leur deuil. De la même façon, les personnes qui sont considérablement déprimées n'apprécient probablement pas de s'entendre dire que c'est difficile, mais que ça passera. Il faut être attentif aux signaux que transmet une personne, plutôt que d'imposer son propre point de vue sur le processus normal de deuil.

Enfin, ne perdons pas de vue le fait que le deuil peut aussi mener à la croissance personnelle. En effet, la majorité des veuves disent qu'elles ont connu une évolution positive après la mort de leur mari, dans le sens d'une plus grande indépendance et de compétences accrues (Wortman et Silver, 1990). Comme toutes les crises et les changements importants de la vie, le deuil peut offrir une opportunité de croissance personnelle et ne pas constituer seulement une expérience déstabilisante. La façon dont nous réagissons dépend sans doute des modèles que nous avons établis dès la prime enfance : notre tempérament ou notre personnalité, notre modèle interne d'attachement et notre modèle de soi, nos aptitudes intellectuelles et le réseau social que nous avons créé. Finalement, notre façon de réagir à la mort — la nôtre et celle des autres — est la même que notre façon de réagir dans la vie.

Deuil

Q 22 Quelles sont les fonctions des rituels funéraires ?

Q 23 Peut-on dire qu'il existe des étapes du deuil ? Appuyez votre réponse sur les modèles de Bowlby et de Sanders, et sur les critiques qu'ils ont suscitées.

Q 24 Quelles sont les caractéristiques des étapes du deuil selon Jacobs ?

Q 25 Quelles sont les conclusions des travaux de Wortman et Silver en ce qui concerne la perception traditionnelle du deuil ?

RÉSUMÉ

1. L'âge adulte avancé est une période où les rôles se vident de plus en plus de leur contenu. Ce phénomène peut procurer une plus grande liberté pour l'individualité et pour les choix. Ainsi, de nombreux adultes d'âge avancé perdent le rôle d'époux en raison du taux élevé de veuvage, particulièrement chez les femmes.

2. Les relations conjugales à l'âge avancé sont en général très satisfaisantes et empreintes de loyauté et d'affection mutuelle. De plus, les personnes âgées mariées, en tant que groupe, jouissent d'une meilleure santé et sont plus satisfaites de leur vie que les personnes âgées qui vivent seules. Cette différence est plus marquée chez les hommes que chez les femmes.

3. La majorité des personnes âgées ont au moins un enfant vivant, et la plupart les voient régulièrement et en retirent du plaisir. Toutefois, le nombre de contacts avec les enfants n'est pas relié au degré de satisfaction générale de la personne âgée.

4. Le nombre de contacts avec les amis joue un grand rôle dans la satisfaction générale chez les personnes âgées. Les femmes âgées continuent d'avoir un réseau social plus vaste que celui des hommes. Ceux-ci dépendent davantage de leur épouse pour le soutien social, tandis que les femmes s'appuient sur leurs amis et leurs enfants.

5. Aujourd'hui, dans de nombreux pays industrialisés, l'âge moyen de la retraite se rapproche davantage de 62 que de 65 ans. La retraite anticipée est généralement causée par la maladie. La décision de prendre sa retraite est influencée par les responsabilités familiales, le revenu des pensions et la satisfaction professionnelle.

6. En général, le revenu diminue avec la retraite, mais il demeure en moyenne suffisant. Grâce à la sécurité sociale, les personnes âgées ont maintenant une meilleure situation financière qu'auparavant, mais un grand nombre vit encore avec des revenus les plaçant juste au-dessus du seuil de pauvreté, notamment les femmes et les minorités ethniques.

7. Pour la grande majorité des personnes, la retraite ne semble pas constituer un changement de vie stressant. Elle n'est pas directement liée à une détérioration de la santé physique ou mentale. La minorité des personnes qui trouvent cet événement stressant sont souvent celles qui n'ont pas le sentiment de maîtriser ce processus.

8. Aucune théorie du changement de la personnalité à l'âge avancé ne peut s'appuyer sur des preuves convaincantes. Le concept d'intégrité personnelle d'Erikson et le concept de rétrospection de Butler ont eu de l'influence, mais les recherches n'indiquent pas qu'il s'agit d'étapes fréquentes ou nécessaires. De la même façon, la théorie du désengagement suscite la controverse. En général, on observe un degré de satisfaction élevé et une bonne santé mentale chez les personnes âgées qui se détachent le moins.

9. La perception d'un soutien social adéquat et le sentiment de maîtrise semblent être des facteurs associés à un vieillissement serein.

10. Jusqu'à l'âge de 6 ou 7 ans, les enfants ne comprennent pas que la mort est permanente et inévitable, et qu'elle entraîne un arrêt des fonctions vitales.

11. Pour les adultes, la mort peut avoir plusieurs significations : un changement des rôles familiaux ; une punition pour avoir mené une mauvaise vie ; une transition vers un autre état, comme la vie après la mort ; une perte d'occasions

et de relations. La conscience de la mort peut aussi servir à mieux organiser notre temps (repère temporel).

12. La peur de la mort semble s'intensifier au milieu de la vie, puis elle chute plutôt radicalement. Les adultes âgés parlent davantage de la mort, mais en ont moins peur.

13. Beaucoup d'adultes se préparent à la mort de façon pratique, en prenant une assurance-vie ou en rédigeant un testament, par exemple. La réminiscence peut aussi servir de préparation à la mort. On constate également des signes de changements profonds de la personnalité immédiatement avant la mort, dont plus de dépendance et de docilité, moins d'émotivité et d'agressivité.

14. Kübler-Ross a défini cinq étapes du processus de la mort: refus, colère, marchandage, dépression et acceptation. Les recherches ne prouvent pas, cependant, que tous les adultes passent par les cinq étapes, ni que celles-ci se produisent nécessairement dans cet ordre. L'élément le plus commun est la dépression.

15. Les recherches sur les patients atteints du cancer suggèrent que les personnes dociles et résignées face au diagnostic et au traitement ainsi que les personnes les plus désespérées ont une espérance de vie plus courte. Les personnes qui luttent davantage, ou qui se rebellent, vivent plus longtemps.

16. Les adultes agonisants qui bénéficient d'un soutien social adéquat de la part de la famille, d'amis ou de groupes de soutien spécialement formés à cet effet, vivent aussi plus longtemps que les autres.

17. La grande majorité des adultes des pays industrialisés meurent dans des hôpitaux. Toutefois, les soins palliatifs pour les personnes agonisantes tendent à se répandre. Les soins palliatifs mettent davantage l'accent sur la maîtrise du patient et de sa famille sur le processus de la mort.

18. Certaines études suggèrent que les patients et leur famille sont légèrement plus satisfaits des soins palliatifs que des soins hospitaliers, mais les soins palliatifs à domicile constituent une lourde responsabilité pour la personne qui les prend en charge.

19. Les funérailles et les autres rites funèbres ont des fonctions précises, notamment celle de définir le rôle des personnes en deuil, de rassembler la famille et de donner un sens à la vie et à la mort du défunt.

20. Généralement, les personnes en deuil présentent des taux accrus de maladie, de mortalité et de dépression dans les mois suivant immédiatement le décès d'une personne chère.

21. Les théories sur les étapes du deuil, comme celle de Bowlby, n'ont pas été corroborées par la recherche. Un nombre considérable d'adultes en deuil ne présentent pas une dépression ou des problèmes élevés, que ce soit dans l'immédiat ou plus tard. D'autres adultes présentent des problèmes persistants, même après plusieurs années.

MOTS CLÉS

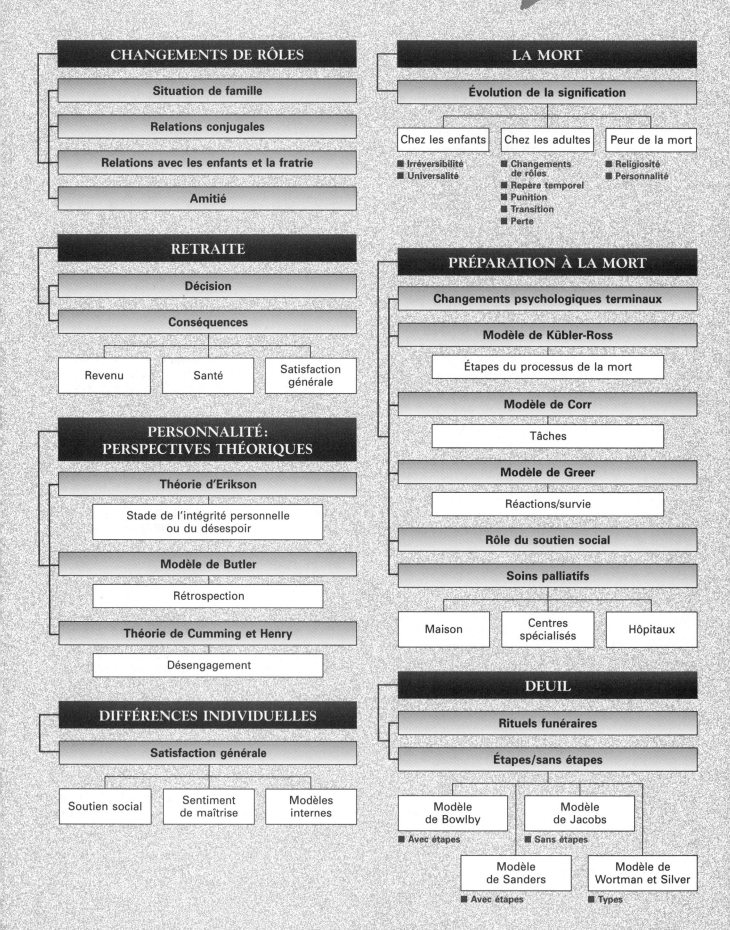

Interlude 6

RÉSUMÉ DU DÉVELOPPEMENT À L'ÂGE ADULTE AVANCÉ

CARACTÉRISTIQUES FONDAMENTALES DE L'ÂGE ADULTE AVANCÉ

Comme dans les autres interludes, nous avons fait une synthèse de cette période sous la forme d'un tableau, dans lequel vous pouvez voir les différences entre le troisième et le quatrième âge. Pour la plupart des facultés intellectuelles, les changements significatifs n'apparaissent qu'après l'âge de 75 ans. Les évaluations physiques révèlent également qu'il se produit une accélération de la dégénérescence à peu près au même moment.

Cependant, en dépit de la clarté apparente des informations contenues dans le tableau, cette période de la vie est très difficile à décrire et à condenser. Suivant les éléments que vous choisissez de faire ressortir, vous pouvez aboutir à une description plutôt optimiste ou franchement déprimante. Ces derniers temps, les psychologues penchent davantage du côté de l'optimisme, en particulier parce que des recherches récentes révèlent moins de déclins inévitables. On peut considérer que la particularité de l'âge adulte avancé réside dans le bien-fondé tant de la vision pessimiste que de la vision optimiste — pour certaines personnes. Joseph Quinn l'explique très bien :

> *Ne commencez jamais une phrase par « Les personnes âgées sont... » ou « Les personnes âgées font... » Quel que soit votre propos, certaines personnes sont comme ceci, d'autres sont comme cela ; certaines personnes font ceci, d'autres font cela. La caractéristique la plus importante des personnes âgées, c'est la diversité. Les moyennes peuvent être trompeuses, car elles ne tiennent pas compte des énormes variations qui les entourent. Méfiez-vous des moyennes.* (1987, p. 64.)

Quinn a raison. Il existe certes une grande variabilité entre les personnes âgées en ce qui concerne la condition physique, la santé mentale, la vigueur, la sagesse, la satisfaction, le goût de la vie, la solitude et la sécurité financière. Pour les personnes qui se situent à l'extrémité optimiste du continuum, l'âge adulte avancé peut se présenter comme une période de choix

et d'occasions favorables. Parlant d'un septuagénaire, Edwin Shneidman décrit ce groupe d'âge en ces termes :

> *Étant donné que, lorsqu'on est septuagénaire, nos parents sont morts et nos enfants sont grands, notre tâche est accomplie ; notre santé n'est pas trop mauvaise et nos responsabilités se sont relativement allégées au fil des années, ce qui nous laisse plus de temps pour penser à nous-mêmes. Ces années peuvent être comme un coucher de soleil, des années illuminées, un été indien, une période de douces températures pour le corps et la psyché à la fin de l'automne ou à l'hiver de la vie, une décennie de grande indépendance où se multiplient les occasions de croissance personnelle.* (1989, p. 684.)

À l'autre extrémité du continuum, certaines personnes âgées vivent sous le seuil de la pauvreté et sont atteintes d'invalidités physiques. Pour ces personnes, on ne peut guère dire que les dernières années ont la douceur d'un été indien.

Aucun résumé ne peut rendre compte de la diversité. Cependant, Quinn n'a pas totalement raison car il existe, malgré tout, certains modèles communs. Il est vrai qu'un petit pourcentage d'individus conservent d'excellentes capacités physiques et mentales jusqu'à un âge avancé, mais le vieillissement amène *normalement* un ralentissement du temps de réaction, une usure des articulations, des taux élevés de maladie et tous les autres changements physiques que nous avons déjà décrits en détail. De surcroît, une personne âgée, aussi en forme soit-elle, ne pourra jamais courir comme une personne de 25 ans.

En insistant trop sur le fait que certains adultes restent en forme, on pourrait entretenir l'illusion que le temps ne s'écoule pas pour certains. Or, le fait que l'horloge biologique ne soit pas aussi bruyante pour toutes les personnes âgées ne peut néanmoins masquer le fait que certains changements biologiques deviennent de plus en plus pesants pour tout le monde dans les dernières années de la vie. Les personnes qui conservent de bonnes capacités y parviennent au prix de nombreux efforts. Elles frôlent davantage les limites de leur capacité de réserve que les jeunes adultes.

Paul et Margaret Baltes (1990a) ont proposé un cadre conceptuel qui, selon nous, clarifie bien ce point. Ils définissent le vieillissement comme un processus d'« *optimisation sélective avec compensation* » (p. 21). Dans cette perspective, une personne âgée conserve des capacités maximales grâce à trois stratégies:

- La *sélection*, soit la réduction des domaines d'activité en concentrant son énergie et son temps sur les exigences et les besoins fondamentaux. Une personne âgée peut ainsi cesser d'escalader des montagnes, mais continuer de pratiquer la marche à pied régulièrement, décider de ne participer qu'à un seul comité au lieu de trois ou se reposer avant une activité exigeante.

- L'*optimisation*, soit l'enrichissement et l'accumulation de réserves grâce à l'apprentissage de nouvelles stratégies ainsi que l'exercice régulier des stratégies acquises, comme par l'entremise de cours réguliers et d'une lecture assidue du journal. Les personnes âgées peuvent aussi entretenir leur condition physique grâce à l'exercice et une alimentation équilibrée.

- La *compensation*, soit le fait de contrebalancer les pertes au moyen de méthodes simples ou créatives, comme le port de lunettes ou de prothèses auditives, la réduction de la conduite automobile de nuit ou dans les embouteillages ou le fait d'écrire des aide-mémoire plutôt que de compter sur les processus de mémorisation internes.

Le fait même que la compensation soit nécessaire pour bien s'adapter à l'âge avancé est extrêmement important. De nombreux adultes réussissent fort bien à compenser les changements physiques et à s'adapter aux circonstances sociales en faisant preuve d'humour et d'imagination.

PROCESSUS FONDAMENTAUX

Le processus central de l'âge adulte avancé est indubitablement l'ensemble des changements physiques qui concourent au vieillissement. Ces transformations amorcent leur lente évolution au début de l'âge adulte, voire à l'adolescence. Pour la plupart d'entre nous, c'est seulement à l'âge adulte avancé que ces changements s'accumulent au point que nous avons besoin de compenser, ou s'accélèrent au point d'engendrer un déclin rapide de certaines fonctions. Des recherches récentes révèlent que certaines des modifications que nous avons coutume d'attribuer à un vieillissement inévitable pourraient en fait être prévenues, voire évitées, comme l'aggravation du taux de cholestérol. Prenons garde, cependant, de sombrer dans l'extrême inverse en prétendant que le vieillisse-

ment n'existe pas. Les neurones perdent des dendrites, le système immunitaire produit moins de lymphocytes T et les dommages à l'ADN s'accumulent dans les cellules individuelles. Finalement, plusieurs organes cessent de fonctionner, ce qui entraîne la maladie et la mort.

Ce déclin biologique est plus facile à supporter en raison du changement simultané des rôles sociaux. Les personnes âgées ont plus de facilité à s'adapter aux pertes physiques ou mentales étant donné qu'elles sont moins soumises aux exigences du rôle de parent ou de travailleur.

Évidemment, ce n'est pas un hasard si l'étau des rôles sociaux se desserre au moment où le corps devient moins fiable. Les jeunes adultes assument leur part du fardeau des rôles sociaux car ils sont physiquement à même de le faire. C'est en effet le meilleur moment pour avoir et élever des enfants et c'est la période où l'on est dans la meilleure condition physique. De même, 30 ou 40 ans plus tard, à l'âge adulte avancé, les enfants auront grandi et la nouvelle génération prendra à son tour le relais des fardeaux physiques et mentaux du travail et d'une vie de famille bien remplie.

Comme ces deux séquences de changements se chevauchent, on comprend aisément comment Cumming et Henry ont élaboré leur théorie du désengagement. Ils perçoivent une sorte d'harmonie dans l'ensemble du système: à l'âge avancé, les obligations sociales sont graduellement rejetées et ne sont remplacées par aucun nouveau rôle. On peut donc imaginer que les personnes âgées réagissent à cette perte sociale par un désengagement encore plus grand. Cependant, bien qu'une telle symétrie soit acceptable en théorie, elle est sans fondement sur le plan psychologique. Les personnes âgées sont certes libérées des prescriptions des rôles, mais elles n'en apprécient pas moins l'intimité ou le soutien social des autres. De même, bien que les personnes âgées soient plus solitaires que les jeunes adultes, il n'en reste pas moins que les individus qui ne bénéficient pas de relations humaines chaleureuses et intimes présentent une plus grande vulnérabilité aux maladies et à la dépression.

Cette observation nous conduit à la considération plus générale que, en dépit des changements physiques survenant avec l'âge et du murmure quasi inaudible de l'horloge sociale, les processus psychologiques fondamentaux que l'on retrouve chez les personnes âgées sont les mêmes que ceux qui dirigeaient les adolescents, les jeunes adultes ou les adultes d'âge moyen. Ainsi, la satisfaction générale dépend grosso modo des mêmes facteurs à tout âge: soutien social adéquat, sentiment de maîtrise, faible incidence des bouleversements non planifiés ou survenant en dehors des normes temporelles et situation financière satisfaisante. Chez les jeunes adultes, la satisfaction professionnelle est l'élément principal de l'équation,

Résumé de la trame du développement à l'âge adulte avancé

Aspect du développement	Âge (années)			
	Troisième âge 65	75	**Quatrième âge** 85	95
Développement physique	Perte considérable de l'acuité auditive, de la vitesse de réaction ; poursuite du déclin graduel de la plupart des capacités physiques. Fréquence accrue des maladies et des invalidités.	Accélération du déclin touchant la plupart des capacités physiques, bien qu'il y ait toujours une grande variabilité individuelle, même à cet âge.		
Développement cognitif	Généralement peu de pertes en ce qui concerne les habiletés cristallisées ; déclin graduel des habiletés fluides.	En moyenne, déclin relativement apparent de toutes les facultés intellectuelles, mais grande variabilité individuelle. Certains signes de « chute terminale » des habiletés cristallisées.		
Développement de la personnalité	Aucune certitude en ce qui concerne la compréhension du processus de transformation de la personnalité à l'âge adulte avancé. Selon Erikson, l'intégrité personnelle serait une tâche primordiale. Pour Neugarten, ce serait plutôt l'intériorité. Cumming et Henry parlent de désengagement. Cependant, aucune de ces théories ne s'appuie sur un socle empirique solide. Augmentation de la fréquence de la dépression à l'âge adulte avancé, bien que ce phénomène semble sans relation avec l'âge même.			
Relations sociales et rôles	Persistance d'une participation sociale importante. Degré de participation habituellement relié au degré de satisfaction générale. Retraite pour la majorité des adultes actifs.	Baisse relative de participation sociale chez les personnes dont l'invalidité physique diminue la mobilité.		

alors que chez les personnes âgées la santé passe en tête de liste. Cependant, les éléments communs sont remarquables.

Wallace Stegner fait particulièrement bien ressortir ce point dans son livre *The Spectator Bird* — l'un des meilleurs romans sur le vieillissement. Parmi les personnages, un médecin de 80 ans affirme qu'il ne se sent pas vieux, lorsqu'on lui pose la question. Il se sent comme un jeune homme qui ne serait pas tout à fait en forme.

Ce sentiment intérieur que vous êtes toujours le « même », malgré le fait que votre corps a changé est une impression très courante à l'âge adulte moyen ou avancé. Il devient déconcertant de se regarder dans un miroir, non seulement parce que les changements physiques ne sont pas particulièrement agréables à voir, mais à cause du constat stupéfiant que la « vieille » personne dans le miroir, c'est vraiment vous. Si un tel sentiment de disproportion entre les changements physiques et une personnalité intérieure moins changeante se fait jour, c'est parce que nous transportons notre moi — nos traits de caractère, nos modèles internes, nos caractéristiques physiques — tout au long de la vie adulte, et aussi parce que les mêmes processus psychologiques fondamentaux opèrent à tous les âges. Il existe différentes nuances, évidemment, mais nous répondons au stress de la même façon à n'importe quel âge. Nous créons des attachements et nous utilisons nos principales figures d'attachement d'une façon très similaire, indépendamment de notre âge.

INFLUENCES SUR LES PROCESSUS FONDAMENTAUX

Nous avons déjà abordé ce point auparavant, mais il est utile d'y revenir. Les influences les plus déterminantes sur les expériences de l'âge adulte avancé sont des facteurs qui apparaissent beaucoup plus tôt dans la vie.

À l'approche de la soixantaine, vous pouvez parfois décider du moment de votre retraite ; vous pouvez choisir l'endroit où vous allez habiter et la façon dont vous allez occuper votre temps. Cependant, toutes ces décisions subissent grandement l'influence de votre santé, laquelle est reliée à vos décisions antérieures concernant votre santé. Évidemment, tout le monde ne dispose pas d'un grand éventail de choix quant aux premières décisions touchant la santé. Une personne peut travailler pendant plusieurs années dans un environnement insalubre, dans une mine, être exposée à des produits chimiques, etc., parce que c'est le seul emploi qu'elle a trouvé pour faire vivre sa famille. Par ailleurs, beaucoup d'enfants et de jeunes adultes n'ont pas un régime alimentaire et des habitudes de vie appropriés. Ces déficiences auront des répercussions plus tard. Qu'il s'agisse des choix personnels concernant l'hygiène de vie, comme fumer, ou de l'exposition inévitable aux risques, tous ces petits détails sans importance quand on est jeune se retournent contre nous plus tard. Et rien n'influe davantage sur la tournure de l'âge adulte avancé que la santé de l'individu. Les personnes en bonne santé conservent de meilleures facultés intellectuelles et sont en mesure d'entretenir leur forme physique puisqu'elles ont la possibilité de pratiquer des exercices adéquats. Elles ont aussi plus de choix en ce qui concerne l'« optimisation avec compensation ».

Le moment d'apparition des rôles détermine également la tournure que prendra l'âge adulte avancé, particulièrement pour les représentants de ce que Neugarten appelle le *troisième âge*. Les personnes qui ont eu des enfants tardivement vivent une expérience sensiblement différente entre l'âge de 65 et 75 ans de celle des gens qui ont cessé d'avoir des enfants entre 25 et 30 ans. Le premier groupe peut se voir contraint de travailler après l'âge de la retraite pour subvenir aux besoins de ses enfants encore dépendants financièrement. En outre, comme les enfants nés tardivement se lancent à peine dans la vie au moment où les parents auraient besoin d'un soutien financier ou d'une forme quelconque d'aide, les conflits de rôles risquent de se multiplier.

Parmi les modèles implantés tôt dans la vie et qui se répercutent sur l'expérience de l'âge adulte avancé, on compte aussi la qualité des relations intimes, non seulement avec le conjoint ou le partenaire, mais également avec les amis. Les adultes qui ont un confident surmontent mieux le stress lié au vieillissement que les autres. Mais les confidents ne se trouvent pas sur les arbres, prêts à se laisser cueillir lorsque vous avez besoin d'eux. Ce sont des amis de longue date avec qui l'on entretient des relations suivies. L'une des raisons pour lesquelles les femmes semblent ainsi mieux s'accommoder que les hommes aux changements de l'âge avancé, c'est qu'elles ont généralement développé ce type de réseau d'amitiés intimes tout au long de leur vie.

Une exception importante vient contredire l'affirmation selon laquelle les influences majeures de l'âge adulte avancé sont des modèles établis plus tôt dans la vie. En vérité, le fait de bien vieillir à l'âge avancé repose également sur ce vieux principe plein de sagesse : « Utilisez vos capacités, sinon vous les perdrez. » Dans presque tous les domaines de la vie, la conservation des capacités dépend de leur utilisation répétée, de la pratique. L'esprit reste aiguisé tant que nous le sollicitons ; le corps reste en bonne condition pour autant qu'on l'entraîne ; les relations sociales restent satisfaisantes quand on les entretient par des contacts réguliers. Ces habitudes peuvent assurément être prises à un plus jeune âge, ce qui est par ailleurs souhaitable. Cependant, même ceux qui ont négligé leur corps, leur esprit et leurs relations peuvent changer ce mode de fonctionnement à l'âge avancé et, ainsi, mieux vieillir.

Somme toute, bien vieillir ne signifie pas nécessairement tromper la mort ou vivre plus longtemps. Le plus important c'est de vivre pleinement les années qui nous restent. C'est ce que confirme la minorité de personnes âgées qui restent en forme et gardent leur joie de vivre. Vous devez avoir, vous aussi, la ferme intention de devenir une personne âgée excentrique et pleine de vie.

LECTURES SUGGÉRÉES

EN FRANÇAIS

ALLARD, M. (1991), *À la recherche du secret des centenaires*, Paris, Fondation IPSEN pour la recherche thérapeutique. (Ce médecin propose quelques clés sur l'art de bien vieillir à la suite d'une vaste enquête sur les centenaires, réalisée pour la Fondation Ipsen, ou Institut de produits de synthèse et d'extraction naturelle.)

ASSELIN, S., L. Duchesne *et al.* (1994), *Les hommes et les femmes : une comparaison de leurs conditions de vie*, Québec, Les publications du Québec. (Cette analyse détaillée permet de mieux comprendre les effets des nombreux changements démographiques, économiques et sociaux des dernières décennies sur les conditions de vie des hommes et des femmes et sur leurs rapports dans le monde du travail et au foyer.)

BAUDOIN, J.-L. et D. Blondeau (1993), *Éthique de la mort et droit à la mort*, Paris, PUF. (Ce livre très critique analyse la façon dont notre société technocratique fausse les perceptions et les attitudes des individus face à la mort.)

BERGER, L. et D. Mailloux-Poirier (1989), *Personnes âgées, une approche globale : Démarche de soins par besoins*, Laval, Éditions Études Vivantes. (Ce manuel étoffé insiste sur l'identification des besoins des personnes âgées pour leur venir en aide, en s'appuyant sur la démarche par besoins de Virginia Henderson.)

BONKALO, E. (1995), *L'art de garder son cerveau en forme à la retraite*, Montréal, Éditions Logiques. (L'auteur, un médecin âgé de 79 ans, donne des conseils aux personnes retraitées afin de les aider à maintenir leurs fonctions cérébrales et corporelles.)

BORGOGNON, A. (1995), *Le cancer, entre la douleur et l'espoir*, Saint-Laurent, Éditions Pierre Tisseyre. (Écrit par un journaliste, ce livre constitue une remarquable vulgarisation scientifique accessible à un vaste public.)

DUCHESNE, L. (1995), *La situation démographique au Québec*, Québec, Bureau de la statistique du Québec. (Cette publication livre les principales statistiques relatives à la population et aux comportements démographiques au Québec en 1993. L'analyse permet de comparer la situation démographique du Québec avec la situation d'autres pays et de suivre l'évolution des principaux événements.)

ÉTHIER, S. (1996), *L'ABC de la maladie d'Alzheimer*, Montréal, Éditions du Méridien. (Ce livre contient un grand nombre de renseignements et de conseils sur les comportements à adopter envers une personne atteinte de la maladie d'Alzheimer. Il sera fort utile aux aidants naturels qui s'occupent des 60 000 Québécois qui souffrent de cette maladie.)

FRIEDAN, B. (1995), *La révolte du troisième âge : pour en finir avec le tabou de la vieillesse*, Paris, Albin Michel. (Pourquoi certaines personne puisent-elles un second souffle dans la vieillesse, alors que d'autres se laissent abattre ? Un excellent essai par l'auteure qui a contribué au renouveau du féminisme.)

GUBERMAN, N., J. Lindsay, L. Spector et J. Broué (1993), *Le défi de l'égalité*, Boucherville, Gaëtan Morin Éditeur. (Une étude sur les rapports hommes-femmes et le lien avec les troubles de santé mentale ; il se termine par une liste de 87 recommandations.)

HOUDE, R. (1995), *Des mentors pour la relève*, Montréal, Éditions du Méridien. (Un livre qui préconise le mentorat afin d'aider la génération montante qui serait aux prises avec le découragement et la tentation du suicide.)

HUMPHRY, D. (1991), *Exit final – Pour une mort dans la dignité*, Pointe Saint-Charles, Le Jour éditeur. (Ce livre controversé est un plaidoyer en faveur de l'assistance au suicide. Hubert Reeves a écrit la préface à la version française.)

Institut Rocher (1995), *La violence et les personnes ayant des incapacités : une analyse de la littérature*, Toronto. (Dans un contexte de discrimination systématique contre les personnes atteintes d'incapacités, la violence s'exerce à leur égard sous diverses formes de mauvais traitements, insidieuses ou manifestes, qui peuvent ou non être considérées comme des actes criminels.)

LAMONTAGNE, Y. (1995), *La mi-carrière ; problèmes et solutions*, Laval, Guy Saint-Jean Éditeur. (Ce livre s'adresse particulièrement aux personnes dans la quarantaine ou la cinquantaine qui font face à des difficultés dans leur carrière professionnelle.)

LAVALLÉE, F. et M.-C. Denis (1996), « Révision de vie : un processus de deuil ? », *Revue québécoise de psychologie*, vol. 17, n° 2, p. 75 à 100. (Une recherche sur le rapport entre la réminiscence et le deuil, basée notamment sur l'approche de Gorney et celle de Sanders.)

LORRAIN, J. *et al.* (1995), *La ménopause : prise en charge globale et traitement*, Saint-Hyacinthe, Edisem/Maloine. (Ce livre dense s'adresse aux professionnels de la santé, mais il est néanmoins accessible au grand public.)

MAC LEAN, M. J. (1995), *Mauvais traitement auprès des personnes âgées : statégies de changement*, Montréal, Éditions Saint-Martin. (Ce rapport produit par l'Association canadienne de gérontologie porte sur les stratégies de changement en regard des mauvais traitements dont sont victimes les personnes âgées.)

Santé Québec (1995), *Et la santé, ça va en 1992-1993 ? Rapport de l'enquête sociale et de santé 1992-1993*, vol. 1, 2 et 3, Montréal. (Cette enquête de grande envergure fournit une somme imposante d'informations sur la population québécoise.)

WATT, L.-M. et P. Cappeliez (1996), « Réminiscence et dépression », *Revue québécoise de psychologie*, vol. 17, n° 2, p. 101 à 114. (Une étude sur l'efficacité de la rétrospection de vie intégrative et de la rétrospection de vie instrumentale en tant que base d'intervention auprès des personnes âgées dépressives.)

EN ANGLAIS

BINSTOCK, R. H. et L. K. George (dir.) (1990), *Handbook of aging and the social sciences*, 3ᵉ éd., San Diego, Academic Press. (Cette dernière édition d'une série de manuels offre des résumés sur les recherches et les théories portant sur divers sujets abordés dans cette partie du manuel. Le matériel est souvent dense, mais il s'agit d'une excellente source de références récentes.)

BIRREN, J. E., R. B. Sloane et G. D. Cohen (dir.) (1992), *Handbook of mental health and aging*, 2ᵉ éd., San Diego, Academic Press. (Ce recueil d'articles, dont certains sont assez techniques, présente une mise à jour sur presque tous les sujets reliés à la santé mentale à l'âge adulte avancé.)

BLOCK, M. R., J. L. Davidson et J. D. Grambs (1981), *Women over forty : Visions and realities*, New York, Springer. (Ce livre offre une bonne synthèse des informations disponibles sur les femmes d'âge moyen et avancé.)

BOND, J. et P. Coleman (dir.) (1990), *Aging in society : An introduction to social gerontology*, London, Sage Publications. (Cet excellent ouvrage de référence sur de nombreux aspects du vieillissement, écrit surtout par des chercheurs britanniques, offre un aperçu sur le processus de vieillissement chez des individus n'habitant pas en Amérique du Nord.)

CHARNESS, N. (dir.) (1985), *Aging and human performance*, Chichester, Wiley. (Ce livre constitue une excellente référence, non seulement parce qu'il contient des chapitres recoupant de nombreux sujets dont il est question dans ce chapitre, mais aussi parce qu'il offre une bibliographie exhaustive.)

CHERLIN, A. J. et F. F. Furstenberg fils (1986), *The new American grandparent*, New York, Basic Books. (Cet ouvrage résume les recherches des auteurs et d'autres chercheurs sur les grands-parents. Il s'adresse davantage au grand public qu'aux psychologues.)

FARRELL, M. P. et S. D. Rosenberg (1981), *Men at midlife*, Boston, Auburn House. (Cet ouvrage très intéressant présente les résultats d'une étude effectuée auprès d'environ 500 jeunes adultes et adultes d'âge moyen du nord-est des États-Unis. Il comprend la description d'une étude de cas sur les hommes et une discussion sur le mariage, l'amitié et les autres rôles assumés par les hommes d'âge moyen.)

FEIFEL, H. (dir.) (1977), *New meanings of death*, New York, McGraw Hill. (Ce manuel est une compilation d'articles remarquables. Il contient l'une des premières descriptions des soins palliatifs par Cicely Saunders, ainsi que des essais par des spécialistes dans le domaine, dont Robert Kastenbaum, Edwin Shneidman et Richard Kalish.)

HAGESTAD, G. O. (1984), « The continuous bond : A dynamic, multigenerational perspective on parent-child relations between adults », *in* M. Perlmutter (dir.), *Minnesota symposia on child psychology*, vol. 17 (p. 129 à 158), Hillsdale, Lawrence Erlbaum Associates. (Tous les articles d'Hagestad sont excellents. Celui-ci traite des interactions familiales et des relations transgénérationnelles.)

KALISH, R. A. (1985), « The social context of death and dying », *in* R. H. Binstock et E. Shanas (dir.), *Handbook of aging and the social sciences*, 2ᵉ éd., New York, Van Nostrand Reinhold. (Ce livre offre un résumé plus récent des connaissances actuelles sur la mort et l'agonie.)

MISHELL, D. R. fils (dir.) (1987), *Menopause : Physiology and pharmacology*, Chicago, Year Book Medical Publishers. (Si vous voulez en savoir davantage sur la ménopause, il s'agit d'une source remarquable. Les articles sont détaillés, mais écrits dans un langage abordable pour les non-spécialistes.)

SCHULZ, J. H. (1988), *The economics of aging*, 4ᵉ éd., Dover, Auburn House. (Tout ce que vous avez toujours voulu savoir sur la situation économique des personnes âgées.)

STERNBERG, R. J. (dir.) (1990b), *Wisdom : Its nature, origins, and development*, Cambridge, Angleterre, Cambridge University Press. (Il s'agit de la meilleure zsource portant sur ce sujet extrêmement intéressant, bien que ce livre accorde une place beaucoup plus importante à la théorie qu'aux données.)

VAILLANT, G. E. (1977), *Adaptation to life : How the best and brightest came of age*, Boston, Little, Brown & Co. (Cet ouvrage fascinant présente les résultats d'une recherche sur la vie de 100 des étudiants de Harvard étudiés par Grant. Au moment où ce livre a été écrit, les sujets avaient été suivis jusqu'au début de l'âge moyen. On y trouve plusieurs études de cas très intéressantes qui vous donneront un aperçu de la grande variété des trajectoires individuelles à l'âge adulte.)

Postlude

RÉSUMÉ DE LA TRAME DU DÉVELOPPEMENT AU COURS DES ÂGES DE LA VIE

Notre objectif dans chacun des interludes a été de faire ressortir les caractéristiques fondamentales de chaque période du développement humain, de la naissance à la mort. Toutefois, malgré ce processus de récapitulation et d'analyse, il était peut-être difficile de saisir la progression du développement dans son ensemble. Nous allons donc conclure ce manuel en revenant brièvement sur quelques-uns des thèmes soulevés dans les chapitres 1 et 2, soit la continuité et le changement, les différences individuelles et la variabilité, et les théories du développement.

CONTINUITÉ ET CHANGEMENT

La continuité et le changement constituent la trame du développement humain. Votre propre expérience et votre propre développement se composent de ces deux éléments. Vous sentez bien que vous êtes la même personne d'un moment à l'autre, année après année et, en même temps, vous sentez que vous avez changé. Vous n'êtes pas la même personne à 25 ans ou à 45 ans qu'à 12 ans. Lorsqu'on demande à des gens d'âge moyen ou avancé s'ils aimeraient retrouver leurs vingt ans, la plupart éclatent de rire et s'exclament : «Ah ! Ça non ! » Puis, ils vous expliquent qu'ils ont appris beaucoup de choses entre-temps et qu'ils ne se verraient pas vivre sans ces connaissances. Ainsi, la continuité et le changement vont de pair ; il s'agit d'un des aspects fondamentaux du développement humain.

CONTINUITÉ

L'une des sources de la continuité est le tempérament inné. Il est évident qu'une grande part de la personnalité n'est pas déterminée génétiquement et ne subit pas d'influence biologique. Toutefois, dès la naissance, le nourrisson manifeste certains penchants et réagit d'une manière particulière aux événements. Selon la manière dont les gens se comportent avec l'enfant et selon ce qui est renforcé et ce qui ne l'est pas, ces tendances initiales sont confortées ou modifiées. Des modèles stables s'établissent parfois dès le milieu de l'enfance ou tout au moins à l'adolescence ou au début de l'âge adulte. À leur tour, ces modèles persistants de la personnalité influent sur la manière dont l'individu réagit aux divers événements de la vie.

Les personnes qui ont un tempérament difficile ou névrotique risquent d'avoir une vie très différente des autres. Ces personnes réagissent plus souvent de manière négative à la plupart des types de stress, elles arrivent plus difficilement à entretenir des relations durables et elles risquent d'être insatisfaites de leur vie. Par contre, les personnes très extraverties ou pleines de vivacité ont beaucoup plus de chances d'avoir des relations stables et satisfaisantes, elles récupèrent plus rapidement après un événement stressant et elles ont en général un meilleur moral.

De la même manière, les modèles internes de soi, de genre et d'attachement tendent à assurer la continuité. Évidemment, les modèles internes sont liés à la personnalité. Un enfant doté d'un tempérament difficile risque davantage d'établir un attachement faible envers sa mère ou son père, ce qui peut créer un double désavantage. Toutefois, modèles internes et personnalité ne sont pas synonymes. Il s'agit ici de la *compréhension* d'un individu, c'est-à-dire le sens qu'une personne donne à ses expériences, les attentes de cette personne en ce qui concerne les autres, ses relations et son moi. Il s'agit de *perceptions* autant que de sentiments, et ces modèles semblent extrêmement puissants.

Ces systèmes de signification acquis évoluent durant l'enfance, ils ne sont pas immuables. Les travaux de Mary Main sur les modèles internes d'attachement chez l'adulte prouvent que le changement est possible. En effet, elle a trouvé que des adultes qui avaient eu une enfance dépourvue d'affection ou avaient subi de mauvais traitements faisaient preuve d'un attachement fort. Ces personnes reconnaissent le rôle que leurs expériences durant l'enfance ont joué dans leur formation, mais elles sont capables d'être objectives. On ne sait guère comment ce type de réévaluation ou de transformation se produit, mais ce qui importe, c'est que de tels changements *peuvent* se produire. La continuité est peut-être l'option par défaut, mais elle n'est pas inébranlable.

À nos yeux, la place prépondérante que l'on accorde désormais aux modèles internes constitue le progrès théorique le plus important de ces dernières décennies dans le domaine de la psychologie développementale. Les chercheurs ont compris que l'environnement n'est pas fortuit et qu'il ne façonne pas automatiquement le comportement, quel que soit l'âge. La compréhension personnelle des expériences représente un processus déterminant. Il reste manifestement beaucoup à apprendre sur la formation et le changement des modèles internes de base et sur la manière dont ils modifient nos choix et notre comportement. Mais nous pensons que les chercheurs sont sur la bonne voie.

CHANGEMENT

Le changement fait également partie intégrante du développement, que ce soit les changements communs (universels) et personnels (individuels). Les changements communs, sur lesquels la plupart des théoriciens du développement ont insisté dans leurs travaux, prennent forme au cours de la vie grâce à un double processus que nous avons appelé l'*horloge biologique* et l'*horloge sociale*. Mais il faut noter que ces deux influences ont rarement un effet d'équilibre. Durant l'enfance, la maturation biologique joue un rôle extrêmement puissant. On peut même dire que le rythme de l'enfance relève tout entier de cette maturation : du faible nouveau-né au trottineur ; du trottineur qui babille à l'enfant de quatre ans qui s'exprime aisément ; du préadolescent sexuellement immature à l'adolescent pubère. L'expérience joue évidemment un rôle primordial, et l'activité d'un enfant s'avère essentielle dans le façonnement même du processus de développement. Toutefois, derrière tous les autres processus de formation, l'horloge biologique continue son tic-tac bruyant, et bat au même rythme chez presque tous les enfants.

L'horloge sociale n'est pas totalement absente pendant les premières années de la vie. Il se produit certains changements communs dans les rôles sociaux, notamment le passage de l'âge préscolaire à l'âge scolaire, qui marque profondément le développement de l'enfant. Toutefois, les modèles de changements communs observés chez l'enfant relèvent davantage de la maturation biologique et d'une expérience environnementale commune que de changements clairement définis dans les rôles sociaux.

Au début de l'âge adulte, la force relative de ces deux influences s'inverse presque complètement.

Après la puberté complète, commence une période de 20 ans ou plus durant laquelle le mécanisme physique fonctionne à son rythme optimal. Au cours de ces années, l'horloge sociale définit les heures du développement, façonnant ainsi l'enchaînement des changements de la vie que nous partageons pour la plupart : le passage du célibat à la vie maritale, du rôle d'enfant à celui de parent, de la dépendance à l'autonomie.

Au milieu de l'âge adulte, probablement pour la seule fois au cours du cycle de vie, ces deux influences majeures se trouvent presque en équilibre. Les changements biologiques internes associés au vieillissement deviennent plus apparents, alors que les définitions sociales se font moins rigoureuses ou contraignantes. À la fin de l'âge adulte, le processus biologique est redevenu prédominant. Il faut noter que, à aucune période de la vie, les horloges biologique et sociale n'exercent en même temps une très forte influence. Il se produit plutôt une sorte d'alternance, un flux et un reflux prévisibles qui créent un certain rythme de changements communs tout au long des âges de la vie.

THÉORIES DU DÉVELOPPEMENT

Vous savez maintenant qu'aucune théorie du développement humain n'offre une description satisfaisante de ce processus dans son ensemble. De nombreux observateurs et chercheurs ont manifesté un grand intérêt pour la notion de stade, car elle permet d'instaurer un ordre dans un ensemble de changements sans cela déroutants. Mais les systèmes de stades proposés présentent des faiblesses majeures : en effet, ils ne permettent guère de mettre en évidence des stades étroitement reliés à l'âge. Même pendant l'enfance, lorsque les changements par stades semblent particulièrement plausibles, il existe des variations mesurables dans la survenue de certains changements cognitifs en fonction d'une expérience ou d'une expertise données. Durant l'âge adulte, les théories qui s'appuient sur la notion de stade sont encore moins convaincantes.

Cependant, deux concepts basés sur la notion de stade offrent un grand intérêt, selon nous. Premièrement, s'il n'y a pas de stades, il y a certainement des *séquences*. Au cours des différents âges, on observe des séquences communes de développement ou d'expériences. Il existe une séquence dans l'acquisition du concept de genre ou du concept de conservation chez l'enfant ; il existe une séquence dans la mise en place du raisonnement moral ; il existe une séquence dans le cycle de la vie familiale qui débute dès que l'adulte devient parent pour la première fois ; il existe une séquence des générations au sein de la famille, à mesure que chaque individu passe de la génération des jeunes adultes à la génération médiane, puis au statut de personne âgée; il existe une séquence dans l'expérience professionnelle et peut-être même dans les changements des relations avec le ou la partenaire.

Il est sans doute vrai que les seules séquences *universelles* sont celles qui se trouvent au moins partiellement enracinées dans les changements de maturation. Mais dans toute culture ou cohorte, le développement humain suit de nombreuses trajectoires communes.

Deuxièmement, la notion de stade a donné naissance à un concept très utile pour comprendre le développement, en particulier chez l'adulte; ainsi, selon Levinson, il y aurait des périodes de transition qui alterneraient avec des périodes de stabilité relative. Nous ne croyons pas que le *contenu* de ces périodes d'alternance soit aussi fixe et universel que Levinson l'a suggéré, loin de là. Nous ne traversons pas tous une crise à la quarantaine ou une période de transition à la trentaine. Par contre, l'idée d'alternance entre périodes de stabilité et périodes de transition semble très bien rendre compte d'un aspect du processus développemental. Tout comme on observe un rythme de base créé par le flux et le reflux des horloges biologique et sociale, on observe un deuxième rythme de base créé par l'alternance entre la continuité et le changement.

On peut constater cette alternance autant chez les enfants que chez les adultes. Par exemple, le passage à l'âge de trottineur, avec ses nombreuses adaptations (langage, autonomie des déplacements, établissement d'un attachement clair), est suivi d'une période de quelques années où le comportement de l'enfant et ses relations avec ses parents sont plus prévisibles; le passage de 5 à 7 ans, lorsque l'enfant entre à l'école, est suivi de quelques années au cours desquelles l'enfant et sa famille établissent une structure de vie plus stable. Même chez le nourrisson, le changement ne semble pas se produire de façon continue. On observe des périodes de changements rapides et des moments de plus grande stabilité, notamment la période de 2 à 6 mois environ et la période de 8 à 12 mois environ.

À l'âge adulte, les périodes de transition et de stabilité varient d'un individu à l'autre, selon la culture, la cohorte, le moment du mariage et de la procréation ou en raison d'expériences individuelles. Toutefois, l'alternance fondamentale entre la stabilité et la transition semble être un aspect commun dans la vie de presque tous les individus.

De nombreux facteurs peuvent déclencher une transition. Pendant l'enfance et l'adolescence, les changements physiologiques provoquent certaines transitions, dont la puberté constitue un exemple frappant. À l'âge adulte, les changements sur le plan de la santé ou de la *conscience* du vieillissement biologique peuvent également être importants. Toutefois, ce sont surtout les changements de rôles qui entraînent des variations de la structure stable de la vie à cette période, de même que les changements de vie imprévus ou survenant en dehors des normes temporelles, comme la perte d'un emploi.

Nous pensons que chaque transition offre une occasion de croissance personnelle, précisément parce qu'elle permet de remettre en question les modèles internes ou force l'individu à envisager de nouvelles solutions. La puberté amène de nouvelles questions sur l'indépendance et l'autonomie; le mariage nous oblige à faire face aux habitudes et aux modèles internes que nous apportons dans la relation. L'âge adulte moyen peut susciter un questionnement sur une certitude jamais remise en cause jusqu'alors, soit le sentiment d'invincibilité ou d'immortalité. Lors d'une crise ou d'une transition, les gens déclarent souvent: «Je ne me reconnais pas.» Cette phrase révélatrice reflète peut-être le sentiment d'être temporairement en dehors de ses propres normes. On en éprouve de la douleur, on se sent bouleversé et perdu, mais souvent c'est une occasion de *changer* de cadre, d'adapter nos modèles internes. Selon Piaget, toute transition offre une occasion de se *décentrer*, de voir le monde d'une manière moins égocentrique. Les gens ne profitent pas toujours de ces occasions. De nombreuses personnes en période de transition n'en profitent pas pour remettre en question leurs convictions ou entreprendre de nouvelles tâches. Mais, à un niveau plus profond, ces périodes de transition offrent tout particulièrement la possibilité d'une croissance personnelle.

Jane Loevinger, dont nous avons présenté la théorie au chapitre 2 notamment, appuie la notion de séquence *potentielle* de changements, comme le déplacement qui peut se produire entre la prise de position conformiste du jeune adulte et ce qu'elle appelle le stade de conscience. Selon Loevinger, même si cette séquence de changements est commune à tous les individus, ceux-ci ne parcourent pas tous la même distance. Cette proposition est semblable à ce que l'on observe dans le développement du raisonnement moral, où tous les individus semblent suivre une séquence de compréhension, mais à leur propre rythme et en s'arrêtant à différentes étapes dans leur cheminement.

Si nous combinons la notion de séquence et la notion d'alternance entre stabilité et transition de Levinson, nous nous rapprochons fort de ce que l'on pourrait appeler une théorie de stades, sans que cela signifie nécessairement que chaque individu vit les transitions au même moment ni que chacune des transitions entraîne nécessairement une croissance personnelle. La période de transition peut mener certaines personnes à la dépression, à l'alcoolisme, ou même les ramener à une forme antérieure de stratégie d'adaptation. Pour d'autres personnes, le déséquilibre est suivi par un retour à l'état précédent de *statu quo*. Toutefois, il existe une *occasion* de changement et de croissance à chaque tour de spirale.

DIFFÉRENCES INDIVIDUELLES

Ces modèles ou ces rythmes communs ne devraient pas, et ne peuvent pas, camoufler les autres événements centraux du développement humain, à savoir qu'il existe des différences individuelles dans le moment d'apparition et les trajectoires empruntées. De telles différences deviennent particulièrement visibles au cours des périodes de la vie où l'horloge biologique est relativement peu bruyante. Au début et à la toute fin de la vie, les points communs sont plus apparents. Toutefois, à tous les âges, il existe d'importantes variations, même dans des éléments aussi fondamentaux que le taux de maturation lui-même. Uhlenberg et Chew ont expliqué ces variations de la manière suivante:

> Au fil de la vie, les expériences personnelles sont presque aussi uniques que les empreintes digitales. Il n'y en a pas deux identiques. (1986, p. 23.)

Voici un autre exemple de l'ampleur des variations qui s'ajoute à toutes celles que nous avons déjà mentionnées: Rindfuss (Rindfuss, Swicegood et Rosenfeld, 1987) a étudié un vaste échantillon de sujets adultes qui avaient obtenu leur diplôme d'études secondaires en 1972. Pendant les 8 années suivantes, les chercheurs ont observé si chacun des 14 000 sujets avait assumé ou abandonné certains rôles sur le plan du travail, des études ou du mariage. Ils ont trouvé 1 100 combinaisons de séquences et de moment d'apparition chez les hommes et 1 800 combinaisons chez les femmes. Pratiquement tous ces adultes avaient en fait acquis un ou plusieurs de ces rôles, mais dans un ordre ou à un âge différent. Lorsque l'on compile ces variations sur le moment d'apparition et la séquence avec des variations déjà existantes de la personnalité, des modèles internes, de l'éducation et de la santé, on comprend pourquoi les sociologues et les psychologues commencent à parler d'«empreintes digitales» ou de «trajectoires» plutôt que de «sentiers communs».

Si tel est le cas, alors en quoi est-il possible de parler de «développement normal»? Nous espérons que vous conviendrez avec nous qu'il est très sensé de parler de sentiers communs et de développement normal dans l'*enfance*. Pendant les 12 à 15 premières années de la vie, non seulement observe-t-on des changements communs sur le plan de la maturation, mais on note également des réactions culturelles semblables à ces modèles de maturation. Les bébés sont cajolés et on leur parle; en apprenant à marcher, les trottineurs partout au monde acquièrent plus de liberté; les enfants de pratiquement toutes les cultures commencent à aller à l'école vers 6 ou 7 ans; les rituels marquant le passage à l'âge adulte sont des thèmes communs de l'expérience de l'adolescence. Les détails varient, mais il y a certainement des expériences et des séquences communes.

En revanche, que se passe-t-il à l'âge adulte? Peut-on aussi parler de «développement chez l'adulte»? Comme vous avez pu le constater tout au long de ce manuel, nous pensons que oui, mais cela n'a pas la même signification que lorsqu'on parle du «développement chez l'enfant». À l'âge adulte, le calendrier de maturation est beaucoup plus discret, mais il est toujours présent. C'est ce qu'on appelle le *vieillissement*. Il fournit une base commune à l'expérience adulte. Les principaux rôles professionnels et familiaux créent des modèles qui sont largement communs, à la fois dans une culture ou une cohorte, et à travers les cultures. À un niveau plus profond, certains rythmes comme l'équilibre entre les horloges sociale et biologique, et le flux et le reflux entre la transition et la stabilité sont universels. Finalement, on peut dire qu'il existe une trajectoire de croissance commune semblable à celle décrite par Loevinger. Ces différents rythmes décrivent principalement le développement adulte. Cependant, au-delà de cette base, on trouve pratiquement une infinité de modèles de vie.

Pour illustrer ce point, utilisons une métaphore musicale. Supposons que les rythmes de base communs soient le rythme d'un chant ou la partition des percussions dans une symphonie. Chaque mélodie et chaque orchestration doit être élaborée à partir de ce rythme, si bien que chaque chant ou chaque symphonie aura des sonorités communes. Cependant, votre chant et le nôtre auront des mélodies différentes. Qu'un chant soit harmonieux ou non, que l'on introduise de nouveaux thèmes concordants ou discordants, ces caractéristiques dépendent de tous les facteurs dont nous avons parlé dans ce manuel. Toutefois, chacun de nous composera un chant, une vie. Nous espérons que vous éprouverez autant de plaisir à écrire votre partition que nous en avons ressenti à composer la nôtre.

Glossaire

Absorption maximale d'oxygène (Vo₂ max) : Quantité d'oxygène que la circulation sanguine peut absorber, qui sera ensuite acheminée vers toutes les parties de l'organisme. Importante mesure de la capacité aérobie, l'absorption maximale d'oxygène diminue avec l'âge, mais peut être améliorée grâce à l'exercice physique.

Accommodation : Processus d'adaptation par lequel un individu modifie les schèmes existants pour s'adapter à de nouvelles expériences, ou pour créer de nouveaux schèmes lorsque les anciens ne permettent plus d'incorporer les nouvelles données.

Acide désoxyribonucléique (ADN) : Composition chimique des gènes, souvent désignée par l'abréviation ADN.

Agent tératogène : Tout agent extérieur (une maladie ou un produit chimique, par exemple) qui augmente de façon considérable les risques d'anomalies ou de perturbation durant le développement prénatal.

Agressivité : Habituellement définie comme l'ensemble des comportements physiques ou verbaux qui visent intentionnellement à nuire à quelqu'un ou à causer des dommages à un objet.

Altruisme (ou comportement prosocial) : Comportement d'une personne qui vient en aide aux autres, donne de son temps ou partage ses objets ou d'autres possessions, sans intérêt personnel évident.

Amabilité : Un des cinq principaux traits de la personnalité décrits par McCrae et Costa, caractérisé par la bonté, la confiance, la générosité et l'assentiment.

Amniocentèse : Méthode de diagnostic prénatal qui permet de déceler la présence d'anomalies génétiques chez l'embryon ou le fœtus. Elle peut être pratiquée vers la 15ᵉ semaine de grossesse.

Amnios : Membrane remplie de liquide amniotique dans lequel baigne l'embryon ou le fœtus.

Androgyne : Personne présentant un degré élevé de caractéristiques et masculines et féminines.

Anorexie mentale : Syndrome caractérisé par « la volonté de perdre du poids, une peur intense de prendre du poids, une perception faussée de son propre corps... et un refus obstiné de se maintenir à un poids normal » (Attie *et al.*, 1990, p. 410).

Apprentissage par observation : Apprentissage d'habiletés motrices, d'attitudes ou de comportements effectué par le biais de l'observation d'une autre personne.

Assimilation : Processus d'adaptation par lequel un individu associe de nouvelles informations ou expériences à des schèmes existants. L'expérience n'est pas adaptée telle quelle, mais elle est modifiée (ou interprétée) de façon à ce qu'elle concorde avec les schèmes déjà existants.

Attachement : Lien affectif positif unissant une personne à une autre, tel que celui que l'enfant nourrit à l'égard de sa mère et vice versa. L'attachement fait intervenir un sentiment de sécurité.

Attachement faible : Ensemble des modèles d'attachement ambivalents et des modèles d'évitement chez l'enfant. L'enfant ne considère pas ses parents comme une base de sécurité et ceux-ci ne parviendront pas vraiment à le consoler.

Attachement fort : Attachement caractérisé par la capacité, pour l'enfant, de considérer ses parents comme une « base de sécurité » et d'être consolé par eux après une séparation, s'il a peur ou s'il éprouve du désarroi.

Axone : Prolongement d'un neurone ; les fibres terminales de l'axone servent de transmetteurs dans la connexion synaptique avec les dendrites des autres neurones.

Babillage : Vocalises d'un enfant de 6 mois ou plus comportant au moins une consonne et une voyelle.

Bande : Groupe d'amis plus nombreux et plus ouvert qu'une clique, comprenant environ 20 membres. Elle est généralement formée de plusieurs cliques qui se sont réunies.

Besoins D (pour déficience) : Catégorie de besoins proposée par Maslow, basée sur les instincts ou les forces fondamentales qui poussent un individu à corriger un déséquilibre et à maintenir l'homéostasie. Ils comprennent les besoins biologiques, le besoin de sécurité, le besoin d'amour et d'affection, et le besoin d'estime de soi.

Besoins E (pour être) : Catégorie de besoins proposée par Maslow. Elle comprend le désir de découvrir et de comprendre son potentiel et celui des autres.

Biopsie des villosités choriales : Épreuve diagnostique génétique prénatale consistant à prélever des échantillons de cellules du placenta. Peut être effectuée plus tôt que l'amniocentèse au cours de la grossesse.

Boulimie : Maladie ou trouble caractérisé par « une préoccupation obsessionnelle du poids, des épisodes récurrents de gavage accompagnés par un sentiment subjectif de perte de maîtrise et le recours abusif au vomissement, à l'exercice physique et/ou aux purgatifs dans le but de contrer les effets de la goinfrerie » (Attie *et al.*, 1990, p. 410).

Bulbe rachidien : Partie du cerveau située immédiatement au-dessus de la moelle épinière. Il est déjà très développé à la naissance.

Ça : Dans la théorie de Freud, première partie primitive de la personnalité. Elle est le siège de l'énergie de base, laquelle exige continuellement une gratification immédiate.

Cardiopathie : Terme générique utilisé par les médecins pour désigner toute affection du cœur et du système circulatoire, comprenant plus précisément un rétrécissement des artères accompagné de plaques (artériosclérose).

Cellules gliales : Une des deux principales catégories de cellules qui composent le système nerveux. Elles assurent la cohésion des centres nerveux en donnant au cerveau sa fermeté et sa structure.

Céphalocaudal : De la tête vers les membres inférieurs ; décrit un modèle de développement physique chez l'enfant.

Césarienne : Méthode d'accouchement consistant à extraire le fœtus en pratiquant une incision dans les parois de l'abdomen et de l'utérus de la mère plutôt que par voie vaginale.

Champ phénoménologique : Ensemble des expériences (pensées, perceptions, sensations) qui peuvent occuper la conscience.

Chromosome : Petite structure filamenteuse d'ADN contenant des instructions pour une grande variété de processus normaux de développement et des caractéristiques individuelles uniques. Chaque cellule humaine possède 46 chromosomes disposés en 23 paires.

Chute terminale : Terme utilisé pour décrire une hypothèse selon laquelle les fonctions cognitives et physiques restent stables durant l'âge adulte avancé, jusqu'aux 5 dernières années environ précédant la mort, après quoi on observe un déclin rapide.

Climatère : Terme général désignant la période de la vie (chez l'homme et chez la femme) qui marque la fin de la capacité de reproduction à l'âge adulte. On emploie également le terme *ménopause* chez la femme.

Clique : Terme utilisé pour décrire un groupe de 6 à 8 adolescents possédant des liens d'attachement très forts, au sein duquel priment la loyauté et la solidarité.

Cohorte : Groupe d'individus à peu près du même âge ayant vécu des expériences similaires (par exemple, même environnement culturel, mêmes conditions économiques et même niveau d'instruction).

Compétence : Comportement d'une personne dans des conditions idéales. Il est impossible de mesurer directement la compétence.

Comportement de type A : Comportement d'un individu qui a une personnalité de type A.

Comportements d'attachement : Ensemble des comportements (probablement) spontanés qu'une personne manifeste envers une autre, qui visent à établir ou à maintenir l'attachement et l'attention, comme le sourire chez le jeune enfant. Comportements qui reflètent un attachement.

Concept de genre : Conscience de son propre sexe, et compréhension de la permanence et de la constance du sexe.

Conditionnement classique : Un des trois principaux types d'apprentissage. Une réponse automatique ou inconditionnelle, telle qu'une émotion ou un réflexe, est déclenchée par un nouveau signal, que l'on appelle stimulus conditionnel, après que ce dernier a été associé plusieurs fois au stimulus inconditionnel initial.

Conditionnement opérant : Un des trois principaux types d'apprentissage dans lequel les renforcements positifs ou négatifs façonnent le comportement d'un individu.

Conflit de rôles : Fait d'occuper deux rôles ou plus qui sont en quelque sorte incompatibles du point de vue logistique ou psychologique.

Constance du genre : Étape finale dans le développement du concept de genre. L'enfant comprend que le sexe ne change pas même en présence de changements externes comme l'habillement ou la longueur des cheveux.

Continuité cumulative : Stabilité des conduites influencée par nos choix personnels face aux événements ou expériences extérieurs.

Continuité interactive : Stabilité des conduites influencée par les réactions des autres face à nos comportements.

Contrôle interne/externe : Notion théorique proposée par Rotter visant à déterminer si le sentiment de maîtrise et les causes des expériences d'un individu sont externes ou internes.

Corrélation : Indice statistique utilisé pour décrire dans quelle mesure deux variables sont liées l'une à l'autre. Il peut varier entre + 1,00 et − 1,00. Plus la corrélation se rapproche de + 1,00, plus la relation entre les deux variables est forte.

Cortex cérébral : Partie convolutée de l'encéphale, composée de substance grise. Elle est responsable, entre autres, de la régulation de la pensée, du langage et de la mémoire.

Déficience intellectuelle : Terme qualifiant une personne qui a un Q.I. très faible, généralement inférieur à 70.

Démence : Toute détérioration globale des fonctions intellectuelles, dont la mémoire, le jugement, les aptitudes sociales et la maîtrise des émotions. La démence est plus un symptôme qu'une maladie ; elle est causée par une grande variété de maladies, y compris la maladie d'Alzheimer et les accès ischémiques transitoires cérébraux.

Dendrite : Prolongement filamenteux d'un neurone qui forme avec d'autres dendrites la moitié d'une connexion synaptique vers d'autres cellules. Les dendrites se développent rapidement au cours des trois derniers mois de la grossesse et durant la première année de vie.

Dépression : Combinaison d'une humeur morose, de troubles du sommeil et de l'alimentation, et de problèmes de concentration.

En présence de tous ces symptômes, on parle de dépression clinique.

Dilatation : Première étape de la naissance où le col de l'utérus s'ouvre suffisamment pour permettre à la tête du fœtus de passer dans le canal génital.

Dominance : Degré auquel un individu peut régulièrement « remporter » des situations d'affrontement social. Ordre hiérarchique.

Doué : Terme utilisé pour définir un individu qui a un Q.I. très élevé (au-dessus de 140 ou 150). Ce terme peut également définir les aptitudes remarquables d'un individu dans un ou plusieurs domaines particuliers, comme les mathématiques et la mémoire.

Durée de vie : Théoriquement, nombre maximal d'années de vie pour une espèce donnée. On présume que même des découvertes importantes dans le domaine des soins de santé ne nous permettront pas de dépasser cette limite.

Échelles de Bayley : Test le plus connu et le plus utilisé pour évaluer l'intelligence d'un enfant.

Échographie : Méthode de diagnostic prénatal dans lequel on utilise les ultrasons afin d'obtenir une image du fœtus en mouvement. Permet de détecter de nombreuses anomalies physiques, comme les lésions du tube neural, ainsi que de repérer les grossesses multiples ou de déterminer l'âge gestationnel du fœtus.

Effacement : Amincissement du col de l'utérus qui, avec la dilatation, permet la naissance du bébé.

Efficacité subjective : Notion théorique proposée par Bandura. Confiance d'un individu en sa capacité de provoquer des événements ou de réaliser une tâche.

Égocentrisme : État cognitif dans lequel l'individu (généralement un enfant) considère les choses uniquement selon son propre point de vue, sans se rendre compte qu'il existe d'autres perspectives.

Équilibration : Dans la théorie de Piaget, troisième partie du processus d'adaptation, qui met en œuvre une restructuration périodique des schèmes.

Escorte sociale : Terme utilisé par Antonucci pour décrire l'ensemble des individus qui constituent le réseau social intime d'une personne et l'accompagnent à travers les divers stades de l'âge adulte.

Espérance de vie : Nombre moyen d'années qu'une personne d'un âge donné (à la naissance ou à 65 ans, par exemple) peut espérer vivre encore.

Estime de soi : Jugement global de sa propre valeur. Satisfaction que l'on retire de la façon dont on se perçoit.

États d'identité : Quatre états décrits par James Marcia qui sont définis selon la position d'un individu par rapport à deux dimensions : la présence ou l'absence d'un questionnement (remise en question), et la présence ou l'absence d'un engagement face à certains rôles ou valeurs.

États de conscience : Les cinq principaux états de sommeil et d'éveil chez le nourrisson. Ils vont de l'état de sommeil profond à l'état d'éveil actif.

Étude longitudinale : Étude qui consiste à observer ou à évaluer les mêmes sujets à diverses reprises pendant plusieurs mois ou plusieurs années.

Étude séquentielle : Ensemble d'études regroupant plusieurs études transversales ou longitudinales, ou les deux.

Étude transversale : Étude qui consiste à oberver et à évaluer en même temps plusieurs groupes de sujets d'âges différents.

Expérimentation : Méthode de recherche qui suppose une manipulation systématique des variables et une assignation aléatoire des sujets à un ou plusieurs groupes témoins ou expérimentaux.

Extinction : Diminution de la force de certaines réactions en l'absence de renforcement.

Extraversion : Un des cinq principaux traits de la personnalité définis par McCrae et Costa. Les sujets extravertis sont affectueux, volubiles, actifs, enjoués, passionnés et font preuve d'un esprit grégaire.

Faible poids à la naissance : Poids d'un nouveau-né inférieur à 2 500 g, qu'il s'agisse d'une naissance prématurée ou d'un enfant petit pour l'âge gestationnel.

Flexibilité : Trait de caractère résultant de caractéristiques innées et acquises, qui permet à l'individu de bien s'adapter à l'environnement malgré le stress, les menaces ou les difficultés.

Flexions : Marques grammaticales comme les pluriels, les temps passés, etc.

Fontanelles : « Espaces mous » du crâne présents à la naissance. Elles disparaissent avec l'ossification du crâne.

Gamète : Cellule sexuelle (spermatozoïde ou ovule) qui, contrairement à toutes les autres cellules du corps, ne contient que 23 chromosomes au lieu de 23 paires.

Gazouillement : Un des premiers stades de la phase prélinguistique, soit de 1 à 4 mois, au cours duquel des sons de voyelles sont constamment répétés, en particulier le son *eueueu*.

Gène : Segment d'ADN présent dans le chromosome, qui influe sur un ou plusieurs processus corporels particuliers.

Génotype : Ensemble des caractéristiques et des séquences de développement inscrites dans les gènes de tout individu.

Glandes endocrines : Ces glandes comprennent les surrénales, la thyroïde, l'hypophyse, les testicules et les ovaires. Elles sécrètent des hormones à l'intérieur de la circulation sanguine, lesquelles régissent la croissance physique et la maturation sexuelle.

Gonadotrophines : Hormones sécrétées par l'hypophyse et qui stimulent la croissance des organes sexuels.

Groupe expérimental : Groupe (ou groupes) de sujets d'une expérimentation à qui l'on donne des traitements particuliers dans le but de vérifier les hypothèses de départ.

Groupe témoin : Groupe de sujets d'une expérimentation qui ne reçoit aucun traitement ou qui reçoit un traitement neutre.

Habituation : Diminution automatique de l'intensité d'une réaction à un stimulus répété, laquelle permet à l'enfant ou à l'adulte d'ignorer ce qui est familier et de se concentrer sur la nouveauté.

Hiérarchie de dominance : Rapports de dominance dans les situations sociales, qui décrivent l'ordre des « gagnants » et des « perdants ».

Horloge biologique : Séquence fondamentale de changements biologiques qui se produisent avec l'âge, de la conception à l'âge adulte avancé.

Horloge sociale : Séquence de rôles et d'expériences sociales qui se déroulent au cours de la vie, comme le fait de passer de l'école primaire à l'école secondaire, de l'école au marché du travail ou du travail à la retraite.

Hypophyse : Une des glandes endocrines qui joue un rôle majeur dans la régulation de la maturation physique et sexuelle.

Hypothèse : Proposition relative à l'explication de phénomènes, admise provisoirement avant d'être soumise à la vérification de l'expérience.

Identité : Dans la théorie d'Erikson, terme utilisé pour décrire le concept de soi qui émerge progressivement et qui évolue en traversant une succession de huit stades.

Identité diffuse : Un des quatre états d'identité proposés par Marcia. Il n'est associé à aucune remise en question ni à aucun engagement.

Identité en moratoire : Un des quatre états d'identité proposés par Marcia. Il est associé à une remise en question sans engagement.

Identité en phase de réalisation : Un des quatre états d'identité proposés par Marcia. Il est associé à la résolution d'un questionnement qui entraîne un nouvel engagement.

Identité forclose : Un des quatre états d'identité proposés par Marcia. Il est associé à un engagement professionnel ou idéologique sans remise en question.

Identité sexuelle : Première étape dans le développement du concept de genre. L'enfant identifie correctement son sexe et celui des autres.

Imitation : Terme employé par Bandura et d'autres psychologues pour décrire l'apprentissage par observation.

Impératif parental : Terme utilisé par David Gutmann pour décrire un modèle « inné » de l'intensification de la différenciation des rôles sexuels après la naissance du premier enfant.

Inclusion de classes : Relation entre les classes d'objets, de telle sorte qu'une classe subordonnée est comprise dans une classe générique (par exemple, les bananes font partie de la classe des « fruits »).

Indice d'Apgar : Méthode d'évaluation du nouveau-né qui permet d'évaluer la fréquence cardiaque, la respiration, le tonus musculaire, la réponse aux stimuli et la coloration de la peau.

Indifférencié : Un des quatres types proposés par Bem et d'autres chercheurs pour décrire les variations dans le concept de soi du genre. Une personne indifférenciée présente un faible degré de caractéristiques masculines et féminines.

Intégrité : Un des cinq principaux traits de la personnalité décrits par McCrae et Costa, caractérisé par la ponctualité, l'ambition, l'honnêteté et la persévérance.

Intelligence cristallisée : Aspect de l'intelligence qui dépend avant tout des études et de l'expérience ; connaissances et jugement acquis grâce à l'expérience.

Intelligence fluide : Aspect de l'intelligence qui dépend davantage des processus biologiques fondamentaux que de l'expérience.

Langage expressif : Terme utilisé par les linguistes pour décrire les capacités de l'enfant à s'exprimer et à communiquer oralement.

Langage maternel : Terme employé par les linguistes pour décrire le type de langage particulier que les parents utilisent pour parler aux jeunes enfants. Les phrases sont plus courtes, plus simples, répétitives, et la voix est plus aiguë.

Langage réceptif : Terme utilisé par les linguistes pour décrire la capacité de l'enfant à comprendre (recevoir) le langage, par comparaison avec sa capacité à exprimer le langage.

Libido : Terme utilisé par Freud pour décrire l'énergie sexuelle présente chez tout individu.

Lien affectif : Lien relativement durable dans lequel le partenaire est important, car il est perçu comme un individu unique et irremplaçable.

Logique déductive : Forme de raisonnement qui consiste à passer du général au particulier, d'une règle à un exemple précis, ou d'une théorie à une hypothèse. Caractéristique de la pensée opératoire formelle.

Logique inductive : Forme de raisonnement qui consiste à passer du particulier au général, de l'expérience à des règles générales. Caractéristique de la pensée opératoire concrète.

Maladie d'Alzheimer : Forme la plus commune de démence, causée par des changements cérébraux spécifiques, notamment une augmentation accélérée de l'enchevêtrement neurofibrillaire qui entraîne une perte progressive et irréversible de la mémoire et d'autres fonctions cognitives.

Maturation : Ensemble des changements physiques déterminés par les informations contenues dans le code génétique et communs à tous les membres d'une même espèce. Sens proche de l'expression *horloge biologique*, laquelle est toutefois moins précise.

Mécanismes de défense : Terme utilisé par Freud pour décrire les méthodes de défense du moi contre l'anxiété, lesquelles sont essentiellement inconscientes et déforment la réalité.

Ménarche : Apparition des premières règles chez les jeunes filles.

Ménopause : Terme utilisé pour faire référence au moment du climatère chez la femme où les menstruations cessent totalement. En général, ce terme est fréquemment employé comme synonyme de climatère chez la femme.

Mésencéphale : Partie du cerveau située au-dessus du bulbe rachidien et sous le cortex, qui assure la régulation de l'attention, du sommeil, de l'éveil et d'autres fonctions « automatiques ». Il est déjà très développé à la naissance.

Métacognition : Terme généralement employé pour décrire les connaissances d'une personne sur ses propres processus de réflexion. Savoir ce que l'on sait et comment on fait pour apprendre et mémoriser.

Métamémoire : Sous-catégorie de la métacognition. Connaissance de ses propres processus de mémorisation.

Modèle interne : Terme maintenant utilisé par de nombreux théoriciens pour décrire un système intériorisé, construit par l'enfant ou l'adulte (par exemple, les modèles internes d'attachement ou les modèles internes de soi).

Moi : Dans la théorie de Freud, aspect de la personnalité qui organise, planifie et maintient l'individu en contact avec la réalité. Le langage et la pensée sont deux fonctions du moi.

Morale conventionnelle : Deuxième niveau du raisonnement moral proposé par Kohlberg. Le jugement est fonction des valeurs et des règles du groupe.

Morale postconventionnelle (ou principes moraux) : Troisième niveau du raisonnement moral proposé par Kohlberg. Le jugement est fonction de la notion de justice, des droits individuels et des contrats sociaux.

Morale préconventionnelle : Premier niveau dans le développement du raisonnement moral proposé par Kohlberg. Le jugement moral est surtout fonction des conséquences des actes, et est orienté par les notions d'obéissance et de punition.

Mort subite du nourrisson : Décès soudain d'un nourrisson jusquelà en bonne santé. La cause de ces décès est inconnue.

Myéline : Substance qui compose la gaine entourant la plupart des axones. Les gaines de myéline ne sont pas complètement développées à la naissance.

Myélinisation : Processus de développement des gaines de myéline.

Néonatologie : Branche de la médecine qui étudie le nouveau-né.

Neurone : Deuxième classe importante des cellules du système nerveux. Les neurones assurent la transmission et la réception des influx nerveux.

Œstrogènes : Hormones sexuelles femelles sécrétées par les ovaires.

Opérations : Terme utilisé par Piaget pour désigner la nouvelle grande classe des schèmes mentaux qu'il a observée dans le développement de l'enfant de 5 à 7 ans, y compris la réversibilité, l'addition et la soustraction.

Ossification : Processus de durcissement par lequel les tissus fibreux ou cartilagineux deviennent des os.

Ostéoporose : Diminution de la masse osseuse avec l'âge, caractérisée par la fragilisation des os et l'augmentation de la porosité du tissu osseux.

Ouverture à l'expérience : Un des cinq principaux traits de la personnalité décrits par McCrae et Costa, caractérisé par l'imagination, la créativité, l'originalité, la curiosité, la tolérance et l'attirance pour la variété.

Ovule : Gamète femelle qui, après fertilisation par un spermatozoïde de l'homme, forme la base de l'organisme qui se développe.

Performance : Comportement d'une personne dans des circonstances réelles. Même si l'on désire mesurer la compétence, on ne peut mesurer en réalité que la performance.

Période critique : Période dans le développement de l'organisme qui offre une sensibilité particulière à certains stimuli. Les mêmes stimuli n'ont guère d'effets à d'autres périodes du développement.

Période des opérations concrètes : Période du développement que Piaget situe entre 6 et 12 ans, au cours de laquelle sont acquises les opérations mentales comme la soustraction, la réversibilité et la classification.

Période des opérations formelles : Dans la théorie de Piaget, il s'agit de la quatrième et dernière période importante du développement cognitif. Elle se met en place à l'adolescence, lorsque l'enfant devient capable de manipuler et d'organiser tant les idées que les objets.

Période préopératoire : Terme utilisé par Piaget pour désigner la deuxième période importante du développement cognitif, entre 2 et 6 ans, et dont le début est caractérisé par la capacité d'utiliser des symboles.

Période sensible : Notion qui s'apparente à la période critique, sauf qu'elle est plus vaste et moins précise. Elle marque une période du développement au cours de laquelle un certain type de stimulation est particulièrement important ou efficace.

Période sensorimotrice : Terme utilisé par Piaget pour définir la première période importante du développement cognitif, qui correspond à peu près aux deux premières années de la vie et au cours de laquelle l'enfant passe des mouvements réflexes aux actes volontaires.

Permanence de l'objet : Conscience qu'un objet continue d'exister même s'il n'est plus visible. De façon plus générale, c'est le fait de comprendre que les objets existent indépendamment de l'action que l'on exerce sur eux.

Personnalité : Ensemble de réactions individuelles relativement durables, propres à chaque personne, enfant ou adulte.

Personnalité de type A : Combinaison d'un esprit de compétition, d'hostilité et d'agressivité et de sentiment que le temps presse, qui peuvent être associés à des risques élevés de cardiopathie.

Phénotype : Ensemble des caractéristiques observables chez un individu, résultat des influences génétiques et environnementales conjuguées.

Placenta : Organe qui se développe durant la gestation entre le fœtus et la paroi de l'utérus. Le placenta filtre les nutriments du sang de la mère, et il fait office de foie, de poumons et de reins pour le fœtus.

Préjugés innés (ou contraintes innées) : Prédisposition ou mode particulier de réaction aux stimuli de l'environnement que possède le nouveau-né et qui provient de son patrimoine génétique.

Presbyacousie : Perte normale de l'ouïe avec l'âge, en particulier des sons aigus, liée au vieillissement physiologique du système auditif.

Presbytie : Perte normale de l'acuité visuelle avec l'âge, caractérisée par l'incapacité de distinguer avec netteté les objets proches.

Elle se traduit par un épaississement de couches de tissu sur le cristallin et une perte d'élasticité.

Processus d'exécution : Sous-ensemble de traitements de l'information comprenant des stratégies d'organisation et de planification. Synonyme de *métacognition*.

Proximodistal : Du tronc vers les membres ; tout comme l'adjectif *céphalocaudal*, ce terme décrit un modèle de développement physique chez l'enfant.

Punition : Conséquences désagréables infligées à un enfant ou un adulte à la suite d'un comportement non désiré, dans le but de bannir ce comportement.

Quatrième âge : Terme utilisé par de nombreux gérontologues pour désigner les personnes âgées de plus de 75 ans.

Quotient intellectuel (Q.I.) : À l'origine, ce terme désignait le rapport entre l'âge mental et l'âge réel. Aujourd'hui, il sert à comparer la performance d'un enfant à celle d'autres enfants de son âge.

Référence sociale : Fait d'utiliser la réaction d'une autre personne comme référence pour sa propre réaction. Un bébé agit de cette façon lorsqu'il observe l'expression ou le langage corporel de ses parents avant de réagir positivement ou négativement à une situation nouvelle.

Réflexe : Réaction corporelle automatique à une stimulation précise, comme le réflexe rotulien ou le réflexe de Moro. L'adulte possède de nombreux réflexes, mais les nouveau-nés présentent également des réflexes primitifs qui disparaissent lorsque le cortex est complètement développé.

Renforcement négatif : Événement qui renforce un comportement dû au retrait ou à l'arrêt d'un stimulus désagréable.

Renforcement partiel : Type de renforcement d'un comportement qui se manifeste à l'occasion seulement.

Renforcement positif : Événement qui renforce un comportement en présence de certains stimuli agréables ou positifs.

Réponse inconditionnelle : Dans la théorie du conditionnement classique, réponse fondamentale innée déclenchée par le stimulus inconditionnel.

Rétrospection : Processus qui, selon Butler, constitue un élément essentiel à l'acceptation du vieillissement ; réminiscence grâce à laquelle l'individu évalue l'ensemble de sa vie.

Rôle : Notion empruntée à la sociologie. Description du modèle de conduites associées à certains statuts ou positions sociales, par exemple ceux de professeur, d'employé, d'entraîneur au hockey, d'épouse, de mari, etc. Tous les individus occupent divers rôles.

Rôle sexuel : Modèle de conduites propre à chaque sexe. La connaissance du rôle est affichée non seulement dans le comportement différentiel, mais dans la notion du comportement approprié pour chaque sexe.

Schème : Terme utilisé par Piaget pour décrire les actions fondamentales de la connaissance, comprenant à la fois les actions physiques (schèmes sensorimoteurs, comme regarder ou atteindre un objet) et les actions mentales (classer, comparer ou changer d'avis, par exemple). Une expérience est assimilée à un schème, et le schème est modifié ou créé par l'accommodation.

Schème du genre : Schème fondamental, créé par l'enfant dès l'âge de 18 mois ou moins, qui lui permet de catégoriser les gens, les objets, les activités et les qualités selon le sexe.

Situation insolite : Suite d'épisodes utilisée par Mary Ainsworth et d'autres chercheurs dans des études sur l'attachement. Il s'agit d'observer un enfant en présence de la mère, seul avec un étranger, complètement seul et, finalement, en présence de la mère et d'un étranger.

Soins palliatifs : Ensemble relativement récent de types de soins destinés aux patients en phase terminale, qui sont la plupart du temps pris en charge par les membres de la famille. La maîtrise et l'administration des soins relèvent de la responsabilité du patient et de la famille. Ces soins peuvent être prodigués à domicile, dans un centre spécialisé ou en milieu hospitalier.

Stabilité du genre : Deuxième étape dans le développement du concept de genre. L'enfant comprend que le sexe d'une personne reste inchangé tout au long de sa vie.

Stade d'essai (ou d'établissement) : Conception des stades de la vie professionnelle, au début de l'âge adulte. Ce stade d'essai se met en place au cours de la vingtaine, lorsque l'on essaie divers emplois et que l'on acquiert des compétences pour certains travaux.

Stade de stabilisation : Conception des stades de la vie professionnelle, au début de l'âge adulte. Ce stade s'établit vers la trentaine, après le stade d'essai ; au cours du stade de stabilisation, l'individu atteint généralement un plafond en ce qui a trait à la réalisation professionnelle.

Stades psychosexuels : Stades du développement de la personnalité proposés par Freud. Ils comprennent les stades oral, anal, phallique et génital, ainsi qu'une période de latence.

Stades psychosociaux : Stades du développement de la personnalité suggérés par Erikson. Ils comprennent la confiance, l'autonomie, l'initiative, la compétence, l'identité, l'intimité, la générativité et l'intégrité personnelle.

Stimulus conditionnel : Dans la théorie du conditionnement classique, signal qui, après avoir été associé plusieurs fois au stimulus inconditionnel, finit par déclencher une réponse inconditionnelle.

Stimulus inconditionnel : Dans la théorie du conditionnement classique, signal qui déclenche automatiquement (sans apprentissage) la réponse inconditionnelle.

Structure de vie : Concept clé du modèle de Levinson, soit le réseau de rôles et de relations créé par une personne pendant une période de stabilité. Au cours des périodes de transition, la personne réexamine sa structure de vie pour décider de son maintien ou des changements à apporter.

Style d'éducation autoritaire : Un des trois styles d'éducation décrits par Baumrind, caractérisé par un niveau élevé de discipline et d'exigences, et un faible niveau d'affection et de communication.

Style d'éducation démocratique : Un des trois styles d'éducation décrits par Baumrind, caractérisé par un niveau élevé de discipline, de chaleur, d'exigences et de communication.

Style d'éducation désengagé : Un style d'éducation identifié par Maccoby et Martin, caractérisé par l'indifférence et par l'absence de soutien adéquat pour l'enfant.

Style d'éducation permissif : Un des trois styles d'éducation définis par Baumrind, caractérisé par un niveau élevé d'affection et un faible niveau de discipline, d'exigences et de communication.

Surdiscrimination : L'enfant utilise une appellation générale qui englobe plusieurs significations et la restreint à une signification unique.

Surgénéralisation : Tendance qu'ont les enfants à vouloir régulariser le langage, comme l'utilisation de formes incorrectes des verbes au temps passé (« j'ai moudu » pour « j'ai moulu », par exemple).

Surmoi : Dans la théorie de Freud, la partie consciente de la personnalité, qui se développe grâce au processus d'identification. Le surmoi comprend les valeurs parentales et sociétales et les attitudes assimilées par l'enfant.

Synapse : Point de contact entre l'axone d'un neurone et les dendrites d'un autre neurone, qui permet la transmission des influx nerveux d'un neurone à l'autre, ou d'un neurone à un autre type de cellule, comme les cellules musculaires.

Synchronie : Système mutuel d'interaction établi entre l'enfant et la personne qui s'en occupe ; aussi appelé « danse interactive ».

Syndrome d'alcoolisme fœtal : Ensemble de malformations souvent associées à l'abus d'alcool par la mère durant la grossesse.

Syndrome de Down : Anomalie génétique caractérisée par la présence d'un chromosome surnuméraire sur la 21e paire au lieu de deux. Les individus atteints présentent généralement une déficience intellectuelle et des caractéristiques physiques particulières.

Tempérament : Réactions typiques d'une personne à l'expérience. Les différences de tempérament peuvent être d'origine génétique et sont relativement durables.

Tendance à la névrose : Un des cinq principaux traits de la personnalité définis par McCrae et Costa. Les personnes névrotiques sont anxieuses, vulnérables, émotives et font preuve d'une humeur instable.

Tension de rôle : Fait d'occuper un rôle pour lequel on ne possède pas les aptitudes ou les qualités personnelles nécessaires.

Tessiture : Échelle des sons qui peuvent être émis par une voix sans difficulté.

Test de l'alphafœtoprotéine : Épreuve diagnostique prénatale couramment utilisée pour détecter les risques de lésion du tube neural.

Test de performance : Test soumis dans les écoles, conçu pour évaluer les capacités d'apprentissage d'un enfant dans une matière donnée, comme l'orthographe ou le calcul mathématique.

Test Stanford-Binet : Test d'intelligence le plus connu, conçu par Lewis Terman et ses collaborateurs qui se sont inspirés des premiers tests de Binet et Simon.

Testostérone : Principale hormone mâle secrétée par les testicules.

Théorie : Ensemble d'éléments de connaissances organisés afin de donner une signification aux faits et d'orienter la recherche.

Théorie de la pensée : Terme utilisé pour décrire un aspect de la pensée chez l'enfant de 4 ou 5 ans, qui commence à comprendre non seulement que les autres ne pensent pas comme lui, mais qu'ils ont un processus de raisonnement différent du sien.

Théorie du désengagement : Théorie élaborée par Cumming et Henry, selon laquelle le détachement progressif, ou désengagement, de la vie sociale à l'âge adulte avancé constitue une réaction normale face à la perte des rôles et de leur contenu.

Traitement de l'information : Terme utilisé pour désigner une nouvelle et troisième approche de l'étude du développement cognitif, qui s'attache aux changements survenant avec l'âge et aux différences individuelles dans les processus intellectuels fondamentaux.

Tranches d'âge : Groupements par âge dans une société donnée, comme les « trottineurs », les « adolescents » ou les « personnes âgées », qui possèdent chacun leurs propres normes et attentes.

Transfert intermodal : Aptitude à coordonner l'information donnée par deux sens, ou à transmettre l'information obtenue par un sens à un autre sens à un moment ultérieur, comme reconnaître visuellement un objet que l'on a précédemment exploré avec les mains seulement.

Troisième âge : Terme utilisé par de nombreux gérontologues pour décrire les personnes âgées de 65 à 75 ans environ.

Trompe de Fallope : Conduit dans lequel l'ovule chemine jusqu'à l'utérus où se produit généralement la conception.

Utérus : Organe féminin dans la paroi duquel s'implante le blastocyste et où l'embryon puis le fœtus se développe.

Variable dépendante : Variable utilisée lors d'une expérimentation et devant démontrer l'effet des manipulations de la variable indépendante.

Variable indépendante : Condition ou événement qu'un expérimentateur manipule de façon systématique afin d'observer l'effet produit sur le comportement du sujet.

Vulnérabilité : Trait de caractère résultant de caractéristiques innées et acquises, qui augmente les risques que l'individu réagisse au stress de façon non adaptée ou pathologique.

Zygote : Œuf fécondé qui résulte de l'union de l'ovule et du spermatozoïde.

Références bibliographiques

EN FRANÇAIS

Allard, M. (1991), À la recherche du secret des centenaires, Paris, Fondation IPSEN pour la recherche thérapeutique.

Asselin, S., L. Duchesne et al. (1994), Les hommes et les femmes : une comparaison de leurs conditions de vie, Québec, Les publications du Québec.

Association pour la santé publique du Québec (1996), 1998, Profession Sage-femme : petit manuel de base pour préparer la naissance de l'avenir, Montréal.

Baudoin, J.-L. et D. Blondeau (1993), Éthique de la mort et droit à la mort, Paris, PUF.

Beauchamp, D. et al. (1995), Pères présents, enfants gagnants : guide à l'intention des intervenants, Montréal, Service des publications de l'Hôpital Sainte-Justine en collaboration avec le CLSC La Vallée des Patriotes.

Beauchamp, D. et al. (1996), Pères présents, enfants gagnants : guide à l'intention des pères, Montréal, Service des publications de l'Hôpital Sainte-Justine en collaboration avec le CLSC La Vallée des Patriotes.

Bee, Helen L. et Sandra K. Mitchell (1986), Le développement humain, Saint-Laurent, Éditions du Renouveau Pédagogique Inc.

Berger, L. et D. Mailloux-Poirier (1989), Personnes âgées, une approche globale : démarche de soins par besoins, Laval, Éditions Études Vivantes.

Bigras, M., L. Fortin et Y. Picard (1995), « Habiletés sociales et troubles du comportement chez les élèves en difficultés d'apprentissage scolaire et les décrocheurs au secondaire », Revue québécoise de psychologie, vol. 16, n° 3, p. 159 à 171.

Bolduc, D., H. Steiger et F. Leung (1993), « Prévalence des attitudes et comportements inadaptés face à l'alimentation chez des adolescentes de la région de Montréal », Santé mentale du Québec, vol. 18, n° 2, p. 183 à 196.

Bonapace, L. (1995), Du cœur au ventre : la nouvelle méthode Bonapace de préparation à la naissance, Rouyn-Noranda, Éditions JBE.

Bonkalo, E. (1995), L'art de garder son cerveau en forme à la retraite, Montréal, Éditions Logiques.

Borgognon, A. (1995), Le cancer, entre la douleur et l'espoir, Saint-Laurent, Éditions Pierre Tisseyre.

Bouchard, C. et al. (1991), Un Québec fou de ses enfants : rapport du groupe de travail pour les jeunes, Québec, Ministère de la Santé et des Services sociaux.

Bouchard, S. et P.-C. Morin (1992), Introduction aux théories de la personnalité, Boucherville, Gaëtan Morin Éditeur.

Boudreault, J. (1992), « La mesure de l'abandon scolaire », Vie pédagogique, vol. 80, p. 13 à 14.

Claes, M. (1995), « Le développement à l'adolescence : fiction, faits et principaux enjeux », Revue québécoise de psychologie, vol. 16, n° 3, p. 63 à 88.

Cloutier, R. (1982), Psychologie de l'adolescence, Chicoutimi, Gaëtan Morin Éditeur.

Cloutier, R. (1995), « L'image des adolescents rongée par les mythes », Revue québécoise de psychologie, vol. 16, n° 3, p. 89 à 107.

Cloutier, R. et A. Renaud (1990), Psychologie de l'enfant, Boucherville, Gaëtan Morin Éditeur.

Cohen, D., S. Cailloux-Cohen et l'AGIDD-SMQ (1995), Guide critique des médicaments de l'âme, Montréal, Éditions de l'Homme.

Colloque de l'Association scientifique pour la modification du comportement (1995), La violence chez les jeunes : compréhension et intervention, Montréal, Éditions Sciences et Culture.

Debigaré, J. (1995), L'intimité, Montréal, Éditions du Méridien.

Delagrave, M. (1995), Les ados : mode d'emploi à l'usage des parents, Beaupré, Éditions MNH.

Duchesne, L. (1995), La situation démographique au Québec, Québec, Bureau de la statistique du Québec.

Duclos, G., D. Laporte et L. Sévigny (1995), Comment développer l'estime de soi de nos adolescents : guide pratique à l'intention des parents, Montréal, Service des publications de l'Hôpital Sainte-Justine.

Duquette, M.-P. et al. (1992), Le programme d'aide aux femmes enceintes de milieux défavorisés : Projet-pilote pour les CLSC, Montréal, Dispensaire Diététique de Montréal.

Éthier, S. (1996), L'ABC de la maladie d'Alzheimer, Montréal, Éditions du Méridien.

Fenwick, E. et R. Walker (1995), *Sex'Ado*, Montréal, Éditions Libre Expression.

Filion, M. et M. Mongeon (1993), «Entre la prévention du décrochage et la nécessité d'un nouveau contrat social», *Revue québécoise de psychologie*, vol. 14, n° 1, p. 123 à 134.

Friedan, B. (1995), *La révolte du troisième âge : pour en finir avec le tabou de la vieillesse*, Paris, Albin Michel.

Gauthier, M. (1994), *Une société sans les jeunes?*, Québec, Institut québécois de recherche sur la culture.

Goldhaber, D. (1988), *Psychologie du développement*, Montréal, Éditions Études Vivantes.

Gosman, F. G. (1994), *Les enfants dictateurs : comment ne pas céder à leurs caprices*, Montréal, Le Jour éditeur.

Guberman, N., J. Lindsay, L. Spector et J. Broué (1993), *Le défi de l'égalité*, Boucherville, Gaëtan Morin Éditeur.

Houde, R. (1995), *Des mentors pour la relève*, Montréal, Éditions du Méridien.

Humphry, D. (1991), *Exit final – Pour une mort dans la dignité*, Pointe Saint-Charles, Le Jour éditeur.

Institut Rocher (1995), *La violence et les personnes ayant des incapacités : une analyse de la littérature*, Toronto.

Lamontagne, Y. (1995), *La mi-carrière ; problèmes et solutions*, Laval, Guy Saint-Jean Éditeur.

Laporte, D. et G. Duclos (1995), *Du côté des enfants*, 3e éd., Montréal, Service des publications de l'Hôpital Sainte-Justine.

Laporte, D. et L. Sévigny (1993), *Comment développer l'estime de soi de nos enfants : journal de bord à l'intention des parents*, Montréal, Service des publications de l'Hôpital Sainte-Justine.

Lavallée, F. et M.-C. Denis (1996), «Révision de vie : un processus de deuil?», *Revue québécoise de psychologie*, vol. 17, n° 2, p. 75 à 100.

Lindsay, P. H. et D. A. Norman (1980), *Traitement de l'information et comportement humain : une introduction à la psychologie*, Saint-Laurent, Éditions Études Vivantes.

Lorrain, J. *et al.* (1995), *La ménopause : prise en charge globale et traitement*, Saint-Hyacinthe, Edisem/Maloine.

Mac Lean, M. J. (1995), *Mauvais traitement auprès des personnes âgées : stratégies de changement*, Montréal, Éditions Saint-Martin.

Meirieu, P. (1995), *La pédagogie entre le dire et le faire*, Paris, ESF (Éditions sociales françaises) Éditeur.

Melançon, J. M. et R. D. Lambert (1992), *Le génome humain : une responsabilité scientifique et sociale*, Sainte-Foy, Les Presses de l'Université Laval.

Noelting, G. (1982), *Le développement cognitif et le mécanisme de l'équilibration*, Chicoutimi, Gaëtan Morin Éditeur.

Palacio-Quintin, E. *et al.* (1995), *Projet d'intervention auprès des familles négligentes présentant ou non des comportements violents*, document de travail produit par le Groupe de recherche en développement de l'enfant et de la famille (GREDEF) de l'Université du Québec à Trois-Rivières.

Pelsser, R. (1989), *Manuel de psychopathologie de l'enfant et de l'adolescent*, Montréal, Gaëtan Morin Éditeur.

Ratté, C., G. Pomerleau et C. Lapointe (1989), «Dépistage des troubles de la conduite alimentaire chez une population d'étudiantes de niveau collégial : corrélation entre deux caractéristiques psycho-sociales», *Revue canadienne de psychiatrie*, vol. 34, p. 892 à 897.

Rivard, C. (1991), *Les décrocheurs scolaires, les comprendre, les aider*, Montréal, Éditions Hurtubise HMH.

Rivière, B. (1995), «La dynamique psychosociale du décrochage au collégial», *Revue québécoise de psychologie*, vol. 16, n° 3, p. 177 à 197.

Saintonge, S. et L. Lachance (1995), «Validation d'une adaptation canadienne-française du test de séparation-individuation à l'adolescence», *Revue québécoise de psychologie*, vol. 16, n° 3, p. 199 à 221.

Santé Québec (1995), *Et la santé, ça va en 1992-1993? Rapport de l'enquête sociale et de santé 1992-1993*, vol. 1, 2 et 3, Montréal.

Série Vidéo-Parents: (1994), *Préparer l'arrivée de bébé* — (1993), *Les six premiers mois de la vie* — (1995), *Les premiers pas de bébé* — Montréal, Productions CERES International en collaboration avec le département de pédiatrie de l'Hôpital Sainte-Justine et l'Université de Montréal.

Smith, J. et H. Pullen (1995), *Vaincre les problèmes d'infertilité chez le couple*, Montréal, Éditions Québécor.

Watt, L.-M. et P. Cappeliez (1996), «Réminiscence et dépression», *Revue québécoise de psychologie*, vol. 17, n° 2, p. 101 à 114.

Wilkins, J. (1995), «Anorexie mentale et boulimie, un modèle d'intervention qui tient compte des enjeux de l'adolescence», *Revue québécoise de psychologie*, vol. 16, n° 3, p. 133 à 158.

Wilson, J. R. et J. A. Wilson (1995), *Comprendre les dépendances*, Montréal, Éditions Sciences et Culture.

Références bibliographiques

EN ANGLAIS

Abrahams, B., Feldman, S. S., & Nash, S. C. (1978). Sex role self-concept and sex role attitudes: Enduring personality characteristics or adaptations to changing life situations? *Developmental Psychology, 14*, 393–400.

Abramovitch, R., Pepler, D., & Corter, C. (1982). Patterns of sibling interaction among preschool-age children. In M. E. Lamb & B. Sutton-Smith (Eds.), *Sibling relationships: Their nature and significance across the lifespan* (pp. 61–86). Hillsdale, NJ: Erlbaum.

Abrams, B., Newman, V., Key, T., & Parker, J. (1989). Maternal weight gain and preterm delivery. *Obstetrics and Gynecology, 74*, 577–1989.

Achenbach, T. M. (1982). *Developmental psychopathology* (2nd ed.). New York: Wiley.

Achenbach, T. M., & Edelbrock, C. (1981). Behavioral problems and competencies reported by parents of normal and disturbed children aged four to sixteen. *Monographs of the Society for Research in Child Development, 46* (Serial No. 188).

Achenbach, T. M., Phares, V., Howell, C. T., Rauh, V. A., & Nurcombe, B. (1990). Seven-year outcome of the Vermont intervention program for low-birthweight infants. *Child Development, 61*, 1672–1681.

Adams, C. (1991). Qualitative age differences in memory for text: A life-span developmental perspective. *Psychology and Aging, 6*, 323–336.

Adams, M. J. (1990). *Beginning to read: Thinking and learning about print.* Cambridge, MA: The MIT Press.

Adams, R. G. (1986). Emotional closeness and physical distance between friends: Implications for elderly women living in age-segregated and age-integrated settings. *International Journal of Aging and Human Development, 22*, 55–76.

Adams, R. G., & Blieszner, R. (Eds.) (1989). *Older adult friendship.* Newbury Park, CA: Sage Publications.

Adler, A. (1948). *Studies in analytical psychology.* New York: Norton.

Ainsworth, M. D. S. (1967). *Infancy in Uganda: Infant care and the growth of love.* Baltimore: Johns Hopkins University Press.

Ainsworth, M. D. S. (1972). Attachment and dependency: A comparison. In J. L. Gewirtz (Ed.), *Attachment and dependency* (pp. 97–138). Washington, D. C.: V. H. Winston.

Ainsworth, M. D. S. (1982). Attachment: Retrospect and prospect. In C. M. Parkes & J. Stevenson-Hinde (Eds.). *The place of attachment in human behavior* (pp. 3–30). New York: Basic Books.

Ainsworth, M. D. S. (1989). Attachments beyond infancy. *American Psychologist, 44*, 709–716.

Ainsworth, M. D. S., Blehar, M., Waters, E., & Wall, S. (1978). *Patterns of attachment.* Hillsdale, NJ: Erlbaum.

Ainsworth, M. D. S., & Wittig, B. A. (1969). Attachment and exploratory behavior of one-year-olds in a strange situation. In B. M. Foss (Ed.), *Determinants of infant behavior* (Vol. 4). London: Methuen.

Aksu-Koc, A. A. & Slobin, D. I. (1985). The acquisition of Turkish. In D. I. Slobin (Ed.), *The crosslinguistic study of language acquisition. Vol. 1: The data* (pp. 839–878). Hillsdale, NJ: Erlbaum.

Aldous, J. (1985). Parent-adult child relations as affected by the grandparent status. In V. L. Bengtson & J. F. Robertson (Eds.), *Grandparenthood* (pp. 117–132). Beverly Hills, CA: Sage Publications.

Aldous, J., & Klein, D. M. (1991). Sentiment and services: Models of intergenerational relationships in mid-life. *Journal of Marriage and the Family, 53*, 595–608.

Allen, K. R., & Pickett, R. S. (1987). Forgotten streams in the family life course: Utilization of qualitative retrospective interviews in the analysis of lifelong single women's family careers. *Journal of Marriage and the Family, 49*, 517–526.

Allison, P. D., & Furstenberg, F. F. Jr. (1989). How marital dissolution affects children: Variations by age and sex. *Developmental Psychology, 25*, 540–549.

Alsop, S. (1973). *Stay of execution.* New York: Lippincott.

Alsaker, F. D., & Olweus, D. (1992). Stability of global self-evaluations in early adolescence: A cohort longitudinal study. *Journal of Research on Adolescence, 2*, 123–145.

Amato, P. R., & Keith, B. (1991). Parental divorce and the well-being of children: A meta-analysis. *Psychological Bulletin, 110*, 26–46.

Amott, T., & Matthaei, J. (1991). *Race, gender, and work. A multicultural economic history of women in the United States.* Boston, MA: South End Press.

Anderson, B., Mead, N., & Sullivan, S. (1986). *Television: What do national assessment results tell us?* Princeton, NJ: Educational Testing Service.

Anderson, C. W., Nagle, R. J., Roberts, W. A., & Smith, J. W. (1981). Attachment to substitute caregivers as a function of center quality and caregiver involvement. *Child Development, 52*, 53–61.

Anderson, D. R., Lorch, E. P., Field, D. E., Collins, P. A., & Nathan, J. G. (1986). Television viewing at home: Age trends in visual attention and time with TV. *Child Development, 57*, 1024–1033.

Anderson, K. M., Castelli, W. P., & Levy, D. (1987). Cholesterol and mortality. 30 years of follow-up from the Framingham study. *Journal of the American Medical Association, 257*, 2176–2180.

Andersson, B. (1989). Effects of public day-care: A longitudinal study. *Child Development, 60*, 857–886.

Andersson, B. (1992). Effects of day-care on cognitive and socioemotional competence of thirteen-year-old Swedish school children. *Child Development, 63*, 20–36.

Anisfeld, E., Casper, V., Nozyce, M., & Cunningham, N. (1990). Does infant carrying promote attachment? An experimental study of the effects of increased physical contact on the development of attachment. *Child Development, 61*, 1617–1627.

Anisfeld, M. (1991). Neonatal imitation. *Developmental Review, 11*, 60–97.

Anthony, J. C., & Aboraya, A. (1992). The epidemiology of selected mental disorders in later life. In J. E. Birren, R. B. Sloane & G. D. Cohen (Eds.) *Handbook of mental health and aging* (2nd ed.) (pp. 28–73). San Diego, CA: Academic Press.

Antonucci, T. C. (1990). Social supports and social relationships. In R. H. Binstock & L. K. George (Eds.), *Handbook of aging and the social sciences* (3rd ed.) (pp. 205–226). San Diego: Academic Press.

Antonucci, T. C. (1991). Attachment, social support, and coping with negative life events in mature adulthood. In E. M. Cummings, A. L. Greene & K. H. Karraker (Eds.), *Life-span developmental psychology. Perspectives on stress and coping* (pp. 261–276). Hillsdale, NJ: Erlbaum.

Antonucci, T. C., & Akiyama, H. (1987a). Social networks in adult life and a preliminary examination of the convoy model. *Journal of Gerontology, 42*, 519–527.

Antonucci, T. C., & Akiyama, H. (1987b). An examination of sex differences in social support among older men and women. *Sex Roles, 17*, 737–749.

Apgar, V. A. (1953). A proposal for a new method of evaluation of the newborn infant. *Anesthesiology Annals, 32*, 260–267.

Arenberg, D. (1974). A longitudinal study of problem solving in adults. *Journal of Gerontology, 29*, 650–658.

Arenberg, D., & Robertson-Tchabo, E. A. (1977). Learning and aging. In J. E. Birren & K. W. Schaie (Eds.), *Handbook of the psychology of aging.* New York: Van Nostrand Reinhold.

Arlin, P. (1981). Piagetian tasks as predictors of reading and math readiness in Grades K-1. *Journal of Educational Psychology, 73*, 712–721.

Arlin, P. K. (1975). Cognitive development in adulthood: A fifth stage? *Developmental Psychology, 11*, 602–606.

Arlin, P. K. (1989). Problem solving and problem finding in young artists and young scientists. In M. L. Commons, J. D. Sinnott, F. A. Richards & C. Armon (Eds.), *Adult Development, Vol. 1. Comparisons and applications of developmental models* (pp. 197–216). New York: Praeger.

Arlin, P. K. (1990). Wisdom: The art of problem finding. In R. J. Sternberg (Ed.), *Wisdom. Its nature, origins, and development* (pp. 230–243). New York: Cambridge University Press.

Asher, S. R. (1990). Recent advances in the study of peer rejection. In S. R. Asher & J. D. Coie (Eds.), *Peer rejection in childhood* (pp. 3–16). Cambridge: Cambridge University Press.

Asher, S. R., & Coie, J. D. (Eds.) (1990). *Peer rejection in childhood.* Cambridge: Cambridge University Press.

Aslin, R. N. (1987). Visual and auditory development in infancy. In J. D. Osofsky (Ed.), *Handbook of infant development*, (2nd ed.). (pp. 5–97). New York: Wiley-Interscience.

Assouline, M., & Meir, E. I. (1987). Meta-analysis of the relationship between congruence and well-being measures. *Journal of Vocational Behavior, 31*, 319–332.

Astbury, J., Orgill, A. A., Bajuk, B., & Yu, V. Y. H. (1990). Neurodevelopmental outcome, growth and health of extremely low-birthweight survivors: How soon can we tell? *Developmental Medicine and Child Neurology, 32*, 582–589.

Astington, J. W., & Gopnik, A. (1991). Theoretical explanations of children's understanding of the mind. In G. E. Butterworth, P. L. Harris, A. M. Leslie & H. M. Wellman (Eds.), *Perspectives on the child's theory of mind* (pp. 7–31). New York: Oxford University Press.

Attie, I., & Brooks-Gunn, J. (1989). Development of eating problems in adolescent girls: A longitudinal study. *Developmental Psychology, 25*, 70–79.

Attie, I., Brooks-Gunn, J., & Petersen, A. (1990). A developmental perspective on eating disorders and eating problems. In M. Lewis & S. M. Miller (Eds.), *Handbook of developmental psychopathology* (pp. 409–420). New York: Plenum.

Avis, J., & Harris, P. L. (1991). Belief-desire reasoning among Baka children: Evidence for a universal conception of mind. *Child Development, 62*, 460–467.

Babcock, R. L., & Salthouse, T. A. (1990). Effects of increased processing demands on age differences in working memory. *Psychology and Aging, 5*, 421–428.

Bachrach, C. A. (1980). Childlessness and social isolation among the elderly. *Journal of Marriage and the Family, 42*, 627–638.

Baer, D. M. (1970). An age-irrelevant concept of development. *Merrill-Palmer Quarterly, 16*, 238–245.

Bailey, J. M., & Pillard, R. C. (1991). A genetic study of male sexual orientation. *Archives of General Psychiatry, 48*, 1089–1096.

Baillargeon, R. (1987). Object permanence in very young infants. *Developmental Psychology, 23*, 655–664.

Baillargeon, R., & DeVos, J. (1991). Object permanence in young infants: Further evidence. *Child Development, 62*, 1227–1246.

Baillargeon, R., Spelke, E. S., & Wasserman, S. (1985). Object permanence in five-month-old infants. *Cognition, 20*, 191–208.

Baird, P. A., Sadovnick, A. D., & Yee, I. M. L. (1991). Maternal age and birth defects: A population study. *The Lancet, 337*, 527–530.

Bal, D., & Foerster, S. B. (1991). Changing the American diet. *Cancer, 67*, 2671–2680.

Ball, J. F. (1976–77). Widow's grief: The impact of age and mode of death. *Omega, 7*, 307–333.

Baltes, M. M., Kühl, K., & Sowarka, D. (1992). Testing for limits of cognitive reserve capacity: A promising strategy for early diagnosis of dementia? *Journal of Gerontology: PSYCHOLOGICAL SCIENCES, 47*, P165–167.

Baltes, P. B., & Baltes, M. M. (1990a). Psychological perspectives on successful aging: The model of selective optimization with compensation. In P. B. Baltes & M. M. Baltes (Eds.), *Successful aging* (pp. 1–34). Cambridge, England: Cambridge University Press.

Baltes, P. B., & Baltes, M. M. (Eds.) (1990b). *Successful aging.* Cambridge, England: Cambridge University Press.

Baltes, P. B., & Kliegl, R. (1992). Further testing of limits of cognitive plasticity: Negative age differences in a mnemonic skill are robust. *Developmental Psychology, 28*, 121–125.

Baltes, P. B., & Smith, J. (1990). Toward a psychology of wisdom and its ontogenesis. In R. J. Sternberg (Ed.), *Wisdom. Its nature, origins, and development* (pp. 87–120). Cambridge, England: Cambridge University Press.

Baltes, P. B., Reese, H. W., & Lipsitt, L. P. (1980). In M. R. Rosenzweig & L. W. Porter (Eds.), *Annual review of psychology.* Palo Alto, CA: Annual Reviews, Inc.

Baltes, P. B., Reese, H. W., & Nesselroade, J. R. (1977). *Life-span developmental psychology: Introduction to research methods.* Monterey, Ca: Books/Cole.

Bamford, F. N., Bannister, R. P., Benjamin, C. M., Hillier, V. F., Ward, B. S., & Moore, W. M. O. (1990). Sleep in the first year of life. *Developmental Medicine and Child Neurology, 32*, 718–724.

Bandura, A. (1977a). *Social learning theory.* Englewood Cliffs, NJ: Prentice-Hall.

Bandura, A. (1977b). Self-efficacy: Toward a unifying theory of behavioral change. *Psychological Review, 84*, 91–125.

Bandura, A. (1982a). The psychology of chance encounters and life paths. *American Psychologist, 37,* 747–755.

Bandura, A. (1982b). The self and mechanisms of agency. In J. Suls (Ed.), *Psychological perspectives on the self,* Vol. 1. (pp. 3–40). Hillsdale, NJ: Erlbaum.

Bandura, A. (1982c). Self-efficacy mechanism in human agency. *American Psychologist, 37,* 122–147.

Bandura, A. (1986). *Social foundations of thought and action: A social cognitive theory.* Englewood Cliffs, NJ: Prentice-Hall.

Bandura, A. (1989). Social cognitive theory. *Annals of child development, 6,* 1–60.

Barenboim, C. (1977). Developmental changes in the interpersonal cognitive system from middle childhood to adolescence. *Child Development, 48,* 1467–1474.

Barenboim, C. (1981). The development of person perception in childhood and adolescence: From behavioral comparisons to psychological constructs to psychological comparisons. *Child Development, 52,* 129–144.

Barnard, K. E., Bee, H. L., & Hammond, M. A. (1984). Developmental changes in maternal interactions with term and preterm infants. *Infant Behavior and Development, 7* 101–113.

Barnard, K. E., & Eyres, S. J. (1979). *Child health assessment. Part 2: The first year of life.* (DHEW Publication No. HRA 79–25). Washington, D. C.: U.S. Government Printing Office.

Barnard, K. E., Hammond, M. A., Booth, C. L., Bee, H. L., Mitchell, S. K., & Spieker, S. J. (1989). Measurement and meaning of parent-child interaction. In J. J. Morrison, C. Lord & D. P. Keating (Eds.), *Applied developmental psychology* (Vol. 3.) (pp. 40–81). San Diego: Academic Press.

Baron, P., & Perron, L. M. (1986). Sex differences in the Beck depression inventory scores of adolescents. *Journal of Youth and Adolescence, 15,* 165–171.

Barrett, D. E., Radke-Yarrow, M., & Klein, R. E. (1982). Chronic malnutrition and child behavior: Effects of early caloric supplementation on social and emotional functioning at school age. *Developmental Psychology, 18,* 541–556.

Barrett, G. V., & Depinet, R. L. (1991). A reconsideration of testing for competence rather than for intelligence. *American Psychologist, 46,* 1012–1024.

Barrett-Connor, E., & Bush, T. L. (1991). Estrogen and coronary heart disease in women. *Journal of the American Medical Association, 265,* 1861–1867.

Barton, P. (1989). *Earning and learning: The academic achievement of high school juniors with jobs.* Princeton, NJ: Educational Testing Service.

Bartoshuk, L. M., & Weiffenbach, J. M. (1990). Chemical senses and aging. In E. L. Schneider & J. W. Rowe (Eds.) *Handbook of the biology of aging* (3rd ed.) (pp. 429–444). San Diego, CA: Academic Press.

Bass, D. M. (1985). The hospice ideology and success of hospice care. *Research on Aging, 7,* 307–328.

Bates, E., Bretherton, I., Beeghly-Smith, M., & McNew, S. (1982). Social bases of language development: A reassessment. In H. W. Reese & L. P. Lipsitt (Eds.), *Advances in child development and behavior* (Vol. 16) (pp. 8–68). New York: Academic Press.

Bates, E., Bretherton, I., & Snyder, L. (1988). *From first words to grammar. Individual differences and dissociable mechanisms.* Cambridge, England: Cambridge University Press.

Bates, E., Camaioni, L., & Volterra, V. (1975). The acquisition of performatives prior to speech. *Merrill-Palmer Quarterly, 21,* 205–226.

Bates, E., O'Connell, B., & Shore, C. (1987). Language and communication in infancy. In J. D. Osofsky (Ed.), *Handbook of infant development* (2nd ed.) (pp. 149–203). New York: Wiley.

Bates, J. E. (1989). Applications of temperament concepts. In G. A. Kohnstamm, J. E. Bates & M. K. Rothbart (Eds.), *Temperament in childhood* (pp. 321–356). Chichester, England: Wiley.

Bates, J. E., Bales, K., Bennett, D. S., Ridge, B., & Brown, M. M. (1991). Origins of externalizing behavior problems at eight years of age. In D. J. Pepler & K. H. Rubin (Eds.), *The development and treatment of childhood aggression* (pp. 93–120). Hillsdale, NJ: Erlbaum.

Baugher, R. J., Burger, C., Smith, R., & Wallston, K. (1989–90). A comparison of terminally ill persons at various time periods to death. *Omega, 20,* 103–115.

Baumrind, D. (1967). Child care practices anteceding three patterns of preschool behavior. *Genetic Psychology Monographs, 75,* 43–88.

Baumrind, D. (1971). Current patterns of parental authority. *Developmental Psychology Monograph, 4* (1, Part 2).

Baumrind, D. (1973). The development of instrumental competence through socialization. In A. D. Pick (Ed.), *Minnesota Symposium on child psychology* (Vol. 7) (pp. 3–46). Minneapolis: University of Minnesota Press.

Baumrind, D. (1991). Effective parenting during the early adolescent transition. In P. A. Cowan & M. Hetherington (Eds.), *Family transitions* (pp. 111–163). Hillsdale, NJ: Erlbaum.

Baydar, N., & Brooks-Gunn, J. (1991). Effects of maternal employment and child-care arrangements on preschoolers' cognitive and behavioral outcomes: Evidence from the children of the National Longitudinal Survey of Youth. *Developmental Psychology, a27.* 932–945.

Bayley, N. (1969). *Bayley scales of infant development.* New York: Psychological Corporation.

Bearison, D. J., Magzamen, S., & Filardo, E. K. (1986). Socio-cognitive conflict and cognitive growth in young children. *Merrill-Palmer Quarterly, 32,* 51–72.

Beck, R. W., & Beck, S. H. (1989). The incidence of extended households among middle-aged black and white women: Estimates from a 15-year panel study. *Journal of Family Issues, 10,* 147–168. **14, 16**

Beckwith, L., & Rodning, C. (1991). Intellectual functioning in children born preterm: Recent research. In L. Okagaki & R. J. Sternberg (Eds.), *Directors of development* (pp. 25–58). Hillsdale, NJ: Erlbaum.

Bedeian, A. G., Ferris, G. R., & Kacmar, K. M. (1992). Age, tenure, and job satisfaction: A tale of two perspectives. *Journal of Vocational Behavior, 40,* 33–48.

Bee, H. L. (1992). *The journey of adulthood.* New York: Macmillan.

Bee, H. L., Barnard, K. E., Eyres, S. J., Gray, C. A., Hammond, M. A., Spietz, A. L., Snyder, C., & Clark, B. (1982). Prediction of IQ and language skill from perinatal status, child performance, family characteristics, and mother-infant interaction. *Child Development, 53,* 1135–1156.

Bell, L. G., & Bell, D. C. (1982). Family climate and the role of the female adolescent: Determinants of adolescent functioning. *Family Relations, 31,* 519–527.

Bell, R. R. (1981). *Worlds of friendship.* Beverly Hills, CA: Sage.

Belsky, J. (1985). Prepared statement on the effects of day care. In Select Committee on Children, Youth, and Families, House of Representatives, 98th Congress, Second Session, *Improving child care services: What can be done?* Washington, D. C.: U.S. Government Printing Office.

Belsky, J. (1987). *Science, social policy and day care: A personal odyssey.* Paper presented at the biennial meetings of the Society for Research in Child Development, Baltimore, April.

Belsky, J. (1990). The "effects" of infant day care reconsidered. In N. Fox & G. G. Fein (Eds.), *Infant day care: The current debate* (pp. 3–40). Norwood, NJ: Ablex.

Belsky, J., & Braungart, J. M. (1991). Are insecure-avoidant infants with extensive day-care experience less stressed by and more independent in the strange situation? *Child Development, 62*, 567–571.

Belsky, J., & Eggebeen, D. (1991). Early and extensive maternal employment and young children's socioemotional development: Children of the National Longitudinal Survey of Youth. *Journal of Marriage and the Family, 53*, 1083–1110.

Belsky, J., Lang, M. E., & Rovine, M. (1985). Stability and change in marriage across the transition to parenthood: A second study. *Journal of Marriage and the Family, 47*, 855–865.

Belsky, J., & Rovine, M. (1988). Nonmaternal care in the first year of life and the security of infant-parent attachment. *Child Development, 59*, 157–167.

Belsky, J., Spanier, G. B., & Rovine, M. (1983). Stability and change in marriage across the transition to parenthood. *Journal of Marriage and the Family, 45*, 567–577.

Bem, S. L. (1974). The measurement of psychological androgyny. *Journal of Consulting and Clinical Psychology, 42*, 155–162.

Bem, S. L. (1981). Gender schema theory: A cognitive account of sex-typing. *Psychological Review, 88*, 354–364.

Benfante, R., & Reed, D. (1990). Is elevated serum cholesterol level a risk factor for coronary heart disease in the elderly? *Journal of the American Medical Association, 263*, 393–396.

Bengtson, V. L. (1985). Diversity and symbolism in grandparent roles. In V. L. Bengtson & J. F. Robertson (Eds.), *Grandparenthood.* Beverly Hills, CA: Sage.

Bengtson, V. L., Cuellar, J. B., & Ragan, P. K. (1977). Stratum contrasts and similarities in attitudes toward death. *Journal of Gerontology, 32*, 76–88.

Bengtson, V., Rosenthal, C., & Burton, L. (1990). Families and aging: Diversity and heterogeneity. In R. H. Binstock & L. K. George (Eds.), *Handbook of aging and the social sciences* (3rd ed.) (pp. 263–287). San Diego: Academic Press.

Benn, R. K. (1986). Factors promoting secure attachment relationships between employed mothers and their sons. *Child Development, 57*, 1224–1231.

Benninger, W. B., & Walsh, W. B. (1980). Holland's theory and non-college-degreed working men and women. *Journal of Vocational Behavior, 17*, 81–88.

Berberian, K. E., & Snyder, S. S. (1982). The relationship of temperament and stranger reaction for younger and older infants. *Merrill-Palmer Quarterly, 28*, 79–94.

Berch, D. B., & Bender, B. G. (1987, December). Margins of sexuality. *Psychology Today, 21*, 54–57.

Berg, J. M. (1974). Aetiological aspects of mental subnormality. In A. M. Clarke & A. D. B. Clarke (Eds.), *Mental deficiency: The changing outlook* (3rd ed.) (pp. 82–117). New York: Free Press.

Berg, W. K., & Berg, K. M. (1987). Psychophysiological development in infancy: State, startle, and attention. In J. D. Osofsky (Ed.), *Handbook of infant development* (2nd ed.) (pp. 238–317). New York: Wiley-Interscience.

Berkman, L. F. (1985). The relationship of social networks and social support to morbidity and mortality. In S. Coen & S. L. Syme (Eds.), *Social support and health* (pp. 241–262). Orlando, FL: Academic Press.

Berkman, L. F., & Breslow, L. (1983). *Health and ways of living. The Alameda County Study.* New York: Oxford University Press.

Berkowitz, G. S., Fiarman, G. S., Mojica, M. A., Bauman, J., & de Regt, R. H. (1989). Effect of physician characteristics on the cesarean birth rate. *American Journal of Obstetrics and Gynecology, 161*, 146–149.

Berkowitz, G. S., Skovron, M. L., Lapinski, R. H., & Berkowitz, R. L. (1990). Delayed childbearing and the outcome of pregnancy. *New England Journal of Medicine, 322*, 659–664.

Berlin, J. A., & Colditz, G. A. (1990). A meta-analysis of physical activity in the prevention of coronary heart disease. *American Journal of Epidemiology, 132*, 612–628.

Berndt, T. J. (1979). Developmental changes in conformity to peers and parents. *Developmental Psychology, 15*, 608–616.

Berndt, T. J. (1981). Age changes and changes over time in prosocial intentions and behavior between friends. *Developmental Psychology, 17*, 408–416.

Berndt, T. J. (1983). Social cognition, social behavior, and children's friendships. In E. T. Higgins, D. N. Ruble & W. W. Hartup (Eds.), *Social cognition and social development. A sociocultural perspective* (pp. 158–192). Cambridge, England: Cambridge University Press.

Berndt, T. J. (1986). Children's comments about their friendships. In M. Perlmutter (Ed.), Cognitive perspectives on children's social and behavioral development. *Minnesota Symposia on Child Psychology*, Vol. 18 (pp. 189–212). Hillsdale, NJ: Erlbaum.

Berndt, T. J., Hawkins, J. A., & Hoyle, S. G. (1986). Changes in friendship during a school year: Effects on children's and adolescents' impressions of friendship and sharing with friends. *Child Development, 57*, 1284–1297.

Berndt, T. J., & Hoyle, S. G. (1985). Stability and change in childhood and adolescent friendships. *Developmental Psychology, 21*, 1007–1015.

Berndt, T. J., & Perry, T. B. (1990). Distinctive features and effects of early adolescent friendships. In R. Montemayor, G. R. Adams & T. P. Gullotta (Eds.), *From childhood to adolescence. A transitional period?* (pp. 269–287).

Bertenthal, B. I., & Campos, J. J. (1987). New directions in the study of early experience. *Child Development, 58*, 560–567.

Bettes, B. A. (1988). Maternal depression and motherese: Temporal and intonational features. *Child Development, 59*, 1089–1096.

Betz, N. E., & Fitzgerald, L. F. (1987). *The career psychology of women.* Orlando, FL: Academic Press.

Biedenharn, P. J., & Normoyle, J. B. (1991). Elderly community residents' reactions to the nursing home: An analysis of nursing home-related beliefs. *The Gerontologist, 31*, 107–115.

Billings, A. G., & Moos, R. H. (1983). Comparisons of children of depressed and nondepressed parents: A social-environmental perspective. *Journal of Abnormal Child Psychology, 11*, 463–486.

Binet, A., & Simon, T. (1905). Methodes nouvelles pour le diagnostic du niveau intellectuel des anormaux. *L'Anee Psychologique, 11*, 191–244.

Bingham, C. R., Miller, B. C., & Adams, G. R. (1990). Correlates of age at first sexual intercourse in a national sample of young women. *Journal of Adolescent Research, 5*, 18–33.

Binstock, R. H., & George, L. K. (Eds.) (1990). *Handbook of aging and the social sciences* (3rd ed.) San Diego, CA: Academic Press.

Birren, J. E., Sloane, R. B., & Cohen, G. D. (Eds.), (1992). *Handbook of mental health and aging*, 2nd ed. San Diego, CA: Academic Press.

Black, B. (1992). Negotiating social pretend play: communication differences related to social status and sex. *Merrill-Palmer Quarterly, 38*, 212–232.

Black, B., & Hazen, N. L. (1990). Social status and patterns of communication in acquainted and unacquainted preschool children. *Developmental Psychology, 26*, 379–387.

Blackman, J. A. (1990). Update on AIDS, CMV, and herpes in young children: Health, developmental, and educational issues. In M. Wolraich & D. K. Routh (Eds.), *Advances in developmental and behavioral pediatrics*, (Vol. 9) (pp. 33–58). London: Jessica Kingsley Publishers.

Blazer, D., Burchett, B., Service, C., & George, L. K. (1991). The association of age and depression among the elderly: An epidemiologic exploration. *Journal of Gerontology: MEDICAL SCIENCES, 46*, M210–215.

Blieszner, R. (1989). Developmental processes of friendship. In R. G. Adams & R. Blieszner (Eds.), *Older adult friendship* (pp. 108–128). Newbury Park, CA: Sage Publications.

Block, J. (1971). *Lives through time*. Berkeley, CA: Bancroft.

Block, J. (1987). *Longitudinal antecedents of ego-control and ego-resiliency in late adolescence*. Paper presented at the biennial meetings of the Society for Research in Child Development, Baltimore, April.

Block, M. R., Davidson, J. L., & Grambs, J. D. (1981). *Women over forty. Visions and realities*. New York: Springer.

Bloom, B. L., White, S. W., & Asher, S. J. (1979). Marital disruption as a stressful life event. In C. Levinger & O. C. Moles (Eds.), *Divorce and separation. Context, causes, and consequences*. New York: Basic Books.

Bloom, L. (1973). *One word at a time*. The Hague: Mouton.

Bloom, L. (1991). *Language development from two to three*. Cambridge, England: Cambridge, University Press.

Blum, R. W., Harmon, B., Harris, L., Bergeisen, L., & Resnick, M. D. (1992). American Indian-Alaska Native youth health. *Journal of the American Medical Association, 267*, 1637–1644.

Blumenthal, J. A., Emery, C. F., Madden, D. J., Schniebolk, S., Walsh-Riddle, M., George, L. K., McKee, D. C., Higginbotham, M. B., Cobb, RR., & Coleman, R. E. (1991). Long-term effects of exercise on physiological functioning in older men and women. *Journal of Gerontology: PSYCHOLOGICAL SCIENCES, 46*, P352–361.

Blumstein, P., & Schwartz, P. (1983). *American couples*. New York: William Morrow.

Boldero, J., & Moore, S. (1990). An evaluation of de Jong-Giervald's loneliness model with Australian adolescents. *Journal of Youth and Adolescence, 10*, 133–147.

Bond, J., & Coleman, P. (Eds.) (1990). *Aging in society*. London: Sage Publications.

Booth, A., & Edwards, J. N. (1985). Age at marriage and marital instability. *Journal of Marriage and the Family, 47*, 67–75.

Booth, A., & Johnson, D. (1988). Premarital cohabitation and marital success. *Journal of Family Issues, 9*, 255–272.

Booth-Kewley, S. & Friedman, H. S. (1987). Psychological predictors of heart disease: A quantitative review. *Psychological Bulletin, 101*, 343–362.

Bornstein, M. H. (Ed.) (1987). *Sensitive periods in development. Interdisciplinary perspectives*. Hillsdale, NJ: Erlbaum.

Bornstein, M. H. (1988). Perceptual development across the life cycle. In M. H. Bornstein & M. E. Lamb (Eds.), *Developmental psychology: An advanced textbook* (2nd ed.). Hillsdale, NJ: Erlbaum.

Bornstein, M. H. (1989). Stability in early mental development: From attention and information processing in infancy to language and cognition in childhood. In M. H. Bornstein & N. A. Krasnegor (Eds.), *Stability and continuity in mental development* (pp. 147–170). Hillsdale, NJ: Erlbaum.

Borthen, I., Lossius, P., Skjaerven, R., & Pergsjo, P. (1989). Changes in frequencey and indications for cesarean section in Norway, 1967–1984. *Acta Obstet Gynecol Scand, 68*, 589–593.

Bossé, R., Aldwin, C. M., Levenson, M. R., & Workman-Daniels, K. (1991). How stressful is retirement? Findings from the normative aging study. *Journal of Gerontology: PSYCHOLOGICAL SCIENCES, 46*, P9–14.

The Boston Women's Health Collective (1984). *The New Our Bodies, Ourselves: A book by and for women* (2nd ed.). New York: Simon & Schuster.

Botwinick, J., & Storandt, M. (1974). *Memory, related functions and age*. Springfield, IL: Charles C. Thomas.

Bouchard, T. J., Jr. (1984). Twins reared apart and together: What they tell us about human diversity. In S. Fox (Ed.), *The chemical and biological bases of individuality*. New York: Plenum Press.

Bouchard, T. J. Jr. , & McGue, M. (1981). Familial studies of intelligence: A review. *Science, 212*, 1055–1059.

Boukydis, C. F. Z., & Burgess, R. L. (1982). Adult physiological response to infant cries: Effects of temperament, parental status, and gender. *Child Development, 53*, 1291–1298.

Bowen, G. L., & Orthner, D. K. (1983). Sex-role congruency and marital quality. *Journal of Marriage and the Family, 45*, 223–230.

Bowerman, M. (1985). Beyond communicative adequacy: From piecemeal knowledge to an integrated system in the child's acquisition of language. In K. E. Nelson (Ed.). *Children's language* (Vol. 5) (pp. 369–398). Hillsdale, NJ: Erlbaum.

Bowlby, J. (1969). *Attachment and loss* (Vol. 1), *Attachment*. New York: Basic Books.

Bowlby, J. (1973). *Attachment and loss* (Vol. 2), *Separation, anxiety, and anger*. New York: Basic Books.

Bowlby, J. (1980). *Attachment and loss* (Vol. 3), *Loss, sadness, and depression*. New York: Basic Books.

Bowlby, J. (1988a). Developmental psychiatry comes of age. *The American Journal of Psychiatry, 145*, 1–10.

Bowlby, J. (1988b). *A secure base*. New York: Basic Books.

Bowman, P. J. (1991). Joblessness. In J. J. Jackson (Ed.) *Life in black America* (pp. 156–178). Newbury Park, CA: Sage Publications.

Brackbill, Y., McManus, K., & Woodward, L. (1985). *Medication in maternity*. Ann Arbor: University of Michigan Press.

Bradley, R. H., & Caldwell, B. M. (1976). The relation of infants' home environment to mental test performance at fifty-four months: A follow-up study. *Child Development, 47*, 1172–1174.

Bradley, R. H., & Caldwell, B. M. (1984). 174 children: A study of the relationship between home environment and cognitive development during the first 5 years. In A. W. Gottfried (Ed.), *Home environment and early cognitive development: Longitudinal research* (pp. 5–56). New York: Academic Press.

Bradley, R. H., Caldwell, B. M., Rock, S. L., Barnard, K. E., Gray, C., Hammond, M. A., Mitchell, S., Siegel, L., Ramey, C. D., Gottfried, A. W., & Johnson, D. L. (1989). Home environment and cognitive development in the first 3 years of life: A collaborative study involving six sites and three ethnic groups in North America. *Developmental Psychology, 25*, 217–235.

Brandstädter, J., & Baltes-Götz, B. (1990). Personal control over development and quality of life perspectives in adulthood. In P. Baltes & M. M. Baltes (Eds.), *Successful aging* (pp. 197–224). Cambridge, England: Cambridge University Press.

Braveman, N. S. (1987). Immunity and aging immunologic and behavioral perspectives. In M. W. Riley, J. D. Matarazzo, & A. Baum (Eds.), *Perspectives in behavioral medicine. The aging dimension*. Hillsdale, NJ: Erlbaum.

Braverman, L. B. (1989). Beyond the myth of motherhood. In M. McGoldrick, C. M. Anderson, & F. Walsh (Eds.), *Women and families* (pp. 227–243). New York: Free Press.

Bray, D. W., & Howard, A. (1983). The AT&T longitudinal studies of managers. In K. W. Schaie (Ed.), *Longitudinal studies of adult psychological development*. New York: Guilford Press.

Brayfield, A. A. (1992). Employment resources and housework in Canada. *Journal of Marriage and the Family, 54*, 19–30.

Breitmayer, B. J., & Ramey, C. T. (1986). Biological nonoptimality and quality of postnatal environment as codeterminants of intellectual development. *Child Development, 57*, 1151–1165.

Bretherton, I. (1991). Pouring new wine into old bottles: The social self as internal working model. In M. R. Gunnar & L. A. Sroufe (Eds.). *Self processes and development. The Minnesota symposia on child development* (Vol. 23) (pp. 1–42). Hillsdale, NJ: Erlbaum.

Briggs, R. (1990). Biological aging. In J. Bond & P. Coleman (Eds.), *Aging in society* (pp. 48–61). London: Sage Publications.

Brock, D. B., Guralnik, J. M., & Brody, J. A. (1990). Demography and the epidemiology of aging in the United States. In E. L. Schneider & J. W. Rowe (Eds.), *Handbook of the biology of aging*, (3rd ed.) (pp. 3–23). San Diego, CA: Academic Press.

Brody, E. M., Litvin, S. J., Hoffman, C., & Kleban, M. H. (1992). Differential effects of daughters' marital status on their parent care experiences. *The Gerontologist, 32*, 58–67.

Brody, H. (1955). Organization of the cerebral cortex. III. A study of aging in the human cerebral cortex. *Journal of Comparative Neurology, 102*, 511–556.

Brody, N. (1992). *Intelligence* (2nd ed.). San Diego, CA: Academic Press.

Bronfenbrenner, U. (1979). *The ecology of human development*. Cambridge, MA: Harvard University Press.

Bronfenbrenner, U. (1986). Ecology of the family as a context for human development: Research perspectives. *Developmental Psychology, 22*, 723–742.

Bronfenbrenner, U. (1989). Ecological systems theory. *Annals of child development, 6*, 187–249.

Brooks-Gunn, J. (1987). Pubertal processes and girls' psychological adaptation. In R. M. Lerner & T. T. Foch (Eds.), *Biological-psychosocial interactions in early adolescence* (pp. 123–154). Hillsdale, NJ: Erlbaum.

Brooks-Gunn, J. (1988). Commentary: Developmental issues in the transition to early adolescence. In M. R. Gunnar & W. A. Collins (Eds.), *Development during the transition to adolescence. Minnesota symposia on child psychology* (Vol. 21) (pp. 189–208). Hillsdale, NJ: Erlbaum.

Brooks-Gunn, J., & Furstenberg, F. F., Jr. (1989). Adolescent sexual behavior. *American Psychologist, 44*, 249–257.

Brooks-Gunn, J., & Matthews, W. S. (1979). *He and she: How children develop their sex-role identity*. Englewood Cliffs, NJ: Prentice-Hall.

Brooks-Gunn, J., & Reiter, E. O. (1990). The role of pubertal processes. In S. S. Feldman & G. R. Elliott (Eds.), *At the threshold. The developing adolescent* (pp. 16–53). Cambridge, MA: Harvard University Press.

Brooks-Gunn, J., & Warren, M. P. (1985). The effects of delayed menarche in different contexts: Dance and nondance students. *Journal of Youth and Adolescence, 13*, 285–300.

Brown, B. B. (1990). Peer groups and peer cultures. In S. S. Feldman & G. R. Elliott (Eds.), *At the threshold. The developing adolescent* (pp. 171–196). Cambridge, MA: Harvard University Press.

Brown, B. B., Clasen, D. R., & Eicher, S. A. (1986). Perceptions of peer pressure, peer conformity dispositions, and self-reported behavior among adolescents. *Developmental Psychology, 22*, 521–530.

Brown, J. L. (1987). Hunger in the U.S. *Scientific American, 256*(2), 37–41.

Brown, R. (1973). *A first language: The early stages*. Cambridge, MA: Harvard University Press.

Brown, R., & Hanlon, C. (1970). Derivational complexity and order of acquisition. In J. R. Hayes (Ed.), *Cognition and the development of language* (pp. 155–207). New York: Wiley.

Brownell, C. A. (1986). Convergent developments: Cognitive-developmental correlates of growth in infant/toddler peer skills. *Child Development, 57*, 275–286.

Brownell, C. A. (1988). Combinatorial skills: Converging developments over the second year. *Child Development, 59*, 675–685.

Brownell, C. A. (1990). Peer social skills in toddlers: Competencies and constraints illustrated by same-age and mixed-age interaction. *Child Development, 61*, 836–848.

Brownell, C. A., & Carriger, M. S. (1990). Changes in cooperation and self-other differentiation during the second year. *Child Development, 61*, 1164–1174.

Brubaker, T. H. (1990). Families in later life: A burgeoning research area. *Journal of Marriage and the Family, 52*, 959–981.

Bryant, S., & Rakowski, W. (1992). Predictors of mortality among elderly African-Americans. *Research on Aging, 14*, 50–67.

Buchanan, C. M., Eccles, J. S., & Becker, J. B. (1992). Are adolescents the victims of raging hormones: Evidence for activational effects of hormones on moods and behavior at adolescence. *Psychological Bulletin, 111*, 62–107.

Buchanan, C. M., Maccoby, E. E., & Dornbusch, S. M. (1991). Caught between parents: Adolescents' experience in divorced homes. *Child Development, 62*, 1008–1029.

Buehler, J. W., Kaunitz, A. M., Hogue, C. J. R., Hughes, J. M., Smith, J. C., & Rochat, R. W. (1986). Maternal mortality in women aged 35 years or older: United States. *Journal of the American Medical Association, 255*, 53–57.

Bulcroft, R. A., & Bulcroft, K. A. (1991). The nature and functions of dating in later life. *Research on Aging, 13*, 244–260.

Bullock, M., & Lütkenhaus, P. (1990). Who am I? Self-understanding in toddlers. *Merrill-Palmer Quarterly, 36*, 217–238.

Bumpass, L. (1984). Children and marital disruption: A replication and update. *Demography, 41*, 71–82.

Bumpass, L. L., & Sweet, J. A. (1989). National estimates of cohabitation. *Demography, 26*, 615–625.

Bumpass, L. L., Sweet, J. A., & Cherlin, A. (1991). The role of cohabitation in declining rates of marriage. *Journal of Marriage and the Family, 53*, 913–927.

Burchinal, M., Lee, M., & Ramey, C. (1989). Type of day-care and preschool intellectual development in disadvantaged children. *Child Development, 60*, 128–137.

Burke, P., & Puig-Antich, J. (1990). Psychobiology of childhood depression. In M. Lewis & S. M. Miller (Eds.), *Handbook of developmental psychopathology* (pp. 327–340). New York: Plenum.

Burkhauser, R. V., Duncan, G. J., Hauser, R., & Berntsen, R. (1991). Wife or Frau, women do worse: A comparison of men and women in the United States and Germany after marital dissolution. *Demography, 28*, 353–360.

Burr, J. A., & Mutchler, J. E. (1992). The living arrangements of unmarried elderly Hispanic females. *Demography, 29*, 93–112.

Burton, L. M., & Bengtson, V. L. (1985). Black grandmothers: Issues of timing and continuity of roles. In V. L. Bengtson & J. F. Robertson (Eds.), *Grandparenthood* (pp. 61–78). Beverly Hills, CA: Sage Publications.

Bushnell, I. W. R. (1982). Discrimination of faces by young infants. *Journal of Experimental Child Psychology, 33*, 298–308.

Buss, A. (1989). Temperaments as personality traits. In G. A. Kohnstamm, J. E. Bates & M. K. Rothbart (eds.), *Temperament in childhood* (pp. 49–58). Chichester, England: Wiley.

Buss, A. H., & Plomin, R. (1984). *Temperament: Early developing personality traits.* Hillsdale, NJ: Erlbaum.

Buss, A. H., & Plomin, R. (1986). The EAS approach to temperament. In R. Plomin & J. Dunn (Eds.), *The study of temperament: Changes, continuities and challenges* (pp. 67–80). Hillsdale, NJ: Erlbaum.

Busse, E. W., & Wang, H. S. (1971). The multiple factors contributing to dementia in old age. In *Proceedings of the Fifth World Congress of Psychiatry*, Mexico City. [Reprinted in E. Palmore (Ed.), *Normal aging II*. Durham, NC: Duke University Press, 1974.]

Butler, R.N. (1963). The life review: An interpretation of reminiscence in the aged. *Psychiatry, Journal for the Study of Interpersonal Processes, 26*. Reprinted in B. L. Neugarten (Ed.), *Middle age and aging*. Chicago: University of Chicago Press, 1968.

Butterfield, E. C., Siladi, D., & Belmont, J. M. (1980). Validating theories of intelligence. In H. W. Reese & L. P. Lipsitt (Eds.), *Advances in child development and behavior* (Vol. 15) (pp. 96–152). New York: Academic Press.

Cain, V. S., & Hofferth, S. L. (1989). Parental choice of self-care for school-age children. *Journal of Marriage and the Family, 51*, 65–77.

Caldwell, B. M. (1986). Day care and early environmental adequacy. In W. Fowler (Ed.), *Early experience and the development of competence, New Directions for Child Development, 32*, 11–30.

California Assessment Program (1980). *Student achievement in California schools. 1979–1980 annual report: Television and student achievement.* Sacramento: California State Department of Education.

Campbell, A. (1981). *The sense of well-being in America.* New York: McGraw-Hill.

Campbell, S. B. & Ewing, L. J. (1990). Follow-up of hard-to-manage preschoolers: Adjustment at age 9 and predictors of continuing symptoms. *Journal of Child Psychology and Psychiatry, 31*, 871–889.

Campbell, S. B., Ewing, L. J., Breaux, A. M., & Szumowski, E. K. (1986). Parent-referred problem three-year-olds: Follow-up at school entry. *Journal of Child Psychology and Psychiatry, 27*, 473–488.

Campbell, S. B., & Taylor, P. M. (1980). Bonding and attachment: Theoretical issues. In P. M. Taylor (Ed.). *Parent-infant relationships* (pp. 3–24). New York: Grune & Stratton.

Campbell, S. B., Pierce, E. W., March, C. L., & Ewing, L. J. (1991). Noncompliant behavior, overactivity, and family stress as predictors of negative maternal control with preschool children. *Development and Psychopathology, 3*, 175–190.

Campos, J. J., & Bertenthal, B. I. (1989). Locomotion and psychological development in infancy. In F. J. Morrison, C. Lord & D. P. Keating (Eds.), *Applied developmental psychology* (Vol. 3) (pp. 229–258). San Diego: Academic Press.

Cantwell, D. P. (1990). Depression across the early life span. In M. Lewis & S. M. Miller (Eds.), *Handbook of developmental psychopathology* (pp. 293–310). New York: Plenum.

Capron, C., & Duyme, M. (1989). Assessment of effects of socio-economic status on IQ in a full cross-fostering study. *Nature, 340*, 552–554.

Caputo, A. J., Palmer, F. B., Shapiro, B. K., Wachtel, R. C., Ross, A., & Accardo, P. J. (1984). Primitive reflex profile: A quantification of primitive reflexes in infancy. *Developmental Medicine and Child Neurology, 26*, 375–383.

Caputo, A. J., Palmer, F. B., Shapiro, B. K., Wachtel, R. C., Schmidt, S., & Ross, A. (1986). Clinical linguistic and auditory milestone scale: Prediction of cognition in infancy. *Developmental Medicine & Child Neurology, 28*, 762–771.

Carey, R. G. (1974). Living until death: A program of service and research for the terminally ill. *Hospital Progress*, reprinted in E. Kübler-Ross (Ed.), *Death. The final stage of growth.* Englewood Cliffs, NJ: Prentice Hall, 1975.

Carey, S., & Bartlett, E. (1978). Acquiring a single new word. *Papers and Reports on Child Language Development, 15*, 17–29.

Carey, W. B. (1981). The importance of temperament-environment interaction for child health and development. In M. Lewis & L. A. Rosenblum (Eds.), *The uncommon child* (pp. 31–56). New York: Plenum.

Carlson, V., Cicchetti, D., Barnett, D., & Braunwald, K. (1989). Disorganized/disoriented attachment relationships in maltreated infants. *Developmental Psychology, 25*, 525–531.

Caron, A. J., & Caron, R. F. (1981). Processing of relational information as an index of infant risk. In S. Friedman & M. Sigman (Eds.). *Preterm birth and psychological development* (pp. 219–240). New York: Academic Press.

Carroll, K. K. (1991). Dietary fats and cancer. *American Journal of Clinical Nutrition, 53*, 1064S-1067S.

Carter, C. S. (1988). Patterns of infant feeding, the mother-infant interaction and stress management. In T. M. Field, P. M. McCabe, & N. Schneiderman (Eds.), *Stress and coping across development* (pp. 27–46). Hillsdale, NJ: Erlbaum.

Carver, R. P. (1990). Intelligence and reading ability in grades 2–12. *Intelligence, 14*, 449–455.

Case, R. (1991). Stages in the development of the young child's first sense of self. *Developmental Review, 11*, 210–230.

Case, R. B., Moss, A. J., Case, N., McDermott, M., & Eberly, S. (1992). Living alone after myocardial infarction. Impact on prognosis. *Journal of the American Medical Association, 267*, 515–519.

Caspi, A., Bem, D. J., & Elder, G. H. Jr., (1989). Continuities and consequences of interactional styles across the life course. *Journal of Personality, 57*, 375–406.

Caspi, A., & Elder, G. H. Jr. (1988). Childhood precursors of the life course: Early personality and life disorganization. In E. M. Hetherington, R. M. Lerner & M. Perlmutter (Eds.), *Child development in life-span perspective.* Hillsdale, NJ: Erlbaum.

Caspi, A., Elder, G. H. Jr., & Bem, D. J. (1987). Moving against the world: Life-course patterns of explosive children. *Developmental Psychology, 23*, 308–313.

Caspi, A., Elder, G. H., Jr., & Bem, D. J. (1988). Moving away from the world: Life-course patterns of shy children. *Developmental Psychology, 24*, 824–831.

Caspi, A., & Moffitt, T. E. (1991). Individual differences are accentuated during periods of social change: The sample case of girls at puberty. *Journal of Personality and Social Psychology, 61*, 157–168.

Cassileth, B. R., Walsh, W. P., & Lusk, E. J. (1988). Psychosocial correlates of cancer survival: A subsequent report 3 to 8 years after cancer diagnosis. *Journal of Clinical Oncology, 6, 1753–1759.*

Cattell, R. B. (1963). Theory of fluid and crystallized intelligence: A critical experiment. *Journal of Educational Psychology, 54*, 1–22.

Center for Educational Statistics (1987). *Who drops out of high school? From high school and beyond.* Washington, DC: Office of Educational Research and Improvement, U.S. Department of Education.

Cernoch, J. M., & Porter, R. H. (1985). Recognition of maternal axillary odors by infants. *Child Development, 56*, 1593–1598.

Chamberlain, J. C., & Galton, D. J. (1990). Genetic susceptibility to atherosclerosis. *British Medical Bulletin, 46*, 917–940.

Chandler, M., & Moran, T. (1990). Psychopathology and moral development: A comparative study of delinquent and nondelinquent youth. *Development and Psychopathology, 2*, 227–246.

Charness, N. (Ed.) (1985). *Aging and human performance*. Chichester, England: Wiley.

Chase-Lansdale, P. L., & Hetherington, E. M. (1990). The impact of divorce on life-span development: Short and long term effects. In P. B. Baltes, D. L., Featherman & R. M. Lerner (Eds.), *Life-span development and behavior* (Vol. 10) (pp. 107–151). Hillsdale, NJ: Erlbaum.

Chatters, L. M. (1991). Physical health. In J. S. Jackson (Ed.), *Life in black America* (pp. 199–220). Newbury Park, CA: Sage Publications.

Cherlin, A., & Furstenberg, F. F. (1986). *The new American grandparent*. New York: Basic Books.

Chess, S., & Thomas, A. (1984). *Origins and evolution of behavior disorders: Infancy to early adult life*. New York: Brunner/Mazel.

Chess, S., & Thomas, A. (1990). Continuities and discontinuities in temperament. In L. N. Robins & M. Rutter (Eds.), *Straight and devious pathways from childhood to adulthood* (pp. 205–220). Cambridge, England: Cambridge University Press.

Chi, M. T. (1978). Knowledge structure and memory development. In R. S. Siegler (Ed.). *Children's thinking: What develops?* (pp. 73–96). Hillsdale, NJ: Erlbaum.

Chi, M. T. H., & Ceci, S. J. (1987). Content knowledge: Its role, representation, and restructuring in memory development. In H. W. Reese (Ed.), *Advances in child development and behavior* (Vol. 20) (pp. 91–142). Orlando, FL: Academic Press.

Chi, M. T. H., Hutchinson, J. E., & Robin, A. F. (1989) How inferences about novel domain-related concepts can be constrained by structured knowledge. *Merrill-Palmer Quarterly, 35*, 27–62.

Chiriboga, D. A. (1984). Social stressors as antecedents of change. *Journal of Gerontology, 39*, 468–477.

Chiriboga, D. A. (1989). Mental health at the midpoint: Crisis, challenge, or relief? In S. Hunter & M. Sundel (Eds.), *Midlife myths. Issues, findings, and practice implications*. Newbury Park, CA: Sage.

Chiriboga, D. A., & Cutler, L. (1980). Stress and adaptation: Life span perspectives. In L. W. Poon (Ed.), *Aging in the 1980s. Psychological issues*. Washington, D.C.: American Psychological Association.

Chiriboga, D. A., & Dean, H. (1978). Dimensions of stress: Perspectives from a longitudinal study. *Journal of Psychosomatic Research, 22*, 47–55.

Choi, N. G. (1991). Racial differences in the determinants of living arrangements of widowed and divorced elderly women. *The Gerontologist, 31*, 496–504.

Chomsky, N. (1965). *Aspects of a theory of syntax*. Cambridge, MA: MIT Press.

Chomsky, N. (1975). *Reflections on language*. New York: Pantheon Books.

Chomsky, N. (1986). *Knowledge of language: Its nature, origin, and use*. New York: Praeger.

Chomsky, N. (1988). *Language and problems of knowledge*. Cambridge, MA: MIT Press.

Christensen, K. J., Moye, J., Armson, R. R., & Kern, T. M. (1992). Health screening and random recruitment for cognitive aging research. *Psychology and Aging, 7*, 204–208.

Christophersen, E. R. (1989). Injury control. *American Psychologist, 44*, 237–241.

Chumlea, W. C. (1982). Physical growth in adolescence. In B. B. Wolman (Ed.), *Handbook of developmental psychology* (pp. 471–485). Englewood Cliffs, NJ: Prentice-Hall.

Cicchetti, D., & Carlson, V. (1989). *Child maltreatment*. Cambridge, England: Cambridge University Press.

Cicirelli, V. G. (1982). Sibling influence throughout the lifespan. In M. E. Lamb & B. Sutton-Smith (Eds.), *Sibling relationships*. Hillsdale, NJ: Erlbaum.

Cicirelli, V. G. (1983). Adult children and their elderly parents. In Brubaker, T. H. (Ed.), *Family relationships in later life*. Beverly Hills, CA: Sage.

Cicirelli, V. G. (1989). Feelings of attachment to siblings and well-being in later life. *Psychology and Aging, 4*, 211–216.

Cicirelli, V. G. (1991). Attachment theory in old age: Protection of the attached figure. In K. Pillemer & K. McCargner (Eds.), *Parent-child relationships throughout life* (pp. 25–42). Hillsdale, NJ: Lawrence Erlbaum Press.

Clark, E. V. (1975). Knowledge, context, and strategy in the acquisition of meaning. In D. P. Date (Ed.), *Georgetown University round table on language and linguistics*. Washington, DC: Georgetown University Press.

Clark, E. V. (1977). Strategies and the mapping problem in first language acquisition. In J. Macnamara (Ed.). *Language learning and thought* (pp. 147–168). New York: Academic Press, 1977.

Clark, E. V. (1983). Meanings and concepts. In J. H. Flavell & E. M. Markman (Eds.), *Handbook of child psychology: Cognitive development* (Vol. 3) (pp. 787–840). New York: Wiley. (P. H. Mussen, General Editor)

Clark, E. V. (1987). The principle of contrast: A constraint on language acquisition. In B. MacWhinney (Ed.), *Mechanisms of language acquisition* (pp. 1–34). Hillsdale, NJ: Erlbaum.

Clark, E. V. (1990). On the pragmatics of contrast. *Journal of Child Language, 41*, 417–431.

Clark, R. L. (1988). The future of work and retirement. *Research on aging, 10*, 169–193.

Clarke-Stewart, A. (1984). Day care: A new context for research and development. In M. Perlmutter (Ed.), *Minnesota symposia on child psychology* (Vol. 17) (pp. 61–100). Hillsdale, NJ: Erlbaum.

Clarke-Stewart, A. (1987). The social ecology of early childhood. In N. Eisenberg (Ed.), *Contemporary topics in developmental psychology* (pp. 292–318). New York: Wiley-Interscience.

Clarke-Stewart, A. (1990). "The 'effects' of infant day care reconsidered" reconsidered: Risks for parents, children, and researchers. In N. Fox & G. G. Fein (Eds.), *Infant day care: The current debate* (pp. 61–86). Norwood, NJ: Ablex.

Clarkson-Smith, L., & Hartley, A. A. (1989). Relationships between physical exercise and cognitive abilities in older adults. *Psychology and Aging, 4*, 183–189.

Clarkson-Smith, L., & Hartley, A. A. (1990a). Structural equation models of relationships between exercise and cognitive abilities. *Psychology and Aging, 5*, 437–446.

Clarkson-Smith, L., & Hartley, A. A. (1990b). The game of bridge as an exercise in working memory and reasoning. *Journal of Gerontology: PSYCHOLOGICAL SCIENCES, 45*, P233–238.

Clay, M. M. (1979). *The early detection of reading difficulties* (3rd ed.). Portsmouth, NH: Heinemann.

Coe, C., Hayashi, K. T., & Levine, S. (1988). Hormones and behavior at puberty: Activation or concatenation? In M. R. Gunnar & W. A. Collins (Eds.), *Development during the transition to adolescence. Minnesota symposia on child psychology*, (Vol. 21) (pp. 17–42). Hillsdale, NJ: Erlbaum.

Cohen, M. A., Tell, E. J., & Wallack, S. S. (1986). Client-related risk factors of nursing home entry among elderly adults. *Journal of Gerontology, 41*, 785–792.

Cohen, S. (1991). Social supports and physical health: Symptoms, health behaviors, and infectious disease. In E. M. Cummings, A. L. Greene, & K. H. Karraker (Eds.), *Life-span developmental psychology. Per-*

spectives on stress and coping (pp. 213–234). Hillsdale, NJ: Erlbaum.

Cohen, S., & Wills, T. A. (1985). Stress, social support, and the buffering hypothesis. *Psychological Bulletin, 98*, 310–357.

Cohen, Y. A. (1964). *The transition from childhood to adolescence.* Chicago: Aldine.

Cohn, D. A. (1990). Child-mother attachment of six-year-olds and social competence at school. *Child Development, 61*, 151–162.

Cohn, D. A., Silver, D. H., Cowan, P. A., Cowan, C. P., & Pearson, J. L. (1991). Working models of childhood attachment and marital relationships. Paper presented at the biennial meetings of the Society for Research in Child Development, Seattle, WA.

Cohn, J. F., Campbell, S. B., Matias, R., & Hopkins, J. (1990). Face-to-face interactions of postpartum depressed and nondepressed mother-infant pairs at 2 months. *Developmental Psychology, 26*, 15–23.

Coie, J. D., Dodge, K. A., & Kupersmidt, J. B. (1990). Peer group behavior and social status. In S. R. Asher & J. D. Coie (Eds.) *Peer rejection in childhood* (pp. 17–59). Cambridge: Cambridge University Press.

Coie, J. D. & Kupersmidt, J. B. (1983). A behavioral analysis of emerging social status in boys groups. *Child Development, 54*, 1400–1416.

Colby, A., Kohlberg, L., Gibbs, J., & Lieberman, M. (1983). A longitudinal study of moral judgment. *Monographs of the Society for Research in Child Development, 48* (1–2, Serial No. 200).

Cole, D. A. (1991). Change in self-perceived competence as a function of peer and teacher evaluation. *Developmental Psychology, 27*, 682–688.

Cole, D. A., & Rodman, H. (1987). When school-age children care for themselves: Issues for family life educators and parents. *Family Relations, 36*, 92–96.

Coleman, P. (1986). *Ageing and reminiscence processes: Social and clinical implications.* Chichester, England: Wiley.

Coleman, P. (1990). Psychological aging. In J. Bond & P. Coleman (Eds.), *Aging in society* (pp. 89–122). London: Sage Publications.

Collin, M. F., Halsey, C. L. & Anderson, C. L. (1991). Emerging developmental sequelae in the "normal" extremely low birth weight infant. *Pediatrics, 88*, 115–120.

Collins, N. L., & Read, S. J. (1990). Adult attachment, working models, and relationship quality in dating couples. *Journal of Personality and Social Psychology, 58*, 644–663.

Collins, W. A. (Ed.) (1984). *Development during middle childhood. The years from six to twelve.* Washington, D.C.: National Academy Press.

Colombo, J., & Mitchell, D. W. (1990). Individual differences in early visual attention: Fixation time and information processing. In J. Colombo & J. Fagen (Eds.), *Individual differences in infancy: Reliability, stability, prediction* (pp. 193–228). Hillsdale, NJ: Erlbaum.

Coltrane, S., & Ishii-Kuntz, M. (1992). Men's housework: A life course perspective. *Journal of Marriage and the Family, 54*, 43–57.

Comstock, G. (1991). *Television and the American child.* San Diego, CA: Academic Press.

Conger, R. D., Elder, G. H., Jr., Lorenz, F. O., Conger, K. J., Simons, R. L., Whitbeck, L. B., Huck, S., & Melby, J. N. (1990). Linking economic hardship to marital quality and instability. *Journal of Marriage and the Family, 52*, 643–656.

Connidis, I. A., & Davies, L. (1992). Confidants and companions: choices in later life. *Journal of Gerontology: SOCIAL SCIENCES, 47* S115–122.

Connolly, K., & Dalgleish, M. (1989). The emergence of a tool-using skill in infancy. *Developmental Psychology, 25*, 894–912.

Conrad, M., & Hammen, C. (1989). Role of maternal depression in perceptions of child maladjustment. *Journal of Consulting and Clinical Psychology, 57*, 663–667.

Coolsen, P., Seligson, M., & Garbarino, J. (1985). *When school's out and nobody's home.* Chicago: National Committee for Prevention of Child Abuse.

Coombs, R. H. (1991). Marital status and personal well-being: A literature review. *Family Relations, 40*, 97–102.

Cooper, R. P., & Aslin, R. N. (1990). Preference for infant-directed speech in the first month after birth. *Child Development, 61*, 1584–1595.

Corbett, H. D., & Wilson, B. (1989). Two state minimum competency testing programs and their effects on curriculum and instruction. In R. Stake (Ed.), *Effects of changes in assessment policy, Vol. 1, Advances in program evaluation.* Greenwich, CT: JAI Press.

Corr, C. A. (1991–92). A task-based approach to coping with dying. *Omega, 24*, 81–94.

Corso, J. F. (1987). Sensory-perceptual processes and aging. In K. W. Schaie (Ed.), *Annual Review of Gerontology and Geriatrics*, Vol. 7 (pp. 29–56). New York: Springer.

Cossette, L., Malcuit, G., & Pomerleau, A. (1991). Sex differences in motor activity during early infancy. *Infant Behavior and Development, 14*, 175–186.

Costa, P. T., Jr., & McCrae, R. R. (1980a). Still stable after all these years: Personality as a key to some issues in adulthood and old age. In P. B. Baltes & O. G. Brim, Jr. (Eds.), *Life-span development and behavior.* New York: Academic Press.

Costa, P. T., & McCrae, R. R. (1980b). Influence of extraversion and neuroticism on subjective well-being: Happy and unhappy people. *Journal of Personality and Social Psychology, 38*, 668–678.

Costa, P. T. Jr., & McCrae, R. R. (1988). Personality in adulthood: A six-year longitudinal study of self-reports and spouse ratings on the NEO personality inventory. *Journal of Personality and Social Psychology, 54*, 853–863.

Costa, P. T., Jr., McCrae, R. R., Zonderman, A. B., Barbano, H. E., Lebowitz, B., & Larson, D. M. (1986). Cross-sectional studies of personality in a national sample: 2. Stability in neuroticism, extraversion, and openness. *Psychology and Aging, 1*, 144–149.

Costa, P. T., Jr., Zonderman, A. B., & McCrae, R. R. (1985). Longitudinal course of social support among men in the Baltimore Longitudinal Study of Aging. In I. G. Sarason & B. R. Sarason (Eds.), *Social support: Theory, research and applications* (pp. 137–154). Dordrecht, Netherlands: Martinus Nijhoof Publishers.

Counts, D. R. (1976–77). The good death in Kaliai: Preparation for death in western New Britain. *Omega, 7*, 367–372.

Cowan, C. P., & Cowan, P. A. (1987). Men's involvement in parenthood: Identifying the antecedents and understanding the barriers. In P. W. Berman & F. A. Pedersen (Eds.), *Men's transitions to parenthood. Longitudinal studies of early family experience.* Hillsdale, NJ: Erlbaum.

Cowan, C. P., & Cowan, P. A. (1988). Who does what when partners become parents: Implications for men, women, and marriage. *Marriage & Family Review, 13*, 1 & 2.

Cowan, C. P., Cowan, P. A., Heming, G., & Miller, N. B. (1991). Becoming a family: Marriage, parenting, and child development. In P. A. Cowan & M. Hetherington (Eds.), *Family transitions* (pp. 79–109). Hillsdale, NJ: Erlbaum.

Cramer, D. (1991). Type A behavior pattern, extraversion, neuroticism and psychological distress. *British Journal of Medical Psychology, 64*, 73–83.

Crimmins, E. M., & Ingegneri, D. G. (1990). Interaction and living arrangements of older parents and their children. *Research on Aging, 12*, 3–35.

Cristofalo, V. J. (1988). An overview of the theories of biological aging. In J. E. Birren & V. L. Bengtson (Eds.), *Emergent theories of aging.* New York: Springer.

Crockenberg, S. B. (1981). Infant irritability, mother responsiveness, and social support influences on the security of infant-mother attachment. *Child Development, 52*, 857–865.

Crockenberg, S. B. (1986). Are temperamental differences in babies associated with predictable differences in care-giving? *New Directions for Child Development, 31*, 53–74.

Crockenberg, S. B., & Litman, C. (1990). Autonomy as competence in 2-year-olds: Maternal correlates of child defiance, compliance, and self-assertion. *Developmental Psychology, 26*, 961–971.

Crohan, S. E., & Antonucci, T. C. (1989). Friends as a source of social support in old age. In R. G. Adams & R. Blieszner (Eds.), *Older adult friendship* (pp. 129–146). Newbury Park, CA: Sage Publications.

Cromer, R. F. (1991). *Language and thought in normal and handicapped children.* Oxford, England: Basil Blackwell.

Crowell, J. A., & Feldman, S. S. (1988). Mothers' internal models of relationships and children's behavioral and developmental status: A study of mother-child interaction. *Child Development, 50*, 1273–1285.

Crowell, J. A., & Feldman, S. S. (1991). Mothers' working models of attachment relationships and mother and child behavior during separation and reunion. *Developmental Psychology, 27*, 597–605.

Csikszentmihalyi, M., & Larson, R. (1984). *Being adolescent: Conflict and growth in the teenage years.* New York: Basic Books.

Csikszentmihalyi, M., & Rathunde, K. (1990). The psychology of wisdom: An evolutionary interpretation. In R. Sternberg (Ed.), *Wisdom. Its nature, origins, and development* (pp. 25–51). Cambridge, England: Cambridge University Press.

Cuba, L., & Longino, C. F. Jr. (1991). Regional retirement migration: The case of Cape Cod. *Journal of Gerontology: SOCIAL SCIENCES, 46*, S33–42.

Cumming, E. (1975). Engagement with an old theory. *International Journal of Aging and Human Development, 6* 187–191.

Cumming, E., & Henry, W. E. (1961). *Growing old.* New York: Basic Books.

Cummings, E. M., Hollenbeck, B., Iannotti, R., Radke-Yarrow, M., & Zahn-Waxler, C. (1986). Early organization of altruism and aggression: Developmental patterns and individual differences. In C. Zahn-Waxler, E. M. Cummings, & R. Iannotti (Eds.), *Altruism and aggression* (pp. 165–188). Cambridge, England: Cambridge University Press.

Cunningham, A. S., Jelliffe, D. B., & Jelliffe, E. F. P. (1991). Breast-feeding and health in the 1980s: A global epidemiologic review. *The Journal of Pediatrics, 118*, 659–666.

Cunningham, J. D., & Antill, J. K. (1984). Changes in masculinity and femininity across the family life cycle: A reexamination. *Developmental Psychology, 20*, 1135–1141.

Cunningham, W. R., & Haman, K. L. (1992). Intellectual functioning in relation to mental health. In J. E. Birren, R. B. Sloane, & G. D. Cohen (Eds.), *Handbook of mental health and aging,* (2nd ed.) (pp. 340–355). San Diego, CA: Academic Press.

Dalsky, G. P., Stocke, K. S., Ehsani, A. A., Slatopolsky, E., Waldon, C. L., & Birge, S. J. (1988). Weight-bearing exercise training and lumbar bone mineral content in postmenopausal women. *Annals of Internal Medicine, 108*, 824–828.

Damon, W. (1977). *The social world of the child.* San Francisco: Jossey-Bass.

Damon, W. (1983). The nature of social-cognitive change in the developing child. In W. F. Overton (Ed.)., *The relationship between social and cognitive development* (pp. 103–142). Hillsdale, NJ: Erlbaum.

Damon, W., & Hart, D. (1988). *Self understanding in childhood and adolescence.* New York: Cambridge University Press.

Daniels, P., & Weingarten, K. (1988). The fatherhood clock. The timing of parenthood in men's lives. In P. Bronstein & C. P. Cowan (Eds.), *Fatherhood today. Men's changing role in the family* (pp. 36–52). New York: Wiley-Interscience.

Dannefer, D. (1984a). Adult development and social theory: A paradigmatic reappraisal. *American Sociological Review, 49*, 100–116.

Dannefer, D. (1984b). The role of the social in life-span developmental psychology, past and future: Rejoinder to Baltes and Nesselroade. *American Sociological Review, 49*, 847–850.

Dannefer, D. (1988). What's in a name? An account of the neglect of variability in the study of aging. In J. E. Birren & V. L. Bengtson (Eds.), *Emergent theories of aging.* New York: Springer.

Danner, F. W., & Day, M. C. (1977). Eliciting formal operations. *Child Development, 48*, 1600–1606.

Darling-Hammond, L., & Wise, A. E. (Jan, 1985). Beyond standardization: State standards and school improvement. *Elementary School Journal*, 315–336.

Darlington, R. B. (1991). The long-term effects of model preschool programs. In L. Okagaki & R. J. Sternberg (Eds.), *Directors of development* (pp. 203–215). Hillsdale, NJ: Erlbaum.

Dasen, P., & Heron, A. (1981). Cross-cultural tests of Piaget's theory. In H. C. Triandis & A. Heron (Eds.), *Handbook of cross-cultural psychology* (Vol. 4) *Developmental psychology* (pp. 295–342). Boston: Allyn and Bacon.

Dasen, P. R., Inhelder, B., Lavallee, M., & Retschitzki, J. (1978). *Naissance de l'intelligence chez l'enfant Baoulé de Côte d'Ivoire.* Berne: Hans Huber.

Dawber, T. R., Kannel, W. B., & Lyell, L. P. (1963). An approach to longitudinal studies in a community: The Framingham study. *Annals of the New York Academy of Science, 107*, 539–556.

Dawson, D. A. (1991). Family structure and children's health and well-being: Data from the 1988 National Health Interview Survey on child health. *Journal of Marriage and the Family, 53*, 573–584.

DeCasper, A. J., & Fifer, W. P. (1980). Of human bonding: Newborns prefer their mothers' voices. *Science, 208*, 1174–1176.

DeCasper, A. J., & Sigafoos, A. D. (1983). The intrauterine heartbeat: A potent reinforcer for newborns. *Infant Behavior and Development, 6*, 19–25.

DeCasper, A. J., & Spence, M. J. (1986). Prenatal maternal speech influences newborns' perception of speech sounds. *Infant Behavior and Development, 9*, 133–150.

de Chateau, P. (1980). Effects of hospital practices on synchrony in the development of the infant-parent relationship. In P. M. Taylor (Ed.), *Parent-infant relationships* (pp. 137–168). New York: Grune & Stratton.

DeLoache, J. S. (1989). The development of representation in young children. In H. W. Reese (Ed.), *Advances in child development and behavior* (Vol. 22) (pp. 2–37). San Diego, CA: Academic Press.

DeLoache, J. S., & Brown, A. L. (1987). Differences in the memory-based searching of delayed and normally developing young children. *Intelligence, 11*, 277–289.

DeLoache, J. S., Cassidy, D. J., & Brown, A. L. (1985). Precursors of mnemonic strategies in very young children's memory. *Child Development, 56*, 125–137.

DeMaris, A., & Leslie, G. R. (1984). Cohabitation with the future spouse: Its influence upon marital satisfaction and communication. *Journal of Marriage and the Family, 46*, 77–84.

DeMaris, A., & Rao, K. V. (1992). Premarital cohabitation and subsequent marital stability in the United States: A reassessment. *Journal of Marriage and the Family, 54*, 178–190.

Dempster, F. N. (1981). Memory span: Sources of individual and developmental differences. *Psychological Bulletin, 89*, 63–100.

Dennerstain, L. (1987). Psychological changes. In D. R. Mischell, Jr. (Ed.), *Menopause: Physiology and pharmacology* (pp. 115–126). Chicago: Year Book Medical Publishers, Inc.

Denney, N. W. (1982). Aging and cognitive changes. In B. B. Wolman (Ed.), *Handbook of developmental psychology*. Englewood Cliffs, NJ: Prentice-Hall.

Denney, N. W. (1984). Model of cognitive development across the life span. *Developmental Review, 4*, 171–191.

Denney, N. W., & Pearce, K. A. (1989). A developmental study of practical problem solving in adults. *Psychology and Aging, 4*, 438–442.

Denney, N. M., Tozier, T. L., & Schlotthauer, C. A. (1992). The effect of instructions on age differences in practical problem solving. *Journal of Gerontology: PSYCHOLOGICAL SCIENCES, 47*, P142–145.

Dennis, W. (1960). Causes of retardation among institutional children: Iran. *Journal of Genetic Psychology, 96*, 47–59.

Den Ouden, L., Rijken, M., Brand, R., Verloove-Vanhorick, S. P., & Ruys, J. H. (1991). Is it correct to correct? Developmental milestones in 555 "normal" preterm infants compared with term infants. *Journal of Pediatrics, 118*, 399–404.

de Regt, R. H., Minkoff, H. L., Feldman, J., & Schwarz, R. H. (1986). Relation of private or clinic care to the cesarean birth rate. *New England Journal of Medicine, 315*, 619–624.

DeSpelder, L. A., & Strickland, A. L. (1983). *The last dance. Encountering death and dying*. Palo Alto, CA: Mayfield.

The Diagram Group. (1977). *Child's body*. New York: Paddington.

Diamond, A. (1991). Neuropsychological insight into the meaning of object concept development. In S. Carey & R. Gelman (Eds.). *The Epigenesis of mind. Essays on biology and cognition* (pp. 67–110). Hillsdale, NJ: Erlbaum.

Dickens, W. J., & Perlman, D. (1981). Friendship over the life-cycle. In S. Duck & R. Gilmour (Eds.), *Personal relationships 2. Developing personal relationships*. New York: Academic Press.

Dickerson, J. W. T. (1981). Nutrition, brain growth and development. In K. J. Connolly & H. F. R. Prechtl (Eds.). *Maturation and development: Biological and psychological perspectives*. Clinics in Developmental Medicine No. 77/78, (pp. 110–130). London: Heinemann.

Diener, E. (1984). Subjective well-being. *Psychological Bulletin, 95*, 542–575.

Dietz, W. H., & Gortmaker, S. L. (1985). Do we fatten our children at the television set? Obesity and television viewing in children and adolescents. *Pediatrics, 75*, 807–812.

Dishion, T. J., Patterson, G. R., Stoolmiller, M., & Skinner, M. L. (1991). Family, school, and behavioral antecedents to early adolescent involvement with antisocial peers. *Developmental Psychology, 27*, 172–180.

Dittman-Kohli, F., Lachman, M. E., Kliegl, R., & Baltes, P. B. (1991). Effects of cognitive training and testing on intellectual efficacy beliefs in elderly adults. *Journal of Gerontology: PSYCHOLOGICAL SCIENCES, 46*, P162–164.

DiVitto, B., & Goldberg, S. (1979). The effects of newborn medical status on early parent-infant interaction. In T. Field, A. Sostek, S. Goldberg & H. H. Shuman (Eds.), *Infants born at risk*. New York: Spectrum.

Dodge, K. A. (1983). Behavioral antecedents of peer social status. *Child Development, 54*, 1386–1399.

Dodge, K. A. (1990). Developmental psychopathology in children of depressed mothers. *Developmental Psychology, 26*, 3–6.

Dodge, K. A. (1991). The structure and function of reactive and proactive aggression. In D. J. Pepler & K. H. Rubin (Eds.), *The development and treatment of childhood aggression* (pp. 201–218). Hillsdale, NJ: Erlbaum.

Dodge, K. A., Coie, J. D., Pettit, G. S., & Price, J. M. (1990). Peer status and aggression in boys groups: Developmental and contextual analysis. *Child Development, 61*, 1289–1309.

Dodge, K. A., & Feldman, E. (1990). Issues in social cognition and sociometric status. In S. R. Asher & J. D. Coie (Eds.) *Peer rejection in childhood* (pp. 119–155). Cambridge: Cambridge University Press.

Dodge, K. A., & Frame, C. L. (1982). Social cognitive biases and deficits in aggressive boys. *Child Development, 53*, 620–635.

Dominick, J. R., & Greenberg, B. S. (1972). Attitudes toward violence: The interaction of television exposure, family attitudes, and social class. In G. A. Comstock & E. A. Rubenstein (Eds.), *Television and social behavior* (Vol. 3) (pp. 314–335). Washington, DC: U.S. Government Printing Office.

Donovan & Jessor, R. (1985). Structure of problem behavior in adolescence and young adulthood. *Journal of Consulting and Clinical Psychology, 53*, 890–904.

Dorian, B., & Garfinkel, P. E. (1987). Stress, immunity and illness—a review. *Psychological Medicine, 17*, 393–407.

Dornbusch, S. M., Carlsmith, J. M., Bushwall, S. J., Ritter, P. L., Leiderman, H., Hastdorf, A. H., & Goss, R. T. (1985). Single parents, extended households, and the control of adolescents. *Child Development, 56*, 326–341.

Dornbusch, S. M., Ritter, P. L., Liederman, P. H., Roberts, D. F., & Fraleigh, M. J. (1987). The relation of parenting style to adolescent school performance. *Child Development, 58*, 1244–1257.

Dornbusch, S. M., Ritter, P. L., Mont-Reynaud, R., & Chen, Z. (1990). Family decision making and academic performance in a diverse high school population. *Journal of Adolescent Research, 5*, 143–160.

Doty, R. L., Shaman, P., Appelbaum, S. L., Bigerson, R., Sikorski, L., & Rosenberg, L. (1984). Smell identification ability: Changes with age. *Science, 226*, 1441–1443.

Douglas, J. D. (1990–91). Patterns of change following parent death in midlife adults. *Omega, 22*, 123–137.

Downey, G., & Coyne, J. C. (1990). Children of depressed parents: An integrative review. *Psychological Bulletin, 108*, 50–76.

Dreher, G. F., & Bretz, R. D., Jr. (1991). Cognitive ability and career attainment: Moderating effects of early career success. *Journal of Applied Psychology, 76*, 392–397.

Dreyer, P. H. (1982). Sexuality during adolescence. In B. B. Wolman (Ed.). *Handbook of developmental psychology* (pp. 559–601). Englewood Cliffs, NJ: Prentice-Hall.

Duara, R., London, E. D., & Rapoport, S. I. (1985). Changes in structure and energy metabolism of the aging brain. In C. E. Finch & E. L. Schneider (Eds.), *Handbook of the biology of aging* (2nd ed.) New York: Van Nostrand Reinhold.

Duke, P. M., Carlsmith, J. M., Jennings, D., Martin, J. A., Dornbusch, S. M., Gross, R. T., & Siegel-Gorelick, B. (1982). Educational correlates of early and late sexual maturation in adolescence. *Journal of Pediatrics, 100*, 633–637.

Duncan, G. J., & Morgan, J. N. (1985). The panel study of income dynamics. In G. H. Elder Jr. (Ed.), *Life course dynamics. Trajectories and transitions, 1968–1980*. Ithaca: Cornell University Press.

Dunn, J. (1991). The developmental importance of differences in siblings' experiences within the family. In K. Pillemer & K. McCartney (Eds.), *Parent-child relations throughout life* (pp. 113–124). Hillsdale, NJ: Erlbaum.

Dunn, J. (1992). Siblings and development. *Current Directions in Psychological Science, 1*, 6–9.

Dunn, J., & Kendrick, C. (1982). Siblings and their mothers: Developing relationships within the family. In M. E. Lamb & B. Sutton-Smith (Eds.), *Sibling relationships: Their nature and significance across the lifespan* (pp. 39–60). Hillsdale, NJ: Erlbaum.

Dunphy, D. C. (1963). The social structure of urban adolescent peer groups. *Sociometry, 26*, 230–246.

Dura, J. R., & Kiecolt-Glaser, J. K. (1991). Family transitions, stress, and health. In P. A. Cowan & M. Hetherington (Eds.), *Family transitions* (pp. 59–76). Hillsdale, NJ: Erlbaum.

Durlak, J. A. (1972). Relationship between attitudes toward life and death among elderly women. *Developmental Psychology, 8*, 146.

Duursma, S. A., Raymakers, J. A., Boereboom, F. T. J., & Scheven, B. A. A. (1991). Estrogen and bone metabolism. *Obstetrical and Gynecological Survey, 47*, 38–44.

Duvall, E. M. (1962). *Family development* (2nd ed.). New York: Lippincott.

Duxbury, L. E., & Higgins, C. A. (1991). Gender differences in work-family conflict. *Journal of Applied Psychology, 76*, 60–74.

Dwyer, J. W., & Coward, R. T. (1991). A multivariate comparison of the involvement of adult sons versus daughters in the care of impaired parents. *Journal of Gerontology: SOCIAL SCIENCES, 56*, S259–269.

Eaton, W. O., & Enns, L. R. (1986). Sex differences in human motor activity level. *Psychological Bulletin, 100*, 19–28.

Eberhardt, B. J., & Muchinsky, P. M. (1984). Structural validation of Holland's hexagonal model: Vocational classification through the use of biodata. *Journal of Applied Psychology, 69*, 174–181.

Eccles, J. S., & Midgley, C. (1990). Changes in academic motivation and self-perception during early adolescence. In R. Montemayor, G. R. Adams, T. P. Gullotta (Eds.), *From childhood to adolescence: A transitional period?* (pp. 134–155). Newbury Park, CA: Sage.

Edwards, J. N. (1969). Familial behavior as social exchange. *Journal of Marriage and the Family, 31*, 518–526.

Egeland, B., & Farber, E. A. (1984). Infant-mother attachment: Factors related to its development and changes over time. *Child Development, 55*, 753–771.

Eichorn, D. H., Hunt, J. V., & Honzik, M. P. (1981). Experience, personality, and IQ: Adolescence to middle age. In D. H. Eichorn, J. A. Clausen, N. Haan, M. P. Honzik & P. H. Mussen (Eds.), *Present and past in middle life* (pp. 89–116). New York: Academic Press.

Eichorn, D. H., Clausen, J. A., Haan, N., Honzik, M. P., & Mussen, P. H. (Eds.) (1981). *Present and past in middle life*. New York: Academic Press.

Eisdorfer, C., & Raskind, M. (1975). Aging, hormones and human behavior. In B. Eleftheriou & R. Sprott (Eds.), *Hormonal correlates of behavior, Vol. I, A lifespan view*. New York: Plenum Press.

Eisenberg, N. (1988). The development of prosocial and aggressive behavior. In M. H. Bornstein & M. E. Lamb (Eds.), *Developmental psychology: An advanced textbook* (2nd ed.) (pp. 461–496). Hillsdale, NJ: Erlbaum.

Eisenberg, N. (1990). Prosocial development in early and mid-adolescence. In R. Montemayor, G. R. Adams, & T. P. Gullotta (Eds.), *From childhood to adolescence: A transitional period?* (pp. 240–268). Newbury Park, CA: Sage.

Eisenberg, N. (1992). *The caring child*. Cambridge, MA: Harvard University Press.

Elder, G. H., Jr. (1974). *Children of the great depression*. Chicago: University of Chicago Press.

Elder, G. H., Jr. (1978). Family history and the life course. In T. Hareven (Ed.), *Transitions: The family and the life course in historical perspective* (pp. 17–64). New York: Academic Press.

Elder, G. H., Jr. (1991). Family transitions, cycles, and social change. In P. Cowan & M. Hetherington (Eds.), *Family transitions* (pp. 31–58). Hillsdale, NJ: Erlbaum.

Elder, G. H., Jr., & Caspi, A. (1988). Economic stress in lives: Developmental perspectives. *Journal of Social Issues, 44*, 25–45.

Elder, G. H., Jr., Liker, J. K., & Cross, C. E. (1984). Parent-child behavior in the Great Depression: Life course and intergenerational influences. In P. B. Baltes & O. G. Brim, Jr. (Eds.) *Life-span development and behavior* (Vol. 6) (pp. 111–159). New York: Academic Press.

Elkind, D. (1967). Egocentrism in adolescence. *Child Development, 38*, 1025–1034.

Elkind, D., & Bowen, R. (1979). Imaginary audience behavior in children and adolescents. *Developmental Psychology, 15*, 38–44.

Elliott, R. (1988). Tests, abilities, race, and conflict. *Intelligence, 12*, 333–350.

Elsayed, M., Ismail, A. H., & Young, R. S. (1980). Intellectual differences of adult men related to age and physical fitness before and after an exercise program. *Journal of Gerontology, 35*, 383–387.

Emery, C. F., & Gatz, M. (1990). Psychological and cognitive effects of an exercise program for community-residing older adults. *The Gerontologist, 30*, 184–192.

Emery, R. E. (1988). *Marriage, divorce, and children's adjustment*. Newbury Park, CA: Sage.

Entwisle, D. R. (1990). Schools and the adolescent. In S. S. Feldman & G. R. Elliott (Eds.), *At the threshold. The developing adolescent* (pp. 197–224). Cambridge, MA: Harvard University Press.

Entwisle, D. R., & Alexander, K. L. (1990). Beginning school math competence: Minority and majority comparisons. *Child Development, 61*, 454–471.

Entwisle, D. R., & Doering, S. G. (1981). *The first birth*. Baltimore: Johns Hopkins University Press.

Epstein, S. (1991). Cognitive-experiential self theory: Implications for developmental psychology. In M. R. Gunnar & L. A. Sroufe (Eds.) *Self process and development. The Minnesota symposia on child development* (Vol. 23) (pp. 79–123). Hillsdale, NJ: Erlbaum.

Ericsson, K. A. (1990). Peak performance and age: An examination of peak performance in sports. In P. Baltes & M. M. Baltes (Eds.), *Successful aging* (pp. 164–196). Cambridge: Cambridge University Press.

Erikson, E. H. (1959). *Identity and the life cycle*. New York: Norton. (Republished, 1980).

Erikson, E. H. (1964). *Insight and responsibility*. New York: Norton.

Erikson, E. H. (1974). *Dimensions of a new identity: The 1973 Jefferson lectures in the humanities*. New York: Norton.

Erikson, E. H. (1980). *Identity and the life cycle*. New York: Norton. (Original work published 1959)

Erikson, E. H., Erikson, J. M., & Kivnick, H. Q. (1986). *Vital involvement in old age*. New York: W. W. Norton.

Eron, L. D. (1987). The development of aggressive behavior from the perspective of a developing behaviorism. *American Psychologist, 42*, 435–442.

Eron, L. D., Huesmann, L. R., & Zelli, A. (1991). The role of parental variables in the learning of aggression. In D. J. Pepler & K. H. Rubin

(Eds.), *The development and treatment of childhood aggression* (pp. 169–188). Hillsdale, NJ: Erlbaum.

Escalona, K. S. (1981). The reciprocal role of social and emotional developmental advances and cognitive development during the second and third years of life. In E. K. Shapiro & E. Weber (Eds.), *Cognitive and affective growth: Developmental interaction* (pp. 87–108). Hillsdale, NJ: Erlbaum.

European Collaborative Study (1991). Children born to women with HIV-1 infection: Natural history and risk of transmission. *The Lancet, 337,* 253–260.

Evans, D. A., Funkenstein, H. H., Albert, M. S., Scherr, P. A., Cook, N. R., Chown, M. J., Hebert, L. E., Hennekens, C. H., & Taylor, J. O. (1989). Prevalence of Alzheimer's disease in a community population of older persons. *Journal of the American Medical Association, 262,* 2551–2556.

Evans, G. W., Brennan, P. L., Skorpanich, M. A., & Held, D. (1984). Cognitive mapping and elderly adults: Verbal and location memory for urban landmarks. *Journal of Gerontology, 39,* 452–457.

Evans, L. (1988). Older driver involvement in fatal and severe traffic crashes. *Journal of Gerontology: SOCIAL SCIENCES, 43,* S186–193.

Evans, L., Ekerdt, D. J., & Bossé, R. (1985). Proximity to retirement and anticipatory involvement: Findings from the Normative Aging Study. *Journal of Gerontology, 40,* 368–374.

Evans, R. I. (1969). *Dialogue with Erik Erikson.* New York: Dutton.

Fagan, J. F. III (1984). The intelligent infant: Theoretical implications. *Intelligence, 8,* 1–9.

Fagan, J. F. III, & McGrath, S. K. (1981). Infant recognition memory and later intelligence. *Intelligence, 5,* 121–130.

Fagan, J. F. III, & Shepherd, P. A. (1986). *The Fagan Test of Infant Intelligence: Training manual.* Cleveland, OH: Infantest Corporation.

Fagard, J., & Jacquet, A. (1989). Onset of bimanual coordination and symmetry versus asymmetry of movement. *Infant Behavior and Development, 12,* 229–235.

Fagot, B. I. (1974). Sex differences in toddlers' behavior and parental reaction. *Developmental Psychology, 10,* 544–558.

Fagot, B. I., & Hagan, R. (1991). Observations of parent reactions to sex-stereotyped behaviors: Age and sex effects. *Child Development, 62,* 617–628.

Fagot, B. I., & Leinbach, M. D. (1989). The young child's gender schema: Environmental input, internal organization. *Child Development, 60,* 663–672.

Fagot, B. I., Leinbach, M. D., & O'Boyle, C. (1992). Gender labeling, gender stereotyping, and parenting behaviors. *Developmental Psychology, 28,* 225–230.

Famularo, R., Stone, K., Barnum, R., & Whatron, R. (1986). Alcoholism and severe child maltreatment. *American Journal of Orthopsychiatry, 56,* 481–485.

Farmer, Y. M., Reis, L. M., Nickinovich, D. G., Kamo, Y., & Borgatta, E. F. (1990). The status attainment model and income. *Research on Aging, 12,* 113–132.

Farrar, M. J. (1992). Negative evidence and grammatical morpheme acquisition. *Developmental Psychology, 28,* 90–98.

Farrell, M. P., & Rosenberg, S. D. (1981). *Men at midlife.* Boston: Auburn House.

Farrington, D. P. (1991). Childhood aggression and adult violence: Early precursors and later life outcomes. In D. J. Pepler & K. H. Rubin (Eds.), *The development and treatment of childhood aggression* (pp. 5–30). Hillsdale, NJ: Erlbaum.

Faust, M. S. (1983). Alternative constructions of adolescent growth. In J. Brooks-Gunn & A. C. Petersen (Eds.), *Girls at puberty. Biological and psychosocial perspectives* (pp. 105–126). New York: Plenum Press.

Featherman, D. L. (1980). Schooling and occupational careers: Constancy and change in worldly success. In O. G. Brim, Jr. & J. Kagan (Eds.), *Constancy and change in human development.* Cambridge, MA: Harvard University Press.

Feeney, J. A., & Noller, P. (1990). Attachment style as a predictor of adult romantic relationships. *Journal of Personality and Social Psychology, 58,* 281–291.

Feifel, H. (Ed.) (1977). *New meanings of death.* New York: McGraw-Hill.

Feingold, A. (1988). Cognitive gender differences are disappearing. *American Psychologist, 43,* 95–103.

Feldman, S. S., & Aschenbrenner, B. (1983). Impact of parenthood on various aspects of masculinity and femininity: A short-term longitudinal study. *Developmental Psychology, 19,* 278–289.

Feldman, S. S., & Elliott, G. R. (Eds.) (1990). *At the threshold. The developing adolescent.* Cambridge, MA: Harvard University Press.

Fernald, A., & Kuhl, P. (1987). Acoustic determinants of infant preference for motherese speech. *Infant Behavior and Development, 10,* 279–293.

Feshbach, S. (1970). Aggression. In P. H. Mussen (Ed.), *Carmichael's manual of child psychology* (Vol. 2, 3rd ed.) (pp. 159–260). New York: Wiley.

Field, T. (1990). *Infancy.* Cambridge, MA: Harvard University Press.

Field, T. M. (1977). Effects of early separation, interactive deficits, and experimental manipulations on infant-mother face-to-face interaction. *Child Development, 48,* 763–771.

Field, T. M. (1978). Interaction behaviors of primary versus secondary caretaker fathers. *Developmental Psychology, 14,* 183–185.

Field, T. M. (1982). Social perception and responsivity in early infancy. In T. M. Field, A. Huston, H. C. Quay, L. Troll, & G. E. Finley (Eds.), *Review of human development* (pp. 20–31). New York: Wiley.

Field, T. M. (1991). Quality infant day-care and grade school behavior and performance. *Child Development, 62,* 863–870.

Field, T. M., De Stefano, L., & Koewler, J. H. III. (1982). Fantasy play of toddlers and preschoolers. *Developmental Psychology, 18,* 503–508.

Field, T. M., Healy, B., Goldstein, S., & Guthertz, M. (1990). Behavior-state matching and synchrony in mother-infant interactions of non-depressed versus depressed dyads. *Developmental Psychology, 26,* 7–14.

Field, T. M., Healy, B., Goldstein, S., Perry, S., Bendell, D., Schanberg, S., Zimmerman, E. A., & Duhn, C. (1988). Infants of depressed mothers show "depressed" behavior even with nondepressed adults. *Child Development, 59,* 1569–1579.

Field, T. M., Woodson, R., Greenberg, R., & Cohen, D. (1982). Discrimination and imitation of facial expressions by neonates. *Science, 218,* 179–181.

Filsinger, E. E., & Thoma, S. J. (1988). Behavioral antecedents of relationship stability and adjustment: A five-year longitudinal study. *Journal of Marriage and the Family, 50,* 785–795.

Finch, C. E. (1986). Issues in the analysis of interrelationships between the individual and the environment during aging. In A. B. Sorensen, F. E. Weinert, & L. R. Sherrod (Eds.), *Human development and the life course: Multidisciplinary perspectives.* Hillsdale, NJ: Erlbaum.

Finkelstein, N. W. (1982). Aggression: Is it stimulated by day care? *Young Children, 37,* 3–9.

Fischer, K. W. (1980). A theory of cognitive development: The control and construction of hierarchies of skills. *Psychological Review, 87*, 477–531.

Fischer, K. W., & Bidell, T. (1991). Constraining nativist inferences about cognitive capacities. In S. Carey & R. Gelman (Eds.) *The epigenesis of mind: Essays on biology and cognition* (pp. 199–236). Hillsdale, NJ: Erlbaum.

Fischer, K. W., & Canfield, R. L. (1986). The ambiguity of stage and structure in behavior: Person and environment in the development of psychological structures. In I. Levin (Ed.), *Stage and structure: Reopening the debate* (pp. 246–267). Norwood, NJ: Ablex.

Fischer, K. W., & Pipp, S. L. (1984). Processes of cognitive development: Optimal level and skill acquisition. In R. J. Sternberg (Ed.). *Mechanisms of cognitive development* (pp. 45–80). New York: W. H. Freeman.

Fish, M., Stifter, C. A., & Belsky, J. (1991). Conditions of continuity and discontinuity in infant negative emotionality: Newborn to five months. *Child Development, 62*, 1525–1537.

Fiske, M. (1980). Changing hierarchies of commitment in adulthood. In N. J. Smelser & E. H. Erikson (Eds.), *Themes of work and love in adulthood*. Cambridge, MA: Harvard University Press.

Fitzpatrick, J. L., & Silverman, T. (1989). Women's selection of careers in engineering: Do traditional-nontraditional differences still exist? *Journal of Vocational Behavior, 34*, 266–278.

Flavell, J. H. (1982a). On cognitive development. *Child Development, 53*, 1–10.

Flavell, J. H. (1982b). Structures, stages, and sequences in cognitive development. In W. A. Collins (Ed.). *The concept of development: The Minnesota symposia on child psychology* (Vol. 15) (pp. 1–28). Hillsdale, NJ: Erlbaum.

Flavell, J. H. (1985). *Cognitive development* (2nd ed.). Englewood Cliffs, NJ: Prentice-Hall.

Flavell, J. H. (1986). The development of children's knowledge about the appearance-reality distinction. *American Psychologist, 41*, 481–425.

Flavell, J. H., Everett, B. A., Croft, K., & Flavell, E. R. (1981). Young children's knowledge about visual perception: Further evidence for the Level 1–Level 2 distinction. *Developmental Psychology, 17*, 99–103.

Flavell, J. H., Green, F. L., & Flavell, E. R. (1989). Young children's ability to differentiate appearance-reality and Level 2 perspectives in the tactile modality. *Child Development, 60*, 201–213.

Flavell, J. H., Green, F. L., & Flavell, E. R. (1990). Developmental changes in young children's knowledge about the mind. *Cognitive Development, 5*, 1–27.

Flavell, J. H., Green, F. L., Wahl, K. E., & Flavell, E. R. (1987). The effects of question clarification and memory aids on young children's performance on appearance-reality tasks. *Cognitive Development, 2*, 127–144.

Flavell, J. H., Zhang, X-D, Zou, H., Dong, Q., & Qi, S. (1983). A comparison of the appearance-reality distinction in the People's Republic of China and the United States. *Cognitive Psychology, 15*, 459–466.

Folven, R. J., & Bonvillian, J. D. (1991). The transition from nonreferential to referential language in children acquiring American Sign Language. *Developmental Psychology, 27*, 806–816.

Fonagy, P., Steele, H., & Steele, M. (1991). Maternal representations of attachment during pregnancy predict the organization of infant-mother attachment at one year of age. *Child Development, 62*, 891–905.

Fox, N. A., Kimmerly, N. L., & Schafer, W. D. (1991). Attachment to mother/attachment to father: A meta-analysis. *Child Development, 62*, 210–225.

Fozard, J. L. (1990). Vision and hearing in aging. In J. E. Birren & K. W. Schaie (Eds.), *Handbook of the psychology of aging* (3rd ed.) (pp. 150–171). San Diego, CA: Academic Press.

Fozard, J. L., Metter, E. J., & Brant, L. J. (1990). Next steps in describing aging and disease in longitudinal studies. *Journal of Gerontology: PSYCHOLOGICAL SCIENCES, 45*, P116–127.

Fraiberg, S. (1974). Blind infants and their mothers: An examination of the sign system. In M. Lewis & L. A. Rosenblum (Eds.), *The effect of the infant on its caregiver* (pp. 215–232). New York: Wiley.

Fraiberg, S. (1975). The development of human attachments in infants blind from birth. *Merrill-Palmer Quarterly, 21*, 315–334.

Frankel, K. A., & Bates, J. E. (1990). Mother-toddler problem solving: Antecedents in attachment, home behavior, and temperament. *Child Development, 61*, 810–819.

Frankenberg, W. K., Dodds, J. B., Fandal, A. W., Kazuk, E., & Cohrs, M. (1975). *Denver developmental screening test: Reference manual*. Denver: University of Colorado Medical Center.

Frazier, P. H., & Foss-Goodman, D. (1988–89). Death anxiety and personality: Are they truly related? *Omega, 19*, 265–274.

Freedman, D. G. (1979). Ethnic differences in babies. *Human Nature, 2*, 36–43.

Freedman, J. L. (1984). Effect of television violence on aggressiveness. *Psychological Bulletin, 96*, 227–246.

Freud, S. (1905). Three contributions to the theory of sex. *The basic writings of Sigmund Freud* (A. A. Brill, trans.). New York: Random House (Modern Library).

Freud, S. (1920/1965). *A general introduction of psychoanalysis* (J. Riviere, trans.). New York: Washington Square Press.

Friedman, M., & Rosenman, R. H. (1974). *Type A behavior and your heart*. New York: Knopf.

Friedrich-Cofer, L., & Huston, A. C. (1986). Television violence and aggression: The debate continues. *Psychological Bulletin, 100*, 364–371.

Fu, Y.-H, Pizzuti, A., Fenwick, R. G. Jr., King, J., Rajnarayan, S., Dune, P. W., Dubel, J., Nasser, G. A., Ashizawa, T., de Jong, P., Wieringa, B., Korneluk, R., Perryman, M. B., Epstein, H. F., & Caskey, C. T. (1992). An unstable triplet repeat in a gene related to Myotonic muscular dystrophy. *Science, 225*, 1256–1258.

Furman, W., & Buhrmester, D. (1992). Age and sex differences in perceptions of networks of personal relationships. *Child Development, 63*, 103–115.

Furstenberg, F. F., Jr. (1991). As the pendulum swings: Teenage childbearing and social concern. *Family Relations, 40*, 127–138.

Furstenberg, F. F. Jr., Brooks-Gunn, J., & Morgan, S. P. (1987). *Adolescent mothers in later life*. Cambridge, England: Cambridge University Press.

Gallagher, J. J., & Ramey, C. T. (1987). *The malleability of children*. Baltimore: Paul H. Brookes Publishing.

Garbarino, J., & Sherman, D. (1980). High-risk neighborhoods and high-risk families: The human ecology of child maltreatment. *Child Development, 51*, 188–198.

Garbarino, J., Kostelny, K., & Dubrow, N. (1991). *No place to be a child. Growing up in a war zone*. Lexington, MA: Lexington Books.

Gardner, D., Harris, P. L., Ohmoto, M., & Hamasaki, T. (1988). Japanese children's understanding of the distinction between real and apparent emotion. *International Journal of Behavioral Development, 11*, 203–218.

Gardner, H. (1983). *Frames of mind: The theory of multiple intelligence*. New York: Basic Books.

Garmezy, N., & Masten, A. S. (1991). The protective role of competence indicators in children at risk. In E. M. Cummings, A. L. Green & K. H. Karraker (Eds.), *Life-span developmental psychology. Perspectives on stress and coping* (pp. 151–174). Hillsdale, NJ: Erlbaum.

Garmezy, N., & Rutter, M. (Eds.) (1983). *Stress, coping, and development in children*. New York: McGraw-Hill.

Garn, S. M. (1980). Continuities and change in maturational timing. In O. G. Brim, Jr., & J. Kagan (Eds.), *Constancy and change in human development* (pp. 113–162). Cambridge, MA: Harvard University Press.

Gecas, V., Seff, M. A. (1990). Families and adolescents: A review of the 1980s. *Journal of Marriage and the Family, 52*, 941–958.

Geerken, M., & Gove, W. R. (1983). *At home and at work. The family's allocation of labor*. Beverly Hills, CA: Sage.

Gelman, R. (1972). Logical capacity of very young children: Number invariance rules. *Child Development, 43*, 75–90.

Gelman, R., & Baillargeon, R. (1983). A review of some Piagetian concepts. In J. H. Flavell & E. M. Markman (Eds.), *Handbook of child psychology: Cognitive development* (Vol. 3) (pp. 167–230). New York: Wiley. (Paul H. Mussen, General Editor).

Gentner, D. (1982). Why nouns are learned before verbs: Linguistic relativity versus natural partitioning. In S. A. Kuczaj II (Ed.), *Language development, Vol. 2. Language, thought, and culture* (pp. 301–334). Hillsdale, NJ: Erlbaum.

George, L. K. (1990). Social structure, social processes, and social-psychological states. In R. H. Binstock & L. K. George (Eds.), *Handbook of aging and the social sciences*, 3rd ed. (pp. 186–204). San Diego, CA: Academic Press.

Geronimus, A. T. (1991). Teenage childbearing and social and reproductive disadvantage: The evolution of complex questions and the demise of simple answers. *Family Relations, 40*, 463–471.

Gesell, A. (1925). *The mental growth of the preschool child*. New York: Macmillan.

Gesser, G., Wong, P. T. P., & Reker, G. T. (1987–88). Death attitudes across the life-span: The development and validation of the death attitude profile (DAP). *Omega, 18*, 113–128.

Gibbs, J. T. (1985). Psychosocial factors associated with depression in urban adolescent females: Implications for assessment. *Journal of Youth and Adolescence, 14*, 47–60.

Gibson, D. M. (1986). Interaction and well-being in old age: Is it quantity or quality that counts? *International Journal of Aging and Human Development, 24*, 29–40.

Gibson, D. R. (1990). Relation of socioeconomic status to logical and sociomoral judgment of middle-aged men. *Psychology and Aging, 5*, 510–513.

Gilligan, C. (1982a). New maps of development: New visions of maturity. *American Journal of Orthopsychiatry, 52*, 199–212.

Gilligan, C. (1982b). *In a different voice: Psychological theory and women's development*. Cambridge, MA: Harvard University Press.

Gilligan, C. (1987). Adolescent development reconsidered. *New Directions for Child Development, 37*, 63–92.

Gilligan, C., & Wiggins, G. (1987). The origins of morality in early childhood relationships. In J. Kagan & S. Lamb (Eds.), *The emergence of morality in young children* (pp. 277–307). Chicago: The University of Chicago Press.

Gilmour, R., & Duck, S. (Eds.) (1986). *The emerging field of personal relationships*. Hillsdale, NJ: Erlbaum.

Gleitman, L. R., & Gleitman, H. (1992). A picture is worth a thousand words, but that's the problem: The role of syntax in vocabulary acquisition. *Current Directions in Psychological Science, 1*, 31–35.

Glenn, N. D. (1990). Quantitative research on marital quality in the 1980s: A critical review. *Journal of Marriage and the Family, 52*, 818–831.

Glenn, N. D., & McLanahan, S. (1981). The effects of offspring on the psychological well-being of older adults. *Journal of Marriage and the Family, 43*, 409–421.

Glenn, N. D., & Weaver, C. N. (1981). The contribution of marital happiness to global happiness. *Journal of Marriage and the Family, 43*, 161–168.

Glenn, N. D., & Weaver, C. N. (1985). Age, cohort, and reported job satisfaction in the United States. In A. S. Blau (Ed.), *Current perspectives on aging and the life cycle. A research annual. Vol 1. Work, retirement and social policy*. Greenwich, CT: JAI Press.

Glenn, N. D., & Weaver, C. N. (1988). The changing relationship of marital status to reported happiness. *Journal of Marriage and the Family, 50*, 317–324.

Glick, P. C., & Lin, S. (1986). Recent changes in divorce and remarriage. *Journal of Marriage and the Family, 48*, 737–747.

Glueck, S., & Glueck, E. (1968). *Delinquents and nondelinquents in perspective*. Cambridge, MA: Harvard University Press.

Glueck, S., & Glueck, E. (1972). *Identification of pre-delinquents: Validation studies and some suggested uses of Glueck Table*. New York: Intercontinental Medical Book Corp.

Gnepp, J., & Chilamkurti, C. (1988). Children's use of personality attributions to predict other people's emotional and behavioral reactions. *Child Development, 50*, 743–754.

Goetting, A. (1986). The developmental tasks of siblingship over the life cycle. *Journal of Marriage and the Family, 48*, 703–714.

Gold, D. T. (1990). Late-life sibling relationships: Does race affect typological distribution? *The Gerontologist, 30*, 741–748.

Goldberg, A. P., & Hagberg, J. M. (1990). Psychical exercise in the elderly. In E. R. Schneider & J. W. Rowe (Eds.), *Handbook of the biology of aging* (3rd ed.) (pp. 407–428). San Diego: Academic Press.

Goldberg, S. (1972). Infant care and growth in urban Zambia. *Human Development, 15*, 77–89.

Goldfield, B. A., & Reznick, J. S. (1990). Early lexical acquisition: Rate, content, and the vocabulary spurt. *Journal of Child Language, 17*, 171–183.

Goldscheider, F. K., & DaVanzo, J. (1989). Pathways to independent living in early adulthood: Marriage, semiautonomy, and premarital residential independence. *Demography, 26*, 597–614.

Gonsiorek, J. C., & Weinrich, J. D. (1991). The definition and scope of sexual orientation. In J. C. Gonsiorek & J. D. Weinrich (Eds.), *Homosexuality. Research implications for public policy*. Newbury Park, CA: Sage Publications.

Good, T. L., & Weinstein, R. S. (1986). Schools make a difference. Evidence, criticisms, and new directions. *American Psychologist, 41*, 1090–1097.

Goodenough, F. L. (1931). *Anger in young children*. Minneapolis: University of Minnesota Press.

Goodsitt, J. V., Morse, P. A., Ver Hoeve, J. N., & Cowan, N. (1984). Infant speech recognition in multisyllabic contexts. *Child Development, 55*, 903–910.

Gopnik, A., & Astington, J. W. (1988). Children's understanding of representational change and its relation to the understanding of false belief and the appearance-reality distinction. *Child Development, 59*, 26–37.

Gopnik, A., & Meltzoff, A. (1987). The development of categorization in the second year and its relation to other cognitive and linguistic developments. *Child Development, 58*, 1523–1531.

Gordon, G. S., & Vaughan, C. (1986). Calcium and osteoporosis. *Journal of Nutrition, 116*, 319–322.

Gottman, J. M. (1986). The world of coordinated play: Same- and cross-sex friendship in young children. In J. M. Gottman & J. G. Parker (Eds.), *Conversations of friends. Speculations on affective development* (pp. 139–191). Cambridge, England: Cambridge University Press.

Gottman, J. M. (1991). Chaos and regulated change in families: A metaphor for the study of transitions. In P. A. Cowan & M. Hetherington (Ed.s), *Family transitions* (pp. 247–272). Hillsdale, NJ: Erlbaum.

Gottman, J. M., & Levenson, R. W. (1984). Why marriages fail: Affective and physiological patterns in marital interaction. In J. C. Masters & K. Yarkin-Levin (Eds.), *Boundary areas in social and developmental psychology*. New York: Academic Press.

Gottman, J. M., & Porterfield, A. L. (1981). Communicative competence in the nonverbal behavior of married couples. *Journal of Marriage and the Family, 43*, 817–824.

Gratzinger, P., Sheikh, J. I., Friedman, L., & Yesavage, J. A. (1990). Cognitive interventions to improve face-name recall: The role of personality trait differences. *Developmental Psychology, 26*, 889–893.

Gray, A., Berlin, J. A., McKinlay, J. B., & Longcope, C. (1991). An examination of research design effects on the association of testosterone and male aging: Results of a meta-analysis. *Journal of Clinical Epidemiology, 44*, 671–684.

Greenberg, J., & Kuczaj, S. A. II. (1982). Towards a theory of substantive word-meaning acquisition. In S. A. Kuczaj II (Ed.), *Language development. Vol. l. Syntax and semantics* (pp. 275–312). Hillsdale, NJ: Erlbaum.

Greenberg, M. T., & Speltz, M. L. (1988). Attachment and the ontogeny of conduct problems. In J. Belsky & T. Nezworski (Eds.), *Clinical implications of attachment* (pp. 177–218). Hillsdale, NJ: Erlbaum.

Greenberg, M. T., Siegel, J. M. & Leitch, C. J. (1983). The nature and importance of attachment relationships to parents and peers during adolescence. *Journal of Youth and Adolescence, 12*, 373–386.

Greenberger, E. & Steinberg, L. (1986). *When teenagers work. The psychological and social costs of adolescent employment*. New York: Basic Books.

Greenough, W. T., Black, J. E., & Wallace, C. S. (1987). Experience and brain development. *Child Development, 58*, 539–559.

Greer, D. S., Mor, V., Morris, J. N., Sherwood, S., Kidder, D., & Birnbaum, H. (1986). An alternative in terminal care: Results of the National Hospice Study. *Journal of Chronic Diseases, 39*, 9–26.

Greer, S., Morris, T., & Pettingale, K. W. (1979). Psychological response to breast cancer: Effect on outcome. *Lancet, 2*, 785–787.

Grinker, J. A. (1981). Behavioral and metabolic factors in childhood obesity. In M. Lewis & L. A. Rosenblum (Eds.), *The uncommon child* (pp. 115–150). New York: Plenum.

Grossmann, K., Grossmann, K. E., Spangler, G., Suess, G., & Unzner, L. (1985). Maternal sensitivity and newborns' orientation responses as related to quality of attachment in northern Germany. In I. Bretherton & E. Waters (Eds.), *Growing points of attachment theory and research* (pp. 233–256). *Monographs of the Society of Research in Child Development, 50* (1–2, Serial No. 209).

Grusec, J. E., & Lytton, H. (1988). *Social development. History, theory, and research*. New York: Springer-Verlag.

Gunnar, M. R. (1990). The psychobiology of infant temperament. In J. Colombo & J. Fagen (Eds.), *Individual differences in infancy: Reliability, stability, prediction* (pp. 387–410). Hillsdale, NJ: Erlbaum.

Guralnick, M. J., & Paul-Brown, D. (1984). Communicative adjustments during behavior-request episodes among children at different developmental levels. *Child Development, 55*, 911–919.

Guralnik, J. M. & Kaplan, G. A. (1989). Predictors of healthy aging: Prospective evicence from the Alameda County Study. *American Journal of Public Health, 79*, 703–708.

Gusella, J. L., Muir, D., & Tronick, E. Z. (1988). The effect of manipulating maternal behavior during an interaction on three- and six-month-olds' affect and attention. *Child Development, 59*, 1111–1124.

Gustafson, S. B., & Magnusson, D. (1991). *Female life careers: A pattern approach*. Hillsdale, NJ: Erlbaum.

Gutmann, D. (1975). Parenthood: A key to the comparative study of the life cycle. In N. Datan & L. H. Ginsberg (Eds.), *Life-span developmental psychology. Normative life crises*. New York: Academic Press.

Gutmann, D. (1987). *Reclaimed powers. Toward a new psychology of men and women in later life*. New York: Basic Books.

Gwartney-Gibbs, P. A. (1988). Women's work experience and the "rusty skills" hypothesis: A reconceptualization and reevaluation of the evidence. In B. A. Gutek, A. H. Stromberg, & L. Larwood (Eds.), *Women and work. An annual review* (Vol. 3). Newbury Park, CA: Sage.

Gzesh, S. M., & Surber, C. F. (1985). Visual perspective-taking skills in children. *Child Development, 56*, 1204–1213.

Haan, N. (1976). ". . . change and sameness . . . " reconsidered. *International Journal of Aging and Human Development, 7*, 59–65.

Haan, N. (1981a). Adolescents and young adults as producers of their own development. In R. M. Lerner & N. A. Busch-Rossnagel (Eds.), *Individuals as producers of their own development*. New York: Academic Press.

Haan, N. (1981b). Common dimensions of personality development: Early adolescence to middle life. In D. H. Eichorn, J. A. Clausen, N. Haan, M. P. Honzik & P. H. Mussen (Eds), *Present and past in middle life*. New York: Academic Press.

Haan, N. (1982). The assessment of coping, defense, and stress. In L. Goldberger & S. Breznitz (Eds.), *Handbook of stress. Theoretical and clinical aspects*. New York: The Free Press.

Haan, N. (1985). Processes of moral development: Cognitive or social disequilibrium? *Developmental Psychology, 21*, 996–1006.

Haan, N., Millsap, R., & Hartka, E. (1986). As time goes by: Change and stability in personality over fifty years. *Psychology and Aging, 1*, 220–232.

Hack, M., Breslau, N., Weissman, B., Aram, D., Klein, N., & Borawski, E. (1991). Effect of very low birth weight and subnormal head size on cognitive abilities at school age. *New England Journal of Medicine, 325*, 231–237.

Hagestad, G. O. (1984). The continuous bond: A dynamic, multigenerational perspective on parent-child relations between adults. In M. Perlmutter (Ed.), *Minnesota symposia on child psychology* (Vol. 17). Hillsdale, NJ: Erlbaum.

Hagestad, G. O. (1985). Continuity and connectedness. In V. L. Bengtson (Ed.), *Grandparenthood*. Beverly Hills, CA: Sage.

Hagestad, G. O. (1986). Dimensions of time and the family. *American Behavioral Scientist, 29*, 679–694.

Hagestad, G. O. (1988). Demographic change and the life course: Some emerging trends in the family realm. *Family Relations, 37*, 405–410.

Hagestad, G. O. (1990). Social perspectives on the life course. In R. H. Binstock & L. K. George (Eds.), *Handbook of aging and the social sciences* (3rd ed.) (pp. 151–168). San Diego, CA: Academic Press.

Haight, B. K. (1988). The therapeutic role of a structured life review process in homebound elderly subjects. *Journal of gerontology: PSYCHOLOGICAL SCIENCES, 43,* P40–44.

Haith, M. M. (1980). *Rules that babies look by.* Hillsdale, NJ: Erlbaum.

Haith, M. M. (1990). Progress in the understanding of sensory and perceptual processes in early infancy. *Merrill-Palmer Quarterly, 36,* 1–26.

Hakuta, K. (1986). *Mirror on language: The debate on bilingualism.* New York: Basic Books.

Hakuta, K., & Garcia, E. E. (1989). Bilingualism and education. *American Psychologist, 44,* 374–379.

Halford, W. K., Hahlweg, K., & Dunne, M. (1990). The cross-cultural consistency of marital communication associated with marital distress. *Journal of Marriage and the Family, 52,* 487–500.

Hall, D. T. (1972). A model of coping with role conflict: The role behavior of college educated women. *Administrative Science Quarterly, 17,* 471–486.

Hall, D. T. (1975). Pressures from work, self, and home in the life stages of married women. *Journal of Vocational Behavior, 6,* 121–132.

Hallfrisch, J., Muller, D., Drinkwater, D., Tobin, J., & Adres, R. (1990). Continuing diet trends in men: The Baltimore Longitudinal Study of Aging (1961–1987). *Journal of Gerontology: MEDICAL SCIENCES, 45,* M186–191.

Halpern, D. F. (1986). *Sex differences in cognitive abilities.* Hillsdale, NJ: Erlbaum.

Hanley, R. J., Alecxih, L. M. B., Wiener, J. M., & Kennell, D. L. (1990). Predicting elderly nursing home admissions: Results from the 1982–1984 national long-term care survey. *Research on Aging, 12,* 199–228.

Harkness, S., & Super, C. M. (1985). The cultural context of gender segregation in children's peer groups. *Child Development, 56,* 219–224.

Harman, S. M., & Talbert, G. B. (1985). Reproductive aging. In C. E. Finch & E. L. Schneider (Eds.), *Handbook of the biology of aging* (2nd ed). New York: Van Nostrand Reinhold.

Harris, P. L. (1989). *Children and emotion. The development of psychological understanding.* Oxford: Basil Blackwell.

Harris, R. L., Ellicott, A. M., & Holmes, D. S. (1986). The timing of psychosocial transitions and changes in women's lives: An examination of women aged 45 to 60. *Journal of Personality and Social Psychology, 51,* 409–416.

Harris, T., Brown, G. W., & Bifulco, A. (1990). Loss of parent in childhood and adult psychiatric disorder: A tentative overall model. *Development and Psychopathology, 2,* 311–328.

Harris, T., Kovar, M. G., Suzman, R., Kleinman, J. C., & Feldman, J. J. (1989). Longitudinal study of physical ability in the oldest-old. *American Journal of Public Health, 79,* 698–702.

Harter, S. (1983). Developmental perspectives on the self-system. In E. M. Hetherington (Ed.), *Handbook of child psychology: Socialization, personality, and social development* (Vol. 4) (pp. 275–386). New York: Wiley. (P. H. Mussen, General Editor).

Harter, S. (1985). Competence as a dimension of self-evaluation: Toward a comprehensive model of self-worth. In R. L. Leahy (Ed.), *The development of the self* (pp. 55–122). Orlando, FL: Academic Press.

Harter, S. (1988). The determinations and mediational role of global self-worth in children. In N. Eisenberg (Ed.), *Contemporary topics in developmental psychology* (pp. 219–242). New York: Wiley-Interscience.

Harter, S. (1990). Processes underlying adolescent self-concept formation. In R. Montemayor, G. R. Adams, & T. P. Gullotta (Eds.), *From childhood to adolescence: A transitional period?* (pp. 205–239). Newbury Park, CA: Sage.

Harter, S., & Monsour, A. (1992). Developmental analysis of conflict caused by opposing attributes in the adolescent self-portrait. *Developmental Psychology, 28,* 251–260.

Harter, S., & Pike, R. (1984). The Pictorial Perceived Competence Scale for Young Children. *Child Development, 55,* 1969–1982.

Hartnell, J. M., Morley, J. E., & Mooradian, A. D. (1989). Reduction of alkali-induced white blood cell DNA unwinding rate: A potential biomarker of aging. *Journal of Gerontology: BIOLOGICAL SCIENCES, 44,* B125-B130.

Hartup, W. W. (1974). Aggression in childhood: Developmental perspectives. *American Psychologist, 29,* 336–341.

Hartup, W. W. (1983). Peer relations. In E. M. Hetherington (Ed.), *Handbook of child psychology. Vol. 3: Socialization, personality, and development* (pp. 103–196). New York: Wiley. (P. H. Mussen Series Editor).

Hartup, W. W. (1984). The peer context in middle childhood. In W. A. Collins (Ed.), *Development during middle childhood. The years from six to twelve* (pp. 240–282). Washington, DC: National Academy Press.

Hartup, W. W. (1989). Social relationships and their developmental significance. *American Psychologist, 44,* 120–126.

Harvard Education Letter (September/October, 1988). Testing: Is there a right answer? IV (5), 1–kins, R. (1985). Public school aggression among children with varying day-care experience. *Child Development, 56,* 689–703.

Haskins, R. (1985). Public school aggression among children with varying day-care experience. *Child Development, 56,* 689–703.

Haskins, R. (1989). Beyond metaphor: The efficacy of early childhood education. *American Psychologist, 44,* 274–282.

Hatch, L. R. (1991). Informal support patterns of older African-American and white women. *Research on Aging, 13,* 144–170.

Hatchett, S. J., Cochran, D. L., & Jackson, J. S. (1991). Family life. In J. S. Jackson (Ed.), *Life in black America.* Newbury Park, CA: Sage Publications.

Hawton, K. (1986). *Suicide and attempted suicide among children and adolescents.* Beverly Hills, CA: Sage.

Hayes, C. D. (1987). *Risking the future, Vol. 1: Adolescent sexuality, pregnancy, and childbearing.* Washington, DC: National Academy Press.

Hayes, C. D., Palmer, J. L., & Zaslow, M. J. (1990). *Who cares for America's children?* Washington, DC: National Academy Press.

Hayflick, L. (1977). The cellular basis for biological aging. In C. E. Finch & L. Hayflick (Eds.), *Handbook of the biology of aging.* New York: Van Nostrand Reinhold.

Hayflick, L. (1987). Origins of longevity. In H. R. Warner, R. N. Butler, R. L. Sprott & E. L. Schneider (Eds.), *Aging, Vol 31, Modern biological theories of aging.* New York: Raven Press.

Hayward, M. D., Grady, W. R., & McLaughlin, S. D. (1988). The retirement process among older women in the United States. Changes in the 1970s. *Research on Aging, 10,* 358–382.

Hayward, M. D., & Hardy, M. A. (1985). Early retirement processes among older men: Occupational differences. *Research on Aging, 7,* 491–518.

Hazan, C., & Shaver, P. (1987). Romantic love conceptualized as an attachment process. *Journal of Personality and Social Psychology, 52,* 511–524.

Hazan, C., & Shaver, P. (1990). Love and work: An attachment-theoretical perspective. *Journal of Personality and Social Psychology, 59,* 270–280.

Hazan, C., Hutt, M., Sturgeon, J., & Bricker, T. (1991). The process of relinquishing parents as attachment figures. Paper presented at the biennial meetings of the Society for Research in Child Development, Seattle.

Hazzard, W. R., (1985). The sex differential in longevity. In R. Andres, E. L. Bierman & A. W. R. Hazzard (Eds.), *Principles of geriatric medicine* (pp. 72–81). New York: McGraw Hill.

Heagarty, M. C. (1991). America's lost children: Whose responsibility? *The Journal of Pediatrics, 118,* 8–10.

Heaton, T. B., & Pratt, E. L. (1990). The effects of religious homogamy on marital satisfaction and stability. *Journal of Family Issues, 11,* 191–207.

Hegvik, R. L., McDevitt, S. C., & Carey, W. B. (1981). *Longitudinal stability of temperament characteristics in the elementary school period.* Paper presented at the meeting of the International Society for the Study of Behavioral Development, Toronto, August.

Helson, R., Mitchell, V., & Moane, G. (1984). Personality and patterns of adherence and nonadherence to the social clock. *Journal of Personality and Social Psychology, 46,* 1079–1096.

Helson, R., & Moane, G. (1987). Personality change in women from college to midlife. *Journal of Personality and Social Psychology, 53.*

Henderson, B. E., Ross, R. K., & Pike, M. C. (1987). Menopause, estrogen treatment, and carbohydrate metabolism. In D. R. Mishell, Jr. (Ed.), *Menopause: Physiology and Pharmacology* (pp. 253–260). Chicago: Year Book Medical Publishers.

Henneborn, W. J., & Cogan, R. (1975). The effect of husband participation on reported pain and the probability of medication during labour and birth. *Journal of Psychosomatic Research, 19,* 215–222.

Herzog, A. R., & Rogers, W. L. (1989). Age differences in memory performance and memory ratings as measured in a sample survey. *Psychology and Aging, 4,* 173–182.

Herzog, A. R., House, J. S., & Morgan, J. N. (1991). Relation of work and retirement to health and well-being in older age. *Psychology and Aging, 6,* 202–211.

Hess, E. H. (1972). "Imprinting" in a natural laboratory. *Scientific American, 227,* 24–31.

Hetherington, E. M. (1989). Coping with family transitions: Winners, losers, and survivors. *Child Development, 60,* 1–14.

Hetherington, E. M. (1991a). The role of individual differences and family relationships in children's coping with divorce and remarriage. In P. A. Cowen & M. Hetherington (Eds.), *Family transitions* (pp. 165–194). Hillsdale: Erlbaum.

Hetherington, E. M. (1991b). Presidential address: Families, lies, and videotapes. *Journal of Research on Adolescence, 1,* 323–348.

Hetherington, E. M., & Camera, K. A. (1984). Families in transition: The process of dissolution and reconstitution. In R. D. Parke, R. N. Emde, H. P. McAdoo, & G. P. Sackett (Eds.), *Review of child development research: Vol. 7. The family* (pp. 398–440). Chicago: University of Chicago Press.

Hetherington, E. M., Cox, M., & Cox, R. (1978). The aftermath of divorce. In M. H. Stevens, Jr., & M. Mathews (Eds.), *Mother/child, father/child relationships* (pp. 149–176). Washington, DC: National Association for the Education of Young Children.

Higgins, A. (1991). The just community approach to moral education: Evolution of the idea and recent findings. In W. M. Kurtines & J. L. Gewirtz (Eds.), *Handbook of moral behavior and development, Vol. 3, Application* (pp. 111–141). Hillsdale, NJ: Erlbaum.

Higgins, A., Power, C., & Kohlberg, L. (1984). The relationship of moral atmosphere to judgments of responsibility. In W. M. Kurtines & J. L. Gewirtz (Eds.), *Morality, moral behavior, and moral development*

(pp. 74–108). New York: Wiley-Interscience.

Hightower, E. (1990). Adolescent interpersonal and familial precursors of positive mental health at midlife. *Journal of Youth and Adolescence, 19,* 257–275.

Hill, J. P. (1988). Adapting to menarche: Familial control and conflict. In M. R. Gunnar & W. A. Collins (Eds.), *Development during the transition to adolescence. Minnesota Symposia on Child Psychology* (Vol. 21) (pp. 43–78). Hillsdale, NJ: Erlbaum.

Hill, R. (1965). Decision making and the family life cycle. In E. Shanas & G. F. Streib (Eds.), *Social structure and the family: Generational relations.* Englewood Cliffs, NJ: Prentice-Hall.

Hinde, R. A., Titmus, G., Easton, D., & Tamplin, A. (1985). Incidence of "friendship" and behavior toward strong associates versus nonassociates in preschoolers. *Child Development, 56,* 234–245.

Hinton, J. (1975). The influence of previous personality on reactions to having terminal cancer. *Omega, 6,* 95–111.

Hirsch, H. V. B., & Tieman, S. B. (1987). Perceptual development and experience-dependent changes in cat visual cortex. In M. H. Bornstein (Ed.), *Sensitive periods in development: Interdisciplinary perspectives* (pp. 39–80). Hillsdale, NJ: Erlbaum.

Hirshberg, L. M., & Svejda, M. (1990). When infants look to their parents: I. Infants' social referencing of mothers compared to fathers. *Child Development, 61,* 1175–1186.

Hirsh-Pasek, K., Trieman, R., & Schneiderman, M. (1984). Brown and Hanlon revisited: Mothers' sensitivity to ungrammatical forms. *Journal of Child Language, 11,* 81–88.

Hoch, C. C., Buysse, D. J., Monk, T. H., & Reynolds, C. F. III. (1992). Sleep disorders and aging. In J. E. Birren, R. B. Sloane & G. D. Cohen (Eds.), *Handbook of mental health and aging,* (2nd ed.) (pp. 557–582). San Diego, CA: Academic Press.

Hodgson, J. W., & Fischer, J. L. (1979). Sex differences in identity and intimacy development in college youth. *Journal of Youth and Adolescence, 8,* 37–50.

Hofferth, S. L. (1985). Updating children's life course. *Journal of Marriage and the Family, 47,* 93–115.

Hofferth, S. L. (1987a). Teenage pregnancy and its resolution. In S. L. Hofferth & C. D. Hayes (Eds.), *Risking the future. Adolescent sexuality, pregnancy, and childbearing. Working papers* (pp. 78–92). Washington, DC: National Academy Press.

Hofferth, S. L. (1987b). Social and economic consequences of teenage childbearing. In S. L. Hofferth & C. D. Hayes (Eds.), *Risking the future. Adolescent sexuality, pregnancy, and childbearing. Working papers* (pp. 123–144). Washington, DC: National Academy Press.

Hofferth, S. L., Kahn, J. R., & Baldwin, W. (1987). Premarital sexual activity among U.S. teenage women over the past three decades. *Family Planning Perspectives, 19,* 46–53.

Hoff-Ginsberg, E. (1986). Function and structure in maternal speech: Their relation to the child's development of syntax. *Developmental Psychology, 22,* 155–163.

Hoffman, L. W., & Manis, J. D. (1978). Influences of children on marital interaction and parental satisfactions and dissatisfactions. In R. M. Lerner & G. B. Spanier (Eds.), *Child influences on marital and family interaction.* New York: Academic Press.

Hogan, D. P. (1981). *Transitions and social change. The early lives of American men.* New York: Academic Press.

Holahan, C. K. (1988). Relation of life goals at age 70 to activity participation and health and psychological well-being among Terman's gifted men and women. *Psychology and Aging, 3,* 286–291.

Holden, C. (September, 1987). Genes and behavior: A twin legacy. *Psychology Today,* 18.

Holden, G. W., & West, M. J. (1989). Proximate regulation by mothers: A demonstration of how differing styles affect young children's behavior. *Child Development, 60,* 64–69.

Holden, K. C., & Smock, P. J. (1991). The economic costs of marital dissolution: Why do women bear a disproportionate cost? *Annual Review of Sociology, 17,* 51–78.

Holland, J. L. (1973). *Making vocational choices: A theory of careers.* Englewood Cliffs, NJ: Prentice-Hall.

Holland, J. L. (1985). *Making vocational choices* (2nd ed.). Englewood Cliffs, NJ: Prentice-Hall.

Holloway, S. D., & Hess, R. D. (1985). Mothers' and teachers' attributions about children's mathematics performance. In I. E. Sigel (Ed.), *Parental belief systems. The psychological consequences for children* (pp. 177–200). Hillsdale, NJ: Erlbaum.

Holmbeck, G. N., & Hill, J. P. (1991). Conflictive engagement, positive affect, and menarche in families with seventh-grade girl. *Child Development, 62,* 1030–1048.

Honigfeld, L. S., & Kaplan, D. W. (1987). Native-American postneonatal mortality. *Pediatrics, 80,* 575–578.

Honzik, M. P. (1986). The role of the famiy in the development of mental abilities: A 50-year study. In N. Datan, A. L. Greene, & H. W. Reese (Eds.), *Life-span developmental psychology. Intergenerational relations* (pp. 185–210). Hillsdale, NJ: Erlbaum.

Hook, E. (1982). The epidemiology of Down syndrome. In S. Pueschel & J. Rynders (Eds.), *Down syndrome: Advances in biomedicine and the behavioral sciences* (pp. 11–88). Cambridge, MA: Ware Press.

Horn, J. L. (1982). The aging of human abilities. In B. B. Wolman (Ed.), *Handbook of developmental psychology.* Englewood Cliffs, NJ: Prentice-Hall.

Horn, J. L., & Donaldson, G. (1980). Cognitive development in adulthood. In O. G. Brim, Jr., & J. Kagan (Eds.), *Constancy and change in human development.* Cambridge, MA: Harvard University Press.

Horner, K. W., Rushton, J. P., & Vernon, P. A. (1986). Relation between aging and research productivity of academic psychologists. *Psychology and Aging, 1,* 319–324.

Horowitz, F. D. (1987). *Exploring developmental theories: Toward a structural/behavioral model of development.* Hillsdale, NJ: Erlbaum.

Horowitz, F. D. (1990). Developmental models of individual differences. In J. Colombo & J. Fagen (Eds.), *Individual differences in infancy: Reliability, stability, prediction* (P. 3–18). Hillsdale, NJ: Erlbaum.

Horvath, T. B., & Davis, K. L. (1990). Central nervous system disorders in aging. In E. R. Schneider & J. W. Rowe (Eds.), *Handbook of the biology of aging* (3rd ed.) (pp. 306–329). San Diego, CA: Academic Press.

House, J. A., Kessler, R. C., & Herzog, A. R. (1990). Age, socioeconomic status, and health. *The Milbank Quarterly, 68,* 383–411.

House, J. S., Kessler, R. C., Herzog, A. R., Mero, R. P., Kinney, A. M., & Breslow, M. J. (1992). Social stratification, age, and health. In K. W. Schaie, D. Blazer & J. M. House (Eds.), *Aging, health behaviors, and health outcomes* (pp. 1–32). Hillsdale, NJ: Erlbaum.

Houseknecht, S. K. (1987). Voluntary childlessness. In M. B. Sussman & S. K. Steinmetz (Eds.), *Handbook of marriage and the family.* New York: Plenum.

Houseknecht, S. K., & Macke, A. S. (1981). Combining marriage and career: The marital adjustment of professional women. *Journal of Marriage and the Family, 43,* 651–661.

Howat, P. M., & Saxton, A. M. (1988). The incidence of bulimic behavior in a secondary and university school population. *Journal of Youth and Adolescence, 17,* 221–321.

Howes, C. (1983). Patterns of friendship. *Child Development, 54,* 1041–1053.

Howes, C. (1987). Social competence with peers in young children: Developmental sequences. *Developmental Review, 7,* 252–272.

Howes, C. (1990). Can the age of entry into child care and the quality of child care predict adjustment in kindergarten? *Developmental Psychology, 26,* 292–303.

Howes, C., Phillips, D. A., & Whitebook, M. (1992). Thresholds of quality: Implications for the social development of children in center-based child care. *Child Development, 63,* 449–460.

Howes, C., & Stewart, P. (1987). Child's play with adults, toys, and peers: An examination of family and child-care influences. *Developmental Psychology, 23,* 423–430.

Hoyert, D. L. (1991). Financial and household exchanges between generations. *Research on Aging, 13,* 205–225.

Huesmann, L. R., Lagerspetz, K., & Eron, L. D. (1984). Intervening variables in the television violence-aggression relation: Evidence from two countries. *Developmental Psychology, 20,* 746–775.

Hultsch, D. F., & Dixon, R. A. (1990). Learning and memory in aging. In J. E. Birren & K. W. Schaie (Eds.), *Handbook of the psychology of aging* (3rd ed.) (pp. 259–274). San Diego, CA: Academic Press.

Hunt, C. E., & Brouillette, R. T. (1987). Sudden infant death syndrome: 1987 perspective. *Journal of Pediatrics, 110,* 669–678.

Hunt, J. McV. (1986). The effect of variations in quality and type of early child care on development. *New Directions for Child Development, 32,* 31–48.

Hunter, F. T., & Youniss, J. (1982). Changes in functions of three relations during adolescence. *Developmental Psychology, 18,* 806–811.

Hunter, J. E., & Hunter, R. F. (1984). Validity and utility of alternative predictors of job performance. *Psychological Bulletin, 86,* 721–735.

Hunter, S., & Sundel, M. (1989). *Midlife myths. Issues, findings, and practice implications.* Newbury Park, CA: Sage.

Huntington, L., Hans, S. L., & Zeskind, P. S. (1990). The relations among cry characteristics, demographic variables, and developmental test scores in infants prenatally exposed to methadone. *Infant Behavior and Development, 13,* 533–538.

Hurwicz, M, Duryam, C. C., Boyd-Davis, S. L., Gatz, M., & Bengtson, V. L. (1992). Salient life events in three-generation families. *Journal of Gerontology: PSYCHOLOGICAL SCIENCES, 47,* P11–13.

Hurwitz, E., Gunn, W. J., Pinsky, P. F., & Schonberger, L. B. (1991). Risk of respiratory illness associated with day-care attendance: A nationwide study. *Pediatrics, 87,* 62–69.

Huston, A. C., Wright, J. C., Rice, M. L., Kerkman, D., & St. Peters, M. (1990). Development of television viewing patterns in early childhood: A longitudinal investigation. *Developmental Psychology, 26,* 409–420.

Huston, T. L., McHale, S. M., & Crouter, A. C. (1986). When the honeymoon's over: Changes in the marriage relationship over the first year. In R. Gilmour & S. Duck (Eds.), *The emerging field of personal relationships.* Hillsdale, NJ: Erlbaum.

Huston-Stein, A., & Higgens-Trenk, A. (1978). Development of females from childhood through adulthood: Career and feminine role orientations. In P. B. Baltes (Ed.), *Life-span development and behavior,* (Vol. 1) (pp. 258–297). New York: Academic Press.

Hutt, S. J., Lenard, H. G., & Prechtl, H. F. R. (1969). Psychophysiological studies in newborn infants. In L. P. Lipsitt & H. W. Reese (Eds.), *Advances in child development and behavior, Vol. 4* (pp. 128–173). New York: Academic Press.

Hutto, C., Parks, W. P., Lai, S., Mastrucci, M. T., Micthcll, C., Munoz, J., Trapido, E., Master, I. M., & Scott, G. B. (1991). A hospital-based prospective study of perinatal infection with human immunodeficiency virus type 1. *Journal of Pediatrics, 118,* 347–353.

Hymel, S., Rubin, K. H., Rowden, L., & LeMare, L. (1990). Children's peer relationships: Longitudinal prediction of internalizing and externalizing problems from middle to late childhood. *Child Development, 61,* 2004–2021.

Ingram, D. (1981). Early patterns of grammatical development. In R. E. Stark (Ed.), *Language behavior in infancy and early childhood* (pp. 327–358). New York: Elsevier/North-Holland.

Inhelder, B., & Piaget, J. (1958). *The growth of logical thinking from childhood to adolescence*. New York: Basic Books.

Inkeles, A., & Usui, C. (1989). Retirement patterns in cross-national perspective. In D. I. Kertzer & K. W. Schaie (Eds.), *Age structuring in comparative perspective* (pp. 227–262). Hillsdale, NJ: Erlbaum.

Inoff-Germain, G., Arnold, G. S., Nottelmann, E. D., Susman, E. J., Cutler, G. B. Jr., & Chrousos, G. P. (1988). Relations between hormone levels and observational measures of aggressive behavior of young adolescents in family interactions. *Developmental Psychology, 24*, 129–139.

Isabella, R. A., Belsky, J., & von Eye, A. (1989). Origins of infant-mother attachment: An examination of interactional synchrony during the infant's first year. *Developmental Psychology, 25*, 12–21.

Ishii-Kuntz, M. & Seccombe, K. (1989). The impact of children upon social support networks throughout the life course. *Journal of Marriage and the Family, 51*, 777–790.

Istvan, J. (1986). Stress, anxiety, and birth outcomes. A critical review of the evidence. *Psychological Bulletin, 100*, 331–348.

Iversen, L., & Sabroe, S. (1988). Psychological well-being among unemployed and employed people after a company closedown: A longitudinal study. *Journal of Social Issues, 44*, 141–152.

Izard, C. E., Haynes, O. M., Chisholm, G., & Baak, K. (1991). Emotional determinants of infant-mother attachment. *Child Development, 62*, 906–917.

Izard, C. E., Huebner, R. R., Risser, D., McGinnes, G. C., & Dougherty, L. M. (1980). The young infant's ability to produce discrete emotional expressions. *Developmental Psychology, 16*, 132–140.

Jacklin, C. N. (1989). Female and male: Issues of gender. *American Psychologist, 44*, 127–133.

Jackson, D. J., Longino, C. F., Jr., Zimmerman, R. S., & Bradsher, J. E. (1991). Environmental adjustments to declining functional ability. Residential mobility and living arrangements. *Research on Aging, 13*, 289–309.

Jackson, E., Campos, J. J., & Fischer, K. W. (1978). The question of decalage between object permanence and person permanence. *Developmental Psychology, 14*, 1–10.

Jackson, J. S. (Ed.) (1991). *Life in black America*. Newbury Park: Sage Publications.

Jacobs, S. C., Kosten, T. R., Kasl, S. V., Ostfeld, A. M., Berkman, L., & Charpentier, P. (1987–88). Attachment theory and multiple dimensions of grief. *Omega, 18*, 41–52.

Jacobson, S. W., & Frye, K. F. (1991). Effect of maternal social support on attachment: Experimental evidence. *Child Development, 62*, 572–582.

James, S. A., Keenan, N. L., & Browning, S. (1992). Socioeconomic status, health behaviors, and health status among blacks. In K. W. Schaie, D. Blazer & J. M. House (Eds.), *Aging, health behaviors, and health outcomes* (pp. 39–57). Hillsdale, NJ: Erlbaum.

Jensen, A. R. (1980). *Bias in mental testing*. New York: The Free Press.

Jerrome, D. (1990). Intimate relationships. In J. Bond & P. Coleman (Eds.), *Aging in society* (pp. 181–208). London: Sage Publications.

Johansson, B., & Berg, S. (1989). The robustness of the terminal decline phenomenon: Longitudinal data from the digit-span memory test. *Journal of Gerontology: PSYCHOLOGICAL SCIENCES, 44*, P184–186.

Johnson, C., Lewis, C., Love, S., Lewis, L., & Stuckey, M. (1984). Incidence and correlates of bulimic behavior in a female high school population. *Journal of Youth and Adolescence, 13*, 15–26.

Johnson, C. L. (1982). Sibling solidarity: Its origin and functioning in Italian-American families. *Journal of Marriage and the Family, 44*, 155–167.

Johnson, C. L., & Barer, B. M. (1990). Families and networks among older inner-city blacks. *The Gerontologist, 30*, 726–733.

Johnson, H. R., Gibson, R. C., & Luckey, I. (1990). Health and social characteristics. Implications for services. In Z. Harel, E. A. McKinney & M. Williams (Eds.), *Black aged* (pp. 131–145). Newbury Park, CA: Sage Publications.

Johnston, J. R. (1985). Cognitive prerequisites: The evidence from children learning English. In D. I. Slobin (Ed.), *The crosslinguistic study of language acquisition: Vol. 2. Theoretical issues* (pp. 961–1004). Hillsdale, NJ: Erlbaum.

Jonas, O., Chan, A., & MacHarper, T. (1989). Caesarean section in south Australia, 1986. *Australia and New Zealand Journal of Obstetrics and Gynaecology, 29*, 99–106.

Jones, K. L., Smith, D. W., Ulleland, C. N., & Streissguth, A. P. (1973). Pattern of malformation in offspring of chronic alcoholic mothers. *Lancet, 1*, 1267–1271.

Jung, C. G. (1916). *Analytical psychology*. New York: Moffat, Yard.

Jung, C. G. (1939). *The integration of personality*. New York: Holt, Rinehart & Winston.

Kacerguis, M. A., & Adams, G. R. (1980). Erikson stage resolution: The relationship between identity and intimacy. *Journal of Youth and Adolescence, 9*, 117–126.

Kagan, J., & Snidman, N. (1991). Temperamental factors in human development. *American Psychologist, 46*, 857–862.

Kagan, J., Kearsley, R., & Zelazo, P. (1978). *Infancy: Its place in human development*. Cambridge, MA: Harvard University Press.

Kagan, J., Reznick, J. S., & Snidman, N. (1990). The temperamental qualities of inhibition and lack of inhibition. In M. Lewis & S. M. Miller (Eds.), *Handbook of developmental psychopathology* (pp. 219–226). New York: Plenum Press.

Kahn, S. B., Alvi, S., Shaukat, N., Hussain, M. A., & Baig, T. (1990). A study of the validity of Holland's theory in a non-western culture. *Journal of Vocational Behavior, 36*, 132–146.

Kail, R. (1991a). Developmental change in speed of processing during childhood and adolescence. *Psychological Bulletin, 109*, 490–501.

Kail, R. (1991b). Processing time declines exponentially during childhood and adolescence. *Developmental Psychology, 27*, 259–266.

Kalish, R. A. (1985). The social context of death and dying. In R. H. Binstock & E. Shanas (Eds.), *Handbook of aging and the social sciences*. (2nd ed.) New York: Van Nostrand Reinhold.

Kalish, R. A., & Reynolds, D. K. (1976). *Death and ethnicity: A psychocultural study*. Los Angeles: University of Southern California Press. Reprinted 1981, Farmingdale, NJ: Baywood Publishing Co.

Kallman, D. A., Plato, C. C., & Tobin, J. D. (1990). The role of muscle loss in the age-related decline of grip strength: Cross-sectional and longitudinal perspectives. *Journal of Gerontology: MEDICAL SCIENCES, 45*, M82–88.

Kamo, Y., Ries, L. M. Farmer, Y., M., Nickinovich, D. G., & Borgatta, E. F. (1991). Status attainment revisited. The National Survey of Families and Households. *Research on Aging, 13*, 124–143.

Kandall, S. R., & Gaines, J. (1991). Maternal substance use and subsequent Sudden Infant Death Syndrome (SIDS) in offspring. *Neurotoxicology and Teratology, 13*, 235–240.

Kandel, E. R. (1985). Nerve cells and behavior. In E. R. Kandel & J. H. Schwartz (Eds.), *Principles of neural science* (2nd ed.) (pp. 13–24). New York: Elsevier.

Kane, R. L., & Kane, R. A. (1990). Health care for older people: Organizational and policy issues. In R. H. Binstock & L. K. George (Eds.),

Handbook of aging and the social sciences, (3rd ed.) (pp. 415–437). San Diego, CA: Academic Press.

Kane, R. L., Klein, S. J., Bernstein, L., Rothenberg, R., & Wales, J. (1985). Hospice role in alleviating the emotional stress of terminal patients and their families. *Medical Care, 23*, 189–197.

Kane, R. L., Wales, J., Bernstein, L., Leibowitz, A., & Kaplan, S. (1984). A randomized controlled trial of hospice care. *Lancet*, 890–894.

Kangas, J., & Bradway, K. (1971). Intelligence at middle age: A thirty-eight-year follow-up. *Developmental Psychology, 5*, 333–337.

Kannel, W. B., & Gordon, T. (1980). Cardiovascular risk factors in the aged: The Framingham study. In S. G. Haynes & M. Feinleib (Eds.), *Second conference on the epidemiology of aging*. U.S. Department of Health and Human Services, NIH Publication No. 80–969. Washington, DC: U.S. Government Printing Office.

Kaplan, G. A. (1992). Health and aging in the Alameda County study. In K. W. Schaie, D. Blazer & J. M. House (Eds.), *Aging, health behaviors, and health outcomes* (pp. 69–88). Hillsdale, NJ: Erlbaum.

Kaplan, R. M. (1985). The controversy related to the use of psychological tests. In B. B. Wolman (Ed.), *Handbook of intelligence. Theories, measurements, and applications* (pp. 465–504). New York: Wiley.

Kaplan, R. M., Anderson, J. P., & Wingard, D. L. (1991). Gender differences in health-related quality of life. *Health Psychology, 10*, 86–93.

Karmiloff-Smith, A. (1991). Beyond modularity: Innate constraints and developmental change. In S. Carey & R. Gelman (Eds.), *The epigenesis of mind. Essays on biology and cognition* (pp. 171–197). Hillsdale, NJ: Erlbaum.

Karp, D. A. (1988). A decade of reminders: Changing age consciousness between fifty and sixty years old. *The Gerontologist, 28*, 727–738.

Kasl, S. V., & Cobb, S. (1982). Variability of stress effects among men experiencing job loss. In L. Goldberger & S. Breznitz (Eds.), *Handbook of stress. Theoretical and clinical aspects*. New York: The Free Press.

Kataria, S., Frutiger, A. D., Lanford, B., & Swanson, M. S. (1988). Anterior fontanel closure in healthy term infants. *Infant Behavior and Development, 11*, 229–233.

Kausler, D. H., & Lichty, W. (1988). Memory for activities: Rehearsal-independence and aging. In M. L. Howe & C. J. Brainerd (Eds.), *Cognitive development in adulthood: Progress in cognitive development research* (pp. 93–131). New York: Springer-Verlag.

Kaye, Katherine, Elkind, L., Goldberg, D., & Tytun, A. (1989). Birth outcomes for infants of drug abusing mothers. *New York State Journal of Medicine, 89*, 256–261.

Keating, D. P. (1980). Thinking processes in adolescence. In J. Adelson (Ed.), *Handbook of adolescent psychology* (pp. 211–246). New York: Wiley.

Keating, D. P., & Clark, L. V. (1980). Development of physical and social reasoning in adolescence. *Developmental Psychology, 16*, 23–30.

Keating, D. P., List, J. A., & Merriman, W. E. (1985). Cognitive processing and cognitive ability: Multivariate validity investigation. *Intelligence, 9*, 149–170.

Keefe, S. E. (1984). Real and ideal extended familism among Mexican Americans and Anglo Americans: On the meaning of "close" family ties. *Human Organization, 43*, 65–70.

Keeney, T. J., Cannizzo, S. R., & Flavell, J. H. (1967). Spontaneous and induced verbal rehearsal in a recall task. *Child Development, 38*, 935–966.

Keil, J. E., Sutherland, S. E., Knapp, R. G., Waid, L. R., & Gazes, P. C. (1992). Self-reported sexual functioning in elderly blacks and whites. *Journal of Aging and Health, 4*, 112–125.

Keith, P. M. (1981–82). Perceptions of time remaining and distance from death. *Omega, 12*, 307–318.

Kellam, S. G., Ensminger, M. E., & Turner, R. J. (1977). Family structure and the mental health of children: Concurrent and longitudinal community-wide studies. *Archives of General Psychiatry, 34*, 1012–1022.

Kellehear, A., & Lewin, T. (1988–89). Farewells by the dying: A sociological study. *Omega, 19*, 275–292.

Kelly, E. L., & Conley, J. J. (1987). Personality and compatibility: A prospective analysis of marital stability and marital satisfaction. *Journal of Personality and Social Psychology, 52*, 27–40.

Keniston, K. (Autumn, 1970). Youth: A "new" stage in life. *American Scholar, 8*, 631–654.

Kessler, R. C., Foster, C., Webster, P. S., & House, J. S. (1992). The relationship between age and depressive symptoms in two national surveys. *Psychology and Aging, 7*, 119–126.

Kessler, R. C., Turner, J. B., & House, J. S. (1988). Effects of unemployment on health in a community survey: Main, modifying, and mediating effects. *Journal of Social Issues, 44*, 69–85.

Kessner, D. M. (1973). *Infant death: an analysis by maternal risk and health care*. Washington, DC: National Academy of Sciences.

Kesteloot, H., Lesaffre, E., & Joossens, J. V. (1991). Dairy fat, saturated animal fat, and cancer risk. *Preventive Medicine, 20*, 226–236.

Kiecolt-Glaser, J. K., & Glaser, R. (1988). Behavioral influences on immune function: Evidence for the interplay between stress and health. In T. M. Field, P. M. McCabe, & N. Schneiderman (Eds.), *Stress and coping across development*. Hillsdale, NJ: Erlbaum.

Kiecolt-Glaser, J. K., Glaser, R., Suttleworth, E. E., Dyer, C. S., Ogrocki, P., & Speicher, C. E. (1987). Chronic stress and immunity in family caregivers of Alzheimer's disease patients. *Psychosomatic Medicine, 49*, 523–535.

Kilpatrick, S. J., & Laros, R. K. (1989). Characteristics of normal labor. *Obstetrics and Gynecology, 74*, 85–87.

Kitchen, W. H., Doyle, L. W., Ford, G. W., Murton, L. J., Keith, C. G., Rickards, A. L., Kelly, E., & Callanan, C. (1991). Changing two-year outcome of infants weighing 500 to 999 grams at birth: A hospital study. *Journal of Pediatrics, 118*, 938–943.

Kivett, V. R. (1991). Centrality of the grandfather role among older rural black and white men. *Journal of Gerontology: SOCIAL SCIENCES, 46*, S250–258.

Klaus, H. M., & Kennell, J. H. (1976). *Maternal-infant bonding*. St. Louis, MO: Mosby.

Kleemeier, R. W. (1962). Intellectual changes in the senium. *Proceedings of the Social Statistics Section of the American Statistics Association, 1*, 290–295.

Klenow, D. J., & Bolin, R. C. (1989–90). Belief in an afterlife: A national survey. *Omega, 20*, 63–74.

Kletzky, O. A., & Borenstein, R. (1987). Vasomotor instability of the menopause. In D. R. Mishell, Jr. (Ed.), *Menopause: Physiology and pharmacology*. (pp. 53–66). Chicago: Year Book Medical Publishers.

Kliegl, R., Smith, J., & Baltes, P. B. (1989). Testing-the-limits and the study of adult age differences in cognitive plasticity of a mnemonic skill. *Developmental Psychology, 25*, 247–256.

Kliegl, R., Smith, J., & Baltes, P. B. (1990). On the locus and process of magnification of age differences during mnemonic training. *Developmental Psychology, 26*, 894–904.

Kline, D. W., Kline, T. J. B., Fozard, J. L., Kosnik, W., Schieber, F., & Sekuler, R. (1992). Vision, aging, and driving: The problem of older drivers. *Journal of Gerontology: PSYCHOLOGICAL SCIENCES, 47*, P27–34.

Kluwe, R. H. (1986). Psychological research on problem-solving and aging. In A. B. Sörensen, F. E. Weinert & L. R. Sherrod (Eds.), *Human development and the life course: Multidisciplinary perspectives* (pp. 509–534). Hillsdale, NJ: Erlbaum.

Kobak, R. R., & Sceery, A. (1988). Attachment in late adolescence: Working models, affect regulation, and representations of self and others. *Child Development, 59*, 135–146.

Kobak, R. R., Sudler, N., & Gamble, W. (1991). Attachment and depressive symptoms during adolescence: A developmental pathways analysis. *Development and Psychopathology, 3*, 461–474.

Koenig, H. G., Kvale, J. N., & Ferrell, C. (1988). Religion and well-being in later life. *The Gerontologist, 28*, 18–28.

Kohlberg, L. (1964). Development of moral character and moral ideology. In M. L. Hoffman & L. W. Hoffman (Eds.), *Review of child development research* (Vol. 1) (pp. 283–332). New York: Russell Sage Foundation.

Kohlberg, L. (1966). A cognitive-developmental analysis of children's sex-role concepts and attitudes. In E. E. Maccoby (Ed), *The development of sex differences* (pp. 82–172). Stanford, CA: Stanford University Press.

Kohlberg, L. (1973). Continuities in childhood and adult moral development revisited. In P. B. Baltes & K. W. Schaie (Eds.) *Life-span developmental psychology: Personality and socialization* (pp. 180–204). New York: Academic Press.

Kohlberg, L. (1975). The cognitive-developmental approach to moral education. *Phi Delta Kappan*, June, 670–677.

Kohlberg, L. (1976). Moral stages and moralization: The cognitive-developmental approach. In T. Lickona (Ed.), *Moral development and behavior: Theory, research, and social issues* (pp. 31–53). New York: Holt.

Kohlberg, L. (1978). Revisions in the theory and practice of moral development. *New Directions for Child Development, 2*, 83–88.

Kohlberg, L. (1980). *The meaning and measurement of moral development.* Worcester, MA: Clark University Press.

Kohlberg, L. (1981). *Essays on moral development. Vol. 1. The philosophy of moral development.* New York: Harper & Row.

Kohlberg, L. (1984). *Essays on moral development. Vol. II: The psychology of moral development.* San Francisco: Harper & Row.

Kohlberg, L., & Candee, D. (1984). The relationship of moral judgment to moral action. In W. M. Kurtines & J. L. Gewirtz (Eds.), *Morality, moral behavior, and moral development* (pp. 52–73). New York: Wiley.

Kohlberg, L., & Elfenbein, D. (1975). The development of moral judgments concerning capital punishment. *American Journal of Orthopsychiatry, 54*, 614–640.

Kohlberg, L., & Higgins, A. (1987). School democracy and social interaction. In W. M. Kurtines & J. L. Gewirtz (Eds.), *Moral development through social interaction* (pp. 102–130). New York: Wiley-Interscience.

Kohlberg, L., Levine, C., & Hewer, A. (1983). Moral stages: A current formulation and a response to critics. *Contributions to human development 10.* Basel: S. Karger.

Kohlberg, L., & Ullian, D. Z. (1974). Stages in the development of psychosexual concepts and attitudes. In R. C. Friedman, R. M. Richart & R. L. Vande Wiele (Eds.), *Sex differences in behavior* (pp. 209–222). New York: Wiley.

Kokmen, E. (1991). The EURODEM collaborative re-analysis of case-control studies of Alzheimer's disease: Implications for clinical research and practice. *International Journal of Epidemiology, 20* (Suppl. 2), S65-S67.

Kon, I. S., & Losenkov, V. A. (1978). Friendship in adolescence: Values and behavior. *Journal of Marriage and the Family, 40*, 143–155.

Kopp, C. B. (1983). Risk factors in development. In M. M. Haith & J. J. Campos (Eds.), *Handbook of child psychology: Infancy and developmental psychobiology* (Vol. 2) (pp. 1081–1188). New York: Wiley. (P. H. Mussen, General Editor).

Kopp, C. B. (1990). Risks in infancy: appraising the research. *Merrill Palmer Quarterly, 36*, 117–140.

Korn, S. J. (1984). Continuities and discontinuities in difficult/easy temperament: Infancy to young adulthood. *Merrill-Palmer Quarterly, 30*, 189–199.

Korner, A. F., Hutchinson, C. A., Koperski, J. A., Kraemer, H. C., & Schneider, P. A. (1981). Stability of individual differences of neonatal motor and crying patterns. *Child Development, 52*, 83–90.

Kotulak, R. (1990, September 28). Study finds inner-city kids live with violence. *Chicago Tribune, 1*, 16.

Kozma, A., Stones, M. J., & Hannah, T. E. (1991). Age, activity, and physical performance: An evaluation of performance models. *Psychology and Aging, 6*, 43–49.

Krause, N., Jay, G., & Liang, J. (1991). Financial strain and psychological well-being among the American and Japanese elderly. *Psychology and Aging, 6*, 170–181.

Krause, N. Liang, J., & Keith, V. (1990). Personality, social support, and psychological distress in later life. *Psychology and Aging, 5*, 315–326.

Kritchevsky, D. (1990). Nutrition and breast cancer. *Cancer, 66*, 1321–1325.

Kroeger, N. (1982). Preretirement preparation: Sex differences in access, sources, and use. In M. Szinovacz (Ed.), *Women's retirement* (pp. 95–112). Beverly Hills, CA: Sage Publications.

Krout, J. A. (1983). Seasonal migration of the elderly. *The Gerontologist, 23*, 295–299.

Kübler-Ross, E. (1969). *On death and dying.* New York: Macmillan.

Kübler-Ross, E. (1974). *Questions and answers on death and dying.* New York: Macmillan.

Kuczaj, S. A. II. (1977). The acquisition of regular and irregular past tense forms. *Journal of Verbal Learning and Verbal Behavior, 49*, 319–326.

Kuczaj, S. A. II. (1978). Children's judgments of grammatical and ungrammatical irregular past tense verbs. *Child Development, 49*, 319–326.

Kuczynski, L., Kochanska, G., Radke-Yarrow, M., & Girnius-Brown, O. (1987). A developmental interpretation of young children's noncompliance. *Developmental Psychology, 23*, 799–806.

Kuhl, P. K. (1983). Perception of auditory equivalence classes for speech in early infancy. *Infant Behavior and Development, 6*, 263–285.

Kupersmidt, J. B., & Coie, J. D. (1990). Preadolescent peer status, aggression, and school adjustment as predictors of externalizing problems in adolescence. *Child Development, 61*, 1350–1362.

Kurdek, L. A. (1991). Predictors of increases in marital distress in newlywed couples: A 3-year prospective longitudinal study. *Developmental Psychology, 27*, 627–636.

Kurdek, L. A., & Schmitt, J. P. (1986). Early development of relationship quality in heterosexual married, heterosexual cohabiting, gay, and lesbian couples. *Developmental Psychology, 22*, 305–309.

Kurtines, W. M., & Gewirtz, J. L. (Eds.) (1991). *Handbook of moral behavior and development.* Vol. 1 Theory, Vol. 2. Research, Vol 3. Application. Hillsdale, NJ: Erlbaum.

Labouvie-Vief, G. (1980). Beyond formal operations: Uses and limits of pure logic in life-span development. *Human Development, 23*, 141–161.

Labouvie-Vief, G. (1985). Cognition and aging. In J. E. Birren & K. W. Schaie (Eds.), *The handbook of the psychology of aging* (pp. 500–530). New York: Van Nostrand Reinhold.

Labouvie-Vief, G. (1990). Modes of knowledge and the organization of development. In M. L. Commons, C. Armon, L. Kohlberg, F. A. Richards, T. A. Grotzer & J. D. Sinnott (Eds.), *Adult development,* Vol. 2, *Models and methods in the study of adolescent and adult thought.* New York: Praeger.

Ladd, G. W., Price, J. M., & Hart, C. H. (1988). Predicting preschoolers' peer status from their playground behaviors. *Child Development, 59,* 986–992.

La Freniere, P., Strayer, F. F., & Gauthier, R. (1984). The emergence of same-sex affiliative preferences among preschool peers: A developmental/ethological perspective. *Child Development, 55,* 1958–1965.

Lakatta, E. G. (1985). Heart and circulation. In C. E. Finch & E. L. Schneider (Eds.), *Handbook of the biology of aging* (2nd ed.) New York: Van Nostrand Reinhold.

Lakatta, E. G. (1990). Heart and circulation. In E. L. Schneider & J. W. Rowe (Eds.), *Handbook of the biology of aging* (3rd ed.) (pp. 181–217). San Diego, CA: Academic Press.

Lamb, M. E. (1981). The development of father-infant relationships. In M. E. Lamb (Ed.), *The role of the father in child development* (2nd ed.) (pp. 459–488). New York: Wiley.

Lamb, M. E., Frodi, M., Hwang, C., & Frodi, A. M. (1983). Effects of paternal involvement on infant preferences for mothers and fathers. *Child Development, 54,* 450–458.

Lamb, M. E., Frodi, A. M., Hwang, C., Frodi, M., & Steinberg, J. (1982). Mother- and father-infant interaction involving play and holding in traditional and nontraditional Swedish families. *Developmental Psychology, 18,* 215–221.

Lamb, M. E., Hwang, C., Bookstein, F. L., Broberg, A., Hult, G., & Frodi, M. (1988). Determinants of social competence in Swedish preschoolers. *Developmental Psychology, 24,* 58–70.

Lamborn, S. D., Mounts, N. S., Steinberg, L., & Dornbusch, S. M. (1991). Patterns of competence and adjustment among adolescents from authoritative, authoritarian, indulgent, and neglectful families. *Child Development, 62,* 1049–1065.

Lamke, L. K. (1982a). Adjustment and sex-role orientation. *Journal of Youth and Adolescence, 11,* 247–259.

Lamke, L. K. (1982b). The impact of sex-role orientation on self-esteem in early adolescence. *Child Development, 53,* 1530–1535.

Langlois, J. H., Ritter, J. M., Roggman, L. A., & Vaughn, L. S. (1991). Facial diversity and infant preferences for attractive faces. *Developmental Psychology, 27,* 79–84.

Langlois, J. H., Roggman, L. A., Casey, R. J., Ritter, J. M., Rieser-Danner, L. A., & Jenkins, V. Y. (1987). Infant preferences for attractive faces: Rudiments of a stereotype? *Developmental Psychology, 23,* 263–369.

Langlois, J. H., Roggman, L. A., & Rieser-Danner, L. A. (1990). Infants' differential social responses to attractive and unattractive faces. *Developmental Psychology, 26,* 153–159.

Lansdown, R., & Benjamin, G. (1985). The development of the concept of death in children aged 5 - 9 years. *Child care, health and development, 11,* 13–30.

Larson, R., Mannell, R., & Zuzanek, J. (1986). Daily well-being of older adults with friends and family. *Psychology and Aging, 1,* 117–126.

Lauer, J. C., & Lauer, R. H. (June, 1985). Marriages made to last. *Psychology Today, 19,* (6), 22–26.

Lauer, R. H., & Lauer, J. C. (1986). Factors in long-term marriages. *Journal of Family Issues, 7,* 382–390.

Lawrence, R. H., Bennett, J. M., & Markides, K. S. (1992). Perceived intergenerational solidarity and psychological distress among older Mexican Americans. *Journal of Gerontology: SOCIAL SCIENCES, 47,* S55–65.

Lawton, M. P. (1985). Housing and living environments of older people. In R. H. Binstock & E. Shanas (Eds.), *Aging and the social sciences* (2nd ed.). New York: Van Nostrand Reinhold.

Lawton, M. P. (1990). Residential environment and self-directedness among older people. *American Psychologist, 45,* 638–640.

Leadbeater, B. J., & Dionne, J. (1981). The adolescent's use of formal operational thinking in solving problems related to identity resolution. *Adolescence, 16,* 111–121.

Leaper, C. (1991). Influence and involvement in children's discourse: Age, gender, and partner effects. *Child Development, 62,* 797–811.

Lee, G. R. (1988). Marital satisfaction in later life: The effects of nonmarital roles. *Journal of Marriage and the Family, 50,* 775–783.

Lee, G. R., & Ellithorpe, E. (1982). Intergenerational exchange and subjective well-being among the elderly. *Journal of Marriage and the Family, 44,* 217–224.

Lee, G. R., & Ishii-Kuntz, M. (1987). Social interaction, loneliness, and emotional well-being among the elderly. *Research on Aging, 9,* 459–482.

Lee, G. R., Seccombe, K., & Shehan, C. L. (1991). Marital status and personal happiness: An analysis of trend data. *Journal of Marriage and the Family, 53,* 839–844.

Lee, G. R., & Shehan, C. L. (1989). Social relations and the self-esteem of older persons. *Research on Aging, 11,* 427–442.

Lee, V. E., Brooks-Gunn, J., Schnur, E., & Liaw, F. (1990). Are Head Start effects sustained? A longitudinal follow-up comparison of disadvantaged children attending Head Start, no preschool, and other preschool programs. *Child Development, 61,* 495–507.

Lehman, H. C. (1953). *Age and achievement.* Princeton, NJ: Princeton University Press.

Lehr, U. (1982). Hat die Grosfamilie heute noch eine Chance? *Der Deutsche Artz, 18,* Sonderdruck.

Leigh, G. K. (1982). Kinship interaction over the family life span. *Journal of Marriage and the Family, 44,* 197–208.

Lempers, J. D., & Clark-Lempers, D. (1990). Family economic stress, maternal and paternal support and adolescent distress. *Journal of Adolescence, 13,* 217–229.

Leon, G. R., Gillum, B., Gillum, R., & Gouze, M. (1979). Personality stability and change over a 30-year period—middle age to old age. *Journal of Consulting and Clinical Psychology, 47,* 517–524.

Leon, G. R., Perry, C. L., Mangelsdorf, C., & Tell, G. (1989). Adolescent nutritional and psychological patterns and risk for the development of an eating disorder. *Journal of Youth and Adolescence, 18,* 273–282.

Lerner, R. M. (1985). Adolescent maturational changes and psychosocial development: A dynamic interactional perspective. *Journal of Youth and Adolescence, 14,* 355–372.

Lerner, R. M. (1986). *Concepts and theories of human development* (2nd ed.). New York: Random House.

Lerner, R. M. (1987). A life-span perspective for early adolescence. In R. M. Lerner & T. T. Foch (Eds.), *Biological-psychosocial interactions in early adolescence* (pp. 9–34). Hillsdale, NJ: Erlbaum.

Lester, B. M. (1987). Prediction of developmental outcome from acoustic cry analysis in term and preterm infants. *Pediatrics, 80,* 529–534.

Lester, B. M., Corwin, M. J., Sepkoski, C. Siefer, R., Peucker, M., McLaughlin, S., & Golub, H. L. (1991). Neurobehavioral syndromes in cocaine-exposed newborn infants. *Child Development, 62,* 674–705.

Lester, B. M., & Dreher, M. (1989). Effects of marijuana use during pregnancy on newborn cry. *Child Development, 60,* 765–771.

Letzelter, M., Jungermann, C., & Freitag, W. (1986). Schwimmleistungen im Alter [Swimming performance in old age]. *Zeitschrift fur Gerontologie, 19,* 389–395.

Levinson, D. J. (1978). *The seasons of a man's life.* New York: Knopf.

Levinson, D. J. (1980). Toward a conception of the adult life course. In N. J. Smelser & E. H. Erikson (Eds.), *Themes of work and love in adulthood.* Cambridge, MA: Harvard University Press.

Levinson, D. J. (1986). A conception of adult development. *American Psychologist, 41,* 3–13.

Levinson, D. J. (1990). A theory of life structure development in adulthood. In C. N. Alexander & E. J. Langer (Eds.), *Higher stages of human development* (pp. 35–54). New York: Oxford University Press.

Lewinsohn, P. M., Rohde, P., Seeley, J. R., & Fischer, S. A. (1991). Age and depression: Unique and shared effects. *Psychology and Aging, 6,* 247–260.

Lewis, C. C. (1981). How adolescents approach decisions: Changes over grades seven to twelve and policy implications. *Child Development, 52,* 538–544.

Lewis, M. (1990). Social knowledge and social development. *Merrill-Palmer Quarterly, 36,* 93–116.

Lewis, M. (1991). Ways of knowing: Objective self-awareness of consciousness. *Developmental Review, 11,* 231–243.

Lewis, M., & Brooks, J. (1978). Self-knowledge and emotional development. In M. Lewis & L. A. Rosenblum (Eds.), *The development of affect* (pp. 205–226). New York: Plenum.

Lewis, M., & Brooks-Gunn, J. (1979). *Social cognition and the acquisition of self.* New York: Plenum.

Lewis, M., & Brooks-Gunn, J. (1981). Visual attention at three months as a predictor of cognitive functioning at two years of age. *Intelligence, 5,* 131–140.

Lewis, M., & Sullivan, M. W. (1985). Infant intelligence and its assessment. In B. B. Wolman (Ed.) *Handbook of intelligence* (pp. 505–599). New York: Wiley-Interscience.

Lewis, M., Sullivan, M. W., Stanger, C., & Weiss, M. (1989). Self development and self-conscious emotions. *Child Development, 60,* 146–156.

Lickona, T. (1978). Moral development and moral education. In J. M. Gallagher & J. A. Easley, Jr. (Eds.), *Knowledge and development* (Vol. 2) (pp. 21–74). New York: Plenum.

Lickona, T. (1983). *Raising good children.* Toronto: Bantam Books.

Lieberman, M. A. (1965). Psychological correlates of impending death: Some preliminary observations. *Journal of Gerontology, 20,* 182–190.

Lieberman, M. A., & Coplan, A. S. (1970). Distance from death as a variable in the study of aging. *Developmental Psychology, 2,* 71–84.

Lieberman, M. A., & Peskin, H. (1992). Adult life crises. In J. E. Birren, R. B. Sloane & G. D. Cohen (Eds.), *Handbook of mental health and aging* (2nd ed.) (pp. 119–143).

Liem, R., & Liem, J. H. (1988). Psychological effects of unemployment on workers and their families. *Journal of Social Issues, 44,* 87–105.

Liker, J. K., & Elder, G. H. (1983). Economic hardship and marital relations in the 1930s. *American Sociological Review, 48,* 343–359.

Lim, K. O., Zipursky, R. B., Watts, M. C., & Pfefferbaum, A. (1992). Decreased gray matter in normal aging: An in vivo magnetic resonance study. *Journal of Gerontology: BIOLOGICAL SCIENCES, 47,* B26–30.

Lima, S. D., Hale, S., & Myerson, J. (1991). How general is general slowing? Evidence from the lexical domain. *Psychology and Aging, 6,* 416–425.

Lindsay, R. (1985). The aging skeleton. In M. R. Haug, A. B. Ford & M. Sheafor (Eds.), *The physical and mental health of aged women.* New York: Springer.

Linney, J. A., & Seidman, E. (1989). The future of schooling. *American Psychologist, 44,* 336–340.

Lipshultz, S., Frassica, J. J., & Orav, E. J. (1991). Cardiovascular abnormalities in infants prenatally exposed to cocaine. *Journal of Pediatrics, 118,* 44–51.

Lipsitt, L. P. (1982). Infant learning. In T. M. Field, A. Houston, H. C. Quay, L. Troll & G. E. Finley (Eds.), *Review of human development* (pp. 62–78). New York: Wiley.

Litwak, E. (1989). Forms of friendships among older people in an industrial society. In R. G. Adams & R. Blieszner (Eds.), *Older adult friendship* (pp. 65–88). Newbury Park, CA: Sage Publications.

Litwak, E., & Longino, C. F. Jr. (1987). Migration patterns among the elderly: A developmental perspective. *The Gerontologist, 27,* 266–272.

Livesley, W. J., & Bromley, D. B. (1973). *Person perception in childhood and adolescence.* London: Wiley.

Livson, F. B. (1976). Patterns of personality development in middle-aged women: A longitudinal study. *International Journal of Aging and Human Development, 7,* 107–115.

Livson, F. B. (1981). Paths to psychological health in the middle years: Sex differences. In D. H. Eichorn, J. A. Clausen, N. Haan, M. P. Honzik & P. H. Mussen (Eds.), *Present and past in middle life.* New York: Academic Press.

Livson, N., & Peskin, H. (1981). Psychological health at 40: Prediction from adolescent personality. In D. H. Eichorn, J. A. Clausen, N. Haan, M. P. Honzik & P. H. Mussen (Eds.), *Present and past in middle life.* New York: Academic Press.

Lo, Y. D., Patel, P., Wainscoat, J. S., Sampietro, M., Gillmer, M. D. G., & Fleming, K. A. (December 9, 1989). Prenatal sex determination by DNA amplification from maternal peripheral blood. *The Lancet,* 1363–1365.

Loehlin, J. C. (1989). Partitioning environmental and genetic contributions to behavioral development. *American Psychologist, 44,* 1285–1292.

Loehlin, J. C. (1992). *Genes and environment in personality development.* Newbury Park, CA: Sage.

Loehlin, J. C., Horn, J. M., & Willerman, L. (1989). Modeling IQ change: Evidence from the Texas Adoption Project. *Child Development, 60,* 993–1004.

Loevinger, J. (1976). *Ego development.* San Francisco: Jossey-Bass.

Loevinger, J. (1984). On the self and predicting behavior. In R. A. Zucker, J. Aronoff & A. I. Rabin (Eds.), *Personality and the prediction of behavior.* New York: Academic Press.

Long, F., Peters, D. L., & Garduque, L. (1985). Continuity between home and day care: A model for defining relevant dimensions of child care. In I. E. Sigel (Ed.), *Advances in applied developmental psychology* (Vol. 1) (pp. 131–170). Norwood, NJ: Ablex.

Long, J. V. F., & Vaillant, G. E. (1984). Natural history of male psychological health. XI: Escape from the underclass: *The American Journal of Psychiatry, 141,* 341–346.

Longino, C. F. Jr. (1988). Who are the oldest Americans? *The Gerontologist, 28,* 515–523.

Longino, C. F. Jr. (1990). Geographical distribution and migration. In R. H. Binstock & L. K. George (Eds.), *Handbook of aging and the social sciences* (3rd ed.) (pp. 45–63). San Diego, CA: Academic Press.

Longino, C. F., Jr., Jackson, D. J., Zimmerman, R. S., & Bradsher, J. E.

(1991). The second move: Health and geographic mobility. *Journal of Gerontology: SOCIAL SCIENCES, 46*, S218–224.

Lopata, H. Z. (1981). Widowhood and husband sanctification. *Journal of Marriage and the Family, 43*, 439–450.

Lopata, H. Z. (1986). Time in anticipated future and events in memory. *American Behavioral Scientist, 29*, 695–709.

Lozoff, B. (1989). Nutrition and behavior. *American Psychologist, 44*, 231–236.

Lubben, J. E., Weiler, P. G., & Chi, I. (1989). Health practices of the elderly poor. *American Journal of Public Health, 79*, 731–734.

Lütkenhaus, P., Grossmann, K. E., & Grossmann, K. (1985). Infant-mother attachment at twelve months and style of interaction with a stranger at the age of three years. *Child Development, 56*, 1538–1542.

Lyons, N. P. (1983). Two perspectives: On self, relationships, and morality. *Harvard Educational Review, 53*, 125–145.

Lyons-Ruth, K., Repacholi, B., McLeod, S., & Silva, E. (1991). Disorganized attachment behavior in infancy: Short-term stability, maternal and infant correlates, and risk-related subtypes. *Development and Psychopathology, 3*, 388–396.

Lytton, H., & Romney, D. M. (1991). Parents' differential socialization of boys and girls: A meta-analysis. *Psychological Bulletin, 109*, 267–296.

Maas, H. S., & Kuypers, J. A. (1974). *From thirty to seventy.* San Francisco: Jossey-Bass.

Maccoby, E. E. (1980). *Social development. Psychological growth and the parent-child relationships.* New York: Harcourt Brace Jovanovich.

Maccoby, E. E. (1984). Middle childhood in the context of the family. In W. A. Collins (Ed.), *Development during middle childhood. The years from six to twelve* (pp. 184–239). Washington, DC: National Academy Press.

Maccoby, E. E. (1988). Gender as a social category. *Developmental Psychology, 24*, 755–765.

Maccoby, E. E. (1990). Gender and relationships. A developmental account. *American Psychologist, 45*, 513–520.

Maccoby, E. E., & Jacklin, C. N. (1974). *The psychology of sex differences.* Stanford, CA: Stanford University Press.

Maccoby, E. E., & Jacklin, C. N. (1987). Gender segregation in childhood. In H. W. Reese (Ed.), *Advances in child development and behavior* (Vol. 20) (pp. 239–288). Orlando, FL: Academic Press.

Maccoby, E. E., & Martin, J. A. (1983). Socialization in the context of the family: Parent-child interaction. In E. M. Hetherington (Ed.), *Handbook of child psychology: Socialization, personality, and social development* (Vol. 4) (pp. 1–102). New York: Wiley. (P. H. Mussen, General Editor)

MacGowan, R. J., MacGowan, C. A., Serdula, M. K., Lane, J. M., Joesoef, R. M., & Cook, F. H. (1991). Breast-feeding among women attending Women, Infants, and Children clinics in Georgia, 1987. *Pediatrics, 87*, 361–366.

Maclean, M., Bryant, P., & Bradley, L. (1987). Rhymes, nursery rhymes, and reading in early childhood. *Merrill-Palmer Quarterly, 33*, 255–281.

Mac Rae, H. (1992). Fictive kin as a component of the social networks of older people. *Research on Aging, 14*, 226–247.

Madden, D. J. (1992). Four to ten milliseconds per year: Age-related slowing of visual word identification. *Journal of Gerontology: PSYCHOLOGICAL SCIENCES, 47*, P49–68.

Madden, D. J., Blumenthal, J. A., Allen, P. A., & Emery, C. F. (1989). Improving aerobic capacity in healthy older adults does not necessarily lead to improved cognitive performance. *Psychology and Aging, 4*, 307–320.

Madsen, W. (1969). Mexican Americans and Anglo Americans: A comparative study of mental health in Texas. In S. C. Plog & R. B. Edgerton (Eds.), *Changing perspectives in mental illness* (pp. 217–247). New York: Holt, Rinehart & Winston.

Magnusson, D., Stattin, H., & Allen, V. L. (1986). Differential maturation among girls and its relation to social adjustment: A longitudinal perspective. In P. B. Baltes, D. L. Featherman & R. M. Lerner (Eds.), *Life-span development and behavior* (Vol. 7) (pp. 136–173). Hillsdale, NJ: Erlbaum.

Main, M. (1990). Cross-cultural studies of attachment organization: Recent studies, changing methodologies, and the concept of conditional strategies. *Human Development, 33*, 48–61.

Main, M., & Cassidy, J. (1988). Categories of response to reunion with the parent at age 6: Predictable from infant attachment classifications and stable over a 1-month period. *Developmental Psychology, 24*, 415–426.

Main, M., Kaplan, N., & Cassidy, J. (1985). Security in infancy, childhood, and adulthood: A move to the level of representation. In I. Bretherton & E. Waters (Eds.), Growing points of attachment theory and research. *Monographs of the Society for Research in Child Development, 50* (Serial No. 209, pp. 66–104.)

Main, M., & Solomon, J. (1985). Discovery of an insecure disorganized/disoriented attachment pattern: Procedures, findings and implications for the classification of behavior. In M. Yogman & T. B. Brazelton (Eds.), *Affective development in infancy* (pp. 95–124). Norwood, NJ: Ablex.

Malina, R. M. (1979). Secular changes in size and maturity: Causes and effects. In A. F. Roche (Ed.), *Secular trends in human growth, maturation, and development. Monographs of the Society for Research in Child Development, 44* (#179), 59–102.

Malina, R. M. (1982). Motor development in the early years. In S. G. Moore & C. R. Cooper (Eds.), *The young child. Reviews of research* (Vol. 3) (pp. 211–232). Washington, DC: National Association for the Education of Young Children.

Malina, R. M. (1990). Physical growth and performance during the transition years (9–16). In R. Montemayor, G. R. Adams & T. P. Gullotta (Eds.), *From childhood to adolescence: A transitional period?* (pp. 41–62). Newbury Park, CA: Sage.

Manton, K. G., & Stallard, E. (1991). Cross-sectional estimates of active life expectancy for the U.S. elderly and oldest-old populations. *Journal of Gerontology: SOCIAL SCIENCES, 46*, S170–182.

Marcia, J. E. (1966). Development and validation of ego identity status. *Journal of Personality and Social Psychology 3*, 551–558.

Marcia, J. E. Identity in adolescence. (1980). In J. Adelson (Ed.), *Handbook of adolescent psychology* (pp. 159–187). New York: Wiley.

Marcus, D. E., & Overton, W. F. (1978). The development of cognitive gender constancy and sex role preferences. *Child Development, 49*, 434–444.

Marcus, R. F. (1986). Naturalistic observation of cooperation, helping, and sharing and their association with empathy and affect. In C. Zahn-Waxler, E. M. Cummings, & R. Iannotti (Eds.), *Altruism and aggression. Biological and social origins* (pp. 256–279). Cambridge, England: Cambridge University Press.

Maret, E., & Finlay, B. (1984). The distribution of household labor among women in dual-earner families. *Journal of Marriage and the Family, 46*, 357–364.

Markides, K. S., Coreil, J., & Rogers, L. P. (1989). Aging and health among southwestern Hispanics. In K. S. Markides (Ed.), *Aging and health* (pp. 177–210). Newbury Park, CA: Sage Publications.

Markides, K. S., & Krause, N. (1985). Intergenerational solidarity and psychological well-being among older Mexican Americans: A three-generations study. *Journal of Gerontology, 40*, 390–392.

Markides, K. S., & Lee, D. J. (1991). Predictors of health status in middle-aged and older Mexican Americans. *Journal of Gerontology: SOCIAL SCIENCES, 46*, S243–249.

Markides, K. S., & Mindel, C. H. (1987). *Aging and ethnicity*. Newbury Park, CA: Sage Publications.

Markman, E. M. (1989). *Categorization and naming in children; Problems of induction*. Cambridge, MA: MIT Press, Bradford Books.

Markman, E. M. & Hutchinson, J. (1984). Children's sensitivity to constraints on word meaning: Taxonomic vs. thematic relations. *Cognitive Psychology, 16*, 1–27.

Markovitz, H., Schleifer, M., & Fortier, L. (1989). Development of elementary deductive reasoning in young children. *Developmental Psychology, 25*, 787–793.

Marshall, V. W. (1975). Age and awareness of finitude in developmental gerontology. *Omega, 6*, 113–129.

Marshall, V. W., & Levy, J. A. (1990). Aging and dying. In R. H. Binstock & L. K. George (Eds.), *Handbook of aging and the social sciences* (pp. 245–260). San Diego, CA: Academic Press.

Marsiglio, W., & Donnelly, D. (1991). Sexual relations in later life: A national study of married persons. *Journal of Gerontology: SOCIAL SCIENCES, 46*, S338–344.

Martin, C. L. (1991). The role of cognition in understanding gender effects. In H. W. Reese (Ed.), *Advances in child development and behavior* (Vol. 23) (pp. 113–150). San Diego, CA: Academic Press.

Martin, C. L., & Halverson, C. F. Jr. (1981). A schematic processing model of sex typing and stereotyping in children. *Child Development, 52*, 1119–1134.

Martin, C. L., & Halverson, C. F. Jr. (1983). The effects of sex-typing schemas on young children's memory. *Child Development, 54*, 563–574.

Martin, C. L., & Little, J. K. (1990). The relation of gender understanding to children's sex-typed preferences and gender stereotypes. *Child Development, 61*, 1427–1439.

Martin, C. L., Wood, C. H., & Little, J. K. (1990). The development of gender stereotype components. *Child Development, 61*, 1891–1904.

Martin, P., & Smyer, M. A. (1990). The experience of micro- and macroevents. A life span analysis. *Research on Aging, 12*, 294–310.

Martin, T. C., & Bumpass, L. L. (1989). Recent trends in marital disruption. *Demography, 26*, 37–51.

Martorano, S. C. (1977). A developmental analysis of performance on Piaget's formal operations tasks. *Developmental Psychology, 13*, 666–672.

Marvin, R. S., & Greenberg, M. T. (1982). Preschoolers' changing conceptions of their mothers: A social-cognitive study of mother-child attachment. *New Directions for Child Development, 18*, 47–60.

Maslow, A. H. (1968). *Toward a psychology of being* (2nd ed.). New York: Van Nostrand Reinhold.

Maslow, A. H. (1970a). *Religions, values, and peak-experiences*. New York: Viking. (Original work published 1964).

Maslow, A. H. (1970b). *Motivation and personality* (2nd ed.). New York: Harper & Row.

Maslow, A. H. (1971). *The farther reaches of human nature*. New York: Viking.

Massad, C. M. (1981). Sex role identity and adjustment during adolescence. *Child Development, 52*, 1290–1298.

Masten, A. S., Best, K. M., & Garmezy, N. (1990). Resilience and development: Contributions from the study of children who overcome adversity. *Development and Psychopathology, 2*, 425–444.

Matas, L., Arend, R. A., & Sroufe, L. A. (1978). Continuity of adapta-tion in the second year: The relationship between quality of attachment and latter competence. *Child Development, 49*, 547–556.

Mather, P. L., & Black, K. N. (1984). Heredity and environmental influences on preschool twins' language skills. *Developmental Psychology, 20*, 303–308.

Mathew, A., & Cook, M. (1990). The control of reaching movements by young infants. *Child Development, 61*, 1238–1257.

Matthews, K. A. (1988). Coronary heart disease and Type A behaviors: Update on and alternative to the Booth-Kewley and Friedman (1987) quantitative review. *Psychological Bulletin, 104*, 373–380.

Maurer, D., & Maurer, C. (1988). *The world of the newborn*. New York: Basic Books.

Mayer, J. (1975). Obesity during childhood. In M. Winick (Ed.), *Childhood obesity* (pp. 73–80). New York: Wiley.

Maylor, E. A. (1990). Recognizing and naming faces: Aging, memory retrieval and the tip of the tongue state. *Journal of Gerontology: PSYCHOLOGICAL SCIENCES, 45*, P215–226.

Maylor, E. A. (1991). Recognizing and naming tunes: Memory impairment in the elderly. *Journal of Gerontology: PSYCHOLOGICAL SCIENCES, 46*, P207–217.

McAuley, W. J., & Blieszner, R. (1985). Selection of long-term care arrangements by older community residents. *The Gerontologist, 25*, 188–193.

McBride, G. (1991, Fall). Nontraditional inheritance—II. The clinical implications. *Mosaic, 22*, 12–25.

McCabe, A. E., Siegel, L. S., Spence, I., & Wilkinson, A. (1982). Class-inclusion reasoning: Patterns of performance from three to eight years. *Child Development, 53*, 779–785.

McCall, R. B. (1981). Early predictors of later IQ: The search continues. *Intelligence, 5*, 141–147.

McCall, R. B., Appelbaum, M. I., & Hogarty, P. S. (1973). Developmental changes in mental performance. *Monographs of the Society for Research in Child Development, 38* (Serial No. 150).

McCord, J. (1982). A longitudinal view of the relationship between parental absence and crime. In J. Gunn & D. P. Farrington (Eds.), *Abnormal offenders, delinquency, and the criminal justice system* (pp. 113–128). London: Wiley.

McCord, W., McCord, J., & Zola, I. K. (1959). *Origins of crime*. New York: Columbia University Press.

McCrae, R. R., & Costa, P. T., Jr. (1984). *Emerging lives, enduring dispositions: Personality in adulthood*. Boston: Little, Brown.

McCrae, R. R., & Costa, P. T., Jr. (1988). Psychological resilience among widowed men and women: A 10-year follow-up of a national sample. *Journal of Social Issues, 44*, No. 3, 129–142.

McCrae, R. R., & Costa, P. T., Jr. (1990). *Personality in adulthood*. New York: The Guilford Press.

McCready, W. C. (1985). Styles of grandparenting among white ethnics. In V. L. Bengtson & J. F. Robertson (Eds.), *Grandparenthood*. Beverly Hills, CA: Sage.

McDonald, P. L., & Wanner, R. A. (1990). *Retirement in Canada*. Toronto: Butterworths.

McFall, S., & Miller, B. H. (1992). Caregiver burden and nursing home admission of frail elderly persons. *Journal of Gerontology: SOCIAL SCIENCES, 47* S73–79.

McFalls, J. A. Jr. (1990). The risks of reproductive impairment in the later years of childbearing. *Annual Review of Sociology, 16*, 491–519.

McGandy, R. B. (1988). Atherogenesis and aging. In R. Chernoff & D. A. Lipschitz (Eds.), *Aging*. Vol. 35. *Health promotion and disease prevention in the elderly*. New York: Raven Press.

McKey, R. H., Condelli, L., Granson, H., Barrett, B., McConkey, C., & Plantz, M. (1985, June). *The impact of Head Start on children, families* and communities (final report of the Head Start Evaluation, Synthesis and Utilization Project). Washington, DC: CSR.

McLaughlin, B. (1984). Second-language acquisition in childhood: Vol. 1. Preschool children (2nd ed.). Hillsdale, NJ: Erlbaum.

McLoyd, V. C. (1990). The impact of economic hardship on black families and children: Psychological distress, parenting, and socioemotional development. Child Development, 61, 311–346.

Meier, S. T. (1991). Vocational behavior, 1988–1990: Vocational choice, decision-making, career development interventions, and assessment. Journal of Vocational Behavior, 39, 131–181.

Meltzoff, A. N. (1988). Infant imitation and memory: Nine-month-olds in immediate and deferred tasks. Child Development, 59, 217–225.

Meltzoff, A. N., & Borton, R. W. (1979). Intermodal matching by human neonates. Nature, 282, 403–404.

Meltzoff, A. N., & Moore, M. K. (1983). Newborn infants imitate adult facial gestures. Child Development, 54, 702–709.

Menaghan, E. G., & Lieberman, M. A. (1986). Changes in depression following divorce: A panel study. Journal of Marriage and the Family, 48, 319–328.

Mervis, C. B., & Mervis, C. A. (1982). Leopards are kitty-cats: Object labeling by mothers for their thirteen-month-olds. Child Development, 53, 267–273.

Meyer-Bahlburg, H. F. L., Ehrhardt, A. A., & Feldman, J. F. (1986). Long-term implications of the prenatal endocrine milieu for sex-dimorphic behavior. In L. Erlenmeyer-Kimling & N. E. Miller (Eds.), Life-span research on the prediction of psychopathology (pp. 17–30). Hillsdale, NJ: Erlbaum.

Mikulincer, M., & Nachshon, O. (1991). Attachment styles and patterns of self-disclosure. Journal of Personality and Social Psychology, 51, 321–331.

Miller, B. C., & Moore, K. A. (1990). Adolescent sexual behavior, pregnancy, and parenting: Research through the 1980s. Journal of Marriage and the Family, 52, 1025–1044.

Miller, R. A. (1990). Aging and the immune response. In E. L. Schneider & J. W. Rowe (Eds.), Handbook of the biology of aging (3rd ed.) (pp. 157–180). San Diego, CA: Academic Press.

Miller, S. M., Birnbaum, A., & Durbin, D. (1990). Etiologic perspectives on depression in childhood. In M. Lewis & S. M. Miller (Eds.), Handbook of developmental psychopathology (pp. 311–340). New York: Plenum.

Miller, T. Q., Turner, C. W., Tindale, R. S., Posavac, E. J., & Dugoni, B. L. (1991) Reasons for the trend toward null findings in research on Type A behavior. Psychological Bulletin, 110, 469–495.

Millstein, S. G., & Litt, I. R. (1990). Adolescent health. In S. S. Feldman & G. R. Elliott (Eds.), At the threshold. The developing adolescent (pp. 431–456). Cambridge, MA: Harvard University Press.

Miranda, S. B., Fantz, R. L. (1974). Recognition memory in Down's syndrome and normal infants. Child Development, 45, 651–660.

Mischel, W. (1966). A social learning view of sex differences in behavior. In E. E. Maccoby (Ed.), The development of sex differences (pp. 56–81). Stanford, CA: Stanford University Press.

Mischel, W. (1970). Sex typing and socialization. In P. H. Mussen (Ed.), Carmichael's manual of child psychology (Vol. 2) (pp. 3–72). New York: Wiley.

Mishell, D. R., Jr. (Ed.) (1987). Menopause: Physiology and pharmacology. Chicago: Year Book Medical Publishers.

Mitchell, P. R., & Kent, R. D. (1990). Phonetic variation in multisyllable babbling. Journal of Child Language, 17, 247–265.

Mitchell, E. A., Scragg, R., Stewart, A. W., Becroft, D. M. O., Taylor, B. J., Ford, R. P. K., Hassall, I. B., Barry, D. M. J., Allen, E. M., & Roberts, A. P. (1991). Results from the first year of the New Zealand cot death study. New Zealand Medical Journal, Feb. 104, 71–76.

Mizukami, K., Kobayashi, N., Ishii, T., & Iwata, H. (1990). First selective attachment begins in early infancy: A study using telethermography. Infant Behavior and Development, 13, 257–271.

Moen, P. (1985). Continuities and discontinuities in women's labor force activity. In G. H. Elder, Jr., (Ed.), Life course dynamics. (pp. 113–155) Ithaca, NY: Cornell University Press.

Moen, P. (1991). Transitions in mid-life: Women's work and family roles in the 1970s. Journal of Marriage and the Family, 53, 135–150.

Monk, T. H., Reynolds, C. F. III, Buysse, D. J., Hoch, C. C., Jarrett, D. B., Jennings, J. R., & Kupfer, D. J. (1991). Circadian characteristics of healthy 80-year-olds and their relationship to objectively recorded sleep. Journal of Gerontology: MEDICAL SCIENCES, 46, M171–175.

Montemayor, R. (1982). The relationship between parent-adolescent conflict and the amount of time adolescents spend alone and with parents and peers. Child Development, 53, 1512–1519.

Montemayor, R., & Eisen, M. (1977). The development of self-conceptions from childhood to adolescence. Developmental Psychology, 13, 314–319.

Moon, C., & Fifer, W. P. (1990). Syllables as signals for 2-day-old infants. Infant Behavior and Development, 13, 377–390.

Moore, K. A., Hofferth, S. L., Wertheimer, R. F., Waite, L. J., & Caldwell, S. B. (1981). Teenage childbearing: Consequences for women, families, and government welfare expenditures. In K. G. Scott, T. Field & E. G. Robertson (Eds.), Teenage parents and their offspring. New York: Grune & Stratton.

Moore, K. L. (1988). The developing human. Clinically oriented embryology (4th ed.). Philadelphia: W. B. Saunders.

Morgan, D. G. (1992). Neurochemical changes with aging: Predisposition towards age-related mental disorders. In J. E. Birren, R. B. Sloane & G. D. Cohen (Eds.), Handbook of mental health and aging (2nd ed.) (pp. 175–200). San Diego, CA: Academic Press.

Morgan, L. A. (1991). After marriage ends. Economic consequences for midlife women. Newbury Park, CA: Sage Publications.

Morisset, C. E., Barnard, K. E., Greenberg, M. T., Booth, C. L., & Spieker, S. J. (1990). Environmental influences on early language development: The context of social risk. Development and Psychopathology, 2, 127–149.

Morris, J. N., Mor, V., Goldberg, R. J., Sherwood, S., Greer, D. S., & Hiris, J. (1986). The effect of treatment setting and patient characteristics on pain in terminal cancer patients: A report from the National Hospice Study. Journal of Chronic Diseases, 39, 27–35.

Morrison, D. M. (1985). Adolescent contraceptive behavior: A review. Psychological Bulletin, 98, 538–568.

Morrongiello, B. A. (1988). The development of auditory pattern perception skills. In C. Rovee-Collier & L. P. Lipsitt (Eds.), Advances in infancy research (Vol. 5) (pp. 137–173). Norwood, NJ: Ablex.

Morse, P. A., & Cowan, N. (1982). Infant auditory and speech perception. In T. M. Field, A. Houston, H. C. Quay, L. Troll, & G. E. Finley (Eds.), Review of human development (pp. 32–61). New York: Wiley.

Mortimer, J. A., Van Duijn, C. M., Chandra, V., Fratiglioni, L., Graves, A. B., Heyman, A., Jorm, A. F., Kokmen, E., Kondo, K., Rocca, W. A., Shalat, S. L., Soininen, H., & Hofman, A. (1991). Head trauma as a risk factor for Alzheimer's disease: A collaborative re-analysis of case-control studies. International Journal of Epidemiology, 20 (Suppl 2), S28–35.

Mortimer, J. T., Finch, M., Shanahan, M., & Ryu, S. (1992). Work experience, mental health, and behavioral adjustment in adolescence. Journal of Research on Adolescence, 2, 25–57.

Mosher, F. A., & Hornsby, J. R. (1966). On asking questions. In J. S. Bruner, R. R. Olver & P. M. Greenfield (Eds.), *Studies in cognitive growth* (pp. 68–85). New York: Wiley.

Mosher, W. D. (1987). Infertility: Why business is booming. *American Demography, July*, 42–43.

Mosher, W. D., & Pratt, W. F. (1987). Fecundity, infertility, and reproductive health in the United States, 1982. *Vital Health Statistics*, Series 23, No. 14. National Center for Health Statistics, US Public Health Service. Washington: USGPO.

Munro, G., & Adams, G. R. (1977). Ego-identity formation in college students and working youth. *Developmental Psychology, 13*, 523–524.

Munroe, R. H., Shimmin, H. S., & Munroe, R. L. (1984). Gender understanding and sex role preference in four cultures. *Developmental Psychology, 20*, 673–682.

Murray, J. L., & Bernfield, M. (1988). The differential effect of prenatal care on the incidence of low birth weight among blacks and whites in a prepaid health care plan. *New England Journal of Medicine, 319*, 1385–1391.

Murray, J. P. (1980). *Television & youth. 25 years of research and controversy.* Stanford, CA: The Boys Town Center for the Study of Youth Development.

Murrell, S. A., & Norris, F. H. (1991). Differential social support and life change as contributors to the social class-distress relationship in old age. *Psychology and Aging, 6*, 223–231.

Murstein, B. I. (1970). Stimulus-Value-Role: A theory of marital choice. *Journal of Marriage and the Family, 32*, 465–481.

Murstein, B. I. (1976). *Who will marry whom? Theories and research in marital choice.* New York: Springer.

Murstein, B. I. (1986). *Paths to marriage.* Beverly Hills, CA: Sage.

Myers, B. J. (1987). Mother-infant bonding as a critical period. In M. H. Bornstein (Ed.), *Sensitive periods in development: Interdisciplinary perspectives* (pp. 223–246). Hillsdale, NJ: Erlbaum.

Myers, G. C. (1990). Demography of aging. In R. H. Binstock & L. K. George (Eds.), *Handbook of aging and the social sciences* (3rd ed.) (pp. 19–44). San Diego, CA: Academic Press.

Naeye, R. L., & Peters, E. C. (1984). Mental development of children whose mothers smoked during pregnancy. *Obstetrics & Gynecology, 64*, 601–607.

Nathanson, C. A., & Lorenz, G. (1982). Women and health: The social dimensions of biomedical data. In J. Z. Giele (Ed.), *Women in the middle years.* New York: Wiley.

National Center for Health Statistics (1984). Advance report on final natality statistics, 1982. *Monthly Vital Statistics Report, 33* (No. 6), Supplement, Sept. 28, 1984.

Neerhof, M. G., MacGregor, S. N., Retzky, S. S., & Sullivan, T. P. (1989). Cocaine abuse during pregnancy: Peripartum prevalence and perinatal outcome. *American Journal of Obstetrics and Gynecology, 161*, 633–638.

Neimark, E. D. (1982). Adolescent thought: Transition to formal operations. In B. B. Wolman (Ed.), *Handbook of developmental psychology* (pp. 486–502). Englewood Cliffs, NJ: Prentice-Hall.

Neimeyer, R. A., & Chapman, K. M. (1980–81). Self/ideal discrepancy and fear of death: The test of an existential hypothesis. *Omega, 11*, 233–239.

Nelson, C. A. (1987). The recognition of facial expression in the first two years of life: Mechanisms of development. *Child Development, 58*, 889–909.

Nelson, C. A. (1989). Past, current, and future trends in infant face perception research. *Canadian Journal of Psychology, 43*, 183–198.

Nelson, E. A., & Dannefer, D. (1992). Aged heterogeneity: Fact or fiction? The fate of diversity in gerontological research. *The Gerontologist, 32*, 17–23.

Nelson, Katherine. (1973). Structure and strategy in learning to talk. *Monographs of the Society for Research in Child Development, 38* (Serial No. 149).

Nelson, Keith. (1977). Facilitating children's syntax acquisition. *Developmental Psychology, 13*, 101–107.

Neugarten, B. L. (1968). The awareness of middle age. In B. L. Neugarten (Ed.), *Middle age and aging.* Chicago, IL: University of Chicago Press.

Neugarten, B. L. (1970). Dynamics of transition of middle age to old age. *Journal of Geriatric Psychiatry, 4*, 71–87.

Neugarten, B. L. (1974). Age groups in American society and the rise of the young-old. In F. R. Eisele (Ed.), *Political consequences of aging.* Philadelphia: American Academy of Political and Social Sciences.

Neugarten, B. L. (1975). The future of the young-old. *The Gerontologist, 15*, 4–9.

Neugarten, B. L. (1976). Adaptation and the life cycle. *The Counseling Psychologist, 6*, 16–20.

Neugarten, B. L. (1977). Personality and aging. In J. E. Birren & K. W. Schaie (Eds.), *Handbook of the psychology of aging.* New York: Van Nostrand Reinhold.

Neugarten, B. L. (1979). Time, age, and the life cycle. *American Journal of Psychiatry, 136*, 887–894.

Neugarten, B. L., & Weinstein, K. (1964). The changing American grandparent. *Journal of Marriage and the Family, 26*, 199–204.

Newcombe, N. S., & Baenninger, M. (1989). Biological change and cognitive ability in adolescence. In G. R. Adams, R. Montemayor & T. P. Gullotta (Eds.), *Biology of adolescent behavior and development* (pp. 168–194). Newbury Park, CA: Sage.

Newman, E. S., Sherman, S. R., & Higgins, C. E. (1982). Retirement expectations and plans: A comparison of professional men and women. In M. Szinovacz (Ed.), *Women's retirement* (pp. 113–122). Beverly Hills: Sage Publications.

Nightingale, E. O., & Goodman, M. (1990). *Before birth. Prenatal testing for genetic disease.* Cambridge, MA: Harvard University Press.

Nilsson, L. (1990). *A child is born.* New York: Delacorte Press.

Nisan, M., & Kohlberg, L. (1982). Universality and variation in moral judgment: A longitudinal and cross-sectional study in Turkey. *Child Development, 53*, 865–876.

Nolen-Hoeksema, S., Girgus, J. S., & Seligman, M. E. P. (1991). Sex differences in depression and explanatory style in children. *Journal of Youth and Adolescence, 20*, 233–246.

Noller, P., & Fitzpatrick, M. A. (1990). Marital communication in the eighties. *Journal of Marriage and the Family, 52*, 832–843.

Norris, F. H., & Murrell, S. A. (1990). Social support, life events, and stress as modifiers of adjustment to bereavement by older adults. *Psychology and Aging, 5*, 429–436.

Norton, A. J. (1983). Family life cycle: 1980. *Journal of Marriage and the Family, 45*, 267–275.

Norton, A. J., & Glick, P. C. (1986). One parent families: A social and economic profile. *Family Relations, 35*, 9–18.

Norwood, T. H., Smith, J. R., & Stein, G. H. (1990). Aging at the cellular level: The human fibroblastlike cell model. In E. R. Schneider & J. W. Rowe (Eds.), *Handbook of the biology of aging* (3rd ed.) (pp. 131–154). San Diego, CA: Academic Press.

Nottelmann, E. D., Susman, E. J., Blue, J. H., Inoff-Germain, G., Dorn, L. D., Loriaux, D. L., Cutler, G. B., Jr., & Chrousos, G. P. (1987). Gonadal and adrenal hormone correlates of adjustment in early adolescence. In R. M. Lerner & T. T. Foch (Eds.), *Biological-psycho-*

social interactions in early adolescence (pp. 303–324). Hillsdale, NJ: Erlbaum.

Novacek, J., Raskin, R., & Hogan, R. (1991). Why do adolescents use drugs? Age, sex, and user differences. *Journal of Youth and Adolescence*, 20, 475–492.

Nowakowski, R. S. (1987). Basic concepts of CNS development. *Child Development*, 58, 568–595.

Nurmi, J., Pulliainen, H., & Salmela-Aro, K. (1992). Age differences in adults' control beliefs related to life goals and concerns. *Psychology and Aging*, 7, 194–196.

Nydegger, C. N. (1991). The development of paternal and filial maturity. In K. Pillemer & K. McCartney (Eds.), *Parent-child relations throughout life* (pp. 93–112). Hillsdale, NJ: Erlbaum.

O'Brien, M., & Huston, A. C. (1985). Development of sex-typed play behavior in toddlers. *Developmental Psychology*, 21, 866–871.

O'Brien, S. F., & Bierman, K. L. (1988). Conceptions and perceived influence of peer groups: interviews with preadolescents and adolescents. *Child Development*, 59, 1360–1365.

O'Brien, S. J., & Vertinsky, P. A. (1991). Unfit survivors: Exercise as a resource for aging women. *The Gerontologist*, 31, 347–357.

O'Bryant, S. L. (1988). Sibling support and older widows' well-being. *Journal of Marriage and the Family*, 50, 173–183.

O'Connor, S., Vietze, P. M., Sandler, H. M., Sherrod, K. B., & Altemeier, W. A. (1980). Quality of parenting and the mother-infant relationships following rooming-in. In P. M. Taylor (Ed.), *Parent-infant relationships* (pp. 349–368). New York: Grune & Stratton.

Offord, D. R., Boyle, M. C., & Racine, Y. A. (1991). The epidemiology of antisocial behavior in childhood and adolescence. In D. J. Pepler & K. H. Rubin (Eds.) *The development and treatment of childhood aggression* (pp. 31–54). Hillsdale, NJ: Erlbaum.

Olds, D. L., & Henderson, C. R. Jr. (1989). The prevention of maltreatment. In D. Cicchetti & V. Carlson (Eds.), *Child maltreatment* (pp. 722–763). Cambridge, England: Cambridge University Press.

O'Leary, A. (1990). Stress, emotion, and human immune function. *Psychological Bulletin*, 108, 363–382.

O'Leary, K. D., & Smith, D. A. (1991). Marital interactions. *Annual Review of Psychology*, 42, 191–212.

Oller, D. K. (1981). Infant vocalizations: Exploration and reflectivity. In R. E. Stark (Ed.), *Language behavior in infancy and early childhood* (pp. 85–104). New York: Elsevier/North-Holland.

Olshan, A. F., Baird, P. A., & Teschke, K. (1989). Paternal occupational exposures and the risk of Down syndrome. *American Journal of Human Genetics*, 44, 646–651.

O'Rand, A. M. (1990). Stratification and the life course. In R. H. Binstock & L. K. George (Eds.), *Handbook of aging and the social sciences* (3rd ed.) (pp. 130–148). San Diego, CA: Academic Press.

Ornish, D. (1990). *Dr. Dean Ornish's program for reversing heart disease*. New York: Random House.

Ortolani, S., Trevisan, C., Bianchi, M. L., Caraceni, M. P., Ulivieri, F. M., Gandolini, G., Montesano, A., & Polli, E. E. (1991). Spinal and forearm bone mass in relation to ageing and menopause in healthy Italian women. *European Journal of Clinical Investigation*, 21, 33–39.

Orwoll, L., & Perlmutter, M. (1990). The study of wise persons: Integrating a personality perspective. In R. J. Sternberg (Ed.), *Wisdom. Its nature, origins, and development* (pp. 160–180). Cambridge, England: Cambridge University Press.

Overton, W. F., Ward, S. L., Noveck, I. A., Black, J., & O'Brien, D. P. (1987). Form and content in the development of deductive reasoning. *Developmental Psychology*, 23, 22–30.

Owens, W. A. (1966). Age and mental abilities: A second adult follow-up. *Journal of Educational Psychology*, 57, 311–325.

Owsley, C., Ball, K., Sloane, M. E., Roenker, D. L., & Bruni, J. R. (1991). Visual/cognitive correlates of vehicle accidents in older drivers. *Psychology and Aging*, 6, 403–415.

Padilla, A. M., Lindholm, K. J., Chen, A., Duran, R., Hakuta, K., Lambert, W., & Tucker, G. R. (1991). The English-only movement: Myths, reality, and implications for psychology. *American Psychologist*, 46, 120–130.

Paffenbarger, R. S., Hyde, R. T., Wing, A. L., & Hsieh, C. (1987). Physical activity, all-cause mortality, and longevity of college alumni. *New England Journal of Medicine*, 314, 605–613.

Page, D. C., Mosher, R., Simpson, E. M., Fisher, E. M. C., Mardon, G., Pollack, J., McGillivray, B., de la Chapelle, A., & Brown, L. G. (1987). The sex-determining region of the human Y chromosome encodes a finger protein. *Cell*, 51, 1091–1104.

Paikoff, R. L., & Brooks-Gunn, J. (1990). Physiological processes: What role do they play during the transition to adolescence? In R. Montemayor, G. R. Adams & T. P. Gullotta (Eds.), *From childhood to adolescence. A transitional period?* (pp. 63–81). Newbury Park, CA: Sage.

Paikoff, R. L., & Brooks-Gunn, J. (1991). Do parent-child relationships change during puberty? *Psychological Bulletin*, 110, 47–66.

Palkovitz, R. (1985). Fathers' birth attendance, early contact, and extended contact with their newborns: A critical review. *Child Development*, 56, 392–406.

Palmore, E. (1981). *Social patterns in normal aging: Findings from the Duke Longitudinal Study*. Durham, NC: Duke University Press.

Palmore, E. B., Burchett, B. M., Fillenbaum, G. G., George, L. K., & Wallman, L. M. (1985). *Retirement. Causes and consequences*. New York: Springer.

Palmore, E. B., & Cleveland, W., (1976). Aging, terminal decline, and terminal drop. *Journal of Gerontology*, 31, 76–81.

Pampel, F. C. (1983). Changes in the propensity to live alone: Evidence from consecutive cross-sectional surveys, 1960–1976. *Demography*, 20, 433–447.

Papousek, H., & Papousek, M. (1991). Innate and cultural guidance of infants' integrative competencies: China, the United States, and Germany. In M. H. Bornstein (Ed.), *Cultural approaches to parenting* (pp. 23–44). Hillsdale, NJ: Erlbaum.

Parke, R. D., & Tinsley, B. R. (1981). The father's role in infancy: Determinants of involvement in caregiving and play. In M. E. Lamb (Ed.), *The role of the father in child development* (2nd ed.) (pp. 429–458). New York: Wiley.

Parke, R. D., & Tinsley, B. R. (1984). Fatherhood: Historical and contemporary perspectives. In K. A. McCluskey & H. W. Reese (Eds.), *Life-span developmental psychology. Historical and generational effects* (pp. 203–248). Orlando, FL: Academic Press.

Parke, R. D., & Tinsley, B. J. (1987). Family interaction in infancy. In J. D. Osofsky (Ed.), *Handbook of infant development* (2nd ed.) (pp. 579–641). New York: Wiley.

Parkes, C. M., & Weiss, R. S. (1983). *Recovery from bereavement*. New York: Basic Books.

Parkhurst, J. T., & Asher, S. R. (1992). Peer rejection in middle school: Subgroup differences in behavior, longliness, and interpersonal concerns. *Developmental Psychology*, 28, 231–241.

Parlee, M. B. (1979, October). The friendship bond. *Psychology Today*, 14, 43–54, 113.

Parmelee, A. H. Jr. (1986). Children's illnesses: Their beneficial effects on behavioral development. *Child Development*, 57, 1- 10.

Parmelee, A. H., Jr., & Sigman, M. D. (1983). Perinatal brain development and behavior. In M. M. Haith & J. J. Campos (Eds.), *Handbook of child psychology: Infancy and developmental psychobiology* (Vol. 2) (pp. 95–156). New York: Wiley. (P. H. Mussen, General Editor)

Parmelee, A. H., Jr., Wenner, W. H., & Schulz, H. R. (1964). Infant sleep patterns from birth to 16 weeks of age. *Journal of Pediatrics, 65,* 576–582.

Parnes, H. S., Crowley, J. E., Haurin, R. J., Less, L. J., Morgan, W. R., Mott, F. L., & Nestel, G. (1985). *Retirement among American men.* Lexington, MA: Lexington Books.

Parsons, J. E., Adler, T. F., & Kaczala, C. M. (1982). Socialization of achievement attitudes and beliefs: Parental influences. *Child Development, 53,* 310–321.

Passman, R. H., & Longeway, K. P. (1982). The role of vision in maternal attachment: Giving 2-year-olds a photograph of their mother during separation. *Developmental Psychology, 18,* 530–533.

Patterson, G. R. (1975). *Families: Applications of social learning to family life.* Champaign, IL: Research Press.

Patterson, G. R. (1980). Mothers: The unacknowledged victims: *Monographs of the Society for Research in Child Development, 45* (Serial No. 186.)

Patterson, G. R., & Bank, L. (1989). Some amplifying mechanisms for pathological processes in families. In M. R. Gunnar & E. Thelen (Eds.), *Minnesota symposia on child psychology* (Vol. 22) (pp. 167–209). Hillsdale, NJ: Erlbaum.

Patterson, G. R., Capaldi, D., & Bank, L. (1991). An early starter model for predicting delinquency. In D. J. Pepler & K. H. Rubin (Eds.) *The development and treatment of childhood aggression* (pp. 139–168). Hillsdale, NJ: Erlbaum.

Patterson, G. R., DeBarsyshe, B. D., & Ramsey, E. (1989). A developmental perspective on antisocial behavior. *American Psychologist, 44,* 329–335.

Paxton, S. J., Wertheim, E. H., Gibbons, K., Szmjkler, G. I., Hillier, L., & Petrovich, J. L. (1991). Body image satisfaction, dieting beliefs, and weight loss behaviors in adolescent girls and boys. *Journal of Youth and Adolescence, 20,* 361–379.

Pearlin, L. (1975). Sex roles and depression. In N. Datan & L. H. Ginsberg (Eds.), *Life-span developmental psychology: Normative life crises.* New York: Academic Press.

Pearlin, L. I. (1980). Life strains and psychological distress among adults. In N. J. Smelser & E. H. Erikson (Eds), *Themes of work and love in adulthood.* Cambridge, MA: Harvard University Press.

Pearlin, L. I. (1982). Discontinuities in the study of aging. In T. K. Hareven & K. J. Adams (Eds.), *Aging and life course transitions: An interdisciplinary perspective.* New York: Guilford Press.

Pederson, D. R., Moran, G., Sitko, C., Campbell, K., Ghesquire, K., & Acton, H. (1990). Maternal sensitivity and the security of infant-mother attachment: A Q-sort study. *Child Development, 61,* 1974–1983.

Pedersen, N. L., & Harris, J. R. (1990). Developmental behavioral genetics and successful aging. In P. B. Baltes & M. M. Baltes (Eds.), *Successful aging* (pp. 359–380). Cambridge, England: Cambridge University Press.

Pence, A. R. (Ed.) (1988). *Ecological research with children and families. From concepts to methodology.* New York: Teachers College Press.

Peplau, L. A. (1991). Lesbian and gay relationships. In J. C. Gonsiorek & J. D. Weinrich (Eds.), *Homosexuality. Research implications for public policy* (pp. 177–196). Newbury Park, CA: Sage.

Perlman, D., & Fehr, B. (1987). The development of intimate relationships. In D. Perlman & S. Duck (Eds.), *Intimate relationships. Development, dynamics, and deterioration.* Newbury Park, CA: Sage.

Perner, J. (1991). On representing that: The asymmetry between belief and desire in children's theory of mind. In D. Frye & C. Moore (Eds.), *Children's theories of mind: Mental states and social understanding* (pp. 139–156). Hillsdale, NJ: Erlbaum.

Perry, W. B. (1970). *Forms of intellectual and ethical development in the college years.* New York: Holt, Rinehart & Winston.

Perry-Jenkins, M., & Crouter, A. C. (1990). Men's provider-role attitudes. Implications for household work and marital satisfaction. *Journal of Family Issues, 11,* 136–156.

Peskin, H., & Livson, N. (1981). Uses of the past in adult psychological health. In D. H. Eichorn, J. A. Clausen, N. Haan, M. P. Honzik, & P. H. Mussen (Eds.), *Present and past in middle life.* New York: Academic Press.

Petersen, A. C. (1987). The nature of biological-psychosocial interactions: The sample case of early adolescence. In R. M. Lerner & T. T. Foch (Eds.), *Biological-phychosocial interactions in early adolescence. (pp. 35–62).* Hillsdale, NJ: Erlbaum.

Petersen, A. C., Sarigiani, P. A., & Kennedy, R. E. (1991). Adolescent depression: Why more girls? *Journal of Youth and Adolescence, 20,* 247–272.

Petersen, A. C., & Taylor, B. The biological approach to adolescence. (1980). In J. Adelson (Ed.), *Handbook of adolescent psychology* (pp. 117–158). New York: Wiley.

Peterson, C., Seligman, M. E. P., & Vaillant, G. E. (1988). Pessimistic explanatory style is a risk factor for physical illness: A thirty-five-year longitudinal study. *Journal of Personality and Social Psychology, 55,* 23–27.

Petitto, L. A. (1988). "Language" in the prelinguistic child. In F. S. Kessell (Ed.) *The development of language and language researchers: Essays in honor of Roger Brown* (pp. 187–222).

Pettingale, K. W., Morris, T., Greer, S., & Haybittle, J. L. (March 30, 1985). Mental attitudes to cancer: An additional prognostic factor. *Lancet, P. 85.*

Pettit, G. S., Bakshi, A., Dodge, K. A., & Coie, J. D. (1990). The emergence of social dominance in young boys' play groups: Developmental differences and behavioral correlates. *Developmental Psychology, 26,* 1017–1025.

Phillips, K., & Fulker, D. W. (1989). Quantitative genetic analysis of longitudinal trends in adoption designs with application to IQ in the Colorado Adoption Project. *Behavior Genetics, 19,* 621–658.

Phillips, S. K., Bruce, S. A., Newton, D., & Woledge, R. C. (1992). The weakness of old age is not due to failure of muscle activation. *Journal of Gerontology: MEDICAL SCIENCES, 47,* M45–49.

Phinney, J. S. (1990). Ethnic identity in adolescents and adults: Review of research. *Psychological Bulletin, 108,* 499–514.

Phinney, J. S., & Rosenthal, D. A. (1992). Ethnic identity in adolescence: Process, context, and outcome. In G. R. Adams, T. P. Gullotta & R. Montemayor (Eds.), *Adolescent identity formation* (pp. 145–172). Newbury Park, CA: Sage.

Piaget, J. (1932). *The moral judgment of the child.* New York: Macmillan.

Piaget, J. (1952). *The origins of intelligence in children.* New York: Basic Books. (Original work published 1936).

Piaget, J. (1954). *The construction of reality in the child.* New York: Basic Books. (Original work published 1937).

Piaget, J. (1970). Piaget's theory. In P. H. Mussen (Ed), *Carmichael's manual of child psychology* (Vol. 1) (3rd ed.) (pp. 703–732). New York: Wiley.

Piaget, J. (1977). *The development of thought. Equilibration of cognitive structures.* New York: The Viking Press.

Piaget, J., & Inhelder, B. (1959). *La genèse des structures logiques élémentaires: Classifications et sériations.* Neuchâtel: Delachaux et Niestlé.

Piaget, J., & Inhelder, B. (1969). *The psychology of the child*. New York: Basic Books.

Pianta, R., Egeland, B., & Erickson, M. F. (1989). The antecedents of maltreatment: Results of the Mother-Child Interaction Research Project. In D. Cicchetti & V. Carlson (Eds.), *Child maltreatment* (pp. 203–253). Cambridge, England: Cambridge University Press.

Pinker, S. (1987). The bootstrapping problem in language acquisition. In B. MacWhinney (Ed.), *Mechanisms of language acquisition* (pp. 399–442). Hillsdale, NJ: Erlbaum.

Pitkin, R. M. (1977). Nutrition during pregnancy: The clinical approach. In M. Winick (Ed.), *Nutritional disorders of American women*. New York: Wiley.

Pleck, J. (1977). The work-family role system. *Social Problems, 24*, 417–427.

Pleck, J. H., Sonenstein, F. L., & Ku, L. C. (1990). Contraceptive attitudes and intention to use condoms in sexually experienced and inexperienced adolescent males. *Journal of Family Issues, 11*, 294–312.

Pleck, J. H., Sonenstein, F. L., & Ku, L. C. (1991). Adolescent males' condom use: Relationships between perceived cost-benefits and consistency. *Journal of Marriage and the Family, 53*, 733–745.

Plomin, R. (1989). Environment and genes: Determinants of behavior. *American Psychologist, 44*, 105–111.

Plomin, R., & DeFries, J. C. (1985a). A parent-offspring adoption study of cognitive abilities in early childhood. *Intelligence, 9*, 341–356.

Plomin, R., & DeFries, J. C. (1985b). *Origins of individual differences in infancy. The Colorado Adoption Project*. Orlando, FL: Academic Press.

Plomin, R., Loehlin, J. C., & DeFries, J. C. (1985). Genetic and environmental components of "environmental" influences. *Developmental Psychology, 21*, 391–402.

Plomin, R., & McClearn, G. E. (1990). Human behavioral genetics of aging. In J. E. Birren & K. W. Schaie (Eds.), *Handbook of the psychology of aging* (3rd ed.) (pp. 67–79). San Diego, CA: Academic Press.

Plomin, R., Pedersen, N. L., McClearn, G. E., Nesselroade, J. R., & Bergeman, C. S. (1988). EAS temperaments during the last half of the life span: Twins reared apart and twins reared together. *Psychology and Aging, 3*, 43–50.

Plomin, R., & Rende, R. (1991). Human behavioral genetics. *Annual Review of Psychology, 42*, 161–190.

Plomin, R., Rende, R., & Rutter, M. (1991). Quantitative genetics and developmental psychopathology. In D. Cicchetti & S. L. Toth (Eds.). *Internalizing and externalizing expressions of dysfunction: Rochester symposium on developmental psychopathology* (pp. 155–202). Hillsdale, NJ: Erlbaum.

Plowman, S. A., Drinkwater, B. L., & Horvath, S. M. (1979). Age and aerobic power in women: A longitudinal study. *Journal of Gerontology, 34*, 512–520.

Plunkett, J. W., Klein, T., & Meisels, S. J. (1988). The relationship of preterm infant-mother attachment to stranger sociability at 3 years. *Infant Behavior and Development, 11*, 83–96.

Poehlman, E. T., Melby, C. O., & Badylak, S. F. (1991). Relation of age and physical exercise status on metabolic rate in younger and older healthy men. *Journal of Gerontology: BIOLOGICAL SCIENCES, 46*, B54–58.

Pollack, J. M. (1979–80). Correlates of death anxiety: A review of empirical studies. *Omega, 10*, 97–121.

Pollock, M. L., Foster, C., Knapp, D., Rod, J. L., & Schmidt, D. H. (1987). Effect of age and training on aerobic capacity and body composition of master athletes. *Journal of Applied Physiology, 62*, 725–731.

Poon, L. W., & Schaffer, G. (1982). Prospective memory in young and elderly adults. Paper presented at the Annual Meetings of the American Psychological Association, Washington, D. C.

Poulson, C. L., Nunes, L. R. D., & Warren, S. F. (1989). Imitation in infancy: A critical review. In H. W. Reese (Ed.), *Advances in child development and behavior* (Vol. 22) (pp. 272–298). San Diego, CA: Academic Press.

Power, C., & Peckham, C. (1990). Childhood morbidity and adulthood ill health. *Journal of Epidemiology and Community Health, 44*, 69–74.

Power, C., & Reimer, J. (1978). Moral atmosphere: An educational bridge between moral judgment and action. *New Directions for Child Development, 2*, 105–116.

Power, T. G., & Chapieski, M. L. (1986). Child rearing and impulse control in toddlers: A naturalistic investigation. *Developmental Psychology, 22*, 271–275.

Prechtl, H. F. R., & Beintema, D. J. (1964). The neurological examination of the full-term newborn infant. *Clinics in Developmental Medicine, 12*. London: Hinemann.

Price, R. A., Stunkard, A. J., Ness, R., Wadden, T., Heshka, S., Kanders, B., & Cormillot, A. (1990). Childhood onset (age <10) obesity has high familial risk. *International Journal of Obesity, 14*, 185–195.

Price, R. H. (1992). Psychosocial impact of job loss on individuals and families. *Current Directions in Psychological Science, 1*, 9–11.

Pulkkinen, L. (1982). Self-control and continuity in childhood delayed adolescence. In P. Baltes & O. Brim (Eds.), *Life span development and behavior* (Vol. 4) (pp. 64–107). New York: Academic Press.

Pye, C. (1986). Quiche Mayan speech to children. *Journal of Child Language, 13*, 85–100.

Pyle, R., Mitchell, J., Eckert, E., Halverson, P., Neuman, P., & Goff, G. (1983). The incidence of bulimia in freshman college students. *International Journal of Eating Disorders, 2*, 75–85.

Quinn, J. F. (1987). The economic status of the elderly: Beware of the mean. *The Review of Income and Wealth, 1*, 63–82.

Quinn, J. F., & Burkhauser, R. V. (1990). Work and retirement. In R. H. Binstock & L. K. George (Eds.), *Handbook of aging and the social sciences* (3rd ed.) (pp. 307–327). San Diego: Academic Press.

Ramey, C. T., & Campbell, F. A. (1987). The Carolina Abecedarian Project. An educational experiment concerning human malleability. In J. J. Gallagher & C. T. Ramey (Eds.), *The malleability of children* (pp. 127–140). Baltimore: Paul H. Brookes.

Ramey, C. T., & Haskins, R. (1981a). The modification of intelligence through early experience. *Intelligence, 5*, 5–19.

Ramey, C. T., & Haskins, R. (1981b). Early education, intellectual development, and school performance: A reply to Arthur Jensen and J. McVicker Hunt. *Intelligence, 5*, 41–48.

Ramey, C. T., Lee, M. W., & Burchinal, M. R. (1989). Developmental plasticity and predictability: Consequences of ecological change. In M. H. Bornstein & N. A. Krasnegor (Eds.), *Stability and continuity in mental development* (pp. 217–234). Hillsdale, NJ: Erlbaum.

Ramey, C. T., Yeates, K. W., & Short, E. J. (1984). The plasticity of intellectual development: Insights from inventive intervention. *Child Development, 55*, 1913–1925.

Raskind, M. A., & Peskind, E. R. (1992). Alzheimer's disease and other dementing disorders. In J. E. Birren, R. B. Sloane & G. D. Cohen, (Eds.), *Handbook of mental health and aging* (2nd ed.) (pp. 478–515). San Diego, CA: Academic Press.

Razel, M. (1985). A reanalysis of the evidence for the genetic nature of early motor development. In I. E. Sigel (Ed.), *Advances in applied developmental psychology* (Vol. 1) (pp. 171–212). Norwood, NJ: Ablex.

Rea, M. F. (1990). The Brazilian national breastfeeding program: A success story. *International Journal of Gynecology and Obstetrics, 31* (Suppl. 1), 79–82.

Reedy, M. N., Birren, J. E., & Schaie, K. W. (1981). Age and sex differences in satisfying love relationships across the adult life span. *Human Development, 24,* 52–66.

Regier, D. A., Boyd, J. H., Burke, J. D., Rae, D. S., Myers, J. K., Kramer, M., Robins, L. N., George, L. K., Karno, M., & Locke, B. Z. (1988). One-month prevalence of mental disorders in the United States. *Archives of General Psychiatry, 45,* 977–986.

Reich, J. W., Zautra, A. J., & Guarnaccia, C. A. (1989). Effects of disability and bereavement on the mental health and recovery of older adults. *Psychology and Aging, 4,* 57–65.

Reinke, B. J., Holmes, D. S., & Harris, R. L. (1985). The timing of psychosocial changes in women's lives: The years 25–45. *Journal of Personality and Social Psychology, 48,* 1353–1364.

Reis, H. T. (1986). Gender effects in social participation: Intimacy, loneliness, and the conduct of social interaction. In R. Gilmour & S. Duck (Eds.), *The emerging field of personal relationships.* Hillsdale, NJ: Erlbaum.

Reisman, J. M., & Shorr, S. I. (1978). Friendship claims and expectations among children and adults. *Child Development, 49,* 913–916.

Remafedi, G. (1987a). Adolescent homosexuality: Psychosocial and medical implications. *Pediatrics, 79,* 331–337.

Remafedi, G. (1987b). Male homosexuality: The adolescent's perspective. *Pediatrics, 79,* 326–330.

Renouf, A. G., & Harter, S. (1990). Low self-worth and anger as components of the depressive experience in young adolescents. *Development and psychopathology, 2,* 293–310.

Resnick, S. K. (March 8, 1992). Moving on. *New York Times Magazine,* pp. 22–24.

Rest, J. R., (1983). Morality. In J. H. Flavell & E. M. Markman (Eds.), *Handbook of child psychology: Cognitive development* (Vol. 3) (pp. 556–629). New York: Wiley. (P. H. Mussen, General Editor).

Rest, J. R., & Thoma, S. J. (1985). Relation of moral judgment development to formal education. *Developmental Psychology, 21,* 709–714.

Rexroat, C., & Shehan, C. (1987). The family life cycle and spouses' time in housework. *Journal of Marriage and the Family, 49,* 737–750.

Reynolds, C. R., & Brown, R. T. (Eds.) (1984). *Perspectives on bias in mental testing.* New York: Plenum.

Rholes, W. S., & Ruble, D. N. (1984). Children's understanding of dispositional characteristics of others. *Child Development, 55,* 550–560.

Ricciuti, H. N. (1981). Developmental consequences of malnutrition in early childhood. In M. A. Lewis & L. A. Rosenblum (Eds.), *The uncommon child* (pp. 151–172). New York: Plenum.

Rice, M. L. (1989). Children's language acquisition. *American Psychologist, 44,* 149–156.

Rice, M. L., Huston, A. C., Truglio, R., & Wright, J. (1990). Words from "Sesame Street": Learning vocabulary while viewing. *Developmental Psychology, 26,* 421–428.

Richards, F. A., & Commons, M. L. (1990). Postformal cognitive-developmental theory and research: A review of its current status. In C. N. Alexander & E. J. Langer (Eds.), *Higher stages of human development. Perspectives on adult growth* (pp. 139–161). New York: Oxford University Press.

Richardson, G., & Marx, E. (1989). *A welcome for every child. How France achieves quality in child care.* Report of the Child Care Study Panel of the French-American Foundation, New York.

Richardson, G. S. (1990). Circadian rhythms and aging. In E. R. Scheider & J. W. Rowe (Eds.), *Handbook of the biology of aging,* 3rd ed. (pp. 275–305). San Diego, CA: Acdemic Press.

Richardson, J. L., Zarnegar, Z., Bisno, B., & Levine, A. (1990). Psychosocial status at initiation of cancer treatment and survival. *Journal of Psychosomatic Research, 34,* 189–201.

Ridenour, M. V. (1982). Infant walkers: Developmental tool or inherent danger. *Perceptual and Motor Skills, 55,* 1201–1202.

Rierdan, J., & Koff, E. (1991). Depressive symptomatology among very early maturing girls. *Journal of Youth and Adolescence, 20,* 415–425.

Rierdan, J., Koff, E., & Stubbs, M. L. (1989). Timing of menarche, preparation, and initial menstrual experience: Replication and further analysis in a prospective study. *Journal of Youth and Adolescence, 18,* 413–426.

Rikli, R., & Busch, S. (1986). Motor performance of women as a function of age and physical activity level. *Journal of Gerontology, 41,* 645–649.

Riley, M. W., Foner, A. (1968). *Aging and society.* Vol. 1. *An inventory of research findings.* New York: Russell Sage Foundation.

Riley, M. W. (1976). Age strata in social systems. In R. H. Binstock & E. Shanas (Eds.), *Handbook of aging and the social sciences.* New York: Van Nostrand Reinhold.

Riley, M. W. (1986). Overview and highlights of a sociological perspective. In A. B. Sorensen, F. E. Weinert & L. R. Sherrod (Eds.), *Human development and the life course: Multidisciplinary perspectives* (pp. 153–176). Hillsdale, NJ: Lawrence Erlbaum.

Rindfuss, R. R. (1991). The young adult years: Diversity, structural change, and fertility. *Demography, 28,* 493–512.

Rindfuss, R. R., Swicegood, C. G., & Rosenfeld, R. A. (1987). Disorder in the life course: How common and does it matter? *American Sociological Review, 52,* 785–801.

Roberto, K. A., & Scott, J. P. (1986). Equity considerations in the friendships of older adults. *Journal of Gerontology, 41,* 241–247.

Roberts, C. W., Green, R., Williams, K., & Goodman, M. (1987). Boyhood gender identity development: A statistical contrast of two family groups. *Developmental Psychology, 23,* 544–557.

Roberts, P., & Newton, P. M. (1987). Levinsonian studies of women's adult development. *Psychology and Aging, 2,* 154–163.

Robins, L. N., & McEvoy, L. (1990). Conduct problems as predictors of substance abuse. In L. N. Robins & M. Rutter (Eds.), *Straight and devious pathways from childhood to adulthood* (pp. 182–204). Cambridge, England: Cambridge University Press.

Robinson, N. M. (1978). Perinatal life for mother and baby. Common problems of the perinatal period. In D. W. Smith, E. L. Bierman, & N. M. Robinson (Eds.), *The biologic ages of man* (2nd ed.) (pp. 97–106). Philadelphia: Saunders.

Rocca, W. A., Van Duijn, C. M., Clayton, D., Chandra, V. Fratiglioni, L., Graves, A. B., Heyman, A., Jorm, A. F., Kokmen, E., Kondo, K., Mortimer, J. A., Shalat, S. L., & Soininen, H. (1991). Maternal age and Alzheimer's disease: A collaborative re-analysis of case-control studies. *International Journal of Epidemiology, 20* (Suppl. 2), S21–27.

Roche, A. F. (1981). The adipocyte-number hypothesis. *Child Development, 52,* 31–43.

Rodin, J. (1986). Aging and health: Effects of the sense of control. *Science, 233,* 1271–1275.

Rodin, J. (1990). Control by any other name: Definitions, concepts, and processes. In J. Rodin, C. Schooler & K. W. Schaie (Eds.), *Self-directedness: Cause and effects throughout the life course* (pp. 1–17). Hillsdale, NJ: Erlbaum.

Rodin, J., & Langer, E. J. (1977). Long-term effects of a control-relevant intervention with the institutionalized aged. *Journal of Personality and*

Social Psychology, 35, 897–902.

Rodning, C., Beckwith, L., & Howard, J. (1991). Quality of attachment and home environments in children prenatally exposed to PCP and cocaine. *Development and Psychopathology, 3*, 351–366.

Rogers, J. (1991, Fall). Nontraditional inheritance - I. Mechanisms Mendel never knew. *Mosaic, 22*, 3–11.

Rogers, R. L., Meyer, J. S., & Mortel, K. F. (1990). After reaching retirement age physical activity sustains cerebral perfusion and cognition. *Journal of the American Geriatric Society, 38*, 123–128.

Rogoff, B. (1981). Schooling and the development of cognitive skills. In H. C. Triandis & A. Heron (Eds.), *Handbook of cross-cultural psychology, Vol. 4, Developmental psychology* (pp. 233–294). Boston: Allyn and Bacon.

Rohner, R. P., Kean, K. J., & Cournoyer, D. E. (1991). Effects of corporal punishment, perceived caretaker warmth, and cultural beliefs on the psychological adjustment of children in St. Kitts, West Indies. *Journal of Marriage and the Family, 53*, 681–693.

Rollins, B. C., & Feldman, H. (1970). Marital satisfaction over the family life cycle. *Journal of Marriage and the Family, 32*, 20–27.

Rollins, B. C., & Galligan, R. (1978). The developing child and marital satisfaction of parents. In R. M. Lerner & G. M. Spanier (Eds.), *Child influences on marital and family interaction. A life-span perspective* (pp. 71–106). New York: Academic Press.

Rolls, B. J., Fedoroff, I. C., & Guthrie, J. F. (1991). Gender differences in eating behavior and body weight regulation. *Health Psychology, 20*, 133–142.

Rooks, J. P., Weatherby, N. L., Ernst, E. K. M., Stapleton, S., Rosen, D., & Rosenfield, A. (1989). Outcomes of care in birth centers. The national birth center study. *The New England Journal of Medicine, 321*, 1804–1811.

Roosa, M. W. (1984). Maternal age, social class, and the obstetric performance of teenagers. *Journal of Youth and Adolescence, 13*, 365–374.

Rose, S. A., & Ruff, H. A. (1987). Cross-modal abilities in human infants. In J. D. Osofsky (Ed.), *Handbook of infant development* (2nd ed.) (pp. 318–362). New York: Wiley-Interscience.

Rosenbaum, J. E. (1984). *Career mobility in a corporate hierarchy*. New York: Academic Press.

Rosenbaum, J. E. (1991). Are adolescent problems caused by school or society? *Journal of Research on Adolescence, 1*, 301–322.

Rosenblith, J. F., & Sims-Knight, J. E. (1989). *In the beginning. Development in the first two years of life*. Newbury Park, CA: Sage.

Rosenman, R. H., & Friedman, M. (1983). Relationship of Type A behavior pattern to coronary heart disease. In H. Selye (Ed.), *Selye's guide to stress research* (Vol 2). New York: Scientific and Academic Editions.

Rosenthal, C. J., (1985). Kinkeeping in the familial division of labor. *Journal of Marriage and the Family, 49*, 965–974.

Rosenthal, C. J., Matthews, S. H., & Marshall, V. W. (1989). Is parent care normative? The experiences of a sample of middle-aged women. *Research on Aging, 11*, 244–260.

Rosow, I. (1985). Status and role change through the life cycle. In R. H. Binstock & E. Shanas (Eds.), *Handbook of aging and the social sciences* (2nd ed.). New York: Van Nostrand Reinhold.

Ross, G., Kagan, J., Zelazo, P., & Kotelchuck, M. (1975). Separation protest in infants in home and laboratory. *Developmental Psychology, 11*, 256–257.

Ross, R. K., Paganini-Hill, A., Mack, T. M., & Henderson, B. E. (1987). Estrogen use and cardiovascular disease. In D. R. Mishell, Jr. (Ed.), *Menopause: Physiology and pharmacology* (pp. 209–224). Chicago: Year Book Medical Publishers.

Rossi, A. S. (1989). A life-course approach to gender, aging, and inter-generational relations. In K. W. Schaie & C. Schooler (Eds.), *Social structure and aging: Psychological processes*. Hillsdale, NJ: Erlbaum. (pp. 207–236).

Rossman, I. (1980). Bodily changes with aging. In E. W. Busse & D. G. Blazer (Eds.), *Handbook of geriatric psychiatry*. New York: Van Nostrand Reinhold.

Rothbart, M. K. (1986). Longitudinal observation of infant temperament. *Developmental Psychology, 22*, 356–365.

Rothbart, M. K. (1989a). Temperament in childhood: A framework. In G. A. Kohnstamm, J. E. Bates & M. K. Rothbart (Eds.), *Temperament in childhood* (pp. 59–75). Chichester, England: Wiley.

Rothbart, M. K. (1989b). Biological processes in temperament. In G. A. Kohnstamm, J. E. Bates & M. K. Rothbart (Eds.), *Temperament in childhood* (pp. 77–110). Chichester, England: Wiley.

Rotheram-Borus, M. J., Rosario, M., & Koopman, C. (1991). Minority youths at high risk: Gay males and runaways. In M. E. Colten & S. Gore (Eds.), *Adolescent stress. Causes and consequences* (pp. 181–200). New York: Aldine de Gruyter.

Rotter, J. B. (1966). Generalized expectancies for internal versus external control of reinforcement. *Psychological Monographs, 80* (1, Whole No. 609).

Rovee-Collier, C. (1986). The rise and fall of infant classical conditioning research: Its promise for the study of early development. In L. P. Lipsitt & C. Rovee-Collier (Eds.), *Advances in infancy research* (Vol. 4) (pp. 139–162). Norwood, NJ: Ablex.

Rovet, J., & Netley, C. (1983). The triple X chromosome syndrome in childhood: Recent empirical findings. *Child Development, 54*, 831–845.

Rowe, I., & Marcia, J. E. (1980). Ego identity status, formal operations, and moral development. *Journal of Youth and Adolescence, 9*, 87–99.

Rowe, J. W., Wang, S. Y., & Elahi, D. (1990). Design, conduct, and analysis of human aging research. In E. R. Schneider & J. W. Rowe (Eds.), *Handbook of the biology of aging* (3rd ed.) (pp. 63–71). San Diego, CA: Academic Press.

Rubin, K. H., Fein, G. G., & Vandenberg, B. (1983). Play. In E. M. Hetherington (Ed.), *Handbook of child psychology: Socialization, personality, and social development* (Vol. 4) (pp. 693–774). New York: Wiley. (Paul H. Mussen, General Editor)

Rubin, K. H., Mymel, S., Mills, R. S. L., & Rose-Rasnor, L. (1991). Conceptualizing different developmental pathways to and from social isolation in childhood. In D. Cicchetti & S. L. Toth (Eds.) *Internalizing and externalizing expressions of dysfunction: Rochester symposium on developmental psychopathology* (Vol. 2) (pp. 91–122). Hillsdale, NJ: Erlbaum.

Rubinstein, R. L. (1986). *Singular paths: Old men living alone*. New York: Columbia University Press.

Rubinstein, R. L., Alexander, B. B., Goodman, M., & Luborsky, M. (1991). Key relationships of never married childless older women: A cultural analysis. *Journal of Gerontology: SOCIAL SCIENCES, 46*, S270–277.

Ruble, D. N. (1987). The acquisition of self-knowledge: A self-socialization perspective. In N. Eisenberg (Ed.), *Contemporary topics in developmental psychology* (pp. 243–270). New York: Wiley-Interscience.

Ruble, D. N., Balaban, T., & Cooper, J. (1981). Gender constancy and the effects of sex-typed televised toy commercials. *Child Development, 52*, 667–673.

Ruopp, R., & Travers, J. (1982). Janus faces day care: Perspectives on quality and cost. In E. F. Zigler & E. W. Gordon (Eds.), *Day care: Scientific and social policy issues* (pp. 72–101). Boston: Auburn House.

Russell, G. (1982). Shared-caregiving families: An Australian study. In M. E. Lamb (Ed.), *Nontraditional families* (pp. 139–172). Hillsdale, NJ: Erlbaum.

Rutter, M. (1975). *Helping troubled children*. New York: Plenum.

Rutter, M. (1978). Early sources of security and competence. In J. S. Bruner & A. Garton (Eds.), *Human growth and development*. London: Oxford University Press.

Rutter, M. (1983). School effects on pupil progress: Research findings and policy implications. *Child Development, 54*, 1–29.

Rutter, M. (1987). Continuities and discontinuities from infancy. In J. D. Osofsky (Ed.), *Handbook of infant development* (2nd ed.) (pp. 1256–1296). New York: Wiley-Interscience.

Rutter, M. (1990). Commentary: Some focus and process considerations regarding effects of parental depression on children. *Developmental Psychology, 26*, 60–67.

Rutter, M., Tizard, J., & Whitmore, K. (1970/1981). *Education, health and behaviour*. Huntington, NY: Krieger. (Originally published 1970).

Ryan, A. S., Rush, D., Krieger, F. W., & Lewandowski, G. E. (1991). Recent declines in breast-feeding in the United States, 1984 through 1989. *Pediatrics, 88*, 719–727.

Ryan, E. G. (1992). Beliefs about memory changes across the adult life span. *Journal of Gerontology: PSYCHOLOGICAL SCIENCES, 47*, P41–46.

Ryff, C. (1982). Self-perceived personality change in adulthood and aging. *Journal of Personality and Social Psychology, 42*, 108–115.

Ryff, C., & Baltes, P. B. (1976). Value transition and adult development in women: The instrumentality-terminality sequence hypothesis. *Developmental Psychology, 12*, 567–568.

Sack, W. H., Mason, R., & Higgins, J. E. (1985). The single parent family and abusive child punishment. *American Journal of Orthopsychiatry, 55*, 252–259.

Sagi, A. (1990). Attachment theory and research from a cross-cultural perspective. *Human Development, 33*, 10–22.

Sagi, A., van IJzendoorn, M. H., & Koren-Karie, N. (1991). Primary appraisal of the strange situation: A cross-cultural analysis of preseparation episodes. *Developmental Psychology, 27*, 587–596.

Saigal, S., Szatmari, P., Rosenbaum, P., Campbell, D., & King, S. (1991). Cognitive abilities and school performance of extremely low birth weight children and matched term control children at age 8 years: A regional study. *Journal of Pediatrics, 118*, 751–760.

Salthouse, T. A. (1991). *Theoretical perspectives on cognitive aging*. Hillsdale, NJ: Erlbaum.

Salthouse, T. A., & Babcock, R. L. (1991). Decomposing adult age differences in working memory. *Developmental Psychology, 27*, 763–776.

Sameroff, A. J., & Cavanaugh, P. J. (1979). Learning in infancy: A developmental perspective. In J. D. Osofsky (Ed.), *Handbook of infant development* (pp. 344–392). New York: Wiley.

Sammartino, F. J. (1987). The effect of health on retirement. *Social Security Bulletin, 50(2)*, 31–47.

Sanders, B., Soares, M. P., & D'Aquila, J. M. (1982). The sex difference on one test of spatial visualization: A nontrivial difference. *Child Development, 53*, 1106–1110.

Sanders, C. M. (1989). *Grief. The mourning after*. New York: Wiley-Interscience.

Sands, L. P., & Meredith, W. (1992). Blood pressure and intellectual functioning in late midlife. *Journal of Gerontology: PSYCHOLOGICAL SCIENCES, 47*, P81–84.

Sarason, B. R., Pierce, G. R., & Sarason, I. G. (1990). Social support: The sense of acceptance and the role of relationships. In B. R. Sarason, I. G. Sarason & G. R. Pierce, *Social support: An interactional view* (pp. 97–128). New York: Wiley.

Sarason, B. R., Sarason, I. G., & Pierce, G. R. (1990). Traditional views of social support and their impact on assessment. In B. R. Sarason, I. G. Sarason & G. R. Pierce, *Social support: An interactional view*. (pp. 9–25). New York: Wiley.

Saunders, C. (1977). Dying they live: St. Christopher's Hospice. In H. Feifel (Ed.), *New meanings of death*. New York: McGraw-Hill.

Saunders, W. L., & Shepardson, D. (1987). A comparison of concrete and formal science instruction upon science achievement and reasoning ability of sixth grade students. *Journal of Research in Science Teaching, 24*, 39–51.

Saxe, G. B. (1988). The mathematics of child street vendors. *Child Development, 59*, 1415–1425.

Scarr, S. (1992). Developmental theories for the 1990s: Development and individual differences. *Child Development, 63*, 1–19.

Scarr, S., & Kidd, K. K. (1983). Developmental behavior genetics. In M. M. Haith & J. J. Campos (Eds.), *Handbook of child psychology: Infancy and developmental psychobiology* (Vol. 2) (pp. 345–434). New York: Wiley. (P. H. Mussen, General Editor)

Scarr, S., Phillips, D., & McCartney, K. (1990). Facts, fantasies and the future of child care in the United States. *Psychological Science, 1*, 26–35.

Scarr, S., & Weinberg, R. A. (1983). The Minnesota adoption studies: Genetic differences and malleability. *Child Development, 54*, 260–267.

Schaefer, E. S. (1989). Dimensions of mother-infant interaction: Measurement, stability, and predictive validity. *Infant Behavior and Development, 12*, 379–393.

Schaefli, A., Rest, J. R., & Thoma, S. J. (1985). Does moral education improve moral judgment? A meta-analysis of intervention studies using the Defining Issues Test. *Review of Educational Research, 55*, 319–352.

Schafer, R. B., & Keith, P. M. (1984). A causal analysis of the relationship between the self-concept and marital quality. *Journal of Marriage and the Family, 46*, 909–914.

Schaffer, H. R. (1990). *Making decisions about children. Psychological questions and answers*. Oxford, England: Basil Blackwell.

Schaie, K. W. (1983a). What can we learn from the longitudinal study of adult psychological development? In K. W. Schaie (Ed.), *Longitudinal studies of adult psychological development*. New York: Guilford Press.

Schaie, K. W. (1983b). The Seattle longitudinal study: A 21-year exploration of psychometric intelligence in adulthood. In K. W. Schaie (Ed.), *Longitudinal studies of adult psychological development*. New York: Guilford Press.

Schaie, K. W. (1989). Individual differences in rate of cognitive change in adulthood. In V. L. Bengtson & K. W. Schaie (Eds.), *The course of later life. Research and reflections*. New York: Springer (pp. 65–86).

Schaie, K. W. (1990). Intellectual development in adulthood. In J. E. Birren & K. W. Schaie (Eds.), *Handbook of the psychology of aging* (3rd ed.) San Diego, CA: Academic Press.

Schaie, K. W., & Hertzog, C. (1983). Fourteen-year cohort-sequential analyses of adult intellectual development. *Developmental Psychology, 19*, 531–543.

Schaie, K. W., & Willis, S. L. (1991). Adult personality and psychomotor performance: Cross-sectional and longitudinal analyses. *Journal of Gerontology: PSYCHOLOGICAL SCIENCES, 46*, P275–284.

Scheibel, A. B. (1992). Structural changes in the aging brain. In J. E. Birren, R. B. Sloane, & G. D. Cohen, (Eds.), *Handbook of mental health and aging* (2nd ed.) (pp. 147–174). San Diego, CA: Academic Press.

Schieber, F. (1992). Aging and the senses. In J. E. Birren, R. B. Sloane, & G. D. Cohen, (Eds.), *Handbook of mental health and aging* (2nd ed.) (pp. 252–306). San Diego, CA: Academic Press.

Schleifer, S. J., Keller, S. E., Camerino, M., Thornton, J. C., & Stein, M. (1983). Suppression of lymphocyte stimulation following bereavement. *Journal of the American Medical Association, 250,* 374–377.

Schneider, E. L., & Rowe, J. W. (Eds.) (1990). *Handbook of the biology of aging* (3rd ed.) San Diego, CA: Academic Press.

Schneider, W., & Bjorklund, D. F. (1992). Expertise, aptitude, and strategic remembering. *Child Development, 63,* 461–473.

Schneider, W., & Pressley, M. (1989). *Memory development between 2 and 20.* New York: Springer-Verlag.

Schoen, R., & Wooldredge, J. (1989). Marriage choices in North Carolina and Virginia, 1969–71 and 1979–81. *Journal of Marriage and the Family, 51,* 465–481.

Schonfeld, I. S., Shaffer, D., O'Connor, P., & Portny, S. (1988). Conduct disorder and cognitive functioning: Testing three causal hypotheses. *Child Development, 59,* 993–1007.

Schramm, W. F., Barnes, D. E., & Bakewell, J. M. (1987). Neonatal mortality in Missouri home births, 1978–84. *American Journal of Public Health, 77,* 930–935.

Schulenberg, J., Goldstein, A. E., & Vondracek, F. W. (1991). Gender differences in adolescents' career interests: Beyond main effects. *Journal of Research in Adolescence, 1,* 37–61.

Schultz, N. R. Jr., Elias, M. F., Robbins, M. A., Streeten, D. H. P., & Blakeman, N. (1986). A longitudinal comparison of hypertensives and normotensives on the Wechsler Adult Intelligence Scale: Initial findings. *Journal of Gerontology, 41,* 169–175.

Schulz, J. H. (1988). *The economics of aging* (4th ed.). Dover, MA: Auburn House Publishing Co.

Schulz, R., & Curnow, C. (1988). Peak performance and age among superathletes: Track and field, swimming, baseball, tennis, and golf. *Journal of Gerontology: PSYCHOLOGICAL SCIENCES, 43,* 113–120.

Schulz, R., Visintainer, P., & Williamson, G. M. (1990). Psychiatric and physical morbidity effects of caregiving. *Journal of Gerontology: PSYCHOLOGICAL SCIENCES, 45,* 181–191.

Schulz, R., & Williamson, G. M. (1991). A 2-year longitudinal study of depression among Alzheimer's caregivers. *Psychology and Aging, 6,* 569–578.

Scollon, R. (1976). *Conversations with a one-year-old.* Honolulu: University of Hawaii Press.

Sears, R. R. (1977). Sources of life satisfactions of the Terman gifted men. *American Psychologist, 32* 119–128.

Seccombe, K. (1987). Children. Their impact on the elderly in declining health. *Research on Aging, 9,* 312–326.

Seidman, D. S., Ever-Hadani, P., & Gale, R. (1989). The effect of maternal weight gain in pregnancy on birth weight. *Obstetrics and Gynecology, 74,* 240–246.

Seitz, V. (1988). Methodology. In M. H. Bornstein & M. E. Lamb (Eds.), *Developmental psychology: An advanced textbook* (2nd ed.) (pp. 51–84). Hillsdale, NJ: Erlbaum.

Seligman, M. E. P. (1991). *Learned optimism.* New York: Alfred Knopf.

Selman, R. L. (1980). *The growth of interpersonal understanding.* New York: Academic Press.

Selmanowitz, V. J., Rizer, R. L., & Orentreich, N. (1977). Aging of the skin and its appendages. In C. E. Finch & L. Hayflick (Eds.), *Handbook of the biology of aging.* New York: Van Nostrand Reinhold.

Sepkoski, C. (1987). *A longitudinal study of the effects of obstetric medica-*

tion. Paper presented at the biennial meetings of the Society for Research in Child Development, Baltimore.

Serbin, L., Moskowitz, D. S., Schwartzman, A. E., & Ledingham, J. E. (1991). Aggressive, withdrawn, and aggressive/withdrawn children in adolescence: Into the next generation. In D. J. Pepler & K. H. Rubin (Eds.), *The development and treatment of childhood aggression* (pp. 55–70). Hillsdale, NJ: Erlbaum.

Shaffer, D., Garland, A., Gould, M., Fisher, P., & Trautman, P. (1988). Preventing teenage suicide: A critical review. *Journal of the American Academy of Child and Adolescent Psychiatry, 27,* 675–687.

Shantz, C. U. (1983). Social cognition. In J. H. Flavell & E. M. Markman (Eds.), *Handbook of child psychology,* Vol. III, *Cognitive development* (pp. 495–555). New York: Wiley. (P. H. Mussen, Series Editor)

Shantz, D. W. (1986). Conflict, aggression, and peer status: An observational study. *Child Development, 57,* 1322–1332.

Shapiro, E. (1983). Impending death and the use of hospitals by the elderly. *Journal of the American Geriatric Society, 31,* 348–351.

Shapiro, G. L., & Farrow, D. L. (1988). Mentors and others in career development. In S. Rose & L. Larwood (Eds.), *Women's careers. Pathways and pitfalls.* New York: Praeger.

Shelton, B. A. (1990). The distribution of household tasks. Does wife's employment status make a difference? *Journal of Family Issues, 11,* 115–135.

Sherrod, K. B., O'Connor, S., Vietze, P. M., & Altemeier, W. A. III. (1984). Child health and maltreatment. *Child Development, 55,* 1174–1183.

Shiono, P. H., Klebanoff, M. A., & Rhoads, G. G. (1986). Smoking and drinking during pregnancy. Their effects on preterm birth. *Journal of the American Medical Association, 225,* 82–84.

Shipley, M. J., Pocock, S. J., & Marmot, M. G. (1991). Does plasma cholesterol concentration predict mortality from coronary heart disease in elderly people? 18 year follow up in Whitehall study. *British Medical Journal, 303,* 89–92.

Shneidman, E. S. (1980). *Voices of death.* New York: Harper & Row.

Shneidman, E. S. (1983). *Deaths of man.* New York: Jason Aronson.

Shneidman, E. S. (1989). The Indian summer of life. A preliminary study of septuagenarians. *American Psychologist, 44,* 684–694.

Shock, N. W. (1985). Longitudinal studies of aging in humans. In C. E. Finch & E. L. Schneider (Eds.), *Handbook of the biology of aging* (2nd ed.). New York: Van Nostrand Reinhold.

Shonkoff, J. P. (1984). The biological substrate and physical health in middle childhood. In W. A. Collins (Ed.), *Development during middle childhood. The years from six to twelve* (pp. 24–69). Washington, DC: National Academy Press.

Shore, C. (1986). Combinatorial play, conceptual development, and early multiword speech. *Developmental Psychology, 22,* 184–190.

Shweder, R. A., Mahapatra, M., & Miller, J. G. (1987). Culture and moral development. In J. Kagan & S. Lamb (Eds.), *The emergence of morality in young children* (pp. 1–82). Chicago: The University of Chicago Press.

Siebert, J. M., Hogan, A. E., & Mundy, P. C. (1986). On the specifically cognitive nature of early object and social skill domain associations. *Merrill-Palmer Quarterly, 32,* 21–36.

Siegel, L. J., & Griffin, N. J. (1984). Correlates of depressive symptoms in adolescents. *Journal of Youth and Adolescence, 13,* 475–487.

Siegler, I. C. (1983). Psychological aspects of the Duke Longitudinal Studies. In K. W. Schaie (Ed.), *Longitudinal studies of adult psychological development* (pp. 136–190). New York: Guilford Press.

Siegler, I. C., & Lewis, M. A. (1984). Long-term care of the elderly. In D. Blazer & I. C. Siegler (Eds.), *A family approach to health care of the elderly.* Menlo Park, CA: Addison-Wesley.

Siegler, I. C., McCarty, S. M., & Logue, P. E. (1982). Wechsler memory scale scores, selective attrition, and distance from death. *Journal of Gerontology*, 37, 176–181.

Siegler, R. S. (1976). Three aspects of cognitive development. *Cognitive Psychology*, 8, 431–520.

Siegler, R. S. (1978). The origins of scientific reasoning. In R. S. Siegler (Ed.). *Children's thinking: What develops?* (pp. 109–150). Hillsdale, NJ: Erlbaum.

Siegler, R. S. (1981). Developmental sequences within and between concepts. *Monographs of the Society for Research in Child Development*, 46, (2, Serial No. 189).

Siegler, R. S. (1984). Mechanisms of cognitive growth: Variation and selection. In R. J. Sternberg (Ed.), *Mechanisms of cognitive development* (pp. 141–162). New York: W. H. Freeman.

Siegler, R. S. (1986). Unities across domains in children's strategy choices. In M. Perlmutter (Ed.), *Perspectives on intellectual development. The Minnesota symposia on child psychology*, Vol. 19 (pp. 1–48). Hillsdale, NJ: Erlbaum.

Siegler, R. S. (1988). Individual differences in strategy choices: Good students, not-so-good students, and perfectionists. *Child Development*, 59, 833–851.

Siegler, R. S., & Jenkins, E. (1989). *How children discover new strategies*. Hillsdale, NJ: Erlbaum.

Siegler, R. S., & Richards, D. D. (1982). The development of intelligence. In R. J. Sternberg (Ed.), *Handbook of human intelligence* (pp. 897–974). Cambridge: Cambridge University Press.

Sigman, M., Cohen, S. E., Beckwith, L., Asarnow, R., & Parmelee, A. H. (1991). Continuity in cognitive abilities from infancy to 12 years of age. *Cognitive Development*, 6, 47–57.

Sigman, M., Neumann, C., Carter, E., Cattle, D. J., D'Souza, S., & Bwibo, N. (1988). Home interactions and the development of Embu toddlers in Kenya. *Child Development*, 59, 1251–1261.

Signorielli, N. (1986). Selective television viewing: A limited possibility. *Journal of Communication*, 36 (No. 3), 64–81.

Silver, R. L., & Wortman, C. B. (1980). Coping with undesirable life events. In J. Garber & M. E. P. Seligman (Eds.), *Human helplessness: Theory and applications*. New York: Academic Press.

Silverstein, L. B. (1991). Transforming the debate about child care and maternal employment. *American Psychologist*, 46, 1025–1032.

Simmons, R. G., Blyth, D. A., & McKinney, K. L. (1983). The social and psychological effects of puberty on white females. In J. Brooks-Gunn & A. C. Petersen (Eds.), *Girls at puberty. Biological and psychosocial perspectives* (pp. 229–272). New York: Plenum.

Simmons, R. G., Burgeson, R., & Reef, M. J. (1988). Cumulative change at entry to adolescence. In M. R. Gunnar & W. A. Collins (Eds.), *Development during the transition to adolescence. Minnesota Symposia on Child Psychology*, Vol. 21 (pp. 123–150). Hillsdale, NJ: Erlbaum.

Simons, R. L., Robertson, J. F., & Downs, W. R. (1989). The nature of the association between parental rejection and delinquent behavior. *Journal of Youth and Adolescence*, 18, 297–309.

Simonton, D. K. (1988). Age and outstanding achievement: What do we know after a century of research? *Psychological Bulletin*, 104, 251–267.

Simonton, D. K. (1989). The swan-song phenomenon: Last-works effects for 172 classical composers. *Psychology and Aging*, 4, 42–47.

Simonton, D. K. (1991). Career landmarks in science: Individual differences and interdisciplinary contrasts. *Developmental Psychology*, 27, 119–130.

Simpson, J. A. (1990). Influence of attachment styles on romantic relationships. *Journal of Personality and Social Psychology*, 59, 971–980.

Simpson, J. A., Rholes, W. S., & Nelligan, J. S. (1992). Support seeking and support giving within couples in an anxiety-provoking situation: The role of attachment styles. *Journal of Personality and Social Psychology*, 62, 434–446.

Sinnott, J. D. (1986). Prospective/intentional and incidental every day memory: Effects of age and passage of time. *Psychology and Aging*, 1, 110–116.

Sirignano, S. W., & Lachman, M. E. (1985). Personality change during the transition to parenthood: The role of perceived infant temperament. *Developmental Psychology*, 21, 558–567.

Skinner, B. F. (1957). *Verbal behavior*. New York: Prentice-Hall.

Slaby, R. G., & Frey, K. S. (1975). Development of gender constancy and selective attention to same-sex models. *Child Development*, 46, 849–856.

Slater, A. M., & Bremner, J. G. (Eds.), (1989). *Infant development*. Hillsdale, NJ: Erlbaum.

Slobin, D. I. (1985a). Introduction: Why study acquisition crosslinguistically? In D. I. Slobin (Ed.), *The crosslinguistic study of language acquisition. Vol. 1: The data* (pp. 3–24). Hillsdale, NJ: Erlbaum.

Slobin, D. I. (1985b). Crosslinguistic evidence for the language-making capacity. In D. I. Slobin (Ed.), *The crosslinguistic study of language acquisition. Vol. 2: Theoretical issues* (pp. 1157–1256). Hillsdale, NJ: Erlbaum.

Smeeding, T. M. (1990). Economic status of the elderly. In R. H. Binstock & L. K. George (Eds.), *Handbook of aging and the social sciences* (3rd ed.) (pp. 362–381). San Diego, CA: Academic Press.

Smelser, N. J., & Erikson, E. H. (1980). *Themes of work and love in adulthood*. Cambridge, MA: Harvard University Press.

Smetana, J. G. (1990). Morality and conduct disorders. In M. Lewis & S. M. Miller (Eds.), *Handbook of developmental psychopathology*. (pp. 157–180). New York: Plenum.

Smetana, J. G., Killen, M., & Turiel, E. (1991). Children's reasoning about interpersonal and moral conflicts. *Child Development*, 62, 629–644.

Smith, A. N., & Spence, C. M. (1981). National day care study: Optimizing the day care environment. *American Journal of Orthopsychiatry*, 50, 718–721.

Smith, D. W., & Stenchever, M. A. (1978). Prenatal life and the pregnant woman. In D. W. Smith, E. L. Bierman & N. M. Robinson (Eds.), *The biologic ages of man* (2nd ed.) (pp. 42–77). Philadelphia: W. B. Saunders.

Smith, E. L. (1982). Exercise for prevention of osteoporosis: A review. *Physician and Sportsmedicine*, 10, 72–83.

Smoll, F. L., & Schutz, R. W. (1990). Quantifying gender differences in physical performance: A developmental perspective. *Developmental Psychology*, 26, 360–369.

Snarey, J., Son, L., Kuehne, V. S., Hauser, S., & Vaillant, G. (1987). The role of parenting in men's psychosocial development: A longitudinal study of early adulthood infertility and midlife generativity. *Developmental Psychology*, 23, 593–603.

Snarey, J. R. (1985). Cross-cultural universality of social-moral development: A critical review of Kohlbergian research. *Psychological Bulletin*, 97, 202–232.

Snarey, J. R., Reimer, J., & Kohlberg, L. (1985). Development of social-moral reasoning among kibbutz adolescents: A longitudinal cross-sectional study. *Developmental Psychology*, 21, 3–17.

Snow, M. E., Jacklin, C. N., & Maccoby, E. E. (1983). Sex-of-child differences in father-child interaction at one year of age. *Child Development*, 54, 227–232.

Snowdon, D. A., Kane, R. L., Beeson, L., Burke, G. L., Sprafka, J. M., Potter, J., Iso, H., Jacobs, D. R. Jr., & Phillips, R. L. (1989). Is early natural menopause a biologic marker of health and aging? *American Journal of Public Health, 79,* 709–714.

Snyder, L. (1978). Communicative and cognitive abilities and disabilities in the sensorimotor period. *Merrill-Palmer Quarterly, 24,* 161–180.

Soldo, B. J., Wolf, D. A., & Agree, E. M. (1990). Family, households, and care arrangements of frail older women: A structural analysis. *Journal of Gerontology: SOCIAL SCIENCES, 45,* S238–249.

Sonenstein, F. L., Pleck, J. H., & Ku, L. C. (1989). Sexual activity, condom use and AIDS awareness among adolescent males. *Family Planning Perspectives, 21,* 152–158.

Sorel, J. E., Ragland, D. R., & Syme, S. L. (1991). Blood pressure in Mexican Americans, whites, and blacks. *American Journal of Epidemiology, 134,* 370–378.

Sörensen, A. (1983). Women's employment patterns after marriage. *Journal of Marriage and the Family, 45,* 311–321.

Sosa, R., Kennell, J. H., Klaus, M. H., Robertson, S., & Urrutia, J. (1980). The effect of a supportive companion on perinatal problems, length of labor and mother-infant interaction. *New England Journal of Medicine, 303,* 597–600.

South, S. J. (1991). Sociodemographic differentials in mate selection preferences. *Journal of Marriage and the Family, 53,* 928–940.

Spanier, G. B., & Furstenberg, F. F., Fr. (1987). Remarriage and reconstituted families. In M. B. Sussman & S. K. Steinmetc (Eds.), *Handbook of marriage and the family* (pp. 419–434). New York: Plenum Press.

Speece, M. W., & Brent, S. B. (1984). Children's understanding of death: A review of three components of a death concept. *Child Development, 55,* 1671–1686.

Spelke, E. S. (1979). Exploring audible and visible events in infancy. In A. D. Pick (Ed.), *Perception and its development: A tribute to Eleanor J. Gibson* (pp. 221–236). Hillsdale, NJ: Erlbaum.

Spelke, E. S. (1991). Physical knowledge in infancy: Reflections on Piaget's theory. In S. Carey & R. Gelman (Eds.) *The epigenesis of mind. Essays on biology and cognition* (pp. 133–169). Hillsdale, NJ: Erlbaum.

Spelke, E. S., & Owsley, C. J. (1979). Intermodal exploration and knowledge in infancy. *Infant Behavior and Development, 2,* 13–27.

Spence, J. T., & Helmreich, R. L. (1978). *Masculinity and femininity.* Austin, TX: University of Texas Press.

Spencer, M. B., & Dornbusch, S. M. (1990). Challenges in studying minority youth. In S. S. Feldman & G. R. Elliott (Eds.), *At the threshold. The developing adolescent* (pp. 123–146). Cambridge, MA: Harvard University Press.

Spenner, K. I. (1988). Occupations, work settings and the course of adult development: Tracing the implications of select historical changes. In P. B. Baltes, D. L. Featherman, & R. M. Lerner (Eds.), *Life-span development and behavior,* Vol. 9 (pp. 244–288). Hillsdale, NJ: Erlbaum.

Spiegel, D., Bloom, J. R., Kraemer, H. C., & Gottheil, E. (October 14, 1989). Effect of psychosocial treatment on survival of patients with metastatic breast cancer. *The Lancet,* 888–891.

Spieker, S. J., & Booth, C. L. (1988). Maternal antecedents of attachment quality. In J. Belsky &. T. Nezworski (Eds.), *Clinical implications of attachment* (pp. 95–135). Hillsdale, NJ: Erlbaum.

Spitze, G. (1988). Women's employment and family relations: A review. *Journal of Marriage and the Family, 50,* 595–618.

Spitze, G., & Logan, J. (1990). More evidence on women (and men) in the middle. *Research on Aging, 12,* 182–198.

Sprey, J., & Matthews, S. H. (1982). Contemporary grandparenthood. A systematic transition. *Annals of the American Academy of Political Science, 464,* 91–103.

Sroufe, L. A. (1988). The role of infant-caregiver attachment in development. In J. Belsky & T. Nezworski (Ed.), *Clinical implications of attachment* (18–40). Hillsdale, NJ: Erlbaum.

Sroufe, L. A. (1989). Pathways to adaptation and maladaption: Psychopathology as developmental deviation. In D. Cicchetti, D. (Ed.), *The emergence of a discipline: Rochester symposium on developmental psychopathology* (Vol. 1) (pp. 13–40). Hillsdale, NJ: Erlbaum.

Sroufe, L. A. (1990). A developmental perspective on day care. In N. Fox & G. G. Fein (Eds.), *Infant day care: The current debate* (pp. 51–60). Norwood, NJ: Ablex.

Sroufe, L. A., Egeland, B., & Kreutzer, T. (1990). The fate of early experience following developmental change: Longitudinal approaches to individual adaptation in childhood. *Child Development, 61,* 1363–1373.

Sroufe, L. A., & Fleeson, J. (1986). Attachment and the construction of relationships. In W. W. Hartup & Z. Rubin (Eds.), *Relationships and development* (pp. 51–72). Hillsdale, NJ: Erlbaum.

Sroufe, L. A., & Waters, E. (1977). Attachment as an organizational construct. *Child Development, 48,* 1184–1199.

Stack, S. (1989). The impact of divorce on suicide in Norway, 1951–1980. *Journal of Marriage and the Family, 51,* 229–238.

Stadel, B. V., & Weiss, N. S. (1975). Characteristics of menopausal women: A survey of King and Pierce Counties in Washington, 1973–74. *American Journal of Epidemiology, 102* (Sept), 209–216.

Stambrook, M., & Parker, K. C. H. (1987). The development of the concept of death in childhood: A review of the literature. *Merrill-Palmer Quarterly, 33,* 133–158.

Stanford, E. P., Happersett, C. J., Morton, D. J., Molgaard, C. A., & Peddecord, K. M. (1991). Early retirement and functional impairment from a multiethnic perspective. *Research on Aging, 13,* 5–38.

Stanford, P., & Du Bois, B. C. (1992). Gender and ethnicity patterns. In J. E. Birren, R. B. Sloane & G. D. Cohen, (Eds.), *Handbook of mental health and aging* (2nd ed.) (pp. 99–119). San Diego, CA: Academic Press.

Starfield, B. (1991). Childhood morbidity: Comparisons, clusters, and trends. *Pediatrics, 88,* 519–526.

Starfield, B., & Pless, I. B. (1980). Physical health. In O. G. Brim, Jr. & J. Kagan. *Constancy and change in human development* (pp. 272–324). Cambridge, MA: Harvard University Press.

Stattin, H., & Klackenberg-Larsson, I. (1990). The relationship between maternal attributes in the early life of the child and the child's future criminal behavior. *Development and Psychopathology, 2,* 99–111.

Staudinger, U. M., Smith, J., & Baltes, P. B. (1992). Wisdom-related knowledge in a life review task: Age differences and the role of professional specialization. *Psychology and Aging, 7,* 271–281.

Stegner, W. (1976). *The spectator bird.* New York: Penguin Books.

Stein, Z., Susser, M., Saenger, G., & Morolla, F. (1975). *Famine and human development: The Dutch hunger winter of 1944–1945.* New York: Oxford University Press.

Steinberg, L. (1986). Latchkey children and susceptibility to peer pressure: An ecological analysis. *Developmental Psychology, 22,* 433–439.

Steinberg, L. (1988). Reciprocal relation between parent-child distance and pubertal maturation. *Developmental Psychology, 24,* 122–128.

Steinberg, L. (1990). Interdependence in the family: Autonomy, conflict and harmony in the parent-adolescent relationship. In S. S. Feldman & G. R. Elliott (Eds.), *At the threshold: The developing adolescent.* Cambridge, MA: Harvard University Press.

Steinberg, L., & Dornbusch, S. M. (1991). Negative correlates of part-time employment during adolescence: Replication and elaboration. *Developmental Psychology, 27,* 304–313.

Steinberg, L., Elmen, J. D., & Mounts, N. S. (1989). Authoritative parenting, psychosocial maturity, and academic success among adolescents. *Child Development, 60,* 1424–1436.

Steinberg, L., & Levine, A. (1990). *You and your adolescent. A parent's guide for ages 10 to 20.* New York: Harper & Row.

Steinberg, L., Mounts, N. S., Lamborn, S. D., & Dornbusch, S. D. (1991). Authoritative parenting and adolescent adjustment across varied ecological niches. *Journal of Research on Adolescence, 1,* 19–36.

Steinberg, L. D., & Silverberg, S. (1986). The vicissitudes of autonomy in early adolescence. *Child Development, 57,* 841–851.

Stenchever, M. A. (1978). Labor and delivery. In D. W. Smith, E. L. Bierman, & N. M. Robinson (Eds.), *The biologic ages of man* (2nd ed.) (pp. 78–86). Philadelphia: W. B. Saunders.

Sternberg, R. J. (1979). The nature of mental abilities. *American Psychologist, 34,* 214–230.

Sternberg, R. J. (1985). *Beyond IQ: A triarchic theory of human intelligence.* New York: Cambridge University Press.

Sternberg, R. J. (1986). *Intelligence applied.* New York: Harcourt Brace Jovanovich.

Sternberg, R. J. (1990a). Wisdom and its relations to intelligence and creativity. In R. J. Sternberg (Ed.), *Wisdom. Its nature, origins, and development* (pp. 142–159). Cambridge, England: Cambridge University Press.

Sternberg, R. J. (Ed.) (1990b). *Wisdom. Its nature, origins, and development.* Cambridge, England: Cambridge University Press.

Sternberg, R. J. (1991). Death, taxes, and bad intelligence tests. *Intelligence, 15,* 257–269.

Stevenson, H. W., & Chen, C. (1989). Schooling and achievement: A study of Peruvian children. *International Journal of Educational Research, 13,* 883–894.

Stevenson, H. W., Chen, C., Lee, S., & Fuligni, A. J. (1991). Schooling, culture, and cognitive development. In L. Okagaki & R. J. Sternberg (Eds.), *Directors of development* (pp. 243–268). Hillsdale, NJ: Erlbaum.

Stevenson, H. W., & Lee, S. (1990). Contexts of achievement: A study of American, Chinese, and Japanese children. *Monographs of the Society for Research in Child Development, 55,* (1–2, Serial No. 221).

Stevenson, H. W., Lee, S., Chen, C., Lummis, M., Stigler, J., Fan, L., & Ge, F. (1990). Mathematics achievement of children in China and the United States. *Child Development, 61,* 1053–1066.

Stewart, J. F., Popkin, B. M., Guilkey, D. K., Akin, J. S., Adair, L., & Flieger, W. (1991). Influences on the extent of breast-feeding: A prospective study in the Philippines. *Demography, 28,* 181–199.

Stigler, J. W., Lee, S., & Stevenson, H. W. (1987). Mathematics classrooms in Japan, Taiwan, and the United States. *Child Development, 58,* 1272–1285.

Stigler, J. W., & Stevenson, H. W. (Spring, 1991). How Asian teachers polish each lesson to perfection. *American Educator,* pp. 12–20, 43–47.

Stinner, W. F., Byun, Y., & Paita, L. (1990). Disability and living arrangements among elderly American men. *Research on Aging, 12,* 339–363.

Stoller, E. P. (1990). Males as helpers: The role of sons, relatives, and friends. *The Gerontologist, 30,* 228–235.

Stoller, E. P., Forster, L. E., & Duniho, T. S. (1992). Systems of parent care within sibling networks. *Research on Aging, 14,* 28–49.

St. Peters, M., Fitch, M., Huston, A. C., Wright, J. C., & Eakins, D. J. (1991). Television and families: What do young children watch with their parents? *Child Development, 62,* 1409–1423.

Strayer, F. F. (1980). Social ecology of the preschool peer group. In A. Collins (Ed.), *Minnesota symposia on child psychology* (Vol. 13) (pp. 165–196). Hillsdale, NJ: Erlbaum.

Streissguth, A. P., Aase, J. M., Clarren, S. K., Randels, S. P., LaDue, R. A., & Smith, D. F. (1991b). Fetal alcohol syndrome in adolescents and adults. *Journal of the American Medical Association, 265,* 1961–1967.

Streissguth, A. P., Barr, H. M., Martin, D. C., & Herman, C. S. (1980a). Effects of maternal alcohol, nicotine, and caffeine use during pregnancy on infant mental and motor development at eight months. *Alcoholism: Clinical and Experimental Research, 4,* 152–164.

Streissguth, A. P., Barr, H. M., & Sampson, P. D. (1990). Moderate prenatal alcohol exposure: Effects on child IQ and learning problems at age 7½ years. *Alcoholism: Clinical and Experimental Research, 14,* 662–669.

Streissguth, A. P., Barr, H. M., Sampson, P. D., Darby, B. L., & Martin, D. C. (1989). IQ at age 4 in relation to maternal alcohol use and smoking during pregnancy. *Developmental Psychology, 25,* 3–11.

Streissguth, A. P., Carmichael-Olson, H., Sampson, P. D., & Barr, H. M. (1991a). Alcohol vs. tobacco as prenatal correlates of child behavior: Follow-up to 11 years. Paper presented at the biennial meetings of the Society for Research in Child Development, Seattle, 1991.

Streissguth, A. P., Landesman-Dwyer, S., Martin, J. C., & Smith, D. W. (1980b). Teratogenic effects of alcohol in humans and laboratory animals. *Science, 209,* 353–361.

Streissguth, A. P., Martin, D. C., Barr, H. M., Sandman, B. M., Kirchner, G. L., & Darby, B. L. (1984). Intrauterine alcohol and nicotine exposure: Attention and reaction time in 4-year-old children. *Developmental Psychology, 20,* 533–541.

Streissguth, A. P., Martin, D. C., Martin, J. C., & Barr, H. M. (1981). The Seattle longitudinal prospective study on alcohol and pregnancy. *Neurobehavioral Toxicology and Teratology, 3,* 223–233.

Streufert, S., Pogash, R., Piasecki, M., & Post, G. M. (1990). Age and management team performance. *Psychology and Aging, 5,* 551–559.

Striegel-Moore, R. H., Silberstein, L. R., & Rodin, J. (1986). Toward an understanding of risk factors for bulimia. *American Psychologist, 41,* 246–263.

Strobino, D. M. (1987). The health and medical consequences of adolescent sexuality and pregnancy: A review of the literature. In S. L. Hofferth & C. D. Hayes (Eds.), *Risking the future. Adolescent sexuality, pregnancy, and childbearing. Working papers* (pp. 93–122). Washington, DC: National Academy Press.

Stroebe, W., & Stroebe, M. S. (1986). Beyond marriage: The impact of partner loss on health. In R. Gilmour & S. Duck (Eds.), *The emerging field of personal relations.* Hillsdale, NJ: Erlbaum.

Stueve, C. A., & Gerson, K. (1977). Personal relations across the lifecycle. In C. S. Fischer (Ed.), *Networks and places: Social relations in the urban setting* (pp. 78–98). New York: Free Press.

Stull, D. E., & Hatch, L. R. (1984). Unravelling the effects of multiple life changes. *Research on Aging, 6,* 560–571.

Stunkard, A. J., Sorensen, T. I. A., Hanis, C., Teasdale, T. W., Chakraborty, R, Schull, W. J., & Schulsinger, F. (1986). An adoption study of human obesity. *New England Journal of Medicine, 314,* 193–198.

Stunkard, A. J., Harris, J. R., Pedersen, N. L., & McClearn, G. E. (1990). The body-mass index of twins who have been reared apart. *New England Journal of Medicine, 322,* 1483–1487.

Sue, S., & Okazaki, S. (1990). Asian-American educational achievements: A phenomenon in search of an explanation. *American Psychologist, 45,* 913–920.

Sugar, J. A., & McDowd, J. M. (1992). Memory, learning, and attention. In J. E. Birren, R. B. Sloane & G. D. Cohen, (Eds.), *Handbook of* mental health and aging (2nd ed.) (pp. 307–339). San Diego, CA: Academic Press.

Swedo, S. E., Rettew, D. C., Kuppenheimer, M., Lum, D., Dolan, S., & Goldberger, E. (1991). Can adolescent suicide attempters be distinguished from at-risk adolescents? *Pediatrics, 88*, 620–629.

Swensen, C. H., Eskew, R. W., & Kohlhepp, K. A. (1981). Stage of family life cycle, ego development, and the marriage relationship. *Journal of Marriage and the Family, 43*, 841–853.

Syme, S. L. (1990). Control and health: An epidemiological perspective. In J. Rodin, C. Schooler & K. W. Schaie (Eds.) *Self-directedness. Cause and effects throughout the life course.* (pp. 213–229). Hillsdale, NJ: Erlbaum.

Taffel, S. M., Placek, P. J., & Liss, T. (1987). Trends in the United States cesarean section rate and reasons for the 1980–85 rise. *American Journal of Public Health, 77*, 955–959.

Tait, M., Padgett, M. Y., & Baldwin, T. T. (1989). Job and life satisfaction: A reevaluation of the strength of the relationship and gender effects as a function of the date of the study. *Journal of Applied Psychology, 74*, 502–507.

Takahashi, K. (1986). Examining the strange-situation procedure with Japanese mothers and 12-month-old infants. *Developmental Psychology, 22*, 265–270.

Talbott, M. M. (1990). The negative side of the relationship between older widows and their adult children: The mother's perspective. *The Gerontologist, 30*, 595–603.

Tamir, L. M. (1982). *Men in their forties. The transition to middle age.* New York: Springer.

Tamir, L. M. (1989). Modern myths about men at midlife: An assessment. In S. Hunter & M. Sundel (Eds.), *Midlife myths. Issues, findings, and practice implications.* Newbury Park, CA: Sage.

Tanner, J. M. (1962). *Growth at adolescence* (2nd ed.). Oxford: Blackwell Scientific Publications.

Tanner, J. M. (1970). Physical growth. In P. H. Mussen (Ed.), *Carmichael's manual of child psychology* (Vol. 1, 3rd ed.) (pp. 77–156). New York: Wiley.

Tanner, J. M. (1978). *Fetus into man. Physical growth from conception to maturity.* Cambridge, MA: Harvard University Press.

Tanner, J. M., Hughes, P. C. R., & Whitehouse, R. H. (1981). Radiographically determined widths of bone, muscle and fat in the upper arm and calf from 3–18 years. *Annals of Human Biology, 8*, 495–517.

Taylor, M., & Hort, B. (1990). Can children be trained in making the distinction between appearance and reality? *Cognitive Development, 5*, 89–99.

Taylor, R. J. (1986). Receipt of support from family among black Americans: Demographic and familial differences. *Journal of Marriage and the Family, 48*, 67–77.

Taylor, R. J., & Chatters, L. M. (1991). Extended family networks of older black adults. *Journal of Gerontology: SOCIAL SCIENCES, 46*, S210–217.

Taylor, R. J., Chatters, L. M., Tucker, M. B., & Lewis, E. (1990). Developments in research on black families: A decade review. *Journal of Marriage and the Family, 52*, 993–1014.

Tellegen, A., Lykken, D. T., Bouchard, T. J., Wilcox, K. J., Segal, N. L., & Rich, S. (1988). Personality similarity in twins reared apart and together. *Journal of Personality and Social Psychology, 54*, 1031–1039.

Temoshok, L. (1987). Personality, coping style, emotion and cancer: Towards an integrative model. *Cancer Surveys, 6*, 545–567.

Terman, L. (1916). *The measurement of intelligence.* Boston: Houghton Mifflin.

Terman, L., & Merrill, M. A. (1937). *Measuring intelligence: A guide to the administration of the new revised Stanford-Binet tests.* Boston: Houghton Mifflin.

Teti, D. M., & Ablard, K. E. (1989). Security of attachment and infant-sibling relationships: A laboratory study. *Child Development, 60*, 1519–1528.

Teti, D. M., Gelfand, D. M., & Pompa, J. (1990). Depressed mothers' behavioral competence with their infants: Demographic and psychosocial correlates. *Development and Psychopathology, 2*, 259–270.

Teti, D. M., Lamb, M. E., & Elster, A. B. (1987). Long-range socioeconomic and marital consequences of adolescent marriage in three cohorts of adult males. *Journal of Marriage and the Family, 49*, 499–506.

Tew, M. (1985). Place of birth and perinatal mortality. *Journal of the Royal College of General Practitioners, 35*, 390–394.

Thelen, E. (1981). Rhythmical behavior in infancy: An ethological perspective. *Developmental Psychology, 17*, 237–257.

Thelen, E. (1989). The (re)discovery of motor development: Learning new things from an old field. *Developmental Psychology, 25*, 946–949.

Thelen, E., & Ulrich, B. D. (1991). Hidden skills: A dynamic systems analysis of treadmill stepping during the first year. *Monographs of the Society for Research in Child Development, 56* (1, Serial No. 223).

Thomas, A., & Chess, S. (1977). *Temperament and development.* New York: Brunner/Mazel.

Thomas, R. M. (Ed.) (1990). *The encyclopedia of human development and education. Theory, research, and studies.* Oxford: Pergamon Press.

Thompson, L., & Walker, A. J. (1984). Mothers and daughters: aid patterns and attachment. *Journal of Marriage and the Family, 46*, 313–322.

Thompson, R. A. (1990). The effects of infant day care through the prism of attachment theory: A critical appraisal. In N. Fox & G. G. Fein (Eds.) *Infant day care: The current debate* (pp. 41–50). Norwood, NJ: Ablex.

Thompson, R. A., & Lamb, M. E. (1982). Stranger sociality and its relationship to temperament and social experience during the second year. *Infant Behavior and Development, 5*, 277–287.

Thompson, R. A., Lamb, M. E., & Estes, D. (1982). Stability of infant-mother attachment and its relationship to changing life circumstances in an unselected middle-class sample. *Child Development, 53*, 144–148.

Thompson, R. A., Lamb, M. E., & Estes, D. (1983). Harmonizing discordant notes: A reply to Waters. *Child Development, 54*, 521–524.

Thompson, S. K. (1975). Gender labels and early sex role development. *Child Development, 46*, 339–347.

Thorne, B. (1986). Girls and boys together . . . but mostly apart: Gender arrangements in elementary schools. In W. W. Hartup & Z. Rubin (Eds.), *Relationships and development* (pp. 167–184). Hillsdale, NJ: Erlbaum.

Thornton, A. (1990). The courtship process and adolescent sexuality. *Journal of Family Issues, 11*, 239–273.

Tice, R. R., & Setlow, R. B. (1985). DNA repair and replication in aging organisms and cells. In C. E. Finch & E. L. Schneider (Eds.), *Handbook of the biology of aging* (2nd ed.). New York: Van Nostrand Reinhold.

Timmer, S. G., Eccles, J., & O'Brien, K. (1985). How children use time. In F. T. Juster & F. P. Stafford (Eds.), *Time, goods, and well being* (pp. 353–369). Ann Arbor: Institute for Social Research, The University of Michigan.

Tobin-Richards, M. H., Boxer, A. M., & Petersen, A. C. (1983). The psychological significance of pubertal change: Sex differences in perceptions of self during early adolescence. In J. Brooks-Gunn and A. C. Petersen (Eds.), *Girls at puberty. Biological and psychosocial perspectives* (pp. 127–154). New York: Plenum.

Tomlinson-Keasey, C., Eisert, D. C., Kahle, L. R., Hardy-Brown, K., & Keasey, B. (1978). The structure of concrete operational thought. *Child Development, 50,* 1153–1163.

Trehub, S. E., Bull, D., & Thorpe, L. A. (1984). Infants' perception of melodies: The role of melodic contour. *Child Development, 55,* 821–830.

Trehub, S. E., & Rabinovitch, M. S. (1972). Auditory-linguistic sensitivity in early infancy. *Developmental Psychology, 6,* 74–77.

Trehub, S. E., Thorpe, L. A., & Morrongiello, B. A. (1985). Infants' perception of melodies: Changes in a single tone. *Infant Behavior and Development, 8,* 213–223.

Tremblay, R. E. (1991). Commentary. Aggression, prosocial behavior, and gender: Three magic words, but no magic wand. In D. J. Pepler & K. H. Rubin (Eds.), *The development and treatment of aggression* (pp. 71–78). Hillsdale, NJ: Erlbaum.

Troll, L. E. (1985). The contingencies of grandparenting. In V. L. Bengtson & J. F. Robertson (Eds.) *Grandparenthood* (pp. 135–150). Beverly Hills, CA: Sage.

Trussell, J., & Rao, K. V. (1989). Premarital cohabitation and marital stability: A reassessment of the Canadian evidence. *Journal of Marriage and the Family, 51,* 535–539.

Tsuya, N. O., & Martin, L. G. (1992). Living arrangements of elderly Japanese and attitudes toward inheritance. *Journal of Gerontology: SOCIAL SCIENCES, 47,* S45–54.

Tunmer, W. E., Herriman, M. L., & Nesdale, A. R. (1988). Metalinguistic abilities and beginning reading. *Reading Research Quarterly, 23,* 134–158.

Tunstall-Pedoe, H., & Smith, W. C. S. (1990). Cholesterol as a risk factor for coronary heart disease. *British Medical Bulletin, 46,* 1075–1087.

Turiel, E. (1966). An experimental test of the sequentiality of developmental stages in the child's moral judgment. *Journal of Personality and Social Psychology, 3,* 611–618.

Uhlenberg, P., & Chew, K. S. (1986). The changing place of remarriage in the life course. In D. L. Kertzer (Ed.), *Current perspectives on aging and the life cycle* (Vol. 2, pp. 23–52). Greenwich, CT: JAI Press.

Uhlenberg, P., Cooney, T., & Boyd, R. (1990). Divorce for women after midlife. *Journal of Gerontology: SOCIAL SCIENCES, 45,* S3–11.

Umberson, D., & Gove, W. R. (1989). Parenthood and psychological well-being. Theory, measurement, and stage in the family life course. *Journal of Family Issues, 10,* 440–462.

Ungerer, J. A., & Sigman, M. (1984). The relation of play and sensorimotor behavior to language in the second year. *Child Development, 55,* 1448–1455.

U.S. Bureau of the Census (1984). *Statistical Abstract of the United States: 1985.* (105th ed.) Washington, DC: U.S. Government Printing Office.

U.S. Bureau of the Census (1989a). Current Population Reports, Series P-23, No. 162, *Studies in Marriage and the Family.* Washington, DC: U.S. Government Printing Office.

U.S. Bureau of the Census (1989b). *Statistical Abstract of the United States: 1989* (109th edition). Washington, DC: U.S. Government Printing Office.

U.S. Bureau of the Census (1990). *Statistical abstract of the United States 1990* (110th ed.). Washington, DC: U.S. Government Printing Office.

U.S. Bureau of the Census (1991). *Statistical abstract of the United States 1991* (111th ed.). Washington, DC: U.S. Government Printing Office.

Urberg, K. A., & Labouvie-Vief, G. (1976). Conceptualizations of sex roles: A life-span developmental study. *Developmental Psychology, 12,* 15–23.

Uzgiris, I. C. (1973). Patterns of cognitive development in infancy. *Merrill-Palmer Quarterly, 19,* 21–40.

Vaillant, G. E. (1975). Natural history of male psychological health. III. Empirical dimensions of mental health. *Archives of General Psychiatry, 32,* 420–426.

Vaillant, G. E. (1977). *Adaptation to life: How the best and brightest came of age.* Boston: Little, Brown.

Vaillant, G. E. (1990). Avoiding negative life outcomes: Evidence from a forty-five year study. In P. B. Baltes & M. M. Baltes (Eds.), *Successful aging* (pp. 332–358). Cambridge, England: Cambridge University Press.

Vaillant, G. E. (1991). The association of ancestral longevity with successful aging. *Journal of Gerontology: PSYCHOLOGICAL SCIENCES, 46,* P292–298.

Vaillant, G. E., & Vaillant, C. O. (1990). Natural history of male psychological health, XII: A 45-year study of predictors of successful aging at age 65. *American Journal of Psychiatry, 147,* 31–37.

Van de Perre, Simonon, A., Msellati, P., Hitimani, D., Vaira, D., Bazebagira, A., Van Goethem, C., Stevens, A., Karita, E., Sondag-Thull, D., Dabis, F., & Lepage, P. (1991). Postnatal transmission of human immunodeficiency virus type 1 from mother to infant. *New England Journal of Medicine, 325,* 593–598.

Van Duijn, C. M., Stijnen, T., & Hofman, A. (1991). Risk factors for Alzheimer's disease: Overview of the EURODEM collaborative re-analysis of case-control studies. *International Journal of Epidemiology, 2* (Suppl. 2), S4–12.

van IJzendoorn, M. H., & Kroonenberg, P. M. (1988). Cross-cultural patterns of attachment: A meta-analysis of the Strange Situation. *Child Development, 59,* 147–156.

Van Kammen, W. B., Loeber, R., & Stouthamer-Loeber, M. (1991). Substance use and its relationship to conduct problems and delinquency in young boys. *Journal of Youth and Adolescence, 20,* 399–413.

Van Velsor, E., & O'Rand, A. M. (1984). Family life cycle, work career patterns, and women's wages at midlife. *Journal of Marriage and the Family, 46,* 365–373.

Vasudev, J. (1983). *A study of moral reasoning at different life stages in India.* Unpublished manuscript, University of Pittsburgh, PA.

Vaughn, B. E., Egeland, B., Sroufe, L. A., & Waters, E. (1979). Individual differences in infant-mother attachment at twelve and eighteen months: Stability and change in families under stress. *Child Development, 50,* 971–975.

Vega, W. A. (1990). Hispanic families in the 1980s: A decade of research. *Journal of Marriage and the Family, 52,* 1015–1024.

Verbrugge, L. M. (1984). A health profile of older women with comparisons to older men. *Research on Aging, 6,* 291–322.

Verbrugge, L. M. (1985). An epidemiological profile of older women. In M. R. Haug, A. B. Ford & M. Sheafor, (Eds.), *The physical and mental health of aged women.* New York: Springer.

Verbrugge, L. M. (1989). Gender, aging, and health. In K. S. Markides (Ed.), *Aging and health.* Newbury Park, CA: Sage.

Verbrugge, L. M., Lepkowski, J. M., & Konkol, L. L. (1991). Levels of disability among U.S. adults with arthritis. *Journal of Gerontology: SOCIAL SCIENCES, 46,* S71–83.

Verbrugge, L. M., & Wingard, D. L. (1987). Sex differentials in health and mortality. *Women and Health, 12,* 103–145.

Verhaeghen, P., Marcoen, A., & Goossens, L. (1992). Improving memory performance in the aged through mnemonic training: A meta-analytic study. *Psychology and Aging, 7,* 242–251.

Vernon, P. A. (Ed.), (1987). *Speed of information-processing and intelligence.* Norwood, NJ: Ablex.

Veroff, J., Douvan, E., & Kulka, R. A. (1981). *The inner American. A self-portrait from 1957 to 1976.* New York: Basic Books.

Victorian Infant Collaborative Study Group (1991). Eight-year outcome in infants with birth weight of 500–999 grams: Continuing regional study of 1979 and 1980 births. *Journal of Pediatrics, 118,* 761–767.

Vihko, R., & Apter, D. (1980). The role of androgens in adolescent cycles. *Journal of Steroid Biochemistry, 12,* 369–373.

Vinovskis, M. (1988). *An "epidemic" of adolescent pregnancy? Some historical and policy considerations.* New York: Oxford University Press.

Vorhees, C. F., & Mollnow, E. (1987). Behavioral teratogenesis: Long-term influences on behavior from early exposure to environmental agents. In J. D. Osofsky (Ed.), *Handbook of infant development* (2nd ed.) (pp. 913–971). New York: Wiley-Interscience.

Vuchinich, S., Hetherington, E. M., Vuchinich, R. A., & Clingempeel, W. G. (1991). Parent-child interaction and gender differences in early adolescents' adaptation to step families. *Developmental Psychology, 27,* 618–626.

Vygotsky, L. S. (1962). *Thought and language.* New York: Wiley.

Wahlström, J. (1990). Gene map of mental retardation. *Journal of Mental Deficiency Research, 34,* 11–27.

Walaskay, M., Whitbourne, S. K., & Nehrke, M. F. (1983–84). Construction and validation of an ego integrity status interview. *International Journal of Aging and Human Development, 18,* 61–72.

Wald, E. R., Guerra, N., & Byers, C. (1991). Frequency and severity of infections in day care: Three-year follow-up. *Journal of Pediatrics, 118,* 509–514.

Wald, N. J., Cuckle, H. S., Densem, J. W., Nanchahal, K., Royston, P, Chard, T., Haddow, J. E., Knight, G. J., Palomaki, G. E., & Canick, J. A. (1988). *British Medical Journal, 297,* 883–887.

Walden, T. A. (1991). Infant social referencing. In J. Garber & K. A. Dodge (Eds.), *The development of emotion regulation and dysregulation* (pp. 69–88). Cambridge, England: Cambridge University Press.

Waldrop, M. F., & Halverson, C. F. (1975). Intensive and extensive peer behavior: Longitudinal and cross-sectional analysis. *Child Development, 46,* 19–26.

Walker, A. (1990). Poverty and inequality in old age. In J. Bond & P. Coleman (eds.), *Aging in Society* (pp. 229–249). London: Sage Publications.

Walker, A. J., & Thompson, L. (1983). Intimacy and intergenerational aid and contact among mothers and daughters. *Journal of Marriage and the Family, 45,* 841–849.

Walker, L. J. (1980). Cognitive and perspective-taking prerequisites for moral development. *Child Development, 51,* 131–139.

Walker, L. J. (1989). A longitudinal study of moral reasoning. *Child Development, 60,* 157–160.

Walker, L. J., de Vries, B., & Trevethan, S. D. (1987). Moral stages and moral orientations in real-life and hypothetical dilemmas. *Child Development, 58,* 842–858.

Walker-Andrews, A. S., & Lennon, E. (1991). Infants' discrimination of vocal expressions: Contributions of auditory and visual information. *Infant Behavior and Development, 14,* 131–142.

Wallerstein, J. (Jan 22, 1989). Children after divorce. Wounds that don't heal. *The New York Times Magazine,* 19–21, 41–44.

Wallerstein, J. S. (1984). Children of divorce: Preliminary report of a ten-year follow-up of young children. *American Journal of Orthopsychiatry, 54,* 444–458.

Wallerstein, J. S. (1986). Women after divorce: Preliminary report from a ten-year-follow-up. *American Journal of Orthopsychiatry, 56,* 65–77.

Walls, C. T., & Zarit, S. H. (1991). Informal support from black churches and the well-being of elderly blacks. *The Gerontologist, 31,* 490–495.

Walsh, W. B., Horton, J. A., & Gaffey, R. L. (1977). Holland's theory and college degreed working men and women. *Journal of Vocational Behavior, 10,* 180–186.

Ward, S. L., & Overton, W. F. (1990). Semantic familiarity, relevance, and the development of deductive reasoning. *Developmental Psychology, 26,* 488–493.

Warr, P., Jackson, P., & Banks, M. (1988). Unemployment and mental health: Some British studies. *Journal of Social Issues, 44,* 47–68.

Waterman, A. S. (1985). Identity in the context of adolescent psychology. *New Directions for Child Development, 30,* 5–24.

Waters, E. (1978). The reliability and stability of individual differences in infant-mother attachment. *Child Development, 59,* 483–494.

Watkins, S. C., Menken, J. A., & Bongaarts, J. (1987). Demographic foundations of family change. *American Sociological Review, 52,* 346–358.

Watson, J. D., & Crick, F. H. C. (1953). Molecular structure of nucleic acid. A structure for deoxyribose nucleic acid. *Nature, 171,* 737–738.

Waxman, M. A., & Stunkard, A. J. (1981). Caloric intake and expenditure in obese boys. *Journal of Pediatrics, 96,* 187–193.

Waxman, S., & Gelman, R. (1986). Preschoolers' use of superordinate relations in classification and language. *Cognitive Development, 1,* 139–156.

Waxman, S. R., & Kosowski, T. D. (1990). Nouns mark category relations: Toddlers' and preschoolers' word-learning biases. *Child Development, 61,* 1461–1473.

Webster-Stratton, C. (1988). Mothers' and fathers' perceptions of child deviance: Roles of parent and child adjustment and child deviance. *Journal of Consulting and Clinical Psychology, 56,* 909–915.

Wechsler, D. (1974). *Manual for the Wechsler Intelligence Scale for Children, Revised.* New York: Psychological Corp.

Weg, R. B. (1983). The physiological perspective. In R. B. Weg (Ed.), *Sexuality in the later years. Roles and behavior.* New York: Academic Press.

Weg, R. B. (1987a). Demography. In D. R. Mischel Jr. (Ed.), *Menopause: Physiology and pharmacology* (pp. 23–40). Chicago: Year Book Medical Publishers.

Weg, R. B. (1987b). Sexuality in the menopause. In D. R. Mischel Jr. (Ed.), *Menopause: Physiology and pharmacology* (pp. 127–138). Chicago: Year Book Medical Publishers.

Wegman, M. E. (1991). Annual summary of vital statistics—1990. *Pediatrics, 88,* 1081–1092.

Weinberg, R. A. (1989). Intelligence and IQ: Landmark issues and great debates. *American Psychologist, 44,* 98–104.

Weinberg, R. A., Scarr, S., & Waldman, I. D. (1992). The Minnesota transracial adoption study: A follow-up of IQ test performance. *Intelligence, 16,* 117–135.

Weinraub, M., Clemens, L. P., Sockloff, A., Ethridge, T., Gracely, E., & Myers, B. (1984). The development of sex role stereotypes in the third year: Relationships to gender labeling, gender identity, sex-typed toy preference, and family characteristics. *Child Development, 55,* 1493–1503.

Weisburger, J. H., & Wynder, E. L. (1991). Dietary fat intake and cancer. *Hematology/Oncology Clinics of North America, 5,* 7–23.

Weisner, T. S. (1984). Ecocultural niches of middle childhood: A cross-cultural perspective. In W. A. Collins (Ed.) *Development during middle childhood. The years from six to twelve* (pp. 335–369). Washington, DC: National Academy Press.

Weiss, R. S. (1986). Continuities and transformations in social relationships from childhood to adulthood. In W. W. Hartup & Z. Rubin (Eds.), *On relationships and development.* (pp. 95–110). Hillsdale, NJ: Erlbaum.

Weisse, C. S. (1992). Depression and immunocompetence: A review of the literature. *Psychological Bulletin, 111,* 475–489.

Wellman, H. M. (1982). The foundations of knowledge: Concept development in the young child. In S. G. Moore & C. C. Cooper (Eds.), *The young child. Reviews of research* (Vol. 3) (pp. 115–134). Washington, DC: National Association for the Education of Young Children.

Wellman, H. M. (1988). First steps in the child's theorizing about the mind. In J. W. Astington, P. L. Harris, & D. R. Olson (Eds.), *Developing theories of mind* (pp. 64–92). New York: Cambridge University Press.

Wen, S. W., Goldenberg, R. L., Cutter, G. R., Hoffman, H. J., Cliver, S. P., Davis, R. O., & DuBard, M. D. (1990). Smoking, maternal age, fetal growth, and gestational age at delivery. *American Journal of Obstetrics and Gynecology, 162,* 53–58.

Werker, J. F., & Tees, R. C. (1984). Cross-language speech perception: Evidence for perceptual reorganization during the first year of life. *Infant Behavior and Development, 7,* 49–63.

Werner, E. E. (1986). A longitudinal study of perinatal risk. In D. C. Farran & J. D. McKinney (Eds.), *Risk in intellectual and psychosocial development* (pp. 3–28). Orlando, FL: Academic Press.

Werner, E. E., & Smith, R. S. (1982). *Vulnerable but invincible: A study of resilient children.* New York: McGraw-Hill.

Werner, E. E., Bierman, J. M., & French, F. E. (1971). *The children of Kauai.* Honolulu: University of Hawaii Press.

Werner, H. (1948). *Comparative psychology of mental development.* Chicago: Follett.

West, R. L., & Crook, T. H. (1990). Age differences in everyday memory: Laboratory analogues of telephone number recall. *Psychology and Aging, 5,* 529–529.

West, R. L., Crook, T. H., & Barron, K. L. (1992). Everyday memory performance across the life span: Effects of age and noncognitive individual differences. *Psychology and Aging, 7,* 72–82.

Whitbeck, L. B., Simons, R. L., & Conger, R. D. (1991). The effects of early family relationships on contemporary relationships and assistance patterns between adult children and their parents. *Journal of Gerontology: SOCIAL SCIENCES, 46,* S330–337.

White, A. T., & Spector, P. E. (1987). An investigation of age-related factors in the age-job-satisfaction relationship. *Psychology and Aging, 2,* 261–265.

White, J. (1987). Premarital cohabitation and marital stability in Canada. *Journal of Marriage and the Family, 49,* 641–647.

White, L. K. (1990). Determinants of divorce: A review of research in the eighties. *Journal of Marriage and the Family, 52,* 904–912.

White, L. R., Cartwright, W. S., Cornoni-Huntley, J., & Brock, D. B. (1986). Geriatric epidemiology. In C. Eisdorfer (Ed.), *Annual review of gerontology and geriatrics* (Vol. 6). New York: Springer.

White, N., & Cunningham, W. R. (1988). Is terminal drop pervasive or specific? *Journals of Gerontology: PSYCHOLOGICAL SCIENCES, 43,* P141–144.

Wiesenfeld, A. R., Malatesta, C. Z, & DeLoach, L. L. (1981). Differential parental response to familiar and unfamiliar infant distress signals. *Infant Behavior and Development, 4,* 281–296.

Wigfield, A., Eccles, J. S., MacIver, D., Reuman, D. A., & Midgley, C. (1991). Transitions during early adolescence: Changes in children's domain-specific self-perceptions and general self-esteem across the transition to junior high school. *Developmental Psychology, 27,* 552–565.

Wilcox, A. J., Weinberg, C. R., O'Connor, J. F., Baird, D. D., Schlaatterer, J. P., Canfield, R. E., Armstrong, E. G., & Nisula, B. C. (1988). Incidence of early loss of pregnancy. *New England Journal of Medicine, 319,* 189–194.

Wilkinson, R. T., & Allison, S. (1989). Age and simple reaction time: decade differences for 5,325 subjects. *Journal of Gerontology: PSYCHOLOGICAL SCIENCES, 44,* P29–35.

Williams, D. R. (1992). Social structure and the health behaviors of blacks. In K. W. Schaie, D. Blazer & J. S. House (Eds.), *Aging, health behaviors, and health outcomes* (pp. 59–64). Hillsdale, NJ: Erlbaum.

Williams, J. E., & Best, D. L. (1990). *Measuring sex stereotypes. A multination study* (rev. ed.). Newbury Park, CA: Sage.

Williams, R. B., Barefoot, J. C., Califf, R. M., Haney, T. L., Saunders, W. B., Pryor, D. B., Hlatky, M. A., Siegler, I. C., & Mark, D. B. (1992). Prognostic importance of social and economic resources among medically treated patients with angiographically documented coronary artery disease. *Journal of the American Medical Association, 267,* 520–524.

Williamson, N. E. (1990). Breastfeeding trends and the breastfeeding promotion program in the Philippines. *International Journal of Gynecology & Obstetrics, 31* (Suppl. 1), 45–41.

Willig, A. (1985). Meta-analysis of studies on bilingual education. *Review of Educational Research, 55,* 269–317.

Willis, L., Thomas, P., Garry, P. J., & Goodwin, J. S. (1987). A prospective study of response to stressful life events in initially healthy elders. *Journal of Gerontology, 42,* 627–630.

Willis, S. L., Jay, G. M., Diehl, M., & Marsiske, M. (1992). Longitudinal change and prediction of everyday task competence in the elderly. *Research on Aging, 14,* 68–91.

Willis, S. L., & Nesselroade, C. S. (1990). Long-term effects of fluid ability training in old-old age. *Developmental Psychology, 26,* 905–910.

Willits, F. K., & Crider, D. M. (1988). Health rating and life satisfaction in the later middle years. *Journal of Gerontology: SOCIAL SCIENCES, 43,* S172–176.

Wilson, M. R., & Filsinger, E. E. (1986). Religiosity and marital adjustment: Multidimensional interrelationships. *Journal of Marriage and the Family, 48,* 147–151.

Winick, M. (1980). *Nutrition in health and disease.* New York: Wiley.

Woodward, A. L., & Markman, E. M. (1991). Review. Constraints on learning as default assumptions: Comments on Merriman and Bowman's "The mutual exclusivity bias in children's word learning." *Developmental Review, 11,* 137–163.

World Health Organization (1981). *Contemporary patterns of breastfeeding. Report on the WHO collaborative study on breast-feeding.* Geneva: World Health Organization.

Worobey, J. L., & Angel, R. J. (1990). Functional capacity and living arrangements of unmarried elderly persons. *Journal of Gerontology: SOCIAL SCIENCES, 45,* S95–101.

Wortman, C. B., & Silver, R. C. (1987). Coping with irrevocable loss. In G. R. VandenBos & B. K. Bryant (Eds.), *Cataclysms, crises, and catastrophes: Psychology in action.* Washington, DC: American Psychological Association.

Wortman, C. B., & Silver, R. C. (1989). The myths of coping with loss. *Journal of Consulting and Clinical Psychology, 57,* 349–357.

Wortman, C. B., & Silver, R. C. (1990). Successful mastery of bereavement and widowhood: A life-course perspective. In P. B. Baltes & M. M. Baltes (Eds.), *Successful aging* (pp. 225–264). Cambridge, England: Cambridge University Press.

Wright, P. H. (1989). Gender differences in adults' same- and cross-gender friendships. In R. G. Adams & R. Blieszner (Eds.), *Older adult friendship* (pp. 197–221). Newbury Park, CA: Sage Publications.

Ycas, M. A., & Grad, S. (1987). Income of retirement-aged persons in the United States. *Social Security Bulletin, 50(7),* 5–14.

Yeates, K. O., MacPhee, D., Campbell, F. A., & Ramey, C. T. (1983). Maternal IQ and home environment as determinants of early childhood intellectual competence: A developmental analysis. *Developmental Psychology, 19,* 731–739.

Zahn-Waxler, C., & Radke-Yarrow, M. (1982). The development of altruism: Alternative research strategies. In N. Eisenberg (Ed.), *The development of prosocial behavior* (pp. 109–138). New York: Academic Press.

Zahn-Waxler, C., Radke-Yarrow, M., & King, R. A. (1979). Child-rearing and children's prosocial initiations toward victims of distress. *Child Development, 50,* 319–330.

Zahn-Waxler, C., Radke-Yarrow, M., Wagner, E., & Chapman, M. (1992). Development of concern for others. *Developmental Psychology, 28,* 126–136.

Zaslow, M. J., & Hayes, C. D. (1986). Sex differences in children's responses to psychosocial stress: Toward a cross-context analysis. In M. E. Lamb, A. L. Brown, & B. Rogoff (Eds.), *Advances in developmental psychology* (Vol. 4) (pp. 285–238). Hillsdale, NJ: Erlbaum.

Zeskind, P. S., & Lester, B. M. (1978). Acoustic features and auditory perceptions of the cries of newborns with prenatal and perinatal complications. *Child Development, 49,* 580–589.

Zigler, E., & Hall, N. W. (1989). Physical child abuse in America: Past, present, and future. In D. Cicchetti & V. Carlson (Eds.), *Child maltreatment* (pp. 38–75). Cambridge, England: Cambridge University Press.

Zigler, E., & Hodapp, R. M. (1991). Behavioral functioning in individuals with mental retardation. *Annual Review of Psychology, 42,* 29–50.

Zirkel, S., & Cantor, N. (1990). Personal construal of life tasks: Those who struggle for independence. *Journal of Personality and Social Psychology, 58,* 172–185.

* Campos, J. J., A. Langer et A. Krowitz (1970). Cardiac responses on the visual cliff in prelocomotor human infants, *Science,* 170, p. 196 et 197.

* Gibson, E. J. et R. D. Walk (1960). The visual cliff, *Scientific American,* 202, p. 80 à 92.

* Ouvrages supplémentaires consultés pour la version française.

Sources des photographies

Couverture : Marie Lynn Spoto

Chapitre 1

Pages 3 et 4 : Patrisha Thomson/Tony Stone Images. Page 5 : Murielle Villeneuve. Page 6 : Alan Bedding/Tony Stone Images. Page 7 : en haut à gauche : Michel Gascon/Réflexion Photothèque ; en haut à droite : Noble Stock-International Stock/Réflexion Photothèque ; en bas à gauche : John Fortunato/ Tony Stone Images ; en bas à droite : Camerique/Réflexion Photothèque. Page 9 : Corbis-Bettmann. Page 10 : Muriel Normand. Page 13 : Jacqueline Leroux.

Chapitre 2

Pages 29 et 30 : Jean-Pierre Albert. Page 36 : Marie Saint-Loup. Page 41 : Jacqueline Leroux. Page 45 : Jacqueline Leroux. Page 47 : Andy Sacks/Tony Stone Images.

Chapitre 3

Page 55 : Thia Konig/Tony Stone Images. Page 57 : en haut : Thia Konig/Tony Stone Images ; en bas : Francis Leroy, Biocosmos-Science Photo Library/Photo Researchers, Inc. Page 64 : (a), (b), (c), (d) Petit Format-Nestlé/Photo Researchers, Inc. Page 66 : Gary Parker-Science Photo Library/Photo Researchers, Inc. Page 70 : George Steinmetz. Page 77 : © SIU/Peter Arnold, Inc. Page 81 : Jean-Pierre Albert. Page 82 : Jean-Pierre Albert.

Chapitre 4

Pages 91 et 93 : Hélène Saint-Hilaire. Page 94 : William Vandivert. Page 97 : H. Guether – Mauritius/Réflexion Photothèque. Page 99 : en haut à gauche : Jean-Pierre Albert ; en bas à gauche : Marie Saint-Loup ; à droite : Marie Saint-Loup. Page 101 : Hélène Camiran. Page 105 : Jacqueline Leroux. Page 106 : P. Duckworth – Camerique/Réflexion Photothèque. Page 109 : Jacqueline Leroux. Page 110 : George Zimbel/Monkmeyer Press. Page 111 : Muriel Normand. Page 112 : en haut : Jacqueline Leroux ; en bas : Muriel Normand. Page 113 : Denise Landry. Page 117 : Camerique/Réflexion Photothèque. Page 119 : à gauche : Jacqueline Leroux ; à droite : Denise Landry. Page 122 : Muriel Normand.

Chapitre 5

Pages 129 et 131 : Jacqueline Leroux. Page 133 : Bianca Lam. Page 134 : Mélanie Carr/Réflexion Photothèque. Page 135 : Jacqueline Leroux. Page 137 : K. Morris – Stock Imagery/ Réflexion Photothèque. Page 143 : Bianca Lam. Page 145 : Réflexion Photothèque. Page 148 : Bianca Lam. Page 153 : Jacqueline Leroux. Page 157 : Jean-Pierre Albert.

Chapitre 6

Pages 169 et 171 : Jacqueline Leroux. Page 174 : en haut : Denise Landry ; en bas à gauche : François Perri/Cosmos Prim ; en bas à droite : François Prim/Cosmos Prim. Page 176 : Jacqueline Leroux. Page 177 : en haut : Jacqueline Leroux ; en bas : The New York Times/NYT Pictures. Page 181 : Jacqueline Leroux. Page 190 : Jacqueline Leroux. Page 192 : Denise Landry. Page 194 : David Young-Wolff/PhotoEdit. Page 195 : Kevin Horan/Tony Stone Images. Page 193 : Frank Herholdt/Tony Stone Images.

Chapitre 7

Pages 201 et 203 : Jacqueline Leroux. Page 205 : Denise Landry. Page 206 : Denise Landry. Page 208 : Jacqueline Leroux. Page 210 : Stock Imagery/Réflexion Photothèque. Page 211 : Tom McCarthy/PhotoEdit. Page 212 : Jacqueline Leroux. Page 218 : Laura Dwight. Page 220 : Myrleen Ferguson Cate/PhotoEdit. Page 225 : Jacqueline Leroux.

Chapitre 8

Pages 247 et 248 : Muriel Normand. Page 250 : Daniel Lainé/Cosmos Prim. Page 253 : Muriel Normand. Page 256 : Muriel Normand. Page 260 : Paul Conklin/PhotoEdit. Page 261 : Muriel Normand. Page 264 : Tony Savino/The Image Works. Page 267 : David Young-Wolff/PhotoEdit. Page 269 : Bill Bachmann/PhotoEdit.

Chapitre 9

Page 286 : Peter Menzel/Stock Boston. Page 291 : Phil Borden/PhotoEdit. Page 295 : Richard Hutchings/Photo Edit. Page 299 : Rolland Renaud.

Index

Les lettres *t* et *f* renvoient respectivement à des tableaux et à des figures.